AF192458

ACCESO GRATIS *a la Lectura en la Nube*

Para visualizar el libro electrónico en la nube de lectura envíe junto a su nombre y apellidos una fotografía del código de barras situado en la contraportada del libro y otra del ticket de compra a la dirección:

ebooktirant@tirant.com

En un máximo de 72 horas laborales le enviaremos el código de acceso con sus instrucciones.

DERECHO DE FAMILIA Y LECCIONES SOBRE TRIBUTACIÓN

TOMO II
DE LOS HIJOS

DERECHO DE FAMILIA Y LECCIONES SOBRE TRIBUTACIÓN

Tomo II
De Los Hijos

MATEO VARGAS PINZÓN

LL.M Columbia University in the City of New York
Catedrático del Colegio Mayor de Nuestra Señora del Rosario

tirant lo blanch
Bogotá D.C., 2024

Vargas Pinzón, Mateo, autor.
Derecho de familia y lecciones sobre tributación / Mateo Vargas Pinzón. – Primera edición. – Bogotá : Tirant lo Blanch, 2024.
    2 volúmenes.
    Incluye referencias bibliográficas.
    ISBN: 978-84-1071-440-3
1. Derecho de familia – Colombia. I. Plazas Vega, Mauricio A., escritor de prólogo. II. Diez Vargas, Cecilia, escritora de prólogo. III. Título.
LC: KHH1011
CDD: 346.861015 ed. 23
Catalogación en publicación de la Biblioteca Carlos Gaviria Díaz

©   Mateo Vargas Pinzón

© TIRANT LO BLANCH
   EDITA: TIRANT LO BLANCH
   Calle 11 # 2-16 (Bogotá D.C.)
   Telf.: 4660171
   Email: tlb@tirant.com
   Librería virtual: www.tirant.com/co/
   ISBN: 978-84-1071-440-3

Si tiene alguna queja o sugerencia, envíenos un mail a: *atencioncliente@tirant.com*. En caso de no ser atendida su sugerencia, por favor, lea en *www.tirant.net/index.php/empresa/politicas-de-empresa* nuestro procedimiento de quejas.

Responsabilidad Social Corporativa: http://www.tirant.net/Docs/RSCTirant.pdf

Índice

A Dios,

A Humberto y Milena, mis padres;

a David y Juan Pablo, mis hermanos;

a Aníbal Casado y Gloria Pinzón (*in memoriam*), mis tíos;

a Andrés Hoyos Ramírez (*in memoriam*), mi primo, un brillante jurista quien fue prontamente llamado a departir en el reino de los cielos.

Agradecimientos

Expreso mis más sentidos agradecimientos a la prologuista de este tomo, Cecilia Díez Vargas, en quien concurre la doble condición de amiga y Maestra, por sembrar en mí la semilla del Derecho de Familia y cultivarla, cada día, con enriquecedores debates que han formado el criterio que hoy me acompaña en estas materias. De igual manera, agradezco a Mauricio A. Plazas Vega, en quien también concurre la doble condición de amigo y Maestro, por extenderme sus conocimientos en el ámbito tributario, gracias a los cuales he podido desarrollar los últimos dos capítulos de este tomo. Así mismo, extiendo mi profunda gratitud a Gabriel de Vega Pinzón (*in memoriam*), Patricia Mújica Cuéllar, Sofía de Vega Mújica y Pablo de Vega Mújica por la desinteresada y amable donación de múltiples reliquias de su biblioteca familiar y personal, todas las cuales, sin excepción y según se los prometí, fueron materia capital de consulta para la elaboración de este y los demás tomos que componen la obra.

Igualmente, debo reconocer la encomiable colaboración de Claudia Plazas Molina en lo que atañe a la importante instrucción sobre los textos filosóficos (especialmente en cuanto atañe al cristianismo) que permiten colegir el fundamento teórico de la autoridad paterna, aspecto este que constituye la base de la orientación del presente tomo; a Nicolás de Brigard Garnica, mi entrañable amigo, por autorizarme para utilizar los fragmentos que escribí y revisamos conjuntamente en nuestro texto "Obligación tributaria formal"[1]; y a mis estudiantes y alumnos en la materia de la Especialización en Derecho de Familia del Colegio Mayor de Nuestra Señora del Rosario, cuyas perspectivas y aportes me han hecho cuestionar y afianzar varias de las posiciones que aquí se defienden. A todos ellos, y a quienes por torpeza humana omití en estas líneas, ¡gracias infinitas!

MATEO VARGAS PINZÓN

Berlín, mayo de 2022

---

[1] En *Procedimiento Tributario*, Juan de Dios Bravo González y Catalina Plazas Molina (Coord.) Bogotá: Ed. Colegio Mayor de Nuestra Señora del Rosario y Temis, 2022.

Prólogo

Esta obra me ha llevado a recordar muchos años atrás de mi vida personal, profesional y académica, a traer a mi mente a todas aquellas personas con las cuales he tenido la oportunidad de compartir en las aulas —*mis alumnos y alumnas*—, grandes seres humanos que día tras día brillan dentro de la sociedad y escalan peldaños.

Cuando decidí dedicarme en aprendizaje y formación al Derecho de Familia, y unos años más tarde al Derecho de Infancia y Adolescencia, comprendí su importancia y su esencia, sentimientos que me salen del corazón y que, como muchos me repiten, los transpiro por mi piel; comprendí luego que les asiste toda la razón: la familia como institución, sus integrantes, los niños, las niñas, los adolescentes, las mujeres, los adultos mayores, las personas con discapacidad ocupan mi diario vivir, mis pensamientos y mi obrar. Dios me ha puesto en este camino que lo transito con absoluto amor, convicción y dedicación.

Lo anterior para expresar el honor que me ha otorgado el autor de este gran compendio de leyes, doctrina y jurisprudencia *derecho de familia y lecciones sobre tributación*, el doctor **Mateo Vargas Pinzón**. Persona con especial relevancia en mi trasegar docente-académico: ha sido alumno, monitor académico, profesor auxiliar, coautor de artículos, profesor titular de la especialización en Derecho de Familia que tengo el honor de dirigir en la Universidad del Rosario, amigo de debates y, desde luego, un gran profesional a quien le he aprendido su joven, pero acertada manera de pensar y analizar.

Previo a iniciar con el análisis cuidadoso de la obra, es preciso referirme en pocas líneas a su autor: profesional virtuoso, ético, gran lector, con excelente sentido deductivo y con reacciones propias de su aprovechada juventud, las que bajo reproches y críticas iniciales terminan con profundas conclusiones y enseñanzas, reconocidas no solo por mí, sino con mayor fervor por los que han tenido la oportunidad de ser sus alumnos. Cabe resaltar, con orgullo, su gran soporte, su bastión de vida: su Familia, hogar que le permitió y le sigue dando la oportunidad de actuar con rectitud, valores y principios.

Mi amor y el fervor por el Derecho de Familia y por el de Infancia y Adolescencia permeó el alma y el corazón de Mateo Vargas Pinzón en una forma tan profunda que lo llevó, en este segundo tomo a escribir, analizar y soportar jurisprudencialmente el gran tema *de los hijos*, relación compleja entre padres e hijos.

Este libro despierta el interés y será una gran herramienta para estudiantes, docentes, investigadores, abogados, psicólogos, trabajadores sociales, jueces, estudiosos del derecho y para todas aquellas personas interesadas por el Derecho de Familia y por el Derecho de Infancia y Adolescencia, especialidades transversales en nuestras vidas.

La obra está estructurada en cinco capítulos y cada capítulo en secciones. En una excelente introducción, el autor brinda una explicación de los temas a desarrollar resaltando la importancia de la figura de la *filiación* en nuestro ordenamiento jurídico, las diferentes formas de constitución o creación y los efectos que se derivan de la misma, esto es, personales y patrimoniales, con soporte en amplia doctrina y jurisprudencia, lo que permitirá al lector entender grandes conceptos que emanan del tema central que da origen al título de la obra.

En el primer capítulo se ilustra sobre los derechos y las obligaciones de tipo personal entre padres e hijos, analizados desde la óptica de los hijos y de los padres, sin distinción alguna, calificados como interpersonales y correlativos por ser entre personas, abarcando las diferentes franjas de edad, hasta llegar a la figura de la responsabilidad parental que estableció el Código de la Infancia y la Adolescencia —Ley 1098 de 2006—. Así mismo, propio del doctor Mateo Vargas Pinzón, se enriquece el contenido con una evolución histórica pormenorizada.

La sección III enriquece el conocimiento específico sobre todos y cada uno de los derechos y sus correlativas obligaciones desde el establecimiento en el Código Civil, la evolución legislativa, hasta las diferentes modalidades de creación jurisprudencial, con igual avance y cambio de posiciones en el tiempo, de los Altos Tribunales.

Se pueden observar claros conceptos sobre crianza, custodia, visitas, socorro y protección, educación, custodia compartida y emancipación, entre otros; las consecuencias y sanciones ante el incumplimiento de las obligaciones, complementados en forma brillante con el marco regulatorio tanto nacional como internacional.

Es obligado referirme a los comentarios consignados por el autor respecto de la reciente Ley 2229, del 1º de julio de 2022, *"Por medio de la cual se crea el régimen especial de visitas entre abuelos y nietos, y se impide al victimario ser titular del derecho de visitas a su víctima y los hermanos de esta"*, por cuanto no comparto la similitud que hace del régimen de visitas con —EL RÉGIMEN ESPECIAL DE CONTACTO—. El primero es un derecho mirado del lado de los padres y del lado de los hijos y la figura *especial de contacto,* que por fortuna ya no existe, tuvo asidero en la Sentencia T-189 de 2003, posición jurisprudencial que acertadamente se ha venido cambiando por los Altos Tribunales.

El principio del Interés Superior del Niño, como en reiterados pronunciamientos nos ha enseñado la Corte Constitucional, no es un principio de aplicación mecánica, sino particular y relacional, lo que significa que es obligación de todos los jueces de la República analizar cada situación y entorno con el que se relacione un niño, niña o adolescente y partir de lo que más le convenga y le beneficie para tomar acertadas decisiones respecto a las visitas con sus padres y/o abuelos. Aclaro que siempre me acompaña la convicción de la rectitud, ética y transparencia que deben acompañar las actuaciones de los jueces, especialmente de los de Familia al definir un proceso en el cual se discutan los derechos de los niños, niñas y adolescentes.

El discutido tema de la terminación de los derechos y obligaciones personales entre padres e hijos de la sección IV cierra el primer capítulo con grandes precisiones que exaltan la importancia de las relaciones paternofiliales.

En el capítulo II se estudian los efectos patrimoniales que se derivan de la filiación, esto es, la gran figura de la *Patria Potestad*, precisando el marco conceptual, esencial en la vida de los hijos hasta los 18 años de edad. Se enriquece este capítulo con derecho comparado (*Roma, Francia, Argentina y España*), permitiendo conocer la figura fuera del Ordenamiento Jurídico Colombiano.

Seguidamente, se encuentra profunda ilustración sobre los atributos de la patria potestad con sus características particulares, diferentes tesis y visión propia del autor alrededor de cada atributo. Se observan grandes aportes sobre las diferentes clases de peculios sobre los cuales se ejerce el usufructo y la administración de los bienes de propiedad de los hijos menores de edad. Para complementar este específico tema se encuentra un cuadro que contiene el tipo de acto, el titular del mismo y alguna limitación que exista con su soporte legal.

Posteriormente, se resalta la gran diferencia que existe entre suspensión y privación de la patria potestad, su significado, efectos y causales que pueden dar lugar a tal declaración judicial. Así mismo, se incluye la figura de la emancipación del hijo de familia y diferentes formas de lograrla.

En forma especial debo hacer relevancia del tema referido por el doctor Mateo Vargas Pinzón, haciendo gala de su interés por el Derecho de Infancia y Adolescencia, al consignar la diferencia de los efectos de la terminación de los derechos de patria potestad por sentencia judicial y a los efectos de la terminación por declaratoria de adoptabilidad proferida por un defensor o defensora de familia. Permitiéndome, con el permiso del autor, señalar que los efectos de esta última abarcan la terminación tanto de los efectos patrimoniales como los efectos personales que se derivan de la filiación.

En el siguiente capítulo (III) se plasma un gran compendio sobre el controversial tema de alimentos, en el cual el escritor de esta comentada obra analiza en detalle la regulación internacional y la legislación patria, citando la Constitución Política de 1991, el Código Civil, el Estatuto Procesal vigente, el Código de la Infancia y la Adolescencia y la Ley 1850 de 2017. Esta compilación ilustra sobre el concepto, características, naturaleza jurídica, clasificación, requisitos para la reclamación, titulares del derecho, formas de reclamación dentro y fuera del territorio nacional, diferentes procedimientos, entre otros temas esenciales. Se pueden encontrar varias vías a seguir, desde el mutuo acuerdo expresado en conciliación extrajudicial, la vía judicial para que se declare una cuota alimentaria, el camino ejecutivo en caso de incumplimiento de lo pactado hasta la vía penal con la configuración del delito de inasistencia alimentaria. Con total solvencia jurídica y académica se condensan los pormenores de cada vía, complementadas con las diferentes modalidades y tipos de beneficiarios del derecho de alimentos, incluyendo todas las franjas de edad que van desde el nasciturus, la infancia, la adolescencia, la adultez y el adulto mayor, con citación expresa de la ocurrencia de los alimentos después del fallecimiento del alimentante. De igual forma, se hace precisa referencia de la prescripción de las mesadas alimentarias y de las cuotas futuras puntos de especial manejo entre los juristas por la obligada interpretación diferencial que debe hacerse entre adultos y menores de 18 años.

Por la actualidad e importancia de la temática sobre los alimentos provisionales que deben fijar los comisarios y comisarías de familia del país en favor del adulto mayor, debo referirme en forma puntual respecto a lo manifestado en esta obra por el autor Mateo Vargas Pinzón. Las preguntas que se formulan las comparto totalmente, pero, con mi acostumbrado respeto, desde ya dejo sentado que, si bien los pronunciamientos de las Altas Cortes serán totalmente necesarios, en la actualidad contamos con los profundos aportes dispuestos en los *Lineamientos Técnicos para el abordaje Comisarial de las Violencias en el Contexto Familiar Colombiano*, publicados el 9 de junio de 2022 por el Ministerio de Justicia y del Derecho con ocasión de la expedición de la Ley 2126 de 2021 que hacen claridad sobre el presente asunto y me atrevería a decir que a contestar las preguntas planteadas. En una síntesis apretada dejo consignados puntos del texto citado:

Se hace referencia a la continuación de la competencia de los comisarios y comisarias de familia de fijar cuota provisional de alimentos en favor de las personas adultos mayores (artículo 13 numeral 11, Ley 2126), para lo cual deben soportarse en los criterios establecidos en el Código Civil y en la Ley 1850 de 2017, no así en información que se adquiera luego de un trámite de conciliación extrajudicial, toda vez que, en concepto del Ministerio de Justicia y del derecho, ésta quedó inmersa dentro de la derogatoria del artículo 48 literal (a) de la Ley 2126 de 2021 y, por lo tanto, no es necesario para ello agotar la conciliación. Aunque reitero que los pronunciamientos jurisprudenciales venideros darán luz y claridad sobre los planteamientos del autor y, desde ya, bienvenidos serán.

Siguiendo con el profundo análisis sobre la temática de los alimentos y, en especial, sobre la antigua clasificación de congruos y necesarios, comparto la doctrina citada de *Fernando Vélez* que consigna el autor Mateo Vargas Pinzón en cuanto al fundamento de la diferencia. Con relación a los alimentos en favor de menores de 18 años hay claridad absoluta de que la clasificación citada no aplica. El Código de la Infancia y la Adolescencia (Ley 1098 de 2006) introdujo un concepto integral de alimentos que comprende vivienda, salud, educación, vestuario, recreación y alimentación propiamente dicha, lo que permite afirmar que en favor de niños, niñas y adolescentes no hay consideración alguna sobre alimentos congruos y necesarios. Para la fijación de éstos, por mutuo acuerdo o por decisión judicial o de una autoridad administrativa, prevalecerá la necesidad y la capacidad económica de la persona obligada a suministrarlos; desde luego, sin excluir a los hijos mayores de edad que no puedan subsistir por sí mismos.

Concluyo este tercer capítulo con profundos reconocimientos para el autor, pues entrega a la sociedad colombiana y a los estudiosos del Derecho de Familia y de Infancia y Adolescencia un verdadero texto de consulta actualizado y con grandes aportes de juristas y expertos doctrinantes en las diferentes instituciones tratadas.

Sigue el libro con un gran capítulo (IV) sobre las *obligaciones tributarias formales de los hijos, su cumplimiento y responsabilidad derivada del incumplimiento,* debido a la valiosa amalgama que hace el escritor entre el Derecho de Familia y el Derecho Tributario, incomparable valor agregado que instruye desde la forma de presentación de declaraciones de renta, el cumplimiento de las obligaciones tributarias por los menores de 18 años, la responsabilidad que se asume si se incumplen, hasta la responsabilidad subsidiaria que puede ser irrogada a los representantes legales. Complementa el capítulo la gran cita respecto de la Ley 1306 de 2009 que permitía la declaratoria de interdicción de adolescentes (mayores de 17 años) con discapacidad con la prórroga de la patria potestad y la Ley 1996 de 2019 que hizo una sola referencia respecto de niños, niñas y adolescentes en el artículo 7°, otorgándo-les el derecho a los mismos apoyos establecidos en la ley para aquellos actos jurídicos que pueden realizar de manera autónoma y de conformidad con el principio de la autonomía progresiva. Sumando investigación y estudio, el autor hace análisis crítico de las normas y concluye con las disposiciones más relevantes de la nueva Ley 1996 que establecen un gran paradigma en el Ordenamiento Jurídico Colombiano.

Se cierra esta gran obra con el capítulo (V) intitulado *de la obligación tri-butaria sustancial: aspectos regulatorios y controversias,* tema sobre el cual pocos autores han escrito, y lo entiendo: pocos estudiosos del derecho cuentan con la riqueza de conocimientos en las dos especialidades, tributario, fa-milia, infancia y adolescencia. Hacer un comentario sobre este apartado sería irrespetuoso de mi parte con el autor, por la impropiedad con que me expresaría.

Con profunda convicción hago un llamado a los lectores para que pue-dan enriquecer los conocimientos con esta gran obra que es producto de un trabajo investigativo, actualizado con doctrina y con gran firmeza dog-mática fundamentada en línea jurisprudencial propia y oportuna de cada tema. Aseguro que cualquier expectativa tendrá satisfacción plena.

CECILIA DIEZ VARGAS

Directora de la especialización en Derecho de Familia

Universidad del Rosario

Proemio

Hablar de los hijos implica, en forma necesaria, hablar de la *descendencia*. Todos los humanos somos *hijos* y ello obligatoriamente apareja la existencia de unos *padres*, que son nuestros *ascendientes*.

Desde el punto de vista biológico, el nacimiento de un hijo está precedido por la concepción, que se concreta en la fecundación de un óvulo por un espermatozoide. Ello se traduce, por fuerza de la naturaleza, en que la concepción tiene como partícipes a un hombre y una mujer: el primero, que aporta el espermatozoide fecundador; la segunda, aportante del óvulo fecundado. Por causa del fenómeno natural de la concepción biológica surge entonces una criatura, cuyos marcadores genéticos (ADN) coinciden indefectiblemente con los del hombre y la mujer que, por sangre, se denominan *padres biológicos*.

Esta irrefutable premisa condujo a que los ordenamientos jurídicos de antaño hicieran descansar su normativa, las más de las veces, sobre bases estrictamente biológicas. Acaso en forma tímida, y con propósitos no siempre loables[2], se permitía una excepción a la coincidencia jurídica y biológica, cual era la constituida por la *adopción*.

La institución empleada por el derecho para determinar el vínculo jurídico que une a los padres con sus hijos se denomina *filiación*. Como lo enseña GARCÍA SARMIENTO, "[f]iliación deriva de *filus-ii*, hijo, y por estimarse éste más importante que el progenitor da nombre a la institución"[3]. Es por ello que, con el más acertado criterio, GÓMEZ PIEDRAHÍTA define aquella

---

[2] El Derecho Romano proscribía, en épocas de JUSTINIANO, bajo la consigna *adoptio natura imitatur*, que los mayores de sesenta pudieran adoptar, a menos que su estado de salud llevara a considerar que ya no tendrían hijos, y tampoco se autorizaba esta figura para quienes tuvieran descendencia legítima (véase a PIETRO BONFANTE, *Istituzioni di diritto romano*. Trad. Luis Bacci y Andrés Larrosa, tercera Edición. (Madrid: Ed. Reus, 1965), 48). ¿Y cómo no? Si lo que verdaderamente perseguía la adopción no era cosa distinta que garantizar que el adoptante tuviera un sucesor. Otro tanto se puede decir de Francia, por ejemplo, en donde no se trataba de proteger a los menores de edad, sino de "darle consuelo" al adoptante (GERMÁN GAMBÓN ALIX, *La adopción*. (Barcelona: Ed. Bosch, 1960), 40 y ss.)

[3] EDUARDO GARCÍA SARMIENTO, *Elementos de derecho de familia*. (Bogotá: Ed. Temis, 1999), 67.

figura como "el *status* jurídico que la ley concede al hijo con relación a sus padres y a estos con relación al hijo"[4].

No se trata, como su nombre parece indicarlo, de una institución que solo mira al hijo o que solo lo abarca a él; su verdadera naturaleza alcanza los conceptos de *paternidad* y *maternidad,* despliega sobre los *ascendientes* obligaciones y derechos palpables en relación con sus *descendientes* inmediatos, y viceversa.

El concepto de *filiación,* entendido en el marco jurídico, ha ocupado suficientes páginas en la doctrina y la jurisprudencia. Es así que SUÁREZ FRANCO define aquella institución como "estado jurídico que la ley le reconoce a determinada persona, como consecuencia de la relación natural de procreación que la liga con otra"[5]; PARRA BENÍTEZ como la "unión o vínculo entre el padre o la madre, y el hijo, originado principalmente en la procreación"[6]; CAÑÓN RAMÍREZ como "la unión o vínculo entre el padre o la madre y el hijo, originado en la procreación, del cual dependen y se derivan derechos y obligaciones para unos y otros"[7]; PLANIOL y RIPERT como "lazo de descendencia que existe entre dos personas una de las cuales es el padre o la madre de la otra", con la aclaración de que ésta "toma también los nombres de *paternidad* y de *maternidad* según que se considera en relación con el padre o con la madre"[8]; MAZZINGHI como "la relación que se establece entre el hijo y las personas que han concurrido con sus propios aportes genéticos a engendrar su vida"[9], al tiempo que aclara que "el uso habitual de este vocablo en el idioma jurídico tiende a abarcar ambos extremos"; LLAMABÍAS como "la relación existente entre dos personas, de la cual una es progenitora de la otra"[10]; BELLUSCIO como el "vínculo jurídico

4   HERNÁN GÓMEZ PIEDRAHÍTA, *Derecho de familia.* (Bogotá: Ed. Temis, 1992), 179.

5   ROBERTO SUÁREZ FRANCO, *Derecho de familia,* Tomo II: *Régimen de los incapaces,* cuarta edición. (Bogotá: Ed. Temis, 2014), 12.

6   JORGE PARRA BENÍTEZ, *Derecho de familia,* 449.

7   PEDRO ALEJO CAÑÓN RAMÍREZ, *Derecho civil,* tomo II, volumen 1. *Familia.* (Bogotá: Ed. Presencia, 1995), 335.

8   MARCEL PLANIOL Y GEORGES RIPERT, con el concurso de ANDRÉ ROUAST. *Tratado práctico de derecho civil francés,* tomo II. *La familia,* MARIO DÍAZ CRUZ (tradu.), con colaboración de EDUARDO LE RIVEREND BRUSONE. (La Habana: Ed. Cultural S.A., 1939), 557.

9   JORGE ADOLFO MAZZINGHI. *Derecho de familia,* Tomo IV: *Filiación. Procreación artificial. Adopción. Patria potestad. Tutela y curatela. Parentesco. Violencia familiar. Mediación,* tercera edición. (Buenos Aires: Ed. Depalma, 1999), 35.

10   JORGE LLAMABÍAS, *Código civil anotado,* tomo I. (Buenos Aires: Ed. Abeledo-Perrot, 1978), 851.

que une a una persona con sus progenitores"[11]; ZANNONI como "el conjunto de relaciones jurídicas que, determinadas por la paternidad y la maternidad, vinculan a los padres con los hijos dentro de la familia"[12]; y BOSSERT y ZANNONI como "vínculo jurídico, determinado por la procreación, entre los progenitores y sus hijos"[13]. Por el lado de la jurisprudencia, de vieja data la filiación ha sido definida por nuestra Corte Suprema de Justicia como el "vínculo jurídico que une a un hijo con su madre o con su padre y que consiste en la relación de parentesco establecida por la ley entre un ascendiente y su descendiente de primer grado"[14].

Si se mira con detenimiento, se apreciará que las definiciones varían entre sí, fundamentalmente en lo que toca con el hecho que origina la filiación. Por su similitud, particular interés suscitan las definiciones de CAÑÓN RAMÍREZ y PARRA BENÍTEZ. La primera fue plasmada en 1995, en tanto que la segunda lo fue en 2019. Mientras que el primero ata indefectiblemente la filiación a la *procreación*, el segundo matiza tal subordinación con el adverbio *principalmente*.

Es por todos sabido que la disciplina jurídica se erige como instrumento ordenador de la actividad social, actividad que sigue de cerca. Por ello, sus fundamentos teóricos abrevan en las disciplinas que le permiten dar cumplida ejecución a su objetivo primordial. Así se explica que, según la definición que se tome, la *filiación* quede indefectiblemente subordinada al parto o no.

Porque, como ya lo advertían MARX y ENGELS en su *Manifiesto comunista*, la rueda de la historia no se detiene ni retrocede y su trasegar ha obligado a mutar la noción jurídica de *filiación*, no en cuanto a su contenido, sino en lo que toca con sus alcances. Aunque la verdad biológica se ha mantenido estática y permite determinar con buen grado de exactitud la relación *paternofilial* entre dos personas, la noción jurídica de la *filiación*, que se ubica al lado de la biológica, ha sufrido cambios importantes en las décadas pasadas, principalmente orientados a reconocer que las condiciones de *hijo*,

---

[11] AUGUSTO CÉSAR BELLUSCIO, *Manual de derecho de familia*, tomo II, séptima edición. (Buenos Aires: Ed. Depalma, 2004), 445.

[12] EDUARDO ZANNONI, *Derecho civil*, tomo II: *Derecho de familia*. (Buenos Aires: Ed. Astrea, 1989), 283.

[13] GUSTAVO BOSSERT y EDUARDO ZANNONI, *Manual de derecho de familia*, sexta edición. (Buenos Aires: Ed. Astrea, 2004), 439.

[14] Sentencia de la Sala de Casación Civil y Agraria de la Corte Suprema de Justicia, proferida el 12 de enero de 1976, G.J. CLII, M. P. HUMBERTO MURCIA BALLÉN, 12.

padre y *madre* no siempre coinciden con el material genético que recibe una persona, ni se identifican, respecto de *madre* e *hijo*, con el hecho del parto.

Ya se dijo que de tiempo atrás se reconoció la adopción como una excepción a la indefectible coincidencia que debía haber entre las nociones de *filiación* biológica y jurídica. En efecto, y sin entrar en discusión sobre sus propósitos, se admitía que, desde el punto de vista jurídico, una persona fuera tenida por hija de otra que no la había engendrado. Tal discrepancia entre *biología* y *derecho* comportaba una novedad que no era de buen agrado para todos los estudiosos de la disciplina jurídica.

Pero hoy conocemos muchas más excepciones a la pretendida coincidencia entre *biología* y *derecho*, fundamentalmente encarnadas en los avances científicos y sociales que han permitido a los individuos establecer distintas aproximaciones para procrear a sus *hijos*. Tales son los casos de la maternidad subrogada, la fecundación *in vitro*, la inseminación artificial heteróloga[15] o la paternidad de crianza.

En el caso de la maternidad subrogada, sustitutiva o de reemplazo, la mujer presta su útero para gestar el embrión de la pareja que la contrata. En palabras de la Corte Constitucional, en Sentencia T-968 de 2009, M. P. MARÍA VICTORIA CALLE CORREA:

> El alquiler de vientre o útero, conocido también como maternidad subrogada o maternidad de sustitución, ha sido definido por la doctrina como 'el acto reproductor que genera el nacimiento de un niño gestado por una mujer sujeta a un pacto o compromiso mediante el cual debe ceder todos los derechos sobre el recién nacido a favor de otra mujer que figurará como madre de éste'[16]. En este evento, la mujer que gesta y da a luz no aporta sus óvulos.

> Las técnicas de reproducción asistida como la fertilización in vitro, combinadas con la maternidad subrogada, permiten a las mujeres que no han podido llevar a término un embarazo, tener un hijo genéticamente suyo por medio de la fecundación de su propio óvulo y semen de su marido, compañero o donante. Generalmente, las parejas que recurren a este método prefieren generar el embarazo con sus propios óvulo y esperma.

---

[15]   No tratamos aquí la inseminación artificial homóloga porque supone la fecundación, con asistencia científica, del óvulo de la mujer con el espermatozoide de su propia pareja. De manera que los hijos tendrán siempre el material genético de sus padres.

[16]   YOLANDA GÓMEZ SÁNCHEZ, *El derecho a la reproducción humana*. (Madrid: Marcial Pons, 1994), 136.

Aclara el Tribunal Constitucional que, en tratándose de la maternidad subrogada, la mujer gestante no aporta sus propios óvulos, porque si lo hiciere "estaríamos frente a la hipótesis de la mujer que se compromete a entregar su hijo biológico a cambio de una suma de dinero, la cual si está prohibida en nuestro ordenamiento por constituir trata de seres humanos". Pero la doctrina no es pacífica al respecto. Pese a que la Corporación haya juzgado que un acto de tal naturaleza constituye una trata de personas y está, por tanto, prohibido en nuestro ordenamiento jurídico en particular, la Congregación para la Doctrina de la Fe considera que la maternidad sustitutiva comprende también a "la mujer que lleva la gestación de un embrión a cuya procreación ha colaborado con la donación de un óvulo propio"[17].

En todo caso, la Corte en la providencia en comentario sostuvo que la maternidad subrogada —con los alcances por ella fijados— no estaba proscrita en nuestro ordenamiento jurídico y urgió a la pronta regulación de la materia por el Parlamento:

> En el ordenamiento jurídico colombiano no existe una prohibición expresa para la realización de este tipo convenios o acuerdos. Sin embargo, respecto de las técnicas de reproducción asistida, dentro de las cuales se ubica la maternidad subrogada o sustituta, la doctrina ha considerado que están legitimadas jurídicamente, en virtud del artículo 42-6 constitucional, el cual prevé que 'Los hijos habidos en el matrimonio o fuera de él, adoptados o procreados naturalmente o con asistencia científica, tiene iguales derechos y deberes'.
>
> En Colombia, al parecer también es una práctica en auge. En internet se encuentran cientos de anuncios de mujeres de todas las edades que ofrecen su vientre para hacer realidad el sueño de otros de ser padres. (…)
>
> La doctrina ha llegado a considerar la maternidad sustituta o subrogada como un mecanismo positivo para resolver los problemas de infertilidad de las parejas, y ha puesto de manifiesto la necesidad urgente de regular la materia para evitar, por ejemplo, la mediación lucrativa entre las partes que llegan a un acuerdo o convenio de este tipo; la desprotección de los derechos e intereses del recién nacido; los actos de disposición del propio cuerpo contrarios a la ley; y los grandes conflictos que se originan cuando surgen desacuerdos entre las partes involucradas.
>
> Dentro de este contexto se ha evidenciado la necesidad de una 'regulación exhaustiva y del cumplimiento de una serie de requisitos y condiciones' como los siguientes: (i) que la mujer tenga problemas fisiológicos para concebir; (ii)

---

17 CONGREGACIÓN PARA LA DOCTRINA Y LA FE, *Instrucción sobre el respeto de la vida humana naciente y la dignidad de la procreación.* (Ciudad del Vaticano: Ed. Tipografía Políglota Vaticana, 19879, 21.

que los gametos que se requieren para la concepción no sean aportados por la mujer gestante (quien facilita su vientre); (iii) que la mujer gestante no tenga como móvil un fin lucrativo, sino el de ayudar a otras personas; (iv) que la mujer gestante cumpla una serie de requisitos como mayoría de edad, salud psico-física, haber tenido hijos, etc.; (v) que la mujer gestante tenga la obligación de someterse a los exámenes pertinentes antes, durante y después del embarazo, así como a valoraciones psicológicas; (vi) que se preserve la identidad de las partes; (vii) que la mujer gestante, una vez firmado el consentimiento informado, e implantado el material reproductor o gametos, no pueda retractarse de la entrega del menor; (viii) que los padres biológicos no pueden rechazar al hijo bajo ninguna circunstancia; (ix) que la muerte de los padres biológicos antes del nacimiento no deje desprotegido al menor; y (x) que la mujer gestante sólo podría interrumpir el embarazo por prescripción médica, entre otros[18].

Esa visión del asunto ha sido reiterada en Sentencias T-316 de 2018, M. P. CRISTINA PARDO SCHLESINGER, y T-105 de 2020, M. P. JOSÉ FERNANDO REYES CUARTAS.

Es fácilmente advertible que aquí no hay coincidencia entre *biología* y *derecho*, porque el hecho del parto no condiciona la *maternidad* respecto de la criatura nacida, como lo sugieren algunos en la doctrina.

En cuanto a la fecundación in vitro y la inseminación artificial heteróloga, la Corte Suprema de Justicia ha preceptuado lo siguiente:

En la inseminación artificial, los espermatozoides son depositados en el interior de la mujer, mediante cánula, jeringa o cualquier otro tipo de dispositivo; la fecundación in vitro supone la fusión de los gametos masculino y femenino de manera extracorpórea y su posterior implantación en la mujer. La transferencia intratubárica de gametos es un método intermedio, pues no se transfiere el pre-embrión o el embrión, sino las células reproductivas que han sido previamente recolectadas, para luego ser transferidas a las trompas de Falopio, con el fin de que se produzca la fecundación de manera natural.

Todos esos procedimientos se producen al margen de la cohabitación sexual y tienen como propósito superar la esterilidad de la pareja, con el fin de facilitar la procreación cuando los demás tratamientos terapéuticos se han descartado por inadecuados, ineficaces, o imposibles de realizar.

La inseminación artificial o fecundación asistida, puede ser llevada a cabo con semen de la pareja (homóloga) o con el esperma de un donante obtenido de un banco de semen (heteróloga)"[19].

---

[18]   AITZIBER EMALDI CIRIÓN, *El Consejo Genético y sus implicaciones jurídicas.* (Granada: Cátedra Interuniversitaria. Fundación BBVA-Diputación Foral de Bizkaia de Derecho y Genoma Humano, 2001), 409-413.

[19]   Sentencia STC20614 de 2017 de la Corte Suprema de Justicia, Sala de Casación Civil y Agraria, M. P. MARGARITA CABELLO BLANCO

Según se ve, la inseminación artificial heteróloga tiene por objeto la utilización de espermatozoides de terceros distintos del cónyuge, compañero permanente o pareja para la fecundación del óvulo, de donde se deduce con facilidad que en estos casos el niño no tendrá el material genético de su padre ante la ley. Esta temática ha sido reiterativamente abordada, en la época reciente, por la Sala de Casación Civil y Agraria de la Corte Suprema de Justicia[20].

La situación con la familia de crianza es también constitutiva de una verdadera excepción a la coincidencia entre *biología* y *derecho*, porque los *padres* y los *hijos* de crianza no comparten material genético alguno. En palabras de la Corte Constitucional colombiana:

> La familia de crianza es una de las tipologías reconocidas por la jurisprudencia constitucional (…)
>
> 55. Esta Corporación ha definido a la familia de crianza como aquella que no se conforma por vínculos biológicos, sino por la comprobación de criterios materiales, y es una modalidad de grupo familiar con reconocimiento y protección constitucional. Se trata de una figura de creación jurisprudencial que se ha dado, por un lado, en respuesta al desarrollo de la sociedad, la cual consta en una relación entre padres e hijos que no tienen un lazo consanguíneo ni jurídico, y de características precisas que se abordarán más adelante; y por el otro, ante la ausencia de regulación sobre el particular en la legislación colombiana. (…)
>
> 58. Se puede interpretar entonces que la familia de crianza nació como una necesidad de brindar protección a los menores que resultaban en estado de abandono por parte de sus padres biológicos, ya que estos no podían o no tenían la voluntad de velar por su integridad y cuidados básicos, por lo que otras personas voluntariamente se hacían con dicha obligación de crianza y protección de forma permanente, sin la intervención del Estado, generando así una relación interpersonal estrecha de aprecio, acompañamiento y apoyo continuo, tanto económico como emocional, que se evidencia claramente por parte de la sociedad, de tal manera que sean vistos como una familia tradicional.
>
> En ese sentido, es deber del Estado colombiano velar por la protección de los derechos de las familias de crianza sin discriminación alguna, ofreciendo las mismas garantías y prerrogativas, toda vez que al generarse este tipo de relaciones, se crea implícitamente en ellas la expectativa de que recibirán el mismo

---

[20] Al respecto, el lector puede consultar las siguientes sentencias de la Sala de Casación Civil y Agraria de la Corte Suprema de Justicia: (i) Sentencia del 21 de mayo de 2017, expediente 227744, M. P. PEDRO OCTAVIO MUNAR CADENA; (ii) Sentencia del 28 de febrero de 2013, expediente 241330, M. P. ARTURO SOLARTE RODRÍGUEZ; (iii) Sentencia SC6359 de 2017, M. P. ARIEL SALAZAR RAMÍREZ. También en este sentido consúltese la Sentencia de la Corte Constitucional SU-074 de 2020, M. P. GLORIA STELLA ORTIZ DELGADO.

trato y beneficios de una familia con lazos naturales, en cuanto al vínculo padre e hijo, teniendo de esta manera la posibilidad de acceder tanto a indemnizaciones, como a prestaciones que le corresponderían por derecho a sus familiares"[21].

La jurisprudencia de las Altas Cortes sobre este respecto ha sido extensa y muy nutrida[22]. Pese a que no nos detendremos en su deve-

---

[21]   Sentencia T-281 de 2018. M. P. josé fernando reyes cuartas.

[22]   A manera de ejemplo, el lector puede consultar las siguientes Sentencias de la Corte Constitucional: (i) T-495 de 1997, M.P. carlos gaviria díaz; (ii) T-586 de 1999, M.P. vladimiro naranjo mesa; (iii) T-606 de 2013, M. P. alberto rojas ríos; (iv) T-070 de 2016, M. P. aquiles arrieta gómez; (v) T-354 de 2016, M. P. jorge iván palacio palacio; (vi) T-525 de 2016, M. P. jorge iván palacio palacio; y (vii) T-316 de 2017, M. P. antonio josé lizarazo ocampo. Sentencias de la Sección Tercera del Consejo de Estado, proferidas el: (i) 16 de marzo de 2008, expediente 18846, C. P. enrique gil botero; (ii) 2 de septiembre de 2009, expediente 17997, C. P. enrique gil botero; y (iii) 11 de julio de 2013, expediente 31252, C. P. enrique gil botero. Y Sentencias de la Sala Civil y Agraria de la Corte Suprema de Justicia: (i) STC6009 de 2018, M. P. aroldo wilson quiroz monsalvo; y (ii) STC5594 de 2020, M. P. aroldo wilson quiroz monsalvo. Esta última sentencia ha estado rodeada de múltiples críticas porque abrió la compuerta para que se gestaran difíciles situaciones. Se discutió el caso de una niña cuya madre había sostenido una unión marital de hecho con un señor, en virtud de la cual se había procreado a otra hija. La unión marital de hecho duró entre 2006 y 2015, luego de lo cual finalizó por una presunta violencia intrafamiliar. El compañero permanente era empleado de Ecopetrol, compañía que concedía importantes beneficios educativos a quienes obtuvieran altos puntajes en el examen de Estado. Sin embargo, en vista de que la unión marital de hecho ya había finalizado, Ecopetrol no extendió la cobertura del plan educacional a la hija de la antigua compañera permanente de su empleado. Por tanto, la presunta hija de crianza inició una acción de reclamación de alimentos contra su presunto padre de crianza que le fue negada en primera instancia y concedida en segunda. Luego de instaurada la acción de tutela respectiva, la Corte Suprema de Justicia decidió revocar el fallo del *ad quem*, en el sentido de negar las pretensiones de la tutela, pero abrió un exótico boquete al indicar que, "atendiendo a que el vínculo de crianza refiere a la posesión notoria del estado civil de las personas, encuentra la Corte que la gestora, tal como lo afirmó el fallador encausado, tiene a su alcance la acción judicial encaminada a determinar el parentesco del cual se desprende[n] derechos y obligaciones entre las partes, no puede tener dos filiaciones —*biológica* y de *crianza*—, habida cuenta [de] que iría en contravía del principio de la Unidad del Estado Civil. (…) Entonces, la accionante puede acudir ante los jueces de familia a fin de adelantar la acción de «declaratoria de hija de crianza», pues, itérese, dicha declaratoria involucra su estado civil, a más que de lo allí dispuesto, nace[n] los respectivos derechos y obligaciones entre las partes, esto es, las derivadas del padre al hijo y del hijo al padre (…). Así las cosas, es en dicho juicio donde debe

nir[23], para estos propósitos solo conviene indicar que se tratan de una verdadera excepción a la coincidencia entre *biología* y *derecho*.

El lector ya se habrá percatado de que las excepciones aquí comentadas encuentran pleno respaldo hoy en la noción jurídica de *filiación* en Colombia. Su fundamentación primordial está cristalizada en la Carta Política,

---

demostrar la calidad aducida a fin de obtener dicha declaratoria". Los alcances específicos del fallo han sido controvertidos y se encuentran sin respuesta. Algunos de los interrogantes son: ¿Quiénes pueden intentar la acción de posesión notoria del estado civil? ¿Solo los hijos de crianza que no tienen paternidad reconocida —como en el caso estudiado por la Corte— o todos quienes se consideren hijos de crianza? En caso de que pueda hacerlo cualquier persona que se considere hija de crianza, ¿el efecto correlativo de la acción de posesión notoria será destruir y dejar sin efecto la paternidad biológica reconocida? ¿El padre biológico será oído en la diligencia de la acción de posesión notoria? ¿Qué sucede cuando una mujer con un hijo anterior ha tenido relaciones de más de cinco años con varias personas y estas han establecido vínculos afectivos con su hijo? ¿La acción de posesión notoria se podría dirigir contra cualquiera de las personas? ¿Cómo se logra identificar un eventual abuso del derecho en esta materia?

23 Hasta hace muy poco, si bien la jurisprudencia ordinaria y constitucional había indicado aisladamente que los hijos de crianza tenían los mismos derechos y obligaciones que cualquier otro hijo (matrimonial, extramatrimonial o adoptivo), se podían apreciar claras diferencias. Por ejemplo, en materia sucesoral, la Corte Constitucional se declaró inhibida para conocer sobre una presunta vulneración del principio de igualdad por el artículo 1045 del Código Civil, que consagra el primer orden hereditario, al excluir de su regulación a los hijos de crianza. En Sentencia C-085 de 2019, M. P. CRISTINA PARDO SCHLESINGER, esa Corporación concluyó que se estaba ante una omisión legislativa absoluta que impedía cualquier pronunciamiento del Tribunal. Sin embargo, la fuerza de lo que se pudiera llamar *la Constitución viviente* se hubo de imponer y, con base en la Sentencia STC5594 de 2020, M .P. AROLDO WILSON QUIROZ MONSALVO, de la Corte Suprema de Justicia, el Tribunal Superior de Manizales profirió sentencia de segunda instancia en el expediente 2019-382, radicado interno 010, adiada el 10 de marzo de 2022, M. P. RAMÓN ALFREDO CORREA OSPINA, por medio de la cual declaró la posesión notoria del estado civil de hija de crianza de una menor de edad y le confirió sus derechos hereditarios respecto del padre de crianza. Más adelante, su posición sería respaldada por la Corte Suprema de Justicia en Sentencia SC1171 de 2022, M. P. AROLDO WILSON QUIROZ MONSALVO. Importa advertir que este viraje interpretativo se dio sobre el mismo texto legal que había sido estudiado por la Corte Constitucional. Ello refuerza la idea de que se trató de una verdadera intervención de la llamada *Constitución viviente*, pues no hizo falta acudir a criterios hermenéuticos sobre las modificaciones incorporadas por la Ley 1934 de 2018 sobre el particular. Estas interesantísimas providencias, que serán objeto de análisis en el tomo IV, ratifican el rápido avance que la familia de crianza ha venido a tener en nuestros días.

específicamente en el inciso 6º del artículo 42, que indica que "[l]os hijos habidos en el matrimonio o fuera de él, adoptados o procreados naturalmente o con asistencia científica, tienen iguales derechos y deberes. La ley reglamentará la progenitura responsable".

En los antecedentes de esta disposición, cuyo texto finalmente aprobado fue propuesto desde el principio por la Subcomisión I de la Comisión V de la Asamblea Nacional Constituyente, se leen los siguientes motivos para su incorporación:

> Desde la ley 57 de 1887 nuestras normas civiles han determinado deberes y derechos para los hijos. Las normas han hablado de hijos legítimos, ilegítimos, legitimados, adoptivos etc. Se propone hoy confirmar la igualdad de derechos y deberes para todos los hijos habidos en el matrimonio o fuera de él, bien sea adoptados o procreados por medios naturales o científicos. No se puede ocultar la realidad universal relacionada con las diferentes formas de procreación que existen en apoyo de las personas o familias que no han procreado en forma natural.
>
> Especialmente en este punto debe ser tenido en cuenta el hecho innegable de que un niño procreado con apoyo de la ciencia no deja por ello de ser un niño y, en consecuencia, los Estados deben legislar para reglamentar las obligaciones de sus progenitores, así como sus otros derechos y deberes.
>
> La nueva Constitución de Colombia tiene derecho a ser una de las primeras que en el mundo traten este tema y por ello así se propone. Coincide el momento del desarrollo científico con el nacer de un nuevo ordenamiento jurídico[24].

Tan elocuente disertación pone al descubierto, en primer lugar, que fue designio de la Asamblea Nacional Constituyente elevar a rango *supralegal* la igualdad jurídica de todos los hijos que, desde la Ley 29 de 1982, se había incorporado en el ordenamiento doméstico. Por lo tanto, ya no hay lugar a perpetuar las odiosas discriminaciones entre los hijos en función del tipo de filiación.

En segundo lugar, se prohíja la mutación en el alcance del concepto de *filiación*, pues jurídica y constitucionalmente pasan a ser verdaderamente reconocidos como hijos quienes han sido fruto de reproducción científica o asistida. Lo querido por el Constituyente fue, como se reconoce explíci-

---

[24]   JAIME BENÍTEZ, GUILLERMO PERRY RUBIO, IVÁN MARULANDA, TULIO CUEVAS, ANGELINO GARZÓN y GUILLERMO GUERRERO. *Derechos de la familia, el niño, el joven, la mujer y la tercera edad.* (Bogotá: Informe de Ponencia de la Subcomisión I a la Comisión V de la Asamblea Nacional Constituyente. Gaceta Constitucional número 52, 1991), 3.

tamente en el texto transcrito, anteponer en estos casos la realidad social sobre la verdad biológica.

Empero, muy claro debe quedar que el objeto de estas elucubraciones no es, ni por asomo, desconocer o eliminar la verdad biológica como fundamento de la filiación. Aquélla constituye el basamento primario y necesario de ésta. Simple y llanamente se debe reconocer que, para efectos de determinar el alcance de la *filiación*, no basta hoy con limitar el análisis a la persona de quien se verifica el *parto* en aras de establecer la *maternidad* o a la constatación del material genético que recibe determinado individuo. Porque en la maternidad subrogada dejará de coincidir la mujer que da a luz con aquella que jurídicamente será la adjudicataria de la *maternidad* y en la inseminación artificial heteróloga el material genético del hijo no coincidirá jamás con quien jurídicamente será el adjudicatario de la *paternidad*.

Pero la verdad biológica es, aún hoy, la referencia obligada de la *filiación*. El hecho de que se hayan constituido excepciones no significa que esa deje de ser la regla general que nos rige. De manera que no es la intención de este texto despojar de la validez e importancia que tiene la verdad biológica, sino sencillamente reconocer que, en ocasiones específicas, tal verdad cede su paso a otro tipo de consideraciones para la constatación de la *filiación jurídica*.

Ahora bien, luego de revisar las diferentes nociones proporcionadas por la doctrina y la jurisprudencia, así como la realidad social por la que transitamos, proponemos la siguiente definición de la *filiación* desde la perspectiva del derecho: "El *status* jurídico que la ley concede al hijo en relación con sus padres y a éstos con relación al hijo, originado principalmente en la procreación, del cual dependen y se derivan un conjunto de relaciones jurídicas que entrañan derechos y obligaciones para unos y otros".

Analizaremos cada uno de sus componentes:

1°) Trátase de un *status* jurídico, porque el vínculo que se traba es de naturaleza jurídica, al propio tiempo como constituye un *estado* (*status*) social. Puede coincidir con la verdad biológica, y las más de las veces lo hará, pero puede no ocurrir y no por ello se dirá que no estamos ante una verdadera *filiación*.

2°) Es concedido por la ley, entendida en sentido lato, en la medida en que es ella la que fija los parámetros y presupuestos para que proceda el reconocimiento o concesión del *status* jurídico de filiación.

3°) Se concede al hijo en relación con sus padres y a éstos con relación al hijo, por cuanto no se trata de una institución que vaya en una sola vía. Todo lo contrario. Gran favor nos hizo GARCÍA SARMIENTO al explicar que la *filiación* recibe su nombre en función del hijo, por estimarse éste más importante que el progenitor. Sin embargo, la *filiación* desde el punto de vista jurídico abarca los conceptos de *paternidad* y *maternidad* y despliega derechos y obligaciones para unos y otros, como más adelante se verá.

4°) El *status* jurídico es <u>originado principalmente en la procreación</u>. Se podría decir que la procreación es la regla matriz de la *filiación*, en cuanto consulta la verdad biológica. Sin embargo, el adverbio *principalmente* matiza la regla general e indica que puede haber excepciones, como las constituidas por la adopción, la filiación de crianza o la reproducción asistida.

5°) Del *status* jurídico <u>dependen y se derivan un conjunto de relaciones jurídicas que entrañan derechos y obligaciones para unos y otros.</u> Este fragmento es consecuencia lógica y obligada de que el *status* jurídico lo reciban tanto los *padres* como los *hijos*. Entonces, no se podrá decir, sin incurrir en un error insalvable, que la *filiación* solo genera derechos para los hijos y obligaciones para los padres, o viceversa, porque ésta es un vaso comunicante que alcanza a ambos extremos y adjudica en su cabeza obligaciones y derechos.

Pues bien, así establecido el concepto de base, bueno es ahora indicar la clasificación de los tipos de *filiación* desde el punto de vista de su conformación, con apoyo en los planteamientos de la Corte Suprema de Justicia:

Atendiendo a su conformación, la filiación puede ser natural (matrimonial o extramatrimonial), adoptiva (por uno o ambos padres), o por reproducción artificial o asistida.

Tanto la filiación natural como la reproducción asistida se dan por un proceso genético que consiste en la fusión de dos gametos o células sexuales haploides, una femenina (óvulo) y otra masculina (espermatozoide). Una vez fecundado el óvulo por el espermatozoide se produce una célula denominada huevo o cigoto, que es diploide porque contiene dos conjuntos de cromosomas, uno proveniente de cada progenitor.

La diferencia entre la reproducción 'natural' y la 'artificial' consiste en que la primera se da por la cópula de los órganos sexuales masculino y femenino; mientras que en la segunda la fecundación del óvulo se hace sin unión sexual o ayuntamiento, aunque tales conceptos no son del todo precisos porque ambos procesos son biológicos y siguen las leyes naturales de la reproducción celular. La inseminación artificial es, entonces, la fecundación científicamente asistida del óvulo, que puede hacerse en el útero de la madre o fuera de éste (in vitro); con semen de la pareja o de un donante[25].

Repárese en que la Corporación no incluyó en su clasificación a los hijos de crianza. Quizás la motivación para no hacerlo radicó en que esta *filiación* es algo más compleja, pues si bien se ha sostenido desde hace algún tiempo que goza de los mismos derechos que los demás tipos de *filiación*[26], la verdad es que su cristalización solo llegó hasta hace relativamente poco[27].

Sin embargo, abstracción hecha de lo anterior, lo cierto es que, desde el punto de vista de su conformación, la *filiación* puede ser (i) natural, (ii) adoptiva o (iii) por reproducción asistida —eventualmente cabría una clasificación adicional, constituida por la *filiación de crianza*—. A su turno, la *filiación* natural se subdivide en filiación (i) matrimonial y (ii) extramatrimonial.

La filiación natural es producto de la cohabitación sexual de la pareja, así se fecunda el óvulo por el espermatozoide. Esta tipología constituye la regla general y coincide, siempre, con la realidad biológica y genética. Como subtipo de la filiación natural aparece la filiación matrimonial, que es aquella que se constituye cuando concurren los siguientes requisitos, claramente expuestos por la Corte Suprema de Justicia:

> a) Que [el hijo] ha[ya] sido dado a luz por determinada mujer, o sea, la relación materno-filial; b) Que su madre se hall[e] casada; c) Que su concepción [haya ocurrido] dentro del matrimonio; y d) Que [haya sido] engendrado por el marido de su madre, o sea la relación paterno-filial. Estos cuatro hechos constituyen jurídicamente la filiación [matrimonial][28].

El otro subtipo de la filiación natural es la filiación extramatrimonial, en cuya virtud la relación paternofilial y maternofilial se traba sin que medie un matrimonio entre los padres. Pero puede ocurrir también que un hijo sea legitimado, en cuyo caso pasará de tener una filiación extramatrimonial a una matrimonial. Ese sería el caso si el hijo es concebido antes del matrimo-

---

25 Sentencia de la Sala de Casación Civil y Agraria de la Corte Suprema de Justicia SC6359 de 2017, M. P. ARIEL SALAZAR RAMÍREZ.

26 Sentencia de la Sala de Casación Civil y Agraria de la Corte Suprema de Justicia STC6009 de 2018, M. P. AROLDO WILSON QUIROZ MONSALVO.

27 Sentencia de la Sala de Casación Civil y Agraria de la Corte Suprema de Justicia SC1171 de 2022, M. P. AROLDO WILSON QUIROZ MONSALVO.

28 Sentencia de la Sala de Casación Civil y Agraria de la Corte Suprema de Justicia, proferida el 13 de octubre de 1995. Disponible para consulta en *Código Civil del centenario*, 130.

nio, aunque nace durante su vigencia (legitimación *ipso iure*). También así sucedería si los padres conciben y dan a luz al hijo antes de su matrimonio, cada uno lo reconoce como hijo extramatrimonial suyo y posteriormente contraen nupcias (legitimación *ipso iure*). Finalmente, cuando un hijo es concebido y nacido fuera del matrimonio y el padre no lo ha reconocido, podrá operar la legitimación si los padres se casan y, en el acta de matrimonio, aducen su intención de legitimar (y el padre reconocer) al hijo o si lo hacen en escritura pública posterior (legitimación *voluntaria* o *bilateral*).

Por su parte, la filiación por reproducción asistida también se concreta en la fecundación de un óvulo por un espermatozoide, pero pueden tener lugar las más variadas combinaciones. Así, el óvulo de la madre puede ser fecundado por el espermatozoide del padre en un procedimiento de asistencia científica y, después, la madre gestar y dar a luz a su hijo; o puede el óvulo de la madre ser fecundado por el espermatozoide del padre en un procedimiento de asistencia científica y, después, una tercera persona gestar y dar a luz al hijo de quienes aportaron el material genético; o el óvulo de la madre puede ser fecundado por el espermatozoide de un donante anónimo en un procedimiento de asistencia científica y, después, la madre gestar y dar a luz a su hijo y el de su pareja aunque no comparta su material genético; o puede el óvulo de una donante anónima ser fecundado por el espermatozoide del padre en un procedimiento de asistencia científica y, después, la madre gestar y dar a luz a su hijo aunque no comparta su material genético, etcétera.

La filiación adoptiva, a diferencia de las anteriores, no supone la procreación natural de los padres, sino la expedición de una sentencia que, jurídicamente, extingue toda relación entre el adoptivo y sus padres biológicos, al paso que crea la relación entre el adoptivo y el o los adoptantes.

Los planteamientos hasta aquí expuestos bastan, porque no constituye el objeto de este texto abordar con sumo detalle la materia de la filiación. Nuestra intención era dejar sentadas las premisas básicas que confirman, sin asomo de duda, que la construcción jurídica en torno a la institución de la filiación ha evolucionado, al diapasón de la ciencia y sociedad, con el propósito de recoger y abarcar el mayor número de supuestos posibles en la determinación de los hijos.

Tal mutación es producto del nuevo entendimiento que se tiene de la familia. No se pueden olvidar, jamás, las sabias palabras que se pronunciaron en el seno de nuestra Asamblea Nacional Constituyente, con el propósito de hacer frente a "la realidad universal relacionada con las diferentes formas de procreación que existen en apoyo de las personas o familias que no han procreado en forma natural". Puesto que, a decir verdad, un hijo es fruto del amor de sus padres y fluye natural "el hecho innegable de que un niño procreado con apoyo de la ciencia no deja por ello de ser un niño", por lo cual "los Estados deben legislar para reglamentar las obligaciones de sus progenitores, así como sus otros derechos y deberes".

Esa idea, enraizada en nuestra Carta Política, orientadora del ordenamiento jurídico colombiano, bien se podría decir que acertó en todas sus partes. Reconoció que la familia trasciende y se extiende, en muchos niveles y formas, pero siempre constituye el núcleo fundamental de la sociedad[29].

Así las cosas, la *filiación* es entre nosotros el mecanismo o institución jurídica que sirve para designar a los hijos y a los padres como tales. Es, como se dijo, el e*status* jurídico que los cobija. Por tal motivo, quienes establezcan su relación *paternofilial* o *maternofilial*, por conducto de la *filiación* quedarán sometidos a un vasto cúmulo de derechos y obligaciones recíprocos que serán materia de este estudio.

Primero se analizarán los derechos y obligaciones que surgen desde el punto de vista de la persona del hijo, luego se examinarán los derechos y obligaciones que surgen desde el punto de vista de los bienes del hijo, a continuación se dedicará un acápite especial al estudio de la obligación alimentaria y, finalmente, se revisarán las diferentes implicaciones que surgen, para padres e hijos por su condición de tales, desde el punto de vista fiscal. Veamos:

---

[29]   Art. 5° y 42 de la C.P.

Capítulo I.
De los derechos y obligaciones personales entre padres e hijos
(ANTIGUA AUTORIDAD PATERNA)

SECCIÓN I. DELIMITACIÓN CONCEPTUAL

Para explicar los *derechos y obligaciones personales entre padres e hijos* con la precisión requerida, es primero necesario efectuar algunas consideraciones relacionadas con la delimitación conceptual de la expresión. Ello es así, al menos por dos razones: (i) el ordenamiento jurídico colombiano, como ocurre con el chileno, se aparta de otros sistemas jurídicos en cuanto al alcance terminológico de la expresión *patria potestad*, pues divide las relaciones jurídicas de contenido personal surgidas entre padres e hijos y aquellas de contenido patrimonial; y (ii) con motivo de las múltiples reformas al sistema normativo doméstico, lo que denominamos *derechos y obligaciones personales entre padres e hijos* fue antes bautizado, en Colombia, como autoridad paterna.

I. Apuntación preliminar: necesaria diferenciación entre los derechos y obligaciones personales y la patria potestad en sentido restringido

Como se verá en el capítulo que sigue, la tradición romanista de aglutinar dentro de las atribuciones de la patria potestad a *los bienes* y a *la persona* del hijo ha tenido eco en buena parte de los ordenamientos jurídicos mundiales. Pero ese no es el caso de Colombia ni, en general, de los Estados que adoptaron el Código Civil redactado por ANDRÉS BELLO.

Haciendo gala de su sindéresis y del fino criterio jurídico que tenía sin ser abogado, BELLO fue muy cuidadoso y separó, en títulos distintos, los derechos y obligaciones personales entre padres e hijos de las prerrogativas a las que limitó la patria potestad. Tan notable acierto, que será elogiado en forma consistente en estas páginas, tiene un profundo significado que no se puede obviar.

Algunos dirán que la estructura del Código de BELLO, luego replicada con pequeños cambios en Colombia, obedeció a un simple error porque, como lo apunta CLARO SOLAR[30], en los anales de ese Código no se evidencia signo alguno de que tal ordenación haya sido producto de una voluntad deliberada. Mas nosotros creemos, como CLARO SOLAR[31] y SUÁREZ FRANCO[32], que se equivoca quien asevere cosa semejante, pues no hay nada más contundente y severo que la fuerza de la razón y ésta no titubea en demostrar las bondades que se derivan de haber separado la regulación de los derechos y obligaciones personales de aquellas prerrogativas de tipo más patrimonial, como aquí se hará ver.

Así pues, contrario a lo que hasta ahora se ha visto, el Código Civil colombiano recoge, en el Título XII del Libro Primero, los *"derechos y obligaciones* [personales] *entre padres e hijos"*, mientras que el Título XIV del Libro Primero versa sobre *"la patria potestad"*. ¿Cuál es, pues, la diferencia entre uno y otro títulos? La respuesta es sencilla: El Título XII gobierna las relaciones jurídicas intersubjetivas de carácter *personal*, derivadas fundamentalmente de la *naturaleza* humana; entre tanto, el título XIV preside las relaciones jurídicas de carácter *patrimonial*, derivadas de la autoridad que los padres ejercen sobre sus hijos. En una palabra, bajo el nombre de *Derechos y obligaciones personales entre padres e hijos* se estudiarán las relaciones jurídicas que atañen a *la persona* del hijo y bajo el nombre de *Patria potestad* se estudiarán las prerrogativas que se despliegan sobre *los bienes* del hijo.

Es por esto que, particularmente en el derecho colombiano, es muy importante la prudencia al acudir a la doctrina extranjera. Sin tener completa claridad sobre la independencia —aunque guarden íntima relación— de ambas figuras, fácilmente se podría caer en equívocos por inadvertencia y descuido.

Fluye entonces de lo anterior la razón por la que sugestivamente decidimos calificar la *patria potestad* colombiana como *restringida*, pues evidentemente ella no se extiende, como lo hacía la *patria potestas* romana y lo hace la *patria potestad* de otros ordenamientos jurídicos, a *la persona* del hijo. Tan solo se limita a ordenar el régimen de representación legal, judicial y extrajudicial, goce legal (impropiamente bautizado usufructo legal) y administración de algunos de los bienes de los hijos. Las demás relaciones jurídicas

---

[30] Cfr. LUIS CLARO SOLAR, *Explicaciones de derecho civil chileno y comparado,* 132.

[31] *Ibidem.*

[32] Cfr. ROBERTO SUÁREZ FRANCO, *Derecho de familia,* tomo II: *Régimen de los incapaces,* cuarta edición. Bogotá: Ed. Temis, 2014), 138 y 139.

no pertenecen a su espectro, escapan de él y se ubican en el marco de los *Derechos y obligaciones personales entre padres e hijos*.

Tal aseveración no se atenúa ni se desvirtúa por el hecho de que, como se estudió en la sección I del capítulo IV del tomo I de esta obra, el Legislador colombiano hubiera incurrido en la impropiedad de indicar, en el artículo 15 de la Ley 45 de 1936, que al ejercicio de la patria potestad sobre los hijos "naturales" se aplicarían "las reglas del Título 12, Libro 1°, del Código Civil" y luego afirmara que, "[e]n relación con los bienes, los derechos y deberes de quien ejerza la patria potestad sobre un hijo natural, son los mismos de los guardadores, salvo la obligación de dar caución".

El desafortunado yerro en que incurrió el Parlamento no da pie para pensar que la *patria potestad*, a partir de entonces, fue concebida entre nosotros como un cúmulo de derechos y deberes con proyección en *los bienes* y en *la persona* de los hijos. Ello se ratifica en la corrección del yerro por parte del Legislador, mediante el artículo 21 de la Ley 75 de 1968, como se comentó en la sección VI del capítulo V del tomo I de esta obra.

Y tampoco alcanza a desvirtuar o atenuar la aseveración el hecho de que el artículo 288 del Código Civil, que se encuentra dentro del Título XIV del Libro Primero, hubiera definido, en su versión original, la *patria potestad* como "el conjunto de derechos que la ley da al padre legítimo sobre sus hijos no emancipados", sin indicar que se refería a *los bienes* en particular. A pesar de la posible falta de técnica de la disposición en análisis, y respecto de la cual se harán los comentarios pertinentes en el capítulo que sigue, es lo cierto que una mirada detenida a los artículos subsiguientes permite concluir, sin asomo de duda, que tales derechos se enmarcan en el orden preponderantemente patrimonial.

En todo caso, importa advertir que, quizás por razones de oportunidad y pragmatismo, alguna parte de la doctrina colombiana ha mostrado una tendencia a unificar el estudio de los *Derechos y obligaciones personales entre padres e hijos* y la *Patria potestad*. Así, como subtítulo del capítulo IV del título IV de su obra, que versa sobre *Derechos y obligaciones entre padres e hijos*, VALENCIA ZEA anuncia el estudio de la "Potestad parental sobre la persona de los hijos"[33], al propio tiempo que intitula el capítulo V del título IV de la misma obra, relativo a la *Patria potestad*, como "Potestad parental sobre los bienes de los hijos"[34]. En igual sentido, aunque con menos claridad

---

[33]   ARTURO VALENCIA ZEA. *Derecho civil*. Tomo V. *Derecho de familia*, 382.

[34]   ARTURO VALENCIA ZEA. *Derecho civil*. Tomo V. *Derecho de familia*, 393.

identitaria, GARCÍA SARMIENTO intitula el capítulo XVIII de su obra, que versa sobre los *Derechos y obligaciones personales entre padres e hijos*, como "(…) Autoridad paterna y materna (…)"[35], en tanto que bautiza el capítulo XIX, relativo a la *Patria potestad*, como "(…) Autoridad parental (…)"[36].

En procura de evitar confusiones terminológicas, el análisis que en estas páginas se presenta será cuidadoso en aludir a las relaciones jurídicas *personales* bajo el título *Derechos y obligaciones personales entre padres e hijos*, mientras que las relaciones jurídicas *sobre el patrimonio* serán abordadas bajo el título *Patria potestad*.

II. Derechos y obligaciones personales entre padres e hijos y autoridad paterna

Cuando los comentaristas del Código Civil de BELLO tuvieron ocasión de abordar la diferenciación hecha por el Estatuto en relación con los *derechos y obligaciones personales entre padres e hijos* y la *patria potestad*, se gestaron opiniones tendientes a identificar el primer cúmulo de relaciones jurídicas bajo el título de *autoridad paterna*. Por ejemplo, CLARO SOLAR señala que "los derechos de educar, corregir y castigar al hijo que constituían en el derecho antiguo la manifestación más eficiente de la patria potestad, han pasado a formar parte de lo que se ha asignado como autoridad paterna"[37]. En la misma línea, VÉLEZ planteó lo siguiente:

> Del derecho antiguo que ponía los hijos a merced del padre permitiéndole que dispusiese de sus vidas y de sus cosas como a bien lo tuviera, se ha llevado –debido al conocimiento de la moral cristiana– no sólo a fijar los verdaderos principios de la materia, sino también a clasificarla, distinguiendo la *autoridad paterna*, que se basa en la ley natural, de la *patria potestad*, que tiene su origen en la ley civil[38].

Empero, otros, como CHAMPEAU y URIBE, no fueron tan receptivos con la ordenación del codificador. Así se lee en su *Tratado de derecho civil colombiano*:

> Habría convenido también tratar de los derechos de los padres junto con la patria potestad, de la cual resultan asimismo derechos para ellos; los títulos 12 y 14 habrían podido reunirse en uno solo.

---

35   EDUARDO GARCÍA SARMIENTO. *Elementos de derecho de familia*, 487.
36   EDUARDO GARCÍA SARMIENTO. *Elementos de derecho de familia*, 524.
37   LUIS CLARO SOLAR. *Explicaciones de derecho civil chileno y comparado*, 132.
38   FERNANDO VÉLEZ. *Estudio sobre el derecho civil colombiano*, 262.

Para justificar la división dice el señor CHACÓN[39] que aquí se trata de autoridad paterna, y que la patria potestad se refiere únicamente a los bienes. Esta distinción es arbitraria y la tradición no la justifica: la patria potestad romana comprendía tanto los derechos sobre la persona como los derechos sobre los bienes. En realidad, la expresión «patria potestad» se aplica mejor a la potestad sobre la persona; la potestad sobre la persona es expresión de sentido claro y natural, y no se puede hablar, sin forzar el valor de las voces, de potestad sobre los bienes. Además, los derechos del padre sobre los bienes del hijo son una consecuencia de los derechos que tiene sobre su persona[40].

A pesar de la interesante discusión sobre la conveniencia o no de disgregar ambos cúmulos de relaciones jurídicas, y en la cual adscribimos a la tesis de que sí era conveniente, lo cierto es que así quedó plasmado en nuestra legislación y es con base en esa perspectiva que se orientará este estudio.

Ahora bien, corresponde señalar que la *autoridad paterna* fue designada como tal, incluso en el propio neologismo francés que se comenta *infra*, porque justamente la historia condujo a que así fuera. Cuando se haga aquí el repaso somero de la *patria potestad* romana se logrará identificar que la concepción de la figura jurídica mutó ostensiblemente con el paso del tiempo. Es más, desde los escritos de CICERÓN, transcritos más adelante, se podrá constatar que las obligaciones y derechos derivados de la paternidad fluían de la naturaleza humana, de la condición misma de la paternidad. Porque no es cierto que haya sido la ley la que enseñará u ordenará a los padres a querer, cuidar, formar, proteger y educar a sus hijos; es mucho más severa la naturaleza humana que, enquistada en el corazón de los padres, los mueve a procurar su bienestar. Es tan sencillo como volcar la mirada a la mayoría de las especies animales —particularmente los mamíferos— que, sin leyes civiles para comprender, cuidan, protegen, forman y preparan a sus crías hasta que logran la madurez suficiente para valerse por sí mismas.

Y, por supuesto, el estoicismo y el cristianismo vinieron a robustecer lo que ya había anunciado CICERÓN, por la vía de enrostrar que la paternidad sintetizaba el más puro amor y de ella surgían vastas obligaciones para con los hijos, de orden moral, que habrían de ser luego reconocidas por la ley. La razón para tal reconocimiento fue expresada por la patrística y acogida luego por MAZZINGHI en sus textos: ¿Cómo podría un padre procurar el bienestar y la mejor crianza de su hijo si carece de autoridad? Desde luego que la autoridad paterna se encuentra ínsita en la relación paternofilial,

---

[39]   *Op. Cit.*, 231.

[40]   EDMOND CHAMPEAU y ANTONIO JOSÉ URIBE. *Tratado de derecho civil colombiano*, 306.

porque pretender la igualdad sin ápice alguno de diferencia entrañaría desdibujar el rol vertical que surge en la familia y que necesariamente obra como presupuesto para la satisfactoria culminación del encargo hecho por la naturaleza.

De manera que no se presenta como exótico o extraño que las voces más autorizadas en la materia se hubieran decantado por dar el nombre de *autoridad paterna* a estos derechos y obligaciones de carácter personal. Obviamente, tal acepción venía imbuida por la historia y sería reforzada por el ordenamiento jurídico, en cuanto hacía exclusiva referencia al *padre*, puesto que era él quien quedaba revestido de autoridad y, solo excepcionalmente y por defecto, la *madre*.

Con el transcurso del tiempo Colombia, como todos los ordenamientos jurídicos en general, logró superar las arcaicas barreras que se imponían a la mujer. Primero, mediante la Ley 28 de 1932 se le retornó la capacidad de ejercicio que perdía, de acuerdo con la redacción del Código Civil, por causa del matrimonio[41]. Y luego, mediante la expedición del Estatuto de la Igualdad (Decreto 2820 de 1974), fruto de la reflexión de las mentes brillantes de la Comisión de Juristas integrada por HERNANDO DEVIS ECHANDÍA, ÁLVARO PÉREZ VIVES, CIRO ANGARITA BARÓN, JOSEFINA AMÉZQUITA DE ALMEIDA y ARTURO VALENCIA ZEA, se eliminó de un brochazo la denominada *potestad marital*, por la cual la mujer quedaba sometida a la voluntad del varón, que era el jefe del hogar[42].

Con el restablecimiento de su capacidad plena y la abolición del oscuro régimen de *potestad marital*, nada se oponía entonces a que la mujer pasara a ser cojefe del hogar, como en efecto ocurrió desde la promulgación del Estatuto de la Igualdad. Siendo ello así, mucho menos resultaría explicable que se mantuvieran las disposiciones tendientes a permitir que los derechos y deberes personales entre padres e hijos estuvieran atados, en forma principal, al padre. De modo que se hizo necesario eliminar, también, la disposición que sujetaba la subordinación del hijo al padre, en forma preferente, así como aquellas que precisaban que las discrepancias entre ambos padres, en relación con algún aspecto puntual, se resolverían en favor del varón.

Sentados en pie de igualdad el padre y la madre, o los progenitores, como verdaderamente corresponde por su relación horizontal en el seno de la familia, es claro entonces que los derechos y obligaciones que ense-

---

[41]   Cfr. Sección III del capítulo III del tomo I de este libro.
[42]   Cfr. Sección VI del capítulo VI del tomo I de este libro.

guida se explican los tienen como cotitulares, en un extremo, a los dos, sin preferencia ni prevalencia de ninguna clase.

Corolario obligado de lo anterior es que la expresión *autoridad paterna* despliega sus alcances, hoy, tanto respecto del *padre* como respecto de la *madre*. Nadie, en buena lógica, podrá oponerse a esta conclusión. Mas con el propósito de evitar confusiones, alguna parte de la doctrina ha preferido aludir a la *autoridad parental*. No creemos nosotros que sea necesario alterar la estructura lingüística, si con el uso correcto del español y un entendimiento claro es posible conferir el alcance dual que ahora se propone.

Sin embargo, y sin perjuicio de reconocer que la *autoridad* es un elemento de la esencia de la relación paternofilial, es quizás más preciso hacer referencia a los *Derechos y obligaciones personales entre padres e hijos* que a la *autoridad paterna*, porque, aunque en la actualidad sea pacífico que las relaciones jurídicas son de ambas vías (de padres hacia hijos y de hijos hacia padres), no es tan clara esa connotación del sentido literal de la expresión *autoridad paterna*. Así pues, se procurará, en este texto, catalogar las relaciones jurídicas de orden personal bajo el título de *Derechos y obligaciones personales entre padres e hijos*.

III. Derechos y obligaciones personales entre padres e hijos y responsabilidad parental

El artículo 14 del Código de la Infancia y la Adolescencia denomina *responsabilidad parental* a los *derechos y obligaciones personales entre padres e hijos*. Tal circunstancia ha motivado a alguna parte de la doctrina a creer que la expresión *derechos y obligaciones personales entre padres e hijos* ha perdido vigencia y debe ser ahora sustituida. Firmemente nos oponemos a esa conclusión, por los motivos que se explican enseguida:

1) El artículo 2º del Código de la Infancia y la Adolescencia señala que su objeto es

> establecer normas sustantivas y procesales para la protección integral de los <u>niños, las niñas y los adolescentes</u>, garantizar el ejercicio de sus derechos y libertades consagrados en los instrumentos internacionales de Derechos Humanos, en la Constitución Política y en las leyes, así como su restablecimiento. Dicha garantía y protección será obligación de la familia, la sociedad y el Estado (subrayado propio).

2) El artículo 4º, *ibidem*, al concretar su ámbito de aplicación, establece que ese Código "se aplica a todos los <u>niños, las niñas y los adoles-</u>

centes nacionales o extranjeros que se encuentren en el territorio nacional, a los nacionales que se encuentren fuera del país y a aquellos con doble nacionalidad, cuando una de ellas sea la colombiana" (subrayado propio).

3) El artículo 3°, *ibidem*, señala que son niños los humanos entre 0 y 12 años de edad y son adolescentes los humanos entre 12 y 18 años de edad. A su turno, el artículo 34 del Código Civil, en los términos en que fue modificado por el artículo 53 de la Ley 1306 de 2009, establece que los individuos que hayan cumplido los 18 años de edad son adultos o mayores de edad.

4) Por consiguiente, las disposiciones del Código de la Infancia y la Adolescencia son aplicables únicamente a quienes no hayan cumplido los 18 años de edad.

5) El artículo 14 del Código de la Infancia y la Adolescencia, además de indicar el alcance de la *responsabilidad parental* en forma idéntica a lo que se entiende por *Derechos y deberes personales entre padres e hijos*, señala que se trata de "un complemento de la patria potestad establecida en la legislación civil".

6) De acuerdo con los artículos 312 y siguientes del Código Civil, la patria potestad se extingue por la emancipación y la fecha máxima en que puede ocurrir la emancipación es cuando las personas cumplen los dieciocho años de edad.

7) Es consistente que la normativa del Código de la Infancia y la Adolescencia haya dispuesto que la *responsabilidad parental* es un complemento de la *patria potestad,* en el entendido que ambas instituciones se refieren a los menores de 18 años de edad.

8) Los *Derechos y obligaciones personales entre padres e hijos* no necesariamente cesan por la emancipación, sino que ordinariamente se prolongan hasta la muerte del padre o del hijo.

9) Por tanto, la institución de *Derechos y obligaciones personales* entre padres e hijos no ha sido derogada. Simplemente, en tratándose de menores de edad, se podrán emplear, en forma intercambiable, las denominaciones *Responsabilidad parental* o *Derechos y obligaciones personales entre padres e hijos*. Sin embargo, una vez cumplida la mayoría de edad, solo será procedente utilizar la expresión *Derechos y obligaciones personales entre padres e hijos.*

IV. ¿De quiénes se predican los derechos y obligaciones personales?

Es esencial, para que el estudio propuesto se comprenda con la completitud requerida, fijar los extremos de las relaciones jurídicas que enseguida se abordan. Sobre tales bases, corresponde indicar que, en un extremo, como se precisó en el título precedente, se ubican los padres conjuntamente. En el otro extremo se ubican los hijos, sin distinción alguna por causa del tipo de filiación.

Aunque parezca obvio, es indispensable esclarecer este punto, habida cuenta de que no siempre fue así. Como se estudió *supra*, el ordenamiento jurídico no siempre reconoció los derechos y obligaciones de los hijos matrimoniales y extramatrimoniales con el mismo rasero. Y es que, con independencia de que las leyes de la naturaleza impongan ciertos derechos y obligaciones personales, nuestro estudio se centra, fundamentalmente, en el derecho positivo legislado. Por tal motivo, si este texto se hubiera escrito en épocas anteriores, no hubiera sido posible conformar el extremo de los hijos sin importar su filiación. Pero ahora, con sustento en el artículo 42 de la Carta Política, que garantiza la igualdad de los hijos, es perfectamente clara la manera en que se integran los extremos.

SECCIÓN II. FUNDAMENTO TEÓRICO
DE LA AUTORIDAD PATERNA

Bastante se ha discutido en torno a la fundamentación teórica que subyace a la *autoridad* con que quedan revestidos los padres en sus relaciones con los hijos. Ese problema, que por mucho escapa al *derecho*, será abordado en las páginas que siguen para plantear algunos puntos de vista, sin intención de abarcar la totalidad de los ámbitos que componen la discusión.

El objeto de la controversia parte de un presupuesto básico, cual es entender que está fuera de discusión el hecho mismo de la *autoridad* de los padres sobre los hijos. Es este un hecho social, moral e históricamente reconocido que nadie se atrevería a poner en duda. Para confirmarlo, es factible acudir a un fugaz recuento histórico:

LEWIS HENRY MORGAN, uno de los padres de la antropología moderna, fue de los primeros en teorizar sobre las formas de asociación familiar en las épocas del salvajismo y la barbarie. En su brillante obra *Ancient society; or researches in the lines of human progress from savagery, through barbarism to civilization*[43], MORGAN explica[44] algunos tipos de familias que se gestaron en el mundo antes de arribar a la *monogamia*. Retomaremos estos tipos con menos detalle que el explicado por MORGAN.

La *familia consanguínea*[45] es considerada como la más antigua de todas, con manifestación en varias tribus malayas, polinesias y hawaianas. El sistema consistía, en esencia, en dividir los grupos por generaciones (cinco normalmente, aunque se indica que los chinos conocieron hasta nueve grados) y permitir que todos los hombres de una generación estuviesen casados con las mujeres de esa misma generación. Entre ellos, los esposos se llamaban hermanos y hermanas. La generación engendrante llamaba "hijos" a la generación engendrada, quienes, a su turno, llamaban "padres" a todos los miembros de la generación engendrante. Entre la generación de los *hijos*, los hombres y mujeres se llamaban hermanos y hermanas y eran, al propio tiempo, esposos entre sí. La nueva generación engendrada por

---

[43] LEWIS HENRY MORGAN, *Ancient society; or researches in the lines of human progress from savagery, through barbarism to civilization.* (Nueva York: Ed. Henry Holt and Company, 1877).

[44] Como es natural, los hallazgos de MORGAN no estuvieron (ni están hoy) exentos de cuestionamientos en la doctrina antropológica a nivel mundial. En sus tiempos, MCLENNAN fue quizás uno de los más férreos contertulios y opositores a sus planteamientos (JOHN FERGUSON MCLENNAN, *Primitive marriage: an inquirí into the origin of the form of capture in marriage ceremonies.* (Edinburgo: Ed. Adam and Charles Black, 1865)). En la época reciente, otros estudios han mirado con recelo parte de sus hallazgos, fundamentalmente en lo que respecta al hecho de que la conformación familiar clásica familiar estuvo orientada o sustentada en una suerte de "sistema comunista". Un recuento sobre el recelo causado se puede ver en MASON HERSEY. "Lewis Henry Morgan and the anthropological critique of civilization", en *Dialectical Anthropology*, vol. 18, núm. 1. (Berlin/Heidelberg: Ed. Springer, 1993), 53 a 70. Una crítica aguda se puede encontrar en ELMAN R. SERVICE, ALAN BARNARD, Y. MICHAL BODEMANN, PATRICK FLEURET, MORTON FRIED, THOMAS G. HARDING, JASPER KÖCKE, LAWRENCE KRADER, ADAM KUPER, DOMINIQUE LEGROS, RAOUL MAKARIUS, JOHN H. MOORE, ARNOLD R. PILLING, PETER SKALNÍK, ANDREW STRATHERN, ELISABETH TOOKER y JOSEPH W. WHITECOTTON. "The mind of Lewis H. Morgan [and comments and reply]" en *Current Anthropology*, vol. 22, núm. 1. (Chicago: Ed. The University of Chicago Press, 1981), 25 a 43. De igual forma, justamente el hecho de que MORGAN haya fungido como inspiración o fuente de referencia para los apóstoles del *Manifiesto Comunista*, MARX y ENGELS, entre otros, quienes lanzan severas críticas a la familia monógama y al matrimonio, hace que este autor se vuelva esencial en nuestro texto, porque incluso él reconoce, con todo y su pensamiento, que la *autoridad paterna* fue rasgo característico en lo que él denomina *familia antigua*.

[45] LEWIS HENRY MORGAN. *Ancient society ...*, 401 a 424.

los *hijos* llamaba, como sucede en nuestros tiempos, *abuelos* a la generación que había engendrado a sus padres.

Nótese que, por un lado, el matrimonio no trasgredía las barreras generacionales, sino que se limitaba a los miembros del sexo opuesto de una misma generación. Además, se denominaban entre engendrantes y engendrados, en su orden, *padres* e *hijos*. Y su organización, como la de todas las familias, estaba incardinada a garantizar la subsistencia de la comunidad[46].

Luego surgió la *familia punalúa*[47], con proyección particular en las tribus hawaianas. En la *familia consanguínea* se excluía del comercio sexual la relación entre padres e hijos, mientras que en este tipo asociativo se excluyeron del comercio sexual, además, a los hermanos en sentido estricto, o carnales, y en sentido lato. Por el lado paterno, todos los hijos —hombres y mujeres— de los hermanos varones del padre eran, para él, sus hijos y eran, por tanto, hermanos de sus hijos biológicos. Por el lado materno, todos los hijos —hombres y mujeres— de las hermanas mujeres de la madre eran, para ella, sus hijos y eran, por tanto, hermanos de sus hijos biológicos. Sin embargo, por el lado paterno, los hijos —hombres y mujeres— de las hermanas mujeres del padre eran, para él, sus *sobrinos* y eran, por tanto, *primos* de sus hijos biológicos. A su vez, por el lado materno, los hijos —hombres y mujeres— de los hermanos varones de la madre eran, para ella, sus *sobrinos* y eran, por tanto, *primos* de sus hijos biológicos. Esta división en el parentesco, surgida en lo que MORGAN llama el período del salvajismo, permitía que se denominara *punalúa* (o *compañero íntimo*) al primo del sexo opuesto, pero descartaba el comercio sexual entre padres e hijos, así como entre hermanos.

Repárese en que, también en este tipo asociativo familiar, se preserva el reconocimiento de la *paternidad* y la *maternidad*, al tiempo como se excluye una nueva categoría (los *hermanos*) del comercio sexual. Es, en palabras de MORGAN, una buena ilustración de la forma en la que operó el sistema de selección natural[48].

Más adelante se produce el nacimiento de la *familia sindiásmica*[49], con proyección especial en las tribus americanas de Nuevo México y California, en los aztecas y los mayas. Esta especie asociativa surge en el fin del salvajismo y el principio de la barbarie y básicamente consiste en la especiali-

---

[46] *Ibidem*, 402.
[47] *Ibidem*, 424 a 453.
[48] *Ibidem*, 425.
[49] *Ibidem*, 453 a 468.

dad de uniones entre un hombre y una mujer, a pesar de la autorización, en algunas culturas, del matrimonio por grupos. Aquí, señala MORGAN, el matrimonio entre la pareja abdica de la idea del amor que se conoce en la civilización y se gesta por el *acuerdo entre las madres*[50]. Las más de las veces, la poligamia era aún aceptada, aunque de muy rara ocurrencia. Y en casos como el de los mayas, la infidelidad ocasional estaba permitida para los hombres, al tiempo como era gravemente sancionada si la ejercían las mujeres. Pero en todos los casos la decisión de disolver el matrimonio estaba al alcance tanto de la mujer como del hombre, por su sola voluntad.

Importa destacar una aseveración de MORGAN en torno a los hijos: "El nacimiento de los hijos, respecto de los cuales ambos padres se preocupaban, tendía a cimentar la unión y a hacerla permanente"[51]. Véase cómo se reconoce la preocupación y el cariño de los padres por sus hijos, al punto de lograr que la unión fuese más estable. Además, la autoridad paterna brota a flor de piel con la facultad de elegir la pareja de su hijo, lo que obviamente supone que su despliegue alcanza tantos otros efectos de la vida personal, como son la crianza y educación de ellos.

En todo caso, al finalizar la unión matrimonial, era común que la madre se llevara a los hijos, porque el parentesco en esta etapa lo daba ella. Sin embargo, en el caso de algunas tribus aztecas, acaecido el divorcio el padre tenía derecho de quedarse con las hijas mujeres mientras la madre permanecía con los hijos varones.

De estas tres formas antiguas de constitución de familia, es menester destacar que, abstracción hecha de sus diferencias, siempre persistió una clara diferenciación entre los *padres* y los *hijos*. Mal se podría pensar, en lo que constituiría un muy superficial entendimiento, que la única connotación de la figura era excluir del comercio sexual a engendrantes y engendrados. Como lo dice FRIEDRICH ENGELS, uno de los más avezados defensores del comunismo, "[l]os apelativos de padre, hijo, hermano, hermana, no son simples títulos honoríficos, sino que, por el contrario, traen consigo serios deberes recíprocos perfectamente definidos y cuyo conjunto forma una parte esencial de esos pueblos"[52]. Tan nítida aseveración por uno de

---

[50] *Ibidem*, 455 y 457.

[51] *Ibidem*, 454. La anterior es una traducción libre. En su versión original: "The birth of children, for whom they jointly cared, tended to cement the union and render it permanent".

[52] FRIEDRICH ENGELS. *El origen de la familia, la propiedad privada y el Estado*, Enrique Luque (Trad.) (Madrid: Ed. Alianza, 2016), 81.

los más fuertes críticos del sistema matrimonial permite avizorar que no se trata de una designación caprichosa; si lo que estaba de por medio era la subsistencia de la tribu, se debe comprender que los padres ejercían una importante autoridad sobre sus hijos (en sentidos lato y estricto).

Incluso si se admite que la única relevancia de la designación entre *padres* e *hijos* era la exclusión del comercio sexual, sería necesario indagar el motivo para que se hubiera considerado indispensable hacer esa diferenciación. ¿Por qué resultaba importante o imperioso evitar que las distintas generaciones tuvieran cohabitación sexual entre sí? Si en el primer estadio asociativo de la familia se admitió que los propios hermanos y hermanas carnales se pertenecían libremente unos a otros, ¿qué fue lo determinante para que no pudiera correr la misma suerte la paternidad y la maternidad?

Lejos de estos interrogantes, a cuya respuesta no nos abocaremos, pero nos parece obvia, lo cierto es que en estas épocas históricas se conoció y vivió la autoridad de los *padres* sobre los *hijos*.

Al continuar el recorrido histórico encontramos en Grecia un marcado reconocimiento de la autoridad paterna. Es así como HOMERO relata, en el Canto IX de la *Odisea*, que al llegar ODISEO a la tierra de los CÍCLOPES encontró que cada uno era "legislador de sus hijos y esposas"[53]. También así sucedía con los clásicos, pues es bien conocido por la pluma de PLATÓN que SÓCRATES varias veces indicó que los hombres eran vistos como "guardadores de un rebaño"[54]. Por tanto, a ellos correspondía en forma principal una posición de autoridad que, vale agregar, se sustentaba en la necesidad de educar para la vida en la república.

Esa visión es consistente con la de ARISTÓTELES cuando, en la *Política*, se refiere al temperamento que han de tener los padres en la crianza de sus hijos, así:

> No nos detendremos en las condiciones de temperamento que han de tener los padres para que nazcan con vigor sus hijos. Estos pormenores, si se tratase el asunto profundamente, tendrían su verdadero lugar en un tratado de educación. Aquí podremos ocuparnos de él en pocas palabras. No hay necesidad de que el temperamento sea atlético, ni para las faenas políticas, ni para la salud, ni para la procreación; tampoco es conveniente que sea valetudinario e incapaz de rudos trabajos, sino que es preciso que ocupe un término medio entre estos extremos. El cuerpo debe agitarse por medio de la fatiga, pero de modo que ésta no sea demasiado violenta. Tampoco deben limitarse estos ejercicios a un solo género, como hacen los atletas, sino que debe poder

---

[53]   HOMERO, *La odisea*. Canto IX.

[54]   PLATÓN, *Obras completas de Platón*, tomo VII: *La República*, Libro V. (Madrid: Ed. Patricio de Azcárate, 1872), 242, 242 y 261.

soportar el cuerpo todos los trabajos dignos de un hombre libre. Estas condiciones me parecen igualmente aplicables a las mujeres que a los hombres[55].

No entraremos a explorar, ahora, cuál era el motivo que subyacía o fundamentaba tal autoridad. Pero es indudable que, si los padres estaban llamados, en la Grecia mitológica y luego en la clásica, a educar, es porque a ellos se les confería una verdadera autoridad[56].

Si saltamos a Roma no hace falta explicar la autoridad de que estaba dotado el *pater familias*. Ella es pormenorizada en el capítulo siguiente y constituye, verdaderamente, el eje neurálgico de la *patria potestad* aún en nuestros tiempos.

La Edad Media, principiada con la caída del Imperio Romano de Occidente, dio paso a que se gestaran las diferentes monarquías en la Europa occidental. La historia de las instituciones y la cercanía con la religión hicieron que en los reinos subsistiera la *autoridad paterna* como principio uniformemente reconocido. Obviamente, y como no podía ser distinto, se presentaron variaciones particulares en cada uno de los reinos al abordar la materia.

Así se mantuvo en la Modernidad cuando se vino a gestar en Europa lo que con fino criterio PERRY ANDERSON denomina el Estado absolutista. Luego, en la Época Contemporánea, la autoridad paterna permaneció inalterada a pesar de los importantes cambios sociales y políticos que terminaron con la formación del Estado Nación. Ello se verifica en todas las legislaciones.

El breve recuento tan solo ratifica la premisa con que comenzó este título: la *autoridad paterna*, más allá de su denominación específica en los contextos normativos particulares, ha sido una constante histórica recogida y aceptada en las distintas formas de organización social. Pero la respuesta que en verdad interesa conocer es la relacionada con ¿cuál es el fundamento teórico que subyace a esa autoridad paterna?

Para entender las distintas aproximaciones que se han defendido, resulta imprescindible comprender que, a pesar de que la autoridad paterna ha permanecido incólume en el tiempo, su visión, su intensidad y sus alcances sí se han modificado. En un primer momento se permitía que los padres

---

[55] ARISTÓTELES, *La política*, Introducción, traducción y notas de Manuela García Valdés. (Madrid: Ed. Gredos, 1988), 1334b y ss, 444 y ss.

[56] Más detalles sobre la conformación antropológica de la familia en la Grecia antigua se puede encontrar en JAVIER VERGARA CIORDIA, "Familia y educación familiar en la Grecia antigua", en *Estudios sobre Educación*, vol. 25, 2013, 13 a 30.

tomaran la vida de sus propios hijos, en ejercicio de una autoridad desmedida. Empero, al pasar el tiempo se impuso un cambio en la moral social y lo que se avizoraba como natural en un primer momento cedió su paso a una nueva consciencia humana.

Pues bien, conocer la fundamentación teórica de la *autoridad paterna* exige salir del plano antropológico y simplemente normativo, para pasar al plano filosófico. Por ese motivo, no es posible establecer el razonamiento sobre el que se cimentó tal autoridad durante los primeros tipos de asociación familiar, pues sus comentaristas tienden a hacer un análisis de tipo exclusivamente antropológico.

I. La antigüedad

En la Grecia clásica, la *autoridad paterna* se fundaba en claros criterios de una responsabilidad hacia a la sociedad. Cual sucede en Colombia, la *polis* griega encontraba su base en el *oikos* —la familia[57]— y allí, por tanto, resultaba imperioso que se educara a los hijos como individuos respetuosos de las leyes. En el diálogo que SÓCRATES (siglo V a.C) sostiene con ADIMANTO, según el relato de PLATÓN (siglos V y IV a.C), se hace bastante clara la importancia educativa, derivada del poder que el padre tiene sobre el hijo como manifestación de la responsabilidad hacia la sociedad:

—[SÓCRATES] Todo lo que nosotros les ordenamos aquí, no es tan importante como pudiera imaginarse, no es nada. Interesa solamente observar un punto, el único importante, ó más bien el único preciso.

—[ADIMANTO] ¿Cuál es?

—La educación de la juventud y de la infancia. Si nuestros ciudadanos son bien educados y se hacen hombres en regla, verán por sí mismos fácilmente la importancia de todos estos puntos y de muchos otros que omitimos aquí, como todo lo relativo a las mujeres, al matrimonio y a la procreación de los hijos; y verán, digo, que según el proverbio, todas las cosas deben de ser comunes entre los amigos.

—Perfectamente bien.

—En un Estado todo depende de los principios. Si ha comenzado bien, va siempre agrandando como el círculo. Una buena educación forma un buen carácter; los hijos siguiendo desde luego los pasos de sus padres, se hacen

---

[57] ARISTÓTELES, *La política*, 1252b, 48 y 49.

bien pronto mejores que los que les han precedido, y tienen, entre otras ventajas, la de dar a luz hijos que les superan a ellos mismos en mérito, como sucede con los animales.

—Así debe ser.

—Por tanto, para decirlo todo en dos palabras, los que hayan de estar á la cabeza de nuestro Estado vigilarán especialmente para que la educación se mantenga pura; y, sobre todo, para que no se haga ninguna innovación ni en la gimnasia ni en la música; y si algún poeta dice no se crea que el poeta se refiere a canciones nuevas, sino a una manera nueva de cantar, y por lo mismo no deben aprobar semejantes innovaciones. No debe alabarse ni introducirse alteración ninguna de esta especie. En materia de música han de estar muy prevenidos para no admitir nada, porque corren el riesgo de perderlo todo, ó como dice Damon, y yo soy en esto de su dictamen, no se puede tocar a las reglas de la música sin conmover las leyes fundamentales del gobierno.

—Cuéntame entre los que piensan así.

—Nuestros magistrados harán de la música, según mi parecer, la cindadela del Estado.

—Sí, pero el desprecio de las leyes se hace sentir insensiblemente, sin apercibirse de ello.

—Eso es cierto. Al pronto parece que es un juego y que no hay ningún mal que temer.

—En efecto; en un principio no hace más que insinuarse poco á poco y deslizarse suavemente en los hábitos y en las costumbres. Después sigue aumentándose, y se introduce en las relaciones que tienen entre sí los miembros de la sociedad, y desde aquí avanza hasta las leyes y principios de gobierno, que ataca, mi querido Sócrates, con la mayor insolencia; concluyendo por producir la ruina del Estado y de los particulares.

—¿Sucede esto?

—Por lo menos así me lo parece. Por consiguiente, esa será una razón más para someter muy en tiempo los juegos de los niños á la más severa disciplina, porque por poco que ésta llegue á relajarse y que nuestros niños se extravíen en este punto, es imposible que en la edad madura sean virtuosos y sumisos á las leyes.

—¿Cómo podrían serlo?

—Mientras que si los juegos de los niños se someten á regla desde el principio; si el amor al orden entra en su corazón con la música, sucederá, por un efecto contrario, que todo irá de mejor en mejor, de suerte que si la disciplina se relajase en algún punto, ellos mismos la repararían un día.

—Es cierto.

—Ellos mismos restablecerán estas reglas que pasan por minuciosas, y que sus predecesores habrán dejado caer enteramente en desuso.

—¿Cuáles son esas reglas?

—Las siguientes: estar callado delante de los ancianos, levantarse cuando éstos se presentan, cederles siempre el puesto de honor, respetar á los padres, conservar el modo de vestir, de cortarse el pelo y de calzarse, todo lo relativo al cuidado del cuerpo y otras mil cosas semejantes. Todo esto ¿no lo encontrarán por sí mismos?

—Sí.

—Sería una locura hacer leyes sobre tales objetos, pues ya se impongan por escrito ó a viva voz, no por eso serian mejor observadas. Por otra parte, ningún legislador ha descendido nunca á semejantes pormenores.

—Es cierto.

—Parece, mí querido ADIMANTO, que todas estas prácticas son un resultado natural de la educación, porque lo semejante ¿no atrae siempre á su semejante?

— Sin duda.

—Por consiguiente, nuestra conducta concluye por ser muy buena ó muy mala, según el punto de partida.

—Así debe ser.

—Por esta razón yo no querría estatuir nada sobre esta clase de cosas[58].

Esa fundamentación también es perceptible en los diálogos de SÓCRATES con TIMEO y en la *República* de PLATÓN cuando se sugiere que los hi-

---

[58]   PLATÓN, *Obras completas de Platón*, tomo VII: *La República*. (Madrid: Ed. Patricio de Azcárate, 1872), 203 a 205.

jos indebidos, quizás por haber sido nacido de matrimonios de hombres que han superado la edad pertinente para procrear, ora porque son fruto del concubinato o bien porque padecen de alguna malformación, sean ocultados[59], abandonados[60] o, al decir de ARISTÓTELES (siglo IV a.C), asesinados[61]. Todo ello en beneficio de la *polis* porque, se debe recordar, la procreación tiene la connotación de servicio público (*leitourgein*)[62].

II. *República romana y principios del Imperio*

En los albores del derecho romano "la familia implicaba esencialmente la idea del mando, del imperio, de la autoridad sobre los habitantes de una casa"[63]. Por ello, no resulta extraño que el *pater familias* detentara poderes omnímodos sobre los bienes y, más importante aún, la persona de los hijos. Era evidente que la autoridad descansaba sobre la premisa de servir a la República y formar ciudadanos útiles que hicieran posible su prosecución en el tiempo.

Hacia el final de la República romana, CICERÓN (siglos II y I a.C) reflejó la importancia de un ejercicio moderado y mesurado de la *patria potestas* en orden a la preservación de la Patria. En efecto, se advirtió que la utilidad de los ciudadanos era mayor cuando se protegía la familia y se desplegaban relaciones de dos vías entre padres e hijos al interior de las cuales se encarnara un trato informado por la *piedad* y la *humanidad*, según los dictados de la naturaleza. Por el contrario, el ejercicio del *officio* del *pater familias* no podía resultar útil para la República cuando era desmedido y fomentaba

---

[59]   PLATÓN, *Obras completas de Platón,* tomo VI: *Timeo; o de la naturaleza.* (Madrid: Ed. Patricio de Azcárate, 1872), 150 y 151.

[60]   PLATÓN, *Obras completas de Platón,* 257 y 258.

[61]   Señalaba el pensador griego que quienes padezcan una deformidad deben ser abandonados o abortados, así como también las criaturas que superen el número de hijos autorizado por la ley. En opinión de MANUELA GARCÍA VALDÉS, la visión de ARISTÓTELES representa un avance moral en relación con la de PLATÓN, en la medida en que solo admite el abandono o aborto en estas dos circunstancias, mientras el primero también justifica el abandono para los hijos habidos fuera de la unión legítima de sus padres. Cfr. ARISTÓTELES. *La política,* 1335b, 446 a 449.

[62]   Véanse a ARISTÓTELES. *La política,* 1335b, 448 y PLATÓN. *Obras completas de Platón,* 240.

[63]   SAÚL SAAVEDRA LOZANO y EDUARDO BUENAVENTURA LALINDE. *Derecho romano, traducciones y apuntes,* Tomo I. Tesis para optar por el título de Doctores en Jurisprudencia del Colegio Mayor de Nuestra Señora del Rosario. (Bogotá: Ed. Centro S.A, 1942), 160.

una ruptura de las relaciones familiares[64], porque llegado el momento los *hijos* se podrían venir contra los *pater* e incluso incurrir en *parricidio*.

Ya en las primeras épocas del Imperio, con el influjo del estoicismo la autoridad paterna afianzó el matiz pietístico y humanitario, aunque seguía inspirada en la finalidad de mantener el Imperio incólume. Se continuó el perfeccionamiento de la *patria potestas* por la vía de comparar al *buen pater familias* con el *buen emperador*. Así, en procura de la estabilidad social, la autoridad paterna debía ser ejercida con mesura y prudencia[65].

III. El cristianismo

Con la conversión del Imperio Romano al cristianismo, los principios que imbuían y sustentaban la autoridad paterna fueron sustituidos por la *pietas, caritas* y *misericordia*[66]. Ello vino aparejado del cambio en la concepción de la *patria potestas*. La responsabilidad con el Imperio, en orden a garantizar su prevalencia y subsistencia, dejó de ser el único fundamento de la autoridad paterna porque se *descubrió*, en términos del iusnaturalismo teológico, otro principio natural que la informaba: el amor de los padres por sus hijos, y de éstos por aquéllos, que sienta la base de una autoridad tendiente a garantizar la salvación de la descendencia.

En el Bajo Imperio Romano, la conversión al cristianismo se tradujo en la aceptación de la *patrística*[67]. El nuevo norte en el discurrir cotidiano fue el de procurar la salvación, la comunión fraternal en la vida eterna que viene después del mundo terrenal. La obediencia pasiva a la Voluntad de Dios y los dictados del derecho natural es aquello por lo que debe propender el sujeto.

No es lo mismo autoridad —*auctoritas*— que poder —*potestas*—. Esa diferencia terminológica, que parece sutil, en verdad no lo es, pues la primera expresión se identifica con valores divinos, con caridad, con misericordia, mientras la segunda se presenta como corolario del individualismo, el des-

---

64   Marco Tulio Cicerón, *Retórica a Herenio*, Introducción, traducción y notas de Salvador Núñez. Madrid: Ed. Gredos, 1997), 130; y *De officiis*, Traducido del latín por Walter Miller. (Londres: Ed. William Heinemann Ltd, 1928), 367.

65   Cfr. Lucio Anneo Séneca, *De clementia*. (Madrid: Ed. Tecnos, 1988), 36 y 37.

66   Cfr. Guillermo Suárez Blázquez, *Aproximación al tránsito jurídico de la patria potestad: desde Roma hasta el derecho altomedieval visigodo de España*, 23.

67   Véanse, sobre el particular, nuestros comentarios en la sección I del capítulo siguiente.

potismo y el egoísmo. Si todos somos hijos de Dios, las relaciones terrenales han de emular esa primigenia relación divina. Los padres, precisa el Canon 2222 del Catecismo, "deben mirar a sus hijos como a *hijos de Dios* y respetarlos como a *personas humanas*. Han de educar a sus hijos en el cumplimiento de la ley de Dios, mostrándose ellos mismos obedientes a la voluntad del Padre de los cielos". Como dijera SAN AGUSTÍN DE HIPONA (siglos IV y V d.C), "[l]a familia debe ser el principio y la parte mínima de la ciudad"[68].

Nótese que por esta vía se desplaza la utilidad de la autoridad paterna para la preservación del Imperio o el orden social terrenal, puesto que lo verdaderamente importante es trascender a la vida eterna. Pero para hacerlo es preciso obrar de tal manera que se cumpla con la Voluntad de Dios, con la *ley eterna* que se manifiesta, por medio de la razón, en la *ley natural* que los hombres conocemos. Esa nueva orientación implicó un significativo viraje en la concepción de la *autoridad paterna* en general, pues se introdujo un concepto más importante: el amor.

Desde ese momento se dejó de ver la relación familiar como una relación de poder o de simple humanidad caritativa, porque ahora, al emular la relación de *Dios Padre* con el *Hijo*, el *padre* estaba llamado a amar a su *hijo*, así como el *hijo* debía amar a su *padre*. El ejercicio de la autoridad dejó de ser visto como un acto de control, de poder o de dominio, pues la sola procreación no hace a los padres dueños de sus hijos, sino que impone los más importantes deberes de cuidado para la enseñanza de la moral cristiana y la fe. Así se confirma de la lectura de uno de los pasajes de la *Ciudad de Dios*:

> La primera responsabilidad que pesa sobre el hombre es con relación a los suyos, que es a quienes tiene más propicia y fácil ocasión de cuidar, en virtud del orden natural o de la misma vida social humana. Dice a este respecto el Apóstol: *Quien no mira por los suyos, en particular por los de su casa, ha renegado de la fe y es peor que un descreído.* De aquí nace también la paz del hogar, es decir, la armonía ordenada en el mandar y en el obedecer de los que conviven juntos. En efecto, mandan aquellos que se preocupan; por ejemplo, el marido a la mujer, los padres a sus hijos, los dueños a sus criados. Y obedecen los que son objeto de esa preocupación; por ejemplo, las mujeres a sus maridos, los hijos a sus padres, los criados a sus amos. Pero en casa del justo, cuya vida es según la fe, y que todavía es lejano peregrino hacia aquella ciudad celeste, hasta los que mandan están al servicio de quienes, según las apariencias, son mandados. Y no les mandan por afán de dominio, sino por su obligación de mirar por ellos; no por orgullo de sobresalir, sino por un servicio lleno de bondad[69].

---

[68]   SAN AGUSTÍN DE HIPONA, *La ciudad de Dios*, 19, 16.

[69]   SAN AGUSTÍN DE HIPONA, *La ciudad de Dios*, 19, 14.

Según se ve, los dictados del cristianismo fueron fundamentales en la redefinición de la autoridad paterna, en la medida en que tuvieron por objeto mutar su basamento. En la nueva estructura se depuso la idea de una autoridad exclusivamente útil para garantizar la prosecución del Imperio y se entronizó una nueva concepción sustentada en el amor, con el propósito de obtener la salvación y disfrutar de la vida eterna. El hijo debe obedecer al padre, como lo ordenan los mandamientos y lo reiteran múltiples pasajes bíblicos[70], en la misma forma en la que el padre es llamado a instruir bondadosa y misericordiosamente a su hijo en la palabra de Dios.

Ya no se sostenía en la moral social la posibilidad de que la institución de la *patria potestas* fuera empleada para hacer de los hijos víctimas y de los padres verdugos excusados en la preeminencia del Imperio. Siendo ello así, por sustracción de materia las disposiciones positivizadas tendían a perder toda su eficacia, incluso a pesar de seguir estatuidas en el ordenamiento jurídico.

La caída del Imperio Romano de Occidente, principiada en el siglo IV d.C. y culminada en el siglo V d.C., no supuso la desaparición del cristianismo, ni mucho menos la abolición del fundamento de la autoridad paterna. El reino visigodo, por ejemplo, rápidamente selló su unión espiritual con el cristianismo católico en el III CONCILIO DE TOLEDO (siglo VI d.C.), pocos años después de la conversión de RECAREDO, con lo cual apostató del arrianismo que, en todo caso, es también una vertiente del cristianismo. Lo propio ocurrió con el reino franco que, tras el bautismo de CLODOVEO en el siglo V d.C., propició un terreno más sencillo para la unificación de Galia. O la aparición de los *estados pontificios* en el siglo VIII d.C. No se desconoce que, como es natural, hubo varias disputas entre la iglesia y distintos monarcas, como FELIPE IV de Francia, EL HERMOSO, o ENRIQUE IV del Sacro Imperio Romano Germánico. Sin embargo, tales disputas, cuya base esencial consistió en el no reconocimiento de la preeminencia poder espiritual sobre el poder terrenal o temporal, no tuvo la entidad de descartar la influencia del cristianismo en la fundamentación teórica de la autoridad paterna y su adopción por las legislaciones de cada territorio.

Y si se tiene claridad sobre lo anterior, es fácil comprender el motivo por el cual la doctrina moderna, casi en forma unánime, reemplazó el concepto de *potestas* por el de *auctoritas*. Aunque alguna parte de la doctrina

---

[70] Sobre este particular, muy nutrido es el escrito de VÍCTOR MUKARKER OVALLE, "Algunos aspectos de la patria potestad en las Sagradas Escrituras", en *Revista Chilena de Derecho*, vol. 7, núm. 1/6, 1980, 519 a 525.

ha insinuado[71] que la distinción entre autoridad y potestad es arbitraria, nosotros creemos que ello no es así y su fundamentación histórica permite develar un cambio en la concepción de la *autoridad paterna*.

Si bien en Roma se distinguía la *potestas* de la *auctoritas* en cuanto la primera decía relación con el conjunto de poderes entregados por la legislación o un cargo específico a alguien y la segunda se refería al conjunto de condiciones intelectuales que confería determinado reconocimiento social a una persona, el cristianismo hizo más severa y palpable la diferenciación de ambos conceptos en la célebre *doctrina de las dos espadas*. Fue el papa SAN GELASIO I (siglo V d.C) quien sentó las bases de esta doctrina en la misiva enviada a ANASTACIO I, así:

> Existen AUGUSTO emperador dos poderes con los cuales se gobierna soberanamente este mundo: la autoridad (*auctoritas*) sagrada de los pontífices y el poder real (*regalis potestas*). Pero el poder de los sacerdotes es más importante porque, en el juicio final, tendrá que rendir cuentas ante el Divino Juez de los gobernantes de los hombres. Sabes bien, hijo clementísimo, que aunque por tu dignidad eres el primero (*princeps*) de todos los hombres y el emperador del mundo (*imperator orbis*), debes agachar la cabeza piadosamente ante los prelados de las cosas divinas; al recibir los sacramentos divinos esperas de ellos los medios de tu salvación y sabes que en las cosas de la religión debes someterte a su juicio y no querer que ellos se sometan a tu voluntad. Si para todo aquello que se relaciona con el orden público, los sacerdotes obedecen tus leyes al admitir que el imperio te ha sido concedido por una disposición divina, y, con cuánta afección debes obedecerles tú, a ellos, que comunican los misterios divinos. Y así como a los pontífices les incumbe una responsabilidad no pequeña si callan algo que convenga al culto divino, así también les incumbe una responsabilidad no menor si desprecian lo que deben obedecer. Y así a todos los sacerdotes en general, que administran rectamente los divinos misterios, conviene que los corazones de los fieles le estén sometidos, ¿cuánto más se debe prestar obediencia a la cabeza de la sede apostólica a quien la misma divinidad quiso que todos los sacerdotes le estuvieran sometidos, y la piedad de toda la Iglesia siempre ha honrado como tal?[72].

Nótese que la diferenciación entre *potestas* y *auctoritas* va más allá de una simple escogencia de palabras, denota una verdadera diferencia en la raíz de las facultades atribuidas a tal o cual sujeto. El poder —*potestas*— opera en el mundo temporal, pero la autoridad —*auctoritas*— impera en la con-

---

[71]   En este sentido, EDMOND CHAMPEAU y ANTONIO JOSÉ URIBE, *Tratado de derecho civil colombiano*, 305 y 306; y ROBERTO SUÁREZ FRANCO, *Derecho de familia*, tomo II: *Régimen de los incapaces*. (Bogotá: Ed. Temis. Bogotá, 2014), 137 y 138.

[72]   El texto es transcrito por FLORENCIO HUBEÑAK, "Raíces y desarrollo de la teoría de las dos espadas" en *Prudentia Iuris*, núm. 78, 2014, 113 a 129.

secución de la salvación y el disfrute de la vida eterna. Así pues, si según SAN AGUSTÍN (siglos IV y V d.C) el *padre* emula en su familia la relación que tiene el Obispo con su iglesia, deviene natural que la raíz de sus facultades sea la autoridad y no el poder. Por eso con delicado criterio informaban los padres de la iglesia que de ahí que el *padre* no se llamara *señor* y los *hijos* no fueran *siervos*. No había un *poder* en realidad, sino una *autoridad*.

En todo caso, es de reiterar que la influencia del cristianismo no se desvaneció por la caída del Imperio Romano de Occidente; por el contrario, perduró en el tiempo y decididamente impuso la noción de la *autoridad paterna* que más tarde acogerían las legislaciones contemporáneas. Así se explica que las Siete Partidas de ALFONSO X, EL SABIO, (siglo XIII d.C) hubieran recogido en forma capital la legislación romana justinianea, pero con una fuerte perspectiva del cristianismo, de donde surgen las bases para la regulación que, en relación con la *autoridad paterna*, se dictaría más adelante en las Leyes de Toro durante el reinado de JUANA I, LA LOCA (siglos XV y XVI).

Huelga advertir que la noción de la *autoridad paterna* que introdujo el cristianismo se perfeccionó bajo la impronta de la escolástica, que hubo de acercar la *razón* con la *fe*. En palabras de GIORGIO DEL VECCHIO, "la Filosofía Escolástica trató de desarrollar los dogmas religiosos mediante un análisis racional, dentro de los límites impuestos por la fe"[73].

Los escritos de SANTO TOMÁS DE AQUINO (siglo XIII d.C), uno de los principales exponentes de la doctrina escolástica, son supremamente elocuentes en cuanto hace a la relación paternofilial y a su razón de ser. Sería necio y desbordante tratar todos los textos en que se aprecia la inescindible relación de los padres y el hijo; por ello, se destacarán algunas de las referencias más relevantes para comprender la forma en que la concepción de la autoridad paterna tuvo un perfeccionamiento en la doctrina cristiana. Veamos.

Evidentemente, al aludir a SANTO TOMÁS se hace referencia obligada al iusnaturalismo escolástico. Por tanto, el primer pasaje para entender la autoridad paterna se debe tomar del *Comentario a las sentencias de Pedro Lombardo:*

> [A]lgo se dice natural de dos modos. Un modo como causado por necesidad a partir de los principios de la naturaleza, como es natural al fuego moverse hacia arriba, etc. De otro modo se llama natural aquello a lo que inclina la naturaleza, aunque se precise del libre albedrío para su ejecución, como son llamados naturales los actos virtuosos; y de este modo es natural el matrimonio,

---

[73]   GIORGIO DEL VECCHIO, *Filosofía del derecho*, Trad. Luis Legaz y Lacambra. (Barcelona: Ed. Bosch, 1969), 30.

pues la razón natural inclina al mismo de dos maneras. En primer lugar, en
cuanto a su fin principal, que es el bien de la prole; y es que no tiende la naturaleza solo a su generación, sino también a su conducción y promoción hasta el
estado perfecto del hombre en cuanto hombre, que es el estado de virtud. Por
consiguiente, según el Filósofo, tres cosas nos dan los padres, que son: el ser,
el alimento y la instrucción. Ahora bien, el hijo no puede ser criado e instruido
por los padres sin tener unos padres determinados y decididos a serlos[74].

Del aparte transcrito se aprecia, con bastante claridad, que se llama natural al matrimonio, unión que tiene por fin principal propender por el bien
de los hijos. Aunque, más allá, se cataloga también como natural la procreación, no solo en cuanto acto de engendrar, sino también en lo que atañe a
la conducción hasta el estado de virtud del hombre. La unión natural de los
hombres, que se alcanza por el libre albedrío con el que sellan su consentimiento, entraña también la voluntad de dar a luz a un humano nuevo, que
ha de ser guiado por la senda de la virtud para alcanzar su maduración en
la forma debida. Lo anterior se robustece con el siguiente pasaje:

El hijo, en realidad, es naturalmente algo del padre. En primer lugar, porque,
en un primer momento, mientras está en el seno de la madre, no se distingue corporalmente de sus padres. Después, una vez que ha salido del útero
materno, antes del uso de razón, está bajo el cuidado de sus padres, como
contenido en un útero espiritual. Porque, mientras no tiene uso de razón, el
niño no difiere del animal irracional. Por eso, del mismo modo que el buey o
el caballo son propiedad de alguien y puede usar de ellos a voluntad, como
de un instrumento propio, según el derecho natural, es también de derecho
natural que el hijo, antes del uso de razón, esté bajo la protección de sus padres. Iría, pues, contra la justicia natural el sustraer del cuidado de los padres
a un niño antes del uso de razón, o tomar alguna decisión sobre él en contra
de la voluntad de los mismos. Mas, una vez que comienza a tener uso de
razón, empieza también a ser él mismo, y en todo lo concerniente al derecho
divino o natural puede ser provisor de sí mismo. En esa situación debe ser in-

---

[74] SANTO TOMÁS DE AQUINO, *Comentario a las sentencias de Pedro Lombardo*. Libro IV. D.
26, q, 1, a. 1. Así también se desprende de la *Suma de Teología* (III. q.2, a. 1): "Es
sabido que el nombre de *naturaleza* se dice o está tomado de *naciendo*. Por lo que,
en primer lugar, se usó tal nombre para designar la *generación de los vivientes*, que
se llama *natividad* o *germinación*: por eso *naturaleza* equivale a *lo que ha de nacer*. Después el nombre de *naturaleza* se desplazó a significar el *principio de esta generación*.
Y como el principio de la generación en los seres vivos es intrínseco, el término
naturaleza pasó a significar más adelante cualquier *principio intrínseco de movimiento*.
(...) Tal principio es la forma o la materia (...) Y como en el ser engendrado el fin
de la generación es la esencia específica, que es la expresada por definición, de
ahí que *naturaleza* signifique además *esencia específica*". Es bien claro que la naturaleza para este caso se identifica con el principio de la generación, de donde los
engendrantes dan paso a un nuevo humano.

ducido a la fe, no a la fuerza, sino por la persuasión, y puede también, contra la voluntad de los padres, prestar su asentimiento a la fe y recibir el bautismo; mas no antes del uso de razón. De ahí que de los niños de los antiguos padres se diga que fueron salvados en la fe de sus padres. Con ello se quiere dar a entender que incumbe a los padres proveer sobre la salvación de sus hijos, sobre todo antes del uso de razón[75].

Y más adelante refuerza esta visión con la explicación de que

como en lo humano nuestro padre participa con limitaciones de la razón de principio que se encuentra sólo en Dios de manera universal, así también la persona que cuida de algún modo de nosotros participa limitadamente de lo propio de la paternidad. Pues el padre es el principio de la generación, educación, enseñanza y de todo lo relativo a la perfección de nuestra vida humana (…) Por tanto, así como en la religión, por la que damos culto a Dios, va implícita en cierto grado la piedad por la que se honra a los padres, así se incluye también en la piedad la observancia, por la cual se respeta y honra a las personas constituidas en dignidad[76].

De lo expuesto se podría concluir, apresuradamente, que la autoridad paterna en este caso procede del hecho natural de la procreación y parece estar más en sintonía con una suerte de propiedad del padre, pero como se explicó con precedencia, la escolástica en este punto acerca la *razón* con la *fe* y es por eso por lo que SANTO TOMÁS agrega que el

matrimonio no solo se funda en el aspecto genérico de la naturaleza humana, o sea en lo que el hombre tiene de animal, sino en el aspecto específico de la misma, esto es, en la racionalidad del hombre. Por ello no intenta únicamente la generación de la prole, sino el conducir y elevar a ésta hasta el estado perfecto del hombre, en cuanto hombre, que es el estado de virtud[77].

A lo cual añade que "[n]o es, por tanto, el último fin de la multitud reunida a vivir virtuosamente, sino llegar a la fruición divina a través de la vida virtuosa"[78]. Diríase entonces, y con buena razón, que en la escolástica tomista la autoridad paterna tiene su fundamento en la procreación, acto racional del hombre por el que no solo procura engendrar, sino también

---

[75]   SANTO TOMÁS DE AQUINO, *Suma de teología*. II-II. q, 10. Trad. Armando Bandera González, Niceto Blázquez, José Luis Espinel Marcos, Pedro Fernández Rodríguez, Luciano Gómez Becerro, Jesús Hernando Franco, Ángel Martínez Casado, Manuel Morán Flecha, Antonio Osuna Fernández-Largo y Victorino Rodríguez Rodríguez. (Madrid: Ed. Biblioteca de Autores Cristianos, 1994), libro III, 123.

[76]   SANTO TOMÁS DE AQUINO, *Suma de teología*, Libro IV, 202.

[77]   SANTO TOMÁS DE AQUINO, *Suma de teología*. Supl. q, 41.

[78]   SANTO TOMÁS DE AQUINO, *De regno*. Libro I. c, 15.

conducir a sus retoños al estado de virtud. Dada la consabida inmadurez de la criatura humana en sus primeros años de vida, corresponde a sus padres el ejercicio de la autoridad para la correcta guía y orientación. Así pues, es el amor por Dios y por los propios hijos el que da fundamento a esta autoridad. Como se dijo, constituye un avance en los dictados de la patrística porque, a pesar de que su base está fincada en los mismos conceptos, la aproximación escolástica a Dios no se hace ya desde un plano eminentemente dogmático, disponible solo para quienes fuesen iluminados por la Voluntad Divina, sino que es en algún modo más accesible para quienes ejercen la razón.

Esas ideas serían luego retomadas, en el marco de la segunda escolástica, por el dominico de la Escuela de Salamanca, DOMINGO DE SOTO (siglos XV y XVI d.C). Sus nítidas referencias a la autoridad paterna delinearon y aclararon profundamente la concepción y fundamentación de la expresión. En su *Relección De Dominio* intituló un aparte completo de la siguiente manera: "Ni la patria potestad, ni el poder del marido caen dentro de la recta noción de dominio"[79].

Tan afortunada claridad muestra un rompimiento con la concepción antigua de la autoridad paterna que, aunque ya se veía desde los albores del influjo cristiano, se hizo expresa en esta oportunidad: aquí la autoridad paterna no se confunde, y mucho menos identifica, con la titularidad del derecho de dominio sobre los hijos; no hay señorío reticente y trasnochado. En el título al que se alude, DOMINGO DE SOTO explica que el hombre

> manda sobre (...) los hijos, no como a siervos sino como a libres, rigiéndolos y gobernándolos. (...) Por lo cual la esposa y los hijos obedecen como libres, por propia voluntad y libertad. (...) Pero, de la misma manera como hablamos acerca de la vida, hay que decir a este propósito que, aunque el varón no sea propiamente señor de la esposa ni de los hijos, no obstante tiene el derecho de guardarlos y gobernarlos; y, por ello, quien causa daño a la esposa o a los hijos hace injuria al varón y a los padres[80].

Es evidente que la autoridad paterna aquí escapa, por mucho, al solo hecho de la procreación. La alzada del amor se hace patente en su más célebre obra *De la justicia y del derecho*, a saber:

> [C]omo está mandado obedecer a los superiores, también lo está honrar a los padres, en lo cual se comprende la obediencia"[81].

---

[79] DOMINGO DE SOTO, *Relecciones y opúsculos*, tomo I: *Introducción general, De Dominio, Sumario, Fragmento: An liceat...* (Salamanca: Ed. San Esteban. Salamanca, 1995), 183 a 189.
[80] *Ibidem.*
[81] DOMINGO DE SOTO, *De la justicia y del derecho*, tomo I. (Madrid: Ed. Reus, 1926), 163.

> [C]ada uno tiene obligación de amar por ley natural no sólo a los padres sino
> también a los hijos (...) Como lo que los padres deben a los hijos: la cual
> manera de deuda no es en verdad como si hubiesen recibido algo de ellos,
> sino en cuanto son partes de ellos, y amándose a sí mismos aman a sus des-
> cendientes, según dice Aristóteles[82].

Repárese en lo ilustrativos que resultan los anteriores pasajes, en la medida en que en ellos se afirma el convencimiento de que, además de hallar
sustento en los Mandamientos divinos, la autoridad se cimienta sobre el
más puro amor que, por naturaleza, los padres sienten por sus hijos y éstos
por el padre. Que DOMINGO DE SOTO haya refutado explícitamente la tesis
del derecho de dominio sobre la descendencia no significa que también
se haya apartado, o desconocido, que los engendrados son producto de
los engendrantes. La indivisibilidad de unos y otros, que ya había anunciado SANTO TOMÁS, lleva a SOTO a una conclusión capital: (i) la familia se
asemeja a una República imperfecta, en cuanto los *padres* son *gobernantes* y
los *hijos* son *gobernados*, pero no como esclavos sino como libres; (ii) en las
repúblicas hay, y debe haber, una justicia política entre *gobernantes* y *gobernados*; (iii) sin embargo, en las familias *no* puede haber una manifestación
de justicia política, porque padres e hijos son uno solo. Veamos sus planteamientos: "[E]ntre el padre y el hijo no hay justicia política absoluta, sino
sólo relativa la cual llámese peculiar justicia paterna (...) algo más excelente que la simple justicia (...) piedad (...) y de los hijos al padre tampoco hay
justicia política absoluta pues son parte de uno mismo"[83].

Esa *peculiar justicia paterna*, que bien se diferencia de la *justicia política
absoluta*, es explicada por SOTO en los siguientes términos:

> [L]a naturaleza de la justicia es ser en relación a otro, al cual se le da lo igual
> a lo debido: luego la religión conviene con la justicia, porque es en relación
> a otro, por ejemplo, a Dios; al cual, sin embargo, no podemos devolver por
> igual. Y en esto se aparta de la justicia. Más a la religión pertenecen los pre-
> ceptos de la primera tabla, que es virtud aneja a la justicia. Por igual motivo
> la piedad, que es con relación a los padres, a los cuales no podemos devolver
> por igual, es parte de la justicia potencial. Y asimismo el respeto, que es la
> reverencia prestada a los hombres por la virtud[84].

Luego la autoridad paterna, que se sostiene por el amor natural, y goza
de peculiaridades propias tiene una especial aplicación. Quedan por fuera

---

[82]   *Ibidem*, 193.
[83]   *Ibidem*, tomo II, 211.
[84]   *Ibidem*, 47.

del ejercicio de la autoridad paterna las penas de muerte, de destierro, de cárcel u otras semejantes[85] porque el padre es *dispensador*, "manda los trabajos a cada uno como con cierto peso y medida, o también distribuye lo necesario de la dispensa común"[86].

Resta agregar, solo a manera de insumo, que la decidida defensa de los límites a la autoridad paterna que adelantó DOMINGO DE SOTO —entre otros—, quien participó activamente en las primeras sesiones del CONCILIO DE TRENTO (1545 a 1563 d.C.)[87], condujo a que en la sesión 24 del Concilio

---

[85] *Ibidem*, tomo I, 32.

[86] *Ibidem*, 237.

[87] Bueno es advertir que, aunque aquí se ha hecho referencia al cristianismo, *in genere*, la referencia se debe entender hecha, conforme se desciende en la historia, al cristianismo católico, apostólico y romano. El CONCILIO DE TRENTO es llamado por muchos la *contrarreforma* o *réplica del catolicismo*. Durante los varios siglos el cristianismo se fue fragmentando y, en punto a lo que aquí interesa, uno de los cismas más importantes fue el constituido por la *reforma protestante* de LUTERO, luego seguida por CALVINO. Sin necesidad de ahondar en los planteamientos de la *reforma protestante*, sus causas y sus alcances, conviene anotar que los frenos incorporados por el CONCILIO DE TRENTO a la autoridad paterna no eran de recibo para el cristianismo protestante de CALVINO, en particular. En efecto, al formular una severa crítica a la concepción del matrimonio como sacramento, CALVINO plantea, en el Libro IV de su *Institución de la religión cristiana*, lo siguiente: "Además [se refiere a los 'papistas'] han promulgado leyes para confirmar su tiranía; pero tales, que en parte son impías y contra Dios, y en parte injustas para con los hombres. Así, las que siguen: que los matrimonios entre jóvenes que aún están bajo la tutela paterna sean válidos e irrevocables sin consentimiento de los padres" (Libro IV, c. XIX, 37). Más adelante, al exaltar la absoluta obediencia, CALVINO rechaza toda posibilidad de oponer resistencia alguna al padre tirano que ejerce con maldad y excesos su autoridad: "Todos debemos a nuestros superiores, mientras dominan sobre nosotros, tal afecto de reverencia cual vemos que tuvo David, aun cuando ellos sean malos. Esto lo repito muchas veces, para que aprendamos a no andar investigando demasiado sobre qué clase de personas son aquellas a quienes debemos someternos y obedecer, sino que nos debemos contentar con saber que por la voluntad de Dios está colocado en aquel estado, al cual Él ha conferido una majestad inviolable. Pero dirá alguno que también existe un deber de los superiores para con los súbditos. Ya he confesado esto mismo; mas si alguno quisiera concluir de ahí que no se debe obedecer más que al señor justo, argumentarla muy mal. Porque los maridos y los padres tienen unos deberes determinados para con sus mujeres e hijos; y si acontece que no cumplen con ellos como es debido, porque los padres tratan rudamente a los hijos, injuriándolos a cada palabra, contra lo que manda san Pablo, que no los provoquen a ira (Ef. 6,4), y que los maridos menosprecian y atormentan a sus mujeres, a las cuales por mandamiento de Dios deben amar y guardar como a vasos frágiles (Ef. 5,25; 1 Pe.3,7), ¿podrían

a que aquí se alude, capítulos 1° y 29°, se condenara con la excomunión a quienes dijeran que los matrimonios contraídos por hijos de familia sin el consentimiento de los padres eran írritos o a quienes, directa o indirectamente, violentaran a otros impidiéndoles contraer matrimonio con absoluta libertad. Este importante avance demuestra, sin asomo de duda, la forma en que el cristianismo vino a delimitar y moldear la concepción de la autoridad paterna.

Con todo, se debe advertir que en estas líneas se ha procurado hacer una muy apretada síntesis de la importante influencia del cristianismo en avanzar hacia una concepción de la autoridad paterna que respetara muchos límites. Esa influencia, bastante desconocida en ocasiones, aportó decididamente a morigerar los alcances de una figura que, mal entendida, puede resultar macabra en su contenido. Porque las facultades del padre están atadas al bien de los hijos, no son carta blanca para que aquéllos aprovechen y ejerzan en desmedro de éstos. Y conocer la impronta cristiana, cuyos diferentes avances se estudiarán más adelante, se vuelve capital para entender la forma en la que ha mutado la fundamentación teórica de la autoridad paterna.

Por ahora se dejará de lado la impronta cristiana y se analizarán otras perspectivas que, al lado de ella, fueron surgiendo en relación con la autoridad paterna. En los siglos XVI y XVII, mientras DOMINGO DE SOTO hacía gala de su monumental defensa a los límites de la autoridad paterna, en el que PERRY ANDERSON denuncia como *Estado absolutista* se hicieron visibles otras posturas que, muy en línea con ese *absolutismo*, idealizaron de alguna manera la *patria potestas* romana. Veamos:

IV. La modernidad e inicios de la época contemporánea

JEAN BODIN (siglo XVI d.C), filósofo absolutista de la Edad Moderna, dedicó un capítulo completo de sus *Seis libros de la república* a explorar el "po-

---

por esto los hijos dejar de obedecer a sus padres, y las mujeres a sus maridos? Evidentemente, no; puesto que por la Ley de Dios les están sometidos, aunque sean malos e inicuos con ellos" (Libro IV, c. XX, 19). Véase a JUAN CALVINO, *Institución de la religión cristiana*. Trad. Cipriano de Valera. (Barcelona, 1999), 1167, 1191 y 1192. Sobre la *reforma protestante*, el lector puede acudir, entre otros a MAURICIO A. PLAZAS VEGA. *Historia de las ideas políticas y jurídicas*, 258 a 305; y a J.P. MAYER. *Trayectoria del pensamiento político*. (México D.F.–Buenos Aires: Ed. Fondo de Cultura Económica, 1961), 204 a 206, 262 y 263.

der del padre y si es bueno usar de él como hacían los antiguos romanos"[88]. En su muy interesante texto, BODIN hace descansar la autoridad paternal sobre el poder de Dios, de la naturaleza y fundamenta su intervención sobre la necesidad de preservar la grandeza de la República, así como sobre el amor del padre.

Sobre lo primero, esto es, el origen de la autoridad, sostiene lo siguiente:

> La potestad es propia de todos los que tienen poder de mando sobre otros. El príncipe, dice Séneca, manda a los súbditos, el magistrado a los ciudadanos, el padre a los hijos, el maestro a los discípulos, el capitán a los soldados, el señor a los esclavos: de todos ellos, ninguno ha recibido de la naturaleza poder alguno de mando, y menos de reducir a servidumbre, salvo el padre, que es la verdadera imagen del gran Dios soberano, padre universal de todas las cosas[89].

En cuanto a los alcances de la autoridad paternal (que parece mucho más un *poder* —*potestas*—, luego de marcar un fuerte acento sobre pasajes bíblicos que permiten concluir que el padre está facultado para matar a su hijo, sentencia:

> Lo dicho debe servir para mostrar la necesidad que hay en la república bien ordenada de dar a los padres el poder de vida y muerte, poder que la ley de Dios y de la naturaleza les otorga. De otro modo, que nadie espere ver restaurados las sanas costumbres, el honor, la virtud y el antiguo esplendor de la república[90].

Seguidamente, el autor refleja cómo el omnímodo poder del padre sirvió para que los romanos florecieran en honor y virtud y, luego de indicar algunos ejemplos que ratifican su punto de vista, se aboca a determinar lo que podría pasar si el padre malo incurriera en excesos. Sobre el particular, responde que, aunque puede haber casos extraños y exóticos en los que ello ocurra, "ningún legislador prudente se abstiene de hacer una buena ley por causa

---

[88]   Para entender los planteamientos de BODIN, muy oportuno se hace el recordatorio de GIORGIO DEL VECCHIO en cuanto a que su obra "se funda sobre la observación de los hechos y se propone fines concretos, inmediatos (...). Su obra corresponde a la consolidación de la monarquía en Francia. (...) BODIN, lo mismo que MAQUAVELO, es ante todo un hombre político; y en sus tratados tiene siempre la práctica a la vista. Considera, por tanto, con singular esmero, las causas de los cambios de gobierno e inquiere las condiciones mejores para el desenvolvimiento de la acción del Estado". Cfr. GIORGIO DEL VECCHIO. *Filosofía del derecho*. (Barcelona: Ed. Bosch, 1969), 44 a 46.

[89]   JEAN BODIN, *Los seis libros de la república*, tercera edición, trad. Pedro Bravo Gala. (Madrid: Ed. Tecnos, 1997), 23 y 24

[90]   *Ibidem*, 24.

de accidentes que se producen raramente. . . En resumen, sostengo que el natural amor de los padres hacia sus hijos es incompatible con la crueldad"[91].

La visión de BODIN claramente comporta un retroceso a los planteamientos de la Iglesia sobre la autoridad paterna. Y aunque se diga que su fundamentación teórica estriba en el amor y la conveniencia de la República, es en realidad una concepción que pone su énfasis más en lo segundo que en lo primero. Evidentemente, y sin incluir juicios de valor de naturaleza alguna, la principal y más importante preocupación del filósofo es preservar la estabilidad francesa. Para ese propósito, se hace imperativo dejar de lado otro tipo de pasajes bíblicos como los que aquí se han transcrito y que motivaron a los mismos miembros de la Iglesia a morigerar el alcance de la autoridad del padre sobre el hijo.

En todo caso, aquí la fundamentación teórica de la autoridad paterna es, verdaderamente, la necesidad de estabilizar la República y el deber de los individuos hacia ella. Solo en apariencia, en forma secundaria y como elemento útil de argumento, el amor de los padres hacia sus hijos.

HUGO GROCIO (siglos XVI y XVII d.C), reconocido por ser uno de los padres del Derecho Internacional, tampoco fue extraño a la autoridad paterna. En su *De iure belli ac pacis* dedica un capítulo entero del Libro II a explicar la adquisición originaria de los derechos sobre las personas, uno de los cuales, por supuesto, es el de los padres.

Principia el autor por mencionar que el derecho originario de los padres sobre la *persona* del hijo surge por el hecho de la generación, aunque agrega que, en caso de discordia, la voluntad del padre es siempre prevalente a la de la madre[92]. Enseguida señala que los hijos transitan por tres etapas: (i) la primera, en la que carecen de juicio; (ii) la segunda, en la que, con juicio imperfecto, siguen en la familia del padre; y (iii) la tercera, cuando ya se han emancipado.

En torno a la primera etapa, GROCIO plantea que la sujeción de los hijos al gobierno y dirección de los padres es absoluta, es total. Ello, en su opinión, porque es razonable que quien carece de juicio sea gobernado por un tercero, quien por las reglas de la naturaleza ha de ser el padre. No se niega la posibilidad de que el hijo sea titular del derecho real de dominio sobre bienes, pero, por su incapacidad de juicio, es a los padres a quienes corresponde actuar.

---

[91]   *Ibidem*, 27.

[92]   HUGO GROCIO, *De iure belli ac pacis*. Trad. Jean Barbeyrac y Richard Tuck. (Indianapolis: Ed. Liberty Fund, 2005), Libro II, c. V, I, 508 y 509.

Por lo que toca con la segunda etapa, cuando ha aflorado el juicio parcial de los hijos, los padres no ostentan un gobierno y dirección absolutos sobre sus hijos. Quedan limitados a cuestiones específicas. Los hijos pueden actuar según consideren, siempre en una forma que tienda a honrar a sus padres. Esta obligación se deriva del *afecto natural,* el *respeto* y la *gratitud*[93].

Los padres, durante estas dos primeras etapas, detentan el derecho de castigar, entendido como obligar a sus hijos a cumplir con sus deberes, corregirlos y reformarlos. La autoridad paterna no puede ser arrebatada ni transferida, pese a que GROCIO reconoce que, en la medida en que la ley civil no se oponga, los padres pueden empeñar o vender sus hijos, siempre que no puedan mantenerlos y se encuentren en estado de necesidad, como se reconoció en la Roma antigua[94].

En la tercera etapa, los hijos están bajo su propio mando, pero las obligaciones hacia sus padres de *respeto* y *afecto* no cesan, pues la razón que les da origen es sempiterna. No elucubraremos extensamente en relación con las obligaciones derivadas de crianza y educación, pero sí nos detendremos en los alcances de los castigos susceptibles de ser impuestos a los hijos, porque en ellos se observa la ruptura con los planteamientos del cristianismo. En el capítulo XX de su Libro II, GROCIO explica que la doctrina ha denominado *corrección, castigo* o *admonición* al acto por el cual una persona sanciona en beneficio de su destinatario. Es ese el tipo de sanción que descargan los padres sobre los hijos. Ahora, en lo que a la extensión o alcance de la sanción se refiere, el neerlandés precisa que quedan comprendidos actos de violencia e, incluso, la propia muerte. Empero, se debe advertir que este último castigo se reserva para casos muy excepcionales y como *última ratio,* a diferencia de lo que ocurría en la antigua Roma[95].

Sobre las anteriores bases, se observa que aquí la autoridad paterna surge por el hecho de la generación, ese es su origen. Su fundamento teórico se cimienta sobre el amor, el afecto, la caridad y la piedad que hay entre padres e hijos, pero su extensión o alcance va un poco más allá de las restricciones que la segunda escolástica había trazado. Porque a pesar de que la autoridad queda instituida en beneficio de los hijos, y así también los castigos, lo cierto es que se abarca la posibilidad de quitar la vida de estos últimos, según el tipo de pena.

---

[93] HUGO GROCIO, *De iure belli ac pacis,* 511.
[94] HUGO GROCIO, *De iure belli ac pacis,* 511 y 512.
[95] HUGO GROCIO, *De iure belli ac pacis,* 963 a 965.

En tiempos aledaños, THOMAS HOBBES (siglos XVI y XVII d.C), uno de los contractualistas, también se refirió a la autoridad paterna con un muy sugestivo título: *dominio parental.* Durante el *estado de naturaleza,* el *dominio* sobre los hijos corresponde exclusivamente a la madre, pues es ella quien puede decidir alimentarlo o abandonarlo a su propia suerte[96]; es el poder que detenta el propietario. Mas cuando la madre decide hacerse cargo de su deber, le corresponde atender a todos los cuidados necesarios con un objetivo fundamental: que el hijo, en edad madura, no se vuelva contra ella, ni se haga su enemigo[97].

El dominio que, según se expuso, se extiende hasta quitar la vida de su hijo, puede ser transferido a otros por diversas vías: (i) en primer lugar, si la madre abdica de su derecho y deja al hijo expósito[98]; (ii) en segundo lugar, cuando se es capturada, en cuyo caso el dominio pasa al verdugo que la apresa; y, (iii) en tercer lugar, si la madre está sujeta a otra autoridad, esa otra autoridad *también,* junto con la madre, ostentará el dominio sobre su hijo[99].

Agrega HOBBES en su *Leviatán* un concepto muy interesante en relación con el origen del dominio. En su sentir, la generación es parte del origen del dominio, pero, en su más clara expresión, éste se consolida con el *consentimiento* del hijo, bien sea tácito o expreso[100]. Como se dijo, el dominio radica, en primer término, en cabeza de la madre. Ello es así, porque naturalmente de donde provienen los hijos es de la mujer y solo respecto de la maternidad se tiene certeza, en tanto que la paternidad solo se conoce si la madre lo declara.

El consentimiento del hijo ha sido un aspecto profundamente estudiado por los comentaristas de HOBBES[101], puesto que resulta bastante difícil

---

[96]   THOMAS HOBBES, *De cive,* 1651. c. IX, II, 47.

[97]   *Ibidem,* c. IX, III, 47 y 48.

[98]   *Ibidem,* c., IX, IV, 48.

[99]   *Ibidem,* c. IX, V, 48.

[100]   THOMAS HOBBES, *Leviathan or the matter, forme, & power of a common-wealth ecclesiastical and civill.* Londres, 1651. c. XX.

[101]   Al respecto, véanse a: (i) CORNELIU BÎLBĂ, "The parent-child relation in Hobbes: beyond private life and public reason" en *Revista de Cercetare si Interventie Sociala,* vol. 32, 2011, 172 a 193; (ii) PAUL CORCORAN, "Dominion and generation, Hobbes on conjugal and domestic relations" en *Conferencia de la Australasian Political Studies Association.* (Newcastle: Ed. University of Newcastle, 2006); y (iii) CAROLE PATEMAN, "'God hath ordained to man a helper': Hobbes, patriarchy and conjugal right", en *British Journal of Political Science,* vol. 9, núm. 4, 1989, 445 a 464.

comprender cómo una criatura puede acceder a celebrar un convenio si no puede ni siquiera alimentarse por sus propios medios. Al respecto, la tesis más aceptada[102] parece ser la que luego esgrimiría, con mucho más detalle, PUFENDORF, en cuanto a que el consentimiento se presume desde la decisión de una madre de criar y nutrir a la criatura. Así, señala HOBBES, surge para la criatura una promesa de obediencia irrestricta a quien "tiene el poder de salvarla o destruirla"[103].

No hace falta mayor elucubración para entender la forma en la que esta visión difiere, radicalmente, de los dictados del cristianismo sobre la autoridad paterna. Basta consultar el título que utiliza HOBBES (*dominio parental*) para designar la figura. Evidentemente, estamos ante un poder omnímodo que no conoce límites de naturaleza alguna. Ya en lo que hace al fundamento teórico, bien claro queda que no media ninguna clase de *amor* ni *responsabilidad,* sino el más crudo precepto de conveniencia, que demanda que la madre, según el caso, críe a su retoño para que éste no se vuelva contra ella en su madurez.

SAMUEL VON PUFENDORF (siglo XVII d.C), por su parte, dedica un capítulo entero de su obra *Le droit de la nature et des gens, ou système général des principes les plus importants de la morale, de la jurisprudence et de la politique* al *poder paterno* (autoridad paternal). Comienza el alemán por sentenciar lapidariamente que la autoridad paterna es la más antigua y sagrada autoridad que se haya admitido entre los hombres[104]. Admite que la autoridad de los padres es producto de la generación, pero se aparta de GROCIO en cuanto repudia que ese hecho dé un derecho semejante al de Dios sobre los hombres. Considera que tal planteamiento no solo es falto de fe, sino que deja de lado los motivos que verdaderamente fundamentan la autoridad.

Al abordar este último aspecto, en forma explícita señala que hay dos razones que constituyen los verdaderos cimientos de la autoridad.

---

[102] Cfr. CORNELIU BÎLBĂ, "The parent-child relation in Hobbes: beyond private life and public reason", en *Revista de Cercetare si Interventie Sociala,* vol. 32, 2011, 183 a 188.

[103] *Ibidem.* La anterior es una traducción libre. En su versión original: "For it ought to obey him by whom it is preserved; because preservation of life being the end, for which one man becomes subject to another, every man is supposed to promise obedience, to him, in whose power it is to save, or destroy him".

[104] SAMUEL VON PUFENDORF. *Le droit de la nature et des gens, ou système général des principes les plus importants de la morale, de la jurisprudence et de la politique.* (Londres: Ed. Jean Nours, 1740). Libro III, c. II, I, 52.

En primer lugar, Pufendorf afirma la autoridad sobre la base de la ley natural. Si el hombre es sociable, como así lo cree el alemán, la ley natural ordena a los padres cuidar de sus hijos, pues de otro modo no hay lugar a la subsistencia de la sociedad. Para ese propósito, la naturaleza misma entrega a los padres una *ternura máxima* por los frutos de su unión. Mas, en la misma línea, el alemán se cuestiona cómo es posible que se ejerza el cuidado y protección de un hijo si se está desprovisto de una autoridad que así lo permita. Al respecto, sostiene que lo que obliga a un fin específico debe proveer los medios necesarios para su debida ejecución; así, la naturaleza, al obligar a los padres a cuidar a sus hijos para hacerlos seres sociales, les entrega una autoridad que, en su correlato, se manifiesta como una obligación del hijo de someterse a la dirección de sus padres[105].

En segundo lugar, sostiene que la autoridad paterna se cimienta sobre un "consentimiento presumido de los hijos y, por tanto, en una especie de convención tácita"[106]. Comoquiera que los padres aceptan voluntariamente, al tener un hijo, la crianza hasta que su retoño esté bien formado, el niño, que es carente de juicio y no cuenta con posibilidad de obligarse, se entiende prestar su consentimiento por la sola voluntad de los padres, creándose así una obligación recíproca para las partes. El razonamiento de Pufendorf es bien claro sobre este aspecto: Hay suficientes razones para creer que, si un niño tuviera pleno uso de razón desde su nacimiento, consciente de su imposibilidad física para mantenerse con vida, habría aceptado la sumisión a la autoridad de sus padres, bajo la condición de que lo críen bien. Este consentimiento, que se asume sobre una base razonable, cuenta con tanta validez como un consentimiento formal. De ahí que los padres ejerzan su autoridad[107].

Ante las posibles críticas sobre su segunda razón, Pufendorf se anticipa y precisa que nada impide que un mismo y único deber se fundamente, a la vez, en una máxima del derecho natural y en un convenio tácito. Al respecto, propone el siguiente ejemplo: Ningún hombre puede desobedecer a Dios. Dios, en su alianza, demanda de los fieles la obediencia absoluta. Un ciudadano está obligado a ir a la guerra por el bien de su Estado, pero los soldados se comprometen en forma voluntaria y bajo juramento. Así, concluye, ¿por qué no es dable suponer que cuando un padre asume la

---

[105]   *Ibidem*, Libro III, c. II, IV 55.
[106]   *Ibidem*, c. II, IV, 55.
[107]   *Ibidem*, II, IV, 55.

obligación de cuidar, alimentar y educar a su hijo, este último presta su consentimiento para que el primero lo haga con la autoridad debida?[108]

Por cuanto tiene que ver con el alcance de la autoridad paterna, Pufendorf impone serios límites. Sostiene que el *poder*, considerado como tal, es apenas el estrictamente necesario para que el padre cumpla con los deberes que la naturaleza le ha impuesto respecto de sus hijos. Es por ello que un padre, en su condición de tal, se encuentra obligado y motivado a criar adecuadamente a sus hijos; esto es, cuidar y gobernarlos hasta que estén en edad de velar por sí mismos, arropar y engrandecer su espíritu, hacerlos hombres útiles para la sociedad humana. Así, agrega como nueva réplica a Grocio, la generación no es más que la ocasión que da vida a un hombre, pero no es un deber paternal ni es la fundamentación de la autoridad paterna, su fin último, en realidad, es la educación que perdura para el resto de la vida de los hijos[109].

En su visión del asunto, pufendorf sustrae de la autoridad paterna, en forma explícita, el derecho de vida o muerte de los hijos, lo que incluye el aborto. Así mismo, repudia cualquier posibilidad de dejar a los hijos como expósitos, asesinarlos o venderlos, porque "aunque el hijo se forma de la substancia de su padre y su madre, es ante todo un igual, en tanto que criatura humana"[110]. Este *poder* solo confiere autorización para castigar con moderación; sostener lo contrario implica olvidar que la *autoridad* se ejerce en su más pura expresión durante una tierna edad[111]. De allí concluye que las penas más graves que puede imponer un padre, en su condición de tal, son la *abdicación* y el *desheredamiento*.

---

[108]   *Ibidem*, Libro III, c. II, IV, 55. Bastante cuestionada ha sido esta fundamentación. Sobre el particular, el lector puede acudir a Marie-Paul Bernard, *Histoire de l'autorité paternelle en France*. (París: Ed. Montdidier, 1863), XI y XII de la Introducción. Este último autor señala que, en su opinión, el fundamento de la autoridad paterna se contrae a dos elementos igualmente importantes: (i) La necesidad de criar a los hijos en su mejor interés y para el beneficio social; y (ii) el amor paternal inspirado por la naturaleza y fortificado por la razón. (Pág. XX de la Introducción).

[109]   *Ibidem*, Libro III, c. II, VI, 58.

[110]   *Ibidem*, Libro III, c. II, IV, 58. La anterior es una traducción libre. En su versión original: "Car, quoique l'Enfant roit formé de la substance de son Père & de sa Mère, il leur est d'abord égal, entant que (c) Créature Humaine (3)".

[111]   Recuérdese que pufendorf adhiere a la división de grocio entre etapas, de donde sostiene que la *autoridad paterna* propiamente tal se ejerce en las dos primeras etapas (carencia de juicio y juicio imperfecto), pero no una vez se ha alcanzado la madurez.

Tan importantes reflexiones de PUFENDORF demuestran un acercamiento, en buen grado, a la opinión del cristianismo en torno a la autoridad paterna. Acaso habría que indicar que la ruptura más significativa se dio en cuanto atañe a la injerencia de los padres en el matrimonio de los hijos, al cobijo de la comentada autoridad. Para PUFENDORF, a diferencia de los autores antes comentados, el matrimonio de un hijo sin el consentimiento de los padres no podía ser declarado nulo, en línea con los dictados del CONCILIO DE TRENTO. La única sanción susceptible de ser aplicada en tal caso era el desheredamiento, postura que no parece del todo simétrica con la visión cristiana antes comentada[112].

V. Los contractualistas ilustrados

JOHN LOCKE (siglos XVII y XVIII d.C) discute el *poder paternal* en su *Segundo tratado sobre el gobierno civil*. Para comenzar, el filósofo inglés deja bien claro que resulta desafortunado que durante tanto tiempo haya imperado la visión de que la *autoridad paterna* corresponde solo al *padre*, siendo que la *madre* es igualmente respetada y titular de tal autoridad. En su criterio, un correcto entendimiento habría zanjado las controversias que abrieron paso a las terribles monarquías que agobiaron al mundo[113].

Precisa además que los hijos no nacen en el perfecto estado de igualdad de todos los hombres, pese a estar destinados a él[114]. En efecto, al nacer como criaturas ignorantes y sin uso de razón, aunque racionales, los hijos no se gobiernan por la ley de la razón inmediatamente; para ello, que supone alcanzar su verdadera libertad, requieren que sus padres los guíen y, por eso, estos últimos quedan revestidos de una suerte de gobierno o jurisdicción sobre aquéllos.

LOCKE lapidariamente señala que los padres y madres tienen "«la obligación de preservar, alimentar y educar a los hijos» que [han] sido engendrados por ellos; engendrados, y no creados por ellos, sino por obra del Hacedor, del Todopoderoso, al cual [tienen] que rendir cuenta de lo que

---

112 *Ibidem*, Libro III, c. II, XIV, 69. Para un mayor detalle sobre esta diferencia, el lector puede acudir a FEDERICO DE CASTRO Y BRAVO, "El matrimonio de los hijos (Con motivo del Concordato con la Santa Sede)" en *Revista Anuario de Derecho Civil*, núm. 4. (Madrid: Ed. Instituto de Estudios Jurídicos, 1954), 35 a 60.

113 JOHN LOCKE. *Segundo tratado sobre el gobierno civil, un ensayo acerca del verdadero origen, alcance y fin del gobierno civil,* (Madrid: Ed. Tecnos, 2006). c. 6, 52 y 53, 56 y 57.

114 *Ibidem.* c. 6, 55, 58.

[hagan] con esas criaturas"[115]. Esta fundamental aseveración tiene dos partes que conviene analizar por separado: (i) la primera, relacionada con el origen de la autoridad paterna; y, (ii) la segunda, vinculada con el alcance de tal autoridad.

En cuanto a la primera parte, esto es, la relacionada con el origen de la autoridad paterna, LOCKE despeja toda duda en el sentido de que haya un acto de *creación* por los sujetos que cohabitan sexualmente y dan lugar a la concepción. Esta sutil diferencia terminológica tiene un profundo significado en su contexto, porque supone que los padres son simples engendrantes, es decir, aportadores de material genético, pero nunca jamás *creadores*. Ello implica, de contera, que, al no ser *creadores* de una vida, mal se podría pensar o aducir que la nueva *vida* les pertenece en forma sempiterna. No. Esa vida le pertenece a Dios, el Hacedor Todopoderoso a quien los padres siempre deben rendir cuentas.

Muy elocuente resulta, sobre el particular, el siguiente pasaje:

> Y es más: este poder pertenece en tan poca medida al padre por virtud de algún peculiar derecho natural, pues el padre es únicamente el guardián de sus hijos, que cuando deja de cuidar de ellos, pierde su poder sobre ellos; pues dicho poder va unido, inseparablemente, a la responsabilidad de alimentarlos y educarlos (...). El simple acto de engendrar a una criatura da a un hombre muy poco poder sobre ella si todo el cuidado del padre termina ahí y éste es el único título que tiene para reclamar la autoridad de padre[116].

Esto es causa fundamental para que, como se verá más adelante, LOCKE sostenga que la autoridad paterna no es más que transitoria o provisional.

Por cuanto hace a la segunda parte, es decir, el alcance de la autoridad paterna, el inglés explica que se contrae a elementales obligaciones de crianza, mas no a la vida de los retoños. Así se sigue, además, de una gran cantidad de pasajes, de los cuales citamos algunos: "el poder que los padres tienen sobre sus hijos surge del deber que les incumbe, a saber, cuidar de su descendencia durante el estado imperfecto de la infancia"[117]; "[h]asta entonces [se refiere al momento en el que el hijo adquiere libertad], vemos que la ley no le permite al hijo tener libertad, sino que ha de someterse a la voluntad de su padre"[118]; "[s]u mandato sobre sus hijos es solo provisional,

---

[115] *Ibidem*. c. 6, 56, 59.
[116] *Ibidem*, c. 6, 65. 66 y 67.
[117] *Ibidem*, c. 6, 58. 60.
[118] *Ibidem*, c. 6, 59. 62.

y no es ejercido sobre su vida o su propiedad"; "el poder paterno no va más allá de proveer, mediante la disciplina que le parezca más eficaz, fuerza y salud a los cuerpos de sus hijos y vigor y rectitud a sus almas según mejor convenga para que dichos hijos sean útiles a sí mismos y a los demás"[119]; "es sólo una ayuda a la debilidad e imperfección de sus hijos menores de edad, una disciplina que resulta necesaria para su educación"[120]; etc.

Visto el contenido de las obligaciones de los padres, así como el origen de su autoridad, conviene ahora explorar el fundamento teórico que subyace. Pese a que resulta muy fácil extrapolar ese fundamento teórico de los apartes transcritos, LOCKE lo describe en forma precisa, de la siguiente manera:

> Así, la libertad de un hombre, y la de actuar de acuerdo con su propia voluntad, se fundamente en que dicho hombre posee una razón que lo capacita para instruirlo en las leyes por las que ha de regirse y para poner en su conocimiento los límites de su voluntad libre. Dejarlo a rienda suelta, sin cortapisa alguna a su libertad, antes de que posea esa razón que puede guiarlo, no es concederle su privilegio natural de ser libre, sino arrojarlo entre las bestias y abandonarlo a un estado tan miserable y tan inferior al hombre como el de aquéllas. Esto es lo que pone en manos de los padres la autoridad de gobernar a sus hijos mientras éstos son menores de edad. Dios ha encargado a los padres que cuiden de su descendencia, y ha puesto en ellos las apropiadas inclinaciones de ternura y cuidado para que regulen este poder y para que lo apliquen, según fue designado por la sabiduría divina, al bien de los hijos mientras éstos necesitan estar bajo su tutela[121].

Del anterior texto, fluye el fundamento teórico de la autoridad paterna, que no es otro que la obligación impuesta por Dios a los padres de nutrir al hijo de la razón requerida para que éste se gobierne en la sociedad, le sea útil a ella. Para la cumplida ejecución de su encargo, también resalta LOCKE el sentimiento de amor y ternura que guía la instrucción paterna.

Finalmente, huelga adicionar que el tratadista inglés fragmenta la autoridad paterna en dos aspectos bien distintos: (i) la obligación de los padres hacia los hijos, fundamentalmente contraídas al cúmulo de prestaciones antes indicadas; y (ii) la obligación de los hijos hacia los padres, que se concreta en la honra, el agradecimiento, el respeto, la asistencia y la obediencia. El primer aspecto es de carácter temporal, de donde LOCKE argüirá que su incorrecto entendimiento fue el que llevó a sustentar y perpetuar la

---

[119]   *Ibidem*, c. 6, 64. 66.

[120]   *Ibidem*, c. 6, 65, 67.

[121]   *Ibidem*, c. 6, 63, 65 y 66.

monarquía, pues finaliza cuando el hijo ha alcanzado la mayoría de edad. El segundo aspecto, en cambio, dura hasta que mueran los padres o los hijos, según sea el caso. Sin embargo, indica el autor que el grado de honra, agradecimiento, respeto, asistencia y obediencia dependerá, en buena medida, de la forma en la que los padres hayan satisfecho las obligaciones impuestas a ellos[122].

JEAN JACQUES ROUSSEAU (siglo XVIII d.C) también aborda la materia que aquí se trata. En su *Contrato social,* al referirse a la familia, señala lo siguiente:

> La más antigua de todas las sociedades, y la única natural, es la de la familia, aunque los niños sólo dependen del padre por el tiempo que lo necesiten para subsistir. Al cesar esta necesidad, el lazo natural se disuelve. Una vez los niños exentos de la obediencia que deben al padre, y el padre exento de los cuidados que debe a los hijos, unos y otros, entonces, todos recuperan su independencia. Si continúan unidos, ya no es natural sino voluntariamente, y la familia misma no se mantiene sino por convención.
>
> Esta libertad común es una consecuencia de la naturaleza del hombre. Su primera ley es velar por su propia conservación, sus primeros cuidados son los que se debe a sí mismo, y al llegar a la edad de razón, ya es el único juez de los medios adecuados para su conservación, así vuelve a ser su propio dueño.
>
> La familia es, pues, si se quiere, el primer modelo de las sociedades políticas; el jefe es la imagen del padre, el pueblo es la imagen de los hijos y todos, habiendo nacido iguales y libres, no enajenan su libertad sino por su utilidad. Toda la diferencia está en que, en la familia, el amor del padre por sus hijos es el precio de los cuidados que les ofrece[123].

Vemos entonces que, para el ginebrino, la familia es la única sociedad natural. La obediencia que deben los hijos a los padres encuentra su correlato en la obligación de éstos de proveer los cuidados necesarios a aquéllos. Y cuando cesa la necesidad, se extingue también la atadura natural que une a padres e hijos.

Su visión había sido antes expresada en el *Discurso sobre la economía política.* Allí, ROUSSEAU explicó la comparación que hace entre la familia y la sociedad política, en los siguientes términos:

> Pero ¿cómo podría el gobierno del Estado asemejarse al de la familia, siendo tan diferentes sus fundamentos respectivos? Por ser el padre físicamente más fuerte

---

[122]   *Ibidem,* c. 6, 68 a 74, 71 a 76.

[123]   JEAN JACQUES ROUSSEAU, *El contrato social, o principios del derecho político,* Trad. Andebeng-Abeu Alingue. (Bogotá: Ed. Panamericana, 2007), 5 y 6.

que sus hijos tanto tiempo como su ayuda les es necesaria, el poder paterno parece, con razón, establecido por la naturaleza. En la gran familia, en la que todos los miembros son naturalmente iguales, la autoridad política, puramente arbitraria en cuanto a su institución, no puede fundarse sino en convenciones, ni puede el magistrado mandar sobre los otros sino en virtud de las leyes.

Los deberes del padre le son dictados por sentimientos naturales y de forma tal que raramente le es permitido desobedecer. Los gobernantes carecen por completo de una regla semejante y sólo están obligados para con el pueblo en aquello que le han prometido hacer y cuya ejecución el pueblo tiene el derecho de exigir[124].

Nótese que el filósofo ginebrino da una luz sobre lo que, en su sentir, constituye el origen de la autoridad paterna: la naturaleza. De la naturaleza proviene la fuerza preeminente del padre y el sentimiento de amor[125] que la atempera. Es así como se encuentran ambos polos y permiten el gobierno de la familia.

Otro aspecto a tratar es el relacionado con la persona a quien se le encomienda el ejercicio de la autoridad paterna. A pesar de que ROUSSEAU no rechaza el papel y la importancia de la mujer, particularmente cuando en *El Emilio, o de la educación* sostiene que a ella le corresponde ser la primera nodriza de los hijos[126] o la cataloga como el vaso comunicante entre los hijos y el padre y propicia el amor de éste hacia aquéllos[127], en su *Discurso sobre la*

---

[124] JEAN JACQUES ROUSSEAU, *Discurso sobre economía la política*, Trad. Fabio Vélez. (Madrid: Ed. Maia Ediciones, 2011), 2.

[125] No solo en los pasajes del *Contrato social* y del *Discurso sobre la economía política*, antes transcritos, aparece el amor paterno en Rousseau. Así también sucede en *El Emilio*, como se puede apreciar en dos apartes que transcribimos, pese a que son muchos más, para evitar abusar del espacio. En primer lugar, al referirse a los jóvenes y su emulación a otros y por otros, señala el ginebrino: "Por hacerse superiores a las pretendidas preocupaciones de sus padres, se esclavizan con las de sus camaradas. No veo lo que ganan con esto, pero sí que pierden dos grandes ventajas: la del amor paterno, cuyos consejos son sinceros y tiernos, y la de la experiencia que hace que uno opine sobre lo que conoce, porque los padres han sido hijos y los hijos no han sido padres" (Pág. 231). En segundo lugar, al referirse a la mujer, en un pasaje que en la actualidad ha venido a ser ampliamente criticado como originador de la estructura patriarcal, ROUSSEAU sostiene que ella "es el vínculo entre los hijos y el padre; ella se los hace amar y le inspira confianza para que los llame suyos. ¡Cuánta ternura y solicitudes necesita para mantener unida toda la familia!" (Pág. 250).

[126] JEAN JACQUES ROUSSEAU, *Emilio, o de la educación*, Trad. Mauro Armiño. (Madrid: Ed. Alianza, 2011), 10 y 15.

[127] *Ibidem*, 250.

economía política aporta las razones que lo conducen a sostener que es el *padre* el encargado de dirigir la familia. Lo anterior, en los siguientes términos:

> Por varias razones derivadas de la naturaleza de las cosas, el padre debe mandar en la familia. 1) No ha de ser igual la autoridad del padre y la de la madre, pero es necesario que el gobierno sea único y que en caso de división de opiniones haya una voz preponderante que decida. 2) Por muy ligeras que consideremos las incomodidades propias de la mujer, el que siempre conlleven para ella un intervalo de inactividad es razón suficiente para excluirla de aquella primacía, pues cuando la balanza está perfectamente igualada basta una paja para que se incline. Al marido le debe corresponder además la inspección de la conducta de su mujer, pues le interesa asegurarse que los hijos, a los cuales debe reconocer y alimentar, no pertenezcan a otro sino a él. La mujer, que no tiene nada parecido que temer, no tiene el mismo derecho que el marido. 3) Los hijos deben obedecer al padre, en principio por necesidad y además por reconocimiento; tras haber recibido de él la satisfacción de todas sus necesidades durante la mitad de su vida, deben consagrar la otra mitad a subvenir a las de aquél[128].

Pero no fueron el *Contrato social* ni el *Discurso sobre economía política* las obras capitales de ROUSSEAU en el aspecto de la relación de padres e hijos, sino su *Emilio, o de la educación*. Por ese motivo nos detendremos en esta última obra, a fin de analizar los aspectos que importan al presente estudio. Antes se vio el fundamento de la autoridad paterna y en cabeza de quién se radicaba preferentemente a juicio de ROUSSEAU. Ahora veremos cuál es su fundamento teórico. Para ese efecto, conviene transcribir un aparte muy elocuente del ginebrino en su *Emilio*:

> Un padre, cuando engendra y nutre a sus hijos, no cumple más que la tercera parte de su misión. Él debe hombres a su especie, a la sociedad; hombres sociables y ciudadanos al Estado. Todo hombre que puede pagar esta triple deuda y no lo hace es culpable, y más culpable cuando solamente la paga a medias. Quien no pueda cumplir los derechos de padre, carece del derecho de serlo. No hay ni pobreza, trabajos ni respetos humanos que le dispensen de mantener a sus hijos y de educarlos por sí mismo. Lectores, me podéis creer. Yo pronostico que a cualquiera que tenga entrañas y abandone tan sacrosantos deberes, derramará durante mucho tiempo amargas lágrimas por su error y jamás hallará consuelo[129].

Repárese en que, para ROUSSEAU, corresponde a un verdadero deber del hombre cumplir su triple misión con la sociedad, que se concreta en (i) procrear, (ii) cuidar sus retoños y (iii) educarlos como ciudadanos del

---

128 JEAN JACQUES ROUSSEAU, *Discurso sobre economía la política*, 2 y 3.
129 JEAN JACQUES ROUSSEAU, *Emilio, o de la educación*. (Madrid: Ed. Alianza, 2011), 16.

Estado. Así, la autoridad paterna no se concibe en el ginebrino como una verdadera *autoridad*, sino como el corolario de un *deber*, que no es otro que el deber que se tiene en cuanto ser social.

He ahí la verdadera fundamentación teórica que recibe el poder del padre: el deber con la sociedad. Importa advertir, en todo caso, que cuando se encarga al padre de la función de preceptor[130], se hace bajo la firme convicción de que éste permitirá que el hijo se eduque al amparo de las inclinaciones propias de la naturaleza; y ello en virtud del amor paterno y la experiencia.

Así pues, a manera de síntesis se podría decir que la ligadura natural entre padres e hijos subsiste mientras este último es capaz de *autodeterminarse*. Durante ese lapso habrá una *autoridad paterna*, entendida como corolario del *deber* de los padres a la sociedad y que se les entrega por razón de la fuerza y el amor que la naturaleza les imprimió. Tal *autoridad paterna* tendrá como correlato la *obediencia* de los hijos. Pero después, cuando se haya alcanzado la maduración del hijo, éste no estará sujeto a autoridad alguna de su padre, tan solo le deberá respeto por haber atendido a su cuidado y educación.

VI. ANDRÉS BELLO

No es posible completar el análisis de que aquí se trata sin abordar al redactor y gestor del Estatuto Civil chileno: ANDRÉS DE JESÚS MARÍA Y JOSÉ BELLO (siglos XVIII y XIX). Sobra recordar, como ya se indicó *supra*, que la magnífica obra de BELLO fue luego incorporada a nuestra legislación doméstica y, por ello, su pensamiento sobre la autoridad paterna, que quedó vertido en la codificación que aún hoy subsiste en Colombia, se vuelve de capital importancia.

En las glosas del redactor a los distintos proyectos de Código Civil se echa de ver justificación alguna en torno a la naturaleza, contenido y fundamento teórico de la autoridad paterna. Por tal motivo, se vuelve imprescindible acudir, en forma breve y sumaria, al pensamiento general del Redactor.

BELLO fue un hombre de incuestionable cultura, al que muchas veces se alude como el *primer humanista de América*. Su tránsito por Inglaterra como parte de la comitiva revolucionaria en la segunda década del siglo XIX y su posterior retorno a América en 1829 forjaron en buena parte el pensamiento del Redactor. Mucho se ha comentado en relación con el pensamiento de BELLO, pero todas las opiniones concuerdan, y así se desprende

---

[130]   *Ibidem*, 15.

de sus escritos, en que no se puede catalogar al venezolano dentro de una corriente específica. En él concurrieron el racionalismo, el empirismo, el utilitarismo y la escolástica; de ahí que no resulte extraño que se diga que su pensamiento era una suerte de "ruta media"[131].

Esa "ruta media" que se denuncia no solo se aprecia en le *Filosofía del entendimiento* de BELLO, sino que también fluye palmaria de la magnífica obra que adelantó en la redacción del Código que le fue encargado. Específicamente en lo atañedero al Derecho de Familia, el venezolano, como lo recuerda HERNÁN CORRAL TALCIANI[132], echó mano del *Code* francés, las *Siete Partidas* y la legislación canónica. Pero además ideó nuevas estructuras, propias por demás, como se sigue de la división de la *patria potestad* y la *autoridad paterna* como figuras jurídicas independientes.

En cuanto toca con las relaciones entre padres e hijos, bien claro queda que su fuente primaria de inspiración fue la Cuarta Partida, cuerpo normativo que ya venía rigiendo buena parte del continente americano. Es de observar, sin embargo, que las Partidas que aquí regían no eran las que originalmente se habían redactado bajo la égida de ALFONSO X, EL SABIO, sino la versión oficialmente glosada por GREGORIO LÓPEZ, de 1555, donde se aclaraban varias partes con la impronta escolástica que ya orientaba decididamente al cristianismo y, con él, a la legislación de Castilla.

Que la Partida Cuarta fue la fuente primaria de la que bebió el Redactor es una afirmación que se confirma con la glosa que se lee en el Título IX del Libro I del Código Civil chileno de 1885, incorporada por la comisión

---

[131] Véanse a: (i) JOSÉ GAOS, *Obras completas sobre Ortega y Gasset y otros trabajos de historia de las ideas en España y la América española*, tomo IX. (México D.F: Ed. Universidad Nacional Autónoma de México, 1992), 327; (ii) PEDRO HENRÍQUEZ UREÑA, *Literary currents in hispanic America*. (Cambridge: Ed. Harvard University Press, 1945), 102; (iii) CARLOS OSSANDÓN BULJEVIC, "Andrés Bello y el giro moderno de la filosofía en América Latina", en *Revista La Cañada: Pensamiento Filosófico Chileno*, núm. 2. (Santiago de Chile: Ed. Centro Difusor del Pensamiento Filosófico, 2011), 14; y (iv) CARLOS ROJAS OSORIO, "Tres aspectos de la filosofía de Andrés Bello" en *Revisa Universitas Philosophica*, vol. 10, núm. 19, 1992, 29 a 50.

[132] Véanse, a manera de ejemplo, los siguientes textos de CORRAL TALCIANI: (i) "La familia en los 150 años del Código CIivl chileno" en *Revista Chilena de Derecho*, vol. 32, núm. 3, 2005, 429 a 438; (ii) "Comentario a la exposición de Luis Díez-Picazo y Ponce de León", en *El Código Civil chileno. Vigencia y proyección de sus instituciones fundamentales en conmemoración de los 150 años de su promulgación*, 2005; y (iii) "La familia en el Código Civil francés y en el Código Civil chileno" en *El Código Civil francés de 1804 y el Código Civil chileno de 1855. Influencias, confluencias y divergencias.* (Santiago de Chile: Ed. Universidad de los Andes, 2004), 50 a 68.

venezolana compilatoria de los trabajos de BELLO[133], y el reconocimiento de la Iglesia Católica a los esfuerzos del Redactor en el sentido de respetar la legislación canónica al estructurar su proyecto de Código Civil:

> "A diferencia de los sabios que prepararon la catástrofe que inundó a Francia en lágrimas y sangre, el sabio americano no venía a levantar el edificio del progreso intelectual sobre los escombros de la fe: venía a levantar ese edificio sobre la única base en que puede ser consistente y grande: la ciencia hermanada con la religión"[134].

Así las cosas, bueno es acudir a las *Partidas* para identificar la filosofía que subyace a nuestra autoridad paterna. El Título XVII de la Cuarta Partida señala lo siguiente[135]: "Del poder que han los padres sobre sus hijos, de cualquier naturaleza que sean. Poder o señorío, han los padres sobre los hijos según razón natural, y según derecho. Lo uno, porque nacen de ellos, lo otro porque han de heredar lo suyo". Es esa, pues, la fundamentación teórica de la autoridad paterna.

No se puede pasar por alto que la ley III del Título XVII de la Cuarta Partida precisa que se debe entender por poder o señorío aquel "ligamento de reverencia, y de sujeción, y de castigamiento, que debe tener el padre sobre su hijo"[136]. Allí se descarta, también en forma expresa, el entendimiento de poder como el que tiene "el señor sobre su siervo", el de los "reyes, y los otros que tienen sus lugares, sobre aquéllos que han el poder de juzgar" y el de "los obispos sobre sus clérigos". De manera que se trata de

---

[133]   "En este título se ocupa el Cd. de la llamada autoridad paterna, que subsidiariamente entrega también a la madre (…); y reserva lo relativo a la patria potestad para el título siguiente. (…) En el P. 1853 tiene ya el título, su forma definitiva. El modelo fue en este caso el título 19 de la Partida 4ª". Cfr. ANDRÉS BELLO, *Obras completas de Andrés Bello,* volumen XIV. (Caracas, 1981), 175.

[134]   Este fragmento se lee en la editorial del 26 de noviembre de 1881 de *El estandarte católico,* Santiago de Chile. Así también lo señala el presbítero LORENZO ROBLES en su *Compendio de la concordancia de la teología moral con el Código Civil chileno en los tratados de justicia, derecho y contratos. Memoria única aprobada por la Facultad de Teología de la misma Universidad, con ocasión del Certamen Literario del año de mil ochocientos sesenta y tres.* (Segunda Edición. Ed. Imprenta San Diego. Santiago de Chile, 1896). Específicamente en relación con la patria potestad (entendida en sentido amplio sobre los bienes y sobre la persona del hijo) se dijo haber plena "confluencia tanto del derecho natural como de la ley civil".

[135]   Se ha actualizado la traducción al castellano de nuestros días, a fin de hacer el texto más comprensible para el lector.

[136]   *Ibidem.*

un poder especial, limitado si se quiere, que no resulta desbordante a pesar de que se haya empleado la sugestiva expresión *"poder"* para denominarlo.

Con todo, mal haría quien dijera que el fundamento teórico cristiano de la autoridad paterna fue acogido por BELLO sin reservas. Varios artículos del *Code* de NAPOLEÓN fueron traducidos en los capítulos de autoridad paterna y patria potestad, sin contar que la división hecha entre ambas figuras, muy innovadora por demás, parece haber encontrado su fuente de inspiración en los planteamientos de LOCKE, como muchas otras de sus ideas.

Las complejidades que se desprenden del silencio que guardó BELLO en relación con su posición sobre la autoridad paterna[137] no permiten establecer en forma definitiva cuál era, en criterio del Redactor, el fundamento teórico de esta institución jurídica. Acaso se podrán extraer aspectos inobjetables en la búsqueda de una respuesta, como serían los siguientes:

1) La principal fuente de la que abrevó BELLO, al redactar el capítulo sobre autoridad paterna, fue la de las *Siete Partidas*, bastante permeada por el cristianismo.

2) En su *Filosofía del entendimiento* se refiere a "la bondad paternal del Creador", de donde se desprende un reconocimiento del natural amor paterno que sienten los padres hacia los hijos[138].

3) También en su *Filosofía del entendimiento* reconoce que los apelativos de *hijo* y *padre* provienen del hecho mismo de la generación, luego es dable afirmar que es un hecho de la naturaleza el que da origen a la relación[139].

4) En el compendio venezolano sobre los escritos del Redactor en torno a *Temas educacionales* (Tomo II) se encuentra consignado el artículo *Sobre los fines de la educación y los medios para difundirla*, publicado originalmente en El Araucano (núm. 308 y 309) los días 29 de julio y 5 de agosto de 1836. En su texto, BELLO explica que la educación debe ser

---

[137] En su *Filosofía del entendimiento y otros escritos filosóficos*, Bello escribe que "tenemos una multitud de sustantivos abstractos que significan las varias series y grupos de que se componen las causalidades complejas, como *paternidad, autoridad, gobierno, electricidad, atracción, magnetismo* e infinitas otras". La abstracción que se advierte por el propio Redactor hace tanto más compleja la tarea de establecer cuál era su sentir sobre el alcance o fundamento teórico de la autoridad paterna. (Cfr. ANDRÉS BELLO, *Obras completas de Andrés Bello*, volumen III, segunda edición. (Caracas, 1981), 131).

[138] ANDRÉS BELLO, *Obras completas de Andrés Bello*, 165.

[139] ANDRÉS BELLO, *Obras completas de Andrés Bello*. 278.

proporcionada a todos los menores de edad sin importar su estirpe o condición social. Además, destaca la importancia de que la instrucción doméstica concurra con la educación que se recibe en instituciones, a fin de garantizar un efectivo desarrollo de cada persona. Veamos:

> De los dos ramos a que puede reducirse la educación, esto es, la formación del corazón y la ilustración del espíritu, el primero en sus principios fundamentales no puede ser debido sino a la educación doméstica. Las impresiones de la infancia ejercen sobre todos los hombres un poder que decide generalmente sus hábitos, de sus inclinaciones y de su carácter, y como la época en que ellas emplean su poder es cabalmente aquella en que no conocemos más directores de nuestra conducta que los padres, claro es que a ellos hemos de deber esta parte del ejercicio de las facultades, que sería demasiado tardía si la retardásemos hasta hallarnos en aptitud de recibir la educación pública. En los primeros períodos de la regeneración de un pueblo, y de una regeneración como la que hemos experimentado los americanos, es casi imposible conseguir la perfección en la dirección de la niñez del corazón humano; hay vicios en las costumbres; las virtudes son más bien obra del instinto que de la persuasión, y esta situación moral no permite que la educación doméstica se ciña a reglas fijas, cuya aplicación decida del buen éxito. Mas, mejorándose sucesivamente las generaciones con el auxilio de la educación pública, no es difícil presagiar que llegará el día en que podamos hacer generalmente un uso benéfico y filosófico de la autoridad paternal[140].

De lo anterior se sigue que, por el primitivo estado de desarrollo en la sociedad recién alzada, la autoridad paterna debía ser ejercida de manera más estricta, pero que, conforme avanzara el tiempo, el ideal sería que su ejercicio se tornara más bondadoso y filosófico. Ello significa que, en su opinión, la concepción filosófica que subyació a la autoridad paterna que quedó consignada en nuestro Código tenía una naturaleza preponderantemente jurisdiccional; más con el tiempo su concepción filosófica habría de cambiar para tender, en mayor grado, a ofrecer el crecimiento intelectual y personal de los hijos.

No aportaremos una respuesta definitiva sobre la que posiblemente fue la filosofía del redactor en relación con la autoridad paterna, pero dejaremos sentadas las anteriores premisas para volver sobre ellas a lo largo de este estudio.

---

[140]   ANDRÉS BELLO, *Obras completas de Andrés Bello*, 661.

VII. Conclusiones

El apretado recuento histórico permite avizorar la forma en la que se ha concebido, a lo largo de los años, la autoridad paterna en el mundo. A pesar de que puede parecer irrelevante el anterior contexto, la realidad es que se vuelve no solo indispensable, sino definitivo al momento de interpretar y aplicar la normativa vigente que se estudia a continuación. Y no podría ser distinto, porque no será siempre posible acudir al tenor literal de textos decimonónicos, como nuestro Estatuto Civil, con la ambiciosa pretensión de extraer de la exégesis su verdadero alcance y contenido.

Figuras tan sensibles como los Derechos y obligaciones personales entre padres e hijos y la Patria potestad demandan de su intérprete un serio compromiso para desvelar la fundamentación que se esconde detrás de ellas. Por tal motivo, el apretado recuento que se deja establecido en las páginas anteriores abre la puerta para que el lector comprenda el trasegar de estas instituciones jurídicas históricas y, con buen tino, logre orientar su interpretación y aplicación mediante un adecuado entendimiento de la filosofía que las subyace. Es así como las conclusiones que se siguen a continuación constituyen la visión del autor en torno a los radicales que obran como punto de partida para la explicación de los derechos y obligaciones que más adelante se abordan en este texto.

Sobre las anteriores bases, sea lo primero advertir que, en la actualidad, el origen de la autoridad paterna no está atado indiscutible o inescindiblemente al hecho de la generación. Al menos no en forma directa. Si bien es cierto que para que nazca una criatura se requiere, desde el punto de vista biológico, la participación de un hombre que aporte sus espermatozoides y una mujer que aporte sus óvulos, no lo es menos que los avances científicos y la moral social han permitido arribar a un nuevo estado de cosas en que la paternidad no siempre confluye con la realidad biológica, según se vio antes.

Entonces, la autoridad paterna halla su origen, en el mundo de hoy, en la *filiación*, que consiste, como se dijo, en un criterio jurídico que ata a padres e hijos. Las más de las veces tendremos que admitir que la *filiación* coincidirá con la paternidad biológica, pero no siempre será así. En tratándose de la *adopción*, serán los padres que jurídicamente han consentido en recibir a un hijo, y cuya solicitud ha sido resuelta definitivamente mediante sentencia judicial, quienes detenten la *filiación* y, consiguientemente, la autoridad paterna. Lo propio sucederá en los casos en que concurran los avances científicos para concretar la reproducción asistida, sea por maternidad subrogada, ora por fecundación artificial heteróloga, u otro medio semejante, donde la *filiación*, y con ella la *autoridad paterna*, quedará radicada en cabeza de quienes encarguen la gestación y consientan en la paternidad. Y esa misma suerte correrá la familia de crianza.

Ahora bien, por lo que toca con la fundamentación teórica de la *autoridad paterna*; esto es, la razón filosófica que se esconde detrás de esta figura, se tendrá que reconocer que concurren varios elementos:

Por un lado, se vuelve definitivo el amor que Dios (o la naturaleza) ha depositado en el corazón de los padres, porque ese sentimiento, que bien puede ser uno de los más puros, conduce a que se quiera instruir, educar, formar y criar a un hijo de la mejor manera posible. En algunas ocasiones, para quienes profesan un credo, con el propósito de que su retoño obtenga la salvación. En otras, por el más noble interés de permitir una vida sin tropiezos para la criatura que ostenta la condición de hijo. Pero en todas, sin distinción alguna, el fin último es la felicidad y el bienestar de la descendencia, sea en el mundo terrenal, bien en su preparación para el mundo eterno, o en ambos.

De otro lado, como asociados en el pacto social que nos hace miembros de un Estado o comunidad específica, tenemos una seria obligación de entregar a esa comunidad seres humanos que coadyuven a su correcto funcionamiento y constante perfeccionamiento. Esa obligación conduce a la necesidad de cuidar, formar y proteger a los niños que se han puesto en nuestra tutela para la más pura vivencia de su condición de ciudadanos. Nada se logra, como se puede ver en la sociedad de hoy, con rehusar o declinar esa obligación, porque ello equivale a destruir el entorno y el futuro de la civilización.

A esta fundamentación habrá quien replique que no siempre hay, en el corazón de los padres, un amor sembrado por Dios o la naturaleza hacia sus hijos. Ello, aunque puede ser cierto, constituye una excepción a la regla general y no puede jamás el Parlamento legislar en favor de una excepción en lugar de hacerlo en atención a la regla general, porque con ello lesiona gravemente los intereses más profundos de la sociedad. En consecuencia, a esta réplica se podría contestar con mucha sencillez: el hombre o mujer que, por avatares de los que no nos ocuparemos, carece de ese profundo amor hacia sus hijos debe siempre atender, racionalmente, al segundo fundamento de la autoridad que le ha sido conferida, es decir, a la obligación moral que tiene en cuanto asociado del Estado. Mas cuando el fuego de las pasiones que los clásicos llaman concupiscibles conduzca a que se ignoren estos fundamentos teóricos y se abuse de la autoridad, al padre que corresponda se lo habrá de privar de ella, mediante el uso de las facultades que se han previsto en la ley, en la más penosa de las degradaciones morales a que pueda haber lugar.

Así pues, el fundamento teórico sobre el que descansa la autoridad paterna atiende a lo común, lo natural y lo habitual. Pero si ello falta, el ordenamiento jurídico ya tiene previstos los correctivos pertinentes para salvaguardar los intereses de los niños, niñas y adolescentes que, vale decir, siempre habrán de prevalecer sobre los demás asociados.

Huelga advertir que lo expuesto no se pretende desconocer la primacía de la Carta Política en lo que toca con la interpretación de las leyes, sino que armónicamente se integra con todos los principios, valores y reglas del ordenamiento jurídico.

SECCIÓN III. DERECHOS Y OBLIGACIONES PERSONALES DE LOS PADRES Y DE LOS HIJOS

En las secciones que anteceden se abordó con suficiente detenimiento el preludio necesario a la cuestión de los Derechos y obligaciones de tipo personal que hay entre los padres y los hijos. Ahora nos abocaremos al estudio del alcance y contenido de cada uno de ellos por separado. Veamos:

I. Obediencia y respeto

El artículo 250 del Código Civil es el primer artículo del Título XII del Libro Primero ("De los derechos y obligaciones entre los padres y los hijos") y señala que "[l]os hijos deben respeto y obediencia a sus padres".

En su versión original, la disposición precisaba, como la mayoría de las legislaciones, que los hijos estaban "especialmente sometidos a su padre". Pero esa expresión fue en buena hora suprimida por el Estatuto de la Igualdad (Decreto 2820 de 1974), con lo cual la sujeción quedó, sin distinción, en favor de ambos padres.

1. Derechos de los padres y obligaciones de los hijos

El respeto, según la primera acepción del Diccionario de la Real Academia de la Lengua Española significa "[v]eneración, acatamiento que se hace a alguien"; de acuerdo con la segunda acepción significa "[m]iramiento, consideración, deferencia". Obediencia, conforme al mismo Diccionario, es "[e]l acto de obedecer" y esta última expresión se define, en su primera acepción, como "[c]umplir la voluntad de quien manda".

Al decir de CHAMPEAU Y URIBE, la naturaleza moral del respeto y la obediencia debidos a los padres hace que sea completamente inútil su inserción en el Código, que procura regular situaciones jurídicas[141]. Nos apartamos de las respetables consideraciones de los connotados civilistas por varias razones:

En primer lugar, esa fundamental apreciación, aunque de índole prevalentemente moral, sienta la base filosófica sobre la que se cimienta el sistema de Derechos y obligaciones personales entre padres e hijos, que principia con la disposición en análisis[142].

En segundo lugar, y en línea con lo anterior, al ser *respeto* como obligación moral la base sobre la que queda cimentado el sistema, varias son las posibles consecuencias *jurídicas* derivadas del actuar irrespetuoso por parte de los hijos:

De un lado, el *irrespeto* da lugar a que el padre de que se trate quede facultado para ejercer el derecho de *corrección* que más adelante se aborda en este texto.

Por otro lado, el *irrespeto*, según su intensidad, puede dar lugar al desheredamiento del hijo. En efecto, el ordinal primero del artículo 1266 del Código Civil prescribe que la "injuria grave contra el testador en su persona, honor o bienes" es causa justificativa de desheredamiento.

CABANELLAS sostiene que "el insulto grosero o grave reiterado, y más aún las vías de hecho"[143], configuran la causal. LAFONT PIANETTA, por su parte, explica que la gravedad de la conducta debe ser tal desde una perspectiva objetiva. Por tanto, incurrir en un tipo penal contra el testador, así sea en grado leve (v.gr. lesiones personales), es indiscutible y objetivamente grave, pero se tendrán que analizar las circunstancias en otros hechos como son, entre otros, retirar el saludo o la palabra, no haber asistido a

---

[141] EDMOND CHAMPEAU Y ANTONIO JOSÉ URIBE. *Tratado de derecho civil colombiano*, 306 y 307.

[142] Indiscutible es la proyección del cristianismo, y particularmente del Cuarto Mandamiento, en el contenido de este artículo. Véase, en un comentario sobre la norma homóloga del Código Civil argentino [hoy sustituido por el Código Civil y Comercial], a JORGE ADOLFO MAZZINGHI, *Tratado de derecho de familia*, tomo IV: *Filiación. Procreación asistida. Patria potestad, tutela y curatela. Parentesco. Mediación.* (Buenos Aires: Ed. La Ley, 2006), 274, 275 y 289.

[143] GUILLERMO CABANELLAS, *Diccionario de derecho usual*, tomo III: *N-R.* (Buenos Aires: Ed. Omeba, 1962), 577.

las exequias de su madre, haber permanecido largo tiempo sin establecer contacto con los padres, desatender preceptos religiosos[144].

En tercer lugar, según se expuso antes, la *obediencia* es el correlato necesario de la autoridad con que quedan revestidos los padres. En palabras de DOMINGO DE SOTO, los hijos "obedecen como [humanos] libres, por propia libertad y voluntad"[145]. Y se encuentran conminados a hacerlo, en forma sobradamente más importante, porque sin esta consagración legal el fundamento jurídico de la autoridad paterna quedaría en entredicho. Es así como la *desobediencia*, las más de las veces, es civilmente sancionada mediante el ejercicio del derecho de *corrección* que se estudia en los títulos que siguen.

Respeto y obediencia son dos términos con una intrincada relación, por lo que, normalmente, la desobediencia entraña irrespeto a los padres. Así, la desobediencia, verbigracia mediante la celebración de nupcias por menores adultos (mayores de 14 y menores de 18 años) sin el consentimiento de los padres, es también sancionada por vía del desheredamiento (ordinal 4° del artículo 1266 del Código Civil).

Muy oportuno resulta, en este punto, traer a consideración la opinión de la Corte Constitucional, Órgano que, en Sentencia C-344 de 1993, M. P. JORGE ARANGO MEJÍA, determinó que la sanción de desheredamiento se ajustaba a la Carta Política. Para arribar a su conclusión, la Corporación sostuvo que esta prerrogativa hallaba sustento en la autoridad de los padres que, bueno es indicar, no se extinguió con la adopción de la Constitución de 1991. Dijo la Corte:

> Pretender que la constitución de 1991 ha eliminado la autoridad de los padres en la familia, es absurdo que no resiste análisis, pues pugna con normas expresas, como estas:
>
> a.) Según el artículo 5, 'El Estado... ampara a la familia como institución básica de la sociedad'. Este amparo tiene que comenzar por defender su estructura básica, uno de cuyos componentes es la autoridad de los padres.
>
> b.) El inciso cuarto del artículo 68 reconoce a los padres de familia el 'derecho de escoger el tipo de educación de sus hijos menores'. Y cabe preguntarse: si pueden escoger el tipo de educación de los menores, ¿por qué considerar excesivo el que se pida su permiso para casarse?

---

[144]   Cfr. PEDRO LAFONT PIANETTA, *Derecho de sucesiones*, tomo I: *Parte general y sucesión intestada.* (Bogotá: Ed. Librería del Profesional, 2020), 266.

[145]   DOMINGO DE SOTO, *Relecciones y opúsculos*, tomo I: *Introducción general, De Dominio, Sumario, Fragmento: An liceat...* (Salamanca: Ed. San Esteban, 1995), 183 a 189.

c.) De conformidad con el artículo 45, inciso primero, 'El adolescente tiene dere-cho a la protección y a la formación integral'. ¿Acaso tal derecho del adolescente no implica el reconocer a los padres la facultad de desaconsejar el matrimonio, en general, y especialmente cuando éste es ostensiblemente inconveniente?

3o.) La autoridad, en consecuencia, no ha desaparecido en la familia. Otra cosa es que deba ser una autoridad racional, que es la que se ejerce en bien de quien la soporta. En este caso, en bien del hijo menor de edad.

Debe, sí, dejarse en claro que el permiso previsto en el artículo 117 del Có-digo Civil, es más una manifestación de la autoridad de los padres, a la cual se refieren los artículos 250 y concordantes del Código Civil, que de la patria potestad, pues ésta es, en principio, una institución de carácter económi-co. Prueba de esto es que a falta de los padres, el consentimiento para el matrimonio debe darlo un ascendiente, que nunca ejerce la patria potestad. Aunque bien puede entenderse que con la Patria Potestad se complete la ca-pacidad del menor, dado el carácter representativo que ella tiene[146].

Con todo, el incumplimiento de los deberes morales de *obediencia* y el *respeto*, gracias a su consagración legal, acarrea para el infractor consecuencias jurídi-cas válidas, como son la activación del derecho de *corrección* o el *desheredamiento*.

Ahora bien, cabe preguntar hasta qué punto es válido exigir la obedien-cia, si las instrucciones u órdenes que se imparten son avasallantes, delic-tuales o completamente injustas. Es difícil propinar una respuesta certera, porque verdaderamente se requiere el análisis de cada uno de los casos individuales que puedan surgir.

Sin embargo, sí se puede afirmar que no desobedece, desde el punto de vista moral, o por lo menos no sin razón, el hijo que se opone a perpetrar un delito que ordena el padre. En estos casos no nos parece que haya lugar a corregir porque quien obra bien es el hijo y quien no lo hace es el padre.

---

[146] Esta consideración fue reiterada en Sentencia C-522 de 2014, M. P. MAURICIO GON-ZÁLEZ CUERVO, en la que, sin embargo, se declaró la inexequibilidad parcial del ar-tículo 124 del Código Civil, en cuanto establecía que cuando los ascendientes que debían otorgar el permiso fallecieran sin haber testado, quien se hubiere casado sin la anuencia de ellos solo tendría derecho de recoger la mitad de la porción que ordinariamente la habría correspondido. La lógica de la Corte, muy acertada por demás, estribó en que por ser el desheredamiento una sanción, correspondía al ascendiente elegir si la aplicaba o no. Si la respuesta era afirmativa, entonces no tenía alternativa distinta que otorgar testamento, pues así lo exige la ley para que opere el desheredamiento. Si la respuesta era negativa, no tenía el derecho por qué suplir la voluntad del ascendiente y sancionar, por esa vía, al descendiente.

Otro ejemplo lo plantea LAFONT:

> Supongamos que el padre deshereda al hijo porque este lo maltratara en públi-co, mediante insultos, puñetazos y patadas (asunto de policía), y que aquél lo considera una (mera) injuria grave contra su persona. En este evento el hijo podrá justificar su conducta, como cuando ella obedece a una defensa de la madre, quien en ese instante había sido maltratada en la misma forma por su padre[147].

En todo caso, es importante dejar sentado que la regla general es la de la obediencia y solo potísimas causas justificativas permitirían considerar que el hijo se encuentra facultado para *desobedecer*. Es que, se repite, la autoridad paterna se desarrolla dentro del marco de la "racionalidad", como lo ha afirmado la Corte Constitucional en los pasajes antes transcritos. De modo que se podría decir que la causa justificativa de la desobediencia radica, cuando estamos ante casos como los planteados previamente, en el desbordamiento o incorrecto ejercicio de la autoridad paterna, lo que no es siempre sencillo de medir.

Aunado a lo expuesto, otra inquietud puede surgir: ¿qué se debe hacer o cómo debe proceder el hijo cuando los padres dan órdenes o instrucciones adversas o contrarias? Esta interesante pregunta cobró toda relevancia a partir de la expedición del Estatuto de la Igualdad (Decreto 2820 de 1974). Antes era claro que la voluntad del padre era prevalente, pero a raíz la entrada en vigor del citado Estatuto, que mucho respaldamos, se derogó esa prevalencia que había sido otorgada por las normas originales del Código Civil.

Pues bien, la respuesta la ofrece el artículo 177 del Código Civil, *in fine*: "En caso de desacuerdo [entre los cónyuges sobre la dirección del hogar] se recurrirá al juez o al funcionario que la ley designe". Es inobjetable que la solución proporcionada resulta inútil para casos del día a día o de urgente solución[148]. Por ello se requiere que los padres procuren alinear su visión en torno a la dirección del hogar y, específicamente, de sus hijos, como lo dispone el artículo 14 del Código de la Infancia y la Adolescencia[149].

---

[147] PEDRO LAFONT PIANETTA, *Derecho de sucesiones*, tomo I: *Parte general y sucesión intestada*, 266.

[148] En el mismo sentido, ROBERTO SUÁREZ FRANCO, *Derecho de familia*. Tomo II: *Régimen de los incapaces*. (Bogotá: Ed. Temis, 2014), 142.

[149] Dice, en lo pertinente, la norma: "Esto incluye la responsabilidad compartida y solidaria del padre y la madre de asegurarse que los niños, las niñas y los adolescentes puedan lograr el máximo nivel de satisfacción de sus derechos".

2. Derechos de los hijos y obligaciones de los padres

La estructura del artículo 250 del Código Civil no parece dar cabida a que se colijan derechos de los hijos y obligaciones de los padres, pero ello no es así. Si la *obediencia* se erige como contrapartida de las obligaciones de los padres, y la Corte Constitucional tiene entendido que la *autoridad paterna* debe ser ejercida desde una óptica *racional*, entonces es posible concluir que la preceptiva también se dirige a regular unos derechos para los hijos con las correlativas obligaciones para los padres.

Como lo afirmara DOMINGO DE SOTO, los padres ejercen su autoridad sobre los hijos como *individuos libres*[150] y, más precisamente, en los términos que lo enseña el canon 2222 del Catecismo, como *personas humanas*. De ello se desprende que, aún sin necesidad de que haya quedado consagrado en el texto legal, los padres tienen una verdadera obligación de respeto hacia sus hijos. Por lo tanto, en línea con GARCÍA SARMIENTO, "las órdenes que a éstos les impartan no pueden ser arbitrarias o por el prurito de mandar, amén de que en relación con los niños deberán tener como objeto su formación integral"[151]. Esa formación integral la ordena directamente la Carta Política en los artículos 44 y 45.

También por ese motivo es que SUÁREZ FRANCO reclama de los hijos "el respeto en todo tiempo, la obediencia, siempre y cuando el padre y la madre ejerzan su derecho dentro de los principios de justicia y equidad"[152]. Porque no es factible amparar, como antes se dijo, una relación vertical tan desigual que someta a los hijos como esclavos, sin demandar o exigir del padre un mínimo contenido en el ejercicio de su autoridad. Tan trasnochada visión no solo lacera los principios sobre los que se cimienta hoy nuestro Estado Social y Democrático de Derecho, sino que gravemente hiere la moral de la Nación.

II. Vigilancia, corrección y sanción

El artículo 262 del Código Civil, tal como fue modificado por el artículo 21 del Decreto 2820 de 1974 y el artículo 3º de la Ley 2089 de 2021, enseña que

[l]as familias, los padres, las personas encargadas del cuidado personal de los niños, niñas y adolescentes o quienes tengan su representación legal, tendrán

---

[150] DOMINGO DE SOTO, *Relecciones y opúsculos*, 183 a 189.

[151] EDUARDO GARCÍA SARMIENTO, *Elementos de derecho de familia*, 488.

[152] ROBERTO SUÁREZ FRANCO, *Derecho de familia*, Tomo II, 144.

la facultad de vigilar su conducta, corregirlos y sancionarlos. Queda prohibido el uso del castigo físico, los tratos crueles, humillantes o degradantes y cualquier tipo de violencia como método de corrección, sanción o disciplina".

Tal preceptiva, considerada en forma aislada, puede dar paso a una desafortunada interpretación. Por ello procuraremos ser muy cuidadosos en su análisis. Sea lo primero indicar que, como lo recuerda JORGE ÓSCAR PERRINO[153], esta facultad es una manifestación inequívoca de la autoridad paterna[154]. Es por ello por lo que cobra toda relevancia el verdadero fundamento teórico de esta figura, al cual dedicamos algunas páginas de la sección II de este capítulo.

1. Marco normativo aplicable

A. *Facultad sancionatoria desde el Código Civil en su versión original y la reforma incorporada por el Decreto 2820 de 1974*

La versión original del artículo 262 de nuestro Estatuto Civil disponía que el padre podría corregir y castigar *moderadamente* a sus hijos y, si ello no era suficiente, quedaba facultado para imponer pena de prisión en un establecimiento correccional, hasta por un mes, sin que el juez pudiera oponer ninguna objeción. Mas cuando el hijo fuere mayor de dieciséis años de edad, la autoridad jurisdiccional sí quedaba facultada para analizar los motivos que daban origen a la solicitud del padre y, de haber lugar a ello, se podría extender la pena hasta por seis meses.

Resulta evidente que, en este aspecto, BELLO abrevó del *Code* de NAPOLEÓN de 1804 (artículo 375). Empero, se destaca que se empleó el adverbio *moderadamente* para limitar el derecho de los padres en cuanto a la corrección y sanción de los hijos. Con ello se abdicó de toda práctica cruel, desmedida o desproporcionada que pudiere dar lugar a interpretar que

---

[153] Cfr. JORGE ÓSCAR PERRINO, *Derecho de familia*, tomo II. (Buenos Aires: Ed. Lexis Nexis, 2006), 1667 y 1668.

[154] En el mismo sentido, véanse, entre otros, a: (i) EDUARDO ZANNONI, *Derecho civil*, tomo II: *Derecho de familia*. (Buenos aires: Ed. Astrea, 1989), 714; (ii) JORGE ADOLFO MAZZINGHI, *Tratado de derecho de familia*, 289 a 291; (iii) Eduardo García Sarmiento. *Elementos …*, 490 y 491; (iv) MARCO GERARDO MONROY CABR, *Derecho de familia, infancia y adolescencia*, decimosexta Edición. (Bogotá: Ed. Librería Ediciones del Profesional, 2017), 207 a 209; y (v) MANUEL SOMARRIVA UNDURRAGA, *Evolución del código civil chileno*, segunda edición. (Bogotá: Ed. Temis, 1983), 84 y 85.

los orígenes de la *autoridad paterna*, entendida como figura omnímoda, seguían presentes en nuestra legislación.

Con buen acuerdo, el Decreto 2820 de 1974 subrogó el texto original del artículo 262 del Código Civil para establecer lo siguiente: (i) la prerrogativa quedó radicada en cabeza de *los padres*, en plural, y no privativamente en cabeza del hombre; (ii) sustituyó la expresión "castigar" por "sancionar"; (iii) adicionó el derecho de vigilar a los hijos, lo que supone, en su sentido natural y obvio, "[o]bservar (…) a alguien atenta y cuidadosamente"[155]; (iv) eliminó la facultad de ordenar el arresto de los hijos; y (v) mantuvo el adverbio modal —*moderadamente*— para limitar la facultad de corrección y sanción.

Para interpretar el contenido y alcance de la disposición en análisis, es de recordar que en la concepción de autoridad paterna despreció, de tiempo atrás, la idea de que los hijos son esclavos o siervos de los padres. En efecto, desde la importante orientación cristiana en la concepción de la figura se estimó que toda autoridad de los padres, cualquiera que fuere, estaría sujeta a la comprensión de que los hijos eran *libres*, verdaderos *seres humanos*.

B. Convenios internacionales suscritos por Colombia

Con ese contexto, indispensable se hace el reconocimiento del artículo 1° de la Declaración Universal de Derechos Humanos, aprobado en el seno de la Organización de las Naciones Unidas en 1948, en el que se reconoce la dignidad humana como presupuesto intrínseco a la condición de hombre[156]. También importa destacar la Convención Americana sobre Derechos Humanos (Pacto de San José), a la cual adhirió Colombia mediante la suscripción y ratificación requeridas, y cuya entrada en vigor en nuestro país operó desde el 18 de julio de 1978. En la citada Convención, el artículo 5° reconoció el derecho de toda persona a que se guarde su "integridad física, psíquica y moral"[157], al propio tiempo como el artículo 11 ordenó el respeto a la honra y la dignidad de los humanos[158].

---

[155] Definición tomada del *Diccionario de la Real Academia de la Lengua Española.*

[156] Dice el artículo 1°: "Todos los seres humanos nacen libres e iguales en dignidad y derechos y, dotados como están de razón y conciencia, deben comportarse fraternalmente los unos con los otros".

[157] El ordinal 1° del artículo 5 establece: "1. Toda persona tiene derecho a que se respete su integridad física, psíquica y moral".

[158] El ordinal 1° del artículo 11 señala: "1. Toda persona tiene derecho al respeto de su honra y al reconocimiento de su dignidad".

En cuanto toca específicamente con los niños, el artículo 19 del Pacto de San José restableció que ellos tendrían derecho a las medidas de protección que su condición requiere[159]. Y, más últimamente, la Convención sobre los Derechos del Niño fue incorporada a la legislación doméstica mediante la Ley 12 de 1991 y entró en vigor el 28 de febrero de ese mismo año. El Tratado Internacional destaca consistentemente, a lo largo de sus 53 artículos, la necesidad de proteger el interés superior del niño (entendido como todo menor de 18 años), reconoce expresamente la vida y ordena que se tomen las medidas incardinadas a lograr el mejor desarrollo posible de los individuos.

C. Carta Política de 1991

Fue ese el contexto normativo internacional que rodeó la expedición de la Carta Política colombiana, de 1991, en donde se consignaron importantes avances y prerrogativas en favor de los menores de edad. Desde luego, el reconocimiento de la familia como núcleo fundamental de la sociedad (artículo 5º y 42) es primordial, pero él viene acompañado con directrices específicas de absoluto interés, como son los cánones 44, 45 y 67.

El primero de los cánones en cuestión fija como derechos fundamentales de los niños, entre otros, la integridad física, el cuidado y el amor. Para el efecto, ordena la protección contra toda forma de violencia física o moral, al tiempo que asigna una corresponsabilidad entre familia, sociedad y Estado con miras a garantizar su desarrollo armónico e integral y el ejercicio pleno de sus derechos. Culmina con la capital aseveración de que "[l]os derechos de los niños prevalecen los derechos de los demás".

El segundo artículo confiere el derecho, a los adolescentes, de protección y formación integral. El tercero, se encuentra incardinado fundamentalmente a garantizar la educación de todos los individuos.

Tan nutrido compendio regulatorio puso en entredicho la facultad sancionatoria de los padres o, por lo menos, obligó a repensar su contenido y alcances. Porque es indiscutible que el significado de la expresión *moderadamente*, con la que se condicionó y limitó la atribución correctiva de los padres, es ambigua y etérea. Si bien la consagración del adverbio en el

---

[159] El texto del artículo 19 es el siguiente: "Todo niño tiene derecho a las medidas de protección que su condición de menor requieren por parte de su familia, de la sociedad y del Estado".

Código Civil de BELLO constituyó un incontestable acierto, ampliamente celebrado por los comentaristas de nuestro Estatuto, la concepción sobre lo que es moderado y lo que no lo es varía conforme avanzan los tiempos y muta también la moral social.

Es preciso, además, resaltar que la preservación de tal adverbio en el Decreto 2820 de 1974 fue adecuada, en cuanto se refería a lo moderado para aquellos tiempos. Por ello VALENCIA ZEA, uno de los miembros de la Comisión de Juristas integrada por el presidente LÓPEZ MICHELSEN para la elaboración del decreto en comentario, sostuvo que el derecho de corrección no existía "como institución independiente sino como parte integrante de la asistencia educativa que deben prestar los padres a sus hijos"[160] y añadió que "el derecho de sanción debe realizarse con el cuidado y la delicadeza necesarios para que aparezca siempre revestida de un sello de paternidad incontestable"[161].

D. *Código de la Infancia y la Adolescencia (Ley 1098 de 2006)*

En el año 2006 se expidió el Código de la Infancia y la Adolescencia (Ley 1098 de 2006), por el cual se derogó el Código del Menor y se regularon varias de las materias que aquí interesan.

En primer lugar, el artículo 14 estableció la responsabilidad parental, definida como una obligación inherente a la orientación, cuidado, acompañamiento y crianza de los niños y adolescentes en su proceso de formación. Adicionalmente, el inciso final de la disposición en comentario previó que "[e]n ningún caso el ejercicio de la responsabilidad parental puede conllevar violencia física, psicológica o actos que impidan el ejercicio de sus derechos".

En segundo lugar, el artículo 18 se refirió al derecho de la integridad personal, para lo cual indicó que los niños y adolescentes deben ser protegidos contra todas "las acciones o conductas que causen muerte, daño o sufrimiento físico, sexual o psicológico. En especial, tienen derecho a la protección contra el maltrato y los abusos de toda índole". Seguidamente, la preceptiva explica que

> se entiende por maltrato infantil toda forma de perjuicio, castigo, humillación o abuso físico o psicológico, descuido, omisión o trato negligente, malos tratos

---

[160]   ARTURO VALENCIA ZEA, *Derecho civil*, tomo V: *Derecho de familia*. (Bogotá: Ed. Temis, 1983), 389.

[161]   *Ibidem.*

o explotación sexual, incluidos los actos sexuales abusivos y la violación y en general toda forma de violencia o agresión sobre el niño, la niña o el adolecente por parte de sus padres, representantes legales o cualquier otra persona".

En tercer lugar, el artículo 39 se refiere a las obligaciones de la familia y precisa que "[c]ualquier forma de violencia en la familia se considera destructiva de su armonía y unidad y debe ser sancionada". Y, posteriormente, conmina a los integrantes de la familia a "[a]bstenerse de realizar todo acto y conducta que implique maltrato físico, sexual o psicológico, y asistir a los centros de orientación y tratamiento cuando sea requerida".

En cuarto lugar, el capítulo IV del Código de la Infancia y la Adolescencia regula lo concerniente al proceso administrativo de restablecimiento de derechos[162]. Mediante este proceso se busca identificar la vulneración actual o potencial de los derechos de los niños y adolescentes, con el propósito de adoptar las medidas de restablecimiento de derechos a que haya lugar. Dentro del cúmulo de alternativas que surgen para la autoridad competente, a efectos de restablecer los derechos de los menores de edad, se encuentran las siguientes (artículo 53 del Código de la Infancia y la Adolescencia): (i) amonestación con asistencia obligatoria a curso pedagógico; (ii) retiro inmediato del niño, niña o adolescente de la actividad que amenace o vulnere sus derechos o de las actividades ilícitas en que se pueda encontrar y ubicación en un programa de atención especializada para el restablecimiento del derecho vulnerado; (iii) ubicación inmediata en medio familiar; (iv) ubicación en centros de emergencia para los casos en que no procede la ubicación en los hogares de paso; (v) la declaratoria en situación de adoptabilidad; (vi) promover las acciones policivas, administrativas o judiciales a que haya lugar; y, (vii) en forma genérica, procederán las medidas consagradas en otras disposiciones legales, o cualquier otra que garantice la protección integral de los niños, las niñas y los adolescentes.

E. *Emancipación de los hijos*

Sin perjuicio de que más adelante se analizará en detalle, conviene indicar que el artículo 315 del Código Civil consagra la procedencia de la

---

[162]   Para un mayor detalle sobre este procedimiento, el lector puede acudir a CECILIA DÍEZ VARGAS y MATEO VARGAS PINZÓN, "Guía metodológica del procedimiento administrativo de restablecimiento de derechos", en *Retos del Derecho de Familia Contemporáneo*. (Bogotá, 2022).

emancipación judicial de los hijos menores de edad cuandoquiera que medie "maltrato del hijo"[163].

F. Violencia intrafamiliar desde la perspectiva civil (hoy violencia en el contexto familiar): Ley 294 de 1996 y reformas subsiguientes

La Ley 294 de 1996 reguló, de base, lo concerniente a la violencia intrafamiliar (hoy violencia en el contexto familiar)[164]. Previo a estudiar su contenido, es pertinente traer a colación la definición de violencia intrafamiliar que se ha expresado en forma monolítica por la jurisprudencia:

> todo daño o maltrato físico, psíquico o sexual, trato cruel, intimidatorio o degradante, amenaza, agravio, ofensa o cualquier otra forma de agresión, producida entre miembros de una familia, llámese cónyuge o compañero permanente, padre o madre, aunque no convivan bajo el mismo techo, ascendientes o descendientes de éstos incluyendo hijos adoptivos, y en general todas las personas que de manera permanente se hallaren integrados a la unidad doméstica[165].

Esa definición vino a ser ampliada[166] por la Ley 2126 de 2021, mediante la cual se varió la denominación de "violencia intrafamiliar" por "violencia en el contexto familiar". Así se colige de lo previsto por el artículo 5º del compendio normativo en cuestión, a saber:

> [L]la violencia en el contexto familiar (...), para los efectos de esta ley, comprende toda acción u omisión que pueda causar o resulte en daño o sufrimiento físico, sexual, psicológico, patrimonial o económico, amenaza,

---

[163] En su versión original, la causal era: "maltrato *habitual* del hijo, *en términos de poner en peligro su vida o de causarle grave daño*". Los apartes destacados fueron declarados inexequibles por la Corte Constitucional, en Sentencia C-1003 de 2007, M. P. Clara Inés Vargas Hernández.

[164] En lo que se refiere a los pormenores del trámite de la acción de protección contra violencia intrafamiliar, el lector puede acudir a miguel enrique rojas gómez, *Lecciones de derecho procesal*, tomo 6: *Procesos de familia e infancia*. (Bogotá: Ed. Esaju, 2021), 395 a 427.

[165] Véanse, entre muchas otras, las Sentencias de la Corte Constitucional: (i) C-059 de 2005, M. P. Clara Inés Vargas Hernández; (ii) C-1003 de 2007, M. P. Clara Inés Vargas Hernández; y (iii) C-368 de 2014, M. P. Alberto Rojas Ríos. De la Sala de Casación Penal de la Corte Suprema de Justicia, véanse las Sentencias: (i) SP16544 de 2014, M. P. Eyder Patiño Cabrera; y (ii) SP8064 de 2017, M. P. Luis Antonio Hernández Barbosa. Así mismo, el lector puede acudir al Concepto 059 de 2017, del Instituto Colombiano de Bienestar Familiar.

[166] La intención sobre la ampliación del concepto se lee claramente en los antecedentes de la ley.

agravio, ofensa o cualquier otra forma de agresión que se comete por uno o más miembros del núcleo familiar, contra uno o más integrantes del mismo, aunque no convivan bajo el mismo techo (...)

Ahora bien, al decir del artículo 4º de la ley 294 de 1996, según la modificación introducida por la Ley 575 de 2000 y luego por el artículo 16 de la Ley 1257 de 2008,

[t]oda persona que dentro de su contexto familiar sea víctima de daño físico, psíquico, o daño a su integridad sexual, amenaza, agravio, ofensa o cualquier otra forma de agresión por parte de otro miembro del grupo familiar, podrá pedir, sin perjuicio de las denuncias penales a que hubiere lugar, al comisario de familia del lugar donde ocurrieren los hechos y a falta de este al Juez Civil Municipal o Promiscuo Municipal, una medida de protección inmediata que ponga fin a la violencia, maltrato o agresión o evite que esta se realice cuando fuere inminente.

Si bien el artículo 2º de la Ley 294 de 1996 indica quiénes se consideran miembros de la familia, bueno es advertir que el artículo 5º de la Ley 2126 de 2021 vino a ampliar las relaciones que pueden dar lugar a la configuración de una violencia en el contexto familiar que sea de conocimiento de los comisarios de familia.

Verificado el acaecimiento de la violencia en el contexto familiar, el funcionario competente debe emitir, mediante providencia motivada, "una medida definitiva de protección, en la cual ordenará al agresor abstenerse de realizar la conducta objeto de la queja, o cualquier otra similar contra la persona ofendida u otro miembro del núcleo familiar" (artículo 5º de la Ley 294 de 1996, tal como fue modificado por el artículo 60 de la Ley 2197 de 2022). Adicionalmente, la autoridad quedará facultada para:

(i) Ordenar al agresor el desalojo de la casa de habitación que comparte con la víctima, cuando su presencia constituye una amenaza para la vida, la integridad física o la salud de cualquiera de los miembros de la familia; (ii) Ordenar al agresor abstenerse de penetrar en cualquier lugar donde se encuentre la víctima, cuando a juicio del funcionario dicha limitación resulte necesaria para prevenir que aquel perturbe, intimide, amenace o de cualquier otra forma interfiera con la víctima o con los menores, cuya custodia provisional le haya sido adjudicada; (iii) Prohibir al agresor esconder o trasladar de la residencia a los niños, niñas y personas discapacitadas en situación de indefensión miembros del grupo familiar, sin perjuicio de las acciones penales a que hubiere lugar; (iv) Imponer la obligación de acudir a un tratamiento reeducativo y terapéutico en una institución pública o privada que ofrezca tales servicios, a costa del agresor; (v) Si fuere necesario, se ordenará al agresor el pago de los gastos de orientación y asesoría jurídica, médica, psicológica y psíquica que requiera la víctima, así como de los servicios, procedimientos, intervenciones y tratamientos médicos y psicológicos; (vi) Cuando la violencia o maltrato revista gravedad y se tema su repetición la autoridad competente ordenará una protección temporal especial de la víctima por parte de las autoridades de policía, tanto en su domicilio como en su lugar de trabajo si lo tuviere; (vii) Ordenar a la autoridad de policía, previa solicitud de la víctima, el acompañamiento a esta para su reingreso al lugar de domicilio cuando ella se haya visto en la obligación de salir para proteger su seguridad; (viii) Decidir provisionalmente el régimen de visitas, la guarda y custodia de los hijos e hijas si los hubiere, sin perjuicio de la competencia en materia civil de otras autoridades, quienes podrán ratificar esta medida o modificarla; (ix) Suspender al agresor la tenencia, porte y uso de armas; en caso de que estas sean indispensables para el ejercicio de su profesión u oficio, la suspensión deberá ser motivada; (x) Decidir provisionalmente quién tendrá a su cargo las pensiones alimentarias, sin perjuicio de la competencia en materia civil de otras autoridades quienes podrán ratificar esta medida o modificarla; (xi) Decidir provisionalmente el uso y disfrute de la vivienda familiar, sin perjuicio de la competencia en materia civil de otras autoridades quienes podrán ratificar esta medida o modificarla; (xii) Prohibir, al agresor la realización de cualquier acto de enajenación o gravamen de bienes de su propiedad sujetos a registro, si tuviere sociedad conyugal o patrimonial vigente. Para este efecto, oficiará a las autoridades competentes. Esta medida será decretada por Autoridad Judicial; (xiii) Ordenar al agresor la devolución inmediata de los objetos de uso personal, documentos de identidad y cualquier otro documento u objeto de propiedad o custodia de la víctima; o (xiv) Cualquiera otra medida necesaria para el cumplimiento de los objetivos de la ley.

Como se puede apreciar, las definiciones proporcionadas por la normativa civil en torno a lo que constituye maltrato infantil y lo que entraña violencia intrafamiliar son muy similares. Ello es relevante porque el maltrato infantil, según su intensidad, puede ser solo una amenaza o vulneración de los derechos de los niños, niñas o adolescentes, susceptible de ser conjurada mediante la tramitación de un proceso administrativo de restablecimiento de derechos (Código de la Infancia y la Adolescencia) o puede desencadenar en una verdadera violencia en el contexto familiar, cuya conjuración corresponde a la acción específica que tiene diseñada la Ley 294 de 1996.

No se trata solo de una diferencia de trámite, pues ya se vio que las medidas a adoptar en uno u otro proceso difieren en buen grado. Evidentemente, cuando estamos en presencia de una violencia intrafamiliar en que el afectado es el menor de edad se da por hecho que ha habido una vulneración de sus derechos y, de consiguiente, se deben tramitar tanto la acción de protección contra la violencia intrafamiliar como el proceso administrativo de restablecimiento de derechos. En tales casos, corresponderá al Comisario de Familia tramitar ambos procedimientos, según lo dispone el artículo 2.2.4.9.2.1. del Decreto 1069 de 2015.

Sin embargo, otra es la situación cuando solo se está en presencia de una vulneración de derechos, sin que se configure la violencia intrafamiliar. En ese caso, el competente para tramitar el proceso administrativo de restablecimiento de derechos es, en forma principal, el defensor de familia. De ahí se haga indispensable diferenciar claramente cuándo hay violencia intrafamiliar y cuándo no.

Para lograr la diferenciación, bastante útil se vuelve el concepto número 23079 de 2008, del Instituto Colombiano de Bienestar Familiar, en el que se precisó lo siguiente:

> 1. ¿Cuáles de las conductas enunciadas en el artículo 18 de la Ley 1098 de 2006 se pueden tramitar como Violencia Intrafamiliar?
>
> El artículo 18 del Código de la Infancia y la Adolescencia da claridad al considerar las conductas allí enunciadas como maltrato infantil, es decir, toda forma de perjuicio, castigo, humillación o abuso físico o psicológico, descuido, omisión o trato negligente, malos tratos o explotación sexual, incluidos los actos sexuales abusivos y la violación, y en general toda forma de violencia o agresión sobre el niño, la niña o el adolescente por cualquier persona.
>
> Estas conductas se describen en la norma con un enfoque finalista, es decir, se brinda protección frente a cualquier tipo de acción u omisión que pueda tener como resultado la muerte o el daño, entendido en este ámbito como lesiones físicas, sexuales o sicológicas. Los abusos de todo orden no son un fin como los dos primeros, sino un medio: son el vehículo a través del cual se llega a estos resultados que la norma pretende evitar y sancionar. Entendemos, además, que el concepto de sufrimiento, en los más de los casos, va inmerso en estas conductas, pero que no siempre puede tomarse como un elemento objetivo igual a los anteriores, puesto que de una parte el umbral del dolor físico o sicológico que lo determina suele variar en cada persona, y de otra parte hoy son muchas las conductas nocivas para los niños y adolescentes que no generan sufrimiento y por el contrario les pueden generar algún tipo de sensación temporal agradable, v.gr. lo que sucede con las adicciones.
>
> En el inciso segundo, la definición de maltrato infantil utiliza expresiones aún más genéricas o consecuenciales, como 'perjuicio", elemento no siempre verificable simultáneamente con la conducta que se reprocha; "castigo", factor que presenta múltiples variables no necesariamente nocivas o generadoras de perjuicio; "humillación", término subjetivo íntimamente ligado con el ante-

rior; "descuido", entendido como suma de factores que denotan desinterés no justificado en el niño o en el adolescente; "omisión", conducta reprochable si conlleva descuido, perjuicio o desinterés, pero no sancionable por sí sola; "trato negligente", entendido como una suma de las anteriores, y "explotación sexual", esta sí una conducta objetiva y concreta. (…)

En síntesis, y frente al cuestionamiento acerca de cuáles de ellas pueden tratarse como violencia intrafamiliar, es claro que sobre las conductas concretas y objetivas que trae la norma y que suceden al interior de su núcleo familiar, no cabe la menor duda sobre su ubicación en esta categoría. En cuanto a las subjetivas, consideramos que los hechos y circunstancias particulares que las rodean deben ser analizados por el funcionario para catalogarlos discrecionalmente con conocimiento de causa. Sólo resta anotar que más allá de la taxatividad de la norma, cualquier persona puede ser sujeto activo de estas conductas, sean ellas delitos o contravenciones. La muerte de un niño, niña o adolescente por tales acciones u omisiones ubica el evento en una esfera diferente que, por supuesto, hace perder competencia al funcionario administrativo por convertirse en delito.

G. *Violencia intrafamiliar desde la perspectiva penal*

En materia penal, el artículo 229 del Estatuto que rige la materia, según la modificación incorporada por el artículo 1° de la Ley 1959 de 2019, tipifica el delito de violencia intrafamiliar en los términos que se expresan en seguida: "El que maltrate física o psicológicamente a cualquier miembro de su núcleo familiar incurrirá, siempre que la conducta no constituya delito sancionado con pena mayor, en prisión de cuatro (4) a ocho (8) años".

H. *"Gran reforma" al Código Civil en esta materia: Ley 2089 de 2021*

Recientemente se sancionó la Ley 2089 de 2021, "Por medio del cual se prohíbe el uso del castigo físico o cualquier tipo de violencia como método de corrección, contra los niños, niñas y adolescentes y se dictan otras disposiciones". Por su elevada importancia en cuanto toca con la materia a la que nos abocamos, formularemos los comentarios de rigor. Veamos:

A'. *Contenido de la ley*

El artículo 1° establece que los padres tienen el derecho de educar, criar y corregir a sus hijos de acuerdo con sus creencias y valores, pero ese derecho se encuentra limitado por "la prohibición del uso del castigo físico, los tratos crueles, humillantes o degradantes y cualquier tipo de violencia contra niños, niñas y adolescentes". Así mismo, la prohibición se hace extensiva a cualquier otra persona que esté encargada del cuidado de los menores de edad. A renglón seguido, el inciso segundo del artículo 1º especificaba que el

> castigo físico y los tratos crueles o humillantes no serán causal de pérdida de la patria potestad o de la custodia, ni causal para procesos de emancipación, siempre y cuando no sean una conducta reiterativa y no afecte la salud mental o física del niño, niña o adolescente; sin perjuicio a que la utilización del castigo físico o tratos crueles o humillantes ameriten sanciones para quienes no ejerzan la patria potestad, pero están encargados del cuidado, en cada uno de los diferentes entornos en los que transcurre la niñez y la adolescencia.

Esta confusa referencia, como se analizará en el título que sigue, fue declarada inexequible por la Corte Constitucional en Sentencia C-066 de 2022, M. P. Alejandro Linares Cantillo.

El artículo 2º define, para efectos de la aplicación de la ley, varias expresiones. A este estudio interesan dos: (i) castigo físico; y (ii) tratos crueles, humillantes o degradantes.

El castigo físico se define como "[a]quella acción en que se utilice la fuerza física y que tenga por objeto causar dolor físico, siempre que esta acción no constituya conducta punible de maltrato o violencia intrafamiliar".

Por su parte, los tratos crueles, humillantes o degradantes se conciben como "[a]quella acción con la que se hiere la dignidad del niño, niña o adolescente o se menosprecie, denigre, degrade, estigmatice o amenace de manera cruel, siempre que no constituya conducta punible".

El artículo 3º modifica el artículo 262 del Código Civil. Para hacer muy claras sus diferencias con el texto incorporado por el artículo 21 del Decreto 2820 de 1974, se elaborará una tabla comparativa:

Tabla 1. Comparativo del texto del artículo 262 del Código Civil.

Texto anterior del artículo 262 del Código Civil	Nuevo texto del artículo 262 del Código Civil
Artículo 262. Vigilancia, corrección y sanción. Los padres o la persona encargada del cuidado personal de los hijos, tendrán la facultad de vigilar su conducta, corregirlos y sancionarlos moderadamente.	Artículo 262. Vigilancia, corrección y sanción sin violencia. Las familias, los padres, las personas encargadas del cuidado personal de los niños, niñas y adolescentes o quienes tengan su representación legal, tendrán la facultad de vigilar su conducta, corregirlos y sancionarlos. Queda prohibido el uso del castigo físico, los tratos crueles, humillantes o degradantes y cualquier tipo de violencia como método de corrección, sanción o disciplina.

Fuente: Elaboración propia.

El artículo 4º incorpora el artículo 18-A al Código de la Infancia y la Adolescencia, contentivo del *Derecho al buen trato*. En la norma se prevé que los niños y adolescentes tienen derecho a recibir un buen trato, orientación, educación, cuidado y disciplina por medios no violentos. "Este derecho comprende la protección de su integridad física, psíquica y emocional, en el contexto de los derechos de los padres o de quien ejerza la patria potestad o persona encargada de su cuidado; de criarlos y educarlos en sus valores y creencias". Finaliza la norma con un parágrafo, conforme al cual "[e]n ningún caso serán admitidos los castigos físicos como forma de corrección ni disciplina".

Los artículos 5º y 6º ordenan, respectivamente, que el Gobierno Nacional, de consuno con los padres de familia, elabore una Estrategia Nacional Pedagógica y de Prevención para eliminar las prácticas de castigo físico y los tratos crueles, humillantes o degradantes y que, tanto el Instituto Colombiano del Bienestar Familiar como el Ministerio del Interior, presenten un informe al Senado y la Cámara de Representantes en relación con los avances en la implementación de le Estrategia.

Por último, el artículo 7º se limita a indicar que la ley rige a partir de la fecha de su promulgación y deroga todas las normas que le sean contrarias.

B'. Nuestros comentarios

De la lectura de las definiciones proporcionadas en el artículo 2º del proyecto de ley, resulta evidente que su principal fuente de inspiración fue la Observación General número 8 del Comité de los Derechos del Niño. En el citado documento se define el castigo físico así:

> El Comité define el castigo 'corporal' o 'físico' como todo castigo en el que se utilice la fuerza física y que tenga por objeto causar cierto grado de dolor o malestar, aunque sea leve. En la mayoría de los casos se trata de pegar a los niños ('manotazos', 'bofetadas', 'palizas'), con la mano o con algún objeto –azote, vara, cinturón, zapato, cuchara de madera, etc. Pero también puede consistir en, por ejemplo, dar puntapiés, zarandear o empujar a los niños, arañarlos, pellizcarlos, morderlos, tirarles del pelo o de las orejas, obligarlos a ponerse en posturas incómodas, producirles quemaduras, obligarlos a ingerir alimentos hirviendo u otros productos (por ejemplo, lavarles la boca con jabón u obligarlos a tragar alimentos picantes). El Comité opina que el castigo corporal es siempre degradante[167].

---

[167] *OBSERVACIÓN GENERAL N.º 8 (2006), CRC/C/GC/8 (Ginebra: COMITÉ DE LOS DERECHOS DEL NIÑO, 2006).*

A su turno, la Observación reconoce que hay otros castigos que no son físicos, pero igualmente crueles o degradantes:

> Además hay otras formas de castigo que no son físicas, pero que son igualmente crueles y degradantes, y por lo tanto incompatibles con la Convención. Entre éstas se cuentan, por ejemplo, los castigos en que se menosprecia, se humilla, se denigra, se convierte en chivo expiatorio, se amenaza, se asusta o se ridiculiza al niño[168].

Así las cosas, es dable contemplar los ejemplos proporcionados por el Comité de los Derechos del Niño para entender algunos de los escenarios que tuvo en mente el Legislador colombiano al gestar el proyecto de ley. Sin embargo, hay otros eventos en los que no se entiende haber castigo corporal, pese a que haya uso de la fuerza:

> El Comité reconoce que la crianza y el cuidado de los niños, especialmente de los lactantes y niños pequeños, exigen frecuentes acciones e intervenciones físicas para protegerlos. Pero esto es totalmente distinto del uso deliberado y punitivo de la fuerza para provocar cierto grado de dolor, molestia o humillación. Cuando se trata de nosotros, adultos, sabemos muy bien distinguir entre una acción física protectiva y una agresión punitiva; no resulta más difícil hacer esa distinción cuando se trata de los niños. La legislación de todos los Estados cuenta, explícita o implícitamente, con el empleo de la fuerza no punitiva y necesaria para proteger a las personas[169].

En los términos de la propia exposición de motivos del proyecto de ley, legible en la Gaceta del Congreso de la República número 811 de 2019, un ejemplo de estas intervenciones físicas no constitutivas de violencia es "la intervención para sostener a un niño con el fin de ayudar al doctor para que le aplique una vacuna"[170].

Ahora bien, la filosofía general de la ley se cimienta sobre dos presupuestos básicos que no se pueden pasar por alto: (i) la Observación General número 8 del Comité de los Derechos del Niño; y (ii) las Observaciones finales sobre los informes periódicos cuarto y quinto combinados Colombia, aprobadas por el Comité de los Derechos del Niño en 2015.

Además de las definiciones transcritas, la Observación General número 8, de 2006, lanza duras críticas a los ordenamientos jurídicos que consagran la posibilidad de castigos físicos "moderados" o "razonables", sobre la

---

[168] *Ibidem.*
[169] *Ibidem.*
[170] Gaceta del Congreso de la República número 811 de 2019.

premisa del interés superior del niño. Así se lee, por ejemplo, en el ordinal 26, cuando indica que

> [l]as veces que el Comité de los Derechos del Niño ha planteado la elimina-
> ción de los castigos corporales a determinados Estados durante el examen de
> sus informes, los representantes gubernamentales han sugerido a veces que
> cierto grado de castigo corporal 'razonable' o 'moderado' puede estar justifi-
> cado en nombre del 'interés superior' del niño. (…) Pero la interpretación de lo
> que se entiende por el interés superior del niño debe ser compatible con toda
> la Convención, incluidos la obligación de proteger a los niños contra toda for-
> ma de violencia y el requisito de tener debidamente en cuenta las opiniones
> del niño; ese principio no puede aducirse para justificar prácticas, como los
> castigos corporales y otras formas de castigo crueles o degradantes, que están
> reñidas con la dignidad humana y el derecho a la integridad física del niño[171].

De la misma manera, los ordinales 28 y 29 abordan el argumento de castigos "moderados" o "razonables" sustentados en premisas religiosas:

> 28. En el artículo 5 se afirma que los Estados deben respetar las responsabilida-
> des, los derechos y los deberes de los padres 'de impartirle [al niño], en conso-
> nancia con la evolución de sus facultades, dirección y orientación apropiadas
> para que el niño ejerza los derechos reconocidos en la presente Convención'.
> Aquí también, la interpretación de una dirección y orientación 'apropiadas'
> debe ser coherente con el resto de la Convención y no permite ninguna jus-
> tificación de formas de disciplina que sean violentas, crueles o degradantes.

> 29. Hay quienes aducen justificaciones de inspiración religiosa para el castigo
> corporal, sugiriendo que determinadas interpretaciones de los textos religiosos
> no sólo justifican su uso sino que lo consideran un deber. La libertad de creen-
> cia religiosa está consagrada en el Pacto Internacional de Derechos Civiles y
> Políticos (art. 18), pero la práctica de una religión o creencia debe ser compati-
> ble con el respeto a la dignidad humana y a la integridad física de los demás[172].

Finalmente, en los ordinales 34 y 35 de la Observación General, el Comité de los Derechos del Niño recalca la importancia de establecer disposiciones prohibitivas del castigo físico, más allá de abolir las autorizaciones legales que pudiera haber en los ordenamientos jurídicos domésticos. Veamos:

> 34. Habida cuenta de la aceptación tradicional de formas violentas y humi-
> llantes de castigo de los niños, un número cada vez mayor de Estados está
> reconociendo que no basta simplemente con abolir la autorización de los
> castigos corporales o las excepciones que existan. Además, es preciso que

---

[171] COMITÉ DE LOS DERECHOS DEL NIÑO, *Observación general número 8*. U.N. Doc. CRC/C/GC/8.

[172] COMITÉ DE LOS DERECHOS DEL NIÑO, *Observación general número 8*. U.N. Doc. CRC/C/GC/8.

en su legislación civil o penal conste la prohibición explícita de los castigos corporales y de otras formas de castigo crueles o degradantes a fin de que quede absolutamente claro que es tan ilegal golpear, 'abofetear' o 'pegar' a un niño como lo es dar ese trato a un adulto, y que el derecho penal sobre la agresión se aplica por igual a esa violencia, independientemente de que se la denomine 'disciplina' o 'corrección razonable'.

35.Una vez que el derecho penal se aplique íntegramente a las agresiones a los niños, éstos estarán protegidos contra los castigos corporales en cualquier lugar se produzcan y sea cual fuere su autor. Sin embargo, el Comité opina que, habida cuenta de la aceptación tradicional de los castigos corporales, es fundamental que la legislación sectorial aplicable –por ejemplo, el derecho de familia, la ley de educación, la legislación relativa a todos los otros tipos de cuidado y los sistemas de justicia, la ley sobre el empleo– prohíba claramente su utilización en los entornos pertinentes[173].

Tales preceptos generales se concatenan con las Observaciones finales sobre los informes periódicos cuarto y quinto combinados Colombia, aprobadas por el Comité de los Derechos del Niño en 2015. En el Título C), "Violencia contra los niños", se lee que el Comité se encuentra profundamente preocupado por "[l]a información según la cual los castigos corporales siguen imponiéndose de forma generalizada y no están prohibidos explícitamente en todos los entornos, incluido el hogar"[174]. En consecuencia, se recomienda a Colombia

[d]erogar el artículo 262 del Código Civil sobre la 'facultad de corregir' y velar por que el castigo corporal esté prohibido explícitamente en todos los entornos, también para los niños indígenas, y crear conciencia sobre las formas positivas, no violentas y participativas de crianza de los hijos[175].

Con ese contexto general, es sencillo deducir que la intención del proyecto no fue otro que acatar las recomendaciones y observaciones internacionales que se habían hecho en torno a la proscripción de toda forma de castigo corporal o físico en la legislación doméstica colombiana. Es por ello que, en la exposición de motivos, se hizo hincapié en que, sin perjuicio de la prohibición a los castigos físicos o corporales que regía en virtud de la

---

[173] Comité de los Derechos del Niño, *Observación general número 8*. U.N. Doc. CRC/C/GC/8,

[174] Observaciones finales sobre los informes periódicos cuarto y quinto combinados de Colombia, CRC/C/COL/CO/4-5 (Ginebra: Comité de los Derechos del Niño, 2015).

[175] *Ibidem*.

jurisprudencia constitucional, era indispensable introducir ese "lenguaje explícito" en el texto legal[176].

Pero que se conozca la consabida importancia del acatamiento de las obligaciones internacionales, fruto de las cuales se abrió paso la redacción del proyecto que se convertiría en la Ley 2089 de 2021, no significa que su texto no fuera confuso. Es más, la jurisconsulta ILVA MYRIAM HOYOS CASTAÑEDA fue enfática al advertir su preocupación, cuando intervino ante el Congreso de la República[177]. Dijo HOYOS CASTAÑEDA: "[E]l proyecto de ley prohíbe lo prohibido y define impropiamente lo ya definido propiamente. Pero, además, ni modifica normas, ni adiciona derechos, con lo cual, haciendo uso de una indebida técnica legislativa, (…) termina por desproteger los derechos del niño".

Aunque poco le importó a los Parlamentarios esta lapidaria advertencia, su desinterés y falta de técnica fue luego sancionada por la Corte Constitucional. En efecto, poco menos de un año después de la promulgación de la ley, esa Corporación declaró la inexequibilidad de algunos de sus apartes en Sentencia C-066 de 2022, M. P. ALEJANDRO LINARES CANTILLO, a causa de su perversa redacción y su deficiente contenido.

Pues bien, el inciso primero del artículo 1° no presenta ninguna dificultad interpretativa, toda vez que se limita a reconocer la libertad de cultos y orientaciones educativas, sin que ello sea óbice para que se respete la prohibición a los castigos físicos, los tratos crueles, humillantes o degradantes. En cambio, la redacción del segundo inciso del artículo 1° era bastante confusa.

Al respecto, se observa que el segundo inciso —hoy retirado de nuestro ordenamiento jurídico, por su declaratoria de inexequibilidad— fue incorporado en la Ponencia para Segundo Debate en el Senado de la República. Sin embargo, en el texto legible en la Gaceta del Congreso de la República número 1325 de 2020, radicado por la senadora PALOMA VALENCIA, no se da luz alguna sobre el contenido de la norma.

La primera parte de la norma indicaba que el "castigo físico y los tratos crueles o humillantes no serán causal de pérdida de la patria potestad o de la custodia, ni

---

[176]   Gaceta del Congreso de la República número 811 de 2019.

[177]   El video se encuentra disponible para consulta. Padres por la libertad de educar, "Dra. Ilva Myriam Hoyos-exprocuradora / dignidad de la ley confusa mal redactada y vulnera derechos", Facebook, 23 de marzo de 2021, video. https://www.facebook.com/watch/?v=907674996752675&paipv=0&eav=AfYsTqee4pUKcYYG7XUVziAQ6-ItiWCCEKEU3vQCezp7wF7zFxQlVgpgxlv5AvJ98M&_rdr.

causal para procesos de emancipación, siempre y cuando no sean una conducta reiterativa y no afecte la salud mental o física del niño, niña o adolescente".

Algunos fragmentos eran abiertamente contradictorios con la regulación de la emancipación judicial, cuya causal primera se estructura en función del "maltrato del hijo" (artículo 315 del Código Civil). Ya no hace falta, como antes, que la conducta sea *habitual* ni que *ponga en peligro su vida o le cause grave daño*, porque la Corte Constitucional declaró la inexequibilidad parcial de la disposición en la Sentencia C-1003 de 2007, M.P. Clara Inés Vargas Hernández.

> En tal medida, si la causal para que un juez decrete la emancipación del menor es solamente el maltrato del hijo, le corresponderá al juez de conocimiento respectivo valorar en cada caso las circunstancias que rodean al menor afectado, para efectos de determinar si amerita decretar la pérdida de la patria potestad del padre o padres que incurren en tales conductas[178].

Entonces surgía un interrogante obvio: ¿el artículo 1º de la ley subrogó o modificó el artículo 315 del Código Civil? Para concluir que no lo había hecho era necesario acudir a una forzada hermenéutica que tenía un cuestionable asidero. En buena hora, la Corte Constitucional vino a retirar ese inciso del ordenamiento, mediante la tantas veces citada Sentencia C-066 de 2022.

Y es que la sola comparación entre el inciso segundo del artículo 1º de la ley 2089 y la causal 1ª del artículo 315 del Código Civil, previo a su estudio de constitucionalidad, era suficiente para advertir su absoluta identidad. El primer canon indicaba que el *castigo físico* o *los tratos crueles, humillantes o degradantes*, pese a ser graves, solo darían lugar a la privación de la patria potestad y el proceso judicial de emancipación cuando: (i) fueran una conducta reiterativa; y (ii) afectaran la salud mental o física del niño, niña o adolescente. La segunda proposición normativa (ordinal 1º del artículo 315 del Código Civil) indicaba que procedía la emancipación cuando mediara "maltrato habitual del hijo, en términos de poner en peligro su vida o de causarle grave daño". En 2007, la Corte Constitucional, mediante Sentencia C-1003, M. P. Clara Inés Vargas Hernández, declaró la inexequibilidad de las expresiones "habitual" y "en términos de poner en peligro su vida o de causarle grave daño" por considerarlas desproporcionadas. De esa forma, la nueva causal quedó estructurada en función del "maltrato del hijo" y, para su definición, se defirió a los jueces de conocimiento la evaluación de las circunstancias particulares de cada caso.

---

[178]   Sentencia C-1003 de 2007, M. P. Clara Inés Vargas Hernández.

Así pues, la modificación normativa que parecía haber operado por conducto de la promulgación de la Ley 2089 abría paso para afirmar que el Legislador volvió a estructurar la causal como se encontraba prevista en su redacción original, lo que, consiguientemente, desconocía por completo los planteamientos de la Corte Constitucional al declarar la inexequibilidad parcial del artículo 315 del Código Civil. Por eso, no resulta extraño que se haya declarado la inexequibilidad del inciso segundo de la ley 2089 de 2021.

Ahora bien, el segundo fragmento del inciso segundo del artículo 1° de la ley establece lo siguiente: "sin perjuicio a que la utilización del castigo físico o tratos crueles o humillantes ameriten sanciones para quienes no ejerzan la patria potestad, pero están encargados del cuidado, en cada uno de los diferentes entornos en los que transcurre la niñez y la adolescencia".

Su redacción, fruto de la declaratoria de inexequibilidad de la primera parte del inciso, es confusa y desafortunada. Si la norma se leía en todo su contexto, fácil era deducir que la primera parte precisaba los casos en que procedía la configuración de la causal para solicitar la suspensión o la privación en el ejercicio de la patria potestad, mientras que la segunda —objeto de análisis— se dirige a quienes no ejercen la patria potestad; es decir, a quienes no ostentan la condición de padres[179]. En efecto, respecto de los terceros que no ostentan la patria potestad no cabe iniciar procesos de privación de patria potestad o emancipación judicial. Lo primero, porque a nadie se lo puede privar de una prerrogativa que no es suya. Lo segundo, porque la emancipación "es un hecho que pone fin a la patria potestad" (artículo 312 del Código Civil). En la actualidad, ante la desaparición del antecedente que le daba un contexto claro, este fragmento parece inútil.

En cuanto atañe al artículo 3° del proyecto, se hace una importante modificación al artículo 262 del Código Civil que inicia desde su epígrafe. La versión que se encontraba vigente en nuestro ordenamiento jurídico, incorporada por el artículo 21 del Decreto 2820 de 1974, se intitulaba "vigilancia, corrección y sanción", en tanto que la nueva se denomina "vigilancia, corrección y sanción sin violencia". Basta comparar el epígrafe de ambos artículos para descifrar lo querido por el Parlamento: proscribir, eliminar, limitar y abolir toda fuente de violencia, por pequeña que sea.

---

[179]   Pese a que más adelante se estudia con detenimiento, el artículo 288 del Código Civil únicamente confiere a los *padres* la patria potestad de los *hijos*. Toda persona distinta o extraña, sea que se trate de un guardador designado en proceso judicial o quien solo tenga la custodia, *jamás* podrá ostentar la patria potestad sobre los *hijos* de otro. Siendo ello así, tampoco podrá ser privado de algo que no ostenta.

Ya en lo que hace a su contenido, la nueva redacción parece ampliar los derechos de vigilancia, corrección y sanción, en cuanto se refiere a "las familias (…) o quienes tengan [la] representación legal" de los niños, niñas y adolescentes, pero en realidad se trata de una apariencia. Y se dice que la ampliación es tan solo una apariencia, puesto que el artículo reformado ya preveía que todos aquellos quienes estuvieran encargados del cuidado personal de los menores de edad tenían los derechos de vigilancia, corrección y sanción. Empero, la modificación en la redacción es más precisa y actualiza el contenido de la norma, de modo que ahora son titulares del derecho, en forma expresa, los siguientes sujetos: (i) la familia —esta expresión es bastante amplia y se debe entender en sus debidas proporciones—; (ii) los padres; (iii) los encargados del cuidado personal de los niños, niñas y adolescentes; y (iv) quienes tengan a su cargo la representación legal de los menores de edad.

Además, se elimina el adverbio "moderadamente", que condicionaba la sanción. En su lugar, se adicionó un inciso que prohíbe "el uso del castigo físico, los tratos crueles, humillantes o degradantes y cualquier tipo de violencia como método de corrección, sanción o disciplina". Recuérdese, al efecto, que los castigos físicos y los tratos crueles, humillantes o degradantes gozan de expresa definición legal para ese propósito —más allá de lo propia o impropia que resulte—, por lo que su interpretación debe ser la que del texto normativo se desprende y no otra.

La variación que se comenta, se repite, no es más que la positivización de la interpretación que, de antaño, ya había sido sentada por la jurisdicción constitucional y ordinaria. Tan solo se hizo con el ánimo de aclarar la cuestión desde la perspectiva del derecho legislado y, especialmente, en virtud de las Observaciones formuladas por el Comité de los Derechos del Niño, de 2015, antes transcritas.

Por otro lado, los artículos 5° y 6° constituyen un serio avance en Colombia, toda vez que exigen el diseño de una Estrategia Nacional Pedagógica y de Prevención, a cargo del Gobierno Nacional y las asociaciones de padres de familia, con miras a ratificar en la consciencia colectiva la seria oposición a todo tipo de castigo físico o trato cruel, humillante o degradante. Así, se estima positivo que se ordene al Instituto Colombiano del Bienestar Familiar y al Ministerio del Interior rendir informes periódicos sobre los avances en la implementación de la citada Estrategia.

2. Evolución jurisprudencial

Nadie duda que los castigos o sanciones abruptos y desmedidos que socavan la dignidad humana de los hijos son el más repugnante acto de violencia y están condenados al reproche penal, civil, social y moral. Pero, ¿dónde se traza la línea entre sanción y violencia?, ¿hasta dónde se compromete la integridad física de un menor de edad con una palmada "moderada" en un contexto específico y sin infligir lesión?, ¿un acto semejante es visto por el ordenamiento jurídico como un tipo de violencia física?

Naturalmente, la respuesta a los anteriores interrogantes va estrechamente atada a la moral social. Es por eso que, por ejemplo en Argentina, como en buena parte del mundo[180], se admitió en alguna época que las palmadas no constituían violencia, lesivas de la integridad física de los hijos[181]. Sería falso decir, sobre este particular, que Colombia no siguió esa misma tendencia.

Pues bien, tal discusión se surtió en Colombia en 1994, cuando se demandó la inconstitucionalidad de la expresión "sancionarlos moderadamente", consagrada en el artículo 262 del Código Civil. En opinión del accionante, "sancionar es lo mismo que castigar, penar, violentar y la moderación es un concepto subjetivo que depende de la cultura de cada persona, de la costumbre de la región, de la forma como se ejerza la facultad de sancionar". En consecuencia, sigue el accionante, "se ha venido abusando continuamente del 'animus corrigendi', hasta el punto de que hay padres que han causado la muerte a sus hijos, o dejado severas lesiones físicas y sicológicas, convirtiéndose así en 'maltratantes (SIC) y al final, ciudadanos delincuentes'".

Para zanjar la controversia, la Corporación hizo un análisis, que quedó vertido en la Sentencia C-371 de 1994, M. P. José Gregorio Hernández

---

[180] En España, antes de la promulgación de la Ley 26 de 2015, por la que se suprimió del artículo 154 del Código Civil el derecho de corrección de los padres sobre los hijos, en sentencia del 9 de marzo de 2004, la Audiencia Provincial de Córdoba exoneró a una madre que había propinado una palmada a su hija, así: "La recurrente se limitó a agarrarle por los brazos y darle unos golpes en el [trasero], por lo que debe considerarse, aun cuando esta sala es consciente de que la sociedad ha dejado de ver con buenos ojos los castigos físicos, que tal actuación es conforme con los usos sociales en las relaciones de padres e hijos y reacción adecuada a la conducta desobediente de aquel, no estimándose exceso en el derecho de corrección".

[181] Perrino explica la cuestión así: "[T]anto la vieja doctrina como la jurisprudencia han admitido que los prudentes castigos corporales debían ser admitidos, siempre que no provocaren lesiones o pusieren en peligro la salud del menor". Cfr. Jorge Óscar Perrino, *Derecho de familia*, 1667.

GALINDO, sobre el derecho y el deber de sancionar moderadamente a los hijos. Allí expuso la importancia de la familia en el papel del hijo para adaptarse a las normas de sociabilidad y aprender el respeto por las reglas, lo cual sustentó, además, en uno de los objetivos de la Convención sobre los derechos del niño[182]. Aunado a lo anterior, sostuvo que el concepto de sanción es mucho más amplio que el conferido por el demandante:

> La sanción es un género que incluye las diversas formas de reproche a una conducta; la violencia física o moral constituye apenas una de sus especies, totalmente rechazada por nuestro Ordenamiento constitucional. Otras, en cambio, en cuanto están enderezadas a la corrección de comportamientos y, en el caso de los niños y jóvenes, a su sana formación, sin apelar a la tortura ni a la violencia, se avienen a la preceptiva constitucional, pues no implican la vulneración de los derechos fundamentales del sujeto pasivo del acto[183].

En tal sentido, el Tribunal Constitucional explicó algunos ejemplos de sanciones que no irrumpían en forma agreste contra el menor de edad, tales como "asumir frente a él una actitud severa despojada de violencia; reconvenirlo con prudente energía; privarlo temporalmente de cierta diversión; abstenerse de otorgarle determinado premio o distinción; hacerle ver los efectos negativos de la falta cometida". De esa forma, la sanción no entraña, necesariamente, el sufrimiento del niño, niña o adolescente, sino la reconvención civilizada con miras a su adecuada formación.

Así mismo, indicó que la sanción es un elemento útil para *persuadir* acerca del comportamiento debido y para *disuadir* de las conductas contrarias a él. Pero la cumplida realización de su objeto solo se alcanza cuando ésta sea (i) *justa*, es decir, corresponda a motivos ciertos y probados, (ii) *proporcional* al hecho cometido y (iii) *oportuna*, esto es, dentro de un término que permita al menor de edad entender que la decisión de los padres responde a una conducta *desobediente* o *irrespetuosa* determinada.

Al descender al caso concreto, la Corporación retomó los postulados constitucionales y convencionales para ratificar que se encuentra proscrita toda forma de violencia hacia los niños, pero indicó que el precepto demandado "en modo alguno legitima ni propicia el maltrato o la violencia en contra de los menores. Por el contrario, hace énfasis en el sentido razonable de la sanción". De esa forma, al reiterar que la interpretación de la ley no es libre, sino que se debe efectuar de tal manera que se avenga, en el mayor grado posible, a los postulados constitucionales, la Corte declaró

---

[182]   "[P]reparar al niño para asumir una vida responsable en una sociedad libre".
[183]   Sentencia C-371 de 1994, M. P. José GREGORIO HERNÁNDEZ GALINDO.

la *exequibilidad* de la expresión "sancionarlos moderadamente", consagrada en el artículo 262 del Código Civil, en el entendido de que "las sanciones que apliquen los padres y las personas encargadas del cuidado personal de los hijos estará excluida toda forma de violencia física o moral, de conformidad con lo dispuesto en los artículos 12, 42 y 44 de la Constitución Política".

Importa advertir, sin embargo, que la decisión de la Corte no fue en absoluto pacífica. Hubo otro bloque, liderado por CARLOS GAVIRIA DÍAZ, ponente inicial cuyo proyecto fue derrotado, que sostuvo la necesidad de declarar la *inexequibilidad* de la expresión "sancionarlos moderadamente". En criterio de este grupo de magistrados, que suscribieron un salvamento de voto conjunto, el *castigo* o *sanción*, que se emplean como vocablos intercambiables, no es conducente como instrumento pedagógico. Explicaron que la *sanción* es consecuencia de una conducta, facultad propia de un ser revestido de poderes jurisdiccionales, pero en la actualidad el modelo adoptado por el Estado demanda prerrogativas pedagógicas, que no judiciales, de los padres.

En su visión del asunto, la *sanción* "implica mortificación y aflicción ocasionados contra la voluntad de quien las padece, [de manera que] no hay la menor duda de que el castigo está explícitamente proscrito por el artículo 44 Superior al ordenar que se proteja a los niños contra 'toda forma (subrayamos) de violencia física o moral'". Señalaron que

> basta la vigilancia, en la etapa previa a la conducta desviada, y la corrección, cuando ya ella ha ocurrido, pues corregir, en su primera acepción, significa 'enmendar lo errado' v.gr. indicando o enseñando cuál es la conducta correcta, y, en su segunda, 'amonestar, reprender' es decir reprochar un comportamiento que se juzga desviado.

Así, concluyeron que,

> al proscribir el castigo, lo que se está prohibiendo es el uso de la violencia, no las censuras o los reproches que, cuando proceden de alguien con verdadera autoridad, a quien se ama y se respeta porque ha sabido hacerse digno del amor y el respeto, son más eficaces que los maltratos degradantes (incompatibles con la dignidad del menor y con su frágil condición), eficaces tan sólo para incubar aversiones, tanto más perturbadoras cuanto más inconscientes.

De esa manera dejaron explicada su opinión en el sentido de que se ha debido declarar la *inexequibilidad* de la expresión acusada. La división de la Corte, cuya decisión se adoptó en una votación de cinco magistrados contra cuatro, se trae a colación para efectos de explicar que, aunque quedó zanjada toda discusión en relación con la eventual violencia física, ha subsistido entre nosotros una fuerte división en torno al alcance y contenido de las expresiones *sancionar*, *corregir* y *vigilar*. Esa dificultad, perfectamente representada en la discusión que surtió la Corte Constitucional, ha sido una constante en Colombia en la tarea de determinar dónde se traza la línea para entender que se está ante un acto de agresión y no ante una sanción[184].

De todo ello se desprenden algunas reglas jurisprudenciales útiles para establecer si la sanción es tal o si se trata de una agresión o maltrato a los niños: (i) todo tipo de violencia física o psicológica está proscrito en nuestro ordenamiento jurídico; (ii) la sanción debe tener por finalidad *persuadir* acerca del comportamiento debido y *disuadir* de las conductas contrarias a él; (iii) el medio elegido por los padres debe ser *justo*, es decir, que corresponda a motivos ciertos y probados; (iv) también debe ser *proporcional* al hecho cometido; y, (v) además, debe ser *oportuno*, esto es, dentro de un término que permita al menor de edad entender que la decisión de los padres responde a una conducta *desobediente* o *irrespetuosa* determinada.

Especial hincapié se debe hacer en el criterio de *proporcionalidad*, pues éste fija una pauta sensata para conocer cuándo estamos ante una *sanción* que convalida el derecho y cuándo no. Es de destacar, a manera de ejemplo, la Sentencia de la Corte Constitucional T-123 de 1994, M. P. Vladimiro Naranjo Mesa, en la que se estudió un caso en el que la hija no quiso desayunar y, como consecuencia de su *desobediencia*, el padre la golpeó con un machete. Al respecto, sostuvo la Corporación:

> En el caso materia de estudio, es conveniente considerar la armonía que debe haber entre el derecho-deber de corrección que tienen los padres con respecto a sus hijos y el derecho a la integridad física y moral de que son titulares todos los seres humanos. Los padres pueden, evidentemente, aplicar sanciones a sus hijos como medida correctiva, pero dicha facultad paterna no puede lesionar la integridad física y moral del menor bajo su potestad. Lo anterior se funda en la razón de ser pedagógica del castigo paterno, pues entre la lesión corporal o moral y la acción correctiva existe la diferencia de que la lesión es un daño, mientras que la corrección es un bien, por cuanto encauza al hijo hacia la perfección de su conducta.

---

[184]   A manera de ejemplo, MIGUEL ENRIQUE ROJAS GÓMEZ sostiene que, en la Sentencia C-371 de 1994, se avaló el uso de la fuerza: "Los castigos físicos (por desventura aun frecuentes) que los padres suelen inferir a sus hijos (…) hasta hace poco se consideraban expresión del 'derecho de corrección paterna' y, por consiguiente, uso legítimo de la fuerza (…)". MIGUEL ENRIQUE ROJAS GÓMEZ, *Lecciones de derecho procesal*, 406. Nos apartamos de las respetables consideraciones de ROJAS GÓMEZ, toda vez que consideramos, como se deja sentado a lo largo de este texto, que la posición de la Corte no ha tenido vacilaciones en condenar el castigo físico como forma de violencia contra los menores de edad.

Los derechos fundamentales del hijo menor, determinan que los padres no deban emplear castigos lesivos de la dignidad personal de éste. La Constitución reconoce a los padres el derecho de educar a sus hijos (Art. 68), a la vez que les impone tal responsabilidad (Art. 67). Pero hasta dónde llega el castigo, es algo que viene limitado por la misma integridad física y moral del hijo, que es inviolable. De ahí que el padre de familia obra contrariamente a derecho cuando movido por la iracundia aplica un castigo desproporcionado, anulando la razonabilidad de la corrección. De ello lo que resulta no es la adecuada formación del hijo, sino una reacción de incomprensión de éste hacia la medida arbitraria determinada por un acto pasional. La corrección paterna no puede ser otra cosa que un acto adecuado, es decir, proporcionado a la gravedad de la falta, sin llegar jamás a constituirse en lesivo a la integridad o la dignidad del hijo, como persona humana. El exceso de rigor, al no ser proporcionado, es un acto generador de violencia, y por tanto carece de justificación alguna.

En el caso sub examine es notoria la desproporción entre la gravedad de la falta supuestamente cometida, la de no desayunar, y el castigo, -pegarle con un 'machete'- lo cual determina la injusticia del acto del padre. El hecho de que no haya rastro de violencia en el cuerpo de la menor, no desvirtúa la existencia del acto violento, como se desprende de la lectura del expediente. La conducta irascible del padre, en este caso, constituye una amenaza grave e inminente contra la menor, pues, de no ponerse límite a los métodos de corrección paterna, puede llegar a causar un perjuicio irremediable, dados los antecedentes del comportamiento paterno.

Más adelante, la cuestión de la proporcionalidad[185] en las prerrogativas conferidas a los padres fue nuevamente abordada por la Corte Constitucional, mediante Sentencia T-474 de 1996, M. P. Fabio Morón Díaz. En la providencia, la Corporación recordó que la autoridad paterna

no puede traducirse en decisiones que violenten o transgredan los derechos fundamentales del menor, de hecho por ejemplo, en aras de educar y corregir al hijo el padre no puede maltratarlo y agredirlo sin atentar contra sus derechos fundamentales a la integridad personal y a la dignidad; tampoco puede el titular de la patria potestad tomar decisiones que afecten a sus hijos, contrarias o nugatorias de su condición de ser dotado de una relativa autonomía, salvo que con ellas el menor ponga en peligro su propia vida.

Así mismo, recordó la Corporación que a los derechos de vigilancia, corrección y sanción moderada se opone el derecho al libre desarrollo de

---

[185] Un análisis específico sobre la colisión entre el derecho de sanción moderada y el libre desarrollo de la personalidad se encuentra en Eric Leiva Ramírez y Ana Lucía Muñoz González, "La corrección moderada y el derecho al libre desarrollo de la personalidad de las niñas y niños no emancipados según la jurisprudencia de la Corte Constitucional", en *Revista Nova et Vetera*, núm. 21, 2012, 11 a 27.

la personalidad de los hijos. En efecto, sostuvo que la "formación integral" que demanda la Carta Política se contrae a permitir que los individuos sean capaces de alcanzar su desarrollo pleno en el seno de la familia. Por ello, hay que establecer en cada caso cuál derecho prevalece, siempre orientado por el interés superior del niño, niña o adolescente.

El Tribunal Constitucional, mediante Sentencia SU-642 de 1998, M. P. Eduardo Cifuentes Muñoz, interpretó el alcance entre la colisión entre los derechos de vigilancia, corrección y sanción moderada con el libre desarrollo de la personalidad en forma más estricta. Veamos:

> Para la Sala, no existe duda alguna de que todo colombiano, sin distingo alguno de edad, es titular del derecho fundamental al libre desarrollo de la personalidad, el cual, como lo ha manifestado la Corte, constituye emanación directa y principal del principio de dignidad humana (C.P., artículo 1°). Sin embargo, el hecho de que el libre desarrollo de la personalidad sea uno de los derechos personalísimos más importantes del individuo, no implica que su alcance y efectividad no puedan ser ponderados frente a otros bienes y derechos constitucionales o que existan ámbitos en los cuales este derecho fundamental ostente una eficacia más reducida que en otros. Ciertamente, en tanto lo que este derecho protege son las opciones de vida que los individuos adoptan en uso de sus facultades de juicio y autodeterminación, es natural que la protección constitucional a las mismas sea más intensa cuanto más desarrolladas y maduras sean las facultades intelecto-volitivas de las personas con base en las cuales éstas deciden el sentido de su existencia. Lo anterior no sólo encuentra fundamento en la jurisprudencia de esta Corporación antes citada[186], sino, también, en lo dispuesto por el artículo 12-1 de la Convención sobre los Derechos del Niño (Ley 12 de 1991), en donde se establece que 'los Estados parte garantizarán al niño que esté en condiciones de formarse un juicio propio el derecho de expresar su opinión libremente en todos los asuntos que afectan al niño, teniéndose debidamente en cuenta las opiniones del niño, en función de la edad y madurez del niño'.

Así pues, el derecho de corrección y sanción fue concretado como una prerrogativa con serios límites: además de lo previsto en la ley, también se constituyen como frenos los derechos fundamentales consagrados en la Carta Política, como por ejemplo los concernientes al libre desarrollo de la personalidad y la dignidad humana del hijo.

Después de promulgado el Código de la Infancia y la Adolescencia, en cuyo artículo 18 se proscribió expresamente toda violencia física contra los menores de edad, la Corte Constitucional se pronunció respecto de una acción pública de inconstitucionalidad instaurada contra la causal primera del

---

[186] *Ibidem* [Se refiere a la Sentencia T-474 de 1996].

artículo 315 del Código Civil. La disposición acusada consagraba una causal para la emancipación judicial y era del siguiente tenor "maltrato habitual del hijo, en términos de poner en peligro su vida o de causarle grave daño".

A juicio de los demandantes, la expresión "en términos de poner en peligro su vida o de causarle grave daño" era completamente desproporcionada y sugería que solo hasta que el hijo estuviera gravemente herido se autorizaba la procedencia de la acción judicial tendiente a la emancipación. La Corte, por su parte, integró al estudio de constitucionalidad la expresión "habitualmente", por considerar que esa unidad normativa constituía la proposición jurídica completa pasible de análisis judicial.

Respecto de la facultad sancionatoria, el Tribunal reiteró que el estado de cosas actual imponía un freno, como correlato forzoso de la autoridad de los padres, cual era el constituido por los derechos fundamentales de los hijos[187]. Acto seguido, se refirió expresamente al Código de la Infancia y la Adolescencia, en el sentido de destacar que allí se estableció "que en ningún caso el ejercicio de la responsabilidad parental puede conllevar violencia física, psicológica o actos que impidan el ejercicio de los derechos del menor" y agregó que, en caso de ser conculcados los derechos de los niños, el Código preveía el trámite para el restablecimiento de los derechos del menor de edad, constituido por "varias medidas que corresponde adoptar a los defensores y comisarios de familia y en últimas al inspector de policía, previo el trámite de un procedimiento administrativo".

Luego de hacer un análisis sobre los Convenios Internacionales suscritos y ratificados por Colombia, así como de la jurisprudencia constitucional sobre la materia, la Corporación concluyó su análisis de la siguiente manera:

> La Corte procederá a declarar ajustada a la Constitución la consagración del maltrato del hijo como causal para que un juez decrete la emancipación del

---

[187] Dijo la Corte: "En el nuevo contexto constitucional, el derecho y el deber que tienen los padres para corregir al hijo menor, si bien deriva de la autoridad que aquellos ejercen sobre éste, y es indispensable para la estabilidad de la familia, para el logro de los fines que les corresponden, y es inherente a la función educativa que a los progenitores se les confía, (...) no puede traducirse en decisiones que violenten o transgredan los derechos fundamentales del menor (...). De tal manera, el derecho de corrección que tienen los padres respecto del hijo menor no tiene un carácter absoluto, pues encuentra como límite los derechos fundamentales del menor y debe siempre atender el interés superior del niño. Es así como el derecho de corrección no puede conllevar la posibilidad de imponerles sanciones que impliquen actos de maltrato, de violencia física o moral, o que lesionen su dignidad humana, o que se puedan confundir con éstos, por ser contarios a la Constitución".

hijo y como consecuencia la pérdida de la patria potestad. Además, procederá a retirar del ordenamiento tanto las expresiones 'habitual', y 'en términos de poner en peligro su vida o de causarle grave daño', contenidas en el numeral primero del artículo 315 del Código Civil, por cuanto atentan contra los derechos de los niños, niñas y adolescentes y desconocen la protección especial consagrada en la contra todo acto de maltrato.

Cabe recordar, que la Constitución, artículo 42, proscribe cualquier forma de violencia en la familia al considerarla como destructiva de su armonía y unidad, ordenando su sanción conforme a la ley. Por su parte, el artículo 44 de la misma Carta Política consagra la protección de los menores contra toda forma de violencia física o moral, no sólo la que sea habitual o ponga en peligro la vida del hijo o le cause un grave daño. (…)

En efecto, el sistema de valores y principios que enmarcan nuestra Constitución, y que atienden a la prevalencia de los derechos del niño y por tanto a su interés superior, así como a garantizar su desarrollo armónico e integral, imponen claras limitaciones al ejercicio del deber de educación y a la facultad de corrección que detentan los padres sobre sus hijos menores, por lo que resulta ajustado a la Constitución que el legislador consagre como causal para que un juez decrete la emancipación del hijo menor y con ello se produzca la pérdida de la patria potestad, el maltrato del hijo cualquiera que él sea.

Sin embargo, también a la luz de la Constitución resulta inaceptable, que frente a situaciones de maltrato de los menores, el decreto judicial de emancipación del hijo y la consiguiente pérdida de la patria potestad del causante del mismo esté supeditado a que dicho maltrato se de en forma habitual, y aún más, a que sea necesario que tal maltrato llegue a un extremo de violencia tal que ponga en peligro la vida del menor o le cause grave daño.

Condicionamientos para decretar la emancipación judicial y en consecuencia la pérdida de la patria potestad, como los que son objeto de acusación, que solo pudieron tener su razón de ser en el contexto de una regulación jurídica muy antigua como lo es Código Civil, que se expidió hace más de un siglo, y que obedecía a la ideología propia de la época, ajena por completo, entre otros asuntos, al reconocimiento de los niños como sujetos de especial protección, al concepto del interés superior de sus derechos, así como a la garantía de su desarrollo integral y armónico mediante la atención y protección que debe brindarles de manera obligatoria la familia, la sociedad y el Estado.

En el marco de la Constitución de 1991, la potestad parental o patria potestad no constituye ya la investidura de un poder de mando discrecional y absoluto en cabeza de los padres, ni puede ejercerse legítimamente en provecho personal de quien la detenta, sino que debe concebirse como un instrumento basado en la relación jurídica paterno-filial, mediante la cual los padres han de ejercer sus derechos y cumplir los deberes que tienen para con los hijos, siempre bajo el respeto de sus derechos, que son fundamentales, atendiendo a su interés superior, y garantizando su desarrollo armónico e integral, es decir, sin ejercer sobre ellos ninguna clase de maltrato.

Para esta corporación, el artículo 315 del Código Civil, numeral primero, en cuanto consagra el maltrato del hijo como causal que da lugar al decreto judicial de emancipación del hijo, y por ende a la pérdida de la patria potestad, si bien persigue un fin constitucionalmente válido como es la protección del menor, en cuanto exige además que dicho maltrato sea habitual y además, que sea en términos de poner en peligro su vida o de causarle grave daño, ofrece una protección tardía que a la luz de la nueva escala axiológica de nuestra constitución es inadmisible.

En efecto, la causal del numeral primero que da lugar a la pérdida de la patria potestad resulta desproporcionada al someter la vigencia de la patria potestad a los maltratos habituales que pongan en peligro la vida del menor o le causen grave daño. Medida consagrada por el legislador hace más de un siglo, que no esta en capacidad de lograr la protección oportuna a los niños, niñas y adolescentes exigida por la nueva Constitución de 1991.

En consecuencia, la Corte declarará inexequible las expresiones 'habitual' y '...en términos de poner en peligro su vida o de causarle grave daño', del numeral primero del artículo 315 del Código Civil. Y, declarará exequible la expresión 'Por maltrato del hijo'.

En tal medida, si la causal para que un juez decrete la emancipación del menor es solamente el maltrato del hijo, le corresponderá al juez de conocimiento respectivo valorar en cada caso las circunstancias que rodean al menor afectado, para efectos de determinar si amerita decretar la pérdida de la patria potestad del padre o padres que incurren en tales conductas[188].

Con tan claro razonamiento, la Corporación hizo muy evidente que no había cabida en el ordenamiento para laceraciones de ninguna naturaleza en contra de los menores de edad. Se reiteró el carácter prevalente de sus derechos y se salvaguardaron sus derechos[189].

En 2009, mediante Sentencia C-442, M. P. Humberto Antonio Sierra Porto, la Corte Constitucional analizó el artículo 18 del Código de la Infancia y la Adolescencia y concluyó que maltrato infantil implicaba "toda

---

[188] Sentencia C-1003 de 2007, M. P. Clara Inés Vargas Hernández.
[189] Por eso se insiste, al comentar la ley modificatoria del artículo 262 del Código Civil, que no hay forma de sostener que se modificó la estructura de la primera causal del artículo 315 del Código Civil, porque ello equivaldría a dejarla como estaba antes de ser declarada inexequible por la Corte Constitucional, lo cual carecería de todo sentido.

conducta que tenga como resultado la afectación, en cualquier sentido, de la integridad física, psicológica o moral de los(as) menores de dieciocho (18) años por parte de cualquier persona, incluidos por supuesto los agentes del Estado". Tal definición fue luego retomada por la Corporación en Sentencia C-397 de 2010, M. P. Juan Carlos Henao Pérez, con el propósito de establecer tres tipos de maltrato infantil:

> En primer lugar el maltrato físico que estaría relacionado con las lesiones personales o el daño en el cuerpo del niño; en segundo término, el maltrato psicológico o emocional, relacionado con conductas como las amenazas constantes, las burlas y ofensas que afecten al niño mental y moralmente, y, por último, el maltrato omisivo que se daría cuando al niño se le deja en situación de abandono o descuido que puede afectar su vida o su salud.

Nace entonces el interrogante, en virtud de la providencia últimamente transcrita, de si la Corporación limitó el maltrato al tipo penal de lesiones personales o lo equiparó, indiscutiblemente, con la violencia intrafamiliar. De ello se deduciría que no habría inconveniente en que se empleara la palmada como instrumento de crianza.

A pesar de que la jurisprudencia constitucional ya había sido suficientemente clara sobre este punto, lo cierto es que el interrogante vuelve a surgir porque, según se observa en la nota a pie de página de la providencia, la división planteada por la Corte se basó en varios estudios científicos[190], uno de los cuales, de 2007, comenta un estudio de la UNICEF en relación con el maltrato infantil en Chile. Sobre el estudio de la UNICEF, el documento en que se basó la Corte hace las siguientes apreciaciones:

> El estudio dice arbitrariamente que la violencia psicológica, consistiría en el uso de groserías y burlas y en hacer amenazas de rechazo o de castigo físico. Esta violencia habría aumentado en Chile entre un 14,5% en 1994 y un 21,4% en el año 2006. En el caso de la violencia física leve, las cifras permanecen en los últimos años alrededor del 28%.

---

[190] Dice la nota de la Corte: "Sobre las distintas formas de definir 'maltrato' y especialmente sobre el maltrato infantil (MI) se puede consultar a Martínez, A. y de Paúl, J, *Maltrato y abandono en la Infancia*. (Madrid: Martínez Roca, 1993), y Wolfe D., *Programa de conducción de niños maltratados*. (México: Trillas, 1991). Igualmente, el artículo del Comité de Maltrato infantilde la Sociedad Chilena de Pediatría, "El maltrato infantil desde la bioética: el sistema de salud y su labor asistencial ante el maltrato infantil, ¿qué hacer?", en *Revista Chilena de Pediatría*, vol. 28, (Suplemento 1), 2007, 85-95. http://www.scielo.cl/scielo.php?script=sci_arttext&pid =S0370-41062007000600007.

> La reflexión moral tiene especial importancia al determinar los criterios cla-sificatorios, así por ejemplo, en una sociedad donde muchos aceptan el uso del castigo físico como un método válido de crianza, es complejo establecer cuándo los golpes se transforman en una violencia.
>
> Las conductas que definen para la UNICEF la violencia física grave, pueden ser más indicadoras de maltrato. De todas formas, no me queda claro el sig-nificado de 'golpiza' y de 'golpear con objetos'[191].

A pesar de que la situación parecía superada en Colombia, el documen-to más reciente que sirvió de base a la Corte Constitucional parece estable-cer, en función de la aceptación social, la diferenciación entre violencia o maltrato y castigo físico. Así, si los castigos físicos son aceptados, difícilmen-te se pueden constituir en una forma de violencia. Ello llevaría a pensar que sí, previo análisis estadístico, en Colombia la sociedad acepta los castigos físicos, no habría motivos para pensar que se configura maltrato infantil.

Tal visión, que correspondería a una lectura muy superficial del análisis de la Corte, se aclararía tajantemente por medio del Auto A122 de 2010, M. P. Gabriel Eduardo Mendoza Martelo.

La providencia se produjo como consecuencia de una acción pública de inconstitucionalidad instaurada en contra de la expresión "sancionarlos moderadamente", consagrada en el artículo 262 del Código Civil. A juicio de la demandante, el

> condicionamiento formulado por la Corte en la Sentencia C-371 de 1994, no es suficiente para que el precepto se ajuste a la Constitución, porque de acuerdo con aquel solamente se prohíbe la posibilidad de utilización de vio-lencia física o moral como modalidad de sanción moderada para los niños, pero no excluye toda posibilidad de castigo físico, así sea leve, estando, como se anotó, prohibido por las normas internacionales que hacen parte del blo-que de constitucionalidad.

La demanda fue rechazada por haber operado la cosa juzgada constitu-cional. Como consecuencia del recurso de súplica desatado por la accio-nante, la Corte reconoció que luego de la promulgación de la Sentencia C-371 de 1994 se habían proferido instrumentos internacionales como la Observación General número 8 del Comité de los Derechos del Niño, el Informe sobre el castigo corporal y los derechos humanos de las niñas,

---

[191] Comité de Maltrato infantil de la Sociedad Chilena de Pediatría. "El mal-trato infantil desde la bioética: el sistema de salud y su labor asistencial ante el maltrato infantil, ¿qué hacer?", en *Revista Chilena de Pediatría*, vol. 28, 2007, 85 a 95.

niños y adolescentes de la Comisión Interamericana de Derechos Humanos y la Resolución del 27 de enero de 2009 de la Corte Interamericana de Derechos Humanos, todos ellos condenatorios del castigo físico como mecanismo de corrección.

Pero, en forma lapidaria y contundente, agregó la Corte:

> 5. De lo anterior, se puede concluir que, conforme con los instrumentos internacionales citados por la accionante, el castigo corporal como mecanismo de corrección, en sí mismo, implica una forma de violencia física en contra de los menores, lo cual, tal y como lo sostuvo el magistrado sustanciador en este proceso de constitucionalidad, está excluido de nuestro ordenamiento jurídico por virtud de la Sentencia C-371 de 1994, que declaró la exequibilidad de la expresión 'sancionarlos moderadamente', contenida en el artículo 262 del Código Civil, en el entendido de que está excluida de aquella, cualquier forma, incluida la moderada, de violencia física o moral.

> En la sentencia referida, consideró esta Corporación que la norma no permitía el ejercicio de violencia en contra de los menores como medida sancionatoria, lo cual está proscrito por nuestro ordenamiento, de modo que la facultad para sancionar moderadamente con castigo físico o moral a un menor, como medida de corrección, no está permitida. (...)

> Por lo expuesto, para la Sala no le asiste razón a la demandante cuando afirma que la exclusión de toda forma de violencia física o moral de la posibilidad de sancionar moderadamente a los menores, no implica una prohibición del castigo físico, ya que como se anotó, los instrumentos internacionales establecen que el castigo físico es una forma de violencia contra los menores[192].

Así se despejó por completo el panorama. Sin ambages se reconoció que el castigo físico, entre ellos la palmada a que se hizo referencia al iniciar estos comentarios, son constitutivos de violencia entre nosotros y, de consiguiente, inadmisibles en el marco del ejercicio del derecho de corrección.

A pesar de tan clara posición, que no admite discusiones de naturaleza alguna, el Comité de los Derechos del Niño hizo sendas visitas a Colombia durante el 2015, las cuales concluyeron con las *Observaciones finales sobre los informes periódicos cuarto y quinto combinados Colombia,* aprobadas en la 60° sesión del Comité. En las Observaciones, según se explicó previamente, el Comité manifestó una inmensa preocupación por "[l]a información según la cual los castigos corporales siguen imponiéndose de forma generalizada

---

[192] Auto de la Corte Constitucional A122 de 2010, M.P. Gabriel Eduardo Mendoza Martelo.

y no están prohibidos explícitamente en todos los entornos, incluido el hogar"[193]. Con motivo de lo anterior, recomendó a Colombia

> [d]erogar el artículo 262 del Código Civil sobre la 'facultad de corregir' y velar por que el castigo corporal esté prohibido explícitamente en todos los entornos, también para los niños indígenas, y crear conciencia sobre las formas positivas, no violentas y participativas de crianza de los hijos[194].

La recomendación, como se sabe, fue acogida en 2021, mediante la promulgación de la reciente Ley 2089. Allí, se dejó expresamente positivizado, en el derecho legislado, que los castigos corporales son repudiados y se encuentran por fuera del ámbito del derecho de corrección de los padres.

En todo caso, resta advertir que el reproche de toda conducta de castigo físico por los padres no equivale, ni puede equivaler, a la configuración de una violencia intrafamiliar desde el punto de vista civil o penal. Para culminar el análisis sobre la evolución jurisprudencial en torno al derecho de corrección y sanción, es pertinente aludir a un reciente pronunciamiento de la Sala de Casación Penal. Se trata de la sentencia proferida el 29 de abril de 2020, Radicado 50899, M. P. Luis Antonio Hernández Barbosa. Los hechos fueron los siguientes:

El 17 de noviembre de 2012, un padre recibió el boletín de notas de su hija menor de edad en el que se registraba que había perdido el año por tercera vez consecutiva. A la semana siguiente el padre, en estado de embriaguez, le recriminó a su hija la falta de compromiso y, luego de una discusión verbal, ella se fue de la casa para pernoctar donde su tía. Al día siguiente, con intención de causar molestia a su padre, la menor de edad se encerró, junto con su hermana mayor de edad, a oír música en volumen alto. Ante el reproche de su progenitor, la hermana mayor de edad respondió con una palabra de elevada grosería. El padre le aventó un objeto y la hija mayor de edad procedió de la misma manera, además de abalanzársele y rasguñarlo. La menor de edad intervino en respaldo de su hermana y, en el forcejeo, el papá le dio un golpe con la mano en la espalda.

En el trámite procesal, el Juzgado Segundo Penal Municipal de Envigado exoneró al padre, mientras que el Tribunal Superior de Medellín revocó la providencia para condenarlo del delito de violencia intrafamiliar

---

[193] Comité de los Derechos del Niño. *Observaciones finales sobre los informes periódicos cuarto y quinto combinados Colombia.* U.N. Doc. CRC/C/COL/CO/4-5, del 6 de marzo de 2015. Aprobada en el 60° período de sesiones, celebrado en Ginebra.

[194] *Ibidem.*

agravada, lo que implicaba la imposición de una pena privativa de la libertad de seis (6) años. El recurso extraordinario de casación fue interpuesto por el papá y la Corte Suprema de Justicia, en su Sala de Casación Penal, efectuó el siguiente análisis:

En primer lugar, hizo un recuento de los hechos probados. Luego de analizar la estructura del tipo penal, la Corporación recordó que

> [n]o toda conducta que se adecúa a un tipo penal es antijurídica. (…) La razón de que no lo sea obedece a que el comportamiento que interesa al derecho penal es el que interfiere bienes jurídicos de otros y no los que no afectan derechos de los demás.[195] Tampoco lo es la conducta que no ofende o pone en peligro *significativamente* el bien jurídico[196].

En cuanto al carácter *significativo* de la conducta, en punto al delito de violencia intrafamiliar, la Corte reiteró su jurisprudencia y manifestó que se trataba de uno o varios actos *trascendentes*; esto es, que logre(n) "lesionar de manera cierta el bien jurídico de la unidad y armonía familiar, circunstancia que debe ser ponderada en cada asunto"[197]. Acto seguido, el Tribunal hizo un recuento de los criterios valorativos que se deben tener en cuenta por el fallador al momento de determinar si una conducta es constitutiva del injusto y explicó que

> [l]os rastros de la agresión, física o síquica, son un elemento que sirve para cotejar desde el plano objetivo la gravedad de la conducta, pero en principio no son el delito en sí mismo, pues el núcleo de la conducta consiste en sancionar agresiones que lesionan o ponen en peligro la *relación familiar* mediante *la violencia*, como dice la norma, y no la integridad personal, un bien jurídico distinto.

Así, sostuvo la Corte que

> menciones a actos que podrían ser insignificantes, como la palmada del padre al hijo, (…) puede no ser significativa como lesión pero es igualmente

---

[195] Sentencia C 491 de 2012.

[196] "Alrededor de esa discusión existe algún grado de consenso en que, por el grado de desarrollo de una cultura en torno al respeto a los derechos humanos, la idea de protección de bienes jurídicos que subyace a la idea de intervención penal es la que mejor se aviene con una teoría liberal de la cuestión penal, sobre todo si se asume, como lo señala Roxin, que "la penalización de una conducta tiene que poseer una legitimación distinta de la que le otorga la mera voluntad del legislador". Por eso, los referentes materiales de la prohibición son "realidades o fines que son necesarios para una vida social".

[197] Sentencia de la Sala de Casación Penal de la Corte Suprema de Justicia proferida el 29 de abril de 2020, Radicado 50899, M. P. Luis Antonio Hernández Barbosa.

disvaliosa, si se manifiesta en un contexto de humillación, lo cual muestra la imposibilidad de encontrar fórmulas uniformes frente a actos en principio similares desde su aislada objetividad[198].

De ahí que sea necesario, de cara a la determinación de la conducta delictual en cada caso particular, efectuar un análisis sobre el contexto en que se produce la violencia. Mas no se puede entender el contexto como prueba en sí mismo, ni elemento estructural de la conducta, sino como método de investigación útil para encontrar la verdadera trascendencia del acto.

Sobre las anteriores bases, la Corporación explicó que sostener que la conducta del padre era constitutiva del delito de violencia intrafamiliar llevaría a la conclusión de que la hija mayor de edad también habría incurrido en el tipo penal reprochado. Es por ello que, en casos

de mutuas ofensas, ambas objetivamente tenues y quizá mucho más ofensiva en el lenguaje y en palabras la de la hija que la del padre, la legitimidad de las decisiones judiciales requiere un manejo dúctil de las categorías dogmáticas, con el fin de ofrecer respuestas que sean a la vez formalmente correctas y materialmente justas. Desde esa consideración, la relación entre la agresión y la réplica se deben analizar en el contexto en que se producen —como lo ha indicado la Sala en las decisiones transcritas—, con la necesaria ponderación de los derechos en conflicto y la intensidad de las agresiones y las respuestas[199].

Al descender al caso concreto, la Corte Suprema de Justicia logró evidenciar que el padre no había iniciado la agresión, que las ofensas de las hijas habían sido mucho más severas e hirientes, que la hija menor de edad había perdido grado noveno por tercer año consecutivo y había sido ella, la adolescente, la que se había abalanzado hacia su padre para agredirlo, a lo que el padre replicó con la palmada en la espalda. Así, concluyó la Sala de Casación Penal lo siguiente:

Como se puede observar se trata de un acto episódico en el que el acusado, de quien su propia hija y su ex esposa describieron como un buen padre, no fue el inicial ofensor ni quien inició los actos disvaliosos, sino el que recibió y soportó las agresiones.

De manera que es perfectamente explicable que haya actuado en esas circunstancias con la creencia errada de que el derecho de corrección lo auto-

---

198 Sentencia de la Sala de Casación Penal de la Corte Suprema de Justicia proferida el 29 de abril de 2020, Radicado 50899, M. P. Luis Antonio Hernández Barbosa.

199 Sentencia de la Sala de Casación Penal de la Corte Suprema de Justicia proferida el 29 de abril de 2020, Radicado 50899, M. P. Luis Antonio Hernández Barbosa.

rizaba a reaccionar de esa manera e incluso de que la agresión de la que fue objeto lo facultaba a actuar para repeler la agresión de sus hijas[200].

Con base en el anterior razonamiento, la Corporación halló probada la atipicidad de la conducta y, por consiguiente, casó la sentencia del Tribunal Superior de Medellín. Las consideraciones antes expuestas, se reitera, son útiles para entender el estado de evolución actual de la jurisprudencia en torno al exceso en el derecho de corrección y sanción de los padres. En efecto, aunque el castigo físico se encuentra prohibido en Colombia desde mucho antes de la expedición de la reciente ley modificatoria del Estatuto Civil, su reproche legal se debe adecuar a la intensidad y gravedad de la conducta. Por consiguiente, es factible, teniendo en cuenta las múltiples circunstancias en cada caso, iniciar las una o varias de las siguientes causas administrativas o judiciales: (i) un proceso administrativo de restablecimiento de derechos; (ii) una acción de protección contra la violencia intrafamiliar, tramitada por el Comisario de Familia; (iii) una denuncia penal por maltrato intrafamiliar; y (iv) un proceso de privación de patria potestad y/o emancipación judicial.

Pero no todo castigo corporal puede ser considerado, sin más, como violencia intrafamiliar, civil o penal, ni suficiente para iniciar un proceso de privación de patria potestad y/o emancipación judicial. El intérprete, sea abogado, juez, comisario o defensor de familia, fiscal, miembro de un equipo interdisciplinario, entre otros, debe ser muy cuidadoso y consciente de las circunstancias que rodean cada caso en particular. La proscripción de la violencia, que tanto daño le hace a nuestro país, no es, ni puede ser, una patente de corso para que se inicie una cruzada que termine con la mayoría de los padres tras las rejas. De ahí que se haga sumamente valiosa la elaboración de una Estrategia Nacional con miras a sensibilizar a los adultos sobre las nuevas formas de educación y crianza, que ya no suponen agresiones que antes fueron normalizadas en la sociedad.

3. Conclusiones

A manera de síntesis de cuanto se ha expuesto, es posible indicar lo siguiente:

1) El derecho de vigilancia, corrección y sanción es una manifestación patente de la autoridad paterna y ha sido regulado en el ordena-

---

[200] Sentencia de la Sala de Casación Penal de la Corte Suprema de Justicia proferida el 29 de abril de 2020, Radicado 50899, M. P. Luis Antonio Hernández Barbosa.

miento jurídico con el propósito de facultar a los padres para facilitar la crianza y educación de sus hijos.

2) Desde esa perspectiva, el derecho de vigilancia, corrección y sanción es una prerrogativa y un verdadero deber que se confiere a los padres, pero no para su beneficio propio o personal, sino para que se ejerza con el cuidado requerido en aras de garantizar los cuidados que se deben a los hijos. Ello se explica en la medida en que se comprenda que la autoridad paterna no desapareció con la adopción de la Carta Política de 1991, pero su concepción sí mutó, como se ha hecho ver insistentemente en estas páginas.

3) Como corolario obligado de lo anterior, el derecho-deber de vigilancia, corrección y sanción encuentra su freno más importante en los derechos de los hijos. Particularmente, son de destacar los derechos de vida, dignidad humana, libre desarrollo de la personalidad, formación integral y protección integral.

4) El derecho-deber de vigilancia, corrección y sanción ha sufrido múltiples transformaciones legislativas en la historia de Colombia. En el sistema original del Código Civil se consagró como una facultad muy extensa del padre, que incluso permitía que éste ordenara el arresto de sus hijos. Posteriormente, a raíz de la expedición del Decreto 2820 de 1974 se eliminó la facultad de que el padre ordenara el arresto y se preservó la posibilidad de imponer *sanciones moderadas*. Con base en la adscripción del Estado colombiano a una variopinta gama de Convenios Internacionales, así como la adopción de la Carta Política de 1991, se discutió con mucha profundidad el alcance de la expresión *sanciones moderadas*. Sin perjuicio de que ya había sido definido por la jurisprudencia constitucional y ordinaria, mediante la promulgación de la Ley 2089 expresamente se prohibió el uso de castigos corporales y tratos crueles, humillantes o degradantes, según la definición proporcionada en ese cuerpo normativo. Ello se hizo a instancias de las recomendaciones específicas que el Comité de los Derechos del Niño formuló para Colombia.

5) Los alcances de la vigilancia, corrección y sanción han sido muy discutidos, en especial en lo atañedero a la *sanción*. Desde 1994, con la expedición de la Sentencia C-371 de 1994, M. P. JOSÉ GREGORIO HERNÁNDEZ GALINDO, la Corte Constitucional dejó perfectamente claro que el ejercicio del derecho-deber de vigilancia, corrección y sanción excluía por completo todo castigo corporal o trato cruel, humillante o degradante hacia los niños. A pesar de los nítidos planteamientos de la Corporación, las discusiones en torno a castigos corporales le-

ves, como palmadas, siguieron subsistiendo entre nosotros. Tras una nutrida jurisprudencia sobre el particular, en 2010 se zanjó, finalmente, toda controversia al respecto, cuando la Corte Constitucional rechazó una demanda contra el artículo 262 del Código Civil, en la que se aducía que su texto autorizaba los castigos corporales leves. El motivo del rechazo fue, específicamente, que desde 1994 ya se había dejado sentado que todo castigo corporal, por leve que fuera, constituía una forma de violencia física que estaba completamente proscrita en el ordenamiento jurídico colombiano y, en consecuencia, se hacía innecesario reabrir la discusión al respecto.

6) Según se explicó en conclusión anterior, el hecho de que la Ley 2089 haya especificado que los castigos corporales y los tratos crueles, humillantes o degradantes estaban prohibidos tan solo se trata de la positivización de una proscripción que era plenamente pacífica para la jurisprudencia. Además, tal actuar fue producto de una recomendación específica formulada por el Comité de los Derechos del Niño a Colombia en 2015. Así lo reconoce la exposición de motivos del proyecto que se convertiría en la ley. Sin embargo, sería del todo incorrecto pensar, o afirmar, que la consagración legal implicó un cambio en la forma como venía operando el ordenamiento jurídico colombiano.

7) Con todo, para determinar si una actitud sancionatoria del padre se enmarca dentro del derecho-deber que le confiere la legislación, es necesario comprender que la sanción es un elemento útil para *persuadir* acerca del comportamiento debido y para *disuadir* de las conductas contrarias a él. Pero la cumplida realización de su objeto solo se alcanza cuando ésta sea (i) *justa,* es decir, corresponda a motivos ciertos y probados, (ii) *proporcional* al hecho cometido y (iii) *oportuna,* esto es, dentro de un término que permita al menor de edad entender que la decisión de los padres responde a una conducta *desobediente* o *irrespetuosa* determinada. Especial énfasis se ha hecho en la jurisprudencia constitucional sobre el criterio de *proporcionalidad.*

8) En caso de que se origine un exceso en la conducta sancionatoria del padre habrá lugar a formular el debido reproche, según la intensidad del exceso, por medio de una o varias de las siguientes actuaciones judiciales o administrativas: (i) proceso administrativo de restablecimiento de derechos; (ii) acción de protección contra la violencia intrafamiliar; (iii) denuncia penal por configuración del delito de violencia intrafamiliar; y/o (iv) proceso de privación de patria potestad y/o emancipación judicial.

9) Pero no todo castigo corporal puede ser considerado, sin más, como violencia intrafamiliar, civil o penal, ni suficiente para dar inicio a un proceso de privación de patria potestad y/o emancipación judicial. El intérprete, sea abogado, juez, comisario o defensor de familia, fiscal, miembro de un equipo interdisciplinario, entre otros, debe ser muy cuidadoso y consciente de las circunstancias que rodean cada caso en particular. La proscripción de la violencia, que tanto daño le hace a nuestro país, no es, ni puede ser, una patente de corso para que se inicie una cruzada que termine con la mayoría de los padres tras las rejas. De ahí que se haga sumamente valiosa la elaboración de una Estrategia Nacional con miras a sensibilizar a los adultos sobre las nuevas formas de educación y crianza, que ya no suponen agresiones que antes fueron normalizadas en la sociedad.

10) En definitiva, apartados de los extremos que se han comentado, carentes de cualquier justificación, se debe exaltar la subsistencia entre nosotros del derecho-deber de vigilancia, corrección y sanción sin violencia en la familia. Su derivación de la autoridad paterna requiere empatar su entendimiento con el fundamento teórico que subyace a esta última, por lo que su ejercicio debe estar íntimamente sujeto al cariño y al amor. Son los titulares de la autoridad paterna a quienes se les reconoce el derecho-deber de vigilancia, corrección y sanción sin violencia con el fin último de forjar un carácter serio en los menores de edad, de modo que los preparen adecuadamente para soportar y adecuar su conducta a la vida en sociedad, la cual supone la sujeción a un vasto cúmulo de reglas y obligaciones.

El autoritarismo se debe deponer, sí, pero ello no supone que la permisividad extrema se abra paso. Porque esta última, lejos de conducir al niño, niña o adolescente a forjar el carácter requerido para ser un ciudadano probo, lleva a la incorrecta concepción de que no hay límites ni reglas en el mundo que sean aplicables a la libertad o al libre desarrollo de la personalidad del individuo; entendimiento que no solo es muy falso, sino que puede fácilmente terminar en que las reglas que disciplinan la sociedad en la que vivimos se impongan sobre los sujetos cuya noción surreal de la vida en comunidad proviene de la pobre educación y crianza recibidos en casa, con consecuencias mucho más graves —como la prisión— que las que se habrían derivado de un correcto ejercicio de la autoridad.

Sobra exaltar, en último lugar, la importancia que revisten los planteamientos de BELLO que, formulados en el siglo XIX, siguen hoy indudablemente vigentes: la concurrencia de la familia y los centros educativos es capital para la adecuada crianza y formación de un individuo. Pretender descargar la obligación que a los padres atañe en los planteles educativos, por miedo a los hijos, por la errática desnaturalización de los roles familiares para asumir que padres e hijos son amigos o por falta de interés, es tanto como abandonar un retoño a su propia suerte. También así lo plantearon los MAZEAUD cuando dijeron que lo que los padres no consiguen con su ejemplo y cariño, difícilmente lo puede alcanzar un instituto[201]. De modo que es preciso asumir la paternidad con el rigor y la convicción requeridos, porque lo que está de por medio es, ni más ni menos, la vida de una persona.

III. Socorro y protección

El artículo 251 del Estatuto Civil, cuya redacción no ha mutado, prevé que, "[a]unque la emancipación dé al hijo el derecho de obrar independientemente, queda siempre obligado a cuidar de los padres en su ancianidad, en el estado de demencia, y en todas las circunstancias de la vida en que necesitaren sus auxilios". A su turno, el artículo 252, *ibidem*, establece que "[t]ienen derecho al mismo socorro todos los demás ascendientes, en caso de inexistencia o de insuficiencias de los inmediatos descendientes"[202].

Estas son dos de las más bellas disposiciones que quedaron consagradas en nuestro Código Civil, porque son viva expresión de la naturaleza relacional e intersubjetiva de los derechos y obligaciones *personales* entre los padres y los hijos, al tiempo como ponen de manifiesto el indudable acierto del Redactor al separar las figuras de *patria potestad* y *derechos y obligaciones personales entre padres e hijos*.

Se afirma sin vacilación que los artículos 251 y 252 del Estatuto Civil colombiano entrañan la más nítida representación de la naturaleza relacional e intersubjetiva de los derechos y obligaciones *personales* entre los padres y los hijos, toda vez que demuestran el discurrir ordinario del ciclo vital y la forma en la que los roles paulatinamente se invierten. En las épocas del nacimiento,

---

[201]   HENRI, LEON y JEAN MAZEAUD. *Leçons de droit civil*, tomo IV. (Buenos Aires: Ed. Ejea, 1959), 99.

[202]   En su versión original, el artículo 252 del Código Civil sujetaba el socorro a los ascendientes "legítimos". Esta expresión fue declarada inexequible por la Corte Constitucional, mediante Sentencia C-451 de 2016, M. P. LUIS ERNESTO VARGAS SILVA. Sin embargo, desde la expedición de la Sentencia C-105 de 1994, M. P. JORGE ARANGO MEJÍA, era perfectamente claro que no había razón suficiente que permitiera la discriminación entre los ascendientes por el tipo de filiación.

la niñez y la juventud, los hijos son criaturas dependientes de los padres en términos físicos, intelectuales y espirituales. Por ello la ley y la naturaleza encargan a estos últimos de dar alimento, instruir y formar a los primeros como seres humanos, con las cualidades y virtudes requeridas para su correcto desenvolvimiento en la sociedad y, por supuesto, en tratándose de familias que profesen algún credo, para lo que venga después de su vida terrenal.

Sin embargo, el tiempo transcurre y a medida que lo hace el cuerpo humano se debilita, decaen las funciones motrices y, en algunos casos, las intelectuales; vuelve el individuo a su estado de indefensión en la misma forma en que todo comenzó. Para ese momento, las más de las veces los padres del sujeto envejecido ya no se encuentran en el mundo terrenal, por haberse extinguido físicamente, y corresponderá entonces al hijo la responsabilidad de asumir los cuidados requeridos para la cumplida satisfacción a las necesidades de sus padres.

Lo anterior demuestra el acierto de BELLO al distinguir los derechos y obligaciones *personales* entre padres e hijos de la *patria potestad*: la segunda se extingue con la emancipación, mientras que los primeros permanecen incólumes a lo largo de la vida de unos y otros. La naturaleza relacional e intersubjetiva de los derechos y obligaciones *personales* pone de presente que éstos no se agotan con la emancipación de los hijos, como en muchas ocasiones equivocadamente se cree, sino que su intensidad varía, sin extinguirse, según la etapa y necesidades específicas de los padres y los hijos. Es así como las obligaciones de los padres son mucho más intensas cuando los hijos se encuentran en la niñez y en la juventud, en tanto que las obligaciones de los hijos se robustecen cuando llegan a la adultez y sus padres tocan la ancianidad.

En este aspecto, el de las obligaciones de los hijos para con los padres en su vejez, BELLO se apartó de las consideraciones de ROUSSEAU, según las cuales el lazo natural que une a los padres con los hijos se rompe cuando cesa la dependencia de éstos a aquéllos y "si continúan unidos, ya no es natural sino voluntariamente, y la familia misma no se mantiene sino por convención"[203]. Para nuestro Redactor, el ligamen natural entre padres e

---

[203]   JEAN JACQUES ROUSSEAU, *El contrato social, o principios del derecho político.* (Bogotá: Ed. Panamericana, 2007), 5. Sin embargo, se debe reconocer que, en su *Discurso sobre economía la política* (Madird: Ed. Maia Ediciones, 2011), 3), publicación anterior al *Contrato social,* ROUSSEAU admite que los hijos deben consagrar la otra mitad de su vida (adultez) a subvenir las necesidades de los padres, en virtud del reconocimiento por su labor como tales.

hijos se extiende por el tiempo que vivan unos y otros, aunque su intensidad varía de acuerdo con las circunstancias en que se encuentre cada extremo.

Con motivo del criterio de BELLO en relación con este aspecto, al diseñar la normativa de nuestro Estatuto Civil se reconoció el ligamen natural y se positivizó, como obligación prohijada por el derecho, la asistencia, cuidado y socorro de los padres por los hijos. Esta obligación, de conformidad con lo establecido por el artículo 252, se hace extensiva a todos los ascendientes.

Huelga advertir que la afortunada separación regulatoria de los derechos y deberes personales y la patria potestad en sentido *restringido* evitó los apuros en que se han visto otras legislaciones y comentaristas para explicar que, pese a cesar la patria potestad en sentido *amplio,* varias obligaciones contenidas en ella —como la que aquí se comenta— no se extinguen. De esto nos ocuparemos en el título correspondiente a la terminación de los derechos y deberes *personales* entre padres e hijos.

A continuación se estudia el contenido y alcance de las obligaciones a cargo de los hijos, así como las consecuencias jurídicas derivadas de su incumplimiento. Veamos.

1. Derechos de los padres y obligaciones de los hijos

Los artículos 251 y 252 del Estatuto Civil colombiano emplean las expresiones *cuidado* y *socorro* como sinónimos, pero no lo son. SUÁREZ FRANCO explica que "el cuidado tiene un contenido más de 'apoyo de carácter moral' [, mientras que] el socorro lo tiene más de orden físico, de 'ayuda material'"[204]. De acuerdo con el Diccionario de la Real Academia de la Lengua Española, cuidar significa, en su segunda acepción, "[a]sistir, guardar, conservar", en tanto que socorrer significa "[a]yudar, favorecer en un peligro o necesidad" y "[d]ar a alguien a cuenta parte de lo que se debe, o de lo que ha de devengar".

Ello implica que las obligaciones de los hijos hacia los padres, incluso después de haberse emancipado, son las de prestar toda su asistencia y guarda, así como coadyuvar en la atención de las necesidades materiales y económicas. Por consiguiente, cuando el padre llega a la ancianidad o comienza a padecer una discapacidad cognitiva, el hijo debe atender su cuidado

---

[204]   ROBERTO SUÁREZ FRANCO, *Derecho de familia,* Tomo II, 142. En el mismo sentido, véase la Sentencia de la Sala de Casación Civil y Agraria de la Corte Suprema de Justicia del 30 de julio de 1948, M. P. MANUEL JOSÉ VARGAS, G.J. LXIV, 676 y siguientes.

mediante la debida asistencia e incluso, según se analiza en la siguiente sección, la obtención de su custodia. Y también así sucede cuando el padre no ha llegado a la ancianidad, ni se manifiestan en él síntomas de una discapacidad cognitiva, sino que aparecen necesidades de orden económico: el hijo, siempre que tenga la capacidad económica requerida, deberá coadyuvar con la congrua subsistencia de su padre, mediante la prestación de alimentos (sobre este tema nos ocuparemos en capítulo independiente).

La interpretación de los eventos en que se deben cuidado y socorro a los padres debe ser amplia, según lo expuso la Corte Constitucional en Sentencia C-651 de 2016, M. P. Luis Ernesto Vargas Silva[205]. Por consiguiente, no es posible concebir la obligación de los hijos como restringida a los casos estrictamente enunciados en la norma, sino que ella abarca todos los escenarios de necesidad de los padres. Por ejemplo, destaca la Corporación "la alimentación, la salud, el vestido y el estar pendiente de sus necesidades brindando amor, respeto y trato digno, al punto de proporcionales a los padres y demás ascendientes en línea recta lo necesario para que estén bien y tengan una adecuada calidad de vida".

La razón para que ese sea el entendimiento de la disposición se sustenta en el refuerzo constitucional que recibieron los artículos 251 y 252 del Código Civil cuando se estatuyó por partida doble que, en Colombia, la familia es el núcleo básico de la sociedad (artículos 5 y 42 de la Carta Política). Adicionalmente, los principios de reciprocidad y solidaridad familiar (artículo 46, *ibidem*) juegan un papel crucial, pues coadyuvan a que se dote de "sentimientos de capacidad, utilidad, autoestima, confianza y apoyo social"[206] a la población mayor.

El desarrollo de los preceptos supralegales antes aludidos ha sido prolijo en la jurisprudencia de las Altas Cortes. Uno de los pasajes más profundos

---

[205]   Dijo la Corte: "El Código Civil colombiano impone tanto a los padres como a los hijos, derechos y obligaciones legales. Éstos deben a sus progenitores respeto, obediencia, trato digno y el debido cuidado y auxilio siempre que lo necesiten. Centrando nuestro estudio en esta última, el artículo 251 del Código Civil establece que aunque el hijo alcance la mayoría de edad para obrar de forma independiente, siempre debe cuidar y brindar auxilio a sus padres en tres contextos determinados: (i) en la ancianidad; (ii) en el estado de demencia; y, (iii) en todas las circunstancias de la vida en las cuales requieran el socorro de los hijos. Lo anterior no implica que esos tres contextos puedan ser los únicos en los cuales los hijos otorguen ayuda a los padres, ya que se deben tener como meramente enunciativos y no taxativos".

[206]   *Ibidem.*

e ilustrativos que, sobre el particular, ha puesto de manifiesto el Tribunal Constitucional, es el siguiente:

> La sociedad colombiana, fiel a sus ancestrales tradiciones religiosas, sitúa inicialmente en la familia las relaciones de solidaridad. Esta realidad sociológica, en cierto modo reflejada en la expresión popular 'la solidaridad comienza por casa', tiene respaldo normativo en el valor dado a la familia como núcleo fundamental (CP. art. 42) e institución básica de la sociedad (CP. art. 5). En este orden de ideas, se justifica exigir a la persona que acuda a sus familiares más cercanos en búsqueda de asistencia o protección antes de hacerlo ante el Estado, salvo que exista un derecho legalmente reconocido a la persona y a cargo de éste, o peligren otros derechos constitucionales fundamentales que ameriten una intervención inmediata de las autoridades (CP art. 13)[207].

Nótese la armónica y extraordinaria conjugación que se hace de los artículos 5°, 42 y 46 de la Carta Política, con el propósito de concluir que, a pesar de que la solidaridad ha sido descargada en la sociedad, el Estado y la familia, es a esta última a la que le corresponde, en primer término y como núcleo fundamental, proteger los intereses de uno de sus miembros. Es así como los artículos 251 y 252 del Código Civil adquieren mayor valor y se refuerza su vigor dentro del Estado Social y Democrático de Derecho que nos rige.

La solidaridad, según lo recordó la Corte Constitucional en Sentencia T-032 de 2020, M. P. Luis Guillermo Guerrero Pérez,

> representa un límite al ejercicio de los derechos propios[208], pues en algunas ocasiones la aplicación de sus mandatos puede derivar en la restricción parcial de los intereses de uno o varios sujetos con el propósito de beneficiar a otros, en especial, a quienes se encuentran en una condición de vulnerabilidad[209].

Por tal motivo se reivindica el rol de la familia en este aspecto, pues

> se espera que de manera espontánea, sus miembros lleven a cabo actuaciones solidarias que contribuyan al desarrollo del tratamiento, colaboren en la asistencia a las consultas y a las terapias, supervisen el consumo de los medicamentos, estimulen emocionalmente al paciente y favorezcan su estabilidad y bienestar[210][211].

---

[207]   El aparte transcrito fue originalmente consignado en la Sentencia T-533 de 1992, M. P. Eduardo Cifuentes Muñoz, pero ha sido reiterado por las Sentencias T-1330 de 2001, M. P. Manuel José Cepeda Espinosa, T-795 de 2010, M. P. Jorge Iván Palacio Palacio y T-032 de 2020, M. P. Luis Guillermo Guerrero Pérez.

[208]   Cfr. Sentencia T-801 de 1998, M. P. Eduardo Cifuentes Muñoz.

[209]   Cfr. Sentencia T-422 de 2017, M. P. Iván Humberto Escrucería Mayolo.

[210]   Cfr. Sentencia T-867 de 2008, M. P. Rodrigo Escobar Gil.

[211]   Sentencia T-098 de 2016, M. P. Gloria Stella Ortiz Delgado.

En idéntico sentido, la Sección Segunda del Consejo de Estado concluyó que, sin perjuicio de la obligación de solidaridad en cabeza del Estado que le exige proveer pañales y medicamentos a una persona de la tercera edad carente de recursos económicos, era su familia la encargada de atender los cuidados cotidianos. En consecuencia, rechazó la solicitud de la familia para que una mujer mayor fuera internada en una clínica y, luego de hacer una interpretación armónica de los artículos 5°, 42 y 46 de la Carta Política y 251 y 252 del Código Civil, conminó a los seis hijos de la mujer mayor y a su esposo a "brindarle la compañía, afecto y atención mínima que necesita"[212].

Tan nítidos planteamientos permiten corroborar, sin asomo de duda, que los deberes impuestos por el Código Civil y reforzados por la Carta Política superan por mucho la esfera moral y se ubican en el ordenamiento jurídico para exigir su cumplimiento cuando sean inobservados por los sujetos obligados. Ello demuestra, una vez más, la forma en la que el derecho positivo legislado ha reconocido y recogido el derecho natural.

2. Consecuencias jurídicas derivadas del incumplimiento de las obligaciones de los hijos

En el título anterior quedó explicado cómo se materializa y hace efectiva la obligación de cuidado y socorro a los ascendientes. Ahora corresponde analizar las consecuencias jurídicas derivadas del incumplimiento de tales obligaciones. Por motivos de orden, el presente estudio se dividirá en tres títulos dedicados a explorar las sanciones susceptibles de ser impuestas en los siguientes ámbitos: (i) sucesoral; (ii) violencia intrafamiliar desde la perspectiva civil (hoy violencia en el contexto familiar); y (iii) penal. Veamos:

A. En el ámbito sucesoral

Desde el punto de vista sucesoral, dos son las alternativas que surgen para sancionar a quien inobserve los deberes de cuidado y socorro hacia sus ascendientes: (i) la indignidad y (ii) el desheredamiento. La exheredación ha sido vista por muchos, entre los que se destaca el propio LOCKE en su *Segundo ensayo sobre el gobierno civil*, como un mecanismo de control con que se dota a los padres para controlar a sus hijos cuando éstos ya han ob-

---

[212] Sentencia de la Sección Segunda del Consejo de Estado, proferida el 6 de junio de 2013, Expediente 2013-489, C. P. GERARDO ARENAS MONSALVE.

tenido la emancipación. Un lector juicioso podrá notar que la indignidad y el desheredamiento que enseguida se comentan son también susceptibles de operar cuando sean los padres quienes sobrevivan a los hijos. Empero, incluimos en esta sección el desarrollo y análisis de las figuras porque corresponde al orden natural de la vida que los padres se extingan primero que los hijos, salvo dolorosas ocasiones.

Nos abocaremos ahora al estudio de cada una de las sanciones antes mencionadas:

A'. Indignidad

El beneficiario de toda herencia se denomina, genéricamente, *asignatario*. Según la forma en la que reciba, el asignatario puede ser heredero o legatario. Será heredero si es llamado a suceder a título universal, en tanto que se denominará legatario a quien sucede a título singular. Pero, en todos los casos, el asignatario de que se trate debe satisfacer tres requisitos ineludibles: (i) capacidad; (ii) dignidad; y (iii) vocación hereditaria. Como atributo adicional, en las sucesiones testadas se exige no estar incurso en alguna de las causales previstas en la ley como inhabilitantes[213].

La capacidad, o *ius capiendi*, es la aptitud para suceder y se identifica, dentro de los atributos de la personalidad, con la capacidad de *goce*. En tratándose de personas naturales, el artículo 1019 del Código Civil señala como regla general que "[p]ara ser capaz de suceder es necesario existir naturalmente al tiempo de abrirse la sucesión"[214]. Por lo que toca con las personas jurídicas, el artículo 1021, *ibidem*, indica que éstas "pueden adquirir bienes de todas clases, por cualquier título, con carácter de enajenables".

---

[213]   Son inhábiles, según el artículo 1022 del Código Civil, reformado por el artículo 84 de la ley 153 de 1887, el eclesiástico que hubiere confesado al testador en la misma enfermedad, o habitualmente en los últimos dos años antes de la muerte, la orden, convento o cofradía de que sea miembro el eclesiástico y los deudos del eclesiástico por consanguinidad o afinidad dentro del tercer grado, pero la inhabilidad no se extiende a los bienes que le hubieran correspondido al eclesiástico o sus deudos en la sucesión *ab intestato* del causante. Conforme al artículo 1119 del Código Civil, también son inhábiles para recibir el notario que autorice el testamento, su cónyuge, sus ascendientes, sus descendientes, sus hermanos, sus cuñados y los asalariados del notario, así como los testigos del testamento.

[214]   No nos detendremos en las excepciones consagradas, por ejemplo, para el hijo póstumo, el que se espera que nazca, entre otros.

La vocación hereditaria, o *vocari in hereditatem*, es la naturaleza de heredero o legatario cuando se es llamado por la ley o el testamento a suceder al causante. De esa forma, tiene vocación hereditaria la persona que se encuentra dentro del orden en que se reparte la herencia en una sucesión *ab intestato* o aquella a la que el *de cujus* llamó, por su propia voluntad, mediante el testamento.

La dignidad implica que el asignatario tenga una compatibilidad moral para recibir[215]. Por el contrario, la indignidad es, en términos de SONIA ESPERANZA SEGURA CALVO,

> una sanción civil de pérdida total o parcial de derechos sucesorales, impuesta por la ley, y que debe ser declarada judicialmente contra aquel asignatario o legatario que ha cometido ciertos agravios u omisiones contra el causante o su memoria, que eliminan o disminuyen su mérito para recoger o retener la asignación que se le ha deferido[216].

Al respecto, la Corte Suprema de Justicia ha explicado que "[l]a indignidad para recibir asignación hereditaria proviene de las causas taxativamente señaladas en la ley y puede presentarse tanto en la sucesión testada como en la intestada y comprende lo mismo las herencias que los legados"[217].

De lo anterior se deduce que la indignidad: (i) procede en sucesiones testadas o *ab intestato*; (ii) no se entiende existir hasta que sea declarada por sentencia ejecutoriada; y (iii) los interesados —que probablemente serán los demás asignatarios— tendrán que acreditar la configuración de alguna de las causales taxativamente señaladas en la ley. Estas aclaraciones son importantes porque, a diferencia de lo que ocurre con la indignidad, el desheredamiento supone el otorgamiento de un testamento y la manifestación expresa del futuro causante de excluir al asignatario.

Ahora bien, las causales de indignidad han sido recogidas en los siguientes artículos del Código Civil: 1025, 1026, 1027, 1029, 124, 172, 338, 1257 y 1386.

En cuanto aquí interesa, la causal 3° del artículo 1025 del Estatuto Civil establece que será indigno "[e]l consanguíneo dentro del sexto grado in-

---

215 Véase a FRANCESCO MESSINEO, *Manual de derecho civil y comercial*, tomo VII: *Derecho de las sucesiones por causa de muerte. Principios de derecho privado internacional.* (Buenos Aires: Ed. Ejea, 1956), núm. 175.

216 SONIA ESPERANZA SEGURA CALVO. *Derecho de sucesiones*, séptima edición. (Bogotá: Ed. Ibáñez, 2021), 218 y 219.

217 Sentencia de la Sala de Casación Civil y Agraria de la Corte Suprema de Justicia, proferida el 25 de mayo de 1961, M. P. JOSÉ J. GÓMEZ R., G.J. XCV, 882.

clusive que en el estado de demencia o destitución de la persona de cuya
sucesión se trata no la socorrió pudiendo". La Corte Suprema de Justicia
ha señalado lo siguiente en relación con esta causal:

> Dos son los aspectos de los cuales la ley deduce motivo de indignidad para
> heredar, en relación con la causal tercera del artículo 1025 del Código Civil:
> a) cuando siendo demente el causante el consanguíneo dentro del sexto gra-
> do, inclusive, no lo socorrió, pudiendo; b) cuando en estado de destitución,
> es decir, en el de abandono o pobreza, no le dio la ayuda requerida.
>
> A pesar de que la obligación legal de alimentos, sólo pesa sobre los colatera-
> les hasta el segundo grado de consanguinidad (…) (artículo 411), el legislador
> estima que los demás parientes consanguíneos, hasta el sexto grado, tienen la
> obligación moral de socorrerse, cuando uno de ellos se encuentre en estado
> de destitución o de demencia. La infracción a esta obligación moral, al tenor
> del ordinal tercero del artículo en estudio, está penada con la indignidad.
>
> El socorro no puede entenderse exclusivamente en sentido de prestación ma-
> terial, puesto que puede ser más interesante la ayuda moral, la preocupación
> del consanguíneo para evitarle perjuicios de tal índole a su pariente, dentro
> del grado señalado[218].

Ninguna duda cabe en la relación que tiene esta causal con lo previsto
en los artículos 251 y 252 del Estatuto Civil. Obviamente el espectro de esta
causal es más amplio, pues cobija a los parientes hasta el sexto grado de
consanguinidad, pero lo interesante es notar que cuando el causante ha
caído en necesidad y sus hijos no lo socorren o cuidan en debida forma, se
harán acreedores de la indignidad de que trata el ordinal 3°.

Aunado a lo anterior, es preciso observar que, debido al inusitado incremento de violencia intrafamiliar y abandono a las personas de la tercera edad[219], el Congreso de la República aprobó la que sería sancionada
como Ley 1893 de 2018, modificatoria del artículo 1025 del Código Civil.
El cuerpo normativo mantuvo incólume la regulación de las causales de
indignidad que se encontraban ya consagradas en el artículo modificado y
se limitó a agregar tres nuevas, de las cuales interesan a este texto dos:

---

[218]   Sentencia de la Sala de Casación Civil y Agraria de la Corte Suprema de Justicia,
proferida el 30 de julio de 1948, M. P. Manuel José Vargas, G.J. LXIV, 684.

[219]   Véanse, al efecto, las consideraciones vertidas en la exposición de motivos del proyecto que se convertiría, a la postre, en la Ley 1893 de 2018, legibles en la Gaceta
del Congreso de la República número 613 de 2016.

En primer lugar, se adicionó la causal 6ª, mediante la cual se puede declarar indigno al que "abandonó sin justa causa a la persona de cuya sucesión se trata, estando obligado por ley a suministrarle alimentos". Y agrega la disposición que, para efectos de su interpretación, se entiende por abandono "la falta absoluta o temporal a las personas que requieran de cuidado personal en su crianza, o que, conforme a la ley, demandan la obligación de proporcionar a su favor habitación, sustento o asistencia médica".

Esta causal se debe interpretar con sumo cuidado: el verbo rector para su configuración es *abandonar*. Así, a pesar de que el sujeto pasivo del abandono sea cualificado, en tanto debe estar consagrado en el listado previsto por el artículo 411 del Código Civil, nada tiene que ver que haya una obligación alimentaria vigente, es decir, acordada voluntariamente o impuesta por orden judicial o administrativa en favor del causante. Expresado en otros términos, no interesa que jamás se hubiera reclamado alimentos por el *de cujus* a quien lo sobrevive, porque incluso sin haberlo hecho se podría configurar la causal. Lo que se exige es que haya un abandono por parte de quien será declarado indigno y que la relación familiar entre las dos personas (el que abandona y el que es abandonado) esté consagrada en el artículo 411 del Estatuto Civil.

Fluye palmario, entonces, que esta causal es también sanción por el incumplimiento de las obligaciones consagradas en los artículos 251 y 252 del Código Civil. En efecto, de acuerdo con el artículo 411, *ibidem*, se deben alimentos a los *ascendientes*. Luego el hijo que abandone a alguno de sus padres, es decir, se rehúse u omita proporcionarles habitación, sustento o asistencia médica, incurrirá en causal de indignidad.

En todo caso, la disposición consagró que el futuro causante podía *perdonar* a la persona que lo había abandonado, con lo cual queda purgada la indignidad. Se debe tener en cuenta que el perdón de que trata la norma es mixto, pues requiere que se dispense a la persona que abandonó (personal) y, además, se manifieste la voluntad de que esa persona no sea declarada indigna (sucesoral).

En segundo lugar, la causal 7ª dispuso que sería indigno quien "hubiese sido condenado con sentencia ejecutoriada por la comisión de alguno de los delitos contemplados en el Título VI Capítulo Primero del Código Penal, siendo el sujeto pasivo de la conducta la persona de cuya sucesión se trata". El título al que se refiere la disposición se denomina "Delitos contra la familia" y en el capítulo I se consagran los tipos penales de violencia intrafamiliar (artículo 229), maltrato por descuido, negligencia o abandono en persona mayor (artículo 229A), maltrato mediante restricción a la libertad física (artículo 230) y ejercicio arbitrario de la custodia de hijo menor de edad (artículo 230A). Sobre los dos primeros se volverá en los títulos que siguen y el último se abordará en la próxima sección.

B'. Desheredamiento

JOSÉ LUIS LACRUZ BERDEJO y FRANCISCO DE ASÍS SANCHO Y REBULLIDA enseñan que el desheredamiento

> supone la posibilidad para el causante de privar a un legitimario de su derecho cuando éste incurre en alguna de las causas taxativamente previstas en la ley: todas las infracciones graves contra la esfera moral o física del deudor de la legítima, o contra la propia del legitimario con persecución en el orden o el honor de la familia[220].

En nuestro ordenamiento civil, es el artículo 1265 el que disciplina la figura y enseña que se trata de "una disposición testamentaria en que se ordena que un legitimario sea privado del todo o parte de su legítima". Desde ya se aprecia una importante diferencia con la indignidad: mientras que la indignidad puede tener cabida en las sucesiones testadas o *ab intestato*, el desheredamiento solo opera en las sucesiones testadas. En palabras de la Corte Suprema de Justicia, la "desheredación no puede ser hecha sino por el testador en su memoria testamentaria; de otro modo no hay desheredamiento propiamente dicho"[221].

Adicionalmente, según la nítida definición de LACRUZ BERDEJO y SANCHO Y REBULLIDA, el desheredamiento solo se abre paso cuando se encuentra acreditada alguna de las causales que taxativamente prevé la ley. Ello es así porque se trata de una sanción que, además de que se tiene que manifestar expresamente por el testador, se dirige contra un legitimario.

Otra diferencia que se advierte con la indignidad es que el desheredamiento no siempre debe ratificado mediante sentencia judicial. El artículo 1267 del Código Civil establece que no valdrá ninguna de las causas de desheredamiento si no se expresa en el testamento específicamente, y si además no se hubiere probado judicialmente en vida del testador; o las personas a quienes interesare el desheredamiento no lo probaren después

---

[220] JOSÉ LUIS LACRUZ BERDEJO y FRANCISCO DE ASÍS SANCHO Y REBULLIDA, *Derecho de sucesiones*. (Barcelona: Ed. Bosch, 1981).

[221] Sentencia de la Sala de Casación Civil de la Corte Suprema de Justicia, proferida el 15 de octubre de 1969, M. P. ENRIQUE LÓPEZ DE LA PAVA, G.J. CXXXII, 72.

de su muerte. Sin embargo, no será necesaria la prueba cuando el desheredado no reclamare su legítima dentro de los cuatro años subsiguientes a la apertura de la sucesión; o dentro de los cuatro años contados desde el día en que haya cesado su incapacidad de administrar, cuando fuere incapaz al momento de abrirse la sucesión.

Pues bien, establecido lo anterior, el ordinal 2° del artículo 1266 indica que es causal configurativa de desheredamiento no haber "socorrido [al causante] en el estado de demencia o destitución, pudiendo". No hace falta más que un breve cotejo para advertir la identidad entre esta causal y la prevista en el ordinal 3° del artículo 1025 para la indignidad. Su alcance e interpretación es absolutamente idéntico. La diferencia capital radica, además de lo previamente indicado, en que aquí quien decide que un legitimario no podrá recoger parte o toda su herencia es el propio causante, en tanto que en la indignidad el *de cujus* guarda silencio y son los demás interesados los que concurren judicialmente a demostrar la causal de indignidad.

B. En el ámbito de violencia intrafamiliar desde la perspectiva civil (hoy violencia en el contexto familiar)

La Ley 294 de 1996, junto con sus reformas, es el cuerpo jurídico que disciplina lo atinente a la violencia intrafamiliar desde la perspectiva civil (hoy violencia en el contexto familiar). En cuanto toca con las obligaciones de *cuidado* y *socorro* a los padres y ascendientes, emanadas de los artículos 251 y 252 del Código Civil, se ha reconocido ampliamente por la jurisprudencia que su inobservancia por los hijos o descendientes puede dar lugar a considerar que se está en presencia de una violencia en el contexto familiar.

Recuérdese que la jurisprudencia constitucional, seguida de cerca por la ordinaria, ha señalado que la violencia en el contexto familiar se configura por

> todo daño o maltrato físico, psíquico o sexual, trato cruel, intimidatorio o degradante, amenaza, agravio, ofensa o cualquier otra forma de agresión, producida entre miembros de una familia, llámese cónyuge o compañero permanente, padre o madre, aunque no convivan bajo el mismo techo, ascendientes o descendientes de éstos incluyendo hijos adoptivos, y en general todas las personas que de manera permanente se hallaren integrados a la unidad doméstica.

Por consiguiente, la substracción de los hijos o descendientes de las obligaciones que les han sido impuestas por la ley civil y que se han reforzado notablemente en virtud de la adopción de la Carta Política de 1991 podría encuadrar, sin duda, en la definición de violencia intrafamiliar, susceptible de ser conjurada mediante la intervención del comisario de familia respectivo en el marco de la acción de protección prevista en la propia Ley 294 de 1996.

Así también lo ha planteado la Corte Constitucional. En Sentencia T-032 de 2020, M. P. Luis Guillermo Guerrero Pérez, la Corporación revisó una tutela en la que se relata la difícil situación de un hombre que, luego de haber sufrido un accidente cerebrovascular, fue abandonado a su suerte por la familia en los centros de salud. Después de ser remitido a distintas instituciones, se dictaminó la necesidad de darlo de alta para que continuara con su recuperación en casa, pero la red de apoyo familiar nunca apareció. Eventualmente se logró establecer contacto con la exesposa del señor, quien manifestó que se había divorciado de él hace más de una década y rehusó asumir la responsabilidad de su cuidado.

Sobre el particular, el Tribunal Constitucional indicó que

> cuando una persona se encuentra en un estado de necesidad o en una situación de vulnerabilidad originada en su condición de salud y sus familiares omiten injustificadamente prestarle su apoyo y, con ello, afectan gravemente sus prerrogativas fundamentales, el derecho positivo establece un conjunto de mecanismos para hacer efectivas las obligaciones de los parientes derivadas del principio de solidaridad. (...) [T]eniendo en cuenta que constituye una especie de violencia intrafamiliar el abandono de un pariente cercano que se encuentra en situación de vulnerabilidad en razón de su estado de salud, de conformidad con la Ley 294 de 1996[222], tal situación puede ponerse a consideración del comisario de familia de la localidad de la víctima con el fin de que adopte 'una medida de protección inmediata que ponga fin a la violencia, maltrato o agresión o evite que esta se realice cuando fuere inminente'[223][224].

Adicionalmente, recordó que los comisarios de familia se encuentran facultados, entre otras,

> para fijar el pago transitorio de pensiones alimentarias, ordenar el suministro de la orientación y la asesoría jurídica, médica, psicológica o psíquica que requiera la víctima, decretar acciones de atención consistentes en alojamiento, alimentación y transporte, disponer la inclusión del afectado en programas estatales, o proferir cualquier otra medida que [se] estime pertinente[225].

---

[222] "Por la cual se desarrolla el artículo 42 de la Constitución Política y se dictan normas para prevenir remediar y sancionar la violencia Intrafamiliar".

[223] Artículo 4 de la Ley 294 de 1996, modificado por el artículo 16 de la Ley 1257 de 2008.

[224] Sentencia T-032 de 2020, M. P. Luis Guillermo Guerrero Pérez.

[225] *Ibidem.*

En virtud de lo anterior, la Corporación, aunque declaró la improcedencia de la acción de tutela que había sido instaurada contra la red de apoyo familiar por falta de legitimación en la causa por pasiva, tuteló el derecho a la vida del señor, mediante el ejercicio de las facultades *ultra* y *extra petita* del juez constitucional. Por consiguiente, le ordenó a la Comisaría de Familia pertinente reactivar, dentro de las 48 siguientes a la notificación, todas las actuaciones dirigidas a atender la violencia intrafamiliar sufrida por el señor y le confirió un término de dos meses para adoptar las medidas de protección necesarias.

C. En el ámbito penal

El Código Penal colombiano dedica todo el título VI a regular los *Delitos contra la familia.* En seis capítulos, que en realidad se convierten en cinco porque el capítulo II (sobre *Mendicidad y tráfico de menores*) no se compone de artículo alguno[226], se han tipificado las conductas delictuales que atacan la familia como bien jurídico tutelado.

Por lo que toca con el análisis que aquí se desarrolla, los siguientes son los artículos que interesa tratar:

El artículo 229 del Código Penal consagra el delito de *violencia intrafamiliar.* Esta conducta punible estuvo consagrada en el Estatuto Criminal desde su promulgación, en el año 2000, pero ha sufrido variaciones a lo largo de los años, principalmente incorporadas por las Leyes 882 de 2004, 890 de 2005, 1142 de 2007, 1850 de 2017 y 1959 de 2019.

En su redacción vigente, el canon establece que incurrirá en prisión de cuatro (4) a ocho (8) años quien maltrate física o psicológicamente a cualquier miembro de su núcleo familiar, siempre y cuando la conducta no constituya delito sancionado con pena mayor. Adicionalmente, la disposición prevé que la pena se aumenta entre la mitad y las tres cuartas partes cuando la conducta recaiga "sobre un menor, adolescente, una mujer, una persona mayor de sesenta (60) años, o que se encuentre en situación de dis-

---

[226] El capítulo II solo se integraba por el artículo 231, relativo a la *Mendicidad y tráfico de menores.* A raíz de la promulgación de la Ley 747 de 2002, el citado artículo fue derogado y, en su lugar, se crearon los artículos 188A y 188B, pertenecientes al capítulo V (*Delitos contra la autonomía personal*) del título III (*Delitos contra la libertad individual y otras garantías*). Más adelante, la Ley 1453 de 2011 agregó al Código Penal, entre otros, los artículos 188C (*Tráfico de niños, niñas y adolescentes*) y 188D (*Uso de menores de edad en la comisión de delitos*).

capacidad o disminución física, sensorial y psicológica o quien se encuentre en estado de indefensión o en cualquier condición de inferioridad".

Hoy es nítido que conductas como el abandono son constitutivas de *violencia intrafamiliar*, según lo ha preceptuado la Corte Constitucional[227]. Sin embargo, en el pasado se había visto con recelo que tales acciones fueran constitutivas del tipo penal a que aquí se alude. Ello motivó al Congreso de la República a crear el tipo penal de *maltrato por descuido, negligencia o abandono en persona mayor de 60 años*. En efecto, la exposición de motivos del proyecto que se convertiría en la Ley 1850 de 2017 señala que la intención era

> tipificar el descuido, negligencia o abandono del adulto mayor, ya que se ha vuelto una costumbre que las familias o las mismas instituciones encargadas de su cuidado y protección ejerzan acciones de descuido o negligencia o abandono, que en el peor de los casos lleva a los adultos mayores a vivir en las calles, a enfermarse y hasta morir[228].

Así pues, el nuevo artículo 229A del Código Penal, agregado por el artículo 5º de la Ley 1850 de 2017, establece que incurrirá en prisión de cuatro (4) a ocho (8) años y en multa de 1 a 5 salarios mínimos legales mensuales vigentes quien someta a condición de abandono y descuido a persona mayor, con 60 años de edad o más, genere afectación en sus necesidades de higiene, vestuario, alimentación y salud.

Es irrefutable la proyección de los artículos 251 y 252 del Código Civil en esta disposición, pues a los hijos les asiste la obligación legal y constitucional de *cuidar* y *socorrer* a sus padres. Se debe observar, sin embargo, que el abandono de que trata esta disposición no se limita a la definición expresamente regulada para efectos de la indignidad, sino que abarca toda la extensión de los verbos rectores *abandonar* y *descuidar*.

Por otro lado, el capítulo III del título VI gobierna los *Delitos contra la asistencia alimentaria*. Así, el artículo 233 indica que incurrirá en prisión de dieciséis (16) a cincuenta y cuatro (54) meses y multa de trece punto treinta y tres (13,33) a treinta (30) salarios mínimos legales mensuales vigentes quien se sustraiga sin justa causa a la prestación de alimentos legalmente debidos, entre otros, a sus ascendientes. Bueno es advertir que la pena se aumentará hasta en una tercera parte cuando el obligado fraudulentamente oculte, disminuya o grave su renta o patrimonio, si lo hace con el propósito de evitar la prestación alimentaria (artículo 234, *ibidem*), y que la sentencia con-

---

[227]   Cfr. Sentencia T-032 de 2020, M. P. Luis Guillermo Guerrero.
[228]   Gaceta del Congreso de la República número 723 de 2015.

denatoria ejecutoriada no impide que se inicie un nuevo proceso cuando el responsable incurra nuevamente en el tipo penal (artículo 235, *ibidem*).

Resulta evidente, de lo expuesto, que los artículos 251 y 252 del Código Civil también tienen una evidente proyección en estas disposiciones. Recuérdese que, como se mencionó al inicio de esta subsección, las obligaciones fijadas en la normativa civil entrañan prestaciones de tipo *personal* y *material* o *económico*. Es esa la recta comprensión de las expresiones *cuidado* y *socorro*.

IV. Custodia y cuidado personal

El artículo 253 del Estatuto Civil indica que

> [t]oca de consuno a los padres, o al padre o madre sobreviviente, el cuidado personal de la crianza y educación de sus hijos". Por su parte, el artículo 23 del Código de la Infancia y la Adolescencia establece que "[l]os niños, las niñas y los adolescentes tienen derecho a que sus padres en forma permanente y solidaria asuman directa y oportunamente su custodia para su desarrollo integral. La obligación de cuidado personal se extiende además a quienes convivan con ellos en los ámbitos familiar, social o institucional, o a sus representantes legales.

Tales preceptos son perfectamente armónicos con los postulados de la Carta Política. En efecto, el inciso primero del artículo 42 es muy claro al señalar la "voluntad responsable" como presupuesto para la conformación de familia y, más adelante, el inciso cuarto de la misma preceptiva reitera el mandato al aludir a la "progenitura responsable". Adicionalmente, el artículo 44 enlista una serie de derechos fundamentales de los niños, dentro de los cuales se destaca el derecho de tener una familia y no ser separados de ella.

Por consiguiente, corolario obligado de la progenitura responsable es, indiscutiblemente, el cuidado y la protección que, de consuno, deben suministrar los padres a sus hijos, sin el cual queda completamente quebrada la institución familiar y se laceran los derechos de los menores de edad que, al decir del artículo 44 Superior, son prevalentes sobre los de los demás. En tal sentido, la institución de custodia y cuidado personal se ubica en el seno de los Derechos y obligaciones personales entre padres e hijos, porque la tarea formativa que se descarga en los padres es producto de la convivencia diaria, de la creación de los hábitos cotidianos, del ejemplo constante y persistente en el devenir. Mal haría quien pensara que se cumplen las obligaciones de los padres solo en circunstancias inusuales o, para emplear un término completamente equivocado, "importantes"; es el discurrir diario el que amolda el corazón y nutre el intelecto de los hijos, los enseña a comportarse en sociedad, con sus pares y sus mayores, los instruye en la forma de actuar en proporciones mucho más grandes que lo que podría alcanzar un momento especial o específico.

En idéntico sentido se pronunció la Corte Suprema de Justicia al señalar que

> es inobjetable que los padres, conjuntamente y no sólo uno de ellos, deben procurar la óptima formación física y moral de su descendencia, para lo cual es menester que ellos observen una constante y diligente preocupación poniendo al servicio de tan noble causa todo el empeño posible y sin que se justifique, en ningún caso, por lo mismo, escatimar esfuerzos y desvelos (…). [E]l ideal debe estar siempre orientado a que se comparta la crianza de los hijos; ideal que se desvanece cuando desafortunadamente para la prole media la separación de sus padres, pues es claro que acabando ésta con la vida en común de los cónyuges, empece que tan noble y alta misión pueda ser cabalmente compartida. En este caso, como es fácil apreciarlo, adoptar una decisión en el sentido de privar a uno de los padres del cuidado de sus hijos para entregarse al otro, o la todavía más grave de privarlos a ambos para entregarle esa tarea a un tercero, requiere no perder de vista que se debe ser rigurosamente escrupuloso en examinar cuál es la solución que más consulte los caros intereses de la descendencia[229].

Pues bien, nadie se atreve a dudar que, mientras los padres convivan juntos, sea porque están unidos en matrimonio o porque han conformado una unión marital de hecho, la discusión en torno a la custodia y el cuidado personal es normalmente inocua. Y no podría ser distinto, pues en tales casos resulta lógico que sean ambos padres quienes de consuno se hagan cargo de su descendencia. Aunque otra es la situación cuando no hay convivencia, por la razón que se quiera, entre los progenitores. Tal complejidad será objeto de los comentarios que siguen.

1. Definición y alcance: identidad entre las expresiones custodia y cuidado personal

Desde siempre se ha echado de menos, en nuestro ordenamiento jurídico, una disposición que explique los alcances de la expresión *custodia*. Esa tarea ha estado deferida a la jurisprudencia, por lo cual se hace indispensable acudir a una clásica sentencia de la Corte Suprema de Justicia en la que se abordó la cuestión:

---

[229]   Sentencia de la Sala de Casación Civil y Agraria de la Corte Suprema de Justicia, proferida el 18 de septiembre de 1990, M. P. Rafael Romero Sierra, expediente 463454.

> El cuidado personal se traduce en el oficio o función, mediante el cual se tiene poder para criar, educar, orientar, conducir, formar hábitos, dirigir y disciplinar la conducta, siempre con la mira puesta en el hijo, en el educando, en el incapaz de obrar y autorregular en forma independiente su comportamiento. (…)

> Puede, aclarado lo anterior, darse el cuidado personal, sin la autoridad parental, como en efecto se decide cotidianamente por los jueces. En el caso sub lite, el Tribunal optó por dejar la tenencia de los menores al cuidado personal de la madre, sin menoscabar la autoridad parental o patria potestad que cada progenitor tiene –por ley– sobre sus hijos, este poder continúa pleno, incólume, sin necesidad de declaración alguna, pues, no puede darse a los padres, lo que ya tienen por imperativo legal[230].

Nótese que la providencia transcrita sustituyó la noción de *custodia* por la de *cuidado personal*, de donde se explica en buena parte la tradición de identificar ambos conceptos. Es así como, todavía hoy, los procesos judiciales que se inician ante la jurisdicción de familia sobre el particular se denominan de *custodia* y *cuidado personal*.

En 2006, fruto de la expedición del Código de la Infancia y la Adolescencia, el Congreso se limitó a explicar que "[l]os niños, las niñas y los adolescentes tienen derecho a que sus padres en forma permanente y solidaria asuman directa y oportunamente su custodia para su desarrollo integral". Empero, se abstuvo de definir la expresión *custodia* desde el punto de vista legal, con lo cual subsistió el interrogante sobre sus alcances. Porque es indiscutible que la *custodia* se identifica con la *tenencia* del hijo, expresión impropia y desafortunada que dice más relación con los bienes que con las personas, pero no se limita únicamente a ella[231].

Con PINILLA PINEDA se puede decir que la custodia

> supone una amplia gama de responsabilidades por parte de los padres y, particularmente, de quien la ejerce, en el evento de separación o divorcio entre los progenitores. Está vinculada a la autoridad paterna y a la obligación de ofrecer a los hijos protección, educación, cuidado y amor, corrección moderada

---

[230] Sentencia de la Sala de Casación Civil y Agraria de la Corte Suprema de Justicia, proferida el 10 de marzo de 1987, M. P. José Alejandro Bonivento Fernández, G.J. CLXXXVIII, tomo I, 74.

[231] En este sentido, véanse a augusto césar belluscio, *Manual de derecho de familia*, tomo II, séptima edición. (Buenos Aires: Ed. Depalma, 2004), 366; y Roberto Suárez Franco, *Derecho de familia*, tomo II, 146.

[sin violencia] y buen ejemplo. Supone también la responsabilidad de mantener a los niños alejados de los conflictos afectivos de sus progenitores[232].

Esa definición se engrana perfectamente con la jurisprudencia de la Corte, antes transcrita, que explicó los alcances del *cuidado* como comprensivos de las tareas de criar, educar, orientar, conducir, formar hábitos, dirigir y disciplinar la conducta, siempre con la mira puesta en el hijo.

Mas la discusión en torno a si la *custodia* y el *cuidado personal* son una misma cosa no ha desaparecido. Quienes sostienen la tesis afirmativa[233], ponen el acento en la jurisprudencia de la Corte de 1987. Quienes sostienen la tesis negativa[234], se basan en la segunda parte del artículo 23 del Código de la Infancia y la Adolescencia, a cuyo tenor "[l]a obligación de cuidado personal se extiende además a quienes convivan con ellos en los ámbitos familiar, social o institucional, o a sus representantes legales". De ahí derivan que el cuidado personal es mucho más amplio que la custodia, en cuanto se impone también a terceros que no necesariamente la detentan.

En esta discusión también ha intervenido la Corte Suprema de Justicia, por medio de una reciente providencia, expedida el 18 de marzo de 2021. En su sentencia, la Corporación hizo la siguiente reflexión:

> El artículo 23 del Código de Infancia y Adolescencia, refiere que la *custodia y el cuidado personal* es, de un lado, un derecho de los niños, niñas y adolescentes, pero, de otro, una obligación permanente y solidaria de sus padres o de quienes convivan con ellos[235].

> El '*Diccionario de la Real Academia de la Lengua Española*', en la acepción aquí aplicable, refiere por custodia la '*1. f. Acción y efecto de custodiar*' y define este último verbo como '*1. tr. Guardar algo con cuidado y vigilancia*'.

---

[232]   ÁLVARO PINILLA PINEDA, "La custodia de los hijos: una mirada legal y jurisprudencial", en *Carta de derecho de familia*, vol. 2, núm. 1, 2005, 19.

[233]   Es esa la opinión de JORGE PARRA BENÍTEZ (*Derecho de familia*, tomo I, 570 a 572), HELÍ ABEL TORRADO TORRADO y la Corte Constitucional de Colombia (Sentencia T-262 de 2022, M. P. JOSÉ FERNANDO REYES CUARTAS).

[234]   Así lo cree ESPERANZA CASTILLO YARA, "La custodia compartida en Colombia: elementos fundantes de una nueva concepción" en *Revista Actualidad Jurídica Iberoamericana*, núm. 13, 2020, 391 y 392.

[235]   "(...) Artículo 23. Custodia y cuidado personal. Los niños, las niñas y los adolescentes tienen derecho a que sus padres en forma permanente y solidaria asuman directa y oportunamente su custodia para su desarrollo integral. La obligación de cuidado personal se extiende además a quienes convivan con ellos en los ámbitos familiar, social o institucional, o a sus representantes legales (...)"

Asimismo, significa la acción de cuidar, en el '1. *tr. Poner diligencia, atención y solicitud en la ejecución de algo*'[236].

Este contexto de significación resulta útil para precisar que la *custodia* de los niños, niñas y adolescentes va ligada inescindiblemente a la *responsabilidad parental* de asumir su *cuidado personal*, entendido éste como el deber de los progenitores, o de las personas que conviven con ellos, de actuar con diligencia y atención en la satisfacción permanente y oportuna de sus derechos, en aras de garantizar su desarrollo integral.

En otras palabras, quien tenga a cargo la tenencia física del menor está obligado a asegurar su protección. En este entendido no es correcto afirmar –como en el presente caso lo hizo la juez accionada–, que mientras un padre detenta la *custodia* o los dos la ejerzan de manera compartida, solo uno asumirá en forma exclusiva el cuidado personal, pues, se itera, la obligación de *custodia* de los niños, niñas y adolescentes conlleva implícitamente el deber de garantizar su *cuidado personal*[237].

En su extraordinaria disertación, la Corporación acude al sentido natural y obvio de las expresiones *custodia* y *cuidado*, de donde concluye sin hesitación que la segunda va ínsita en la primera. Desde luego, el custodio que inobserve el deber cuidado habrá fallado fatalmente en el cumplimiento de su encargo. Por eso, resulta inexcusable pretender adjudicar la custodia a uno de los padres, mientras el cuidado personal se le confiere al otro.

Y también ha terciado en la discusión la Corte Constitucional, aunque sin adentrarse en análisis pormenorizados. Por ejemplo, en Sentencia T-262 de 2022, M. P. José Fernando Reyes Cuartas, varias veces unifica la Corporación el concepto de custodia y cuidado personal[238]. Pero más rele-

---

[236]   Diccionario de la Real Academia de la Lengua Española.

[237]   Sentencia STC2717 de 2021, proferida por la Sala de Casación Civil y Agraria de la Corte Suprema de Justicia, M. P. Luis Armando Tolosa Villabona.

[238]   Así, en el párrafo 66 de su providencia menciona lo siguiente: "La Corte precisó la diferencia entre la potestad parental y la custodia y cuidado personal de los niños, las niñas y los adolescentes". Y más adelante, en el párrafo 115, aclara la diferencia entre patria potestad (que denomina potestad parental) y custodia y cuidado personal, al tiempo como atribuye una sola definición para aludir a ambos conceptos, a saber: "La Sala considera importante aclarar que en Colombia no son lo mismo la potestad parental y la custodia y el cuidado personal de los niños, las niñas y los adolescentes. En efecto, tal y como se explicó en la sección 3, la *custodia y cuidado personal* se traduce en el oficio o función mediante la cual se tiene poder para criar, educar, orientar, conducir, formar hábitos, dirigir y disciplinar la conducta del niño, niña o adolescente y la cual corresponde de consuno a los padres y se

vante todavía, la providencia se aventura a definir el concepto de *custodia* y *cuidado personal*, así: "se traduce en el oficio o función mediante la cual se tiene poder para criar, educar, orientar, conducir, formar hábitos, dirigir y disciplinar la conducta del niño, niña o adolescente y la cual corresponde de consuno a los padres y se podrá extender a una tercera persona".

No se requiere un análisis muy detallado para advertir que el Tribunal Constitucional se valió de la Sentencia de la Corte Suprema de Justicia, de 1987, para definir el concepto de *custodia* y *cuidado personal* (mientras que la Sentencia de 1987 solo se refirió al cuidado personal). Así pues, no cabe duda de que la Corte Constitucional adscribe a la tesis según la cual custodia y cuidado personal corresponden a un mismo concepto.

En cualquier evento, lo cierto es que quienes adscriben a la tesis de que *custodia* y *cuidado personal* corresponden a un mismo concepto jamás han querido significar, con ello, que el padre que no detente la custodia quede exonerado de prestar los *cuidados personales* a sus hijos. Por el contrario, es ampliamente reconocido que el padre a quien no se le ha adjudicado la custodia, bien sea por acuerdo privado, decisión administrativa o providencia judicial, deberá asumir los cuidados personales del hijo, en toda su extensión, cuandoquiera que esté con él. Así las cosas, ambas visiones comparten esta premisa como inobjetable.

En concepto del autor, la solución de la controversia se alcanza mediante un correcto entendimiento de las figuras de *custodia* y *cuidado personal*. Evidentemente, quien detenta la custodia tendrá siempre a su cargo la obligación de proporcionar los cuidados personales del niño o adolescente; eso está fuera de discusión. *A contrario*, se podría afirmar, en un uso corriente del lenguaje, que quien tiene a su cargo el cuidado personal de un menor de edad ejerce también como custodio, porque nadie duda que el que cuida, en términos habituales castellanos, custodia.

Empero, en términos jurídicos, la *custodia* significa mucho más que la simple *tenencia*, despliega múltiples efectos sobre el custodio y el custodiado, como son la orientación, formación de hábitos, conducción, dirección y, por supuesto, el cuidado. Todos los antedichos derechos-deberes tienen una estrecha vinculación con la *cohabitación* pues, según se afirmó, la ins-

---

podrá extender a una tercera persona. Por su parte, la *potestad parental* hace referencia al usufructo de los bienes, la administración de esos bienes y el poder de representación judicial y extrajudicial del hijo, en cabeza de los progenitores. Esta facultad solo podrá ser suspendida por un juez de familia".

trucción de un individuo se alcanza por la cotidianidad y el ejemplo diario. Entonces, diríase que quien ostenta la *custodia*, jurídicamente, es a quien se le ha encargado la convivencia con el menor de edad; sobre el custodio recae, indefectiblemente, el más marcado acento de las obligaciones que engloban los cuidados personales del niño, la niña o el adolescente. Mas ello no significa que se releve, en todo o en parte, al otro padre de cumplir los deberes que la naturaleza y la ley le imponen en su calidad de tal.

Por lo anterior, y enfocados en el punto de vista jurídico, la *custodia* y el *cuidado personal* guardan identidad, pero no porque con ello se excuse, prive o exima al otro padre o a quien tenga a su cargo el menor de edad de *custodiar* y *cuidar* (en términos corrientes) de él, sino debido al marcado acento que recae sobre uno de los dos progenitores en este aspecto. Esta concepción se acompasa, además, con lo dispuesto por el artículo 256 del Código Civil, a cuyo estudio nos abocaremos en títulos posteriores, según el cual se confiere el derecho de visitas "[a]l padre o madre de cuyo *cuidado personal* se sacaren los hijos" (resaltado propio) y agrega que los abuelos podrán solicitar un régimen especial de contacto, "cuando estos no tuvieren el cuidado personal de los nietos" (resaltado propio). En efecto, un recto entendimiento de la norma conduce a la conclusión de que el *cuidado personal*, en este caso, se emplea como sinónimo exacto de *custodia*; de otro modo se llegaría al absurdo de creer que el padre que no detenta la custodia no tiene obligación de cuidar al hijo cuando está con él y una aseveración semejante es pacíficamente repudiada por el ordenamiento jurídico.

Se podrá replicar que el artículo 23 del Código de la Infancia y la Adolescencia señaló que los cuidados personales se extienden a quienes convivan con el menor de edad en los ámbitos familiar, social o institucional, o a sus representantes legales, con lo cual, también desde la óptica jurídica, dio a entender que *custodia* siempre equivale a *cuidado personal*, pero *cuidado personal* no necesariamente implica *custodia*. Así, se diría que esta disposición subrogó parcialmente el artículo 256 del Código Civil, en el sentido de que la expresión *cuidado personal* se debe entender restringida a la mera *custodia*. Tal razonamiento sería admisible. Sin embargo, no conlleva la imposibilidad de que los acuerdos que se suscriban y los procesos o procedimientos que se inicien reciban la denominación "de custodia y cuidado personal" y, en consecuencia, que las partes, el juez o funcionario administrativo de que se trate adjudiquen la "custodia y cuidado personal" solo a uno de los padres, porque tal decisión se relaciona, en términos correctamente entendidos, con el *énfasis* en estos dos aspectos y la persona sobre la cual recaen, pero no exime al otro de cumplir con sus obligaciones.

Ahora bien, una apreciación conceptual adicional que se debe traer a colación es la relacionada con el derecho comparado, en donde ha hecho carrera la expresión *guarda* como sustituta de la *custodia y cuidado personal.* Esa visión tiene clara proyección en el Convenio sobre Aspectos Civiles del Secuestro Internacional de Niños, cuyo artículo 5° define la *guarda* como "el derecho relativo a los cuidados de la persona del niño y en particular el de decidir su lugar de residencia". Así, en Argentina, México o España, solo por citar algunos ejemplos, se denomina *guarda* lo que en Colombia se designa como *cuidado personal.*

No nos oponemos a que el sentido natural, obvio y corriente de la palabra *guarda* alcanza la *custodia* y el *cuidado personal.* Una impecable defensa en ese sentido ha sido esgrimida por FERNANDO HINESTROSA FORERO[239]. Empero, dentro del contexto jurídico colombiano es necesario ser cuidadoso al emplear la expresión *guarda,* porque, como lo precisó la Corte Suprema de Justicia,

> [l]a guarda (…) es una institución jurídica, perfectamente diferente de las anteriores [se refiere a la custodia y cuidado personal y a la patria potestad], establecida para representar o autorizar a los incapaces. Para que tenga lugar, es esencial que éstos no estén sometidos a (…) patria potestad. Lo anterior quiere decir, que no es posible la existencia simultánea de [patria potestad] y guarda, excepto cuando por circunstancias determinadas se establezca un tutor o curador, en todo caso especial, para que administre un determinado bien dejado por un tercero al incapaz, con la condición que la administración del mismo no la ejerzan quienes tienen la [patria potestad] o la guarda general[240].

No interesa que la nítida explicación de la Corte Suprema de Justicia haya sido formulada en 1987, cuando regían las tutelas y curatelas previstas en el sistema original del Código Civil con sus reformas, luego sustituido por la Ley 1306 de 2009 y hoy parcialmente derogado por la Ley 1996 de 2019, porque la institución de las *guardas,* con las modificaciones pertinentes, tiene un alcance y significado específico en nuestro ordenamiento jurídico. Por tal motivo, resulta improcedente, en estricto rigor normativo, identificar la *guarda* con la *custodia* y *cuidado personal,* pese a que en un uso corriente del lenguaje sean sinónimos. Claro ejemplo de ello es que las *guardas* ostentan la representación legal, judicial y extrajudicial, de la

---

[239] Cfr. FERNANDO HINESTROSA FORERO. "Relaciones entre padres e hijos" en *Revista Iusta,* núm. 5, 1985, 78.

[240] Sentencia de la Sala de Casación Civil y Agraria de la Corte Suprema de Justicia, proferida el 10 de marzo de 1987, M. P. JOSÉ ALEJANDRO BONIVENTO FERNÁNDEZ, G.J. CLXXXVIII, tomo I, 74.

persona sobre la que recaen, en tanto que la *custodia* y *cuidado personal* no confieren ese mismo derecho. De ahí que la custodia, como se verá más adelante, pueda ser ejercida por un tercero distinto a los padres, pero sin que ello implique la representación legal del menor de edad. Porque la representación legal es derivación de la patria potestad, que es ordinariamente adjudicada a los padres sobre sus hijos de familia, por lo que, mientras éstos no sean privados o suspendidos de la patria potestad, la representación legal de los hijos siempre queda radicada en cabeza de los padres.

Las consideraciones expuestas son útiles para hacer un llamado a la cautela cuando se empleen las diversas expresiones, al tiempo que previenen al lector para que, al acudir a la literatura foránea, asuma una posición crítica que le permita adquirir el más claro entendimiento posible.

2. Derechos de los hijos y obligaciones de los padres

La premisa fundamental sobre la que descansa la institución de la custodia y cuidado personal es el beneficio o provecho de la persona sobre la que despliegan sus efectos. Es así, puesto que su estructura mira a la correcta protección, formación, instrucción y educación del sujeto pasivo sobre el que recae. Por tanto, cuando se trata de la custodia y cuidado personal de los hijos, especial consideración se debe hacer en torno a sus derechos. Veamos:

La Convención sobre los Derechos del Niño, adoptada por la Asamblea General de las Naciones Unidas mediante Resolución 44/25 de 1990 fue incorporada a la legislación doméstica por la Ley 12 de 1991 y entró en vigor el 28 de febrero de ese mismo año. Indudablemente, este es el primer instrumento internacional al que se debe hacer referencia, sin perjuicio de otros tantos que reivindican y cristalizan los derechos de todos los seres humanos independientemente de su edad.

Es de observar que el Convenio en análisis integra el bloque de constitucionalidad a que alude el artículo 93 de la Carta Política de 1991. Sin embargo, y sobradamente más importante, se destaca su indudable proyección en la estructuración del artículo 44 Superior, como lo reconocen varias de las proposiciones que obran como antecedentes inmediatos del canon, legibles en las Gacetas Constitucionales números 5, 10, 22, 24, 25, 26A, 34, 37, 51, 52 y 85.

Se analizará la disposición constitucional en comentario, habida cuenta de que ella, según lo reconoció la proposición que sentó su contenido[241], consagra una síntesis de los derechos que les asisten a los niños, al tiempo como remite a los "tratados internacionales ratificados por Colombia":

> Son derechos fundamentales de los niños: la vida, la integridad física, la salud y la seguridad social, la alimentación equilibrada, su nombre y nacionalidad, tener una familia y no ser separados de ella, el cuidado y amor, la educación y la cultura, la recreación y la libre expresión de su opinión. Serán protegidos contra toda forma de abandono, violencia física o moral, secuestro, venta, abuso sexual, explotación laboral o económica y trabajos riesgosos. Gozarán también de los demás derechos consagrados en la Constitución, en las leyes y en los tratados internacionales ratificados por Colombia (…) Los derechos de los niños prevalecen sobre los derechos de los demás.

Todos los derechos antes transcritos tienen una correspondencia clara en la Convención sobre los Derechos del Niño, así: la vida (artículo 6º), la integridad física (artículo 19), la salud (artículo 24), la seguridad social (artículo 26), la alimentación balanceada (artículo 24), el nombre (artículo 7º), la nacionalidad (artículo 7º), tener una familia y no ser separado de ella (artículos 8º, 16, 22, 37 y, particularmente, 9º), el cuidado y amor (preámbulo y artículo 3º), la educación y cultura (artículos 28 y 29), la recreación (artículo 31), la libertad de expresión (artículo 13).

En idéntico sentido, la protección contra las ofensas arriba descritas también tiene su correspondencia en el Convenio, como se pasa a demostrar: abandono (artículo 39), violencia física o moral (artículos 19 y 39), secuestro y venta (artículo 35), abuso sexual (artículos 19 y 34), explotación laboral o económica (artículos 19, 36, 39 y, particularmente, 32), trabajos riesgosos (artículo 32).

Los anteriores derechos y protecciones han sido desarrollados, además, por el Código de la Infancia y la Adolescencia, en donde se consagra una profunda garantía a su protección integral (artículo 7º), se privilegia el interés superior de los niños y adolescentes (artículo 8º) y se reitera la pre-

---

[241] En la exposición de motivos de la proposición se lee que el artículo "[i]ncluye, además, una síntesis de dichos derechos destinados a facilitar al niño la comprensión y el ejercicio de los mismos, durante la enseñanza curricular, de acuerdo con su grado de desarrollo y sus capacidades". Jaime Benítez, Guillermo Perry Rubio, Iván Marulanda, Tulio Cuevas, Angelino Garzón y Guillermo Guerrero, *Derechos de la familia, el niño, el joven, la mujer y la tercera edad*. Informe de Ponencia de la Subcomisión I a la Comisión V de la Asamblea Nacional Constituyente. Gaceta Constitucional número 52. Bogotá, 1991, 4.

valencia de sus derechos sobre los de los demás (artículo 9º). El Estatuto en comentario desarrolla los derechos a la vida, a la calidad de vida y al medio ambiente sano (artículo 17), a la integridad personal (artículo 18), a la rehabilitación y la resocialización (artículo 19), a la libertad y seguridad personal (artículo 21), a tener una familia y no ser separados de ella (artículo 22), a la custodia y cuidado personal (artículo 23), a los alimentos (artículo 24), a la identidad (artículo 25), al debido proceso (artículo 26), a la salud (artículo 27), a la educación (artículo 28), al desarrollo integral de la primera infancia, que va de cero a seis años (artículo 29), a la recreación, participación en la vida cultural y en las artes (artículo 30), a la participación en actividades familiares, educativas, institucionales, de las asociaciones, de los programas estatales, departamentales, municipales y distritales (artículo 31), a la asociación y reunión (artículo 32), a la intimidad (artículo 33) y a la información (artículo 34). Además, se consagran una serie de protecciones (artículos 20, 35 y 36), al tiempo que reconocen todas las libertades protegidas por el ordenamiento doméstico e internacional, dentro de las que se destacan la autonomía personal, la libertad de conciencia, de creencias, de cultos, de pensamiento, de locomoción y la libertad para elegir su oficio o profesión (artículo 37).

Este recuento permite avizorar el cúmulo de derechos que han de obrar como orientadores en la interpretación y ejercicio de la *custodia* que, como se vio, pasa de ser un simple poder de los padres para ser abordada como un verdadero derecho de los hijos. La protección y plena garantía de las prerrogativas reconocidas a los hijos es una parte muy importante de lo que se encarga verdaderamente al padre cuando se le adjudica la custodia y cuidado personal. La otra parte está conformada por la disciplina, la enseñanza de las obligaciones, las buenas maneras y la corrección.

Pero todo ello, que constituye el epicentro de los Derechos y obligaciones personales entre padres e hijos, es solo susceptible de ser materializado por medio de la convivencia, es decir, la conexión espiritual y cotidiana del progenitor y su retoño. De ello se colige la importancia que tiene la custodia y cuidado personal en la materia de que trata este capítulo, pues es la base sobre la que descansa todo el sistema.

En relación con la custodia y el cuidado personal de los hijos, la Corte Constitucional expresó una postura de hondo contenido que, por su capital importancia, se transcribe a continuación:

> Los niños, niñas y adolescentes no pueden ser tratados como trofeos de la contienda personal y patrimonial que exista entre sus padres; por el contrario, se les deben brindar las garantías para que, a pesar de la ruptura sentimental de sus padres, puedan crecer en un ambiente donde adquiera relevancia la progenitu-

ra responsable con la intervención de ambos padres de ser posible, en procura
de lograr el desarrollo armónico e integral de los niños, su estabilidad, su seguridad y el afianzamiento del sentimiento de valoración a través de la familia.

Aún (SIC) cuando los padres estén separados por diversas razones, la convivencia familiar con los hijos se debe garantizar en la medida que responda al
interés superior de los niños, niñas y adolescentes, pues el divorcio, la nulidad del matrimonio, la separación de cuerpos de los padres o la finalización
de la unión marital de hecho, no afecta el estatus y los derechos de los niños,
niñas y adolescentes, en tanto la relación filial permanece y con ello los deberes y las obligaciones que se adscriben a los progenitores[242].

Mucha razón le asiste al Tribunal Constitucional cuando pone de relieve el doloroso hecho al que no pocas veces se reduce la terminación de
la relación afectiva entre los padres: buscar la obtención de la custodia y
cuidado del menor de edad como si se tratara de un trofeo. Tan deleznable
actitud es clara muestra de la inmadurez y falta de entendimiento de los
progenitores sobre su condición. Es que de ellos se reclama, a título de verdadera obligación y no de simple deber moral, la asunción de su rol como
adultos para la correcta formación y conducción de sus hijos, pues no hay
nada más dañino y lesivo para los intereses y sentimientos de un menor de
edad que reducirlo a la condición de trofeo, como si se tratara de un objeto, para demostrar su poderío sobre el padre que no fue adjudicatario de
la custodia y cuidado personal.

La obligación de los padres, relativa a asumir su rol como tales, se crista-
liza con la materialización del derecho de amor[243] que les asiste a los hijos,
en virtud del cual se exige de los progenitores un compromiso constante
en función del niño, niña o adolescente y, en particular, el deber de recepción en su favor. En palabras del Tribunal Constitucional, "la primera
manifestación del derecho al amor es el deber de recepción de sus padres
frente a sus hijos, de modo que los primeros deben ser maestros de la vida,
brindar asistencia, cuidado especial y ayuda"[244]. Y cuando ello no ocurre,
los padres "no sólo están incurriendo en actitud injusta, sino que no están
desempeñando ni la paternidad ni la maternidad, en estricto sentido, porque no ejerce[n] la actitud debida conforme a derecho"[245].

---

[242]   Sentencia T-384 de 2018, M. P. Cristina Pardo Schlesinger.
[243]   Un satisfactorio desarrollo del derecho constitucional de los niños al amor se en-
        cuentra en la Sentencia T-129 de 2015, M. P. Martha Victoria Sáchica Méndez.
[244]   Sentencia T-311 de 2017, M. P. Alejandro Linares Cantillo.
[245]   Sentencia T-503 de 1994, M. P. Vladimiro Naranjo Mesa.

En definitiva, se puede afirmar que la custodia y cuidado personal sienta las bases para el desarrollo integral del niño o adolescente, según se trate. Por tanto, su ejercicio por los padres debe volcar la mirada por completo a la satisfacción del interés superior del menor de edad, lo que supone la asunción de una actitud madura y adulta de los progenitores al momento de finalizar su relación de pareja y el reconocimiento claro de que los niños y adolescentes no deben verse inmiscuidos en sus problemas.

3. Derechos de los padres y obligaciones de los hijos

Antes se dejó claro que la premisa fundamental sobre la que descansa la custodia y cuidado personal es el beneficio o provecho de la persona sobre la que despliegan sus efectos. No se indicó que el sujeto pasivo fuera siempre el hijo porque, como enseguida se abordará, es posible que la persona sobre la que se decreta la custodia sea el padre.

Se ha insistido en la naturaleza relacional e intersubjetiva de los Derechos y obligaciones entre padres e hijos, porque su contenido no está pensado para ser aplicado solo hasta la emancipación de estos últimos. La incuestionable importancia de la familia en el marco de la organización del Estado Social de Derecho colombiano ha pavimentado el camino para que se reconozca la perdurabilidad de los vínculos en el tiempo.

Ya nos ocupamos, al abordar la obligación de socorro y protección (subsección III de la sección III de este capítulo), de analizar el contenido del deber constitucional de solidaridad familia, según los cauces decantados por la jurisprudencia. En el caso de los ascendientes, la institución de custodia y cuidado personal se fundamenta en la integración lógica de los artículos 5°, 42 y 46 de la Carta Política con los cánones 251 y 252 del Código Civil.

Por la naturaleza misma del encargo, resulta lógico que su finalidad no sea la de criar, educar, orientar, conducir, formar hábitos, dirigir y disciplinar la conducta, sino la de proteger al adulto, "brindarle la compañía, afecto y atención mínima que necesita"[246]. En efecto, cuando se requiere la intervención del núcleo familiar para hacerse cargo de las necesidades del ascendiente ya no se pretende formarlo en manera alguna, porque de lo que se trata es de garantizar el goce efectivo de sus derechos fundamentales.

---

[246]   Sentencia de la Sección Segunda del Consejo de Estado, proferida el 6 de junio de 2013, expediente 2013-489, C. P. GERARDO ARENAS MONSALVE.

A manera de ejemplo, sobre el contenido de la obligación de custodia y cuidado personal se puede citar la Sentencia de la Corte Constitucional T-414 de 2016, M. P. ALBERTO ROJAS RÍOS, Expediente T-5.223.040. En esa oportunidad, la Corporación condensó la revisión de varias acciones de tutela encauzadas a solicitar el reconocimiento, por las Entidades Prestadoras de Salud (EPS), de pañales, medicamentos y, en general, insumos para la salud de adultos mayores. Por lo que atañe al punto que aquí interesa tratar, en el expediente antes indicado se estudió el caso de una hija que, en condición de agente oficiosa de su padre, había instaurado la acción de tutela para que se proveyeran una serie de medicamentos por la EPS y se facilitara una enfermera domiciliaria durante las 24 horas del día.

Del recuento fáctico se extrae que las divergencias entre los ocho hijos del adulto mayor acerca de cuál era lugar más conveniente para fijar su residencia llevaron a la hija que actuó como agente oficiosa a adelantar un trámite, ante el Instituto Colombiano de Bienestar Familiar, orientado a solicitar la custodia y cuidado personal de sus padres. En la sentencia, la Corporación ordenó a la EPS el suministro provisional del servicio de enfermería domiciliaria mientras se resolvía lo relativo a la custodia y cuidado personal de los adultos mayores. Sin embargo, aclaró que, "[u]na vez definido este aspecto, la promotora de salud deberá ofrecer el respectivo entrenamiento a la persona designada, para que atienda en debida forma las necesidades del tutelante, incluyendo lo relativo al manejo apropiado de la sonda nasogástrica".

Repárese, al respecto, en que los contenidos de la custodia y cuidado personal de los ascendientes, orientados a la garantía y goce de sus derechos fundamentales, suponen el despliegue de otras conductas, como la de atender los cuidados de salud. En esa forma se hace evidente la gran diferencia que entraña el contenido de la institución de custodia y cuidado personal cuando el sujeto pasivo es el hijo y cuando lo es el padre, a pesar de que el fundamento teórico sea exactamente el mismo.

En otra oportunidad, mediante Sentencia T-066 de 2020, M. P. CRISTINA PARDO SCHLESINGER, el Tribunal Constitucional tuvo ocasión de revisar un caso en el que los sobrinos solicitaron la adjudicación de la custodia y cuidado personal de su tía, quien jamás había desposado o procreado y se encontraba recluida en un asilo que no los dejaba verla. Luego del análisis fáctico de rigor, la Corporación hizo hincapié en el principio de solidaridad y recordó que

> la propia jurisprudencia ha explicado que, en cumplimiento del deber moral orientado por los lazos de afecto y consanguinidad que une a los miembros de una familia, le corresponde a estos últimos, en principio, contribuir activamente en la asunción de las dificultades que afronta una persona de la tercera edad

para procurar su propio cuidado[247]. Así, mediante sentencia T-024 de 2014[248], este Tribunal aseguró que 'en atención a los lazos de afecto y socorro mutuo que se presumen que existen al interior de la comunidad familiar' es apenas lógico reconocer que dicho núcleo desempeña un papel protagónico en el cuidado y protección del adulto mayor, fungiendo como apoyo idóneo para brindarle guarda, cariño y apoyo mediante el desarrollo constante de actuaciones solidarias[249] que, como bien lo ha considerado la Corte, constituyen '(…) el soporte fundamental para lograr la recuperación o estabilización del paciente'[250][251].

Sobre las anteriores bases, la Corte Constitucional amparó los derechos de la tercera edad, a la igualdad, a la integridad personal, la dignidad humana, a la libertad personal, a la salud y a la familia, al tiempo que ordenó a la Oficina de Desarrollo Social de Bucaramanga y al asilo accionado autorizar la salida de la adulta mayor, a fin de que su cuidado y custodia fuera asumida directamente por sus sobrinos.

4. La custodia monoparental y la custodia compartida

Históricamente se había concebido en Colombia, como en muchos ordenamientos jurídicos, que la custodia y cuidado personal de los hijos solo podía quedar radicada en cabeza de uno de los padres cuandoquiera que se rompiera el vínculo afectivo entre ellos y fijaran residencias separadas. Tal entendimiento se cimentaba sobre la siguiente consideración, ofrecida por JUAN ENRIQUE MEDINA PABÓN:

> Como los hijos son indivisibles y el cuidado de los menores es permanente, no hay otra fórmula que asignar a uno de los padres la custodia de ellos; por fuerza, tendrá que ser el que más ventajas tenga para los hijos, atendiendo a las condiciones propias de cada padre y de cada hijo. En estricto Derecho, son las partes, y en su defecto, el juez, quien determina cuál de los padres se encarga de la custodia, en el evento de conflicto tendrá que apoyarse en el criterio de los expertos[252].

---

[247]   Corte Constitucional, Sentencia T-352 de 2010, M. P. LUIS ERNESTO VARGAS SILVA.

[248]   M. P. GABRIEL EDUARDO MENDOZA MARTELO.

[249]   Corte Constitucional, Sentencia T-024 de 2014, M. P. GABRIEL EDUARDO MENDOZA MARTELO.

[250]   Corte Constitucional, Sentencia T-925 de 2011, M. P. LUIS ERNESTO VARGAS SILVA.

[251]   Sentencia T-066 de 2020, M. P. CRISTINA PARDO SCHLESINGER.

[252]   JUAN ENRIQUE MEDINA PABÓN, *Derecho civil. Derecho de familia*, quinta edición. (Bogotá: Ed. Universidad del Rosario, 2018), 655.

En forma tímida, la Corte Constitucional dio los primeros pasos hacia el reconocimiento de la custodia compartida en la Sentencia C-239 de 2014, M. P. Mauricio González Cuervo, por la cual analizó si el tipo penal de ejercicio arbitrario de la custodia, al que nos abocaremos en los títulos que siguen, se ajustaba a la Carta Política. La providencia de la Corporación lanzó señales inequívocas de aceptación de la custodia compartida, a saber:

> La segunda circunstancia es la de que la custodia puede ser compartida por ambos padres, de manera permanente y solidaria, y el cuidado personal del niño corresponde tanto a sus padres como a quienes convivan con ellos en los ámbitos familiar, social o institucional, o a sus representantes legales, como lo prevé el artículo 23 del Código de la Infancia y la Adolescencia. Cuando la custodia sea compartida por ambos padres, la conducta de cualquiera de ellos, si se adecúa a los verbos rectores del tipo penal en comento, se puede enmarcar dentro del propósito de 'privar al otro padre del derecho de custodia y cuidado personal' (…)

> En este contexto [se refiere a la separación de los padres], en algunos eventos se puede decidir que la custodia será compartida por ambos padres y, en otros, se puede decidir que a uno de ellos le corresponde la custodia y el cuidado personal y al otro las visitas.

A pesar del respaldo conferido por la Corte Constitucional, el Instituto Colombiano de Bienestar Familiar tuvo ocasión de responder una consulta relacionada con la posibilidad de solicitar la custodia compartida y, mediante el Concepto 094 de 2015, cerró toda posibilidad al respecto, al concluir que

> [e]n Colombia no se encuentra reglamentada la custodia compartida, motivo por el cual, en caso de que uno de los padres no ejerza la custodia de su hijo, podrá solicitar a la autoridad competente la reglamentación de las visitas". Sin embargo, el Instituto aclaró su posición en el concepto 034 de 2016, donde afirmó que, pese a no haber reglamentación sobre la materia, cuando mediara común acuerdo entre los padres era factible "establecer la custodia de sus hijos menores de edad de forma compartida, indicando claramente las fechas o temporadas como se desarrollará dicha situación, voluntad que debe ser acogida por la Autoridad Administrativa o Judicial, toda vez que se trata de la manifestación expresa y libre de la voluntad de las partes.

Más adelante, en Sentencia C-569 de 2016, M. P. alejandro linares can-tillo, el Tribunal analizó la posible inconstitucionalidad parcial de la norma que dispone que los hijos menores de tres años pueden permanecer con sus madres en los centros de reclusión, salvo orden judicial en contrario. En esa oportunidad, la Corporación lanzó un nuevo salvavidas al afirmar

> [l]a custodia de los menores de edad puede ser compartida por ambos padres, de manera permanente y solidaria, y el cuidado personal del niño corresponde tanto a sus padres como a quienes convivan con ellos en los ámbitos

familiar, social o institucional, o a sus representantes legales, como lo prevé el artículo 23 del Código de la Infancia y la Adolescencia.

Sin embargo, la situación seguía sin tener una solución definitiva y satisfactoria. El 25 de enero de 2018, la Sala de Casación Civil de la Corte Suprema de Justicia corrigió el razonamiento del Instituto Colombiano de Bienestar Familiar. En Sentencia STC564 de 2018, M. P. ÁLVARO FERNANDO GARCÍA RESTREPO, la Corporación conoció, en segunda instancia, de una acción de tutela interpuesta contra providencia del Juzgado de Familia de Soacha, por la cual se adjudicó la custodia compartida a los padres. Sin entrar de lleno en la controversia, la Corte sostuvo que no era antojadiza la decisión del Juzgado de conceder la custodia conjunta a ambos padres, puesto que esta determinación se había tomado después de analizar el acervo probatorio, lo que llevó al juez a concluir que ambos padres contaban con las calidades sociales y morales para tener el cuidado personal de su hijo menor.

Pero la afirmación más importante de la Corporación fue la siguiente:

> Ahora, si bien la figura de la «*custodia compartida*» no se encuentra regulada como tal en nuestra legislación de familia, lo cierto es que dicho concepto no riñe para nada con la situación socio familiar que halló probada el Despacho accionado, la cual, se insiste, revela la importancia que representan ambos padres para el crecimiento y la crianza del niño, en cuyo interés debe concentrarse el esfuerzo del juzgador para tomar la decisión que le resulte más favorable.

En esa forma se dejó sin piso, por completo, la totalidad del Concepto 094 de 2015 del Instituto Colombiano de Bienestar Familiar y parte del Concepto 031 de 2016, proferido por la misma Entidad.

Posteriormente, el 18 de septiembre siguiente, la Sala de Casación Civil de la Corte Suprema de Justicia tuvo ocasión de pronunciarse nuevamente sobre el particular, y en esta ocasión sí se adentró en fondo del asunto. La controversia, que fue resuelta en Sentencia STC12085 de 2018, M. P. AROLDO WILSON QUIROZ MONSALVO, giró, nuevamente, en torno a la determinación del Juzgado de Familia de Soacha de asignar la custodia compartida de los hijos a los padres, con el correlativo régimen de visitas y alimentos. Inconforme con la decisión, la madre instauró acción de tutela contra la sentencia y, después de rechazado el amparo, impugnó la decisión.

Para dirimir el asunto, la Corporación explicó que el fundamento jurídico que abría paso a la custodia compartida se integraba por los artículos 14 y 23 del Código de la Infancia y la Adolescencia, conforme a los cuales ambos padres quedan facultados, de manera permanente y solidaria, para brindar el apoyo y el amor necesario a su hijo. Además, con fundamento en las consideraciones de la Corte Constitucional explicó que la separación de los padres no empece la posibilidad de entregar todo el amor y orientación requerido al niño o adolescente.

Sobre las anteriores bases, sostuvo que se debe privilegiar

> el vínculo familiar para con los niños, el apoyo y el amor necesario para su crecimiento, así como la posibilidad de disfrutar de la presencia de ambos ascendientes, razón por la que en aras del interés superior el menor se puede optar por un sistema alterno para con los infantes, en punto al tiempo y los lugares de residencia con cada uno de los progenitores, en tanto como el padre y la madre cuenten con las capacidades físicas y psicológicas para establecer una relación directa con ellos y garantizar las prerrogativas y necesidades del infante, siempre que éste encuentre allí un lugar idóneo para potencializar la construcción de su ser, y sin perjuicio de las reglas sobre regulación de visitas y la obligación alimentaria respectiva, a fin de no desestabilizar al menor.

> Y es que, la ausencia de un hogar conjunto entre los padres o la cesación del mismo, no enerva la posibilidad de que sus descendientes cuenten con estables vínculos afectivos con los mismos, en tanto tal situación no suponga riesgos emocionales o físicos, caso en el cual la custodia pueda llegar a ser compartida. En ese contexto, las conductas de los progenitores, especialmente, la de los padres que buscan separar al niño del otro, no pueden ser admitidas, máxime cuando los dos ascendientes disponen de los medios para brindarle al niño el amor y la estabilidad que requiere para su desarrollo armónico, al punto que este manifiesta su decisión de convivir con ambos[253].

A partir de ese momento se hizo claro que la regla general imperante en nuestro ordenamiento jurídico debía ser la de propender por la fijación de la custodia y cuidado personal compartidos entre los padres, en lugar de ser vista como una excepción. Por substracción de materia, la asignación de la custodia monoparental quedó relegada a los casos en los cuales se acreditará la falta de aptitud de alguno de los padres.

El anterior razonamiento fue luego confirmado por la Corte Constitucional, en Sentencia T-384 de 2018, M. P. CRISTINA PARDO SCHLESINGER. La providencia en comentario constituyó un verdadero hito, no por haber admitido la posibilidad de aplicar la custodia compartida, puesto que ello ya lo había hecho la Corte Suprema de Justicia, sino por desplegar un tozudo análisis en relación con la procedibilidad de esta figura en el ordenamiento constitucional vigente.

---

[253] Sentencia STC12085 de 2018, proferida por la Sala de Casación Civil y Agraria de la Corte Suprema de Justicia, M. P. AROLDO WILSON QUIROZ MONSALVO.

En el marco de su análisis, el Tribunal destacó que una de las obligaciones derivadas de la progenitura responsable que ordena la Carta Política es justamente la de custodia y cuidado personal. Tal institución, destacó, se estructura a partir de lo previsto por los artículos 253 y 254 del Estatuto Civil, así como 10, 14 y 23 del Código de la Infancia y la Adolescencia, con fundamento en lo cual

> los niños, niñas y adolescentes tienen derecho a que ambos padres ejerzan su custodia para el desarrollo armónico e integral, a la vez que la responsabilidad parental les fija a éstos el deber conjunto de cuidado, amor y protección de los hijos que inicia desde la primera infancia y culmina cuando llegan a la edad adulta. Y ello es así en tanto el cuidado personal hace parte integral de los derechos fundamentales de los niños al cuidado y al amor, al igual que propende por generarles una completa protección contra los eventuales riesgos para su integridad física y mental. Nada mejor que los hijos menores o impedidos crezcan en el seno familiar rodeados de un ambiente de felicidad, amor, comprensión y seguridad que les brinde sólidas bases para el desarrollo armonioso de su personalidad.

Adicionalmente, precisó que la custodia y cuidado personal halla su espíritu en el interés superior del niño y en el derecho a la unidad familiar, prohijados por el artículo 44 del Constitución Política, de donde se ha podido concluir que el menor de edad no es un simple objeto de protección, sino un verdadero sujeto titular de derechos prevalentes. El interés superior de los niños y adolescentes, visto desde la óptica de los Convenios Internacionales y la jurisprudencia constitucional, entraña la triple connotación de *derecho sustantivo, principio jurídico interpretativo fundamental* y *norma de procedimiento*, cuya protección se encarga a los padres en el artículo 18.1 de la Convención sobre los Derechos del Niño[254].

Pero la garantía del interés superior del niño es también descargada en las instituciones públicas o privadas de bienestar social, los tribunales, las autoridades públicas y los órganos legislativos (artículo 3.1 de la Convención). Por ese motivo, el Tribunal Constitucional hizo suyas las palabras de la Observación General número 14 del Comité de los Derechos del Niño y afirmó que, en caso de ruptura del vínculo afectivo, es requerido: (i) oír la opinión de los niños, conforme al artículo 12 de la Convención; y (ii) preservar el entorno familiar, en el mayor grado posible, habida consideración de que "'las responsabilidades parentales compartidas suelen ir en benefi-

---

[254] "Ambos padres tienen obligaciones comunes frente a la crianza y el desarrollo del niño, por lo cual la preocupación fundamental de los progenitores también debe ser el interés superior del niño".

cio del interés superior del niño. Sin embargo, en las decisiones relativas a la responsabilidad parental, el único criterio debe ser el interés superior del niño en particular'"[255].

Aunado a ello, destacó la Corporación que la custodia y cuidado personal se relaciona, también, con el derecho fundamental a tener una familia y a no ser separado de ella; derecho que goza de protección a nivel nacional, en los artículos 44 Superior y 22 del Código de la Infancia y la Adolescencia, así como internacional[256], en instrumentos tales como:

> (i) la Declaración de los Derechos del Niño (1959) que afirma que el menor debe crecer al amparo y bajo la responsabilidad de sus padres, en cualquier caso en un entorno de afecto y seguridad moral y material[257]; (ii) el Pacto Internacional de Derechos Civiles y Políticos (1966), el cual sostiene que la familia es el elemento natural y fundamental de la sociedad[258]; (iii) el Pacto de Derechos Sociales, Económicos y Culturales (1966) que estipula que la familia se erige como base para el desarrollo de los hijos[259]; (iv) la Convención Americana sobre Derechos Humanos (1969), la cual consagra el derecho a la protección familiar[260]; y, (v) la Convención sobre los Derechos del Niño (1989)

---

[255]   COMITÉ DE DERECHOS DE LOS NIÑOS. Observación General No. 14 sobre el derecho de los niños a que su interés superior sea una consideración primordial, 12.

[256]   En Sentencia SU-195 de 1998, M. P. VLADIMIRO NARANJO MESA, la Corte Constitucional señaló que los instrumentos internacionales que establecen el derecho de los niños a tener una familia y no ser separados de ella se encuentran catalogados bajo el concepto de *ius cogens*.

[257]   Principio VI. "El niño, para el pleno y armonioso desarrollo de su personalidad, necesita amor y compresión. Siempre que sea posible, deberá crecer al amparo y bajo la responsabilidad de sus padres y, en todo caso, en un ambiente de afecto y de seguridad moral y material; (…)".

[258]   Artículo 23. 1. "La familia es el elemento natural y fundamental de la sociedad y tiene derecho a la protección de la sociedad y del Estado".

[259]   Artículo 10. "Los Estados Partes en el presente Pacto reconocen que: 1. Se debe conceder a la familia, que es el elemento natural y fundamental de la sociedad, la más amplia protección y asistencia posibles, especialmente para su constitución y mientras sea responsable del cuidado y la educación de los hijos a su cargo. El matrimonio debe contraerse con el libre consentimiento de los futuros cónyuges".

[260]   Artículo 17. "Protección a la Familia. 1. La familia es el elemento natural y fundamental de la sociedad y debe ser protegida por la sociedad y el Estado. // 2. Se reconoce el derecho del hombre y la mujer a contraer matrimonio y a fundar una familia si tienen la edad y las condiciones requeridas para ello por las leyes internas, en la medida en que éstas no afecten al principio de no discriminación establecido en esta Convención. // 3. El matrimonio no puede celebrarse sin el libre y pleno consentimiento de los contrayentes. // 4. Los Estados Partes deben tomar medidas apropiadas para asegurar la igualdad de derechos y la adecuada equivalencia de

que ve en la familia el 'grupo fundamental de la sociedad y medio natural para el crecimiento y el bienestar de todos sus miembros, y en particular de los niños, [que] debe recibir la protección y asistencia necesarias para poder asumir plenamente sus responsabilidades dentro de la comunidad', sumado a que establece como obligación para los Estados Partes velar porque los niños no sean separados de sus padres contra la voluntad de éstos (art. 9 convencional)[261].

De la interpretación armónica de todos los preceptos normativos, la Corte extrae tres conclusiones de capital importancia: (i) todos los niños, niñas y adolescentes deben permanecer con sus padres, salvo cuando sea contrario a su interés superior; (ii) los menores de edad tienen derecho a que ambos padres los cuiden y a mantener relaciones personales y contacto directo con ellos; y (iii) cualquier medida debe estar orientada a conservar el espacio de comprensión y armonía que la familia le brinda al niño, lo que implica, por regla general, conservar el lazo de cuidado y de amor por parte de ambos padres.

En esa línea, el Tribunal Constitucional vierte una consideración fundamental en torno a la temática de la custodia compartida: "los padres pueden acordar ejercer la custodia y el cuidado personal de forma solidaria y compartida atendiendo al interés superior de los hijos menores, así como en cumplimiento del ejercicio responsable de la paternidad y maternidad, cuando las circunstancias fácticas y de entendimiento civilizado lo permitan"[262].

La aseveración transcrita, de gran importancia, reiteró lo que ya había avalado el Instituto Colombiano de Bienestar Familiar en su Concepto 031 de 2016. Sin embargo, quedaba por dirimir, desde la óptica constitucional, la controversia que se había trabado entre la jurisdicción y el Instituto, relacionada con la posibilidad de que las autoridades administrativas o judiciales asignaran la custodia y cuidado personal en cabeza de ambos padres, cuando no mediaba común acuerdo entre ellos.

Sobre el particular, la Corporación formuló el interrogante de si la custodia compartida se encontraba regulada íntegramente por la legislación doméstica, a lo cual respondió sin titubeos que no lo estaba. Mas, en su

---

responsabilidades de los cónyuges en cuanto al matrimonio, durante el matrimonio y en caso de disolución del mismo. En caso de disolución, se adoptarán disposiciones que aseguren la protección necesaria de los hijos, sobre la base única del interés y conveniencia de ellos. // 5. La ley debe reconocer iguales derechos tanto a los hijos nacidos fuera de matrimonio como a los nacidos dentro del mismo".

[261] Sentencia T-384 de 2018, M. P. Cristina Pardo Schlesinger.

[262] *Ibidem.*

opinión, la denunciada ausencia de regulación integral no puede ser vista como un óbice para la cumplida ejecución de los mandatos legales, constitucionales y convencionales en la materia, por lo cual precisó las siguientes reglas de aplicación:

1) Los padres que no conviven juntos se encuentran facultados para suscribir acuerdos privados y conciliatorios sobre la custodia compartida de sus hijos, en atención al interés superior del menor de edad.

2) En los procesos judiciales, la autoridad jurisdiccional debe propiciar la celebración de acuerdos de custodia compartida entre las partes, si ello se acompasa con el interés superior del menor de edad.

3) En los procesos judiciales, cuando no sea posible que los padres acuerden voluntariamente la custodia compartida, la autoridad jurisdiccional debe apreciar el acervo probatorio allegado al plenario y, **como regla general**, debe centrarse en fijar la custodia compartida, cuando las circunstancias de cada caso así lo aconsejen.

4) **Solo por excepción**, cuando se advierta que no resulta conveniente el decreto de la custodia compartida, las autoridades jurisdiccionales y administrativas pueden decretar la custodia monoparental, con la fijación del régimen de visitas y alimentos para el padre que no fue asignatario de la custodia.

Con tan claro razonamiento, la Corporación dirimió por completo la controversia suscitada entre el Instituto Colombiano de Bienestar Familiar y la jurisdicción, en el sentido de aclarar que la falta de regulación integral sobre la materia no podía ser vista como un impedimento para aplicar los mandatos legales, constitucionales y convencionales sobre la materia. De manera que la obligación de los jueces de asignar la custodia compartida, que ya había sido tratada por la Corte Suprema de Justicia, se reafirmó como regla general en el marco de nuestro Estado Social de Derecho. Solo a título de excepción, cuando las circunstancias fácticas de cada caso aconsejen lo contrario, será dable que la autoridad de que se trate establezca cosa distinta.

Con intervalo de dos meses, la Corte Constitucional reiteró sus planteamientos sobre el particular, en Sentencia T-443 de 2018, M. P. Gloria Stella Ortiz Delgado.

Las consideraciones de la Corporación llevaron a que el Instituto Colombiano de Bienestar Familiar rectificara su postura. Así, mediante Concepto 028 de 2019 se afirmó que

> las autoridades administrativas o judiciales, teniendo en cuenta el análisis de cada caso particular, deben considerar como una opción preferente el régi-

men de custodia compartida e instar a los progenitores a apropiarla como una manifestación de los principios de co-responsabilidad e igualdad parental y el derecho a la co-parentalidad de los niños, niñas y adolescentes.

Así mismo, se debe precisar que la Corporación, en Sentencia STC6130 de 2022, M. P. FRANCISCO TERNERA BARRIOS, reiteró su monolítica jurisprudencia y advirtió que la procedencia de la custodia compartida se ciñe a que: "i) se tengan las condiciones físicas y psicológicas; ii) se garantice por parte de los padres las prerrogativas de cada infante iii) se garantice un lugar idóneo para la construcción del menor como persona, y iv) que la custodia compartida no suponga riesgos emocionales".

Finalmente, resta indicar que la Corte Suprema de Justicia, en ejercicio de sus atribuciones constitucionales y legales, ha hecho una excelsa labor en la delimitación de la figura de custodia compartida entre nosotros, ante la ausencia de regulación normativa expresa. Así, por ejemplo, en Sentencia STC2717 de 2021, M. P. LUIS ARMANDO TOLOSA VILLABONA, la Corporación reiteró los fundamentos legales, constitucionales y convencionales que dan cabida a la custodia compartida, al tiempo que efectuó algunas precisiones sobre el régimen de visitas que, por motivos de orden, se analizarán en la próxima sección.

5. Criterios para definir la custodia y el cuidado personal

Ya se ha visto, en forma genérica y abstracta, cuáles son los fundamentos normativos que abren paso a la custodia y cuidado personal como institución, así como las diversas alternativas que se abren para las autoridades administrativas y judiciales cuando se trata de definir este derecho-obligación. En el presente título se abordarán los conceptos específicos que el funcionario respectivo debe tener en consideración para los propósitos de determinar la custodia.

A. Cuestión previa: análisis sumario de los trámites para definir la custodia y el cuidado personal

Previo a explicar los criterios definidos por la jurisprudencia en propiedad, se estima necesario revisar sumariamente las distintas alternativas de los padres fijar el régimen de custodia y cuidado personal de un hijo, a fin de proporcionar la mayor claridad posible al respecto:

1) En primer lugar, los padres se encuentran facultados para celebrar o elaborar un acuerdo privado sobre la materia. Este acuerdo no requiere de formalidad alguna para su eficacia[263].

2) En segundo lugar, los padres pueden acudir a la conciliación extrajudicial para dirimir la controversia y allí, en presencia de un tercero conciliador, establecer el respectivo régimen de custodia. Además de ser un método alternativo de solución de controversias, la conciliación extrajudicial se erige como requisito que se debe agotar para poder presentar la demanda respectiva ante la jurisdicción. Así se desprende del ordinal 1° del artículo 40 de la Ley 640 de 2001 (vigente hasta el 30 de diciembre de 2022) y del ordinal 1° del artículo 69 del Estatuto de Conciliación (Ley 2220 de 2022, vigente desde el 31 de diciembre de diciembre de 2022, según su artículo 145). Pero cuando concurra violencia en el contexto familiar no será necesario agotar el requisito de procedibilidad, como lo precisó la Corte Constitucional en Sentencia C-1195 de 2001, M. P. MANUEL JOSÉ CEPEDA ESPINOSA y MARCO GERARDO MONROY CABRA.

Según lo previsto por el artículo 31 de la Ley 640 de 2001 (vigente hasta el 30 de diciembre de 2022) y el artículo 12 del Estatuto de Conciliación (Ley 2220 de 2022, vigente desde el 31 de diciembre de diciembre de 2022, según su artículo 145), el interesado podrá solicitar la conciliación ante los conciliadores de los centros de conciliación, ante los defensores y los comisarios de familia cuando ejercen competencias subsidiarias en los términos de la Ley 2126 de 2021, los delegados regionales y seccionales de la Defensoría del Pueblo, los agentes del ministerio público ante las autoridades judiciales y administrativas en asuntos de familia y ante los notarios. A falta de todos los anteriores en el respectivo municipio, la conciliación podrá ser adelantada por los personeros y por los jueces civiles o promiscuos municipales, siempre que el asunto a conciliar sea de su competencia.

Adicionalmente, se debe observar que el ordinal 9° del artículo 82 del Código de la Infancia y la Adolescencia precisa que es función del defensor de familia aprobar las conciliaciones en relación con la asignación de custodia y cuidado personal del niño. Durante algún tiempo se creyó que esta disposición implicaba que todas las conciliaciones que versaran sobre custodia y cuidado personal de menores de edad, independiente-

---

[263] Sobre la procedencia del acuerdo privado, véase el Concepto 018 de 2018 del Instituto Colombiano de Bienestar Familiar. En el mismo sentido, véase el Concepto 143 de 2015 del Instituto Colombiano de Bienestar Familiar.

mente del funcionario ante quien se realizaran, debían ser remitidas al defensor de familia para que éste impartiera aprobación. Pero en buena hora el Ministerio de Justicia profirió el Concepto 10722 de 2007, por el cual aclaró la discusión y señaló que ello no era necesario. De esta forma, las conciliaciones que se adelanten ante las demás autoridades facultadas no deben ser remitidas a los Defensores de Familia, porque el análisis que sobre su legalidad hagan los funcionarios respectivos basta para que los acuerdos presten mérito ejecutivo.

3) En tercer lugar, cuando se verifique una posible amenaza o vulneración de los derechos del niño, la niña o el adolescente, la custodia y cuidado personal se fijará por el defensor de familia, previo intento de conciliación cuando sea procedente, en el marco del proceso administrativo de restablecimiento de derechos[264]. Así lo disponen los artículos 52 y 100 del Código de la Infancia y la Adolescencia.

4) En cuarto lugar, en las acciones de protección contra la violencia en el contexto familiar, el Comisario de Familia se encuentra facultado para establecer provisionalmente el régimen de custodia y cuidado personal, como lo señala el ordinal 10° del artículo 13 de la Ley 2126 de 2021 (en este aspecto, la norma es muy cercana a lo que antiguamente preveía el ordinal 5° del artículo 86 del Código de la Infancia y la Adolescencia).

5) En quinto lugar, luego de agotado el requisito de procedibilidad, los interesados pueden acudir ante el juez de familia para que, en única instancia, defina la controversia, de acuerdo con lo establecido por el ordinal 3° del artículo 21 del Código General del Proceso. La causa se tramita como proceso verbal sumario.

Es pacífico que la decisión judicial que se adopte no hace tránsito a cosa juzgada material y, por tanto, ante el advenimiento de circunstancias que motiven una variación en la regulación respectiva, siempre será posible iniciar un nuevo proceso[265].

---

[264] Téngase en cuenta que la competencia principal para adelantar los procesos administrativos de restablecimiento de derechos quedó radicada en cabeza del Defensor de Familia. En forma subsidiaria, cuando no haya Defensor de Familia en el municipio de que se trate, el competente será el Comisario de Familia. Y, de manera residual, cuando no haya Defensor ni Comisario de Familia, lo será el Inspector de Policía. Un mayor detalle se encuentra en CECILIA DÍEZ VARGAS Y MATEO VARGAS PINZÓN, *Retos del Derecho de Familia Contemporáneo.* (Bogotá, 2022).

[265] Así lo señaló la Corte Constitucional en Sentencia C-269 de 1998, M. P. CARMENZA ISAZA DE GÓMEZ. Esta visión del asunto ha sido consistentemente reiterada por la

6) En sexto lugar, el régimen de custodia y cuidado personal puede ser definido por el juez de familia en los procesos de nulidad de matrimonio, divorcio, cesación de efectos civiles de matrimonio religioso, separación de cuerpos y de bienes, liquidación de sociedades conyugales, disolución y liquidación de sociedades patrimoniales entre compañeros permanentes. Como medida cautelar, que se dicta con la admisión de la demanda, la facultad está reglada por el literal b) del ordinal 5º del artículo 598 del Código General del Proceso. Como parte fundamental del contenido de la sentencia de nulidad del matrimonio, divorcio, cesación de efectos civiles de matrimonio católico o separación de cuerpos, la regla se encuentra en el artículo 389, *ibidem.*

7) En séptimo lugar, en los trámites de divorcio ante notario, cuando la causa en que se fundamente sea el mutuo acuerdo, los cónyuges deberán aportar, además, el acuerdo relativo al régimen de custodia y cuidado personal de sus hijos menores de edad. En virtud de lo previsto por el artículo 34 de la Ley 962 de 2005 y los artículos 2.2.6.8.1., 2.2.6.8.2. y 2.2.6.8.3. del Decreto 1069 de 2015, el defensor de familia deberá intervenir en el divorcio cuando haya hijos menores de edad, con miras a impartir aprobación sobre el acuerdo de custodia y cuidado personal.

B. Aspecto de fondo: criterios que se toman en cuenta para definir la custodia y el cuidado personal

En su condición de tales, los primeros interesados en proteger los derechos fundamentales e intereses del hijo deben ser los padres. Por eso se defiere a ellos la posibilidad de convenir el régimen de custodia y cuidado personal que más se ajuste a las necesidades de sus hijos. Empero, "[c]uando no hay acuerdo entre las partes, que en un acto generoso y responsable deciden pensar en lo mejor para su hijo, esta decisión como se mencionó anteriormente es el resultado de un proceso administrativo y de un proceso judicial"[266].

Corporación, por ejemplo, en Sentencias C-718 de 2012, M. P. JORGE IGNACIO PRETELT CHALJUB, y T-311 de 2017, M. P. ALEJANDRO LINARES CANTILLO. Allí se expresó lo siguiente: "Es claro entonces que, la sentencia que establece la custodia, visitas y permiso de salida del país de niños, niñas y adolescentes, no tiene carácter definitivo, pues como ya se señaló no hace tránsito a cosa juzgada material, y por ende puede ser revisada y modificada en cualquier momento, por el juez de instancia que conoció el proceso dado que éste mantiene su competencia para esos efectos".

[266] Sentencia de la Corte Constitucional C-569 de 2016, M. P. ALEJANDRO LINARES CANTILLO.

De los múltiples pronunciamientos sobre el particular se deduce como premisa fundamental y orientadora para la definición del régimen de custodia y cuidado personal el interés superior del niño o adolescente. Téngase en cuenta que

> el interés superior del menor no constituye un ente abstracto, desprovisto de vínculos con la realidad concreta, sobre el cual se puedan formar reglas generales de aplicación mecánica. Al contrario: el contenido de dicho interés, que es de naturaleza real y relacional, sólo se puede establecer prestando la debida consideración a las circunstancias individuales, únicas e irrepetibles de cada menor de edad, que en tanto sujeto digno, debe ser atendido por la familia, la sociedad y el Estado con todo el cuidado que requiere su situación personal[267].

Desde el punto de vista normativo, la Convención sobre los Derechos del Niño insta, en su artículo 3º, a que se tenga como criterio orientador el interés superior del niño. Seguidamente, en su artículo 9º prohíbe que los niños sean separados de sus padres, salvo cuando las autoridades competentes determinen que es lo mejor, en orden a garantizar su interés superior. En nuestro ordenamiento doméstico, el artículo 44 Superior así también lo dispone, al tiempo como el artículo 8º del Código de la Infancia y la Adolescencia indica que "[s]e entiende por interés superior del niño, niña y adolescente, el imperativo que obliga a todas las personas a garantizar la satisfacción integral y simultánea de todos sus Derechos Humanos, que son universales, prevalentes e interdependientes".

Por lo que toca con el plano aplicativo, la jurisprudencia tiene entendido que la materialización del interés superior del niño o adolescente se alcanza por dos vías: (i) la jurídica; y (ii) la fáctica. En cuanto a la primera, se trata de observar una serie de pautas encauzadas a promover el bienestar infantil, como son la *garantía del desarrollo integral del menor de edad*, la *garantía de las condiciones para el pleno ejercicio de sus derechos fundamentales*, la *protección ante riesgos prohibidos*, el *equilibrio con los derechos de los padres* y la *provisión de un ambiente familiar apto para el desarrollo del menor de edad*. Lo concerniente a la segunda se integra por la obligación de abstenerse de desmejorar las condiciones en las que se encuentra el individuo, de donde

---

[267] Sentencia de la Corte Constitucional T-510 de 2003, M. P. Manuel José Cepeda Espinosa, reiterada en las Sentencias T-397 de 2004, M.P. Manuel José Cepeda Espinosa, C-840 de 2010, M. P. Luis Ernesto Vargas Silva, T-689 de 2012, M. P. María Victoria Calle Correa, T-767 de 2013, M. P. Jorge Ignacio Pretelt Chaljub, C-239 de 2014, M. P. Mauricio González Cuervo y T-384 de 2018, M. P Cristina Pardo Schlesinger.

se sigue el análisis valorativo de las circunstancias y situaciones específicas de adjudicar la custodia y cuidado personal a uno o ambos padres.

Como desarrollo de las premisas expuestas, que indudablemente inciden directamente en la protección del derecho a tener una familia y no ser separado de ella, se vuelve fundamental la aplicación del artículo 12 del Convenio sobre los Derechos del Niño, según el cual los menores de edad deben ser oídos en todos los procedimientos administrativos o procesos judiciales que tengan incidencia sobre ellos. Esta prerrogativa encuentra sustento, además, en los artículos 44 Superior y 26 del Código de la Infancia y la Adolescencia. Ello implica que las autoridades pertinentes deberán tener muy en cuenta el criterio y voluntad del menor de edad que se encuentre inmerso en la controversia, en aras de definir correctamente cuál es su interés superior y proceder con la decisión que corresponda.

En idéntico sentido, el análisis sobre la custodia y cuidado personal del menor de edad debe estar desprovisto de estereotipos relacionados con el sexo de los individuos. Fue muy común en el pasado creer que las mujeres se debían hacer cargo de sus hijas, mientras que los hombres tenían la obligación de hacer lo propio con sus hijos. Incluso, por diversas razones se sostenía que los hijos menores de cierta edad debían siempre estar al cobijo de su madre, por ser ella la persona capacitada para atender sus cuidados o, como lo diría ROUSSEAU en su *Emilio*, por ser la primera nodriza del individuo.

Tales apreciaciones resultaron muy caras para nuestra sociedad, que terminó segregando, sin razón suficiente alguna, a los individuos en función de su sexo. Pero en buena hora la Corte Suprema de Justicia puso coto a la situación, mediante Sentencia STC5357 de 2017, M. P. AROLDO WILSON QUIROZ MONSALVO. Tras un detenido análisis sobre la problemática de generar estereotipos en función del sexo, la Corporación concluyó que

> resulta completamente cuestionable la referida consideración del juzgado convocado, según la cual el padre, por no compartir el mismo sexo de su hija, no puede contribuir, de la misma forma que su madre, a su formación en la etapa de la adolescencia, dejando de lado la valoración objetiva de las condiciones parentales que ha demostrado a lo largo del desarrollo de la niña, por lo que, se hace imperiosa la intervención del juez constitucional, con miras a proteger la garantía constitucional a la igualdad del tutelante.

La Sentencia a la que aquí se alude, dictada en el marco de una acción de tutela instaurada, fue enviada a la Corte Constitucional para su revisión y, luego de ser seleccionada, esta última Corporación profirió la Sentencia T-587 de 2017, M. P. ALBERTO ROJAS RÍOS, en la cual reafirmó la visión de la Corte Suprema de Justicia y añadió que no hay roles absolutos en la crianza de los menores de edad. Tal idea ha mutado en el estado actual de las relaciones familiares, gracias a la evolución de los roles masculino y femenino en el mundo contemporáneo. Por ese motivo se debe entender que ambos padres tienen igualdad de derechos, obligaciones y roles en cuanto a la custodia y el cuidado personal de los hijos no emancipados y, en caso de que ello se desconozca, se incurre en una discriminación asociada al género que vulnera el artículo 13 constitucional y el interés superior de los niños, niñas y adolescentes[268].

En forma más reciente, la Corte Suprema de Justicia volvió sobre este aspecto. Por medio de la Sentencia STC2717 de 2021, M. P. Luis Armando Tolosa Villabona, reforzó la posición sobre la prohibición de discriminación en función del sexo de los padres, con miras a definir la custodia y cuidado personal de los hijos, en el artículo 12 del Código de la Infancia y la Adolescencia, según el cual

> [s]e entiende por perspectiva de género el reconocimiento de las diferencias sociales, biológicas y psicológicas en las relaciones entre las personas según el sexo, la edad, la etnia y el rol que desempeñan en la familia y en el grupo social. Esta perspectiva se debe tener en cuenta en la aplicación de este código, en todos los ámbitos en donde se desenvuelven los niños, las niñas y los adolescentes, para alcanzar la equidad.

De allí concluyó que

> las decisiones de las autoridades administrativas y de los funcionarios judiciales en materia de custodia deben estar desprovistas de prejuicios, generalizaciones o estereotipos de género que conduzcan a tratamientos discriminatorios del padre o de la madre, por cuanto ambos gozan de igualdad de derechos, y pueden desempeñar en forma idónea su rol materno o paterno[269].

Además, la Corporación se valió de los planteamientos de la Corte Interamericana de Derechos Humanos, vertidos en la Sentencia del 24 de febrero de 2012, en el caso Atala Riffo e hijas vs. Chile. En su providencia, la Corte Interamericana señaló que

> la determinación del interés superior del niño, en casos de cuidado y custodia de menores de edad se debe hacer a partir de la evaluación de los comportamientos parentales específicos y su impacto negativo en el bienestar y desarrollo del niño según el caso, los daños o riesgos reales y probados, y no

---

[268] Esta posición de la Corte Constitucional fue luego reiterada en Sentencia T-384 de 2018, M. P. Cristina Pardo Schlesinger.

[269] Sentencia de la Sala de Casación Civil y Agraria de la Corte Suprema de Justicia STC2717 de 2021, M. P. Luis Armando Tolosa Villabona. En idéntico sentido, véase la Sentencia STC8534 de 2019, proferida por la misma Corporación.

especulativos o imaginarios. Por tanto, no pueden ser admisibles las especulaciones, presunciones, estereotipos o consideraciones generalizadas sobre características personales de los padres o preferencias culturales respecto a ciertos conceptos tradicionales de la familia.

Finalmente, otro delicado elemento que debe ser tenido en cuenta por los funcionarios administrativos o judiciales al momento de determinar la asignación de la custodia y cuidado personal es el relativo a la posible manipulación parental en estos asuntos. A riesgo de ser extremadamente insistentes, se reitera que los padres son llamados a atender las necesidades de sus hijos precisamente en función de su condición de adultos maduros y responsables. Un hijo no es, ni se puede convertir, en un trofeo de las disputas familiares y afectivas de los progenitores, porque con ello se crea un profundo sufrimiento al menor de edad, se afectan seriamente sus derechos y se falla, de la manera más vulgar, en el rol de padre.

Nada justifica el abuso en que incurren los progenitores al transgredir sus deberes por la vía de manipular a un hijo, con miras a que se vuelva en contra del otro padre. Este incomprensible y verdaderamente doloroso comportamiento ha sido abordado por la jurisprudencia constitucional[270] y ordinaria[271], en el sentido de advertir, por un lado, que con él se revela el más claro desinterés del padre manipulador por el bienestar de sus hijos; y, por el otro, que constituye una manifestación específica de violencia de género contra el padre o la madre vilipendiado. Específicamente en Sentencia STC16106 de 2018, M. P. Luis Armando Tolosa Villabona, la Sala de Casación Civil de la Corte Suprema de Justicia puso de manifiesto que las víctimas de esta conducta agresora son tanto el menor de edad involucrado, como el padre vilipendiado[272] y así lo reiteró la Corte Constitucional en Sentencia T-245A de 2022, M. P. Antonio José Lizarazo Ocampo.

Así pues, para precaver y corregir estas conductas dañosas, los funcionarios administrativos y judiciales deben ser cuidadosos al oír las declaraciones de los hijos, al propio tiempo como les corresponde analizar, detenida

---

[270] Consúltese, a manera de ejemplo, la Sentencia T-384 de 2018, M. P. Cristina Pardo Schlesinger.

[271] Véanse, por ejemplo, las Sentencias de la Sala de Casación Civil y Agraria de la Corte Suprema de Justicia STC2717 de 2021 y STC16106 de 2018, ambas con ponencia del magistrado Luis Armando Tolosa Villabona.

[272] En el mismo sentido, el lector puede acudir a la sentencia de la Sala de Casación Civil y Agraria de la Corte Suprema de Justicia STC2017 de 2021, M. P. Aroldo Wilson Quiroz Monsalvo.

y ponderadamente, las valoraciones psicológicas y de los demás expertos que hayan sido allegadas al plenario.

6. Custodia en cabeza de un tercero

El artículo 254 del Código Civil establece que "[p]odrá el juez, [o el funcionario administrativo,] en el caso de inhabilidad física o moral de ambos padres, confiar el cuidado personal de los hijos a otra persona o personas competentes". Y añade que "[e]n la elección de estas personas se preferirá a los consanguíneos más próximos, y sobre todo a los ascendientes (…)".

Advertía FERNANDO VÉLEZ que la inhabilidad física se ha de entender como todo defecto que impida cuidar adecuadamente a los hijos[273]. Ejemplo de ello sería la invalidez o enfermedades que, objetivamente, imposibiliten el ejercicio de la paternidad. Por su parte, la inhabilidad moral fue identificada por VÉLEZ con la depravación de los padres[274]. A esto se aúna el entredicho de la reputación y, como más recientemente lo han delineado las Altas Cortes, la incursión en actos abiertamente injustos por parte de un padre, contra el otro, como "impedir [al otro] el ejercicio de los poderes que la ley les otorga de dirigir la formación moral e intelectual de los hijos y su crianza, educación y establecimiento"[275]. Creemos perfectamente adecuada, en el supuesto de la inhabilidad moral, la conducta manipuladora de los padres hacia sus hijos, con el propósito de torpedear o lacerar su relación con el otro progenitor, sobre la cual se discute en el título que antecede.

En todo caso, para este título interesan las inhabilidades que cobijan a ambos padres, con fundamento en lo cual se hace necesario radicar la custodia y cuidado personal de hijo en terceras personas. El artículo 254 del Estatuto Civil indica que la facultad de retirar la custodia a los padres se radica exclusivamente en cabeza del juez; sin embargo, a la luz de la nueva estructura administrativa que nos rige, con las competencias que se han conferido a los defensores de familia y a los comisarios de familia para hacer frente a vulneraciones de derechos de los menores de edad o violencia intrafamiliar, es preciso concluir que en ellos también queda radicada la

---

[273]   FERNANDO VÉLEZ, *Estudio sobre el derecho civil colombiano*, tomo I, segunda edición. (París: Ed. Imprenta París-América, 1926), 276.

[274]   FERNANDO VÉLEZ, *Estudio sobre el derecho civil colombiano*, 276.

[275]   Sentencia de la Sala de Casación Civil de la Corte Suprema de Justicia, proferida el 25 de octubre de 1984, M. P. Hernando Tapias Rocha, reiterada por la Corte Constitucional en Sentencia T-523 de 1992, M. P. Ciro Angarita Barón.

facultad de decidir adjudicar la custodia de los hijos a un tercero, cuando su ambiente familiar no permita mantenerlo con uno o ambos padres.

Además, la Corte Constitucional ha señalado que la inhabilidad física o moral del padre para cuidar de su hijo, según se trate, debe resultar probada en proceso judicial[276]. Tal entendimiento ha sido prohijado por la Corte Suprema de Justicia[277]. Creemos que esta posición debe ser atemperada y adecuada al régimen normativo vigente, en el sentido de que los defensores de familia, pese a no estar dotados de facultades jurisdiccionales, en el marco de los procesos administrativos de restablecimiento de derechos quedan facultados para decidir, transitoria y provisionalmente, adjudicar la custodia y cuidado personal de los hijos en cabeza de terceras personas, cuandoquiera que se avizore una vulneración de derechos, actual o potencial, que sugiera un riesgo para el menor de edad. Así mismo, tratándose de comisarios de familia, las funciones que éstos desempeñan en desarrollo de las acciones de protección contra la violencia en el contexto familiar han sido equiparadas a las de los jueces. Por tanto, cuando se acredite el acaecimiento de conductas que configuren la inhabilidad física o moral de los padres, nada impide que los comisarios de familia adjudiquen la custodia y cuidado personal de los menores de edad en cabeza de terceros.

En todo caso, es de observar que, por la delicada implicación de retirar al hijo del lado de sus padres, el artículo 255 del Código Civil establece que "[e]l juez procederá para todas estas resoluciones breve y sumariamente, oyendo a los parientes".

En cuanto a las obligaciones que surgen para los adjudicatarios de la custodia y cuidado personal de los menores de edad, la Corte Constitucional ha tenido un claro entendimiento, como se sigue a continuación:

> "29. Ahora, si bien en principio la custodia está encomendada a los progenitores, en aras del interés superior del menor, también se puede otorgar a una persona distinta, que será la encargada de brindarle todas las condiciones necesarias para que tenga un desarrollo y crecimiento integral, por ende, quien la recibe le debe ofrecer una crianza y educación adecuada, entre otras obligaciones, toda vez que al ejercerla se asumen los mismos deberes de los padres[278]".

---

[276] Cfr. Sentencias de la Corte Constitucional T-202 de 1993, M. P. José Gregorio Hernández Galindo, y T-189 de 2003, M. P. Alfredo Beltrán Sierra.

[277] Cfr. Sentencia de la Sala de Casación Civil y Agraria de la Corte Suprema de Justicia STC5420 de 2017, M. P. Álvaro Fernando García Restrepo.

[278] Conforme al artículo 14 del Código de la infancia y adolescencia los padres son los responsables del cuidado, orientación, acompañamiento y crianza de los niños y niñas y adolescentes.

Con respecto a este punto, la Corte en Sentencia T-325 de 2016 anotó que:

'[L]a *figura de la custodia se debe entender como una medida de protección en los términos del Código de Infancia y Adolescencia (…). Esta medida busca retirar al niño o niña de la actividad que vulnere sus derechos y **tiene la particularidad de que quien ostenta la custodia comparte las obligaciones y deberes derivadas de la patria potestad y la responsabilidad paternal. En otras palabras, aunque se pueda considerar como una medida provisional, el ejercicio de la custodia implica el cuidado y crianza del menor de edad por lo que a quien la ejerce por mandato de una autoridad le corresponde garantizar el grado de bienestar máximo del niño'.* (Se resalta)[279].

Pero se debe entender que la adjudicación de la custodia, de acuerdo con lo que aquí se ha plasmado, no implica que los terceros distintos de los padres adquieran la condición de representantes legales de los niños o adolescentes, porque esta última es una prerrogativa —deber que emana de la Patria potestad, en tanto que la custodia es un derecho—deber de integra el cúmulo de Derechos y obligaciones *personales* entre padres e hijos. De manera que si lo que se pretende es adjudicar también la representación legal, será necesario privar de los padres de la Patria potestad y, posteriormente, iniciar un proceso judicial de adjudicación de guardas, en los términos de la Ley 1306 de 2009, que designe al tercero como guardador del menor de edad.

7. Ejercicio arbitrario de la custodia

El artículo 7º de la Ley 890 de 2004 adicionó el Código Penal con el artículo 230A, mediante el cual se tipificó el delito de *ejercicio arbitrario de la custodia de hijo menor de edad,* así:

El padre que arrebate, sustraiga, retenga u oculte a uno de sus hijos menores sobre quienes ejerce la patria potestad con el fin de privar al otro padre del derecho de custodia y cuidado personal, incurrirá, por ese solo hecho, en prisión de uno (1) a tres (3) años y en multa de uno (1) a dieciséis (16) salarios mínimos legales mensuales vigentes.

La razón de ser del tipo penal, según se aprecia en la exposición de motivos de la Ley 890 de 2004[280], fue descongestionar la unidad de la Fiscalía dedicada a la investigación del secuestro, pues, antes de la promulgación del cuerpo normativo en comentario, el delito que se configuraba en estos casos era justamente ese. La conceptualización del delito en análisis es como se sigue:

---

[279]   Sentencia T-042 de 2020, M. P. José Fernando Reyes Cuartas.
[280]   Cfr. Gaceta del Congreso de la República número 345 de 2003.

1) Es de conducta alternativa, pues basta con el acaecimiento de uno de sus verbos rectores: arrebatar, sustraer, retener u ocultar.

2) El sujeto activo, es decir, quien incurre en el injusto, es calificado: el padre que ostenta la patria potestad.

3) El sujeto pasivo, es decir, quien se ve afectado por la conducta, también es calificado: el padre que ostenta la custodia o cuidado personal.

4) El objeto material sobre el que recae la acción es personal: el hijo menor de 18 años.

5) La finalidad de la conducta o el elemento subjetivo es privar al otro padre del derecho a la custodia y cuidado personal. Basta con que se prive al otro padre para que se configure el tipo penal reprochado.

6) Para que se configure el tipo penal se requiere que medie *dolo* por parte del sujeto activo, es decir, que concurran los elementos *cognoscitivo* y *volitivo* (artículo 22 del Código Penal). De acuerdo con el primer elemento, se debe tener "conocimiento de las exigencias necesarias de la descripción legal (aspecto objetivo del tipo) y (...) la previsión del desarrollo del suceso"[281]. Conforme al segundo, es requerido que el agente, conscientemente, "se decida a realizar la conducta tipificada"[282].

   Por substracción de materia, el delito no procede en la modalidad de culpa o preterintención. Ello es así, puesto que el artículo 21 del Código Penal, al describir las modalidades de la conducta punible, señala que la "culpa y la preterintención sólo son punibles en los casos expresamente señalados por la ley". Entonces, dado que la Ley 890 de 2004 guardó silencio sobre este aspecto, se debe admitir que la única modalidad de la conducta punible es la dolosa.

7) El bien jurídico tutelado es la familia, como núcleo esencial de la sociedad, según se desprende de su ubicación en el Código (título VI, *Delitos contra la familia*, capítulo I, *Violencia intrafamiliar*). Pero, además, vulnera los derechos de los niños, niñas y adolescentes, en su condición de sujetos de especial protección, a tener una familia y no ser separados de ella.

De la conceptualización del injusto, brota palmaria una conclusión irrefutable: el tipo penal no puede tener como sujeto pasivo a quien no deten-

---

[281] Fernando Velásquez, *Derecho penal. Parte general,* 409.
[282] *Ibidem.*

ta la custodia y cuidado personal de su hijo menor de edad. Por lo tanto, cuando se ha acordado o fijado un régimen de custodia y cuidado personal monoparental, el padre que tiene derecho a las visitas no puede ser sujeto pasivo del delito. En esos términos, el tipo penal no se configura cuando el padre que detenta la custodia arrebata, sustrae, retiene u oculta a su hijo menor de edad, con el fin de que el otro padre, que no tiene la custodia, pero sí el derecho de visitas, no pueda ver al niño o adolescente.

La anterior conclusión pone en evidencia que es incorrecto, y conduce a equívocos, el epígrafe del artículo 230A del Código Penal. En efecto, no se trata aquí de un ejercicio arbitrario de la custodia, sino de la patria potestad. Naturalmente, en una hipótesis en la que se ha fijado la custodia compartida de los padres, cualquiera de ellos podría configurar el tipo penal con sus conductas. Sin embargo, un padre que solo sea titular del derecho de visitas, pero no de la custodia y cuidado personal de su hijo, perfectamente puede incurrir en el ilícito —y de hecho es lo más frecuente—. Así mismo, un padre que haya sido privado de la patria potestad jamás podrá ser sujeto activo de este delito y, por tanto, su conducta se habrá de encajar en otro supuesto. Y tampoco se configurará el delito, por atipicidad, cuando el progenitor que ostenta la custodia monoparental oculta a su hijo del progenitor que solo tiene el derecho de visitas, pues este último no puede ser sujeto pasivo del injusto.

Sobre las anteriores bases, si se tiene en cuenta la conceptualización del tipo penal que atrás se hizo y las consideraciones que se vienen de hacer, sugerimos denominar este delito *privación arbitraria de la custodia* o *ejercicio arbitrario de la patria potestad*. En el primer caso, se deja claro que el único sujeto pasivo es el titular de la custodia, puesto que solo se puede *privar* de algo a quien lo ostenta. En el segundo caso, se deja claro que el sujeto activo tiene que ser titular de la patria potestad.

Ahora bien, en 2014 se presentó una demanda de inconstitucionalidad contra la norma transcrita. Al decir de los demandantes, la regulación de la norma era insuficiente puesto que con ella solo se sanciona a los padres que arrebaten, sustraigan, retengan u oculten a su hijo menor de edad, con el fin de privar al otro padre de la custodia y cuidado personal, pero nada se dice en relación con los padres que son privados de visitar a sus hijos por haber sido éstos arrebatados, sustraídos, retenidos u ocultados por el otro padre que detenta la custodia. En su sentir, tal regulación era contraria al derecho fundamental a la igualdad y daba paso a la existencia de una omisión legislativa relativa.

Al resolver la disputa, la Corte Constitucional, en Sentencia C-239 de 2014, M. P. Mauricio González Cuervo, advirtió que no existe una norma constitucional que obligue a criminalizar la conducta del padre que arrebate, sustraiga, retenga u oculte a uno de sus hijos menores, sobre el que ejerce patria potestad, cuando obre con el propósito de privar al otro padre del derecho de custodia y cuidado personal, ni existe una norma del mismo rango que lo prohíba. Por lo tanto, en esta materia el Legislador cuenta con un amplio margen de configuración.

Además, explicó que, a su juicio, había dos circunstancias relevantes para adoptar la decisión: (i) la primera, que el sujeto activo del tipo penal es calificado, en tanto se debe tratar de un padre que ostente la patria potestad; y, (ii) la segunda, que la custodia puede ser compartida o monoparental; de ahí que, cuando sea compartida, el sujeto pasivo puede ser cualquiera de los padres, mientras que, cuando no lo sea, el sujeto pasivo solo puede ser el padre que detenta la custodia.

Después de efectuar un análisis sobre los derechos de los niños y adolescentes, el Tribunal Constitucional señaló que existe una evidente diferencia entre la custodia y cuidado personal y las visitas, pues,

> si bien ambas instituciones jurídicas guardan relación con los derechos del niño y, de manera especial, con el derecho fundamental de éste a tener una familia y a no ser separado de ella, la custodia y cuidado personal del niño es resultado de una decisión que se funda en el interés superior del niño. Si se decide sobre lo que es mejor para el niño, valga decir, sobre lo que resulta acorde a su interés superior, no es posible asumir, por sí y ante sí, como lo hace la demanda, que los supuestos de hecho de la custodia y cuidado personal y las visitas son iguales, o siquiera equiparables, para reclamar, a renglón seguido, la misma protección penal para ambas.

A partir de la anterior premisa, la Corporación concluyó que la imposibilidad de asimilación o comparación entre ambas figuras hacía improcedente el juicio de constitucionalidad. Sin embargo, aclaró que tal imposibilidad no significa que el ordenamiento jurídico autorice el irrespeto del régimen de visitas o la obstaculización de su realización, pues ello constituye una conducta nociva para el niño y para su familia. Mas el medio para corregir una situación semejante no es la acción penal, sino la acción de tutela[283], que se erige como medio para evitar el desmedro de los derechos fundamentales. En efecto, sostuvo que la circunstancia de que la conducta

---

[283] Esta afirmación de la Corte es susceptible de matización, como se verá en los títulos siguientes cuando se aborde el cumplimiento del régimen de visitas. La tutela no siempre es el mecanismo idóneo, como años después lo reconocería la propia Corte Constitucional.

no se tipifique como delito no implica que no pueda ser sometida al conocimiento y control de las autoridades, por medio de diversos mecanismos administrativos y judiciales[284], para proteger el derecho del niño a tener una familia y a no ser separado de ella.

Finalmente, sostuvo la Corporación, previo a declarar la exequibilidad de la norma demandada, que

> la criminalización de la conducta es la última ratio, la existencia de un medio de control menos gravoso y de alta eficacia, como es la acción de tutela, el pretender proteger este derecho por medio del derecho penal no responde al principio de necesidad, que es uno de los límites al amplio margen de configuración del legislador[285].

En el mismo sentido, la Sala de Casación Penal de la Corte Suprema de Justicia, en Sentencia SP1670 de 2020, M. P. GERSON CHAVERRA CASTRO, desestimó la configuración del tipo penal en cabeza de una madre que escondió a su hijo del padre que no detentaba la custodia, sino tan solo el derecho de visitas.

V. Visitas

El derecho de visitas se deduce del artículo 256 del Código Civil, conforme al cual, "[a]l padre o madre de cuyo cuidado personal se sacaren los hijos, no por eso se prohibirá visitarlos con la frecuencia y libertad que el juez juzgare convenientes". El nutrido desarrollo jurisprudencial y los Convenios Internacionales han delineado los cauces de este derecho, según se analiza en los títulos que siguen.

1. Definición y alcance: el *ius visitandi*, ¿a quién corresponde?

FRANCISCO RIVERO HERNÁNDEZ define el *ius visitandi* como

---

[284] El régimen de visitas puede ser acordado por ambos padres o, a falta de acuerdo, puede ser reglamentado por el Comisario de Familia (art. 86.5 del Código de la Infancia y de la Adolescencia). Si el acuerdo o la reglamentación no se cumplen, existen mecanismos como el incidente de reglamentación de visitas o las acciones correspondientes ante la jurisdicción.

[285] Sentencia de la Corte Constitucional C-239 de 2014, M. P. MAURICIO GONZÁLEZ CUERVO.

> el derecho o facultad o posibilidad protegida por el derecho de relacionar-
> se con un menor de ciertas personas unidas con él por lazos familiares o
> afectivos en situaciones marginales de la familia (crisis del matrimonio, mal
> entendimiento entre sus miembros) cuando no pueden desarrollarse en forma
> normal tales relaciones por culpa de la crisis o situaciones que impiden la
> convivencia o de ese mal entendimiento[286].

Cabría añadir, a esta definición, que las visitas también participan de la naturaleza de derecho-obligación, puesto que no descansan solo sobre el interés del titular del derecho, sino que miran la necesidad y conveniencia de su establecimiento para el hijo.

Desde la adopción de nuestro Código Civil, según se aprecia en su artículo 256, se tenía claro que las visitas eran una facultad concedida a los padres, aunque siempre en función de los hijos. Es así como FERNANDO VÉLEZ, clásico comentarista de nuestro Estatuto, muy temprano advirtió que la razón de ser de la norma en análisis respondía a los sentimientos de amor de los padres hacia sus hijos, los cuales se sobreponen a la inhabilidad física o moral que dio origen a que los retoños fueren sacados de su poder. Sin embargo, destacaba el profesor la importancia del juez en la mediación del asunto, "no perdiendo de vista que lo que se quiere es impedir que el mal ejemplo de los padres pueda perjudicar o corromper al hijo"[287].

La natural tendencia a robustecer la familia como núcleo esencial de la sociedad colombiana, su cada vez mayor protección y la mutación del miramiento a los hijos, no como objetos de protección, sino como sujetos de derecho, condujo a considerar que el derecho de visitas era un derecho familiar o compartido, cuya titularidad recaía tanto en los padres que no detentaran la custodia como en los hijos. Fueron dos los elementos puntuales que, en nuestro país, llevaron a ese cambio de pensamiento: (i) en primer lugar, la reivindicación del rol del hijo en la esfera familiar, mediante la elaboración y adopción de instrumentos internacionales como la Convención sobre los Derechos del Niño; y, (ii) en segundo lugar, el nacimiento de la Carta Política de 1991, nuevo pacto social de los colombianos.

En 1992, mediante la Sentencia T-523, de la que fue ponente el MAGISTRADO CIRO ANGARITA BARÓN —una de las mentes brillantes que en 1974 ayudó a gestar el Estatuto de la Igualdad (Decreto 2820 de 1974), entre otros cuerpos normativos relevantes para el Derecho de Familia—, la Cor-

---

286 FRANCISCO RIVERO HERNÁNDEZ, *Derecho de visita*. (Barcelona: Ed. Bosch, 1997), 16.
287 FERNANDO VÉLEZ, *Estudio sobre el derecho civil colombiano*, 277.

te Constitucional desplegó un importante análisis en torno a la familia y, específicamente, al derecho de visitas, que todavía hoy se retoma por su vigencia. Principió el Tribunal por recordar las razones que motivaron la exaltación de la familia como núcleo de nuestra sociedad en la Carta Política; continuó con el análisis del derecho fundamental de los niños, recogido en el artículo 44 Superior, de tener una familia y no ser separados de ella; y luego estudió la unidad familiar como principio supremo en nuestro país. Para toda su disquisición, en este aspecto, la Corporación se valió de los antecedentes de las normas, según quedó documentado en las gacetas de la Asamblea Nacional Constituyente.

Más adelante, la Corte se ocupó de revisar el régimen de visitas y, tras apoyarse en las consideraciones del argentino Augusto César Belluscio, concluyó que "la visita es un derecho familiar del cual son titulares conjuntos tanto los padres como los hijos y cuyo ejercicio ha de estar enderezado a cultivar el afecto, la unidad y solidez de las relaciones familiares". Así mismo, recordó a los jueces la importancia de su función, habida cuenta que de ellos "depende en muy alto grado la recuperación y fortalecimiento de la unidad familiar o su desaparición total, en desmedro de los intereses de la prole, la institución misma y la sociedad civil".

En Sentencia T-500 de 1993, M. P. Jorge Arango Mejía, la Corte Constitucional volvió nuevamente sobre la materia. Allí reconoció que la familia es la primera conminada a entregar asistencia, ayuda y orientación al menor de edad, en orden a la satisfacción de sus necesidades y a la obtención de un desarrollo armónico integral; de lo cual dedujo que los padres son, por razones obvias, los primeros responsables del normal desarrollo del hijo. Y sostuvo que tales obligaciones de los progenitores se "hacen más fuertes e imperativas cuando la pareja decide separarse, pues en ese momento el menor requiere de mayor atención y comprensión de sus padres, para no resultar perjudicado por el conflicto de ellos". Porque es indiscutible que la ruptura del vínculo afectivo no obsta para que el niño conserve su derecho fundamental a tener su familia, derecho que corresponde hacer valer a los propios padres por medio de la implementación de todos los mecanismos que tengan a su alcance.

Así pues, el Tribunal precisó que las visitas son "un sistema por medio del cual se trata de mantener un equilibrio entre los padres separados para ejercer sobre sus hijos los derechos derivados de la patria potestad y de la autoridad paterna", lo cual implica que no pueden ser vistas tan solo como un mecanismo de protección para el menor de edad. En efecto, las visitas verdaderamente permiten "a cada uno de los padres, desarrollar y ejercer sus derechos, es decir, son un dispositivo que facilita el acercamiento y la convivencia entre padres e hijos. Por tanto, sólo a través de esta figura se logra mantener la unidad familiar, que la Constitución consagra como derecho fundamental de los niños".

Sobre esas bases, la Corporación concluyó que "[n]o son sólo los derechos de los hijos menores los que están en juego al momento de fijarse una reglamentación de visitas: también los de cada uno los padres, derechos que deben ser respetados mutuamente". En tal virtud, destacó que la finalidad principal de esta institución es justamente lograr

> el mayor acercamiento posible entre padre e hijo, de modo que su relación no sea desnaturalizada, y se eviten las decisiones que tiendan a cercenarlo (...) requiere de modo principalísimo que no se desnaturalice la relación con los padres (...) las visitas no deben ser perjudiciales para los menores, pero tampoco deben desarrollarse de manera de lesionar la dignidad de quien las pide.

Algunos años después, el Tribunal Constitucional se manifestó nuevamente en relación con las visitas, mediante Sentencia T-115 de 2014, M. P. Luis Guillermo Guerrero Pérez. En esa providencia, la Corporación reafirmó sus planteamientos e indicó que, el de visitas, es "un derecho de doble vía, donde convergen los derechos de los hijos menores, y al mismo tiempo, los de cada uno los padres, derechos que, entre otras cosas, deben ser respetados en un contexto de alteridad y acatamiento". En efecto, para los hijos son un mecanismo que les permite interactuar y seguir desarrollando relaciones afectivas con sus padres, así como recibir los cuidados y protección que requieren, en tanto que para los padres son el medio para desarrollar y ejercer sus otros derechos, pues facilitan el acercamiento y la convivencia con los hijos, al tiempo que garantizan la unidad familiar. De ello concluyó que el ejercicio del derecho del padre a mantener una relación estable y libre de condicionamientos frente a sus hijos, así como la facultad de desarrollar una relación afectiva con los hijos, tiene como único límite los intereses prevalentes del niño.

Tales posiciones, vale decir, han sido reiteradas por las Sentencias T-311 de 2017, M. P. Alejandro Linares Cantillo, y T-384 de 2018, M. P. Cristina Pardo Schlesinger.

Con fundamento en la nueva tendencia que se avizoraba, el Instituto Colombiano de Bienestar Familiar profirió el concepto 137 de 2012, en el que reiteró los planteamientos de la Corte Constitucional y señaló que "[e]l derecho de visitas de los niños, niñas y adolescentes por su naturaleza y finalidad, es un derecho familiar del cual son titulares conjuntos tanto los padres como los hijos y cuyo ejercicio debe estar encaminado a cultivar el afecto, la unidad y solidez de las relaciones familiares". Esa visión fue repetida, después, en Concepto 150 de 2017.

Empero, el Instituto parece haber variado su posición en el Concepto 063 de 2019. Luego de transcribir algunos pronunciamientos de la Corte Suprema de Justicia, la Entidad concluyó, en forma bastante cuestionable, que,

> [a] la luz de las nuevas tendencias del derecho de familia, las visitas no constituyen hoy una facultad de los padres o progenitores, sino un derecho de los niños, niñas y adolescentes para permanecer, comunicarse y compartir con sus padres. Esta nueva visión implica no solamente la posibilidad de su exigencia y fijación por parte del padre que ha sido injusta y arbitrariamente privado de ellas, sino la obligatoriedad de su cumplimiento en aquellos casos en que pese a estar reguladas, no se ejercen por causas imputables al propio padre o a quien le han sido fijadas.

A pesar de que ese párrafo había sido incluido en el Concepto 150 de 2017, en ese documento se construyó una antesala que dejó bastante claro que se trataba de un derecho familiar, cuyos titulares eran los padres y los hijos. Por oposición, en el Concepto 063 de 2019 no se hizo aclaración alguna, salvo en la parte final que se matizó la afirmación, así: "La reglamentación de visitas es principalmente un derecho de los niños, las niñas y los adolescentes". Si bien el adverbio *principalmente* conduce a pensar que el derecho no tiene un titular absoluto (el niño), sino que coexiste otro (el padre), sería deseable que se aclarara la posición, porque es evidente, a todas luces, que no hay forma de sostener que el derecho de visitas sea única y exclusivamente propiedad del hijo. Tal afirmación se cae de su propio peso y desconoce cuanto aquí se ha explicado.

Ahora bien, otra, radicalmente opuesta, ha sido la visión de la Corte Suprema de Justicia. A pesar de que la conceptualización acerca del contenido y finalidad de las visitas ha sido monolítica y alineada con la expuesta por la Corte Constitucional, la titularidad del *ius visitandi* es vista por el Máximo Órgano de la Jurisdicción Ordinaria en forma abismalmente distinta. Así fluye, con claridad, de las Sentencias STC9230 de 2020 y STC2717 de 2021, ambas con ponencia del magistrado Luis Armando Tolosa Villabona:

> En este punto, ha de precisarse que, si bien la jurisprudencia de la Corte Constitucional ha establecido que el derecho de los niños, niñas y adolescentes a tener una familia y a no ser separada de ella, es un derecho de doble vía '*donde convergen los derechos de los hijos menores, y al mismo tiempo, los de cada uno los padres*'[288], ello no significa que se confunda o identifique con el derecho de visitas.

---

[288] Corte Constitucional, Sentencia T-500 de 1993.

> Así, mientras el régimen de visitas corresponde a una potestad-deber de los padres respecto de sus hijos derivado de su patria potestad y de su responsabilidad parental, el derecho a tener una familia y a no ser separado de ella se predica, específicamente, de los niños, niñas y adolescentes. De manera que, *en el subjúdice* (SIC), no es acertada la afirmación del juzgador accionado, según la cual '*el derecho de visitas es un derecho del niño, niña y adolescente*.'

En opinión de la Corte Suprema de Justicia, el titular del *ius visitandi* es siempre el *padre*, en forma exclusiva, mientras que el hijo es titular del derecho fundamental a tener una familia y a no ser separado de ella. Ambos derechos convergen, pero no se confunden.

Creemos bastante complicado fijar una tajante línea divisoria entre uno y otro derecho, pues son muy tenues las diferencias. Nadie discute, ni por asomo, que las visitas sean efectivamente un derecho del padre. Sin embargo, si la *potestad-deber* del progenitor es conceptualizada, según lo planteado por la propia Corporación, como "la posibilidad de mantener, sin obstáculos, la comunicación y el contacto libre y directo con sus hijos", no se advierte ninguna diferencia nuclear con lo consagrado en el párrafo 3º del artículo 9º de la Convención sobre los Derechos del Niño, a cuyo decir es "derecho del niño (…) no ser separado de uno o de ambos padres, (…) mantener relaciones personales y contacto directo con ambos padres de modo regular, salvo si ello es contrario [a su] interés superior".

Desde luego, el canon últimamente transcrito, que hace parte del bloque de constitucionalidad —por derecho propio y por remisión expresa (artículos 44, *in fine*, y 93 de la Carta Política)— y fue incorporado al ordenamiento doméstico por la Ley 12 de 1991, desarrolla solo uno de los componentes del derecho del niño a tener una familia y a no ser separado de ella. Por su parte, es el artículo 256 del Código Civil, armonizado con otros artículos Superiores, el que fija la pauta para predicar el *ius visitandi* de los padres. Sin embargo, el hecho de que su contenido sea idéntico plantea serias dificultades para sostener que se trata de derechos autónomos y plenamente independientes; su intrincada relación hace tenue y difusa la línea divisoria que pretende trazar la Corte Suprema de Justicia.

Quizás la intención de la Corporación, al diferenciar el núcleo de ambos derechos, halla su razón de ser en dos elementos cruciales: (i) por un lado, la sanción impuesta por el artículo 129 del Código de la Infancia y la Adolescencia, según la cual no será oído, en el ejercicio de sus derechos sobre el niño, el padre que no esté al día con la satisfacción de su obligación alimentaria; y, (ii) por el otro, el estricto rigor lógico de lo que implican las visitas.

Lo primero, porque muy difícil sería sostener la aplicación de una sanción que impide que el padre sea oído en el foro judicial para reclamar el ejercicio de sus derechos sobre el hijo, si esos supuestos derechos no son vistos como suyos, sino como prerrogativas fundamentales del niño. Pero tampoco hay razones para excluir esa sanción del ordenamiento jurídico, toda vez que su constitucionalidad ha sido declarada en dos oportunidades diferentes: (i) primero, al cobijo de la Carta Política de 1886, mediante la Sentencia 081 de 1991, proferida por la Corte Suprema de Justicia; y (ii) luego, bajo el amparo de la Carta Política de 1991, mediante la Sentencia de la Corte Constitucional C-011 de 2002, M. P. Álvaro Tafur Galvis. Es de advertir que el texto analizado por las Corporaciones fue el del artículo 150 del Código del Menor. Empero, su contenido era idéntico al que hoy rige el Código de la Infancia y la Adolescencia (artículo 129), por lo que es dable concluir que hay cosa juzgada constitucional material al respecto.

Precisamente, ese fue el caso que se absolvió en la Sentencia STC9230 de 2020, M. P. Luis Armando Tolosa Villabona, pues el padre que había demandado la regulación y aplicación del régimen de visitas no se encontraba al día con la satisfacción de las mesadas alimentarias y el juez de instancia, bajo el argumento de que se trataba de un derecho del hijo[289], se abstuvo de aplicar el artículo 129 del Código de la Infancia y la Adolescencia. Así, la Corte Suprema de Justicia analizó la providencia del juez y, en sede constitucional, concluyó que la sanción era plenamente aplicable, en la medida en que lo aquí abordado era un *derecho del padre*, sin que con ello se lacerara el derecho del hijo.

Lo segundo, es decir, lo referido al rigor lógico de las visitas[290], se explica en la medida en que técnicamente es al padre a quien se le indica, mediante su regulación, los horarios, tiempos y formas en que puede establecer contacto prolongado y permanente con el menor de edad. Escapa al régimen regulatorio la posibilidad de enviar correos, efectuar llamadas telefónicas, videollamadas, mensajes de texto o de datos, entre otras formas que la tecnología ha puesto a flor de piel en la época actual, pues las visitas están

---

[289] Es preciso advertir que no fue ese el único argumento. El fallador consideró que los procesos sobre regulación de visitas no quedaban comprendidos dentro de la sanción prevista por el artículo 129 del Código de la Infancia y la Adolescencia.

[290] Un desarrollo más profundo de este elemento lo hace Francisco Rivero Hernández, "La protección del derecho de visita por el Convenio Europeo de Derechos Humanos. Dimensión constitucional", en *Revista Derecho Privado y Constitución*, núm. 20, 2006, 331 a 380.

incardinadas, en mayor medida, a la posibilidad de compartir tiempo presencial y de duración relevante, en orden a cumplir su verdadero propósito.

Y la razón para que sea el padre el destinatario de esa regulación, en lugar de ser propiamente el hijo, es porque el otro progenitor fue asignatario de la custodia; es, como se dijo, su complemento. De manera que se hace indispensable, como tantas veces lo ha precisado la jurisprudencia, encontrar un punto medio para que el hijo pueda compartir con cada uno de sus padres y éstos, a su vez, puedan ejercer sus derechos de tales sobre los hijos.

A más de esos elementos, parece complicado (aunque técnica y jurídicamente es posible) distinguir clara y definidamente el derecho de visitas de los padres y el derecho de los hijos a tener una familia y a no ser separados de ella.

En todo caso, queda fuera de duda que, incluso si se cree que padres e hijos son cotitulares del derecho de visitas o no, lo cierto es que el derecho de los niños a tener una familia y a no ser separados de ella es muchísimo más amplio que las visitas. Esa distinción conceptual reviste la mayor importancia, porque no nos parece jurídicamente adecuado sostener, a la luz de la normativa colombiana, que la titularidad de las visitas recaiga sobre otros familiares o ascendientes[291]; conclusión que no se atenúa o atempera, ni en todo ni en parte, por el hecho de que la recientemente promulgada Ley 2229 de 2022 haya reformado el artículo 256 del Código Civil, en el sentido de agregar un inciso y un parágrafo del siguiente tenor:

> Así mismo, teniendo en cuenta las particularidades del caso en concreto y atendiendo al interés superior del niño, niña o adolescente, el juez ordenará la regulación de visitas respecto de los ascendientes en segundo grado de consanguinidad o segundo grado de parentesco civil por línea materna o paterna, cuando

---

[291] El ordenamiento jurídico español prevé, en el inciso segundo del artículo 160 del Código Civil, las visitas como prerrogativa de los abuelos. Al respecto, véase a GABRIEL GARCÍA CANTERO. *Las relaciones familiares entre nietos y abuelos según la ley de 21 de noviembre de 2003.* (Madrid: Ed. Civitas, 2004). En opinión contraria, CARMEN HERNÁNDEZ IBÁÑEZ ("Relaciones entre los nietos y los abuelos en el ámbito del derecho civil" en *Revista Actualidad Civil.*, núm. 1, 2002. Pág. 25 a 49) sostiene que no se regula propiamente el derecho de visitas en cabeza de los abuelos, sino que establece una pauta para dirimir conflictos de intereses entre padres y abuelos. La posición de HERNÁNDEZ IBÁÑEZ es compartida por ANA MARÍA COLÁS ESCANDÓN ("El régimen de relaciones personales entre abuelos y nietos fijado judicialmente, con especial referencia a su extensión (a propósito de la STS, Sala 2.ª, N°. 138/2014, de 8 de septiembre") en *Revista Derecho Privado y Constitución*, núm. 29, 2015, 133 a 185), quien explica las diferencias entre el derecho de visita de los padres y el derecho de relaciones personales de abuelos y nietos (Pág. 175 a 181).

estos no tuvieren el cuidado personal de los nietos y nietas o en los eventos en que los progenitores nieguen o sustraigan a sus hijos de la relación con estos.

Parágrafo: El juez podrá negar o regular las visitas de progenitores o ascendientes en segundo grado de consanguinidad o segundo grado de parentesco civil por línea materna o paterna, cuando estos hayan sido condenados mediante sentencia ejecutoriada por la comisión de cualquier delito, incluso en casos de violencia intrafamiliar o delitos contra la libertad, integridad y formación sexuales. El juez también podrá regular las visitas respecto de progenitores o ascendientes en segundo grado por línea materna o paterna cuando estos cuenten con diagnósticos psiquiátricos que representen un peligro para la integridad de la niña, niño o adolescente.

En ningún caso el victimario podrá ser titular del derecho de visitas a su víctima y los hermanos de esta. En todo caso, para la regulación de visitas se deberá atender al interés superior de la niña, niño o adolescente y al material probatorio del que disponga.

Una lectura desprevenida de la preceptiva añadida podría conducir a la conclusión de que el Legislador extendió el *ius visitandi* a los abuelos, pero ello, a nuestro juicio, no es así. Como se aprecia en los antecedentes normativos[292], esta importante disposición finca su raíz en situaciones particulares que habían quedado libradas a los jueces, según se expone enseguida:

En Sentencia STC5420 de 2017, M.P. Álvaro Fernando García Restrepo, la Corte Suprema de Justicia manifestó que los abuelos no estaban ordinariamente legitimados para iniciar procesos de regulación visitas en relación con su nieto, sino que era indispensable el cumplimiento de estrictos requisitos para el efecto. Al decir de la Corporación,

[d]e una interpretación armónica de los artículos 253 y siguientes del Código Civil y 23 del Código de la Infancia y la Adolescencia, a la luz del artículo 44 de la Constitución Política y 9° de la Convención sobre Derechos del Niño[293], se concluye, sin asomo de dudas, que el proceso de regulación de visitas está reservado, exclusivamente, para los progenitores de los niños, niñas y adolescentes, por ser quienes ostentan y ejercen la custodia y el cuidado personal de éstos, premisa que excluye, por simple lógica, a la familia extensa, entre ellos, los abuelos (maternos o paternos).

---

[292]   Véanse, al respecto, las Gacetas del Congreso de la República números 686 de 2020, 909 de 2020, 560 de 2021, 1027 de 2021, 1733 de 2021, 293 de 2022 y 471 de 2022.

[293]   Adoptada por la Asamblea General de las Naciones Unidas y aprobada por Colombia en la Ley 12 de 1991.

En sustento de su opinión, la Corte Suprema de Justicia evocó la Sentencia T-189 de 2003 y concluyó que, a pesar de que los abuelos no tenían ordinariamente legitimación en la causa para solicitar la fijación de un régimen de visitas, por no ser titulares del *ius visitandi*, tampoco era posible cercenar el derecho de los niños a *tener una familia y a no ser separados de ella*. En consecuencia, el alejamiento o la prohibición de un padre (que detenta la custodia) para que su hijo se relacione, conozca y mantenga contacto con sus abuelos, especialmente cuando su otro progenitor ha fallecido, solo sería admisible si mediaran razones de peso que condujeran a pensar que solo así se garantizarían los derechos fundamentales del menor de edad en cuestión. De lo contrario, sería posible establecer y regular un régimen que garantice el adecuado contacto entre los abuelos y su nieto, pero no bajo la configuración del *derecho de visitas*, que se encuentra reservado únicamente para los padres.

Recientemente se pronunció la Corte Constitucional, por medio de la Sentencia T-428 de 2018, M.P. Carlos Bernal Pulido, en la cual diferenció la legitimación procesal del derecho de visitas como tal. En efecto, el primer aspecto se relaciona con las condiciones que se deben satisfacer para hacerse parte en proceso judicial, en tanto que el segundo es de contenido sustancial.

El *ius visitandi*, de acuerdo con la providencia en comentario, está estrictamente reservado a los padres. Sin embargo, los menores de edad tienen un derecho fundamental de relacionarse con su familia —nuclear y extensa—, ampliamente reconocido por la Carta Política (artículo 44) y la Convención sobre los Derechos del Niño (artículos 8º y 9º). A raíz de esta última consideración, la Corporación observó que no había otro mecanismo judicial que permitiera a los familiares distintos de los padres solicitar la intervención de la jurisdicción para garantizar el derecho fundamental de los menores de edad a relacionarse con ellos. Por tanto, estimó que el proceso regulado por el ordinal 3º del artículo 21 del Código General del Proceso era el que más se adecuaba para tal fin.

Aunque ello no implica que cuando se inicien causas judiciales amparadas por el ordinal 3º del artículo 21 del Código General del Proceso se esté ante la reclamación del derecho de visitas propiamente tal, que solo atañe a los progenitores. Tan solo significa que esa es la única vía procesal que permite garantizar los derechos fundamentales de los niños de establecer y mantener relaciones con sus demás familiares. Por consiguiente, la legitimación eventual de los familiares distintos de los padres para iniciar procesos denominados de "regulación del régimen de visitas" depende de las circunstancias acreditadas en cada caso particular. En esa medida, la Corte Constitucional fijó una subregla según la cual "es claro que los abuelos cuentan con una legitimación especial para promover este proceso cuando uno de los padres del niño ha fallecido y la necesidad de continuar el vínculo con la familia de aquel debe ser satisfecha".

Pues bien, con ese contexto, los Parlamentarios GABRIEL JAIME VALLEJO CHUJFI, ÓSCAR DARÍO PÉREZ PINEDA, CHRISTIAN MUNIR GARCÉS ALJURE y JUAN FERNANDO ESPINAL RAMÍREZ radicaron ante el Congreso la iniciativa que luego se convertiría en la Ley 2229 de 2022. Al justificar su proyecto, precisaron que el objetivo perseguido era "[d]arle expresa y normativamente la posibilidad al juez competente de regular las visitas de los abuelos maternos y paternos cuando estos no tuvieren el cuidado personal de los nietos y nietas o en los eventos en que los progenitores nieguen o sustraigan a sus hijos de la relación con estos"[294].

Seguidamente, indicaron que había una imperiosa "necesidad de establecer un marco jurídico especial que garantice el derecho fundamental de los niños, niñas y adolescentes a la familia, puntualmente, el acompañamiento de los abuelos en todas las etapas de su crecimiento"[295]. Ello porque, para ese momento,

> los abuelos deb[ía]n someterse a procedimientos judiciales engorrosos para poder acceder al régimen de visitas pues las normas de nuestro Código civil (SIC) no los legitima[ban], por esta razón se ve[ía]n abocados a acudir a la acción de tutela para que se les garanti[zara] este derecho, sin embargo, la mayoría de estas decisiones le [s eran] adversas a los abuelos y solo algunos casos [eran] seleccionados por la Corte Constitucional[296].

Los ponentes resaltaron la importancia de la familia extendida en el desarrollo e interés superior de los menores de edad y luego sustentaron su iniciativa a partir de los beneficios que aparejaba, para los abuelos, la posibilidad de compartir con sus nietos. Y en lo que atañe a la fundamentación normativa del proyecto, señalaron lo siguiente:

> La Convención sobre los Derechos del Niño, es clara en afirmar que la familia es el grupo fundamental de la sociedad y medio natural para el crecimiento

---

[294] La exposición de motivos es legible en la Gaceta del Congreso de la República número 686 de 2020. Sin embargo, la justificación fue reiterativamente calcada en todo el trámite legislativo, disponible en las Gacetas del Congreso de la República números 909 de 2020, 560 de 2021, 1027 de 2021, 1733 de 2021, 293 de 2022 y 471 de 2022.

[295] *Ibidem.*

[296] *Ibidem.*

y el bienestar de todos sus miembros, y en particular de los niños, razón por la cual debe recibir la protección y asistencia necesarias para poder asumir plenamente sus responsabilidades dentro de la comunidad, siendo el espacio propicio para que los niños, niñas y adolescentes crezcan en medio de la felicidad, el amor y la comprensión, y así, potenciar su pleno desarrollo, brindándole además las herramientas para asumir una vida independiente, guiados por los principios de dignidad, autonomía, libertad, igualdad y solidaridad.

Acogiendo los principios rectores de la Convención, la Constitución Política de Colombia reconoce que la familia es la institución básica de la sociedad (art. 5°), a la cual el Estado y la sociedad deben garantizar su protección integral (art. 42); asimismo, tener una familia y no ser separado de ella, es un derecho fundamental de los niños, niñas y adolescentes (art. 44), que además debe garantizarles el desarrollo armónico e integral y el ejercicio pleno de sus derechos (art. 44), como lo es la educación (art. 67).

El Código de Infancia y Adolescencia, reafirma estas disposiciones, agregando además, que los padres y cuidadores deben velar por cuidado personal de los niños, niñas y adolescentes (art. 23) y que es obligación de la familia, la sociedad y el Estado, formar a los niños, las niñas y los adolescentes en el ejercicio responsable de los derechos (art. 15), esto es, las obligaciones cívicas y sociales que corresponden a los menores de edad como sujetos de derechos y de responsabilidades.

Sin embargo, como se menciona en el acápite anterior, la legislación actual no es acorde con el desarrollo científico y normativo que garantiza el derecho fundamental de los niños a la familia, razón por la cual este derecho ha tenido un desarrollo jurisprudencial[297].

Sobre las anteriores bases, alguien podría sostener la tesis según la cual, al precisar lo beneficioso que resulta para los abuelos el contacto con sus nietos, lo querido por el Legislador fue extenderles la titularidad del *ius visitandi*. Pero, en nuestro criterio, tal aseveración sería mayúsculamente errada, pues, enseguida, se puede observar que la fundamentación normativa que sirvió de base para el proyecto de ley solo está relacionada con los derechos de los menores de edad. Puntualmente, conviene destacar la referencia al derecho a *tener una familia y no ser separado de ella* (presente en la Carta Política colombiana como en la Convención sobre los Derechos del Niño) y al derecho fundamental a la *familia*.

Ello no significa, desde luego, que la protección de los derechos de los niños y los adolescentes no pueda redundar en provecho de los abuelos.

---

[297]   *Ibidem.*

Y, por supuesto, tampoco implica que se desconozcan los derechos de los abuelos a tener su propia familia; hacerlo entrañaría una grosera inobservancia de la Convención sobre los Derechos Humanos. Simplemente se pretende demostrar que aquí no estamos ante el *ius visitandi* propiamente tal, sino ante la cumplida garantía del derecho de los menores de edad a *tener una familia y a no ser separados de ella*, derecho que, según se dejó precedentemente expuesto, es mucho más amplio que el *ius visitandi*.

Así pues, sin necesidad de escudriñar con mayor profundidad, fácilmente advertible resulta que la verdadera intención del Legislador, de acuerdo con lo explícitamente señalado en su exposición de motivos, fue facultar la legitimación procesal de los *abuelos* para solicitar la aplicación del derecho fundamental de los niños y adolescentes a *tener una familia y a no ser separados de ella*, por medio de la regulación de un sistema de contacto con sus *nietos*. En este aspecto se podría decir, con buen acuerdo, que el Parlamento recogió los planteamientos vertidos por la Corte Constitucional en la Sentencia T-428 de 2018, M.P. Carlos Bernal Pulido.

Pero se debe ser cuidadoso, puesto que no se puede afirmar, sin más, que el Congreso de la República trasladó los planteamientos jurisprudenciales al derecho positivo legislado colombiano. En realidad, la Ley 2229 de 2022 vino a ampliar ostensiblemente las subreglas de interpretación fijadas por la Corte Constitucional y la Corte Suprema de Justicia en las sentencias que se comentan *supra*. En efecto, conforme al criterio de la Jurisdicción, la legitimación procesal para iniciar el mal llamado trámite de *visitas* (que no lo es en estrictez) se encontraba acreditada si mediaba alejamiento o prohibición de un padre (que detenta la custodia) para que su hijo se relacionara, conociera y mantuviera contacto con sus abuelos, especialmente cuando su otro progenitor hubiera fallecido.

Empero, la nueva redacción del artículo 256 del Código Civil señala que es procedente para *abuelos* solicitar la regulación del especial régimen de contacto "cuando estos no tuvieren el cuidado personal de los nietos y nietas". Síguese de lo anterior que ya no es necesario acreditar el alejamiento de parte del padre (esta es la segunda causal que consagra el artículo), sino que basta con demostrar que los abuelos no detentan la custodia y cuidado personal de sus nietos.

Se podría pensar que se trata de un cambio menor. Al efecto, se argüiría que, en la práctica, los abuelos que soliciten la regulación de este régimen lo harán solo cuando uno de los progenitores, o ambos, aleje(n) o prohíba(n) el contacto con el nieto. Mas lo cierto es que, según el tenor literal de la ley, no es esa la exigencia; por manera que, cuando un abuelo que no detente la custodia sienta que el tiempo que pasa con su nieto no es suficiente, podrá solicitar que se asigne un régimen de contacto.

Así las cosas, resulta pertinente hacer un llamado a las autoridades jurisdiccionales y administrativas para que, en el marco de sus competencias, apliquen con cautela este nuevo mandato. Porque no es lo mismo fijar el régimen especial de contacto para unos abuelos que han sido alejados de su nieto por los padres, que proceder con la adjudicación del régimen cuando lo que ocurre es que los abuelos se sienten inconformes con el número de veces que frecuentan a su nieto en el mes.

Obviamente, no se desconoce que, como lo ordenan las normas convencionales, constitucionales y legales, siempre habrá de obrar como referente el interés superior del menor de edad (sobre este aspecto se volverá más adelante). Lo que se reclama es prudencia y ponderación, habida cuenta de que esta nueva habilitación podría entrañar un indeseable efecto dominó, así: los abuelos (maternos, por ejemplo) inconformes con el número de veces que ven a su nieto en el mes, solicitan que se fije un régimen de relaciones personales con su nieto; seguidamente, los otros abuelos (paternos, por ejemplo), al ver que los abuelos maternos se hicieron a esta posibilidad, reclaman un trato idéntico; y, por último, si los progenitores no cohabitan, el que no detente la custodia también acudirá a la misma vía. La situación se podría volver más insostenible si los abuelos (paternos y maternos) se encuentran divorciados.

En apoyo de nuestra sugerencia, conviene hacer notar que, en sus inicios, el proyecto que se convertiría en la Ley 2229 de 2022 incluía un artículo mediante el cual se adicionaba un ordinal al artículo 389 del Código General del Proceso, a cuyo tenor la sentencia que decrete la nulidad del matrimonio civil, el divorcio o la cesación de efectos civiles de matrimonio católico tenía que disponer la "[r]egula[ción de] las visitas con los abuelos paternos y maternos"[298]. Sin embargo, en buena hora el Informe para Tercer Debate en la Comisión Primera del Senado de la República, presentado por la senadora PALOMA SUSANA VALENCIA LASERNA, legible en la Gaceta del Congreso de la República número 1733 de 2021, sugirió su eliminación con el razonamiento que se transcribe a continuación:

> Se elimina este artículo, porque incluir como parte de estos procesos la regulación de visitas a favor de los abuelos implicaría ampliar el debate probatorio, con el objeto de determinar las garantías de la familia extensa y establecer las circunstancias de tiempo, modo y lugar para su desarrollo; lo cual, no

---

[298] *Ibidem.*

corresponde con el objeto de estos trámites (nulidad de matrimonio civil, cesación de efectos civiles y divorcio).

Se comprende que la finalidad de este artículo es que haya un escenario judicial en el que se tomen decisiones sobre el régimen de visitas entre abuelos y nietos. Es de anotar que con el artículo 1º de este Proyecto de Ley [se refiere a aquel por el cual se modificaba el artículo 256 del Código Civil) ya se posibilita que los ascendientes tengan la legitimidad para actuar en procesos que se tomen decisiones al respecto[299].

Con buen acuerdo, la Comisión Primera del Senado de la República atendió la sugerencia de la ponente y removió ese artículo del proyecto de ley, actuar que fue seguido por la Plenaria del Senado y posteriormente prohijado por la Comisión Accidental de Conciliación que se hubo de conformar.

Y es que el artículo propuesto era absolutamente inconveniente. Resulta perfectamente entendible que la sentencia que decrete la nulidad del matrimonio civil, el divorcio o la cesación de efectos civiles de matrimonio católico disponga sobre la custodia y cuidado personal, visitas (de los progenitores) y alimentos de los hijos de la pareja, puesto que, como insistentemente se ha hecho notar aquí, esas visitas se asignan como complemento de la custodia y cuidado personal. De igual forma, pretender que siempre, en este tipo de procesos, el juez debe fijar el régimen especial de contacto entre el nieto y los abuelos paternos y maternos implica, a más de la ampliación del debate probatorio denunciada por la Senadora VALENCIA, complejizar el sistema hasta el punto de tener sendas regulaciones que no son siempre requeridas.

En efecto, el rigor lógico que hemos trazado nos permite afirmar, sin asomo de duda, que el *ius visitandi* está estricta y celosamente reservado para los progenitores, de donde se deduce que, como complemento de la custodia y cuidado personal, sea natural la exigencia de que se fije el régimen de visitas en los litigios de que aquí se trata. Sin embargo, no corre la misma suerte el régimen especial de contacto entre los abuelos y el nieto, puesto que, como se dijo, si bien vivifica el derecho de este último a *tener una familia y a no ser separado de ella*, se trata de una causa independiente que no atañe a la finalización del vínculo de los progenitores y solo debe ser impetrada cuando verdaderamente se requiera.

En tal sentido, no se trata de convertir a los abuelos en nuevos padres, sino de ponderar el interés superior del menor de edad y protegerlo adecuadamente.

---

[299]   Gaceta del Congreso de la República número 1733 de 2021.

Aunado a lo expuesto, se estima necesario advertir una posible complicación derivada de esta loable iniciativa: la ampliación indiscriminada en la legitimación de los abuelos para solicitar la fijación del régimen especial de contacto con sus nietos podría poner en serio riesgo la utilidad práctica de la sanción prevista en el artículo 129 del Código de la Infancia y la Adolescencia, en virtud de la cual el progenitor que se encuentre en mora de satisfacer las mesadas alimentarias no será escuchado en el ejercicio del derecho de visitas. La razón, en extremo sencilla, obedece a que el progenitor incumplido, a quien no se le permita reclamar el cumplimiento del régimen de visitas (en otras palabras, el ejercicio de su *ius visitandi*), le podrá solicitar a sus padres (es decir, los abuelos) que exijan la fijación de un régimen especial de contacto con su nieto, a fin de burlar la sanción legal.

Naturalmente, en un caso semejante mal se podría pretender la aplicación extensiva de la sanción a los abuelos, habida cuenta de que los artículos 6° y 29 de nuestra Carta Política consagran, muy acertadamente, el principio de responsabilidad personal o, lo que es lo mismo, de intransmisibilidad de las penas. Por consiguiente, sería imposible rechazar la fijación del régimen especial de contacto entre *abuelos* y *nietos*, so pena de transgredir los más elementales principios sobre los que descansa nuestro Estado Social y Democrático de Derecho, incluso a pesar de que ello pueda implicar la burla impune de la sanción en comentario.

Otra es, en cambio, la situación de los *abuelos* que se encuentren atrasados con el pago de las mesadas en favor de sus *nietos*. En tal caso, estimamos que la sanción prevista en el artículo 129 del Código de la Infancia y la Adolescencia resulta plenamente aplicable, pues de la lectura de la preceptiva no se sigue condicionamiento o limitante alguno para el efecto. Y no se podría oponer el argumento de que, como aquí el derecho es del menor de edad, la sanción legal contraviene la normativa superior y deviene inaplicable. Para replicar a una tesis semejante, basta indicar que la mora en el pago de los alimentos entraña también el compromiso de varios de los derechos fundamentales de los niños y adolescentes, igualmente relevantes y que, en opinión de la Corte Constitucional, hacen la sanción plenamente válida. Véanse, al respecto, nuestros comentarios en la subsección II de la sección X del capítulo III de este tomo. Finalmente, se advierte que, respecto del nuevo parágrafo del artículo 256 del Código Civil, se formularán los comentarios pertinentes *infra*.

2. Características

1) El *ius visitandi* participa de la doble connotación de derecho (o potestad) y obligación.

2) Se trata, por excelencia, de una institución complementaria a la custodia y cuidado personal.

3) El *ius visitandi* es, sin asomo de duda, un derecho reservado a los padres. La razón para que así sea se desprende de lo previsto por los artículos 256 del Código Civil, 23 del Código de la Infancia y la Adolescencia y 5 y 42 de la Carta Política.

4) Según se vea, los hijos también pueden ser titulares del *ius visitandi*. Su fundamento estriba en el artículo 44 de la Carta Política y el párrafo 3º del artículo 9º de la Convención sobre los Derechos del Niño.

5) Si así se concluye, estaremos en presencia de un derecho familiar.

6) Es un *derecho de la personalidad*. RIVERO HERNÁNDEZ ha planteado la problemática de identificar como *derecho de la personalidad* al *ius visitandi*, no tanto por el alcance y contenido concreto de este último derecho, sino por la amplitud conceptual de los primeros que, en algunos casos, "coinciden con los derechos fundamentales (constitucionales) y otras [veces] son meros derechos muy ceñidos a la persona, vinculados directamente a la entidad de ésta y a sus proyecciones más inmediatas"[300]. Sin embargo, concluye que sí se trata de un *derecho de la personalidad*[301], por cuanto el *ius visitandi* supone una manifestación y proyección del derecho de y a la libertad de relación de la persona[302].

---

[300] FRANCISCO RIVERO HERNÁNDEZ. "La protección del derecho de visita por el Convenio Europeo de Derechos Humanos. Dimensión constitucional" en *Revista Derecho Privado y Constitución*, núm. 20, 2006, 338.

[301] Fue esta su afirmación en otro texto: "Basadas tales relaciones en los sentimientos más nobles, si alguna regulación jurídica merecieran debiera ser del orden de auténticos derechos de la personalidad, o a ese nivel, como algo tan ceñido a la propia persona y tan innegable que su reconocimiento a todo ser humano fuera independiente de otras calidades jurídicas, como las de padre o hijo". FRANCISCO RIVERO HERNÁNDEZ, *Derecho de visita*. (Barcelona: Ed. Bosch, 1997), 404.

[302] FRANCISCO RIVERO HERNÁNDEZ. "La protección del derecho de visita por el Convenio Europeo de Derechos Humanos. Dimensión constitucional", en *Revista Derecho Privado y Constitución*, núm. 20, 2006, 338.

7) Es un derecho personalísimo, pues no admite delegación, sustitución, venta o cesión[303]. Resulta impensable que el padre visitante delegara la visita en un tercero, como un amigo de él.

8) Su finalidad es la de salvaguardar la natural relación entre *padres e hijos*, impedir su desnaturalización, en orden a preservar la unidad familiar y la familia como principios básicos y fundantes de la sociedad.

9) Su esencia ha estado estructurada y cimentada, desde siempre, en el beneficio e interés superior del menor de edad. De ahí que, pese a que los padres son titulares del *ius visitandi*, éste admite suspensión, limitación o anulación cuando su ejercicio resulte abiertamente contrario a los intereses del hijo.

10) El derecho fundamental de los niños a tener una familia y a no ser separados de ella es mucho más amplio que el *ius visitandi* y comprende, además, la facultad de relacionarse con otros familiares distintos. Este derecho encuentra su fundamento en el artículo 8º de la Convención sobre los Derechos del Niño, pero no se debe confundir con el *ius visitandi* respecto de los padres, al que aquí se hace referencia, cuyo origen está dado por el artículo 9º, *ibidem*. La más clara manifestación del derecho de los menores de edad *a tener una familia y a no ser separados de ella* se encuentra en la legitimación conferida a los abuelos, por la Ley 2229 de 2022, para solicitar la fijación de un régimen especial de contacto con sus nietos.

11) El Tribunal Europeo de Derechos Humanos[304] y la Corte Interamericana de Derechos Humanos[305] han preferido aludir al derecho *a las relaciones personales*, que resulta muchísimo más amplio que las solas *visitas*. En nuestro sentir, basta con conferir la correcta conceptualización para preservar el nombre de *visitas*, en el entendido de que cobija tantos otros aspectos distintos de la exegética y fría "visita". Es algo similar a lo que ocurre con los *alimentos*, donde nadie duda que su extensión es mucho más amplia y abarca educación, vestuario, salud, recreación, alimentación propiamente tal, entre otras partidas.

---

[303] Véase a Roberto Suárez Franco, *Derecho de familia*, tomo II, 155.

[304] Cfr. Sentencias del Tribunal Europeo de Derechos Humanos, proferidas en los casos: (i) Zawadka vs. Polonia, del 23 de junio de 2005; (ii) Bove vs. Italia, del 30 de junio de 2005; y (iii) Reigado Ramos vs. Portugal, del 22 de noviembre de 2005.

[305] Cfr. Sentencia del 9 de marzo de 2018, proferida por Corte Interamericana de Derechos Humanos en el caso Ramírez Escobar y otros vs. Guatemala.

3. Admisibilidad de las visitas en el régimen de custodia compartida

Es frecuente oír, e incluso aquí se ha planteado, que las visitas son la institución recíproca y complementaria de la custodia. Así pues, en casos de custodia monoparental se reconoce la visita al otro progenitor como instrumento que facilite la comunicación y protección de los derechos de su hijo.

Pero forzosamente surge el interrogante sobre cuál es la situación de la visita, si cabe la figura, en tratándose de la custodia compartida. Desde luego, esa duda se abre paso porque, por un lado, ambos padres serán custodios, lo que parecería indicar que no hay lugar a visitas; mas, por el otro, la regulación de la custodia compartida puede ser tan diversa como se quiera, de manera que un hijo podría pasar temporadas largas —e incluso se han conocido decisiones judiciales que adjudican la custodia compartida por años— con uno de los padres, lo que haría lucir exótico que no se admitiera la visita del otro en casos como ese.

La discusión fue atajada, en buena hora, por la Corte Suprema de Justicia, mediante la Sentencia STC2717 de 2021, M. P. Luis Armando Tolosa Villabona. En su providencia, la Corporación conceptualizó las visitas conforme a lo previsto por el literal b) del artículo 5º del Convenio sobre Aspectos Civiles del Secuestro Internacional de Niños, en virtud del cual "[e]l 'derecho de visita' comprenderá el derecho de llevar al niño por un período de tiempo limitado a un lugar distinto al de la residencia habitual del niño". Seguidamente, contestó, con contundencia, el interrogante formulado en los párrafos que anteceden:

> Ahora, lo anterior no obsta para que se establezca un *régimen de visitas* en el caso de la custodia compartida, cuando esta se ha fijado por períodos largos e ininterrumpidos de convivencia con cada padre, caso en el cual el progenitor que no esté detentando temporalmente la custodia, tendrá derecho a frecuentar de manera habitual a su descendiente, conforme a lo acordado por las partes o lo determinado por la autoridad administrativa o judicial.

A pesar de la magnífica claridad de los planteamientos de la Corporación, resulta oportuna la formulación de una reflexión adicional. La providencia transcrita admite la compatibilidad de las visitas en el régimen de custodia compartida, "cuando esta se ha fijado por períodos largos e ininterrumpidos de convivencia con cada padre". Brota la natural complejidad de definir lo que significa un período "largo e ininterrumpido". Puede ser que, para alguna persona, estas características se cumplan cuando la custodia se asigne cada mes, pero para otra puede que se configuren las características si la custodia se asigna cada seis meses.

Creemos que nada obsta para que los progenitores o la autoridad competente, según sea el caso, establezcan las visitas cuando a bien lo tengan, siempre que con ello se mire y garantice el interés superior del menor de edad. En esa forma, incluso si la custodia compartida se fija de manera semanal, no se ven inconvenientes, si así lo estiman las partes o la autoridad, en función del hijo, para que haya visitas del padre que no convive con el hijo durante esa semana, por ejemplo, mediante la habilitación para recogerlo en el colegio un día y retornarlo a la casa del otro progenitor en la noche.

En definitiva, todo dependerá de cada caso específico, pues mal haría quien pretendiera establecer fórmulas sacramentales o inamovibles. Bastará con la constatación de las circunstancias fácticas para que se decida lo que mejor se avenga a las necesidades y al interés superior del niño.

4. Criterios a tener en cuenta en la regulación de las visitas

La premisa fundamental sobre la que descansa el régimen de visitas, según ya se indicó aquí, es el interés superior del niño o adolescente. En consecuencia, cual sucede en la determinación de la custodia, uno de los ingredientes esenciales para desvelar ese interés superior es oír al menor de edad. No hacerlo sería contrario a los postulados constitucionales y convencionales que ya se han decantado con suficiencia por la jurisprudencia.

Con esa perspectiva en mente, otros criterios que han sido plasmados por las Altas Cortes son los siguientes:

> (i) la existencia de claros riesgos para la vida, la integridad o la salud de los niños y niñas; (ii) los antecedentes de abuso físico, sexual o psicológico en la familia; (iii) en general todas las circunstancias frente a las cuales el artículo 44 de la Constitución impone la protección de la niñez, referido a 'toda forma de abandono, violencia física o moral, secuestro, venta, abuso sexual, explotación laboral o económica y trabajos riesgosos'[306] y, (iv) cuando los padres viven separados y debe adoptarse una decisión sobre el lugar de residencia[307][308].

La regla general será, sin lugar a duda, la fijación del régimen de visitas respectivo, porque con ello se garantiza la unidad familiar, la cumplida de-

---

[306] Sentencia de la Corte Constitucional T-012 de 2012, M. P. JORGE IVÁN PALACIO PALACIO.

[307] Sentencia de la Corte Constitucional T-887 de 2009, M. P. MAURICIO GONZÁLEZ CUERVO.

[308] Sentencia de la Corte Constitucional T-115 de 2014, M. P. LUIS GUILLERMO GUERRERO PÉREZ.

fensa y protección de los derechos fundamentales de los niños y adolescentes, así como la garantía convencional de no ser separados de sus padres. Mas habrá ocasiones en las que las circunstancias particulares puedan aconsejar que las visitas no se fijen o tengan un régimen restrictivo y limitado.

En particular, conviene tratar lo dispuesto por el parágrafo del artículo 256 del Código Civil, adicionado por el artículo 1° de la Ley 2229 de 2022, cuyo tenor es el siguiente:

> Parágrafo: El juez podrá negar o regular las visitas de progenitores o ascendientes en segundo grado de consanguinidad o segundo grado de parentesco civil por línea materna o paterna, cuando estos hayan sido condenados mediante sentencia ejecutoriada por la comisión de cualquier delito, incluso en casos de violencia intrafamiliar o delitos contra la libertad, integridad y formación sexuales. El juez también podrá regular las visitas respecto de progenitores o ascendientes en segundo grado por línea materna o paterna cuando estos cuenten con diagnósticos psiquiátricos que representen un peligro para la integridad de la niña, niño o adolescente.
>
> En ningún caso el victimario podrá ser titular del derecho de visitas a su víctima y los hermanos de esta. En todo caso, para la regulación de visitas se deberá atender al interés superior de la niña, niño o adolescente y al material probatorio del que disponga.

Principia la proposición normativa por indicar que el juez podrá *negar* o *regular* las visitas o el régimen especial de contacto, según el caso, a los padres o abuelos que hayan sido condenados mediante sentencia ejecutoriada por la comisión de cualquier delito, incluso en casos de violencia intrafamiliar o delitos contra la libertad, integridad y formación sexuales. Después, dispone que el juez tendrá que *negar* las visitas o el régimen especial de contacto, cuando el padre o abuelo que lo reclame sea el agresor y la reclamación se efectúe respecto de la víctima o los hermanos de ésta. Empero, en forma curiosa señala, a renglón seguido, que, en todo caso, para la regulación de visitas o el régimen especial de contacto se deberá atender al interés superior de la niña, niño o adolescente y al material probatorio del que disponga.

¿Significa esta última oración que el juez no debe *negar* las visitas o el régimen especial de contacto si verifica que, a pesar de que el padre o abuelo que lo reclame sea el agresor y la reclamación se efectúe respecto de la víctima o los hermanos de ésta, si así lo aconseja el interés superior del menor de edad? No vemos cómo sería posible que, en un evento como el descrito, el interés superior del niño o adolescente permitiera concluir la factibilidad de fijar las visitas o el régimen especial de contacto.

Inicialmente, el parágrafo fue añadido en la discusión de la Comisión Primera de la Cámara de Representantes y su tenor literal era el siguiente: "Parágrafo: En ningún momento el juez podrá regular visitas respecto de progenitores o ascendientes legítimos, cuanto estos han sido condenados por violencia intrafamiliar, abuso sexual y acto[s] sexuales"[309].

Más adelante, en el Informe de Ponencia para Segundo Debate, se propuso el texto que enseguida se transcribe:

> Parágrafo: En ningún momento el juez podrá regular visitas respecto de progenitores o ascendientes legítimos, cuando estos han sido condenados, mediante sentencia ejecutoriada, por violencia intrafamiliar, o por delitos contra la libertad, integridad y formación sexuales[310].

Fruto de la discusión en la Plenaria de la Cámara de Representantes, el parágrafo sufrió la modificación que se indica a continuación:

> Parágrafo: En ningún momento el juez podrá regular visitas respecto de progenitores o ascendientes, cuando estos han sido condenados, mediante sentencia ejecutoriada, por violencia intrafamiliar, o por delitos contra la libertad, integridad y formación sexuales. Así mismo el juez no podrá regular visitas respecto de progenitores o ascendientes legítimos, cuando estos cuenten con diagnósticos psiquiátricos oficiales que representen un peligro para la integridad del niño, niña o adolecente (SIC)[311].

Después, en el Informe de Ponencia para Tercer Debate, la versión propuesta del parágrafo fue mucho más cercana a la que finalmente se adoptaría en la Ley 2229 de 2022:

> Parágrafo: El juez podrá regular visitas supervisadas a los menores de edad respecto de sus ascendientes en segundo grado de consanguinidad o segundo grado de parentesco civil por línea materna o paterna, cuando estos hayan sido condenados mediante sentencia ejecutoriada por violencia intrafamiliar, o por delitos contra la libertad, integridad y formación sexuales.
>
> La supervisión deberá estar a cargo del Instituto Colombiano de Bienestar Familiar —ICBF—, o la autoridad que haga sus veces.
>
> En todo caso, para la regulación o no de estas visitas, se deberá atender al interés superior del niño, niña o adolescente.

---

[309]   Véase la Gaceta del Congreso de la República número 560 de 2021.
[310]   *Ibidem.*
[311]   Véase la Gaceta del Congreso de la República número 1027 de 2021.

La explicación ofrecida por la Senadora VALENCIA, ponente, fue la siguiente:

"Si bien se comprende la redacción del parágrafo aprobado en Cámara, cual es la necesidad de proteger a los niños de escenarios de violencia y en los que resulten vulnerados sus derechos a la integridad, la libertad y la formación sexual, se estima que los términos en que se propone cumplir dicha finalidad puede resultar atentatorio de otro de sus derechos fundamentales: el tener una familia y no ser separado de ella.

Al respecto, es importante tener en cuenta que la Corte Constitucional, en la Sentencia C-720 de 2007, afirmó:

'ningún órgano o funcionario público puede restringir los derechos fundamentales sino cuando se trata de una medida estrictamente necesaria y útil para alcanzar una finalidad constitucionalmente valiosa y cuando el beneficio en términos constitucionales es superior al costo que la restricción apareja. Cualquier restricción que no supere este juicio carecerá de fundamento constitucional y, por lo tanto, debe ser expulsada del mundo del derecho. (...)

Es importante anotar que las autoridades judiciales y administrativas que toman decisiones sobre la garantía de derechos de NNA deben actuar, en todo momento, aplicando el principio del interés superior de los menores de edad. Y, en ese sentido, en casos como los contemplados, tendrá que considerar cuál es la mejor decisión para garantizar tanto el derecho a tener una familia y no ser separado de ella y el derecho a tener una vida libre de todo tipo de violencia. De ahí entonces que se proponga una redacción en tal sentido'[312].

Finalmente, en la discusión de la Comisión Primera del Senado de la República se alteró el texto para dejarlo como finalmente quedó establecido en la ley.

El anterior recuento es capital para comprender que, con buen acuerdo, el Parlamento se abstuvo de rechazar la negativa absoluta para fijar las visitas o el régimen especial de contacto, según el caso, cuando el solicitante fuera el sujeto activo de los delitos allí señalados. Tan importante matiz evoca, muy apropiadamente, el condicionamiento efectuado por la Corte Constitucional en relación con la causal de privación de la patria potestad referida a la pena de prisión de más de un año impuesta al padre.

También, en forma acertada, se reformó el parágrafo para admitir la posibilidad de que el juez fije visitas o régimen especial de contacto a los solicitantes con diagnósticos psiquiátricos que representen un peligro para la integridad de la niña, niño o adolescente. En tales casos, como es obvio, lo más probable es que las visitas o el régimen especial de contacto contemplen la vigilancia de terceros.

---

[312]   *Ibidem.*

Por último, la proscripción de fijar visitas o régimen especial de contacto a los solicitantes agresores respecto de su víctima o los hermanos de ella es también armónica con el condicionamiento efectuado por la Corte Constitucional en relación con la causal de privación de la patria potestad referida a la pena de prisión de más de un año impuesta al padre. Quizás la explicación de la última oración, que parece más contradictoria que aclaratoria, se encuentra en los planteamientos vertidos por la senadora VALENCIA en su informe, al sugerir la modificación del parágrafo. Insistimos, sin embargo, en que no se aprecia fácilmente cómo el interés superior del menor de edad podría aconsejar la fijación de visitas o régimen especial de contacto entre la víctima y su agresor. Acaso, pero con muchas reservas, se podría imaginar algún escenario respecto de los hermanos que no hayan convivido con la víctima.

5. Cumplimiento del régimen de visitas

Una de las preocupaciones más relevantes en relación con el régimen de visitas es la relacionada con su efectivo cumplimiento. En ocasiones, la inconformidad se origina porque el otro progenitor impide el ejercicio de las visitas por quien tiene derecho a ellas. En otras oportunidades, la molestia se configura porque el padre que detenta el *ius visitandi* no ejerce su potestad-obligación en forma oportuna y cumplida. A continuación se analizan cada una de estas preocupaciones:

A. Supuesto en el que uno de los padres impide las visitas del otro

La hipótesis de más frecuente ocurrencia es aquella en la que uno de los padres impide las visitas del otro. Pese a las muy variadas raíces que se pueden hallar, normalmente la situación que origina este supuesto es la deficiente y malograda comprensión que los padres tienen de su rol como tales.

No hace falta recordar lo que ya se ha expuesto con insistencia, en relación con la lamentable situación en la que caen varios progenitores de considerar que la mejor forma de desquitarse del otro, con quien terminaron la relación afectiva de la cual germinó su retoño, es mediante la manipulación de los hijos o la obstaculización del régimen de visitas. La solución a tan deleznable actitud, que principalmente lacera los derechos de los menores de edad, ha sido abordada desde distintas ópticas, debido a que no hay un procedimiento claramente definido. Veamos:

A'. La acción de tutela

Bajo el entendido de que las visitas hallan su razón de ser en el bienestar del hijo, específicamente prohijado por el artículo 44 Superior y el artículo 9° de la Convención sobre los Derechos del Niño, se ha pretendido acudir a la acción de tutela cuandoquiera que uno de los padres impide u obstaculiza el ejercicio del *ius visitandi* por el otro.

El artículo 86 de la Carta Política colombiana enseña que

> [t]oda persona tendrá acción de tutela para reclamar ante los jueces, en todo momento y lugar, mediante un procedimiento preferente y sumario, por sí misma o por quien actúe a su nombre, la protección inmediata de sus derechos constitucionales fundamentales, cuandoquiera que éstos resultaren vulnerados o amenazados (…)

Si a ello se aúna que el derecho de los niños a tener una familia y a no ser separados de ella recibe la connotación de *fundamental*, según lo dispuesto por el artículo 44, *ibidem*, al tiempo que el párrafo 3° del artículo 9° de la Convención sobre los Derechos del Niño, que integra el bloque de constitucionalidad, protege el derecho de los niños a no ser separados de sus padres, parecería claro que el mecanismo idóneo para el cumplimiento de las visitas es la tutela.

Tal visión fue admitida en una época por la Corte Constitucional, Corporación que conoció y resolvió controversias relacionadas con la materia. A manera de ejemplo, es posible citar la Sentencia T-012 de 2012, M. P. JORGE IVÁN PALACIO PALACIO, en la que se debatía la injusta privación del régimen de visitas a que habían sido sometidos un padre y su hijo, por parte de la madre que detentaba la custodia.

De la misma forma, al analizar si el tipo penal de "ejercicio arbitrario de custodia" (SIC) se ajustaba a la carta política, el Tribunal Constitucional fue contundente al afirmar que "[i]rrespetar el régimen de visitas u obstaculizar su realización, es una conducta nociva para el niño y para su familia, de esto no hay duda. Al afectar derechos fundamentales, frente a tal conducta este tribunal no ha vacilado en sostener que procede la acción de tutela"[313].

Pero la visión de la Corte cambió en Sentencia T-431 de 2016, M. P. MARÍA VICTORIA CALLE CORREA. En la providencia se recordó que el artículo 86 de la carta política y el Decreto reglamentario 2591 de 1991 tienen establecidos varios requisitos para la procedibilidad de la tutela, como son (i) la legitima-

---

[313]   Sentencia C-239 de 2014, M. P. MAURICIO GONZÁLEZ CUERVO.

ción por activa; (ii) la legitimación por pasiva; (iii) la trascendencia iusfundamental del asunto; (iv) el agotamiento de los mecanismos judiciales disponibles, salvo la ocurrencia de un perjuicio irremediable (subsidiariedad); y (v) la evidente afectación actual de un derecho fundamental (inmediatez).

En específico, para el asunto se ocupó del cuarto requisito, sobre la subsidiariedad. Luego de un detenido análisis, la Corporación consideró que la sentencia que había fijado las visitas era susceptible de hacerse cumplir mediante un proceso ejecutivo —sobre esto se volverá en los próximos títulos—, por lo que sí había mecanismos judiciales disponibles, de los que no había hecho uso el demandante.

Importa destacar, sin embargo, que la decisión de la Corte Constitucional no significa que se haya cerrado la puerta a la acción de tutela para lograr el cumplimiento del régimen de visitas, porque el requisito de la subsidiariedad es superable cuando se esté en presencia de un perjuicio irremediable. Lo que ocurre es que en el caso analizado no hubo tal y, consiguientemente, no le estaba dado al juez constitucional desplazar al juez natural.

En efecto, la alternativa de encauzar el trámite por vía de una demanda ejecutiva ya había sido antes estudiada por la Corporación, en Sentencia T-115 de 2014, M. P. Luis Guillermo Guerrero Pérez. Empero, en esa ocasión el Tribunal encontró acreditado que el proceso ejecutivo no era un mecanismo idóneo para la garantía del derecho fundamental allí discutido, por lo que se ocupó de resolver la controversia de fondo. Veamos:

> 3.2.2.3. Por otra parte, de conformidad con los artículos 422 y 426 del Código General del Proceso, se advierte que en principio el proceso ejecutivo sería otra alternativa para garantizar que la sentencia judicial mediante la cual se fijó el régimen de visitas se cumpla y de esta manera el peticionario pueda entrevistarse satisfactoriamente con sus hijos. Sin embargo, cuando se trata de casos en los que se encuentran involucrados los derechos de niños y niñas, como sujetos de especial protección constitucional, el juez debe evaluar con especial atención la idoneidad y la eficacia del medio ordinario para determinar si el mismo puede garantizar el principio *pro infans*. Lo anterior, por cuanto además de los derechos del peticionario, se encuentran comprometidos los derechos de sus hijos, dos niños, merecedores de una particular protección por la familia, la sociedad y el Estado.

> 3.2.2.3.1. Al analizar esta última opción, aún cuando el peticionario no ha acudido al Juez de Familia para presentar demanda ejecutiva, esta Sala advierte que tampoco sería el mecanismo idóneo y eficaz para lograr el cumplimiento del régimen de visitas frente al comportamiento de la demandada, pues está visto que las órdenes del propio Juez II Promiscuo de Familia de Zipaquirá, quien sería el juez de la ejecución, han sido desatendidas por *Patricia*, razón por la que se han demostrado ineficaces frente a la pretensión del accionante.

B'. El proceso ejecutivo

Como se dijo, la Corte Constitucional, en Sentencia T-431 de 2016, M. P. María Victoria Calle Correa, puso en práctica el planteamiento que había sido vertido en la Providencia T-115 de 2014, M. P. Luis Guillermo Guerrero Pérez, en el sentido de reiterar que el cumplimiento de providencias judiciales o acuerdos relativos a visitas se podía alcanzar mediante un proceso ejecutivo, con lo cual se disponía de un medio judicial para idóneo para garantizar el cumplimiento del derecho conculcado y se hacía improcedente la tutela por incumplimiento del requisito de subsidiariedad. Dijo la Corporación:

> 5.2. Aclarado que no se trata de cuestionar la medida judicial sino de procurar su ejecución, la Sala precisa que el mecanismo idóneo para perseguir el cumplimiento del régimen de visitas fijado por el Juez Primero de Familia de Cúcuta es el proceso ejecutivo, el cual puede adelantarse ante el mismo juez para ser tramitado dentro del mismo expediente del proceso verbal en los términos del artículo 306 del Código General del Proceso[314].

> En el expediente se evidencia que el señor *Manuel* luego de que se dictara la sentencia que establecía el régimen de visitas por el Juez Primero de Familia de Cúcuta, le informó acerca del incumplimiento del mismo por parte de *Cecilia*[315], sin embargo no inició el proceso ejecutivo con el fin de obtener el

---

[314] El artículo 306 del Código General del Proceso dispone: "EJECUCIÓN. Cuando la sentencia condene al pago de una suma de dinero, a la entrega de cosas muebles que no hayan sido secuestradas en el mismo proceso, o al cumplimiento de una obligación de hacer, el acreedor, sin necesidad de formular demanda, deberá solicitar la ejecución con base en la sentencia, ante el juez del conocimiento, para que se adelante el proceso ejecutivo a continuación y dentro del mismo expediente en que fue dictada. Formulada la solicitud el juez librará mandamiento ejecutivo de acuerdo con lo señalado en la parte resolutiva de la sentencia y, de ser el caso, por las costas aprobadas, sin que sea necesario, para iniciar la ejecución, esperar a que se surta el trámite anterior. ‖ Si la solicitud de la ejecución se formula dentro de los treinta (30) días siguientes a la ejecutoria de la sentencia, o a la notificación del auto de obedecimiento a lo resuelto por el superior, según fuere el caso, el mandamiento ejecutivo se notificará por estado. De ser formulada con posterioridad, la notificación del mandamiento ejecutivo al ejecutado deberá realizarse personalmente".

[315] Fotocopia de un escrito en donde se narra el incumplimiento del régimen de visitas es visible a folios 118 al 120, con fecha del dieciocho (18) de diciembre de dos mil catorce (2014) y dirigido al juez primero de familia de Cúcuta. A folios 128 al 130 obra fotocopia de un memorial en donde se reitera lo anterior, fechado el catorce (14) de enero de dos mil quince (2015), y a folio 142 aparece fotocopia de un escrito del tres (3) de febrero de dos mil quince (2015) a través del cual el

cumplimiento de lo decidido, de conformidad con los artículos 422, 426 y 433 del Código General del Proceso, que en su orden regulan el título ejecutivo, la ejecución por obligación de hacer y el procedimiento a seguir cuando la obligación a ejecutar es de hacer, pese a que el Juez le indicó *'que en [esa] clase de procesos de única instancia, la Ley señala el mecanismo a seguir'*[316][317].

Sin embargo, la Corte Suprema de Justicia no participa de la tesis de que el proceso ejecutivo sea el mecanismo idóneo para la protección del derecho fundamental que vulnerado,

pues, por un lado, si bien la institución de las visitas puede ser equiparada a una obligación de hacer, esta, por las vicisitudes que ya dijimos pueden presentarse, difícilmente podría el juez de familia forzar su cumplimiento, pues, hasta en la hipótesis más simple, cual es la del deudor que se niega a ello, no habría la más mínima posibilidad de dar aplicación a lo previsto en el numeral 3° del artículo 433 del citado Estatuto Procesal, alusiva a que '[c]uando no se cumpla la obligación de hacer en el término fijado en el mandamiento ejecutivo y no se hubiere pedido en subsidio el pago de perjuicios, el demandante podrá solicitar, dentro de los cinco (5) días siguientes al vencimiento de dicho término, que se autorice la ejecución del hecho por un tercero a expensas del deudor; así se ordenará siempre que la obligación sea susceptible de esa forma de ejecución. Con este fin el ejecutante celebrará contrato que someterá a la aprobación del juez', en razón a que a más que al ejecutante no le interesa el pago de unos perjuicios sino tener contacto con su hijo, la sola

---

señor Manuel le solicita al juez que "[…] se sirva pronunciar de manera concreta sobre [su] petición de fecha 14 de Enero de 2014 en la cual solicit[ó] se haga entrega por parte [del] despacho de la manera que estime más conveniente de [su] hijo menor [MATEO], lo anterior de conformidad a lo establecido en el art. 337 del C.P.C., así cumplir con [la] resolución judicial de fecha 2 de Diciembre de 2014". A folio 147 aparece fotocopia de una providencia del juez primero de familia de Cúcuta del diez (10) de febrero de dos mil quince (2015), en donde se le recuerda al accionante "que en esta clase de procesos de única instancia, la Ley señala el mecanismo a seguir". En igual sentido se pronunció el dieciocho (18) de agosto de dos mil quince (2015), recordando que el proceso se encontraba archivado (folio 168). En la consulta del proceso bajo el número de radicación 54001311000520130020000, realizada en la página de la Rama Judicial, se verificó que el dos (2) de diciembre de dos mil catorce (2014) se emitió sentencia de única instancia a través de la cual no se accede a la pretensión principal y se reglamentan las visitas. Se indica que se archiva (folio 17 del expediente de revisión).

[316]   Folio 147. También pueden ser consultadas las anotaciones del proceso bajo el número de radicación 54001311000520130020000, con fechas del dieciocho (18) de agosto y veinticinco (25) de agosto de dos mil quince (2015).

[317]   Sentencia de la Corte Constitucional T-431 de 2016, M. P. María Victoria Calle Correa.

idea de autorizar a un tercero resulta totalmente ilógica y descabellada, por lo perjudicial o inconveniente que puede resultar para el infante involucrado[318].

En opinión de esta Corporación, el mecanismo idóneo es el incidente de cumplimiento, a cuyo estudio nos abocamos enseguida.

C'. El incidente de cumplimiento

En Sentencia T-115 de 2014, M. P. Luis Guillermo Guerrero Pérez, la Corte Constitucional indicó que,

> cuando no se trata de cuestionar la medida judicial sino su ejecución, la Sala comprende que la cláusula general de competencia otorgada a las autoridades de familia para resolver los conflictos relacionados con el ejercicio de los derechos derivados de la patria potestad, puede cobijar aquellos que involucren la ejecución del régimen de visitas, permitiendo que los interesados acudan a solicitar el cumplimiento del mismo a través de requerimientos u otras medidas de protección.

Con apoyo en esa afirmación, la Corte Suprema de Justicia empezó a delinear el mecanismo judicial que le parecía más idóneo para proteger el derecho fundamental de los niños y adolescentes, cuandoquiera que se trunque u obstaculice el régimen de visitas debidamente acordado. Así, mediante Sentencia STC11867 de 2016, M. P. Álvaro Fernando García Restrepo, la Corporación tuteló el derecho de un padre, a quien el Juzgado de Familia le había rechazado su solicitud de tomar medidas de cara al incumplimiento del régimen de visitas ordenado por providencia de ese despacho, bajo el argumento de que había otros mecanismos sancionatorios. Al respecto, sostuvo la Corte:

> 3.2. Luego entonces, atendiendo los referidos lineamentos, si bien penalmente existen una serie de sanciones, tal y como lo expuso el Juzgado aludido por el ejercicio arbitrario de la patria potestad, lo cierto es que estas penalidades se deben tener como un mecanismo alterno para hacer efectivos los derechos de los infantes, pues lo cierto que a más del mandato de citado en precedencia, la referida codificación estipula una corresponsabilidad de todas las autoridades en la garantía de las prorrogativas de los menores, de allí que era del caso tomar las medidas pertinentes con el acompañamiento de todas las entidades involucradas en la protección de aquéllos, para que de una manera

---

318   Sentencia de la Sala de Casación Civil de la Corte Suprema de Justicia STC17234 de 2017, M. P. Álvaro Fernando García Restrepo. Esta providencia fue luego reiterada en Sentencia STC6990 de 2018, M. P. Ariel Salazar Ramírez.

integral[319] se cumpla o se modifique el régimen de visitas establecido en pretérita oportunidad, siendo necesaria entonces, la apertura de un incidente con el fin de verificar esa puntual temática.

En ocasión posterior, luego de indicar que se apartaba de las consideraciones de la Corte Constitucional sobre el particular, la Corte Suprema de Justicia reiteró sus planteamientos y los profundizó en mayor grado. Así se lee en la Sentencia STC17234 de 2017, M. P. Álvaro Fernando García Restrepo, luego reiterada por la Sentencia STC6990 de 2018, M. P. Ariel Salazar Ramírez:

> Criterio que no solo en esta ocasión se reitera, sino que se refuerza y profundiza por parte de la Sala, pues, indudablemente, aunque puedan coexistir otras acciones de índole sancionatorio[320], que no en todos los casos llegan a coaccionar al padre o madre incumplido, si en cuenta se tiene que, por un lado, muchas veces las peculiaridades de la situación no se logran enmarcar en los presupuestos para su adelanto, impulso o tramitación[321], y por otro, estas mismas circunstancias en algunas ocasiones pueden tornar inoperante la realización de las visitas[322], lo cierto es que, para la Corte, acudir directamente al juez de familia que las reglamentó, resulta ser el mecanismo más efectivo para hacer respetar o cumplir el régimen impuesto, cuando, claro está, no se controvierte éste[323], en la medida que, como se expuso, dicha autoridad tiene el deber constitucional y legal de proteger, antes que el derecho del progenitor a tener contacto con su hijo, la prerrogativa *ius fundamental* del menor a tener una familia y no ser separado de ella, en prevalencia de su interés superior, competencia que viene dada por la ley[324], la cual debe ser interpretada a la luz de los tratados internacionales ratificados por Colombia en la materia y los principios que la orientan.

---

[319]   Entiéndase acompañamiento médico, psicológico, familiar directo no solo de la menor, sino de los padres biológicos.

[320]   Demanda ejecutiva, denuncia penal (Ejercicio arbitrario de la custodia de hijo menor–Fraude a resolución judicial) y querella administrativa (restablecimiento de derechos).

[321]   Por ejemplo, cuando la autoridad competente determina que la conducta denunciada no encuadra en el tipo penal que se imputa.

[322]   Piénsese en los casos donde se alegue como factores de desatención violencia intrafamiliar y abuso o actos sexuales abusivos frente a los menores por parte del progenitor (padre o madre) que tiene derecho a las visitas.

[323]   Ya que, en caso contrario, **lo que procede es su modificación o la definición de uno nuevo a través de otro proceso.**

[324]   Ya la guardiana de la Carta Política se había referido al respecto, en los siguientes términos: "*Aclarado que no se trata de cuestionar la medida judicial sino su ejecución, la Sala comprende que la cláusula general de competencia otorgada a las autoridades de familia para resolver los conflictos relacionados con el ejercicio de los derechos derivados de la patria potestad, puede cobijar aquellos que involucren la ejecución del régimen de visitas, permitiendo que los interesados acudan a solicitar el cumplimiento del mismo a través de requerimientos u otras medidas de protección*" (C.C. T-115/14).

Después de esas consideraciones, la Corte Suprema de Justicia concluyó que

> el competente para hacer cumplir el régimen de visitas impuesto a través de decisión judicial, es el juez de familia que la profirió, quien previo trámite incidental donde escuchara a las partes y decretará las pruebas que estime necesarias, adoptará las medidas que sean conducentes para su cumplimiento, según su sensato juicio[325].

Queda únicamente por definir si este mecanismo es también procedente para exigir el cumplimiento del régimen de visitas acordado extrajudicialmente.

En favor de esta tesis, sería posible argumentar que la opinión de la Corte Constitucional en Sentencia T-115 de 2014, antes transcrita, da una textura abierta a la interpretación que hace de la competencia asignada a los jueces de familia en torno a la resolución de conflictos relacionados con el ejercicio de los derechos derivados de la patria potestad. En efecto, en su providencia se limitó a afirmar que tal habilitación "puede cobijar aquellos [conflictos] que involucren la ejecución del régimen de visitas, permitiendo que los interesados acudan a solicitar el cumplimiento del mismo a través de requerimientos u otras medidas de protección" (subrayado propio).

De lo anterior se podría colegir que, en tratándose de acuerdos privados, también cabría la posibilidad de solicitar su ejecución o cumplimiento por vía de solicitud formulada al juez. Naturalmente, sería necesario radicar la solicitud en el reparto, con miras a que se sortee y entregue a cualquier juez de familia del circuito correspondiente, pues ninguno tiene fuero de atracción porque se parte de la base de que jamás ha habido pronunciamiento judicial.

En contra de esta posibilidad se podría argumentar que todos los casos que se han resuelto han tenido por objeto la ejecución y cumplimiento del acuerdo de visitas fijado previamente por un juez de familia. Es por ello por lo que la Corte Suprema de Justicia alude, en términos más sofisticados que los consignados por la Corte Constitucional en su providencia, a un "incidente de cumplimiento". Como es evidente, el trámite incidental supone que haya un expediente abierto para poderse tramitar.

---

[325]   Esta postura además garantiza que no se judicialice aún más el enfrentamiento o disputa que pueda existir entre los padres, sino que aboga por que se dé una solución a la problemática que se presente, a través del funcionario que en pretérita oportunidad con su decisión garantizó las garantías superiores que le asisten al menor objeto de las visitas.

Por la solidez lógica de la argumentación, adscribimos a la tesis de que no es posible iniciar la solicitud de cumplimiento cuando el acuerdo se ha celebrado privadamente entre las partes. En tal caso, creemos que se habrá de acudir a otra vía, como por ejemplo el juicio ejecutivo prohijado por la Corte Constitucional.

D'. La denuncia por fraude a resolución judicial

Esta alternativa escapa a la órbita civil y se ubica dentro del contexto penal. En realidad, no es un medio idóneo para proteger el derecho de los niños y adolescentes a tener una familia y a no ser separados de ella, puesto que, de un lado, las investigaciones en la Fiscalía General de la Nación pueden tardar demasiado tiempo en rendir frutos y, por el otro, las particularidades propias del régimen de visitas, cuyo cumplimiento es de tracto sucesivo y constante, pueden hacer que cualquier elemento torpedee la definición de la situación jurídica. Sin embargo, que no se trate de un método expedito y que su buen término sea difícil no significa que no se deba emplear como figura adicional a los demás medios de control.

Pues bien, señala el artículo 454 del Código Penal: "Artículo 454. Fraude a resolución judicial. El que por cualquier medio se sustraiga al cumplimiento de obligación impuesta en resolución judicial, incurrirá en prisión de uno (1) a cuatro (4) años y multa de cinco (5) e cincuenta (50) salarios mínimos legales mensuales vigentes".

Fluye de la simple lectura que el presupuesto cardinal para la configuración de la conducta punible es la existencia de una "resolución judicial". Por tanto, será necesario, para efectuar la denuncia, que el régimen de visitas haya sido establecido por un juez de familia.

E'. La solicitud ante el Instituto Colombiano de Bienestar Familiar

El Instituto Colombiano de Bienestar Familiar expuso, en Concepto 111 de 2017, lo siguiente:

> [C]on el fin de que se conmine al cumplimiento de las obligaciones derivadas del acta de conciliación o la sentencia judicial según corresponda y se coordine con las demás entidades competentes, tales como la Fiscalía General de la Nación, para que investigue la posible comisión de delitos y la Policía Nacional, para que, en casos de limitación de los derechos de custodia y visitas, procedan al rescate del niño, niña o, adolescente.
>
> En Sentencia de 28 de enero de 2016, el Consejo de Estado en sede de tutela, manifestó sobre la competencia de los Defensores de Familia en estos asuntos, lo siguiente:

'Cabe recordar que en el Código de la Infancia y la Adolescencia se establecieron los mecanismos necesarios para garantizar que las medidas dispuestas por las Autoridades de familia sean eficaces, pues el Sistema de Bienestar Social está compuesto por todos los organismos y entidades del Estado en virtud del principio de responsabilidad y, especialmente, por los Defensores y Comisarios de Familia, los Jueces de Familia, la Policía Nacional y el Ministerio Público que, a su vez, está conformado por la Procuraduría General de la Nación, la Defensoría del Pueblo y las Personerías Distritales y Municipales, de conformidad; con lo dispuesto en los artículos 79, 83, 88 y 95 de la Ley 1098 de [2006].

En ese orden de ideas, el ICBF, a través de los Defensores de Familia competentes, en este asunto deben realizar las gestiones pertinentes para que tas demás autoridades colaboren en garantía del cumplimiento de los acuerdos para el cuidado de la menor que previamente realizaron. Al respecto, debe precisarse que, tanto la Policía Nacional como la Procuraduría General de la Nación estén facultados para coadyuvar en el referido acatamiento'[326][327].

B. Supuesto en que el titular de las visitas no ejerce su potestad-obligación

El escenario en que el titular de las visitas no ejerce su potestad-obligación es bastante infrecuente, aunque igualmente grave. En este caso se presenta un problema con mayores complejidades para ser resuelto, habida cuenta de que no se trata de una voluntad truncada sino de la pasividad o inactividad en el ejercicio de un derecho.

Sería posible acudir a las vías antes descritas, puesto que la obligación de los padres no cesa por su simple voluntad. Recuérdese que, por un lado, la progenitura responsable halla su origen en la Carta Política y, por el otro, el *ius visitandi* o el derecho de tener una familia y no ser separado de ella, según se quiera ver, es un derecho fundamental de los hijos. Este último derecho se socava gravemente con la inobservancia del régimen pactado y, como consecuencia de lo anterior, es factible que se pueda llegar a configurar abandono susceptible de ser sancionado con la privación de la patria potestad, entre otros.

---

[326]   Consejo de Estado, Sala de lo Contencioso Administrativo, Sección Segunda, Subsección B., enero 26 de 2016.

[327]   Concepto del Instituto Colombiano de Bienestar Familiar número 111, del 19 de septiembre de 2017.

6. Modificación del régimen de visitas

Es preciso indicar, en primer término, que las visitas se pueden regular por los mismos procedimientos explicados para la fijación de la custodia (véase el literal A del punto 5 de la subsección IV de la sección III de este capítulo). Sobre esa base, es posible que se presenten diversos escenarios:

1) En tratándose de acuerdos privados sobre visitas, su modificación se puede realizar mediante acuerdo privado, conciliación extrajudicial ante las autoridades de familia competentes o proceso judicial.

2) Respecto de los acuerdos alcanzados mediante conciliación, el Instituto Colombiano de Bienestar Familiar expuso lo siguiente en Concepto 018 de 2018:

> [S]i bien no existe norma que prohíba la modificación de regímenes de (…) visitas (…) fijados por conciliación, a través de acuerdo privado, dado que es un asunto en esencia conciliable, se considera que en virtud de la coherencia y seguridad jurídica que debe predicarse de las obligaciones a favor de los niños, niñas y adolescentes y dado que a través de ello se garantizan derechos fundamentales tales como el cuidado y los alimentos, es recomendable que las modificaciones de común acuerdo, se realicen por el medio por el cual se fijó en primer lugar esto es, vía conciliación extrajudicial.

Naturalmente, en estos casos, ante ausencia de conciliación, será procedente solicitar la modificación mediante proceso judicial.

3) Los regímenes de visitas fijados por sentencia judicial solo son susceptibles de modificación por medio de otra sentencia judicial. Al respecto, se debe recordar que estos procesos, por su naturaleza, no hacen tránsito a cosa juzgada material, por lo que siempre es posible intentar nuevas causas judiciales cuando medien hechos y circunstancias que ameriten la variación.

7. Suspensión o privación del régimen de visitas

El régimen de visitas puede ser suspendido o finalizado, cuandoquiera que se acredite que el padre visitante entraña un riesgo indiscutible para el interés superior del niño o adolescente. Empero, esta medida es de naturaleza absolutamente excepcional, puesto que solo procede cuando esté plena y absolutamente demostrada la amenaza o peligro que entraña el padre para la garantía de los derechos del niño o adolescente.

La Corte Suprema de Justicia no ha sido en absoluto extraña a esta situación. En Sentencia STC2017 de 2021, M. P. AROLDO WILSON QUIROZ

MONSALVO, la Corporación se refirió a la temática con planteamientos que, por su elevada importancia, se transcriben a continuación:

> Ciertamente, la referida privación de visitas debía ser el último mecanismo por el que se debía propender, atendiendo las graves consecuencias que conlleva dicha separación, mas cuando, tal como quedó reseñado, deben primar los derechos de los niños a tener una familia y no ser distanciados de ella, al punto que nuestro legislador le ha otorgado al fallador facultades ultra y extra petita cuando sea necesario brindar una protección adecuada al menor y prevenir controversias futuras.
>
> Es de advertirse que si bien el análisis efectuado en la providencia criticada pretende el restablecimiento de las relaciones familiares a través de la valoración, tratamiento y seguimiento del menor con su padre, así como de los progenitores por parte del ICBF, y su posterior acercamiento, lo cierto es que con la disposición de suspensión inmediata y provisional de las visitas se afianza el distanciamiento del accionante con su hijo, máxime teniendo en cuenta el tiempo transcurrido desde que se adoptó dicha determinación a la fecha actual.
>
> En ese orden, también destaca la Sala que no se desconocen las manifestaciones del menor, pero frente a ello se advierte que la medida provisional adoptada no resulta acorde a lo reseñado, en tanto que además de que el vínculo afectivo entre el progenitor y su descendiente es determinante en la formación, desarrollo y consolidación de la personalidad e identidad de este último, debía existir una certeza en cuanto a si dicha medida era la adecuada teniendo en cuenta el entorno, desarrollo y edad en la que se encuentra el niño, pues un desarraigo prolongado puede causar problemas irreversibles.
>
> Por consiguiente, la prerrogativa superior del menor a tener contacto con su padre, no debe estar determinada por el conflicto presentado entre sus progenitores, ni del choque de sus derechos e intereses, a mas (SIC) que no existe probanza certera alguna que imponga la restricción de tales visitas, por lo que se dispondrá que el estrado acusado adopte las medidas tendientes a rehabilitar de manera inmediata las relaciones paterno-filiales, con apoyo del Instituto Colombiano de Bienestar Familiar y con la asistencia permanente del equipo interdisciplinario del mismo.
>
> De igual forma, se dispone que en virtud de las mencionadas facultades y con apoyo de los respectivos especialistas, el fallador acusado indague y verifique si se presentó el denominado síndrome de alienación parental alegado por el accionante, con miras a emitir una decisión ajustada a la realidad, entorno y contexto atrás señalados.

Con tan nítida exposición, la Corte Suprema de Justicia dejó sentada una irrefutable premisa: la privación o suspensión de las visitas no deben ser tomadas a la ligera, sino que se erigen como *última ratio* en cualquier proceso. En tratándose de menores de edad, es indiscutible que el transcurso del tiempo sin que tengan contacto con sus progenitores configura un daño irreversible, porque contribuye decididamente al distanciamiento y la atenuación de las relaciones interpersonales que se encuentran protegidas por la Carta Política y los Convenios Internacionales.

Por consiguiente, es deber del juez, en todos y cada uno de los casos, confirmar que esa alternativa es la única admisible y, de ser así, adoptarla. Pero la constatación de la ausencia de otras vías supone necesariamente la indagación activa, la conformación de equipos interdisciplinarios para corroborar si ha habido alienación o manipulación parental u otro tipo de síndromes que puedan conducir a que el menor de edad rinda entrevistas lejanas de la realidad. Porque, se repite, de por medio está la más pura idea de satisfacer los intereses superiores de los niños y los adolescentes, no de hacer juego a los caprichos de los padres ni de caer en sus rencillas personales.

Ahora bien, a más de lo expuesto, el régimen de visitas termina con el acaecimiento de otros supuestos, como los siguientes:

1) La emancipación del hijo. Esta circunstancia finaliza el régimen de visitas que aquí se ha estudiado, como también finaliza la custodia, pero en manera alguna se puede decir que no haya a partir de entonces una protección al núcleo familiar ni que queden exonerados los integrantes de la familia de mantener su contacto y relaciones personales.

2) La radicación de la custodia monoparental en cabeza del que antes era visitante. Se aclara que solo finaliza el régimen de visitas cuando se otorga la custodia monoparental, porque cuando es compartida el régimen puede subsistir, aunque con cambios.

3) La muerte del padre o del hijo, según el caso. Esta causa, como se verá, es transversal a todos los Derechos y obligaciones *personales* entre padres e hijos.

4) La reconciliación de los progenitores. En este evento, se parte de la premisa que la reconciliación supone la fijación de una residencia común de los padres. Si ello es así, no habrá motivos para que subsista régimen de visitas alguno.

VI. *Crianza y educación: derechos de los hijos y obligaciones de los padres*

El artículo 253 del Código Civil establece que "[t]oca de consuno a los padres, o al padre o madre sobreviviente, el cuidado personal de la crianza y educación de sus hijos". Ya se analizó esta preceptiva desde la óptica de la custodia y las visitas, es ahora preciso desarrollar el contenido mismo de lo que supone la crianza, educación y establecimiento de los hijos.

1. Crianza

La crianza despliega su contenido sobre todos y cada uno de los contenidos que conducen a la formación, desarrollo y sustento de los hijos. En palabras de EDUARDO GARCÍA SARMIENTO, "tratándose de la *crianza humana*, del ser al cual se le ha dado la vida, resulta muy difícil por no decir imposible, *describir* el contenido de la crianza aunque todos lo entienden y practican"[328].

Pese a la amplitud del concepto, algunos, como PEDRO ALEJO CAÑÓN RAMÍREZ, han definido la crianza como

> la atención y diligencia que uno y otro cónyuge debe prestar al hijo desde el momento mismo de la fecundación y hasta tanto el mismo lo requiere, para lo cual tienen los padres el derecho de mantener a sus hijos menores no emancipados, siempre a su lado –pues aquellos tienen como domicilio el de sus padres–, pudiendo ejercitar la acción (...) para su efectividad y quedan investidos de la facultad de corregir y castigar [sin violencia] a los hijos[329].

SUÁREZ FRANCO, por su parte, enseña que la crianza

> [e]s el derecho del niño a que sus padres en forma permanente y solidaria asuman directa y oportunamente su custodia para su desarrollo integral. (...) Esta obligación de cuidado de que gozan los padres tiene su origen en el mismo derecho natural, y no se puede considerar una concesión o delegación estatal[330].

La concepción de un hijo supone la activación de distintas cláusulas constitucionales ineludibles para los padres, entre las cuales se destacan la *progenitura responsable* (artículo 42 de la Carta Política), la *solidaridad familiar* (artículo 46, *ibidem*) y, por supuesto, fungir como primeros y máximos garantes de los derechos fundamentales de los niños (artículo 44, *ibidem*). De ello se sigue, sin mayor dificultad, que la crianza no es propiamente un derecho del padre, sino una obligación que encuentra su correlato en el derecho del hijo.

---

[328] EDUARDO GARCÍA SARMIENTO. *Elementos de derecho de familia*, 497.
[329] PEDRO ALEJO CAÑÓN RAMÍREZ. *Derecho civil*, 305.
[330] ROBERTO SUÁREZ FRANCO. *Derecho de familia*, tomo II, 147.

Especial hincapié se debe hacer en el artículo 6º del Código de la Infancia y la Adolescencia, que consagra el derecho de los niños al desarrollo integral en su primera infancia. Es que, como acertadamente lo prevé la disposición, la primera infancia es la etapa del ciclo vital en la que se establecen las bases para el desarrollo cognitivo, emocional y social del ser humano. De ahí que se haga particularmente relevante su protección por el ordenamiento jurídico.

La primera infancia comprende a todos los humanos que tienen entre 0 y 6 años y se reconocen como derechos impostergables la atención en salud y nutrición, el esquema completo de vacunación, la protección contra los peligros físicos y la educación inicial.

Pero mal haría quien pensara que, cumplidos los siete años de edad, cesan las obligaciones de crianza de los padres. Por el contrario, esta norma debe ser vista como un refuerzo, mas no un eximente, de los derechos que tienen los niños y los adolescentes.

En alguna época se pensó, y esto aplica también para la educación, que los padres separados o divorciados, a los que no se les adjudicara la custodia y cuidado personal de los hijos, quedaban imposibilitados para inmiscuirse en los aspectos relativos a la crianza de su hijo. Esa trasnochada visión está hoy reevaluada, justamente porque ya no se ve a los menores de edad como objetos de protección sino como sujetos de derechos. Así lo ha puntualizado, con buen acuerdo, la Corte Constitucional, al advertir que

> los dos padres tienen obligaciones comunes con la crianza y el desarrollo del niño. Esto lleva implícito el reconocimiento de que los padres y las madres deben cuidar a sus hijos en pie de igualdad. Se debe reconocer que las prácticas y los modelos familiares son variables y cambiantes, pero ello no debe afectar a los niños pequeños dado que '(…) cada una de estas relaciones puede hacer una aportación diferenciada a la realización de los derechos del niño consagrados por la Convención y que diversos modelos familiares pueden ajustarse a la promoción del bienestar del niño'[331].

Obviamente, lo anterior se expresa sin perjuicio de que el padre haya sido privado de la custodia de su hijo por razones poderosas que desaconsejen verdaderamente el mantenimiento de relaciones con él (sobre este aspecto, que aborda el artículo 265 del Código Civil, volveremos en el título siguiente).

En definitiva, la crianza supone una obligación común de ambos progenitores, independientemente del estado de su situación afectiva, que se

---

[331]   Sentencia T-311 de 2017, M. P. Cristina Pardo Schlesinger.

ejerce en pie de igualdad y en beneficio de los hijos, que son los titulares del derecho. Por cuanto toca con su contenido, la obligación despliega efectos sobre todos los ámbitos requeridos para la correcta formación espiritual, moral, física y psicológica del menor de edad, de donde fluye que la crianza se manifiesta en los más variados aspectos de la vida del hijo.

2. Educación

El Diccionario de la Real Academia de la Lengua Española define la palabra educación, en su segunda acepción, como "[c]rianza, enseñanza y doctrina que se da a los niños y a los jóvenes". A su turno, CABANELLAS define la expresión como "[d]irección, guía o indicación para la conducta"[332]. En Colombia, el inciso primero del artículo 67 de la Carta Política indica que "[l]a educación es un derecho de la persona y un servicio público que tiene una función social; con ella se busca el acceso al conocimiento, a la ciencia, a la técnica, y a los demás bienes y valores de la cultura".

Desde su definición, resulta evidente que la educación se identifica con la crianza; es por ello que ambas obligaciones se analizan en una misma subsección. Así las cosas, la educación tiene un contenido y alcance mucho más amplio que el que podría surgir de una mirada desprevenida, pues cubre todos los aspectos formativos de los hijos: desde el ámbito intelectual hasta el espiritual; desde la urbanidad y el comportamiento en sociedad, hasta la esfera íntima de la ética; etcétera.

La educación del individuo trasciende, por mucho, a su nivel de escolaridad. Por supuesto que este último es muy importante, como se analizará más adelante, pero no es el único aspecto en el que se debe centrar su formación. Es absolutamente imprescindible nutrir los corazones, el espíritu y el alma de los niños y jóvenes con valores y principios, con consciencia de su papel en la sociedad, del impacto que tienen que sus acciones de cara a otros y respecto de ellos mismos, porque solo se puede decir *educado* quien ha participado de todas estas esferas. El llano conocimiento de un arte u oficio es del todo insuficiente para la formación debida y el mantenimiento de una sociedad.

La naturaleza misma, que es muy sabia, se ha encargado de entregar la función educativa de sus hijos menores de edad a los padres. Como lo

---

[332] GUILLERMO CABANELLAS. *Diccionario de derecho usual*, tomo I: *A-D*. (Buenos Aires: Ed. Omeba, 1962), 12.

indicó Suárez Franco, no se trata de una obligación que simplemente dimane de una norma de derecho positivo. Y se trata, hemos de afirmar con Planiol y Ripert, de una obligación en realidad[333], pues su inobservancia no solo genera el reproche social, desde la esfera moral, que muchas veces es más grave, sino que también apareja consecuencias civiles.

La fuerza de la naturaleza en este punto es tan grande y tan importante que ha tenido que ser reconocida, sin bemoles, como norma dentro del ordenamiento jurídico. Mas no por eso se puede desatender el hecho de que su fundamento es anterior a la ley y la trasciende por mucho, porque solo en la medida en que ello se comprenda será posible establecer claramente la importancia de esta obligación en particular.

Pues bien, para analizar la educación de los niños y adolescentes, es primero necesario centrar la atención en el principio de *corresponsabilidad* que, sobre el particular, consagró la Carta Política colombiana en el inciso 3° de su artículo 67, en virtud del cual el "Estado, la sociedad y la familia son responsables de la educación". Este principio se asemeja a la *corresponsabilidad* de que tratan los artículos 44[334], *ibidem*, y 10° del Código de la Infancia y la Adolescencia[335], pero se distingue porque proyecta, por su especialísima importancia, la concurrencia de todos los actores en cuanto toca con la *educación*.

Significa lo anterior que la *corresponsabilidad* demanda, específicamente en esta materia, que la familia, la sociedad y el Estado concurran para hacerse responsables de la educación de los menores de edad, en aras de garantizar el cumplido ejercicio de todos sus derechos. Sin embargo, no

---

[333] Cfr. Marcel Planiol y Georges Ripert, con el concurso de René Savatier, *Tratado práctico de derecho civil francés*, tomo I: *De las personas*. (La Habana: Ed. Cultural S.A., 1935), 347.

[334] Dice el segundo inciso del artículo 44 de la Carta Política: La familia, la sociedad y el Estado tienen la obligación de asistir y proteger al niño para garantizar su desarrollo armónico e integral y el ejercicio pleno de sus derechos. Cualquier persona puede exigir de la autoridad competente su cumplimiento y la sanción de los infractores.

[335] Señala, en lo pertinente, el artículo 10 del Código de la Infancia y la Adolescencia: "ARTÍCULO 10. CORRESPONSABILIDAD. Para los efectos de este código, se entiende por corresponsabilidad, la concurrencia de actores y acciones conducentes a garantizar el ejercicio de los derechos de los niños, las niñas y los adolescentes. La familia, la sociedad y el Estado son corresponsables en su atención, cuidado y protección. La corresponsabilidad y la concurrencia aplican en la relación que se establece entre todos los sectores e instituciones del Estado (…)".

resulta del todo claro cuál es el nivel de participación que debe tener cada actor en la concurrencia, porque evidentemente podría suceder —y ha sucedido— que el Estado tenga una visión sobre la forma o contenido de la educación que debe recibir un niño o adolescente, mientras que la familia —y particularmente los padres— participen de una visión distinta o contraria. A fin de resolver el interrogante, dividiremos el análisis entre las obligaciones que tiene el Estado y las que le asisten a la familia:

El artículo 67 de la Carta Política principia por afirmar que la educación es un derecho y un servicio público, de donde se desprende que su prestación debe estar a cargo del Estado, sin perjuicio de la eventual concurrencia de particulares cuando gocen de autorización para el efecto (artículo 68, *ibidem*). Además de la gratuidad en la educación pública, el mismo canon hace descansar sobre el Estado la regulación y el ejercicio de la suprema inspección y vigilancia de la educación, con miras a que ésta sea de calidad, cumpla todos sus fines y garantice "la mejor formación moral, intelectual y física de los educandos", entre otros.

Por su parte, el artículo 68, *ibidem*, agrega que "[e]n los establecimientos del Estado ninguna persona podrá ser obligada a recibir educación religiosa". Tal previsión se deriva de la determinación de la Asamblea Nacional Constituyente de 1991 de considerar a Colombia como un Estado laico. Sin embargo, no se puede confundir la imposibilidad de procurar una formación religiosa determinada, que es a lo que se refiere el artículo, con la imposibilidad de ofrecer educación sobre los distintos credos, su evolución e importancia en el mundo. Pensar lo contrario significaría soslayar, gratuita y alegremente, un aspecto indudablemente importante de la historia universal, lo que atentaría por completo contra el mandato constitucional de formar íntegramente a los estudiantes. Para proponer un pírrico ejemplo, el desconocimiento de la benévola influencia del cristianismo en la Autoridad Paterna y en los Derechos y deberes *personales* entre padres e hijos conduciría, indefectiblemente, a un incorrecto entendimiento del proceso histórico de la institución que ocupa estas páginas.

En todo caso, tales son las obligaciones del Estado, que se han desarrollado por la ley y el reglamento para garantizar su cumplida ejecución. Como correlato, el artículo 28 del Código de la Infancia y la Adolescencia prevé que los niños y los adolescentes tienen derecho a una educación de calidad. Además, los artículos 28 y 29 de la Convención sobre los Derechos del Niño consagran la implantación de un sistema educativo tendiente desarrollar su personalidad, sus aptitudes y su capacidad mental y física hasta el máximo de sus posibilidades, inculcarle el respeto de los derechos humanos y las libertades fundamentales y de los principios consagrados en la Carta de las Naciones Unidas, inculcarle el respeto de sus padres, de su propia identidad cultural, de su idioma y sus valores, de los valores nacionales del país en que vive, del país de que sea originario y de las civilizaciones distintas de la suya, prepararlo para asumir una vida responsable en una sociedad libre, con espíritu de comprensión, paz, tolerancia, igualdad de los sexos y amistad entre todos los pueblos, grupos étnicos, nacionales y religiosos y personas de origen indígena e inculcarle el respeto del medio ambiente natural.

Ahora bien, el otro de los actores de la *corresponsabilidad* que aquí interesa tratar es la familia y particularmente los padres. La capital importancia que se reclama de los padres en la educación del niño viene dada por muchos motivos pero, como aquí se ha dejado sentado, el primero y más importante de ellos es la naturaleza. Ostentar la condición de progenitor va mucho más allá de la simple configuración jurídica, en la mayoría de los casos, de la filiación; esa condición se relaciona con una responsabilidad encargada por la propia existencia. De ahí se deriva la afirmación incontestable de que los padres son los primeros y directos responsables de la educación de sus hijos.

Ya decía Rousseau en su *Emilio* que la madre funge como primera nodriza del individuo y el padre como preceptor. Abstracción hecha de la asignación de roles en función del género que ha sido reevaluada en nuestro ordenamiento jurídico, lo cierto es que nadie puede dudar o poner en tela de juicio que un padre, por su condición de tal, adquiere obligaciones indispensables e insoslayables respecto de su propio hijo.

Siguiendo la fuerza de la naturaleza de las cosas, la Carta Política colombiana ha reconocido la preeminencia de la familia en la educación de los hijos al señalar, en el inciso cuarto del artículo 68, que "[l]os padres de familia tendrán derecho de escoger el tipo de educación para sus hijos menores". Esta preceptiva solo vino a dar un espaldarazo a las disposiciones que de tiempo atrás habían sido consagradas en el Código Civil, cuando transitábamos por los albores de nuestra vida republicana.

En efecto, el artículo 253 del Estatuto Civil, antes transcrito, manda que los padres se hagan cargo, de consuno, de la obligación de educación de sus hijos. Además, en punto a la preeminencia de la familia sobre el Estado en este aspecto, el artículo 264, *ibidem*, de acuerdo con la redacción fijada por el artículo 4º del Decreto 772 de 1975, establece los padres "dirigirán la educación de sus hijos menores y su formación moral e intelectual, del modo que crean más conveniente para éstos" y, seguidamente, el artículo

1° de la Ley 2089 de 2021 reafirma que los padres "tienen el derecho a educar, criar y corregir a sus hijos de acuerdo a sus creencias y valores".

Tan importantes preceptivas ratifican las palabras de ANDRÉS BELLO cuando afirmó, en su artículo *Sobre los fines de la educación y los medios para difundirla*, publicado originalmente en El Araucano (número 308 y 309) los días 29 de julio y 5 de agosto de 1836, que la formación del corazón, como ramo de la educación, "no puede ser debido sino a la educación doméstica"[336]. Porque bien explicaba que las

> impresiones de la infancia ejercen sobre todos los hombres un poder que decide generalmente sus hábitos, de sus inclinaciones y de su carácter, y como la época en que ellas emplean su poder es cabalmente aquella en que no conocemos más directores de nuestra conducta que los padres, claro es que a ellos hemos de deber esta parte del ejercicio de las facultades, que sería demasiado tardía si la retardásemos hasta hallarnos en aptitud de recibir la educación pública[337].

Repárese, entonces, en que, si bien se reclama la concurrencia de varios actores en el escenario educativo de los menores de edad, indiscutiblemente la principal y más importante responsabilidad recae sobre los padres. Pocas veces como ahora se han podido constatar las nefastas consecuencias de deferir o ignorar esa primigenia obligación que hunde sus raíces en la naturaleza y trasciende por su importancia al ordenamiento jurídico. Cuando la educación doméstica, debida por los padres a los hijos, se anula con el ingenuo propósito de que la formación de los niños y adolescentes se asuma en su integridad por las instituciones públicas o privadas a las cuales asisten, no es de extrañar que nos hallemos ante individuos imperfectamente formados, carentes de varios de los elementos neurálgicos que condicionan su completa *educación*.

He ahí la importancia de retomar, en forma consciente, las obligaciones paternales que últimamente han quedado depuestas o soslayadas, bajo la fatal y equívoca creencia de que pueden ser suplidas por otras instituciones, mientras los padres se limitan a cumplir con las cargas de índole económica. Si lo pretendido con la crianza y educación es precisamente preparar al niño para una vida independiente en sociedad y educarlo en el espíritu de los ideales proclamados en la Carta de las Naciones Unidas y, en particular, en un espíritu de paz, dignidad, tolerancia, libertad, igualdad y solidaridad,

---

[336] ANDRÉS BELLO, *Obras completas de Andrés Bello*, volumen XXII: *Temas educacionales II*. (Caracas, 1982), 661.

[337] *Ibidem.*

como lo reconoce el Preámbulo de la Convención de los Derechos del Niño, la primera responsabilidad al respecto recae sobre los padres.

En definitiva, la obligación de educación despliega sus alcances en una multiplicidad de ámbitos y aspectos. Desde la perspectiva de la sola instrucción escolar, el inciso tercero del artículo 67 de la Carta Política manda su obligatoriedad entre los 5 y los 15 años de edad, al tiempo que ordena que comprenda, como mínimo, un año de preescolar y nueve de educación básica. Desde la óptica de la formación espiritual, moral, religiosa, personal y social, la obligación de los padres principia desde la concepción y no se agota con el paso del tiempo.

Resta abordar una última temática: al decir del artículo 265 del Código Civil, la dirección en la educación de los padres "cesará respecto de los hijos que, por mala conducta del padre o madre, hayan sido sacados de su poder y confiados a otra persona". El entendimiento de la norma transcrita ha sido diverso y muchas veces equivocado. Ello es así porque, en vigencia de la concepción de que la terminación del vínculo afectivo entre los padres conducía indefectiblemente a la fijación de la custodia monoparental, se llegó a sostener que el padre titular del derecho de visitas no tenía injerencia alguna en la educación de su hijo, habida cuenta de que éste había sido "sacado de su poder". Tal visión era miope, puesto que dejaba de lado la otra parte del canon, en virtud de la cual se exige, para la cesación de la dirección, que se haya sacado del poder del padre al hijo "por su mala conducta", lo que no siempre ocurría.

En el nuevo estado de cosas, donde la terminación del vínculo afectivo de los progenitores conduce a la fijación, por regla general, de la custodia compartida, no cabe duda de que se aclaró el sentido de la norma. Así las cosas, solo cuando se decida un régimen de custodia monoparental a causa de la mala o réproba conducta de uno de los padres, y además se suspendan o priven las visitas, se podrá afirmar que su dirección sobre la educación del hijo ha cesado. Sin embargo, no se trata, ni se puede tratar, de una aseveración absoluta y definitiva, porque ya se explicó que los regímenes de custodia y visitas no hacen tránsito a cosa juzgada material y son pasibles de cambios.

De manera que, ordinariamente, los padres preservarán conjuntamente la dirección de la educación de sus hijos, incluso si ha finalizado su relación afectiva. Solo en forma excepcional, cuando uno de los dos sea privado de custodia y visitas, se podrá decir que cesó su dirección de la educación, sin perjuicio de que luego la recobre. Esta dirección de la educación solo finalizará, en forma definitiva, con la muerte del progenitor o el hijo, según el caso.

3. Imputación de los gastos de crianza, educación y establecimiento

La crianza, la educación y, en términos más amplios, el cuidado que se proporcionan a un hijo tienen implicaciones tanto estrictamente personales, como materiales. La imputación de los gastos pecuniarios no pasó inadvertida por nuestro Código Civil, que se ocupó de fijar varias reglas sobre el particular, principalmente contenidas en el artículo 257, que enseguida se abordan:

1) La pauta de base es que los gastos de crianza, educación y establecimiento son tratados como un pasivo de la sociedad conyugal. Complementariamente, el ordinal 5º del artículo 1796 del Código Civil señala que la sociedad conyugal es obligada al pago del "mantenimiento, educación y establecimiento de los descendientes comunes". Además, el artículo 1800, *ibidem*, señala que las "expensas ordinarias y extraordinarias de alimentos, establecimientos, matrimonio y gastos médicos de un descendiente común, se imputarán a los gananciales".

2) En atención a lo previsto por el artículo 1800 del Código Civil, esa pauta de base se inobserva cuando "se probare que el marido o la mujer han querido que [los gastos de educación, crianza y establecimiento] se paguen de sus bienes propios". Entonces, no se tratará de un pasivo social, sino de un pasivo propio.

3) Cuandoquiera que no medie sociedad conyugal alguna, por cualquiera de las causas autorizadas en la ley, los padres deben contribuir a los gastos de crianza, educación y establecimiento en proporción a sus facultades.

4) Si el hijo tiene bienes propios, "los gastos de su establecimiento, y, en caso necesario, los de su crianza y educación, podrán sacarse de ellos, conservándose íntegros los capitales en cuanto sea posible". A manera de complemento, el inciso segundo del artículo 1800, *ibidem*, dispone que "las expensas extraordinarias se imputarán a los bienes propios del hijo en cuanto le hubieren sido efectivamente útiles, a menos que se probare que el marido o la mujer, o ambos de consuno, quisieron pagarlas de sus bienes propios"; pero las expensas ordinarias serán a cargo de la sociedad conyugal. Esta regla será explicada en detalle en el tomo III.

5) De acuerdo con el artículo 258, *ibidem*, si uno de los padres fallece, corresponde al otro atender la totalidad de los gastos de crianza, educación y establecimiento de los hijos.

6) Cuando el hijo carece de bienes y los padres no cuentan con capacidad económica alguna para atender los gastos de crianza, educación y esta-

blecimiento, el artículo 260, *ibidem*, descarga la obligación de alimentación y educación sobre los abuelos de una y otra línea conjuntamente.

7) Antiguamente, el artículo 261 del Código Civil preveía que

> [s]i el hijo menor de edad, ausente de la casa de sus padres, se halla en urgente necesidad en que no pueda ser asistido por éstos, se presumirá la autorización de los mismos para las suministraciones que se le hagan por cualquier persona en razón de alimentos, habida consideración a la capacidad económica de aquellos.

Esta disposición, que facultaba el recobro posterior a los padres, vino a ser expresamente derogada por el artículo 119 de la Ley 1306 de 2009.

8) En cuanto a la responsabilidad de los padres, el artículo 2º de la ley 28 de 1932 señala que las deudas "concernientes a satisfacer las ordinarias necesidades domésticas o de crianza, educación y establecimiento de los hijos comunes, respecto de las cuales responderán solidariamente ante terceros, y proporcionalmente entre sí, conforme al Código Civil".

VII. Alimentos

La obligación alimentaria es otro de los derechos y deberes *personales* entre padres e hijos. Por su importancia y extensión, dedicaremos un capítulo separado al análisis de esta obligación. Tan solo interesa dejar sentado, en este punto, que los alimentos hallan su fundamento en la naturaleza, como es obvio, y en los deberes de solidaridad familiar y la progenitura responsable.

SECCIÓN IV. TERMINACIÓN DE LOS DERECHOS Y OBLIGACIONES PERSONALES ENTRE PADRES E HIJOS

En la terminación de los derechos y obligaciones *personales* entre padres e hijos es donde más claramente se aprecia el acierto de ANDRÉS BELLO al escindir esta figura de la patria potestad. Mucho se han complicado los distintos ordenamientos jurídicos y los tratadistas foráneos en el intento de resolver cuáles derechos integrantes de lo que ellos denominan patria potestad *en sentido amplio* finalizan con la emancipación y cuáles no. Las más de las veces, en tales ordenamientos se ha requerido la inclusión de una disposición especial que explique que tal o cual derecho u obligación subsiste, incluso a pesar de la emancipación. En otros casos, en cambio, se ha librado a la doctrina y la jurisprudencia la fijación de estas reglas.

En Colombia, como sucede en Chile y en los demás ordenamientos que prohijaron el Código Civil redactado por BELLO, la situación es sumamente sencilla: la regla general es que los derechos y obligaciones personales entre padres e hijos se extinguen por la muerte del padre o del hijo, según sea el caso. Habrá, como es natural, casos exceptivos donde la mediación de determinadas causas apareje la atemperación e, incluso, la finalización de un derecho u obligación determinado, pero su ocurrencia será exótica.

Como se explicó previamente, los Derechos y obligaciones personales entre padres e hijos participan de unas características especialísimas, cuales son su naturaleza relacional e intersubjetiva. Quiere ello significar que el vínculo jurídico sigue, en este aspecto, el vínculo natural que se observa en las relaciones familiares. Los derechos y obligaciones que se conceden a los padres mientras sus retoños son aún niños o adolescentes mutan, conforme pasa el tiempo, hasta que llega el momento de su inversión. Así, lo que alguna vez fue un derecho-obligación del padre, será ahora un derecho-obligación del hijo.

Piénsese someramente en la custodia y cuidado personal: cuando el hijo es niño o adolescente, corresponde a los padres de consuno detentar su custodia y cuidado personal. Cuando el hijo se emancipa, este derecho sufre una primera mutación: se atenúa y ya no corresponde a los padres ejercer, con la misma intensidad, los cuidados personales sobre su hijo. Si no hay sobresaltos en el ciclo vital, cuando el padre toca la ancianidad y sus funciones motrices y, en ocasiones, psicológicas comienzan a fallar, opera la segunda mutación: se invierten los roles y corresponderá a los hijos asumir el derecho-obligación de custodia y cuidado personal sobre sus padres. Es la ley de la vida, de la que difícilmente podemos escapar.

Establecida de esa manera la regla general, veamos ahora los casos de excepción que se han previsto en las normas:

1) De acuerdo con el artículo 100 del Código de la Infancia y la Adolescencia, tal como fue modificado por el artículo 8° de la Ley 1878 de 2018, la declaratoria de un niño o adolescente en situación de adoptabilidad supone la lógica cesación de los Derechos y deberes *personales* entre padres e hijos, así como la patria potestad, si la hubiera. Ejecutoriada la decisión, que es privativa de los defensores de familia, se debe proceder con la inscripción en el registro de varios y el menor de edad ingresará al sistema de adopciones del Instituto Colombiano de Bienestar Familiar. Además, la ejecutoria de esa declaratoria impide que se tramite proceso alguno de reclamación de la paternidad, o maternidad, así como tampoco permite el reco-

nocimiento voluntario del niño, niña o adolescente, los cuales, de producirse, serán nulos e ineficaces de pleno derecho.

Por razones obvias, la declaratoria de un menor de edad en situación de adoptabilidad termina atípicamente los Derechos y deberes *personales* entre padres e hijos.

2) El artículo 266 del Código Civil señala que "[l]os derechos concedidos a los padres en los artículos precedentes, no podrán reclamarse sobre el hijo que haya sido llevado por ellos a la casa de expósitos, o abandonado de otra manera"[338]. Evidentemente, el padre que abandone a su hijo, en acto deleznable y repudiable, hará que cesen los derechos y obligaciones *personales* que ordinariamente recaen en su cabeza. Esta causal también se encuentra prevista para la privación de la patria potestad que será analizada en su oportunidad.

3) El artículo 267 del Código Civil establece que también cesarán estos derechos respecto de "los padres que por mala conducta hayan dado motivo a la providencia de separar a los hijos de su lado, a menos que ésta haya sido después revocada". Sobre el particular, se observa lo siguiente:

En primer lugar, por *providencia* se debe entender el pronunciamiento de autoridad competente, toda vez que en la actualidad la eventual privación de los derechos y deberes personales entre padres e hijos no se defiere exclusivamente al Juez de Familia, sino que se extiende también a las autoridades administrativas.

En segundo lugar, la expresión *mala conducta* es supremamente amplia. Para su comprensión e interpretación es menester tener siempre como criterio orientador el interés superior del niño o adolescente, según se trate. Así lo exige el artículo 9° de la Convención sobre los Derechos del Niño. Además, en línea con lo explicado por la Corte Constitucional y la Corte Suprema de Justicia, cualquier medida relacionada con la absoluta privación de los derechos del padre, que de contera conduce a la afectación de los derechos del niño a tener una familia y a no ser separado de ella, debe ser prohijada por el funcionario judicial o administrativo como última *ratio*, después de haber enfocado todos sus esfuerzos para determinar que definitivamente es irreconciliable la actitud del padre con el interés superior del hijo.

---

[338] En su versión original, la disposición aludía a los padres "legítimos". Esta expresión fue declarada inexequible por la Corte Constitucional en sentencia C-043 de 2018, M. P. José Fernando Reyes Cuartas.

En tercer lugar, como lo explica el propio artículo 267 del Código Civil, se debe entender que estas decisiones no hacen tránsito a cosa juzgada material y, consiguientemente, pueden ser revocadas o modificadas. Por tanto, es incorrecto afirmar, sin titubeos y en forma definitiva, que una resolución en este sentido no tendrá manera de ser revertida, modificada o sustituida.

Ahora bien, es muy fácil caer en el equívoco insalvable de creer que cuando a un padre se lo priva de la patria potestad automáticamente se extinguen los Derechos y deberes *personales* que tiene con sus hijos. Esa errada concepción surge de un incorrecto entendimiento de las normas, quizás motivado por la falta de conocimiento de la forma en que está estructurado nuestro Estatuto Civil.

Según se advirtió precedentemente, hay causas comunes a la cesación atípica de los Derechos y deberes *personales* entre padres e hijos y a la privación de la patria potestad. El abandono, por ejemplo, se regula como causal de terminación de los Derechos y deberes *personales* en el artículo 266 del Código Civil y como causal de privación de la patria potestad (o emancipación judicial) en el ordinal 2° del artículo 315 del Código Civil. Así también sucede con la violencia en el contexto familiar, constitutiva de la mala conducta a que alude el artículo 267 del Código Civil y suficiente para terminar la patria potestad de acuerdo con el ordinal 1° del artículo 315, *ibidem*.

Pero hay otros casos en los que las causales para la privación de la patria potestad no son suficientes para suponer, ni siquiera tangencialmente, que deban cesar también los Derechos y obligaciones *personales* entre padres e hijos. Tal es el caso de lo previsto por el ordinal 4° del artículo 315 del Código Civil, de acuerdo con el cual la condena de prisión por término superior a un (1) año es suficiente para privar al padre de la patria potestad. En estos eventos, si la persona es condenada a prisión por causas que nada tienen que ver con su desempeño como padre, resultaría arbitrario e injusto, por no decir violatorio de los principios *pro infans* y *favoris familiæ*, pensar que por ese solo hecho se tuviera que extinguir el cúmulo de Derechos y obligaciones *personales* con sus hijos. Ello carecería de fundamento y sentido[339].

---

[339]   Sobre este tema se volverá en el siguiente capítulo.

Capítulo II.
De la patria potestad

SECCIÓN I. DELIMITACIÓN CONCEPTUAL

I. La patria potestas en el derecho romano: patria potestad en sentido amplio

El derecho romano albergó como una de sus instituciones más importantes el *status familiæ*, dentro de la cual se comprendía una división en personas *sui iuris* y *alieni iuris*. A grandes rasgos, las primeras se pueden definir como aquellas que ejercían una *potestad*, en tanto que las segundas eran las sometidas a tal *potestad*[340].

En el sistema jurídico romano, solo los varones *sui iuris* eran quienes podían ostentar la condición de *pater familias*. Como lo explica Georges Bry, la expresión *pater* no se identificaba necesariamente con *paternidad*, ni quería implicar, más exactamente, *progenitor*[341]. En efecto, en no pocas oportunidades un varón impúber, sin descendencia, adquiría la condición de *pater familias*, con lo cual asumía la *potestad* de múltiples individuos sin siquiera haber engendrado a uno de ellos.

Ahora bien, la autoridad de que quedaba revestido el *pater familias* era la *potestas in domo*, lo que lo convertía en una suerte de "amo sobre las personas y bienes que constituían el conjunto de la '*Domus*'"[342]. Nótese la significativa expresión con que se ha definido esa *potestas in domo*, que no solo

---

[340] Para un mayor desarrollo, el lector puede acudir Guillermo Suárez Blázquez, "La patria potestad en el derecho romano y en el derecho altomedieval visigodo" en *Revista de Estudios Histórico-Jurídicos*, Núm. 36, 2014, 159 a 187. Como lo explica el autor, los *sui iuris* podían, en algunas situaciones, estar sometidos a una *tutela*, en lugar de estarlo a la *potestad*.

[341] Cfr. Georges Bry, *Principles de droit romain*, quinta edición. (París: Ed. Recueil Sirey, 1912). Capítulo sobre el *Derecho de familia* en Roma.

[342] Cfr. Saúl Saavedra Lozano y Eduardo Buenaventura Lalinde, *Derecho romano, traducciones y apuntes*, 161.

cobijaba la autoridad susceptible de ser ejercida sobre los *bienes* del sometido, sino también sobre su *persona*. Es este, quizás, el criterio más relevante
que el lector querrá tener en cuenta para identificar la diferenciación que
haremos el presente y el anterior capítulo del libro.

Y en cuanto hace a la también significativa expresión "amo", con que
se define en la doctrina al *pater familias,* de la mayor importancia se vuelve
indicar que, en sus primeros albores, la *potestas in domo,* respecto de los
alieni iuris, era omnímoda. Tanto así que desplazaba al Estado en la sanción
por la comisión de un delito por el *alieni iuris,* con lo cual el *pater familias*
quedaba habilitado para someter al perpetrador del injusto a toda clase de
castigos corporales e incluso la muerte misma. Ese derecho se conoció con
el nombre *ius vitæ necisque,* forzosamente derivado de la *potestas in domo*[343].

En épocas posteriores, los poderes derivados de la *patria potestas* se fueron atenuando conforme avanzaron los tiempos. Si en el derecho quiri-
tario el *pater* podía abandonar al hijo, como quien abandona un animal,
o enajenarlo según su mejor criterio, en las épocas de los Emperadores
Cristianos el abandono se limitó a los recién nacidos (*sanguinolentus*), solo
por causas atribuibles a la extrema miseria, a la vez que se estableció un
límite de tres enajenaciones para que se rompiera el vínculo de potestad
respecto del hijo enajenado, quien quedaba en calidad de manumitido del
mancipium, con una *capitis deminutio mínima* que se abría paso en razón de
la pérdida del *status familiæ.*

Por su parte, en lo que toca con los alcances de la *patria potestas* sobre
los bienes de los hijos la situación fue similar. En un principio, las adqui-
siciones patrimoniales de éstos aprovechaban al *pater*[344]. Era una facultad
caótica y totalmente absorbente que llegó a ser calificada por JUSTINIANO
como inhumana (*quod nobis inhumanum visum est*)[345].

Es así como el derecho romano conoció el *peculio profecticio,* por el cual
el *pater familias* concedía la administración de algunos bienes al hijo, para

---

[343]   SAÚL SAAVEDRA LOZANO y EDUARDO BUENAVENTURA LALINDE precisan con cla-
       ridad que estas facultades eran conferidas, en un primer momento, al *pater ad
       libitum* y luego fueron recogidas por el *pater familias.* Cfr. SAÚL SAAVEDRA LOZANO
       y EDUARDO BUENAVENTURA LALINDE, *Derecho romano, traducciones y apuntes,* 162.

[344]   Cfr. VINCENZO ARANGIO-RUIZ, *Le genti e la città.* (Messina: Ed. Tipografía d'Angelo,
       1914), 58 y ss.

[345]   JUSTINIANO, *Institutas.* Libro 2.9.1. Disponible para consulta en *The institutes of Jus-
       tinan.* Introducción, traducción y notas de Thomas Collet Sandars, decimocuarta
       impresión. (Nueva Jersey: Ed. The Lawbook Exchange, 2007), 157.

que éste pudiera efectuar actos jurídicos en su nombre propio. Se debe reparar, sin embargo, en que la entrega de los bienes por el *pater* no implicaba el desprendimiento o transferencia del derecho de dominio en favor del hijo, pese a que éste pudiera, por orden del *pater familias*, enajenarlos. De tal manera, el tercero que celebraba el negocio jurídico con el hijo tenía acción directa contra el *hijo* y el *pater* (*adjecticiæ qualitatis*), pues la voluntad del padre quedaba siempre comprometida.

Más adelante surgió el *peculio castrense*, que habilitó a los hijos para detentar el dominio absoluto de determinados bienes en cabeza suya, sin que éstos pasaran a la esfera patrimonial del *pater familias*. El *peculio castrense* se integraba por los bienes adquiridos por el hijo en la armada de guerra y durante el tiempo que prestara cualquier clase de servicio militar. Sobre su origen se ha discutido en forma profusa en la doctrina: En un extremo, JOHANN GOTTLIEB HEINECCIUS, en su obra *Recitaciones del derecho civil según el orden de la Instituta*, asevera que el *peculio castrense* se originó en épocas del Imperio, a saber:

> Esta regla no se observaba [se refiere al *peculio castrense*] todavía en tiempo de la república libre, porque entonces todo ciudadano estaba obligado a servir en la milicia cierto número de años, y por tanto no era necesario estimular a la juventud con grandes privilegios para alistarse en ella. Pero AUGUSTO, conociendo bien que la milicia escogida convenía a la república libre, mas no a la monarquía, fue el primero que estableció la milicia mercenaria, y condujo a los soldados por un estipendio a todas partes. Para que los hombres se alistasen con más gusto en las banderas, se fueron concediendo desde aquel tiempo varios privilegios a los soldados, y entre ellos el de adquirir para sí en pleno derecho el peculio castrense, aunque fuesen hijos de familia. Este privilegio de los militares estaba ya vigente bajo VESPASIANO, sobre lo que habla JUVENAL, *sat. XVI. V. 52. Además de esto, solo los militares tienen el derecho de testar viviendo su padre, pues lo que se adquiere en la milicia, no se empadrona en el cuerpo del censo, donde solamente se inscriben los bienes que maneja por entero el padre*[346].

En el otro extremo, SAÚL SAAVEDRA LOZANO y EDUARDO BUENAVENTURA LALINDE[347], así como JOAQUÍN FRANCISCO PACHECO y JOSÉ GONZÁLEZ Y SERRANO[348], sostienen que el surgimiento del *peculio castrense* tuvo

---

[346] JOHANN GOTTLIEB HEINECCIUS, *Recitaciones del derecho civil según el orden de la Instituta,* tomo II. Traducida del latín por Luis de Collántes y revisada de nuevo por Vicente Salvá. (París: Ed. Librería de don Vicente Salvá, 1847), 157.

[347] Cfr. SAÚL SAAVEDRA LOZANO y EDUARDO BUENAVENTURA LALINDE. *Derecho romano, traducciones y apuntes,* 160 a 171.

[348] Cfr. JOAQUÍN FRANCISCO PACHECO y JOSÉ GONZÁLEZ Y SERRANO. *Comentario histórico, crítico y jurídico a las Leyes de Toro.* (Obra póstuma), tomo II. (Madrid: Ed. Imprenta y Fundición de M. Tello, 1876), 224 a 229.

lugar en los últimos siglos de *La República*. Dicen los autores que ello es así, pues fue entonces cuando "el elemento militar ejerció gran influjo y los legionarios no reconocían más traba ni otra ley que la muy estrecha de la milicia, especialmente cuando se hallaban de guarnición en los pueblos conquistados"[349]. Así, afirman, "al hablar de este peculio en la ley 11.ª, ff. de *castrensi peculio* y 1.ª c. del mismo título, no hacía JUSTINIANO más que sancionar de un modo solemne lo que venía observándose desde la más remota antigüedad"[350].

Al lado de los dos anteriores, Roma conoció durante la época del Imperio —específicamente mientras ADRIANO y ANTONIO PÍO ejercían como emperadores[351]—, el *peculio cuasi castrense*, conforme al cual el hijo también adquiría para sí lo percibido por la ejecución de profesiones liberales. Señalan PACHECO y GONZÁLEZ Y SERRANO que "[l]a toga ha sido siempre la émula, y podremos decir el contrapeso de la espada. Los que se dedicaban al foro, los que defendían y administraban la justicia, los que en los comicios y en el senado se ocupaban de la cosa pública, no podían ser de peor condición que los militares"[352]. Y agrega HEINECCIUS que por profesiones liberales se ha de entender no solo la "jurisprudencia, sino también la teología, medicina, matemáticas, filosofía, etc." De modo que

> al peculio cuasi castrense no solo pertenece cuanto adquiere el hijo por las artes liberales, por ejemplo, los salarios y honorarios que recibe como abogado, médico, profesor; sino también los gastos de los estudios suplidos por el padre, con tal que este los haya dado con ánimo de hacer donación de ellos, así como los donativos que hace el príncipe o emperatriz, porque se entienden hechos por la excelencia del ingenio y un elevado mérito. Todas estas cosas pertenecen al peculio cuasi castrense, porque son adquiridas con ocasión de la milicia togada[353].

Por último, en épocas de CONSTANTINO[354] se hubo de conformar otro *peculio*, sobre el que volveremos con asiduidad en el siguiente capítulo: el *peculio adventicio*. Éste se integraba por lo que recibiera el hijo de fuentes

---

[349] *Ibidem*, 225.

[350] *Ibidem*.

[351] Así lo constatan la ley última c. de *inofficioso testamento* y 14 c. de *advocat divers judic.*

[352] JOAQUÍN FRANCISCO PACHECO y JOSÉ GONZÁLEZ Y SERRANO. *Comentario...*, 225 y 226.

[353] JOHANN GOTTLIEB HEINECCIUS, *Recitaciones del derecho civil según el orden de la Instituta*, 155.

[354] Imperativo es reseñar que, aunque la formación del *peculio adventicio* se dio en épocas de CONSTANTINO, la extensión que del *peculio* aquí se comenta fue progresivamente alcanzada en épocas de GRACIANO, VALENTINIANO y TEODOSIO.

distintas al *pater*, la *milicia* o las *profesiones liberales*. Era, entonces, una suerte de categoría residual, respecto de la que quedaba autorizado para ser
propietario. Y en la categoría residual, como fluye de lo expuesto, caben
todas las donaciones, liberalidades o herencias dejadas por la madre y los
familiares maternos al hijo, de modo que no sería su *pater* el propietario
omnímodo de ellos.

El *peculio adventicio* puede ser, a su turno, de dos tipos: *ordinario* o *regular*
y *extraordinario* o *irregular*. El *peculio adventicio extraordinario* se integra por
los siguientes bienes: (i) aquellos que corresponden a la herencia que el
padre ha repudiado y el hijo ha aceptado; (ii) los que se donan o legan al
hijo bajo la condición de que no perciba nada el padre; (iii) los que se reciben por el hijo cuando el padre y el hijo son coherederos en una sucesión;
y (iv) cuando se sacan del poder del padre por incurrir éste en manejo
doloso[355]. Los demás bienes que cumplan con las indicaciones de que trata
el párrafo precedente integrarán el *peculio adventicio ordinario*.

De lo expuesto hasta aquí el lector habrá podido percibir que, en efecto, las facultades de que gozaba el *pater familias* sobre la persona y los bienes de sus hijos eran sumamente amplias, al punto de poder ser llamadas
omnímodas, sin perjuicio de las subsecuentes reformas que se dieron en
torno a la figura de la *patria potestas*. Aunque esa percepción es correcta,
bueno es matizar que su ejercicio no fue siempre desgarrador y caprichoso.
Si en la antigüedad se permitía un despotismo inmensurable, conforme
transcurría el tiempo, "en la práctica, su ejercicio se venía limitando por
las costumbres de los antepasados, *mores maiorum*, contrarias a todo abuso
en la conducta paterna, y por la ritual consulta al tribunal denominado
iudicium domesticum"[356].

Es entonces oportuno precisar que, hacia el final de la República, Cicerón elocuentemente informaba sobre el *derecho natural*, definido como
aquel que "se observa en los deberes relativos a lazos de sangre o de familia;
es el derecho sobre el cual se funda el afecto de los hijos hacia los padres y
de los padres hacia los hijos"[357]. No se trataba ya de un vínculo macabro del

---

[355] Johann Gottlieb Heineccius, *Recitaciones del derecho civil según el orden de la Instituta*, 159 y 160.

[356] Antonio Fernández de Buján, *Derecho privado romano*, cuarta edición. (Madrid:
Ed. Iustel, 2011), 269.

[357] Marco Tulio Cicerón, *Retórica a Herenio*. Introducción, traducción y notas de Salvador Núñez. (Madrid: Ed. Gredos, 1997), 130. Así también se confirma en la obra
De officiis (Traducido del latín por Walter Miller. Ed. William Heinemann Ltd. Lon-

poder por el poder, sin que los derechos del *pater* tuvieran su correlato en una obligación para con los hijos; se trataba de un vínculo afectivo, mucho más trascendental que la desbordada y macabra autoridad.

También en esa línea se pueden apreciar los planteamientos de Valerio Máximo, quien viviera en el fin de la República y el principio del Imperio. En su obra *Factorum et dictorum memorabilium* recuerda la cancelación del testamento de Annéius Carséolanus, un "caballero romano muy distinguido", en el juicio promovido por su hijo Marco Annéius. El problema jurídico a resolver se concretaba en definir si Marco Annéius, al haber sido adoptado por su tío Sufenas, perdía el derecho de heredar a su padre y, consiguientemente, el testamento de Annéius Carséolanus era legal al no consagrar asignaciones en favor de Marco Annéius, o si la adopción se tornaba irrelevante y Annéius Carséolanus tenía, en todo caso, el deber de incluir a su hijo en el testamento. Luego de explicar que el Centumviri (Tribunal) declaró la cancelación del testamento, Valerio Máximo no hesita en afirmar que "los lazos de filiación unen de forma tan estrecha a los hombres que prevalecieron sobre la voluntad de su padre"[358].

Y ya en los tiempos del Imperio la situación tuvo cambios más drásticos con la influencia del estoicismo, en primer lugar, seguida de la impronta cristiana. Por cuanto hace al estoicismo, es de destacar a Lucio Anneo Séneca quien, en su obra *De clementia*, explora la piedad de un padre y el obrar humanitario:

---

dres, 1928. Pág. 367), cuando Cicerón trae a cuento los dilemas condensados por Hecatón en sus *Obligaciones* y retoma, particularmente, el caso de un hijo que sabe que su padre ha robado templo ¿debe denunciarlo? —se pregunta— No, debe defenderlo si lo acusaran —responde—. Y, entonces, ¿no es primero la obligación para con la Patria que cualquiera otra? —se pregunta— Es cierto, pero también orienta y conviene a la Patria tener ciudadanos piadosos para con sus padres —responde—.

[358] Valerio Máximo, *Factorum et dictorum memorabilium*. Trad. Samuel Speed. (Londres: Ed. Impreso, 1684), 339 y 340. Este caso, decidido durante la época de la República, es uno de los más claros antecedente de la ley de *inofficioso testamento*, promulgada por Adriano durante el Imperio, que exaltó el *officium pietatis* como una de las obligaciones del *pater familias* en relación con sus hijos. En virtud del *officium pietatis*, el padre tiene un deber de relación familiar que no puede inobservar por la vía de excluir a uno de sus hijos en el testamento y, por tanto, el hijo así desheredado quedaba facultado para iniciar la acción *quereia inofficiosi testamenti*, siempre que reuniera los requisitos de (i) ser legitimario, (ii) ser excluido del testamento sin justa causa, (iii) no ser heredero incluido en una causal de indignidad y (iv) no existir otro medio de reclamo. Como el lector habrá advertido, es el *officium pietatis* la causa inmediata de las "legítimas" en el Derecho Sucesoral.

A TRICÓN, caballero romano, según recuerdo, el pueblo lo atravesó en el foro con estiletes por haber matado a su hijo azotándolo; la autoridad del CÉSAR AUGUSTO apenas pudo arrebatarlo a las manos hostiles de padres e hijos. 2. A TARIO, que condenó a su hijo al sorprenderlo mientras tramaba su muerte, después de celebrado el juicio todo el mundo lo admiró porque se contentó con exiliarlo, retuvo al parricida en el maravilloso exilio de Marsella y le proporcionó una renta anual, la misma que solía pasarle cuando era inocente. Esta generosidad consiguió que, en una cuidad donde nunca falta un defensor a las peores gentes, nadie pusiera en duda que el reo había sido condenado con razón, porque lo había condenado un padre que no podía odiarlo.

3. Siguiendo con este ejemplo te mostraré a quién puedes comparar con un buen padre: un buen *prínceps*. Cuando iba a celebrarse el juicio contra su hijo, TARIO llamó a consulta al CÉSAR AUGUSTO; se llegó éste a la casa del padre, se sentó, participó de una decisión que no era asunto suyo; no dijo «mejor que venga a mi casa»; si lo hubiere dicho, el juicio hubiera sido del CÉSAR y no del padre. 4. Después de celebrado el juicio y de sopesarlo todo, incluido lo que el joven había dicho en su descargo y lo que constituía la base de la acusación, pide que cada cual emita su fallo por escrito, para que el de todos no fuese el mismo que el del CÉSAR. Después de abrir las cédulas, juró que no aceptaría la herencia de TARIO, hombre rico. (...) Dijo que un padre debe contentarse con un tipo de pena muy suave para un hijo muy joven, instigando a un crimen en el que, y esto lo aproximaba a la inocencia, se había comportado con timidez; que debía ser alejado de la ciudad y de la vista de sus padres[359].

Fácilmente advertible resulta que la consciencia social para entonces ya repudiaba, aunque no fuere ilegal, el abuso en el ejercicio de la *patria potestas*, tendiente a acabar con la vida del hijo. En cambio, se ensalzaba la conducta pietística y humanitaria que ponderaba las situaciones reflexivamente y acertaba en concluir castigos y penas moderados. Esa fue la fuente de la que abrevó ADRIANO, en sus tiempos, para proscribir los castigos faltos de moderación.

Tan arraigados estaban los principios de *piedad* y *humanidad* en el ejercicio de la *patria potestas*, cuyos primeros atisbos se vislumbraron durante el ocaso de la República, que TRAJANO, Emperador Romano y predecesor de ADRIANO, según el relato de PAPIANO, obligó a un padre a emancipar a su hijo, luego de advertir los malos tratos a los que lo sometía[360].

Con el EDICTO DE MILÁN (313 d.C.), CONSTANTINO EL GRANDE frenó la persecución al cristianismo que se había agudizado en las épocas de su

---

[359] LUCIO ANNEO SÉNECA, *De clementia*. Estudio preliminar, traducción y notas de Carmen Codoñer. (Madrid: Ed. Tecnos, 1988), 36 y 37.

[360] PAPIANO, *Digesto*. 13.12.5.

predecesor DIOCLECIANO. Sin embrago, fue con el EDICTO DE TESALÓNI-
CA (380 d.C.), o CUNCTOS POPULOS, que TEODOSIO, emperador del Imperio Romano de Oriente, y GRACIANO y VALENTINIANO, coemperadores del
Imperio Romano de Occidente, reconocieron el cristianismo como religión oficial del Imperio. Es así como la impronta patrística se impuso para
orientar la interpretación y aplicación de los poderes derivados de la *patria
potestas*. En palabras de SUÁREZ BLÁZQUEZ, "[l]os principios éticos y filosóficos cristianos del Bajo imperio (*pietas, caritas* y *misericordia*[361]) sustituyen a
los valores filosóficos y éticos, clásicos, del *officio*, la *pietas* y la *humanitas*"[362].

Sin necesidad de ahondar en los consabidos principios cristianos de piedad, caridad y misericordia, basta solamente transcribir, para ejemplificar
el importante viraje en la concepción de la relación entre padres e hijos,
parte de la epístola del APÓSTOL SAN PABLO a los efesios:

> 1. Hijos, vosotros obedecer a vuestros padres con la mira puesta en el Señor,
> porque es ésta una cosa justa.

> 2. Honra a tu padre y a tu madre; que es el primer mandamiento que va
> acompañado de recompensa[363].

> 3. para que te vaya bien, y tengas larga vida sobre la tierra.

> 4. Y vosotros, padres, no irritéis con excesivo rigor a vuestros hijos; mas edu-
> cadlos corrigiéndolos e instruyéndolos según la doctrina del Señor[364].

Brilla por su claridad la instrucción ofrecida por SAN PABLO, en el sentido
de reconocer el carácter intersubjetivo de los derechos personales que fluyen
entre padres e hijos. Respecto de los primeros, indubitablemente los conmina a atemperar los excesos en la corrección y educación de los hijos, lo que
se traduce en la abstención o prudencia en el ejercicio de la *patria potestas*.

---

[361] CI. 5,7,12.

[362] GUILLERMO SUÁREZ BLÁZQUEZ, "Aproximación al tránsito jurídico de la patria potestad: desde Roma hasta el derecho altomedieval visigodo de España" en *Revista
Mexicana de Historia del Derecho*, núm. XXVIII, 2012, 23.

[363] Aun para esta vida. *Ex. XX*, 12. –*Deut. V,* 16.

[364] *Ef. VI*, 1-4. *Sagrada Biblia.* Traducida de la vulgata latina al español, aclarado el sentido de algunos lugares con la luz que dan los textos originales hebreo y griego e
ilustrada con varias notas sacadas de los Santos Padres y Expositores Sagrados por
FELIX TORRES AMAT, (Charlotte: Ed. Sopena Argentina S.A.C.I. e I., 1959), 1321.
Tan digna impronta es también recalcada en la Epístola a los Colosenses *Col. III.*

En lo atañedero a los segundos, hace un enérgico llamado para que observen el Cuarto Mandamiento del Señor y honren a sus padres en todo momento.

Incluso para abundar en razones, brevísimamente se podría hacer referencia a los siguientes padres de la Iglesia:

TERTULIANO, en su segundo libro *Contra Marción,* hace un importante paralelo entre el *dominum* y el *patrem* e indica que "el padre es clemencia (...) el padre tiene autoridad blanda (...) el padre es amoroso y gentil"[365] y luego, en *Apologeticum,* al hacer la misma comparación, concluye que "[m]ás amable es el nombre de *padre* que el de *señor,* que aquél declara una superioridad *piadosa,* éste una *potencia* absoluta. Por esto las cabezas de las familias no se llaman *señores,* sino *padres*"[366].

SAN AMBROSIO enseña, en *De Ioseph patriarcha,* que el sentimiento de los padres debe estar presidido por un "dulce amor a los niños"[367]. Correlativamente, en *De tobia* relata el "miserable espectáculo" que afirma haber presenciado en el que un hombre, para liberarse de una deuda, subastó a su hijo y, con notable molestia, precisa que "se trata esta de una falta tan grave que ni siquiera avergüenza al acreedor"[368]. Es evidente, entonces, que SAN AMBROSIO se opone a tratamientos violentos, crueles, déspotas o despiadados en contra de los hijos, por razones de orden moral más allá de la posible autorización legal.

Y no es posible terminar este breve recuento sin acudir a SAN AGUSTÍN, referente obligado y máximo exponente de la patrística, quien, en su *In Ioannis*

---

[365] TERTULIANO, *Adversus Marcionem,* Libro 2. Capítulo 13: "*patrem clementia (...) patrem potestate blanda (...) patrem diligendum pie*".

[366] TERTULIANO, *Apologeticus,* Capítulo XXXIV: "*Sed et gratius est nomen pietatis quam potestatis. Etiam familiæ magis patres quam domini vocantur*".

[367] SAN AMBROSIO, *De Ioseph patriarcha.* Capítulo II: "5. *Instruimur igitur qualis esse debeat affectus parentum, filiorumque gratia. (0643B) Amare liberos dulce; et impensius amare praedulce: sed frequenter amor ipse patrius, nisi moderationem teneat, nocet liberis; si aut nimia indulgentia dilectum resolvat, aut praelatione unius caeteros ab affectu germanitatis avertat*".

[368] SAN AMBROSIO, *De Tobia.* Capítulo VIII: "29. *Vidi ego miserabile spectaculum, liberos pro paterno debito in auctionem deduci, et teneri calamitatis haeredes, qui non essent participes successionis; et hoc tam immane flagitium non erubescere creditorem. (...) 30. Vendit plerumque et pater liberos auctoritate generationis, sed non voce pietatis: ad auctionem pudibundo vultu miseros trahit dicens: Solvite filii gulae meae sumptum, solvite paternae mensae pretium: vomite quod non devorastis, reddite quod non accepistis; hoc meliores, quod vestro pretio redimitis patrem, vestra servitute paternam emitis libertatem*".

Evangelium tractatus[369], exhorta a los individuos a servir a Cristo e invita a los *pater familias* a que desplieguen en sus senos familiares ese mismo sentimiento, que promuevan la enseñanza y la disciplina legítima, como lo hace el Obispo en su iglesia. Así también, en el *Sermón 13*, al referirse al castigo, precisa:

> Aplíquense los castigos; no lo rechazo, no lo prohíbo, pero con espíritu de amor, de caridad y de corrección. Pues tú no dejas que tu hijo carezca de instrucción. Y lo primero que haces, si te es posible, es que sea instruido en el respeto y en la generosidad, que se avergüence de ofender al padre y no le tema como a un juez severo[370].

Así pues, aunque el derecho positivo legislado confiriera a los padres, en la Roma antigua, unas facultades que se presentan como desbordadas y dolorosas, el cambio en la mentalidad social respecto del fundamento de la familia, así como la proyección de los principios humanos y los cristianos, hicieron que el ejercicio de la *patria potestas* se viera atemperado en la práctica. Esa omnímoda facultad sobre los *bienes* y *la persona* de los hijos no solo encontró frenos más grandes y progresivos conforme transcurrió el tiempo y cambió el derecho positivo, sino que también los halló en la consciencia social de la Nación —si es válida la expresión—.

II. La patria potestad recogida por algunos ordenamientos jurídicos

Siguiendo la estructura romanista, varios ordenamientos jurídicos incorporaron, con obvios y razonables cambios, lo que en este escrito hemos denominado *patria potestad en sentido amplio*. El adjetivo *amplio* se relaciona con el hecho de que la *patria potestad* está concebida, en sus efectos, como un cúmulo de facultades sobre *los bienes* y sobre *la persona* de los hijos. La razón para que así hayamos decidido calificar la institución jurídica obedece, en lo fundamental, a que otros ordenamientos, como el colombiano, decidieron limitar los alcances de la *patria potestad* únicamente a lo atañedero al *patrimonio* de los hijos.

---

[369] San Agustín de Hipona, *In Ioannis Evangelium Tractatus*. CXXIV, 51: "*Etiam vos pro modo vestro ministrate Christo, bene vivendo, eleemosynas faciendo, nomen doctrinamque eius quibus potueritis praedicando; ut unusquisque etiam paterfamilias hoc nomine agnoscat paternum affectum suae familiae se debere. Pro Christo et pro vita aeterna, suos omnes admoneat, doceat, hortetur, corripiat; impendat benevolentiam, exerceat disciplinam: ita in domo sua ecclesiasticum et quodammodo episcopale implebit officium, ministrans Christo ut in aeternum sit cum ipso*".

[370] San Agustín de Hipona, *Sermón 13*.

1. Francia

El Estatuto Civil[371] de 1804 reguló, en el título IX del libro I, la *puissance paternelle*, expresión que se puede traducir como *poder paternal* o *patria potestad*. Pese a que se echa de menos una definición concreta[372], no se requiere más que pasar revista por los artículos que componen el título IX (artículos 371 a 387) para identificar, sin ambages, que estamos ante una prerrogativa que comprende tanto *los bienes* como *la persona* del hijo[373].

En efecto, el artículo 375 confirió al padre el poder de corrección por las conductas graves en que incurra el hijo. Tal poder fue regulado por los artículos 376 y siguientes, al punto de autorizar la solicitud de arresto de su hijo por un término graduado según la edad, sin que pueda mediar objeción del funcionario respectivo. Y luego, a partir del artículo 384, se consagraban las facultades de goce legal y administración respecto del *peculio* de la descendencia.

Más adelante, mediante la Ley del 24 de julio de 1889, intitulada *de protección de los niños maltratados o moralmente abandonados*, se previó que la privación de la *puissance paternelle* para los progenitores que trasgredieran los límites de la corrección e incurrieran en maltrato. Inicialmente, la *puissance paternelle* estuvo radicada nominalmente, respecto de sus hijos matrimoniales y de los hijos extramatrimoniales debidamente reconocidos, en cabeza de ambos padres. Sin embargo, se dice que tal reconocimiento es

---

[371] Un exhaustivo estudio sobre la evolución de la autoridad paterna Francia se encuentra en EDITH DELEURY, MICHÈLE RIVET y JEAN-MARC NEAULT, "De la puissance paternelle à l'autorité parentale: une institution en voie de trouver sa vraie finalité" en *Les Cahiers de Droit*, vol. 15, núm. 4, 1974, 779 a 870.

[372] AMBROISE COLIN y HENRI CAPITANT la definen como "el conjunto de derechos que la ley concede a los padres sobre la persona y sobre los bienes de sus hijos, en tanto que son menores y no emancipados, para facilitar el cumplimiento de los deberes de sostenimiento y educación que pesan sobre ellos" (*Curso elemental de derecho civil*, tomo II. (Madrid: Ed. Reus, 1946), 18). A su turno, LOUIS JOSSERAND señala que se trata del "conjunto de derechos que la ley confiere al padre y a la madre sobre la persona y los bienes de sus hijos menores no emancipados, con el fin de asegurar el cumplimiento de las cargar que les incumbe en lo que concierne al sostenimiento y a la educación de dichos hijos" (*Cours de droit civil positif français*, tomo I, segunda edición. (París: Ed. Sirey, 1932), 555).

[373] Para un detallado estudio sobre esta codificación, el lector puede acudir a JOHANNE MELCARE-ZACHARA. *La puissance paternelle au XIXe siècle (1804-1889)*. Tesis para optar por el título de Doctora en Derecho por la Universidad de Nantes. Ed. Universidad de Nantes. Nantes, 2019.

meramente nominal en lo que toca con los hijos matrimoniales, pues el artículo 373 del Código Civil francés de 1804, incluso con las modificaciones incorporadas por la Ley del 23 de julio de 1942 y la Ordenanza 58-1273 del 22 de diciembre de 1958, atribuía la patria potestad al marido, en su condición de *jefe de familia* (*chef de famille*), durante el matrimonio.

Desde su adopción, la *puissance paternelle* fue objeto de severas críticas. Los MAZEAUD calificaron a la institución, en cuanto a su contenido, como abiertamente anacrónica[374], en una postura que no encontró el suficiente eco ni en la doctrina ni en la jurisprudencia para motivar un cambio normativo.

Por su parte, PLANIOL[375] y RIPERT[376], BERNARD[377], DU PLESSIS DE GRENÉDAN[378] y BRUGEILLES[379] no dudaron en atacar la semántica, porque

> [e]se término [se refieren a la *puissance paternelle*] evoca las legislaciones primitivas, en que el padre tiene sobre sus hijos una verdadera potestad, fundada en su interés más que en el de ellos y en relación con la propiedad. En este sentido, la expresión *patria potestad* no ha sido exacta jamás en Francia y lo es hoy menos que nunca. La *autoridad parental* existe para la protección del hijo[380].

Nótese que el neologismo con el que se propone hacer frente a la *patria potestad* es el de la *autoridad parental*, pero no para desdibujar el contenido de los derechos, es decir, que se desplieguen sobre *los bienes* y sobre *la persona* del hijo, sino para dejar de lado la carga histórica de la expresión, que las más de las veces tenía por objeto favorecer a los padres en mayor grado que a los hijos. En la nueva concepción del mundo, del Estado, de la socie-

---

[374]   Cfr. HENRI, LEON y JEAN MAZEAUD. *Leçons de droit civil*, Tomo I. (París: Ed. Montchrestien., 1955), Núm. 1156

[375]   Cfr. MARCEL PLANIOL, *Traité élémentaire de droit civil conforme aux programme officiel des facultés de droit*, tomo I, novena edición. (París: Ed. Librairie Génerale de Droit & de Jurisprudence, 1923), núm. 1637 y siguientes.

[376]   Cfr. MARCEL PLANIOL y GEORGES RIPERT, con el concurso de RENÉ SAVATIER. *Tratado práctico de derecho civil francés*, tomo I: *De las personas*. (La Habana: Ed. Cultural S.A., 1935), núm. 299 y siguientes.

[377]   Cfr. MARIE-PAUL BERNARD, *Histoire de l'autorité paternelle en France*. (París: Ed. Montdidier, 1863), 323 a 381.

[378]   Cfr. JOACHIM DU PLESSIS DE GRENÉDAN, *Histoire de l'autorité paternelle dans l'ancien droit français, depuis les origines jusqu'à la Révolution*. Tesis para optar por el título de Doctor en Derecho de la Universidad Sorbona. Ed. Universidad Sorbona. París, 1900.

[379]   Cfr. RAOUL BURGEILLES, *Recherches historiques sur le droit écrit: puissance paternelle*. Tesis para optar por el título de Doctor en Derecho de la Universidad de Burdeos. Ed. Universidad de Burdeos. Burdeos, 1903, 190 y siguientes.

[380]   Cfr. MARCEL PLANIOL y GEORGES RIPERT, *Tratado práctico de derecho civil francés*, 312 y 313.

dad y de la familia no tiene cabida seguir haciendo culto, en su opinión, a una locución histórica que memora abusos desgarradores, sino que se debe imponer el cambio.

Y fue así como, finalmente, con la Ley 70-459 del 4 de junio de 1970 se lograron cambios importantes[381]. En primer término, el artículo 6º dispuso que la expresión *puissance paternelle* sería sustituida, en todos los textos legales, por *autorité parentale* (autoridad parental). Además, el artículo 1º modificó notablemente los alcances de todos los artículos del título IX, en el sentido de precisar que la autoridad parental, respecto de todos los hijos sin importar su filiación, estaría radicada y sería ejercida conjuntamente por el padre y la madre. Al propio tiempo, creó una serie de artículos por los cuales positivizó lo que ya era pacífico en la práctica social: la autoridad parental es una institución jurídica ideada en favor y beneficio de los niños, no de los padres (cfr. artículo 372-1 del Código Civil). Por último, reestructuró el título IX del libro I del Código Civil, en el sentido de crear dos capítulos distintos: (i) el primero, sobre la autoridad parental en relación con la *persona* del niño (*De l'autorité parentale relativement à la personne de l'enfant*); y, (ii) el segundo, sobre la autoridad parental en relación con *los bienes* del niño (*De l'autorité parentale relativement aux biens de l'enfant*).

Esa visión ha sido consistentemente sostenida en las subsecuentes modificaciones que se han incorporado a la institución de la *autoridad parental* mediante las Leyes 74-631 del 5 de julio de 1974, 85-1372 del 23 de diciembre de 1985, 86-17 del 6 de enero de 1986, 87-570 del 22 de julio de 1987, 89-487 del 10 de julio de 1989, 93-22 del 8 de enero de 1993, 96-604 del 5 de julio de 1996, 96-1238 del 30 de diciembre de 1996, 98-657 del 29 de julio de 1998, 2002-305 del 4 de marzo de 2002, 2004-1 del 2 de enero de 2004, 2007-293 del 5 de marzo de 2007, 2010-769 del 9 de julio de 2010, 2011-1862 del 13 de diciembre de 2011, 2013-403 del 17 de mayo de 2013, 2014-873 del 4 de agosto de 2014, 2016-297 del 14 de marzo de 2016, 2016-731 del 3 de junio de 2016, 2016-1547 del 18 de noviembre de 2016, 2016-1827 del 23 de diciembre de 2016, 2017-258 del 28 de febrero de 2017, 2019-222 del 23 de marzo de 2019, 2019-721 del 10 de julio de 2019, 2019-1446 del 24 de diciembre de 2019, 2019-1479 del 28 de diciembre de 2019, 2019-1480 del 28 de diciembre de 2019, 2020-936 del 30 de julio de

---

[381] Véanse los comentarios de GONZALO RUZ LÁRTIGA sobre la evolución de la *patria potestad* en Francia. Cfr. GONZALO RUZ LÁRTIGA, "La evolución de la autoridad parental en Francia y su incidencia en las facultades y deberes del progenitor no custodio" en *Revista de Derecho*, vol. 30, núm. 2, 2017, 133 a 157.

2020, 2020-1576 del 14 de diciembre de 2020 y las Ordenanzas 2005-759 del 4 de julio de 2005, 2015-1288 del 15 de octubre de 2015 y 2019-964 del 18 de septiembre de 2019.

En suma, Francia recogió, en su Código Civil de 1804, la figura de la patria potestad en sentido amplio, bajo el nombre de *puissance paternelle*, en la medida en que sus alcances despliegan efectos no solo sobre *los bienes,* sino también sobre *la persona* del hijo. El tránsito de la *puissance paternelle* a la *autorité parentale* (autoridad parental) simplemente entrañó un cambio de nombre, pero la figura sigue siendo un conjunto de derechos y facultades que la ley les concede al padre y a la madre sobre *la persona* y sobre *los bienes* de sus hijos menores.

2. Argentina

El Código Civil argentino de 1869, redactado por DALMACIO VÉLEZ SARSFIELD y aprobado por la Ley 340 de ese año, reguló, en el título III de la sección segunda del libro primero, lo relacionado con la *patria potestad.* Según MAZZINGHI, "[m]ientras algunos Códigos extranjeros abordan el tratamiento de la institución estableciendo que el hijo debe honrar y respetar a sus padres[382], el Código Civil argentino, cuyo propósito docente ha sido tantas veces mencionado, comienza por definir la patria potestad"[383].

De esa manera, el artículo 264 del Código definía la patria potestad como "el conjunto de los derechos que las leyes conceden a los padres desde la concepción de los hijos legítimos, en las personas y bienes de dichos hijos, mientras sean menores de edad y no estén emancipados". Se advierte, desde ya, la marcada influencia romanista que hizo que la institución de la patria potestad se refiriera exclusivamente a *prerrogativas* o *derechos* de los padres y abarcara, en sentido amplio, tanto *la persona* como *los bienes* de los hijos. En opinión de BELLUSCIO,

> [e]sa definición fue tomada por el codificador de GARCÍA GOYENA ('es el conjunto de derechos que la ley concede al padre en las personas y bienes de sus hijos menores de edad y no emancipados') y de la Partida 4ª, tít. 17, ley 1 ('el

---

382   Cód. Civil francés, art. 371; Cód. Civil italiano, art. 315; Cód. Civil español, art. 154; Cód. Civil uruguayo, art. 256.

383   JORGE ADOLFO MAZZINGHI. *Derecho de familia,* tomo IV: *Filiación. Procreación artificial. Adopción. Patria potestad. Tutela y curatela. Parentesco. Violencia familiar. Mediación.* (Buenos Aires: Ed. Depalma., 1999), 319.

poder que han los padres sobre los hijos'), pero con la limitación de atribuirla a los padres legítimos[384].

Más adelante, la Ley 10.903 de 1919 modificó su redacción para indicar que la "patria potestad es el conjunto de derechos y obligaciones que corresponden a los padres sobre las personas y bienes de sus hijos, desde la concepción de estos, y en tanto sean menores de edad y no se hayan emancipado". Como lo enseña BELLUSCIO,

> [t]al texto implicó dos modificaciones. La primera consistió en el agregado de las palabras 'y obligaciones'. Si bien esa reforma tendió a adecuar la definición al concepto moderno de la institución, con la salvedad de que la doctrina prefiere hablar de 'deberes', o bien de 'derechos-deberes' o 'deberes-derechos', y no de 'obligaciones', en realidad sólo tuvo una importancia meramente formal, pues el texto originario del Código ya establecía los deberes de los padres, que no fueron alterados por la ley 10.903. En cuanto a la segunda, revistió mayor importancia práctica, pues dejó de lado el criterio restrictivo adoptado por el codificador de considerar la patria potestad a los padres legítimos, para dejar claro que ella correspondía también a los padres naturales[385].

Después, la Ley 23.264 de 1985 actualizó el concepto, una vez más, en el sentido de indicar que la "patria potestad es el conjunto de deberes y derechos que corresponden a los padres sobre las personas y bienes de los hijos, para su protección y formación integral, desde la concepción de estos y mientras sean menores de edad y no se hayan emancipado". Al respecto, ZANNONI y BOSSERT destacan que "el nuevo art. 264 no alude a 'obligaciones', concepto propio de las relaciones patrimoniales, sino a deberes, y además, pone el acento en el interés del hijo, desde cuya perspectiva, entonces, habrá de ser analizado todo conflicto que se suscite durante el ejercicio de la patria potestad"[386].

No compartimos las apreciaciones de BELLUSCIO, ZANNONI y BOSSERT en torno a la precisión terminológica sobre *obligaciones* y *deberes*, toda vez que la doctrina más especializada en la materia ha reconocido que, incluso a pesar del componente de patrimonialidad que hoy parece regir a las *obligaciones*, cabe catalogar con este título aquellas de contenido no patrimonial surgidas en el marco de la familia por su importantísima relevancia.

---

[384] AUGUSTO CÉSAR BELLUSCIO, *Manual de derecho de familia*, tomo II. (Buenos Aires: Ed. Depalma, 2004), 355.

[385] *Ibidem*, 355 y 356.

[386] GUSTAVO BOSSERT y EDUARDO ZANNONI, *Manual de derecho de familia*, sexta edición. (Buenos Aires: Ed. Astrea, 2004), 555.

Sin embargo, no es esta la oportunidad para referirnos a esa discrepancia que, para los efectos de este título, se vuelve completamente irrelevante. Dejaremos su análisis para más adelante.

Ahora bien, por lo que toca con la segunda apreciación, derivada del cambio de miramiento de la patria potestad (hacia los hijos), MAZZINGHI apoya la tesis de ZANNONI y BOSSERT, en cuanto considera que la

> patria potestad no es, en efecto, ni un *poder* conferido a los padres para que ellos se solacen en su ejercicio, ni una *función* asignada por la sociedad para que unas personas cuiden de otras. Es, como acertadamente lo dice el Código, un conjunto de derechos y obligaciones, cada uno de los cuales participa de las características que hemos atribuido a los derechos subjetivos familiares. Y ese conjunto de derechos y obligaciones tiene su origen y su raíz en el orden natural[387].

Se hace imposible pasar por alto que la extensión de la *patria potestad* en torno a *los bienes* y *la persona* del hijo se mantuvo incólume, como lo proponía el Derecho Romano, pero la concepción sobre la utilidad y finalidad de la figura se ha apartado de las primitivas enseñanzas romanas. En efecto, no se trata ahora de privilegiar a un padre, sino de permitir que los hijos gocen de las más variadas oportunidades, apoyados al efecto por sus progenitores.

En lo que hace al nombre de la institución jurídica, no se observan reparos por parte de los autores, más allá del siguiente planteamiento de BELLUSCIO:

> La denominación es tradicional, proviene del derecho romano, pero en realidad no responde estrictamente a su concepto actual, pues el derecho moderno no la caracteriza simplemente como la autoridad paterna sino como una institución del derecho de familia encaminada más bien a la protección del hijo menor y a su educación y preparación para su mejor desenvolvimiento en la vida.

> Por tales motivos, algunas legislaciones modernas han intentado sustituir la expresión tradicional por otra más adecuada a su actual contenido, así como a la extensión a la madre de los derechos-deberes que de ella derivan, los cuales originariamente sólo correspondían al padre. Así, ha quedado sustituida por 'autoridad parental' en Francia, Suiza, Quebec y El Salvador, 'cuidado paterno' en Alemania, 'potestad de los genitores' en Italia, 'autoridad de los padres' en Bolivia y 'autoridad del padre y la madre' en la República Dominicana. La ley argentina 23.264 utiliza indistintamente las expresiones 'patria potestad' y 'autoridad de los padres'[388].

---

[387] JORGE ADOLFO MAZZINGHI, *Derecho de familia*, 320.

[388] AUGUSTO CÉSAR BELLUSCIO, *Manual de derecho de familia*, tomo II. (Buenos Aires: Ed. Depalma, 2004), 353.

Pero la fuerza de la historia se hubo de imponer y en 2014 se sancionó, en la Argentina, la Ley 26.994, por la cual se adoptó el Código Civil y Comercial de la Nación y se derogó (artículo 4) el antiguo Código Civil de Vélez. En la nueva estructura del Estatuto, es el título VII del libro segundo el que regula la antigua patria potestad, pero con el nuevo nombre de *responsabilidad parental*.

Muy elocuente es el artículo 638 de la nueva codificación al definir la responsabilidad parental como aquel "el conjunto de deberes y derechos que corresponden a los progenitores sobre la persona y bienes del hijo, para su protección, desarrollo y formación integral mientras sea menor de edad y no se haya emancipado". Se advierte que, en relación con el derogado artículo 264 del Código Civil, en su última versión, el nuevo canon solo añadió el vocablo *desarrollo*, con lo cual contribuye a la idea de que la institución está incardinada a velar por los mejores intereses de la descendencia, y no del padre.

Mas, en el fondo, la regulación es idéntica para cuanto aquí interesa, porque la nueva responsabilidad parental (antigua patria potestad) sigue siendo susceptible de ser calificada como *amplia*, en cuanto despliega sus efectos tanto sobre *los bienes* como sobre *la persona* del hijo. Hay que reconocer, sí, que se usa una estructura lógica muy acertada en la nueva regulación, que divide por capítulos los deberes y derechos *personales* de los padres y los hijos, así como separa en otro capítulo lo atañedero al régimen de *los bienes*.

3. España

Según relata Alfonso Otero, en el ordenamiento histórico español estuvo vigente el "régimen de patria potestad justinianea (…) hasta la Ley de matrimonio civil de 1870, sin otras modificaciones que las mencionadas de las Leyes de Toro"[389], fundamentalmente constituidas por la emancipación del hijo por el hecho de matrimonio. En todo caso, la Ley de matrimonio civil de 1870 estableció que "[e]l padre, y en su defecto la madre, tienen potestad sobre sus hijos legítimos no emancipados. Se reputará emancipado de derecho al hijo legítimo desde que hubiere entrado en la mayor edad".

Una regulación muy similar fue la consagrada en el artículo 154 del Código Civil español de 1889, a saber:

---

[389] Alfonso Otero, "La patria potestad en el derecho histórico español" en *Anuario de Historia del Derecho Español*, núm. 26, 1956, 238.

El padre, y en su defecto la madre, tienen potestad sobre sus hijos legítimos no emancipados; y los hijos tienen la obligación de obedecerles mientras permanezcan en su potestad, y de tributarles respeto y reverencia siempre.

Los hijos naturales reconocidos, y los adoptivos menores de edad, están bajo la potestad del padre o de la madre que los reconoce o adopta y tienen la misma obligación de que habla el párrafo anterior.

En cuanto a los efectos desplegados por la patria potestad, el artículo 155, *ibidem,* se refirió a los que recaen sobre *la persona* del hijo, en tanto que el artículo 159 lo hizo respecto de aquellos que gravitan sobre *los bienes* del hijo. Veamos:

Artículo 155. El padre, y en su defecto la madre, tienen, respecto de sus hijos no emancipados:

1. El deber de alimentarlos, tenerlos en su compañía, educarlos e instruirlos con arreglo a su fortuna, y representarlos en el ejercicio de todas las acciones que puedan redundar en su provecho.

2. La facultad de corregirlos y castigarlos moderadamente. (...)

Artículo 159. El padre o, en su defecto, la madre son los administradores legales de los bienes de los hijos que están bajo su potestad.

Como se ve, en este aspecto también la organización jurídica española siguió de cerca la noción amplia de la *patria potestas* romana, en cuanto adjudicó efectos sobre *los bienes* y sobre *la persona* del hijo. No se observa en la doctrina una crítica en relación con la noción, aunque desde muy temprano comentaristas del Código como Manresa y Navarro[390] y Scævola[391] sí hicieron notar su inconformidad con el hecho de que a la madre se la hubiera relegado a un plano residual en relación con el padre.

Su dolencia fue superada con la expedición de la Ley 11 de 1981, por la cual se indicó que los hijos no emancipados estarían bajo la patria potestad del padre y de la madre y se agregó, en el mismo artículo 154 del Código Civil, lo siguiente:

---

[390] José María Manresa y Navarro, *Comentarios al código civil español,* tomo II. (Madrid: Ed. Reus, 1944), 12 y siguientes.

[391] Q. Mucius Scævola, *Código civil comentado y concordado,* tomo III. (Madrid: Ed. Imprenta de Ricardo Rojas, 1942), 500 y ss.

La patria potestad se ejercerá siempre en beneficio de los hijos, de acuerdo con su personalidad, y comprende los siguientes deberes y facultades:

1.° Velar por ellos, tenerlos en su compañía, alimentarlos, educarlos y procurarles una formación integral.

2.° Representarlos y administrar sus bienes".

Por un lado, se dejó sentado que la patria potestad miraba en beneficio de los hijos y, por el otro, se sintetizó su alcance en un solo artículo, para indicar que comprendía tanto *los bienes* como *la persona* del hijo.

Con la reforma introducida por la ley 13 de 2005 se modificó el artículo 154 del Código Civil, para efectos de radicar la patria potestad en cabeza de los *progenitores*, en lugar de aludir al padre y la madre. Y rápidamente, en 2007, por medio de la ley 54, hubo una nueva variación para radicar la potestad en cabeza de *los padres*, y no de los *progenitores*, al tiempo que se indicó que ésta se ejercería siempre en beneficio de los hijos, de acuerdo con su personalidad, "y con respeto a su integridad física y psicológica.

Finalmente, mediante la Ley 26 de 2015 se incorporó el texto actualmente vigente del artículo 154, así:

Artículo 154. Los hijos no emancipados están bajo la patria potestad de los progenitores.

La patria potestad, como responsabilidad parental, se ejercerá siempre en interés de los hijos, de acuerdo con su personalidad, y con respeto a sus derechos, su integridad física y mental.

Esta función comprende los siguientes deberes y facultades:

1.° Velar por ellos, tenerlos en su compañía, alimentarlos, educarlos y procurarles una formación integral.

2.° Representarlos y administrar sus bienes.

Si los hijos tuvieren suficiente madurez deberán ser oídos siempre antes de adoptar decisiones que les afecten.

Los progenitores podrán, en el ejercicio de su función, recabar el auxilio de la autoridad.

En primer lugar, la disposición volvió a radicar la patria potestad en cabeza de *los progenitores*. Además, y en forma novedosa, dispuso que ésta era una verdadera *responsabilidad parental,* a la vez que señaló que su finalidad era ser ejercida en interés de los hijos, "de acuerdo con su personalidad, y con respeto a sus derechos, su integridad física y mental".

No nos detendremos en comentar el contenido de los alcances de la norma, porque ello implicaría desviar nuestro estudio, pero sí diremos que, a hoy, la *patria potestad* española es concebida en sentido *amplio,* pues abarca tanto a *la persona* como a *los bienes* del hijo. Por ello, no resulta extraño que José María Castán Vásquez defina la patria potestad como "el conjunto de derechos y deberes que corresponden a los padres sobre la persona y el patrimonio de cada uno de sus hijos no emancipados, como medio de realizar la función natural que les incumbe de proteger y educar a la prole"[392].

III. Colombia y la patria potestad en sentido restringido

Ya se ha analizado, con bastante profundidad, que el ordenamiento jurídico colombiano, como aquellos que prohijaron el Estatuto Civil redactado por Bello, distinguió claramente las instituciones de *Derechos y deberes personales entre padres e hijos* y *Patria potestad.* Mientras que la primera abarca las relaciones jurídicas de contenido *personal,* la segunda se circunscribe a prerrogativas o facultades concedidas a los padres en lo atañedero preponderantemente a los *bienes* de sus hijos.

En nuestro medio, la versión original del artículo 288 del Código Civil definió la *Patria potestad* como "el conjunto de derechos que la ley *da* al padre legítimo sobre sus hijos no emancipados (…)". Más adelante, el artículo 53 de la Ley 153 de 1887 modificó la redacción del canon en comentario para establecer que la patria potestad es "un conjunto de derechos que la ley *reconoce* al padre legítimo sobre los hijos no emancipados". Luego, el artículo 13 de la Ley 45 de 1936 introdujo una nueva modificación, tendiente a precisar que la patria potestad es "el conjunto de derechos que la ley *concede* a los padres sobre sus hijos no emancipados, *para facilitar el cumplimiento de los deberes que su calidad les impone*". Por último, el artículo 19 de la Ley 75 de 1968 incorporó una nueva modificación, en el sentido de definir la patria potestad como "el conjunto de derechos que la ley *reconoce* a los padres sobre sus hijos no emancipados, para facilitar a aquéllos el cumplimiento de los deberes que su calidad les impone". Del breve tránsito normativo se advierten varios elementos que pasaremos a analizar en detalle:

---

[392] José María Castán Vásquez, *La patria potestad,* (Madrid: Ed. Revista de Derecho Privado, 1960), 9.

En primer lugar, la terminología empleada para la definición de la institución es en extremo amplia, toda vez que se refiere a las prerrogativas concedidas a los padres "sobre sus hijos no emancipados", sin especificar que tales facultades tienen un contenido preponderantemente patrimonial. Una lectura desprevenida podría conducir a la conclusión de que la institución que ahora se analiza despliega sus efectos sobre los *bienes* y sobre la *persona* del hijo, pero esa aseveración sería infortunada e incorrecta.

A decir verdad, la aparente confusión que se podría derivar de la apresurada lectura de la disposición es fácilmente superable. Para identificar la inteligencia de la institución, basta acudir a dos criterios claros: (i) por un lado, se debe observar que el título XIV del libro primero del Código Civil alude a la *Patria potestad,* en tanto que el título XII del libro primero del mismo Estatuto regula los *Derechos y obligaciones* [personales] *entre los padres y los hijos*; y, (ii) por el otro, al pasar revista por los artículos del título XIV del libro primero del Código Civil salta a la vista, sin ambages, que las prerrogativas concedidas a los padres —cuyo análisis se efectuará en este capítulo— son de contenido preponderantemente patrimonial. Así pues, queda despejada toda duda en cuanto a la diferenciación entre los *Derechos y deberes personales entre padres e hijos* y la *Patria potestad* en el Código Civil colombiano.

En segundo lugar, a lo largo de las disposiciones ha variado el verbo empleado por el artículo 288 del Código Civil para designar la acción de la ley a los padres, en relación con los derechos o prerrogativas. Particularmente, los tres verbos empleados por el ordenamiento jurídico han sido *dar*[393], *conceder*[394] y *reconocer*[395]. Podría pensarse que se trata de una elección arbitraria de expresiones, mas lo cierto es que su contenido no ha pasado inadvertido por una muy sencilla razón: si la ley *da* o *concede* los derechos a los padres, significa la institución es de creación normativa; en cambio, si la ley *reconoce* estos derechos a los padres, estamos ante una institución que halla su origen en la naturaleza y que, por su fuerza misma, es simplemente positivizada en el derecho legislado[396].

La discusión trasciende la simpleza que su apariencia transluce, pues de la visión que se prohíje dependerán consecuencias jurídicas elementales

---

[393] Versión original del Código Civil.

[394] Ley 45 de 1936.

[395] Leyes 153 de 1887 y 75 de 1968.

[396] Otra es la opinión de JORGE PARRA BENÍTEZ, para quien "[r]econocer equivale a otorgar". (*Derecho de familia,* tomo I, 584).

que se relacionan con los derechos, como por ejemplo su carácter renunciable. Este aspecto se tratará en las secciones que siguen.

En tercer y último lugar, no pasa inadvertida la necesaria complementación explicativa que se formuló en la Ley 45 de 1936, y que se mantiene vigente hasta nuestros días, según la cual los derechos o prerrogativas reconocidos a los padres tienen por objeto exclusivo "facilitar el cumplimiento de los deberes que su calidad les impone". No se trata, por tanto, de derechos subjetivos conferidos en interés del titular, sino de un tercero —el hijo de familia—, por lo que su indebida o imperfecta observancia acarrea consecuencias jurídicas adversas, según se estudiará más adelante. Al respecto, muy oportuna resulta la transcripción parcial de una clásica sentencia de la Sala de Casación Civil y Agraria de la Corte Suprema de Justicia, proferida el 25 de abril de 1985, M. P. Hernando Tapias Rocha, G.J. CLXXX.

> [L]a patria potestad no está constituida por deberes de los padres sino por derechos concedidos por la ley para permitirles el cumplimiento de los deberes impuestos en pro de la mejor formación física, moral e intelectual de los hijos y se reduce al derecho de representarles en toda clase de actos jurídicos, judiciales o extrajudiciales, y al poder de administrar y usufructuar con algunas restricciones los bienes propios de los hijos, como resulta de las reglas contenidas en este título XIV del libro primero del Código Civil, y las modificaciones que a las normas contenidas en este título ha hecho desde antaño la ley.
>
> Porque el cuidado personal de la crianza y educación de los hijos menores es función distinta de los poderes o facultades que configuran la patria potestad, encaminados éstos a que aquella función se cumpla por los padres.

De consiguiente, varias conclusiones se imponen: (i) lo que se reconoce por la ley a los padres son *prerrogativas*, *derechos* o *atribuciones*, no *deberes* o *cargas*[397]; (ii) tales *prerrogativas*, *derechos* o *atribuciones* no se estatuyeron en

---

[397]   La Corte Constitucional, en Sentencia C-1003 de 2007, M. P. Clara Inés Vargas Hernández, expresamente señaló que esta institución albergaba una serie de *deberes* de los padres. También en ese sentido se han pronunciado Jorge Parra Benítez (*Derecho de familia*, tomo I, 584) y Hernán Gómez Piedrahíta (*Código de Familia colombiano*. (Bogotá: Ed. Librería Jurídica Wilches, 1994), 20). Acaso se podría reconocer la connotación de *deber*, desde la perspectiva moral, si se tiene en cuenta que los derechos se conceden a los padres en función o beneficio de sus hijos. Sin embargo, la realidad es que las prerrogativas no pierden su condición de tales por estar instituidas en favor de un tercer sujeto. Cuestión diametralmente distinta es que los derechos de patria potestad, como todos los derechos, encuentren límites infranqueables que, de ser trasgredidos, conduzcan a la privación o responsabilidad de sus titulares.

favor del titular (los padres), sino de un tercero (los hijos); y (iii) el ámbito de aplicación de la patria potestad, en Colombia, es restringido, pues se limita a una serie de *prerrogativas* que no se confunden ni se identifican con los *derechos y obligaciones personales*, aunque aquéllos sí tienen por objeto que se dé cumplida ejecución a éstos.

IV. Extremos de la relación jurídica

Como se desprende de su nombre, la *patria potestad* ubica en sus extremos a los *padres* y a los *hijos*. Tales extremos, a diferencia de lo que sucede con algunos de los *Derechos y obligaciones personales*, jamás pueden variar; esto es, no es jurídicamente concebible que se diga que un abuelo es titular de los derechos de patria potestad respecto de su nieto, ni tampoco lo es que se diga que un hijo puede ostentar prerrogativas de patria potestad en relación con su padre. El titular de los derechos es siempre el padre y el destinatario es siempre el hijo de familia.

Desde el punto de vista del titular o sujeto activo del derecho, son los padres conjuntamente. A falta de uno, por privación, suspensión o muerte, lo será el otro, en forma exclusiva.

Desde el punto de vista del destinatario o sujeto pasivo del derecho, son los hijos matrimoniales, extramatrimoniales o adoptivos. Según se analizó en el tomo I, inicialmente solo estuvieron sujetos a la patria potestad los hijos matrimoniales; sin embargo, con el paso del tiempo se extendió la aplicación de esta figura a los hijos extramatrimoniales y a los adoptivos.

V. Características

1. De orden público

Trátase de una institución de orden público, por cuanto no admite pactos privados en contrario. Por consiguiente, le está vedado a los padres disponer convencionalmente de esta institución, eximirse, suspenderse o privarse mutuamente de ella, bien sea mediante acuerdos de divorcio, capitulaciones u otro tipo de negocios jurídicos. Esa visión ha sido monolíticamente recogida por la Corte Constitucional colombiana[398].

---

[398] Véanse, entre muchas otras, las Sentencias T-384 de 2018, M. P. CRISTINA PARDO SCHLESINGER; T-351 de 2018, M. P. ANTONIO JOSÉ LIZARAZO OCAMPO; C-262 de

2. Irrenunciable

Precisamente por su naturaleza de orden público, es admitido que la patria potestad como institución es de naturaleza irrenunciable. Si la patria potestad tiene por objeto dar cumplida ejecución a los Derechos y obligaciones *personales* entre padres e hijos, mal se podría pensar que aquéllos quedan facultados para renunciar íntegramente a este conjunto de prerrogativas[399].

Muy ilustrativa resulta, al efecto, la Sentencia T-262 de 2022, M. P. José Fernando Reyes Cuartas, de la Corte Constitucional, en la que se puntualizó lo siguiente:

> La jurisprudencia constitucional ha definido la potestad parental como 'una institución de orden público, obligatoria e irrenunciable, personal e intransferible, e indisponible, porque es deber de los padres ejercerla en interés del menor, sin que tal ejercicio pueda ser atribuido, modificado, regulado ni extinguido por la propia voluntad privada, sino en los casos que la propia ley lo permita'[400]. Además, es una institución de carácter temporal, pues a ella se encuentran sujetos los hijos hasta cumplir la mayoría de edad. Por último, es precaria porque que quien la ejerce se puede ver desprovisto de la misma por el juez si se cumplen las causales de suspensión o pérdida de la potestad parental. (…)

> La potestad parental corresponde de manera privativa y conjunta a los progenitores y solo puede ser ejercida por ellos; lo cual significa que la misma no rebasa el ámbito de la familia. Es por ello que la propia ley prevé que, a falta de uno de los progenitores, la potestad parental será ejercida por el otro. También existe la posibilidad de que, en algunos aspectos, sea delegada entre ellos mismos, del uno al otro (artículos 288 y 307 del Código Civil). La Sala reitera que los progenitores no pueden *suspender o perder* la potestad parental para sustraerse a las obligaciones que constitucional y legalmente le son exigibles con sus hijos. La pérdida o suspensión de la potestad parental debe ser decretada mediante sentencia por la autoridad judicial competente.

En ese orden de ideas, importa distinguir la renuncia de la delegación en el ejercicio de algunas o varias prerrogativas de la patria potestad. Mientras la primera dice relación con la exoneración o abdicación del ejercicio de los derechos, la segunda implica la facultad de poner en manos de ter-

---

2016, M. P. Jorge Iván Palacio Palacio; C-727 de 2015, M. P. Myriam Ávila Roldán; C-239 de 2014, M. P. Mauricio González Cuervo; T-266 de 2012, M. P. Jorge Iván Palacio Palacio; C-145 de 2010, M. P. Gabriel Eduardo Mendoza Martelo; C-1003 de 2007, M. P. Clara Inés Vargas Hernández, y T-262 de 2022, M. P. José Fernando Reyes Cuartas.

[399] *Ibidem.*

[400] Sentencias C-145 de 2010, C-727 de 2015 y T-351 de 2018.

ceros, siempre en beneficio de los hijos, el ejercicio de los derechos. Pero esta delegación, que sí está permitida en nuestro medio, no es ilimitada e irrestricta; ella se sujeta a determinadas formalidades que se estudiarán conforme avance el presente estudio.

Es de anotar que, aunque nuestra legislación no dispone expresamente la irrenunciabilidad, jurisprudencial y doctrinalmente se ha admitido en forma pacífica[401]. Aisladamente se ha discutido la posibilidad de renunciar a una prerrogativa específica, cual es la del goce legal de ciertos bienes de los hijos de familia. Tal discusión, que no ha sido pacíficamente zanjada, solo entraña una de las prerrogativas, pero no todas ellas, y será objeto de análisis en las secciones que siguen. Por su parte, y sin perjuicio de que aquí también se estudiará en detalle, en el ordenamiento tributario sí hay disposición expresa que permite renunciar al goce legal.

3. Imprescriptible

Al ser de orden público, la patria potestad es también imprescriptible. En consecuencia, los derechos que la integran no se pueden prescribir por el mero paso del tiempo en favor de terceros. Podrán extinguirse, sí, cuando medie alguna de las causas taxativamente previstas en la ley, pero ello no significa que esta institución sea pasible de prescripción[402]. De lo anterior se sigue que no podría un padre prescribir en su favor los derechos que el otro no ha ejercido durante cierto lapso, ni mucho menos podría hacerlo un tercero.

---

[401]   Al efecto, véase la interesante sentencia de la Sala de Casación Civil y Agraria de la Corte Suprema de Justicia SC1167 de 2022, M. P. Luis Alonso Rico Puerta, en la que se concedió el exequátur a una sentencia española mediante la cual un progenitor había renunciado a la patria potestad. Para conceder el exequátur, la Corporación recordó que, pese a que no está dado renunciar a la patria potestad en nuestro país, el artículo 307 del Código Civil sí permite la delegación de sus atributos. Así, recaracterizó la renuncia del progenitor como una delegación. Ello supone, como es obvio, que el padre no abdicó de sus derechos en forma definitiva e irreversible, pues bastará con que nuevamente ejecute alguna de sus facultades para recobrarla en nuestro país.

[402]   Véanse, entre muchas otras, las Sentencias T-384 de 2018, M. P. Cristina Pardo Schlesinger; T-351 de 2018, M. P. Antonio José Lizarazo Ocampo; C-262 de 2016, M. P. Jorge Iván Palacio Palacio; C-727 de 2015, M. P. Myriam Ávila Roldán; C-239 de 2014, M. P. Mauricio González Cuervo; T-266 de 2012, M. P. Jorge Iván Palacio Palacio; C-145 de 2010, M. P. Gabriel Eduardo Mendoza Martelo; C-1003 de 2007, M. P. Clara Inés Vargas Hernández, y T-262 de 2022, M. P. José Fernando Reyes Cuartas.

4. Inalienable e intransferible

La propia naturaleza de las prerrogativas que integran la patria potestad permite comprender que ésta sea inalienable. El hecho de que tales pre-rrogativas estén fuera del comercio se vincula estrechamente con la lógica de que su creación no está supeditada a la voluntad de las partes. Mas nada de lo expuesto obsta para que, como se indicó en los títulos que anteceden, los padres titulares de los derechos de patria potestad puedan delegar el ejercicio de algunos de ellos en los otros padres o en terceras personas, siempre con miras a beneficiar a sus hijos. Tal delegación, sin embargo, no entraña el desprendimiento de la titularidad del derecho[403].

5. Personalísima

Es una institución personalísima por cuanto solo tiene como titulares de los derechos a los padres. Jamás podrán obrar como titulares los hijos o terceras personas; de ahí que tampoco sea dable enajenar o transmitir los derechos por causa de muerte o intervivos[404].

6. Temporal y precaria

La naturaleza temporal y precaria de la patria potestad significa que esta tiene una fecha de caducidad ínsita: si no acaece causal de suspensión o privación anticipadamente, o la muerte de alguno de los extremos de la re-lación jurídica, en todo caso los derechos de patria potestad terminan con la mayoría de edad de los hijos. El lector podrá advertir que esta es una de las más importantes diferencias que hay entre la patria potestad y los dere-chos y obligaciones personales entre padres e hijos. Aquí no hay manera de prolongar las prerrogativas después de que un hijo de familia ha alcanzado la mayoría de edad y, con ella, su emancipación[405].

---

[403] *Ibidem.*

[404] *Ibidem.*

[405] Sobre este punto, el lector se puede remitir específicamente a la Sentencia de la Corte Constitucional C-145 de 2010, M. P. Gabriel Eduardo Mendoza Martelo.

7. ¿De creación legal?

El punto alrededor de si la patria potestad es una institución que halla su origen en la ley o en la naturaleza ha sido disputadísimo. Como se explicó previamente, parte de la discusión encuentra sustento en los diferentes verbos que ha empleado el legislador para calificar la acción de la ley sobre los padres. En ocasiones se ha aludido a *dar,* otras veces se ha referido a *conceder* y más últimamente se empleó *reconocer*[406].

Alguna parte de la doctrina ha señalado que esta discusión, que parece vana, tiene un hondo contenido, pues si se trata de una llana *concesión* que proviene de la gracia estatal no habría motivos para no creer que se trate de prerrogativas irrenunciables. En cambio, si se tratara del *reconocimiento* de hechos de la naturaleza no cabría duda de su carácter indisponible.

Nos parece, en verdad, que la discusión se ha encauzado incorrectamente, porque no es necesariamente cierto que un derecho de creación legal sea de suyo disponible. Puede ocurrir, y con frecuencia así sucede, que haya derechos indisponibles que tienen su fuente en la ley y no en la naturaleza. Por ese motivo, no creemos que esta discusión tenga una relevancia actual como la que algún sector le ha querido atribuir.

Empero, abstracción hecha de nuestra consideración en torno a la importancia o no de la discusión, hay dos posiciones claramente definidas:

Por un lado, están quienes opinan[407] que los derechos de patria potestad son derivación lógica y necesaria de la paternidad. A su juicio, la ley no ha hecho más que positivizar los dictados de la naturaleza. En apoyo de esa postura, frecuentemente se transcribe el título XVI de la partida IV, a cuyo tenor literal la patria potestad era "el poder, o señorío que han los padres sobre los fijos, segund razón natural, e segund derecho. Lo uno, porque nascen de ellos; lo otro, porque han de heredar lo suyo".

En el otro extremo se ubican quienes creen que la institución que conocemos en Colombia bajo el nombre de patria potestad tiene su origen en la ley y no en la naturaleza. Para este sector[408], aunque las prerrogativas

---

[406]   Cfr. Art. 288 del Código Civil y sus distintas modificaciones.

[407]   Son de este parecer HERNÁN GÓMEZ PIEDRAHÍTA (*Código de Familia colombiano,* 20), ROBERTO SUÁREZ FRANCO (*Derecho de familia,* tomo II, 164 y 165) y MARCO GERARDO MONROY CABRA (*Derecho de familia, infancia y adolescencia,* 215).

[408]   En este sentido, véanse a JORGE PARRA BENÍTEZ (*Derecho de familia,* tomo I, 584), EDUARDO GARCÍA SARMIENTO (*Elementos de derecho de familia,* 526 y 527) y Senten-

se concedan a los padres en beneficio de los hijos, lo que podría sugerir una positivización del e*status* natural, lo cierto es que se trata de facultades de contenido preponderantemente patrimonial que buscan armonizar el tráfico jurídico de la manera más coherente posible. Expresado, en otros términos, no se sigue de la naturaleza la potestad de los padres de administrar y gozar de ciertos bienes de sus hijos de familia, ni de representarlos legalmente, porque lo que se persigue es que, en el discurrir normativo, los menores de edad, que se consideran incapaces, estén sometidos a un régimen de protección especial mientras alcanzan la mayoría de edad.

En nuestra opinión, la segunda postura parece más lógica. Ello es así, justamente porque la patria potestad fenece, si no muere alguno de los extremos de la relación ni se configuran las causales para la suspensión o privación, por el solo hecho de que los hijos cumplan la mayoría de edad. No hay manera, después de la promulgación de la Ley 1996 de 2019, de que se prorrogue esta institución, precisamente porque su origen es legal, no natural. Y si bien se consultaron los dictados de la naturaleza para delinear sus contornos, en la medida en que los únicos titulares de tales prerrogativas son los padres, no por ello se podría decir que esta institución corresponde a la naturaleza *per se*.

Pero se debe insistir, el que se trate de una institución de origen legal no significa ni supone que sea renunciable o enajenable. Su indisponibilidad proviene del sello de imperatividad que se deriva de la característica de orden público del sistema. Porque la inclusión de la patria potestad en nuestro ordenamiento jurídico no depende de la voluntad del titular, sino de la cumplida protección a los hijos. Es, pues, una garantía para que la familia se desarrolle de la manera más propicia; y comoquiera que la familia adquirió un inobjetable respaldo en la sociedad colombiana a partir de la adopción de la Carta Política de 1991, es evidente que no hay manera de sostener que esta institución sea disponible o maleable por los acuerdos particulares.

SECCIÓN II. LOS ATRIBUTOS DE LA PATRIA POTESTAD

Hasta aquí se han expuesto las generalidades de la patria potestad como figura imperante en el ordenamiento jurídico colombiano. Ahora se estudiarán los atributos, prerrogativas o derechos que la integran por separado. Según se dijo, la patria potestad en Colombia tiene un alcance

---

cia de la Corte Constitucional C-404 de 2013, M. P. Luis Ernesto Vargas Silva.

restringido, pues se limita a un cúmulo de prerrogativas de naturaleza preponderantemente patrimonial, cuales son el usufructo o goce legal sobre ciertos bienes de los hijos de familia, la administración sobre ciertos bienes de los hijos de familia y la representación legal, judicial y extrajudicial, de los hijos de familia. Veremos cada uno de los atributos enseguida.

I. El goce legal sobre ciertos bienes de los hijos de familia

En su versión original, el artículo 291 del Código Civil disponía que "[e]l padre goza del usufructo de todos los bienes del hijo de familia, exceptuando los siguientes (…) Se llama usufructo legal del padre de familia el que le concede la ley". Más tarde, el artículo 26 del Estatuto de la Igualdad (decreto 2820 de 1974) modificó el artículo 291 del Código Civil, en el sentido de precisar que "[e]l padre y la madre gozan por iguales partes del usufructo de todos los bienes del hijo de familia, exceptuados (…)".

De lo anterior se desprenden dos conclusiones importantes:

En sus inicios, el goce legal estuvo concedido exclusivamente al padre, como en general lo estuvo la institución de la patria potestad. No fue sino hasta la expedición del Estatuto de la Igualdad cuando se removió toda barrera injustificada y se reconoció esta prerrogativa al padre y a la madre en igual medida. En segundo lugar, el goce legal ha recaído, desde siempre, sobre algunos bienes de los hijos *de familia*. Estos últimos, según lo indica el propio artículo 288 del Código Civil, son los "hijos no emancipados".

1. Noción: la impropia denominación de *usufructo legal*

La legislación colombiana se refiere, en forma desafortunada e impropia, al *usufructo legal*, para aludir al *goce legal* que detentan los padres sobre algunos bienes de los hijos de familia o no emancipados. Con ello se da a entender, equivocadamente, que esta prerrogativa se corresponde con el derecho real de usufructo reglado en los artículos 823 y siguientes del Estatuto Civil. La comentada confusión se hace más complicada si se tiene en cuenta que el ordinal 1º del artículo 825 del Código Civil señala que uno de los modos de constituir el usufructo es la ley, "como el del padre de familia, sobre ciertos bienes del hijo".

RODRÍGUEZ PIÑERES advirtió, desde muy temprano, la dificultad de la infortunada homonimia en que incurrió el Legislador, así:

> A nuestro juicio, este concepto no se ajusta a la verdad jurídica, porque de que el Código no haga la distinción de palabras que se hace en Francia entre el *usufruit* y la *jouissance légale*, no se deduce que lo que aquí se llama 'usufructo legal' sea un verdadero derecho real de usufructo, que si lo fuera, estaría sujeto a las normas que gobiernan los derechos reales, como sería la inscripción en el registro de los inmuebles en el concepto de que la nuda propiedad fuera del hijo y el usufructuario el padre; éste podría reivindicarlo por separado si estuviera algún bien del hijo en poder de terceros, cuando lo que procedería en caso tal sería reivindicar el bien para un hijo, etc.

> El Código, por el solo hecho de no haber traducido *jouissance légale* por 'goce legal' y haber empleado la expresión 'usufructo legal', no ha querido, a nuestro juicio, cambiar la tradicional institución de un verdadero derecho real, por una desmembración al derecho de propiedad; él se ha limitado, aquí como en Francia, a conceder al sujeto del derecho de la patria potestad, el 'saldo' de los frutos del patrimonio del hijo que resulte después de hechos los gastos de crianza, educación y establecimiento del hijo y los de conservación y administración de su patrimonio[409].

Síguese de los apartes transcritos que el yerro capital en que incurrió el Legislador consistió en bautizar esta figura como *usufructo* legal, pese a que su naturaleza no se identifica ni se confunde con la del derecho real de *usufructo* reglada en los artículos 823 y siguientes del Código Civil. Para confirmarlo, basta apuntar una serie de diferencias entre una y otra figuras:

En primer lugar, el *usufructo* como derecho real[410] entraña la desmembración del derecho de dominio pleno entre el nudo propietario y el usufructuario. Sabido es que el derecho de dominio pleno concede a su titular los derechos de disponer de la cosa (*ius abutendi*), usar la cosa (*ius utendi*) y obtener los frutos, civiles y naturales, de la cosa (*ius fruendi*). Por virtud de la comentada desmembración de la propiedad, el derecho de disposición (*ius abutendi*) se radica en el nudo propietario[411], en tanto que los derechos de uso (*ius utendi*) y goce (*ius fruendi*) quedan en cabeza del usufructuario[412].

Al tratarse de derechos independientes, aunque concatenados, puede ocurrir, entonces, que el nudo propietario enajene su derecho por acto en-

---

[409] EDUARDO RODRÍGUEZ PIÑERES, *Curso elemental de derecho civil colombiano*, tomo I. (Bogotá: Ed. Librería Americana., 1919), 308.

[410] Sobre la temática del usufructo como derecho real el lector puede acudir a LUIS GUILLERMO VELÁSQUEZ JARAMILLO, *Bienes*, sexta edición. (Bogotá: Ed. Temis, 1996), 326 a 338.

[411] Cfr. Artículo 824 del Código Civil colombiano.

[412] Cfr. Artículo 840 y 849 del Código Civil colombiano.

tre vivos o lo transmita por causa de muerte (artículo 832 del Código Civil), quedando el nuevo propietario obligado a respetar el usufructo constituido. También puede hipotecar su nuda propiedad (artículo 838, *ibidem*). Por su parte, el usufructuario, salvo que se estipule lo contrario, podrá dar en arrendamiento o ceder su derecho real de usufructo (artículo 852, *ibidem*).

En tratándose del *goce legal* difícilmente se podría afirmar, sin caer en equívocos, que en esta figura se desmiembran las prerrogativas del derecho de dominio para ubicar en un extremo al hijo de familia, como nudo propietario, y en otro a los padres, como usufructuarios. Ello es así, porque los padres de familia y su hijo no obran en forma independiente; por el contrario, las prerrogativas de los padres se han conferido con el solo propósito de "facilitar (…) el cumplimiento de los deberes que su calidad les impone". Es más, la incapacidad legal del hijo, por razón de su minoría de edad, hace que éste no pueda enajenar o hipotecar, por sí, el derecho de nuda propiedad. Si se hubiere de enajenar el bien, no solo la nuda propiedad, los padres, en su condición de representantes legales del menor de edad, tendrán que solicitar la licencia judicial o administrativa pertinente, como más adelante se estudiará.

En segundo lugar, de conformidad con lo previsto por el artículo 826 del Código Civil el *derecho real* de "usufructo que haya de recaer sobre inmuebles por acto entre vivos, no valdrá si no se otorgare por instrumento público inscrito". Esta exigencia, en cambio, no se predica del *goce legal* del padre de familia, pues para estos casos no se requiere documento alguno ni inscripciones en los registros públicos.

En tercer lugar, en el *derecho real* de usufructo se requiere que el usufructuario preste caución suficiente de conservación y restitución y elabore un inventario solemne, sin lo cual no podrá tener la cosa fructuaria (artículos 834 a 836 del Código Civil). Por su parte, el artículo 293, *ibidem*, expresamente releva a los padres de satisfacer esta obligación en relación con los bienes de los que adquieren el *goce legal*.

En cuarto lugar, el *derecho real* de usufructo se puede constituir por tiempo determinado o por toda la vida del usufructuario (artículo 829 del Código Civil), en tanto que el *goce legal* del padre de familia se extiende hasta la emancipación del hijo (artículo 292, *ibidem*).

En quinto lugar, el titular del *derecho real* de usufructo puede disponer, a su arbitrio y según su mejor criterio, de los frutos civiles y naturales de la cosa fructuaria (porque le pertenecen sin condiciones), con la única obligación de atender las erogaciones relativas a la conservación del bien (artículo 854 del Código Civil) y sufragar las cargas que previamente se hayan constituido para gravar la cosa (artículo 855, *ibidem*). Por su parte, en tratándose del *goce legal* los frutos civiles y naturales de la cosa fructuaria tienen una destinación específica: las necesidades y gastos de crianza, educación y establecimiento de los hijos de familia. Y, como lo indica Rodríguez Piñeres, el saldo sí podrá ser libremente destinado por los padres de familia a los fines que éstos consideren pertinentes.

Las anteriores razones son más que suficientes para demostrar que fue impropia la homonimia en que incurrió el Legislador al designar el *goce legal* como *usufructo*. Por ello procuraremos aludir, en estas líneas, al *goce legal*, como designación más correcta y apropiada.

2. Fundamento del goce legal

Sobre el fundamento del goce legal se han esgrimido las más variadas teorías. Indudablemente, y así lo enseña la historia, su génesis se remonta al primitivo Derecho Romano, en cuya vigencia los hijos no podían adquirir bienes para sí. Todas sus propiedades y pertenencias eran, jurídicamente, del *pater familias*. Ese vetusto modelo de absorción que, como se ha visto en los títulos que anteceden, fue paulatinamente superado mediante la confección del peculio profecticio, los peculios castrense y cuasi castrense y el peculio adventicio, es el que dio origen a la institución recogida en nuestro medio.

Desde los siglos pasados ya se venía advirtiendo sobre la naturaleza anacrónica de esta figura. Henri, Leon y Jean Mazeaud, por ejemplo, relatan en su *Obra* cómo la Comisión de Reforma al Código Civil francés propuso la supresión del *goce legal*, propuesta que sería ulteriormente rechazada por la Facultad de Derecho de París[413]. También son críticos de esta figura, en Francia, Louis Josserand[414] y Planiol, Ripert y Boulanger[415]. En Colombia, a esta posición adscribió Arturo Valencia Zea[416].

Pero más allá de su naturaleza anacrónica, o de su pertinencia histórica, lo cierto es que el *goce legal* ha permanecido incólume en el ordenamiento jurí-

---

[413] Henri, Leon y Jean Mazeaud, *Leçons de droit civil*, tomo III. Luis Alcalá Zamora (Trad.) (Buenos Aires: Ed. Ejea, 1959), 103.

[414] Louis Josserand, *Cours de droit civil positif français*, tomo I, tercera edición. (París: Ed. Recueil Sirey, 1938), 610 y ss.

[415] Marcel Planiol, Georges Ripert y Jean Boulanger, *Traité élémentaire de droit civil conforme au programme officiel des Facultés de droit*, 1018.

[416] Arturo Valencia Zea, *Derecho civil*, tomo V, 411 y 412.

dico colombiano, como en muchos otros. Veremos ahora las distintas teorías que pretenden explicar su fundamento, para luego explicar nuestra posición.

A. *Teoría de la indemnización*

De acuerdo con esta visión, el *goce legal* de los padres de familia se cimienta sobre una pretendida indemnización o resarcimiento por las cargas y erogaciones que ellos han tenido que asumir para garantizar la educación, crianza y sostenimiento de sus hijos. Desde luego, esta doctrina se construye a partir de la concepción de que la paternidad es una función u oficio, que reclama una suerte de indemnización y, consiguientemente, ha conducido a que incluso se sostenga que la paternidad es "lucrativa". Adscriben a esta tesis AMBROISE COLIN y HENRI CAPITANT[417], EDUARDO ZANNONI[418], EDUARDO BUSSO[419] y JOSÉ OLEGARIO MACHADO[420].

B. *Teoría de la redistribución de la riqueza*

Al decir de esta doctrina, con el goce legal se permite redistribuir la riqueza, y más propiamente los ingresos, en el seno de una familia. Es así como se evita tener, en un mismo núcleo, dos hijos con capacidades económicas diametralmente opuestas, pues, cuando pasa la propiedad de los frutos a los padres, éstos pueden redistribuir en forma más equitativa el ingreso. Como justificación se ha dicho que la familia descansa sobre la solidaridad y, por consiguiente, todos deben aportar a su sostenimiento en proporción a sus capacidades.

---

[417] AMBROISE COLIN y HENRI CAPITANT, *Cours elémentaire de droit civil français,* tomo I. (París: Ed. Dalloz, 1914), 441.

[418] EDUARDO ZANNONI, *Derecho civil,* tomo II: *Derecho de familia.* (Buenos Aires: Ed. Astrea, 1989), 750.

[419] EDUARDO BUSSO, *Código civil anotado.* (Buenos Aires: Ed. Ediar, 1945), 611.

[420] JOSÉ OLEGARIO MACHADO, *El código civil argentino interpretado por los tribunales de la República,* tomo I. (Buenos Aires: Ed. Félix Lajouane Editores, 1905), 538.

Participan de esta postura Guillermo Borda[421], Marcel Planiol y Georges Ripert[422], Henri, Leon y Jean Mazeaud[423], Jorge Óscar Perrino[424] y Augusto César Belluscio[425].

C. *Teoría de la libertad de administración y uso de los bienes*

De acuerdo con esta tesis, el *goce legal* de los padres de familia subsiste porque pretende darles una mayor libertad en la administración de los bienes de los hijos. Aunque la administración es prerrogativa distinta del goce legal, gracias a este último se tiene mayor amplitud y flexibilidad en la primera, pues los padres quedan liberados de rendir cuentas de su administración y de restituir los saldos que pudieran existir al fin de ella.

Es abanderado de esta tesis Jorge Adolfo Mazzinghi[426].

D. *Nuestra postura*

Sea lo primero señalar que nos parece incorrecta, por no decir anacrónica, la tesis según la cual el fundamento del *goce legal* es la indemnización. Si bien pudo tener sentido en las épocas del Derecho Romano, particularmente cuando se tomó la obligación del pater familias como un *officio*, hoy no parece tener ningún sentido afirmar, como algunos lo hacen, que la paternidad es un negocio "lucrativo".

Antes se explicó que el fundamento de la autoridad paterna, que obra como referente para desentrañar el fundamento del *goce legal*, tuvo una drástica variación a lo largo de los años en virtud de las improntas estoica y

---

[421]   Guillermo Borda. *Tratado de derecho civil. Familia.* Ed. Abeledo Perrot. Buenos Aires, 1993. Pág. 185.

[422]   Marcel Planiol y Georges Ripert, con el concurso de René Savatier. *Tratado práctico de derecho civil francés.* Tomo I. *De las personas.* Trad. Mario Díaz Cruz. Ed. Cultural S.A. La Habana, 1935. Pág. 364.

[423]   Henri, Leon y Jean Mazeaud, *Leçons de droit civil,* núm. 1156.

[424]   Jorge Óscar Perrino, *Derecho de familia,* tomo II. (Buenos Aires: Ed. Lexis Nexis, 2006), 1710 y 1711.

[425]   Augusto César Belluscio, *Manual de derecho de familia,* tomo II, séptima edición. (Buenos Aires: Ed. Depalma, 2004), 405 y 406.

[426]   Jorge Adolfo Mazzinghi, *Tratado de derecho de familia,* tomo IV: *Filiación. Procreación asistida. Patria potestad, tutela y curatela. Parentesco. Mediación,* cuarta edición. (Buenos Aires: Ed. La Ley, 2006), 350 y 351.

cristiana. Así, no halla su basamento en el *poder* por el *poder*, sino en el amor más profundo de los padres por sus hijos y en la responsabilidad, para con la colectividad, de entregar sujetos útiles y bien formados que coadyuven al tranquilo discurrir social.

Por consiguiente, ante las nuevas concepciones de las relaciones pater-nofiliales, aludir a una concepción "indemnizatoria" para justificar la funda-mentación del *goce legal* de los padres de familia desconoce y abiertamente atenta contra la naturaleza y la paternidad. De ahí se deriva que, en nuestra opinión, la tesis de la indemnización sea inaplicable en todos los ordenamien-tos jurídicos en general y en el colombiano en particular. Justamente, entre nosotros, el Tribunal Constitucional ha sido especialmente enfático al señalar que la patria potestad es una labor "gratuita"[427], lo que se opone, sin bemoles, al carácter "lucrativo" que se colegiría de admitir la tesis "indemnizatoria".

Ahora bien, en cuanto a la teoría que fundamenta el *goce legal* en una mayor libertad para la administración y uso de los bienes de los hijos de familia, se advierte una aparente contradicción, por lo menos en el ámbito colombiano, por cuanto la administración de ciertos bienes puede ser con-cedida a los padres sin que se les conceda, además, el goce legal de esos mis-mos activos. Así lo dispone, sin ambages, el artículo 296 del Código Civil, a cuyo tenor literal "[l]a condición de no administrar el padre o la madre o ambos, impuesta por el donante o testador, no les priva del usufructo".

De manera que, aunque la doctrina extranjera que adscribe a esta te-sis califica de "inconcebible y grotesca la figura de los padres obligados a administrar los bienes filiales, pero privados del derecho de usarlos y gozar de ellos"[428], lo cierto es que tal posibilidad, al menos en el ordena-miento jurídico colombiano, no solo fue ideada desde el inicio, sino que subsiste en nuestros tiempos. Por tanto, no sería consecuente admitir que el fundamento del *goce legal* estriba en dinamizar o ampliar la facultad de administración de los padres sobre ciertos bienes de sus hijos de familia si, como ocurre en nuestro ordenamiento jurídico, es factible que se detente la administración sin goce legal o el goce legal sin administración.

En cuanto tiene que ver con la teoría según la cual se concede el *goce le-gal* de ciertos bienes de los hijos a los padres para que éstos redistribuyan la riqueza en el seno de la familia, algunos críticos han manifestado en se trata

---

[427] Para proponer un ejemplo, véase la Sentencia C-1003 de 2007, M. P. Clara Inés Vargas Hernández.

[428] Jorge Adolfo Mazzinghi, *Tratado de derecho de familia*, 351.

de una explicación que dice más relación con la utilidad de la figura que con su verdadero fundamento. Por el contrario, encontramos que la verdadera base fundamental de esta teoría descansa sobre la solidaridad familiar y, desde luego, reporta ventajas prácticas indudables como la que antes se apunta. Pero añadimos: no es solo la solidaridad la base que cimienta el sistema; también se ubica en su núcleo el amor profundo que profesan los padres por sus hijos y, en particular, por el mejor desarrollo de la familia.

Sobre las anteriores bases, que el *goce legal* implique para los padres la obligación, por mandato legal, de reinvertir los frutos, réditos y lucros de los bienes de sus hijos de familia en el sostenimiento, educación y crianza de éstos y solo el remanente o saldo les sea adjudicado a aquéllos tiene dos potísimas razones justificativas: el amor por su descendencia y la solidaridad familiar. No parece admisible en sana lógica que, mientras unos hijos pasan penas por la insolvencia de los padres, otros tengan una posición social distante y ostensiblemente más elevada. Entonces, como correctivo a una situación dolorosa e irritante como la planteada, el ordenamiento jurídico autoriza que, previas las deducciones requeridas para el adecuado sostenimiento de la vida de los hijos propietarios de los activos, los padres de familia reciban el saldo y puedan con él solventar las necesidades de los demás hijos.

A esta conclusión no se puede oponer, como lo hacen algunos, el argumento de que en la mayoría de los casos el *goce legal* se refiere a bienes heredados por los hijos en partes iguales, lo que haría inútil la anterior justificación. En efecto, una de las vías para alcanzar el *goce legal* es, según adelante se verá, la herencia que reciben los hijos de familia (que normalmente recogerán en partes iguales), pero no es la única. También puede acontecer que reciban los activos a título de legado o donación y en ninguno de estos casos se podría afirmar, ni por asomo, que todos los hijos reciben cuotas iguales sobre el mismo bien o derecho, porque su destinatario es individualizado según la voluntad del donante o testador.

Así pues, no queda desvirtuado el fundamento de la solidaridad y el amor. Por el contrario, se ratifica en la medida en que se entienda que los saldos respecto de los cuales adquieren la propiedad los padres de familia serán, las más de las veces, motivados por esa solidaridad y ese amor, destinados a la atención de las necesidades de los otros hijos que no han sido adjudicatarios de los bienes y derechos que generan los frutos, réditos o lucros sobre los que recae el *goce legal.* Y, desde luego, los beneficiarios de la prerrogativa del *goce legal* son los padres, no los otros hijos de familia, habida cuenta de que la ley parte de la premisa según la cual son los progenitores los más calificados para identificar cómo y de qué manera se debe reinvertir ese saldo en las necesidades generales de la familia. Es, en términos de Rousseau, la forma en la que la familia se viene a asemejar a la organización del Estado.

3. Características particulares

Diríase ordinariamente que, al ser una prerrogativa de la Patria potestad, el *goce legal* de los padres de familia participa de las mismas características. Esa afirmación, que sería lógica en principio, no es uniformemente compartida por la doctrina. Por consiguiente, se hace necesario explorar las características particulares del *goce legal* entre nosotros.

A. *Universal*

Hay plena coincidencia en cuanto a que el derecho de *goce legal* de los padres de familia sobre ciertos bienes de sus hijos es de carácter universal. Ello es así, por cuanto la ley les concede a los padres, por partes iguales, "el usufructo de todos los bienes del hijo de familia". Constituye entonces la regla general la característica de la universalidad, pese a que, como se verá enseguida, hay una serie de excepciones taxativamente previstas en las disposiciones legales.

B. *Inalienable*

Según el Diccionario de la Real Academia de la Lengua Española, el verbo alienar significa, en su primera acepción, "enajenar". A su turno, este último es definido, también en su primera acepción, como "[v]ender o ceder la propiedad de algo u otros derechos". Implica lo anterior que el *goce legal* conferido por la ley a los padres de familia no es susceptible de venta o cesión a ningún título. La razón para que ello sea así es clara: esta es una prerrogativa que se instituye en defensa de los intereses del hijo.

Sin embargo, bueno es acudir a Claro Solar cuando afirma que,

> al declarar que el derecho de usufructo legal no puede ser cedido ni embargado, no se trata de los frutos mismos que en virtud del ejercicio de este derecho adquiere el padre de familia y que se incorporan a su patrimonio. Al hacerlos suyos, el padre de familia dispone de ellos del mismo modo que de sus demás bienes, y sus acreedores podrían embargarlos para hacerlos vender y pagarse de sus créditos, con deducción de las cargas que los afectan. En otros términos;

el producto neto del usufructo puede ser cedido por el padre y embargado por sus acreedores. El derecho de goce legal no está, pues, en el comercio[429].

Ya se vio que el *goce legal* corresponde, en realidad, al derecho que tienen los padres de hacer suyo el *saldo* o *remanente* que queda después de invertir los frutos, réditos y lucros provenientes de ciertos bienes de los hijos de familia en el sostenimiento, educación, crianza y manutención de sus propietarios. Por consiguiente, cuando se afirma que el *goce legal* no es alienable a lo que se alude es a la prerrogativa de los padres *per se*. Sin embargo, el producto de esa prerrogativa que la ley autoriza a los progenitores para hacer suyo sí será objeto de enajenación.

Piénsese en el siguiente ejemplo: un padre tiene el *goce legal* de un inmueble determinado de propiedad de su hijo de familia, el cual produce frutos civiles por valor de $500 al mes. En los gastos de crianza, educación, manutención y sostenimiento de su hijo el padre invierte $450. El saldo, es decir, los $50 que quedan sin ser utilizados, es de propiedad del padre, quien podrá destinarlo a los menesteres que desee[430].

De lo expuesto se tiene que, por la característica de inalienabilidad, el padre no está facultado para vender, ceder, gravar ni puede ser embargado en su derecho de *goce legal*. La razón, bastante obvia, es que los recursos tienen una destinación primordial específica, cual es la de atender las necesidades del hijo. En cambio, los $50 de los que se hace propietario sí pueden ser cedidos, embargados o perseguidos, porque respecto de ellos el dominio del padre es pleno.

C. *Temporal y precario*

Una de las características de la Patria potestad que es pacíficamente predicable del usufructo es la de la temporalidad. Nadie podría dudar que, siendo temporal la Patria potestad, género que engloba entre otras prerrogativas la del *goce legal*, éste no lo fuera. Pero puede ocurrir, sin embargo, que cese el *goce legal* sin que así ocurra con la Patria potestad.

---

[429]   Luis Claro Solar, *Explicaciones de derecho civil chileno y comparado*, 273.

[430]   Para simplificar el ejemplo, se parte de la base de que solo sobrevive el padre y no la madre. Aunque en caso de que ambos vivieran, y ninguno hubiere sido privado del goce legal, los $50 corresponderían, por partes iguales, a cada uno de los progenitores.

En consecuencia, la regla general es que el *goce legal* cesa cuando ocurre cualquiera de los hechos o actos que conducen a la terminación de la Patria potestad. Empero, a manera de excepción puede ocurrir que acaezcan hechos particularmente cualificados por la ley, que en su momento se estudiarán, en cuyo caso el *goce legal* se extinguirá incluso a pesar de que subsista la Patria potestad de ese progenitor.

D. ¿Irrenunciable?

Por oposición a lo hasta ahora estudiado, la irrenunciabilidad es una característica de la Patria potestad en la que la doctrina ha mostrado alguna suerte de división para su extrapolación al *goce legal*. Según se analizará, hay quienes han sostenido, enfática y tajantemente, que la prerrogativa del *goce legal* es por naturaleza irrenunciable, en tanto que otros han afirmado que sí lo es. La discusión, aparentemente sencilla, reviste la mayor importancia, en particular para los comentarios que se formularán en los capítulos que siguen.

Delanteramente se debe indicar que, sobre esta característica particular, los comentarios que a continuación se formulan tienen incidencia únicamente en el plano civil, pues el ordenamiento tributario, como se expuso en el tomo I con suficiente detenimiento, cuenta con norma expresa que regula la materia. Se trata del artículo 1.2.1.1.8. del Decreto 1625 de 2016, conforme al cual

> [l]as rentas originadas en el usufructo legal de los padres de familia se gravarán en cabeza de quien ejerza la patria potestad. Igual tratamiento se aplicará respecto de las ganancias ocasionales de los hijos menores, cuando no haya renuncia del usufructo legal. La renuncia del usufructo legal, para los efectos fiscales, solo será válida cuando se haga por escritura pública y no producirá efectos sino a partir del año gravable en que se otorgue el instrumento respectivo, según lo expresado en este por el renunciante.

Así pues, en materia tributaria es pacíficamente admitido que el *goce legal* de los padres de familia puede ser renunciado, siempre que se haga mediante escritura pública y los efectos se producirán a partir del año gravable de la protocolización del instrumento respectivo. De manera que, se repite, la discusión que enseguida se entretiene, relativa a la posibilidad de renunciar al *goce legal*, circunscribe sus efectos al plano civil.

A'. *Tesis positiva*

En opinión que se pudiera decir minoritaria, Jorge Parra Benítez[431] sostiene que la norma que autoriza la renuncia del *goce legal* de los padres de familia no es otra que el artículo 15 del Código Civil. Al decir de esta disposición, "[p]odrán renunciarse los derechos conferidos por las leyes, con tal que sólo miren al interés individual del renunciante, y que no esté prohibida la renuncia".

De lo anterior se sigue que, en opinión del tratadista, el *goce legal* de los padres de familia es susceptible de renuncia porque satisface los dos requisitos previstos en el artículo 15 del Código Civil, antes citado, es decir: (i) es un derecho que solo mira al interés individual de los padres de familia (renunciantes); y (ii) la renuncia no está expresamente prohibida en la ley.

B'. *Tesis negativa*

La doctrina mayoritaria, integrada, entre otros, por Roberto Suárez Franco[432], Marco Gerardo Monroy Cabra[433], Jorge Óscar Perrino[434], Jorge Adolfo Mazzinghi[435], Augusto César Belluscio[436], Eduardo Busso[437] y Guillermo Borda[438], sostiene que el *goce legal* de los padres de familia es por completo irrenunciable. En su visión del asunto, trátase de una disposición imperativa, revestida de naturaleza de orden público, en la que no solo se consulta el interés de su beneficiario (los padres de familia), sino que se instituye en función de los destinatarios (los hijos).

Por manera que, para este sector, no se satisface el primer requisito previsto por el artículo 15 del Código Civil (que el derecho solo tenga por objeto el interés del renunciante) y, de consiguiente, no resulta admisible la renuncia.

---

[431] Cfr. Jorge Parra Benítez, *Derecho de familia*, tomo I, 591 y 592.

[432] Roberto Suárez Franco, *Derecho de familia*, tomo II, 172.

[433] Marco Gerardo Monroy Cabra, *Derecho de familia, infancia y adolescencia*, 222.

[434] Jorge Óscar Perrino, *Derecho de familia*, 1712.

[435] Jorge Adolfo Mazzinghi, *Tratado de derecho de familia*, 351.

[436] Augusto César Belluscio, *Manual de derecho de familia*, tomo II, 407.

[437] Eduardo Busso, *Código civil anotado*, 287.

[438] Guillermo Borda, *Tratado de derecho civil. Familia*, 187.

C'. Nuestra visión

Son varias las razones que nos conducen a adscribir a la tesis mayoritaria, como se sigue a continuación:

Desde el punto de vista estrictamente lógico, no parece explicable que la Patria potestad tenga determinadas características generales (como las de ser de orden público, irrenunciable y personalísima), pero una de las prerrogativas que ella engloba, el *goce legal*, se sustraiga de ellas. Si, como en efecto ocurre, la Patria potestad es el género que aglutina entre sus especies al *goce legal*, no tendría sentido afirmar que unas son las características del género, pero otras, diametralmente opuestas, son las de sus especies. Y, aunque nada se opondría a que hubiera características particulares, como la de la *universalidad*, que rigieran exclusivamente para una de las especies del género, sin entrar en conflicto o contradicción con las características generales del continente, no es ese el caso de que aquí se trata. En consecuencia, afirmar que la Patria potestad es irrenunciable, personalísima y de orden público, pero el *goce legal* no lo es, conduce indefectiblemente a cuestionar el sentido y utilidad de haber fijado características generales o comunes para la Patria potestad[439].

A más de lo expuesto, en el presente capítulo se ha defendido que la Patria potestad se compone o integra de verdaderas prerrogativas de los padres de familia, una de las cuales es, sin duda, el *goce legal*. Empero, tal aseveración ha sido morigerada por el planteamiento de que se trata de un derecho que, si bien tiene por titulares a los padres de familia, está instituido e ideado en función de los hijos. Quiere ello decir que esta facultad no mira exclusivamente, ni por asomo, los intereses de los padres, sino que propende por la adecuada atención de las necesidades más profundas y esenciales de los hijos de familia. De ahí que no sea posible esgrimir, en nuestra opinión, que se satisface el primer requisito impuesto por el artículo 15 del Código Civil para sostener la posibilidad de renuncia.

Muy clara es, al respecto, la opinión de PERRINO, quien sostiene que

> el usufructo [legal] no tiene en miras el interés de los progenitores, sino que está instituido considerando el interés familiar. Es decir que prevalece por sobre el interés particular del padre, el interés tuitivo de los hijos que dan origen a la patria potestad. Por lo demás, la renuncia se encuentra prohibida por

---

[439] En este sentido, véanse a SUÁREZ FRANCO (*Derecho de familia*, tomo II, 172), MONROY CABRA (*Derecho de familia, infancia y adolescencia*, 222), MAZZINGHI (*Tratado de derecho de familia*, tomo IV, 351) y BORDA (*Tratado de derecho civil. Familia*, 187).

imperio de lo establecido en el art. 872, CCiv. [argentino][440], que no la admite
cuando los derechos concedidos lo han sido menos en el interés particular de
las personas que en miras del orden público[441].

Podría sostenerse que, incluso si se admite que el *goce legal* tiene en su
mira el interés familiar, por oposición al individual de los padres, la renuncia
sería igualmente procedente, toda vez que con ella se favorecería más a los
hijos que a los padres de familia. En esta línea argumentativa se diría que, en
efecto, cuando los padres abdican de la prerrogativa se mejora indefectiblemente la situación de solvencia del hijo propietario de los activos sobre los
que recae el *goce legal*, habida cuenta de que no se ve menguado su patrimonio, ni en todo ni en parte, para la satisfacción de sus propias necesidades.

El anterior argumento, que parece bien robusto, solo lo es en apariencia,
porque depone consideraciones de fondo que merecen un detenido análisis. Si se admite que el fundamento del *goce legal* es la solidaridad familiar,
así como el amor paterno, de contera corresponde aceptar que la utilidad
práctica de esta prerrogativa es, según antes se indicó, la redistribución de
la riqueza al interior de una familia, con miras a evitar que unos hijos pasen
necesidades mientras otros ostentan una elevada posición de solvencia.

Y a nadie escapa que el artículo 288 del Código Civil colombiano, al regular la Patria potestad, manda que el cúmulo de derechos que se reconocen a los padres de familia tiene por propósito "facilitar a aquéllos el cumplimiento de los deberes que su calidad les impone". Mas la condición de
padres no se agota ni se circunscribe a solo uno de los hijos (el propietario
de los activos sobre los que recae el *goce legal*), sino que se extiende a todos
aquellos que llegaren a haber. Entonces, delimitar el análisis al beneficio

---

[440]   El artículo 872 del Código Civil argentino, hoy derogado, disponía lo siguiente:
"Las personas capaces de hacer una renuncia pueden renunciar a todos los derechos establecidos en su interés particular, aunque sean eventuales o condicio-
nales; pero no a los derechos concedidos, menos en el interés particular de las
personas, que en mira del orden público, los cuales no son susceptibles de ser el
objeto de una renuncia". En su texto vigente, el artículo 944 del Código Civil y Comercial argentino prevé, en lo pertinente, que "[t]oda persona puede renunciar
a los derechos conferidos por la ley cuando la renuncia no está prohibida y sólo
afecta intereses privados". Fluye palmario que ambos textos son equivalentes, en
Colombia, al artículo 15 de nuestro Código Civil.

[441]   Jorge Óscar Perrino, *Derecho de familia*, 1712. En el mismo sentido, véanse a
Suárez Franco (*Derecho de familia*, tomo II, 172), Belluscio (*Manual de derecho de
familia*, tomo II, 407), y Busso (*Código civil anotado*, 287).

exclusivo del hijo propietario de los activos desatiende el fundamento de la solidaridad en casos como el que enseguida se plantea:

Supóngase que unos cónyuges tienen dos hijos, de los cuales uno es propietario de una finca de producción sobre la que recae el *goce legal* de los padres. La finca de producción genera frutos naturales mensuales de $1 000. Las deducciones necesarias para el sostenimiento, educación, crianza y manutención del hijo propietario ascienden a $600, por lo que el saldo, que entrará en la esfera patrimonial personal de los padres de familia, por partes iguales, es de $400 ($200 cada uno). El sostenimiento, educación, crianza y manutención del otro hijo ascienden también a $600.

Si se admitiera la posibilidad de que los padres renunciaran al *goce legal*, el hijo propietario tendría, en total, rentas mensuales de $1 000. Los padres tendrían que incurrir, con cargo a sus propios recursos, en los $1 200 por concepto de gastos de sostenimiento, educación, crianza y manutención de sus dos hijos.

El ejemplo propuesto no tendría inconvenientes si los padres contaran con las posibilidades económicas para atender las erogaciones mensuales que se tasaron en $1 200. Sin embargo, llegado el hipotético caso en que ambos perdieran su solvencia económica, tendríamos un hijo propietario de la finca con rentas mensuales de $1 000, pero los padres no contarían con ningún tipo de recurso para atender las necesidades de ninguno de sus dos hijos.

Entonces, por aplicación de lo previsto por el artículo 257 del Código Civil, *in fine*, los gastos del establecimiento, crianza y educación del hijo propietario de la finca se podrán sacar de sus rentas mensuales, con lo cual habrá un exceso de $400 ($1 000-$600) que seguirán perteneciéndole íntegros y que los padres no podrán tocar. Por su parte, los gastos de establecimiento, crianza y educación del otro hijo no podrán ser satisfechos por los padres, con lo cual estos últimos estarán incumpliendo, cuando menos flagrantemente, con "los deberes que su calidad les impone".

¿Dónde queda, en un ejemplo como el propuesto, la solidaridad familiar?, ¿se podría afirmar, sin bemoles, que en este caso la renuncia hecha por los padres no habrá afectado intereses de terceros? Evidentemente habría una afectación de los derechos del otro hijo, una manifiesta inobservancia de los deberes de los padres y una desatención completa de la utilidad práctica del *goce legal* como institución, por cuanto no se estarán redistribuyendo las rentas en forma apropiada.

A contrario, en caso de que no fuera posible renunciar al *goce legal*, los padres contarían, al menos, con $400 que podrían destinar a la atención de las necesidades del hijo que no es propietario de la finca, solventando las cargas familiares, vivificando la solidaridad y precaviendo situaciones afanosas que no deberían tener lugar en el marco del discurrir ordinario de una familia.

De lo expuesto se colige que podría haber varios escenarios, uno de los cuales es el recién planteado, en los que la admisibilidad de la renuncia al *goce legal* supondría una clara afrenta a normas de orden público, en abierta contradicción con lo querido por el Legislador y, sin duda, el Constituyente al elevar a rango constitucional la protección a la familia. Ello sería suficiente, en nuestra opinión, para concluir que el *goce legal* no es, por su propia naturaleza, renunciable.

Pero que se infirme la posibilidad de renunciar al *goce legal* no significa que también corran esa suerte los frutos, réditos o lucros que llegaren a producir los bienes sobre los cuales recae la prerrogativa en una oportunidad determinada y específica. Cual sucede con la característica de la inalienabilidad, objeto de análisis en los párrafos que anteceden, sería factible que los padres abdicaran de hacer suyo el saldo de los frutos, réditos o lucros producidos por un bien sobre el que recae el *goce legal* en un mes particular, con el propósito de atender ellos mismos, con sus propios recursos, los gastos de crianza, educación y establecimiento de sus hijos y permitir que el hijo de familia propietario del bien acreciente su patrimonio.

E. Otras características

Corolario obligado de la conclusión plasmada en el título inmediatamente anterior es que, además de la irrenunciabilidad, el *goce legal* de los padres de familia participe de todas las demás características propias de la Patria potestad. Así, entiéndese esta prerrogativa como de orden público, imprescriptible, personalísima e inembargable.

4. Bienes sobre los que recae el goce legal: el régimen de peculios

Se ha visto que la Patria potestad ha sido recogida, con obvias variaciones, del Derecho Romano. En ese sistema jurídico se llegaron a conocer múltiples peculios, como son el profecticio, el castrense, el cuasi castrense y el adventicio.

Con la misma línea de pensamiento, fundamentada en la necesidad de adecuar el ordenamiento a las épocas actuales, BELLO desechó el peculio profecticio, por el cual un pater familias entregaba algunos bienes a quienes estaban sometidos a su *potestas* a fin de que éstos los negociaran y administraran, pero siempre a nombre suyo. Y no podría ser distinto, pues esa institución fue concebida en las primeras épocas de Roma cuando no resultaba posible que los sujetos sometidos a la *potestas* del pater familias pudieran adquirir patrimonio para sí. En cambio, no corrieron la misma suerte los peculios castrense, cuasi castrense y adventicio, que recibieron el buen favor del Redactor y quedaron incorporados, aunque con otros nombres, en el Código Civil chileno que sería luego extrapolado, con cambios menores, a Colombia.

Veremos, a continuación, el régimen de peculios que impera en nuestro ordenamiento jurídico. Sin embargo, es primero necesario aclarar que *peculio*, según el Diccionario de la Real Academia de la Lengua Española, significa "[d]inero y bienes propios de una persona". Se puede decir, en el contexto en que se empleará sucesivamente la expresión, que el *peculio* alude a los bienes de un sujeto en específico y ocuparemos este estudio en dos clases particulares: (i) el industrial o profesional; y (ii) el adventicio.

A. Peculio profesional o industrial

El peculio profesional o industrial, como su nombre lo indica, se integra por los "los bienes adquiridos por el hijo como fruto de su trabajo o industria". De conformidad con lo establecido por el ordinal 1° del artículo 291 del Código Civil, sobre estos bienes **NO** recae el *goce legal* de los padres de familia. Por el contrario, el artículo 294, *ibidem*, precisa que el "hijo de familia se mirará como emancipado y habilitado de edad para la administración y goce de su peculio profesional o industrial".

Pues bien, en nuestro ordenamiento jurídico el peculio profesional o industrial equivale, aunque con mayor amplitud, a los peculios castrense y cuasi castrense que se conocieron en Roma. Se dice que la amplitud en la legislación colombiana es mayor, por cuanto los bienes que integran el peculio no se limitan a los percibidos por las profesiones militares o liberales, sino a cualesquiera clases de trabajos o industrias. Por tanto, el peculio profesional o industrial se integra por todos los estipendios, remuneraciones, pagos, retribuciones, salarios, honorarios, emolumentos o cualquier otra forma de compensación por el trabajo del hijo, pero también se conforma de lo recibido por él en loterías, rifas, juegos, sorteos u otras actividades semejantes que tengan que ver con su ingenio y su propio actuar[442]. Como es obvio, siguen esta suerte también los bienes adquiridos por el hijo con los dineros de tales trabajos o industrias, así como los frutos producidos por los bienes.

Comoquiera que la disposición en análisis se refiere al producto del trabajo de los hijos sometidos a patria potestad, bueno es aludir, en estas páginas, al artículo 35 del Código de la Infancia y la Adolescencia, a cuyas voces

> [l]a edad mínima de admisión al trabajo es los quince (15) años. Para trabajar, los adolescentes entre los 15 y 17 años requieren la respectiva autorización expedida por el Inspector de Trabajo o, en su defecto, por el Ente Territorial Local y gozarán de las protecciones laborales consagrados en el régimen laboral colombiano, las normas que lo complementan, los tratados y convenios internacionales ratificados por Colombia, la Constitución Política y los derechos y garantías consagrados en este código.

Sigue la norma con la precisión de que,

> [e]xcepcionalmente, los niños y niñas menores de 15 años podrán recibir autorización de la Inspección de Trabajo, o en su defecto del Ente Territorial Local, para desempeñar actividades remuneradas de tipo artístico, cultural, recreativo y deportivo. La autorización establecerá el número de horas máximas y prescribirá las condiciones en que esta actividad debe llevarse a cabo. En ningún caso el permiso excederá las catorce (14) horas semanales.

Y muy bien cabe agregar que la Corte Suprema de Justicia, en una ya inveterada providencia, puso de presente que la industria, el empleo o profesión del hijo de familia en las relaciones de hogar no pueden ser entendidos como un aporte efectuado en una presunta sociedad hecho con el padre o la madre. Veamos:

> Llegado el hijo a la plenitud, desaparece el obstáculo para celebrar con sus padres el contrato de sociedad. Pero la circunstancia de que el hijo habite en urna misma casa con sus padres o con alguno de ellos por muerte del otro y, principalmente, con la madre después de fallecido el padre, y de que la madre y el hijo se prodiguen atenciones mutuas, vivan en armonía, se ayuden en todo y se dispensen asistencia económica, no es bastante para presumir la existencia de sociedad entre los dos, ni siquiera como puramente de hecho,

---

[442] Es esta la tesis que sostiene SUÁREZ FRANCO (*Derecho de familia*, tomo II, 170). Se podría cuestionar si la suerte, por haber comprado un billete de lotería, denota destreza o ingenio suficientes como para permitir que los recursos líquidos ingresen a su peculio profesional o industrial. Se ocupa, sin embargo, que sea el hijo quien aporte su destreza o ingenio. Un tiquete de lotería o rifa que le haya sido regalado, y no que él haya escogido, parecería caber más en otro peculio.

desde luego que se halla de acuerdo con las relaciones naturales entre los padres y los hijos, aún después de la mayor edad, aquella delicadeza de trata-miento, que ha de estar siempre en consonancia con los mejores sentimientos de la especie humana (…)

En conformidad con el ordinal 1°, artículo 291 del Código Civil, el peculio profesional o industrial del hijo de familia está formado por 'los bienes ad-quiridos por el hijo en ejercicio de todo empleo, de toda profesión liberal, de toda industria, de todo oficio mecánico'. Y como es obvio, no se trata de la industria considerada en sí misma, ni del oficio o empleo o profesión como tales, sino de los bienes adquiridos por el hijo de familia como fruto de esas actividades, no en el seno del hogar, donde se supone que apenas cumple con el deber elemental de auxiliar a sus padres, sino en campos extraños a la familia. Se contemplan por el legislador los efectos y no la causa: el pa-trimonio más o menos importante que el hijo de familia pueda formarse por el ejercicio de una profesión o industria, y se le mira como emancipado y habilitado de edad para el manejo y disfrute de tales bienes, en que el padre no goza del usufructo legal. Pero esto mismo señala que la industria del hijo de familia no puede por sí sola figurar como aporte en sociedad de hecho con el padre o madre bajo cuya potestad vive.

Además, nunca podría entenderse que haya tratamiento igualitario entre quien está subordinado a otra persona por virtud de potestad legítima, re-conocida y organizada por el derecho, en el caso de los padres y los hijos de familia. Por consiguiente, no puede inferirse entre ellos ningún género de sociedad, puesto que faltaría por su base el indispensable tratamiento iguali-tario en toda clase de sociedades, inclusive en la regulación actual de la que se forma entre los cónyuges, no obstante sus características peculiares que la separan de las demás suertes de sociedad[443].

B. *Peculio adventicio*

El peculio adventicio se compone, en general, de los bienes y derechos que adquiere el hijo a título gratuito, esto es, por donación, herencia o legado, y por cualquier otra fuente distinta de aquella que da origen al peculio profesional o industrial. En este aspecto, BELLO sí siguió de cerca, aunque con pequeños cambios, el régimen del peculio adventicio que se conoció en Roma. Por ello se deben estudiar, en forma independiente, las dos subclasificaciones de este peculio: el ordinario y el extraordinario.

---

[443] Sentencia de la Sala de Casación Civil y Agraria, proferida el 21 de octubre de 1955, G.J. LXXXI, M. P. JOSÉ HERNÁNDEZ ARBELÁEZ, 455 y ss.

A'. Peculio adventicio extraordinario

Por razones de oportunidad, resulta conveniente iniciar el estudio por el peculio adventicio extraordinario, cuya composición se da por dos categorías distintas de bienes y derechos: (i) los adquiridos por el hijo a título gratuito, cuandoquiera que el donante o testador disponga expresamente que el goce legal de tales bienes o derechos corresponda al hijo y no a los padres; y (ii) los provenientes de herencias o legados que recoja el hijo por indignidad o desheredamiento de uno de sus padres.

Empero, para que los bienes y derechos de que aquí se trata puedan ser clasificados como parte del peculio adventicio extraordinario del hijo no basta con que hayan sido adquiridos por alguna de las vías antes expuestas, sino que también se requiere que *ninguno* de los dos padres ostente el *goce legal*, según se desprende de la lectura del artículo 291 del Código Civil, *in fine*. Así las cosas, cuando uno de los padres detente el *goce legal*, pero el otro no estaremos ante bienes que, sin perjuicio de la forma en la que fueron adquiridos, integrarán el peculio adventicio ordinario de los hijos.

Expresado en otros términos, para que un bien o derecho pueda ser clasificado en el peculio adventicio extraordinario se requiere que satisfaga dos de los siguientes tres requisitos: (i) ser adquirido por el hijo a título gratuito y que el donante o testador disponga expresamente que el goce legal no lo tendrán los padres; o (ii) ser adquirido por el hijo, a título de herencia o legado, con motivo de la indignidad o desheredamiento de uno de sus padres; y (iii) que *ninguno* de los padres detente el goce legal.

En esa medida, los bienes o derechos integrarán el peculio adventicio ordinario si son adquiridos por el hijo a título gratuito y el donante o testador dispuso expresamente que el goce legal no lo podría tener solo uno de los padres, pues, en ese evento, el otro progenitor, siempre que sea titular de la patria potestad, detentará el goce legal. Y así también sucederá si el bien o derecho lo recoge el hijo por herencia o legado cuando uno de sus padres ha sido desheredado o declarado indigno, pero está sujeto a patria potestad respecto del otro progenitor, caso en el cual este último detentará el goce legal[444].

---

[444] La conclusión que aquí se prohíja es también defendida por Eduardo García Sarmiento (*Elementos de derecho de familia*, 566 y 567) y Jorge Parra Benítez (*Derecho de familia*, tomo I, 587 a 589). Por el contrario, se oponen a esta visión Roberto Suárez Franco (*Derecho de familia*, tomo II, 175 y 176), Marco Gerardo Monroy Cabra (*Derecho de familia, infancia y adolescencia*, 223) y Arturo Valencia Zea (*Derecho civil*, tomo V, *Derecho de familia*, 402 y 403), quienes consideran que

B'. Peculio adventicio ordinario

Al decir del artículo 291 del Código Civil, los bienes sobre los cuales los titulares de la patria potestad, o uno de ellos, ostentan el goce legal, forman el peculio adventicio ordinario del hijo. De manera que esta es la clasificación residual, y también la regla general, en materia del peculio adventicio.

En efecto, para que un bien o derecho pueda ser clasificado dentro del peculio adventicio extraordinario se requiere la satisfacción de los requisitos que se comentan en el título que antecede, mientras que los demás bienes y derechos adquiridos a título gratuito o por cualquier fuente distinta al trabajo o industria del hijo de familia, y que no quepan dentro del peculio adventicio extraordinario, serán parte del peculio adventicio ordinario. Respecto de estos bienes o derechos, se reitera, los padres, o uno de ellos, detentan el *goce legal.*

C. Recapitulación

En forma antitécnica el artículo 291 del Código Civil manda que los titulares de la patria potestad tengan el *goce legal* sobre todos los bienes y derechos de sus hijos, con excepción de: (i) aquellos que integran el peculio profesional o industrial de los retoños; y (ii) los que componen su peculio adventicio extraordinario. Por substracción de materia, queda entonces claro que los bienes y derechos sobre los que recae el *goce legal* de los progenitores titulares de la patria potestad, o de uno de ellos, son los que conforman el peculio adventicio ordinario de los hijos.

5. Responsabilidad

El artículo 298 del Código Civil, *in fine,* precisa que los padres, cuando son titulares del goce legal, son responsables por la propiedad de los bienes. Por consiguiente, desde el punto de vista civil habrán de responder ante sus hijos cuando ocurra la destrucción o deterioro del activo, pero no lo serán por la mengua de los frutos, réditos o lucros.

---

basta con que los bienes o derechos se adquieran por alguna de las dos vías expuestas para que se puedan clasificar en el peculio adventicio extraordinario.

6. Ejercicio

El artículo 291 del Código Civil señala que el padre y la madre gozan, por partes iguales, del goce legal de ciertos bienes de los hijos de familia. En forma consistente, el artículo 307, *ibidem,* indica que el ejercicio del goce legal corresponde, conjuntamente, a los padres de familia. Se dice que la norma últimamente citada es consistente con la primera, en el entendido de que el *goce legal* entraña una prerrogativa de los padres que resulta en la apropiación del saldo de los frutos, réditos o lucros de determinados bienes de los hijos, una vez se deduzcan las cargas familiares correspondientes. Desde luego, esta norma también admite la delegación de la prerrogativa en cabeza del otro progenitor.

7. Privación particular

Sabido es que, al ser el *goce legal* una prerrogativa de la patria potestad, la terminación de ésta deviene en la necesaria culminación de aquél. Entonces, cuando se produzca la suspensión o la privación de la patria potestad, así como la emancipación por cualquiera de las causas previstas en la ley, consecuencialmente se habrá de entender que el *goce legal* también ha finalizado. Así lo prevé expresamente el artículo 292 del Código Civil.

Pero puede haber otras causas, más o menos frecuentes, que conducen a la terminación específica del *goce legal,* incluso sin que ellas supongan el fin de la patria potestad: (i) por resolución del derecho del constituyente; (ii) por confusión; (iii) por destrucción de la cosa; y (iv) por sentencia judicial. Veamos.

En primer lugar, y de acuerdo con el artículo 865 del Código Civil, la resolución del derecho del constituyente es una de las causas de extinción del usufructo, aplicable al *goce legal,* que tiene lugar en el marco de la propiedad fiduciaria. En tal evento, se parte de la base de que un tercero cualquiera constituye un fideicomiso y designa al hijo de familia como fiduciario mientras se cumple la condición que da lugar a la restitución del bien dado en propiedad fiduciaria al fideicomisario.

Por tanto, mientras obra como fiduciario, y no se lo haya designado expresamente como tenedor fiduciario (artículo 808 del Código Civil), el hijo de familia tendrá derecho de recibir los frutos provenientes de la propiedad fiduciaria. Sin embargo, por razón de su incapacidad legal y de la forma en la que adquirió el derecho, los padres titulares de la patria potestad ostentarán el *goce legal* sobre esa propiedad fiduciaria (salvo que hayan sido privados de él expresamente por el constituyente).

Una vez se verifique el cumplimiento de la condición, será necesario proceder con la restitución de la propiedad fiduciaria en favor del fideicomisario y, consiguientemente, como el hijo pierde su condición de fiduciario, los padres perderán, así mismo, el *goce legal* sobre el bien. Ello también ocurriría cuando el fideicomiso se ha constituido sobre una cosa que se ha comprado con pacto de retroventa y se verifica la retroventa (ordinal 2° del artículo 822 del Código Civil).

En segundo lugar, la confusión tendría lugar en los casos en los que uno de los padres detentara el *goce legal* respecto de un bien del hijo que posteriormente llegara adquirir. Tal sería el caso de la propiedad fiduciaria, antes comentado, si el padre obrara como fideicomisario. En ese supuesto, el *goce legal* finalizaría no solo porque ha llegado a su fin la propiedad fiduciaria en la que el hijo de familia obrara como fiduciario, sino por causa de la confusión.

En tercer lugar, culmina el *goce legal* de los padres de familia cuando el bien particular sobre el cual recae se destruye.

Por último, y sin perjuicio de que se analizará separada y detenidamente, el artículo 299 del Código Civil precisa que el *goce legal* cesa cuando por sentencia judicial se declare a los padres que ejercen la patria potestad responsables de dolo o culpa grave en el desempeño de la administración. Al efecto, la culpa se presume cuando se hayan disminuido considerablemente los bienes o se aumente el pasivo sin causa justificada. Según se verá con mayor detalle en los títulos que siguen, para la procedibilidad de esta causa de extinción particular se requiere, indefectiblemente, que concurran las prerrogativas de *goce legal* y administración respecto de un mismo bien.

II. La administración sobre ciertos bienes de los hijos de familia

La administración es la segunda prerrogativa que se deriva de la patria potestad. Por ello, a su estudio nos abocamos enseguida:

1. Noción

Según el Diccionario de la Real Academia de la Lengua Española, administrar significa, en su tercera acepción, "[o]rdenar, disponer, organizar, en especial la hacienda o los bienes". Tal es, pues, su sentido natural y obvio. Desde el punto de vista jurídico, CABANELLAS define la administración legal como el "gobierno patrimonial de otra persona cuando es confiado por ministerio de la ley; lo cual releva de poder especial, sin más que justificar la cualidad o relación"[445].

Aplicadas las anteriores consideraciones al caso de la relación paterno-filial, resulta oportuno destacar que la prerrogativa de administración surge, en efecto, por ministerio de la ley, pues así lo dispone el artículo 295 del Código Civil. Ello implica que la sola condición de la filiación es la que abre paso, sin más, a la activación de este derecho.

2. Bienes sobre los que recae

En forma absolutamente desafortunada, el artículo 295 del Código Civil señaló que los padres de familia están llamados a administrar "los bienes del hijo sobre los cuales la ley les concede el usufructo [o goce legal]". Esa previsión legal, redactada en términos absolutos, sugeriría que los padres administran *todos* los bienes y derechos que conforman el peculio adventicio ordinario de los hijos, pues, según se vio, es sobre ese peculio que detentan el goce legal. Mas ello no es así, según se pasa a demostrar:

La segunda parte del artículo 295 precisa que los padres "[c]arecen conjunta o separadamente de esta administración respecto de los bienes donados, heredados o legados bajo esta condición", al paso como el artículo 296 indica que "[l]a condición de no administrar el padre o la madre o ambos, impuesta por el donante o testador, no les priva del usufructo [léase goce legal], ni la que los priva del usufructo [léase goce legal] les quita la administración, a menos de expresarse lo uno y lo otro por el donante o testador".

Cuando se contrastan las normas citadas se arriba a una conclusión irrefutable: no es cierto, como lo sugiere la primera parte del artículo 295, que los padres de familia administren *todos* los bienes y derechos sobre los que detentan el goce legal, porque perfectamente puede ocurrir, y así lo avala la propia ley, que haya activos respecto de los cuales los padres ostenten la administración, pero no el goce legal, o viceversa. De consiguiente, es impreciso afirmar que la ley reconoce la administración de los padres sobre el peculio adventicio ordinario de los hijos. Lo anterior se corrobora cuando se consulta el artículo 291 del Código Civil, *in fine*, a cuyo tenor

---

445 GUILLERMO CABANELLAS, *Diccionario de derecho usual*, 115.

[l]os bienes sobre los cuales los titulares de la patria potestad tienen el usufructo [léase goce] legal, forman el peculio adventicio ordinario del hijo;
aquéllos sobre los cuales ninguno de los padres tienen el usufructo [léase
goce legal], forman el peculio adventicio extraordinario.

Nótese que la disposición últimamente transcrita, que fue objeto de análisis en la subsección anterior, define los peculios adventicios ordinario y extraordinario en función del goce legal que detenten los padres, o no, pero nada dice en relación con la administración. De manera que puede ocurrir que, respecto de un bien o derecho, el donante o testador indique que los padres no podrán tener la administración. En tal evento, los padres preservarán el goce legal y, por tanto, el activo integrará el peculio adventicio ordinario del hijo de familia, mas no se podrá decir, sin incurrir en un equívoco insalvable, que los padres también ostentan la administración sobre él.

Tan antitécnica regulación normativa requiere de un desarrollo más sencillo que permita desentrañar su verdadero contenido. Así, diremos que el padre y la madre de familia **NO** administran los bienes y derechos: (i) que integran el peculio profesional o industrial de los hijos de familia; (ii) que hayan recogido los hijos de familia por indignidad o desheredamiento suyo; y (iii) que hayan adquirido los hijos de familia, a título gratuito, cuando el donante o testador expresamente los prive de este derecho. Por oposición, todos los demás bienes y derechos de los hijos de familia **SÍ** serán administrados por los padres conjuntamente o por uno de ellos, según sea el caso.

3. La administración de los padres y los guardadores

Dadas las particularidades propias de la administración a que aquí se ha aludido, es común caer en el error de afirmar que los padres y los guardadores cumplen una misma función y pueden, por tanto, ser plenamente equiparados. Para evitar confusiones, bajo este título se estudiarán: (i) algunas diferencias entre los padres y los guardadores; (ii) los casos en los que procede la designación de un guardador; y (iii) el alcance y contenido de la administración de los guardadores. Veamos

A. *Algunas diferencias entre los padres y los guardadores*

Sabido es que, en buena parte, la función del régimen de tutelas y curatelas original de nuestro Código Civil estuvo ideado para la protección y *administración* de bienes de los incapaces legales. Luego, con motivo de la promulgación de la Ley 1306 de 2009, se sustituyó el régimen de tutelas y curatelas por el de guardas en general, el cual vino a ser variado, parcialmente, por los apoyos de que trata la Ley 1996 de 2019.

Confrontada la función de los tutores, curadores y guardadores con la impuesta a los padres de familia en materia de administración, sería fácil caer en el error de creer que estos últimos obran, en realidad, como los primeros. Sin embargo, esa visión, que además resulta ser incorrecta, fue en buena hora zanjada por la Corte Suprema de Justicia desde muy temprano, así:

> [L]a ley ha sido mucho más exigente, tratándose de la guarda, que de la patria potestad, precisamente por la diferencia antes anotada sobre los fundamentos de la una y la otra; y no es lógico confundir estas dos instituciones que cardinalmente difieren, para deducir por vía de interpretación extensiva, 'que padres de familia y guardadores fueron colocados por la ley en un pie de igualdad'; y menos puede admitirse que los principios generales sobre·limitación de las facultades de los administradores de bienes ajenos, entre los que se cuentan los guardadores, sean aplicables al padre de familia, pues ni lógica, ni histórica, ni jurídicamente hablando el padre puede parangonarse con un simple guardador, desde luego que, según las disposiciones arriba citadas; éste sólo se da a los hijos de familia que carecen de padre o madre, y que, por consiguiente, no se hallan bajo la patria potestad; situación jurídica que es incompatible con la de la guarda.

> Tampoco es el caso de llenar por analogía y con disposiciones concernientes a la guarda, las deficiencias o vacíos que puedan existir en el régimen legal de la administración del padre de familia; porque si se comparan las disposiciones que gobiernan las dos instituciones jurídicas, se observa que a los padres de familia la ley ha dado facultades administrativas más amplias que al guardador, con fundamento en la participación que por vía de usufructo legal goza el padre de familia sobre la mayor parte de los bienes del hijo, y porque el legislador entiende que el afecto procedente de los más próximos vínculos de la sangre fomenta en el padre un interés y un celo en favor del patrimonio del hijo, que no existen de parte del guardador, en relación con los bienes de su pupilo.

> Y menos puede admitirse para sustentar la tesis de las demandas, que haya vacíos u omisiones de parte del legislador para organizar convenientemente la administración del padre de familias, y que sea preciso llenarlos con las disposiciones relativas a la guarda, porque fácilmente puede observarse la solicitud del legislador sobre este particular, si se tienen en cuenta las disposiciones prohibitivas y las formalidades exigidas por el (...) Código Civil (...). Y más si se considera que cuando el legislador quiere establecer semejanzas entre los derechos del padre y las facultades del guardador, para limitarlos, lo expresa claramente, como acontece con la disposición del artículo 304 del Código citado, que autoriza ciertos actos y contratos sobre los bienes del hijo, 'en la forma y con las limitaciones impuestas a los tutores y curadores'. De

todo lo cual se concluye que no pueden imponerse en estos casos por vía de interpretación, otras limitaciones que las expresamente declaradas por el legislador, desde luego que no pueden ocurrir analogías o semejanzas, estando, como están, íntegra y separadamente reguladas las dos instituciones jurídicas de que aquí se trata[446].

De los nítidos planteamientos de la Corporación se colige, sin ambages, que la función del guardador y la del padre de familia son ostensiblemente diferentes y ello obedece a una razón capital: no son lo mismo la proximidad y naturaleza de la guarda y las de la patria potestad. Si bien la prerrogativa de administración que se reconoce a los padres apunta a una clara protección de los bienes de su descendencia, sería necio pretender poner en pie de igualdad a quienes no lo están. Quienes por causa de la paternidad han quedado atados jurídicamente a otras personas que denominan *hijos*, con todas las consecuencias que ello apareja, no están en una misma posición, ni jurídica, ni histórica, ni afectiva que quienes han sido designados como guardadores de un menor de edad.

Con esa línea de partida, se hace bastante sencillo comprender la regla fundamental en esta materia: uno es el régimen legal predicable de los guardadores y otro, distinto, aquel que preside la administración de los padres de familia. Solo es dable acudir al primero cuando el segundo expresamente así lo dispone, pero no cabe la analogía para llenar vacíos o imponer limitaciones a los padres que la ley no ha previsto.

B. Casos en los que procede la designación de los guardadores

Como se vio, la administración de los padres no se despliega sobre todos y cada uno de los bienes y derechos de los hijos de familia, sino sobre una porción limitada. Cabe entonces indagar qué sucede cuando los padres no ostentan la administración.

Para dar respuesta, sea lo primero recordar que los hijos de familia se tienen por emancipados para la administración de los bienes y derechos que integran su peculio industrial o profesional (artículo 294 del Código Civil). Tal mandato supone, necesariamente, que en estos casos no se requiere designar guardador alguno para la administración de los bienes, puesto que esa prerrogativa queda radicada en cabeza del hijo de familia.

---

[446] Sentencia de la Sala de Casación Civil y Agraria de la Corte Suprema de Justicia, proferida el 28 de marzo de 1931, G.J. XXXVI, M. P. Enrique A. Becerra, 301 y 302.

Ahora bien, también es preciso acudir al artículo 300 del Código Civil, conforme al cual, "[n]o teniendo los padres la administración de todo o parte del peculio adventicio ordinario o extraordinario, se dará al hijo un curador para esta administración". Nótese que la norma dispone, con buena claridad, que su espectro de aplicación se limita a los bienes del "peculio adventicio ordinario o extraordinario". Por tanto, queda por fuera del ámbito legal el peculio industrial o profesional, respecto del cual se hicieron los apuntes pertinentes en el párrafo que antecede.

En punto a cuanto aquí interesa, la norma transcrita manda la designación de un curador para que administre los bienes del peculio adventicio (ordinario o extraordinario) que los padres no pueden administrar y lo hace por una muy contundente razón: cuando los activos hacen parte del peculio industrial o profesional, es el hijo de familia quien los ha adquirido en virtud de su propio trabajo o industria, lo que justifica plenamente que sea él quien tenga el derecho y la responsabilidad de administrarlos; en cambio, los bienes que conforman el peculio adventicio son, como su nombre lo indica, producto del advenimiento, llegaron a los hijos sin que mediara esfuerzo o habilidad alguna para conseguirlos (por lo menos no laboral o industrial), lo que hace razonable presumir que, dada su incapacidad legal (relativa o absoluta), se requiera que un tercero asuma la administración, en aras de garantizar una cumplida protección del patrimonio.

Otro evento en el que procede la designación del guardador es cuando los hijos, siendo menores de edad, quedan emancipados. La emancipación, en los términos del artículo 315 del Código Civil, "es un hecho que pone fin a la patria potestad". Así las cosas, supuesto el escenario en que el hijo deje de estar sujeto a patria potestad, mientras continúa siendo menor de edad, sus derechos se restablecen en forma diferente, según sea niño o adolescente:

Para los niños, es decir, quienes no han cumplido los doce años de edad, el artículo 53 de la Ley 1306 de 2009 prevé la designación de un curador cuyas "facultades de acción serán las mismas que para los curadores de la persona con discapacidad mental absoluta". Al decir del artículo 52, *ibidem*, el curador de la persona con "discapacidad mental absoluta" "tendrá a su cargo el cuidado de la persona y la administración de sus bienes".

Empero, surge en este punto una importante dificultad de interpretación, dado que el artículo 52 de la Ley 1306 de 2009, que regulaba la curaduría de las personas con "discapacidad mental absoluta", fue expresamente derogado por la Ley 1996 de 2019. Este último cuerpo normativo rompió varios paradigmas y estableció que la discapacidad dejaría de ser causa de incapacidad legal, por lo cual procede, en la actualidad, la designación de apoyos que no sustituyen la capacidad legal de los individuos y tienen por objeto la coadyuvancia en actos jurídicos particulares y concretos, no en todos ellos.

La complicación, por tanto, estriba en la aparente imposibilidad de acudir al artículo 52 de la Ley 1306 de 2009, por haber sido derogado. Sin embargo, dado que la incapacidad legal de los niños tiene su fuente en la edad, y no en la discapacidad, se estima imperativo conjurar el *impasse* mediante la efectiva protección de los derechos fundamentales de los menores de edad que, no sobra recordarlo, de acuerdo con el artículo 44 de la Carta Política prevalecen sobre los de los demás. Así, resulta lógico y razonable concluir que las funciones del curador del niño emancipado serán las de tener "a su cargo el cuidado de la persona y la administración de sus bienes", como lo disponía el ya derogado artículo 52 de la Ley 1306 de 2009[447].

Sostener lo contrario implicaría dejar sin función alguna al curador del niño emancipado o, peor aún, equipararlo a un apoyo de los regulados en la Ley 1996 de 2019, con lo cual se presumiría la capacidad legal del niño (que no tiene) y se forzaría a solicitar el apoyo (con representación legal, que es una verdadera excepción en ese cuerpo normativo) para cada uno de los actos jurídicos individualizados[448], en lugar de extender la protección a todos ellos, sin distinción de naturaleza alguna. Es que, se repite, el niño es incapaz legal por razón de su edad, no de una discapacidad, y lo es para todos los actos y negocios jurídicos, lo que haría tanto más inconsecuente la aplicación, en este caso, del régimen previsto por la Ley 1996 de 2019.

Para los adolescentes, esto es, quienes hayan cumplido los doce años de edad, pero no los dieciocho, el artículo 54 de la Ley 1306 de 2009 también ordena la designación de un curador. Sin embargo, en cuanto al alcance establece que, "[r]especto de los actos jurídicos de administración patrimonial, el curador obrará del mismo modo que los consejeros". Por su parte, el artículo 55, *ibidem*, hoy derogado, disponía que los consejeros eran aquellas personas naturales que tenían por función guiar, asistir y complementar la capacidad jurídica de los adolescentes en los negocios objeto de la inhabilitación.

---

[447] Para una visión más amplia sobre este aspecto, el lector puede acudir a ÁLVARO ORTIZ MONSALVE, *Capacidad plena de los mayores de edad en situación de discapacidad mental y guardas de menores emancipados.* (Bogotá: Ed. Temis., 2021), 169 a 225.

[448] Concuérdense los artículos 7, 32 y 38 de la Ley 1996 de 2019.

Brota palmario idéntico interrogante al planteado en relación con los niños, habida cuenta de la desaparición del artículo 55 de la Ley 1306 de 2009 del ordenamiento jurídico. En nuestra opinión, la solución en semejante a la anterior. Así pues, el curador habrá de guiar, asistir y complementar la capacidad jurídica de los adolescentes en cuando tiene que ver con la administración de los bienes que no integren el peculio adventicio profesional o industrial.

C. Limitaciones y requisitos en la administración de los guardadores

Principiaremos este título por advertir que no pretendemos agotar la totalidad del régimen legal previsto para los guardadores, habida cuenta de que ello comportaría una innecesaria desviación de nuestro objeto de estudio[449].

Pues bien, en primer lugar, el artículo 86 de la Ley 1306 de 2009 establece la obligación de que el guardador confeccione un inventario, con las formalidades allí previstas, de todos los bienes del menor de edad que habrá de administrar. Después de ello, procederá la recepción de tales bienes, en los términos previstos por el artículo 87, *ibidem*.

En segundo lugar, el artículo 91, *ibidem*, precisa que los guardadores deberán administrar los bienes a su cargo, con el cuidado y calidad de gestión que se exige al buen padre de familia, buscando siempre que presten la mayor utilidad al pupilo.

En tercer lugar, el artículo 92, *ibidem*, expresamente prohíbe al guardador (i) dejar de aceptar actos gratuitos desinteresados en favor del menor de edad; (ii) invertir en papeles al portador los dineros del pupilo; y (iii) celebrar cualquier acto en el que tenga algún interés el mismo curador, su cónyuge, sus parientes hasta el cuarto grado de consanguinidad o segundo de afinidad o de cualquier manera dé lugar a conflicto de intereses entre guardador y pupilo. En este último caso, la norma establece que los actos serán celebrados por un guardador suplente o especial designado por el juez y, en todo caso, requerirán autorización judicial.

En cuarto lugar, el artículo 94, *ibidem*, precisa una serie de criterios para la gestión del guardador que administre bienes, como son, entre otros, los siguientes: (i) seguir, en el manejo de los negocios, parámetros de gestión

---

[449] El lector puede acudir, al efecto, a Álvaro Ortiz Monsalve, *Capacidad plena de los mayores de edad en situación de discapacidad mental y guardas de menores emancipados*, 190 y siguientes.

aceptados corrientemente dentro de las actividades mercantiles, para lo cual el juez podrá exigir al guardador la presentación de planes y programas anuales de administración de los negocios; (ii) liquidar, con previa autorización judicial, los activos improductivos o de excesiva complejidad en la administración para realizar con el producto de estos operaciones financieras ordinarias permitidas y si con los recursos producto de la liquidación se pretende adquirir una empresa, se requerirá autorización judicial, previa la presentación y aprobación del estudio de factibilidad, para lo cual el juez podrá solicitar la revisión del estudio por peritos administradores cuando la cuantía de la inversión o su especialidad lo ameriten; y (iii) colocar los dineros ociosos del pupilo, y en general los excedentes de liquidez, en depósitos a término de entidades financieras y papeles del Estado de renta fija que garanticen un rendimiento mínimo equivalente al interés promedio que reconocen las entidades financieras por los depósitos a mediano y largo plazo —DTF— y, para la redención, se requiere obrar por intermedio de una entidad bancaria autorizada para negociar en bolsa y requerirá autorización judicial cuando supere el diez por ciento (10 %) del total de los activos del pupilo.

4. Alcance y contenido de la administración de los padres

Visto, *grosso modo,* el régimen legal de los guardadores, es ahora oportuno abocarnos al estudio del régimen legal que disciplina la administración de los padres. Pero antes se debe aclarar, aunque parezca obvio, que los actos de *administración* se oponen a aquellos de *disposición*, por cuanto los primeros tienden a ordenar u organizar el patrimonio de una persona y hacerlo más productivo[450], en tanto que los segundos suponen el desprendimiento o gravamen del derecho. Estos actos de *disposición* serán objeto de análisis en la subsección dedicada a tratar la representación extrajudicial del hijo de familia y, por tanto, el estudio en este título se limitará a la mera *administración*.

---

[450] JULIEN BONNECASE (*Elementos de derecho civil*, tomo I. (Puebla: Ed. José María Cajicá, 1945), 328 y ss.) distingue los negocios jurídicos de conservación y administración. A su juicio, el primero procura evitar la pérdida del bien, en tanto que el segundo dice relación con la productividad de los derechos patrimoniales sin que haya de por medio un compromiso del derecho ni su existencia en el patrimonio. La doctrina moderna no halla fundada tal distinción y admite, en tesis a la cual adscribe el autor de este texto, que los actos de administración procuran la conservación y productividad del derecho.

En ese orden de ideas, sea lo primero advertir, en claro contraste con lo expuesto en el título anterior, que el artículo 297 del Código Civil exonera, en forma expresa, a los padres de hacer un inventario solemne de los bienes y derechos sobre los cuales ejercen su administración. Es esa una capital diferencia entre padres y guardadores.

No obstante lo anterior, sí exige que se haga una descripción circunstanciada de tales bienes desde que comience la administración, lo que significa que, en documento privado, electrónico o físico, los padres deberán llevar un registro de los bienes y derechos que administran. Y, si llegaren a pasar a nuevas nupcias, en ese evento estarían conminados, por virtud de la norma en comentario, a elaborar un inventario solemne.

Por otro lado, el artículo 304, *ibidem*, señala que no podrán los padres dar en arriendo los bienes del hijo por largo tiempo, sino en la forma y con las limitaciones impuestas a los tutores y curadores. Este es el típico caso, como otros relativos a los actos dispositivos del dominio que se estudiarán en la siguiente Subsección, en que el régimen que disciplina la administración de los padres remite, en forma expresa, a las limitaciones previstas para los guardadores. Por consiguiente, aquí sí es dable acudir a tales limitaciones, porque fue el propio Legislador el que así lo dispuso.

Ahora bien, en el régimen original del Código Civil, el artículo 496 establecía que

> [n]o podrá el tutor o curador dar en arriendo ninguna parte de los predios rústicos del pupilo por más de ocho años; ni de los urbanos por más de cinco, ni por más número de años que los que falten al pupilo para llegar a los [dieciocho]". Continuaba la norma con la siguiente regulación: "[s]i lo hiciere, no será obligatorio el arrendamiento para el pupilo o para el que le suceda en el dominio del predio, por el tiempo que excediere de los límites aquí señalados.

De lo anterior se podrían colegir varias conclusiones: (i) la preceptiva se refiere exclusivamente al contrato de arrendamiento, por lo que quedan fuera de esta limitación otro tipo de negocios jurídicos como el comodato; (ii) la regulación se predica, únicamente, de los bienes inmuebles; (iii) los inmuebles urbanos no podían ser arrendados por más de cinco años; (iv) los inmuebles rurales no podían ser arrendados por más de ocho años; y, (v) en caso de exceder los términos antes estudiados, la sanción prevista por el ordenamiento jurídico no era la nulidad, sino que se eximía al pupilo de cumplir con las obligaciones contractuales convenidas por el guardador en ejercicio del derecho de administración.

Mas sucede que el artículo 496 del Código Civil fue expresamente derogado por el artículo 119 de la Ley 1306 de 2009, con lo cual se hace necesario explorar si en el régimen actual de los guardadores se contempla norma semejante. Al acudir a los artículos 91 y siguientes de la Ley 1306 de 2009, se observa que no se replicó disposición equivalente a la que consagraba el artículo 496 del Código Civil. Acaso se podría considerar, aisladamente, la exigencia de autorización judicial para celebrar "actos onerosos de carácter conmutativo (…) cuya cuantía supere los cincuenta (50) salarios mínimos legales mensuales"[451].

Nadie duda que el contrato de arrendamiento es oneroso y conmutativo[452], pero parece inadecuado aplicar la anterior regulación, por varios motivos que se pasan a explicar:

El criterio que utiliza el artículo 304 del Código Civil para someter los actos de administración de los padres a las limitaciones de los tutores y curadores es el "tiempo". Es así que la norma estructura su contenido a partir del (i) "arrendamiento" que (ii) dure "largo tiempo". En cambio, el artículo 93 de la Ley 1306 de 2009 establece la exigencia de licencia judicial en función de la "cuantía" del acto oneroso de carácter conmutativo. De esta forma, se exige que el (i) "acto oneroso y conmutativo" tenga una (ii) "cuantía que supere los 50 salarios mínimos legales mensuales". Tal diferencia en el contenido regulatorio sugeriría aplicar una limitación a los padres que el Legislador jamás previó ni quiso, en contra de lo expresamente sentado por la Corte Suprema de Justicia desde hace ya muchos años.

En efecto, si el hijo recibiera un local comercial cuyo canon de arrendamiento, por un mes, supera los 50 salarios mínimos legales mensuales vigentes, sería forzosa la obtención de licencia judicial, aun cuando la duración del negocio jurídico podría ser por seis meses, término que mal se podría considerar como "largo". Por consiguiente, parece imposible extrapolar esa previsión a la exigencia vertida en el artículo 304 del Código Civil.

Sigue sin obtener respuesta la inquietud. ¿Cuál sería un criterio válido para definir que un inmueble se ha dado en arrendamiento *por largo tiempo*?, ¿cuál es la formalidad o prohibición a la que se sujeta un acto de administración como ese? y, más importante todavía, ¿cuál sería la consecuencia jurídica derivada de no cumplir con la pretendida exigencia?

---

[451] Cfr. Literal b) del artículo 93 de la Ley 1306 de 2009.

[452] Véase, en ese sentido, la Sentencia de la Sección Tercera del Consejo de Estado, proferida el 18 de marzo de 2010, expediente 14390, C. P. Mauricio Fajardo Gómez.

Tres importantes preguntas que se solucionaban con facilidad en el régimen anterior y que ahora parecen no tener respuesta. Para contestar, se antoja lógica la aplicación de una regla razonable, conforme a la cual si los inmuebles (rurales o urbanos) se arriendan por medio de un contrato cuya duración inicial sea igual o superior a cinco años, y su cuantía total exceda de 50 salarios mínimos legales mensuales vigentes, se deberá obtener una licencia judicial. En caso contrario, no se debe satisfacer ninguna solemnidad ni se está sujeto a limitación alguna. Pero tal regla podrá ser fácilmente objetada por cuanto parte de premisas arbitrarias, como son considerar que cinco años es un "largo tiempo" y que la limitación de los guardadores estaría siendo impropiamente extrapolada al régimen de los padres. Con todo, parece que será la prudencia la que defina, caso a caso, cuáles son las exigencias o requisitos que se deben imponer a los padres, si es que la norma aún está llamada a producir algún efecto práctico[453].

Por último, queda por advertir que la administración, según se aprecia de los planteamientos aquí vertidos, tiene una íntima relación con la representación legal extrajudicial de los hijos de familia. Tan intrincada relación deriva en que este tema sea objeto de análisis, una vez más, en la próxima subsección.

5. Responsabilidad

El artículo 298 del Código Civil establece que los "padres son responsables, en la administración de los bienes del hijo, por toda disminución o deterioro que se deba a culpa aun leve, o a dolo". Y agrega que la "responsabilidad para con el hijo se extiende a la propiedad y a los frutos en los bienes en que tienen la administración pero no el usufructo [goce legal]; y se limita a la propiedad en los bienes de que son usufructuarios".

Recuérdese, en primer lugar, que el artículo 63, *ibidem*, califica y define los distintos tipos de culpa que se tienen en materia civil. Es así como la *culpa* o *descuido levísimo* equivale a la falta de la esmerada diligencia que un hombre juicioso emplea en la administración de sus negocios importantes; la *culpa leve, descuido leve* o *descuido ligero* implica la falta de la diligencia y cuidado que los hombres emplean en sus negocios propios; y la *culpa grave, negligencia grave, culpa lata* o *dolo* consiste en no manejar los negocios ajenos

---

[453]   Suárez Franco (*Derecho de familia*, tomo II, 182) sostiene que, a su juicio, la derogatoria en que incurrió el artículo 119 de la Ley 1306 de 2009 es impropia. Sin embargo, no aclara cuál debe ser la solución del caso concreto o si, en su criterio, se debería seguir aplicando la disposición derogada.

con aquel cuidado que aun las personas negligentes o de poca prudencia suelen emplear en sus negocios propios.

De lo anterior se sigue que, desde el punto de vista de la conducta de los padres, la responsabilidad surge cuando estemos ante *culpa leve, descuido leve, descuido ligero, culpa grave, negligencia grave, culpa lata* o *dolo.* Y, en función del objeto del daño, la responsabilidad se activará así: (i) cuando los padres tengan la administración y el goce legal, solo responderán por la propiedad del activo; y (ii) cuando solo tengan la administración, pero no el goce legal, responderán tanto por la propiedad como por los frutos de los bienes.

6. Ejercicio y delegación

El artículo 307 del Código Civil tiene claramente enseñado que la administración de los bienes deberá ser ejercida, conjuntamente, por los padres. Como es natural, si alguno de los padres falta corresponde el ejercicio de los derechos al otro. Si hubiere desacuerdo en cuanto al ejercicio de los derechos, corresponderá acudir al juez para que dirima tal controversia.

Adicionalmente, en el caso de la administración sí está expresamente admitida la delegación del ejercicio del derecho por un padre a otro. Sin embargo, señala la norma que tal delegación se debe dar por escrito y que su objeto puede ser respecto del ejercicio total o parcial del derecho. De la misma forma, es entendido que los padres pueden constituir apoderados para que los representen en el ejercicio de la administración de determinados bienes.

7. Privación particular

Cual sucede con la primera prerrogativa estudiada (el *goce legal*), al ser la administración una especie del género de la patria potestad, llegada la culminación de ésta se impone la finalización de aquélla. Aunque bastante lógica consecuencia no requeriría positivización, el artículo 299 del Código Civil quiso evitar confusiones y aclaró que "la administración (…) cesa cuando se extingue la patria potestad".

Mas pueden acontecer circunstancias distintas que, sin extinguir la patria potestad, sí afectan o terminan el derecho de administración. Tales serían los siguientes casos: (i) finalización del fideicomiso civil en el que el hijo obra como fiduciario; (ii) confusión; (iii) destrucción de la cosa; y (iv) sentencia judicial.

En cuanto a la primera hipótesis, se parte de la premisa de que un tercero constituye un fideicomiso civil en el cual designa como fiduciario al hijo de familia. La cosa dada en propiedad fiduciaria, salvo objeción expresa del constituyente, habrá de ser administrada por los padres de familia, mientras se verifica la condición que da lugar a la restitución en favor del fideicomisario o se extingue el fideicomiso por cualquier otro medio.

De conformidad con lo previsto por el artículo 822 del Código Civil, el fideicomiso se extingue: (i) por la restitución, lo que implica la "traslación de la propiedad a la persona en cuyo favor se ha constituido el fideicomiso"[454]; (ii) por la resolución del derecho del constituyente, como cuando se ha constituido el fideicomiso sobre una cosa que se ha comprado con pacto de retroventa y se verifica tal retroventa; (iii) por la destrucción de la cosa sobre la que recae el fideicomiso; (iv) por la renuncia del fideicomisario antes del día de la restitución, sin perjuicio de los derechos de los sustitutos, si los hubiere; (v) por resultar fallida la condición[455]; y (vi) por confundirse la calidad de único fideicomisario con la de único fiduciario.

En todos los casos, salvo en uno, el fiduciario (en este caso el hijo de familia) pierde su calidad de tal, con lo cual el bien dado en propiedad fiduciaria pasa, según sea el caso, al constituyente o a un tercero (con el título de tercero, en tratándose de la retroventa, o de fideicomisario). La excepción a esta hipótesis, en la cual no cesa el derecho de administración cuando se extingue el fideicomiso, es cuando se confunde la calidad de único fideicomisario con la de único fiduciario. Y se trata de una verdadera excepción, por cuanto el hijo continuaría en propiedad del bien sobre el que se constituyó el fideicomiso, solo que ya no en condición de fiduciario, sino de fideicomisario propietario sin limitación alguna. Así pues, sin que medie declaración expresa del constituyente en el que prive del derecho de administrar a los padres, éstos preservarán la prerrogativa intacta.

En cuanto a la segunda hipótesis, es decir, la confusión, se compone de aquellos casos en los que los padres administran un bien que es de propiedad del hijo de familia, pero por alguna causa el derecho de dominio sobre ese activo queda radicado en cabeza de los padres. Ya no habrá lugar, entonces, al ejercicio de la administración derivada de la patria potestad, porque serán plenos propietarios del activo.

---

[454]   Cfr. Artículo 794 del Código Civil, *in fine*.

[455]   Concuérdese esta disposición con lo previsto por el artículo 800 del Código Civil.

Por lo que tiene que ver con el tercer supuesto, es evidente que el derecho de administración cesa cuando se destruye el bien del que es propietario el hijo.

Y, en último lugar, la administración de los padres puede finalizar cuando así lo disponga una providencia judicial, mediante la cual, en los términos del artículo 299 del Código Civil, se declare a los padres responsables de *dolo* o *culpa grave* en el desempeño de la administración. Al efecto, continúa la norma, "[s]e presume culpa cuando se disminuyen considerablemente los bienes o se aumenta el pasivo sin causa justificada".

Nótese que la disposición entraña dos aspectos medulares: (i) por un lado se requiere probar que en la conducta de los padres ha mediado el *dolo* o la *culpa grave*; y, (ii) por el otro, se consagra una presunción para acreditar tal *dolo* o *culpa grave*. Veamos, por separado, cada una de las aristas.

Ya se vio aquí que el artículo 63 del Código Civil consagra las diferentes clasificaciones y tipologías de culpa. En particular, importa destacar que la norma en cita equipara los conceptos de *culpa grave, negligencia grave, culpa lata* y *dolo*. De manera que, en el contexto del artículo 299 del Código Civil, la providencia judicial procede por una única tipología de culpa, que es aquella consistente en no manejar los negocios ajenos con aquel cuidado que incluso las personas negligentes o de poca prudencia suelen emplear en sus negocios propios.

Empero, un ávido lector habrá notado que el artículo 298 del Código Civil asigna la responsabilidad a los padres titulares de la administración por las disminuciones o deterioros de los bienes que se deban a *culpa leve* o *dolo*, que son dos tipologías distintas de culpa en nuestro ordenamiento jurídico. La aparente contradicción es fácilmente superable si se entiende el objeto que regula cada uno de los cánones en mención: el artículo 298 apunta a la responsabilidad civil, cuyo origen, desde el punto de vista de la conducta subjetiva de los padres, se encuentra en la *culpa leve* o el *dolo*. En cambio, el artículo 299 precisa las causas que dan lugar a que el juez decrete la privación de la administración, para cuya configuración resulta indefectible que se acredite el *dolo*.

De lo anterior se sigue que la defectuosa administración de los padres, en la que medie *culpa leve*, pero no *dolo*, dará lugar a la responsabilidad civil de éstos para con sus hijos, pero no será suficiente para que el juez decrete la privación de la administración. Por su parte, cuando se advierta *dolo* en la administración, no solo se configurará la responsabilidad civil de los padres, sino que también se los podrá privar de su derecho de administración.

Ahora bien, en lo atañedero a la presunción consagrada por el artículo 299 del Código Civil, según la cual se reputa haber culpa grave cuando se disminuyen considerablemente los bienes o se aumenta el pasivo sin causa justificada, bueno es aludir al artículo 66, *ibidem*, que indica que "[s]e permitirá probar la no existencia del hecho que legalmente se presume, aunque sean ciertos los antecedentes o circunstancias de que lo infiere la ley, a menos que la ley misma rechace expresamente esta prueba, supuestos los antecedentes o circunstancias". Debido a que la ley no impide que se acredite por los padres que no medió *dolo* en su actuar, nos encontramos ante una presunción simplemente legal o *iuris tantum*, por oposición a una de derecho o *iuris et de iure*.

Sobre las anteriores bases, incluso pese a que se haya disminuido considerablemente el activo o se haya aumentado apreciablemente el pasivo sin causa justificada, los padres podrán acreditar que no medió *dolo* en su actuación. Es más, se podría probar que hubo *culpa leve*, en cuyo caso habrá lugar a la configuración de la responsabilidad civil de los padres, pero no a la privación del derecho de administración.

III. Representación legal, judicial y extrajudicial

1. Noción

El artículo 1505 del Código Civil colombiano enseña que "[l]o que una persona ejecuta a nombre de otra, estando facultada por ella o por la ley para representarla, produce respecto del representado iguales efectos que si hubiese contratado él mismo". Significa lo anterior que los actos ejecutados por el representante impactan en la esfera jurídica patrimonial del representado en forma directa, cual si se hubieran celebrado por este último de manera personal, siempre que concurra causa justificativa que permita entender que el representante obra en condición de tal.

Dos son, pues, las causas que justificativas que dan origen a la representación de que aquí se trata: (i) la ley; y (ii) los negocios jurídicos. En el primer caso, la fuente de la representación es expresamente señalada por el ordenamiento jurídico, sin que se requiera prueba distinta que el acaecimiento de los supuestos de hecho previstos en la norma. En el segundo, es la voluntad del representado, trabada con la de su representante mediante el negocio jurídico respectivo, la que obra como fuente fundacional de la representación.

Para nuestros efectos, el artículo 62, *ibidem*, precisa quiénes serán los representantes de los incapaces para celebrar negocios jurídicos y, en su ordinal 1°, establece que los padres ejercerán conjuntamente esta función respecto de sus hijos menores de edad. Desde luego, no hace falta recordar que el tipo de incapacidad de quienes no han alcanzado la mayoría de edad varía en función de su edad. Es así que los menores de 12 años (niños) son absolutamente incapaces, en tanto que los mayores de 12, pero menores de 18 (adolescentes) lo son relativamente[456].

Por consiguiente, y habida cuenta de que todos los hijos, sin importar su filiación, están hoy sometidos ordinariamente a la patria potestad, respecto de ellos se tiene a los padres como representantes por expresa disposición legal. Puede ocurrir, sin embargo, que falte alguno de los padres, bien porque siendo extramatrimonial no ha reconocido a su hijo, ora porque ha fallecido. En tales casos, como es apenas natural, la representación habrá de ejercerla el padre que subsista.

De lo anterior se deduce, sin ambages, que la fuente de la representación de los hijos de familia es la propia ley, no un negocio jurídico, razón por la cual el título bajo el que se escriben estas letras recibe el nombre de "representación legal". En efecto, basta acreditar la paternidad de una persona para que se entienda haber este tipo de representación.

2. Clases de representación legal

Siendo esta, como en efecto lo es, una representación de tipo legal, se torna necesario identificar los diversos ámbitos respecto de los cuales despliega sus efectos. Por razones didácticas se dividirá el presente análisis en dos clases de representación, según se colige de la lectura de los artículos 288 y siguientes del Código Civil, así como de sus normas concordantes y complementarias: (i) la representación legal *extrajudicial* y (ii) la representación legal *judicial*. Veamos:

A. *Representación legal extrajudicial*

Este tipo de representación dice relación con los negocios jurídicos que dan origen a diversas obligaciones. Como su nombre lo indica, la tipología a cuyo estudio nos abocamos enseguida es aquella que se ejerce por fuera de los juicios, pero, en un sentido más lato, se pudiera decir que la que tiene lugar en actos que no inmiscuyen al hijo de familia en procedimientos judiciales o administrativos.

---

[456] Cfr. Artículo 1504 del Código Civil.

La categoría de que aquí se trata es, a no dudarlo, la más amplia prerrogativa de la patria potestad, porque los negocios que cobija cubren una variopinta gama de espectros. Aquí se ubican los actos que parecen irrelevantes, como la matrícula educativa de un menor de edad, y también aquellos cuya apariencia resulta ser más robusta, como la venta de inmuebles.

Para simplificar el análisis, separadamente nos referiremos a los actos domésticos, los actos de administración y los actos de disposición.

A'. Actos domésticos

Trátanse de todos los actos que se ejecutan en el diario vivir familiar. Tales son los casos del contrato de enseñanza o matrícula en una institución educativa, el del transporte escolar, el de servicios médicos en general, entre otros, que no implican *per se* disposición del dominio o administración de los bienes del hijo, sino que se enmarcan típicamente en las relaciones de familia.

Sin perjuicio de que se ahondará en su oportunidad, desde ahora se aclara que, por ser del discurrir ordinario, este tipo de actos tienen una particularidad propia en su ejercicio. Si bien la ley exige que se celebren conjuntamente por los padres de familia y solo admite su delegación por escrito, es lo cierto que la práctica cotidiana tiene enseñado que, habitualmente, solo uno de los progenitores es quien los suscribe, sin que medie otra autorización más que verbal o tácita del otro. Y los terceros con los que se contrata no exigen la acreditación de tal delegación en la práctica, porque asumen que ella existe.

En estricto derecho se diría que, por contrariar la disposición legal, hay un indebido ejercicio de la representación que podría desencadenar en la sanción de los diversos actos jurídicos domésticos. Empero, la doctrina especializada más autorizada se ha decantado por admitir que esta costumbre *contra legem* ha venido a crear derecho y, de consiguiente, la autorización puede ser probada por conducto de otros medios distintos al documental[457].

También así sucede con la autorización de actos que cotidianamente ejecutan los hijos de familia, y sobre los que en su oportunidad se elucubrarán los planteamientos pertinentes, como los negocios de compraventa de productos en las tiendas de barrio y las panaderías. Los comerciantes no revisan si hubo autorización o a cuál padre le deben cobrar cuando el

---

[457]   Véase, sobre el particular, la extraordinaria disertación de Eduardo García Sarmiento, *Elementos de derecho de familia*, 531.

negocio es al fiado, porque la costumbre cotidiana enseña que los padres son quienes responderán[458].

B'. *Actos de administración*

Antes se puso de manifiesto la intrincada relación que hay entre los derechos de administración y representación que la ley reconoce a los padres por virtud de la patria potestad. En efecto, los actos tendientes a la conservación, mantenimiento y recuperación de los bienes del hijo, la entrega en comodato o depósito, la contratación de personal para el cultivo, riego, arado, siembra de los predios rurales, o la celebración de contratos de obras de conservación de inmuebles urbanos se encuentran estrechamente relacionados con la propia *administración* y, aun así, entrañan un acto de representación.

En la subsección anterior se dejó perfectamente clara la limitación impuesta a los padres, relacionada con la entrega en arriendo por largo tiempo de inmuebles urbanos o rurales. Por ello, no elucubraremos más al respecto. Pero lo que sí se debe afirmar, a diferencia de lo que ocurre en tratándose de actos domésticos, es que aquí la formalidad en el ejercicio conjunto o la delegación por escrito no parece soslayable.

C'. *Actos de disposición*

Como se dijo, los actos de disposición se oponen a los de simple administración, por cuanto tienen por objeto la enajenación, desprendimiento o gravamen del derecho. No importa, desde luego, que el objeto sobre el cual versen tales actos sea corporal o incorporal ni, como es obvio, si, siendo corporal, es mueble o inmueble. Lo único que interesa es que haya una tendencia al desprendimiento o gravamen del derecho. Para ponerlo en términos de ENNECCERUS, el acto de disposición es todo negocio "que produce inmediatamente una pérdida del derecho o una modificación gravosa, o sea, un negocio jurídico por el cual se transmite, se grava, se modifica en su contenido o se extingue un derecho"[459].

Sobre las anteriores bases, no resulta difícil concluir que son típicamente dispositivos los negocios jurídicos de compraventa, donación, renuncia de derechos, cesión de derechos, permuta, hipoteca, dación en pago, apor-

---

[458] *Ibidem.*

[459] LUDWIG ENNECCERUS, THEODOR KIPP y MARTIN WOLFF, *Tratado de derecho civil,* tomo I, vol. I: *Parte general.* (Barcelona: Ed. Bosch, 1934), Sección 134-II.

te a sociedades, entre otros. Son, pues, actos que conllevan generalmente la disminución del patrimonio, actual o potencial, excepto cuando el acto sea oneroso y reciba una contraprestación equivalente. Es justamente por esta última característica anotada que la ley restringe la libertad de algunos de tales actos a los padres, puesto que su condición, de la que se espera una cumplida protección a los derechos de su descendencia, no puede ser sinónimo de absoluta libertad.

A continuación se analiza el régimen legal que disciplina distintos actos de disposición:

A". Actos de disposición de bienes muebles

En relación con los actos de disposición sobre bienes muebles, distintos de la donación, la ley no consagra formalidades o limitaciones de naturaleza alguna. Empero, ello no libera a los padres de responsabilidad, según se verá más adelante, cuando obren con el propósito deliberado de generar un menoscabo patrimonial a sus hijos.

Ahora bien, dado que no se han previsto ritualidades o formalidades, y la ley no precisa reglas específicas si se trata de bienes muebles sujetos a registro o no, es factible concluir que el titular de la patria potestad puede ejecutar cualesquier actos de disposición sobre todo tipo de muebles.

Cabe agregar, aunque la ley no lo expresa así, que la doctrina tiene entendido que los padres que carecen de la administración de ciertos bienes no cuentan tampoco con la facultad de disponer de ellos. En palabras de GARCÍA SARMIENTO:

> si el titular de la potestad no administra los bienes del hijo porque el donante o testador le quitó la administración, tampoco lo representa en los actos de disposición. Simplemente no tiene derecho para disponer, y en el supuesto de que lo haga, su acto ha sido conscientemente celebrado, de manera que si disminuye el patrimonio del hijo, su responsabilidad tendrá que sindicarse como dolosa. Mas si el negocio beneficia al hijo, podrá tenerse por válido, como celebrado sin mandato por un agente oficioso, en virtud del principio de protección al menor[460].

B". Actos de disposición de bienes inmuebles

Tratándose de actos de disposición de bienes inmuebles, el artículo 303 del Código Civil prevé como limitación la necesidad de autorización judi-

---

[460] EDUARDO GARCÍA SARMIENTO, *Elementos de derecho de familia*, 535 y 536.

cial. Dice la norma que "[n]o se podrán enajenar ni hipotecar en caso alguno los bienes raíces del hijo, aun pertenecientes a su peculio profesional, sin autorización del juez, con conocimiento de causa".

Nótese que la regla es imperativa y su ámbito de aplicación alcanza incluso los actos de disposición de los inmuebles pertenecientes al peculio profesional del hijo de familia. De manera que no goza el padre de absoluta libertad y ello obedece a una muy sencilla razón: en la época en que fue redactado el Código Civil por ANDRÉS BELLO, los inmuebles eran apreciablemente más valiosos que los muebles, por manera que se hacía imperativo, como lo reseña VÉLEZ, establecer "medida[s] de carácter precautelativo, mediante la[s] cual[es] se pretende evitar la distracción de los bienes del hijo"[461]. Valdría la pena, sin embargo, cuestionar si hoy sería conveniente establecer reglas semejantes para los bienes muebles, en vista de que éstos han adquirido una trascendencia económica que en no pocas oportunidades rebasa por mucho la de los inmuebles.

En cualquier caso, lo cierto es que la limitación está expresamente prevista para la constitución de hipotecas y enajenación de bienes raíces del hijo de familia y consiste en una autorización judicial que tiene expresa regulación en nuestras normas procesales. Otrora disponía el artículo 484 del Código Civil que la venta de bienes del pupilo se debía efectuar en pública subasta. Por consiguiente, el artículo 653 del Código de Procedimiento Civil, que regulaba el trámite para la autorización de enajenación, mandaba que se llevara a efecto la subasta, incluso si el solicitante era el titular de la patria potestad.

Actualmente, fruto de la derogatoria del artículo 484 del Código Civil por el artículo 119 de la ley 1306 de 2009, y la sustitución del Código de Procedimiento Civil por el Código General del Proceso, el artículo 581 de este último Estatuto prevé dos reglas de capital importancia: (i) cual sucedía antes, la concesión de autorización debe estar sujeta a un término para que se efectúe la enajenación, que no podrá superar los seis (6) meses; y, (ii) a diferencia del régimen anterior, ya no se requiere efectuar pública subasta, pero se conmina al juez a tomar las medidas que estime convenientes para proteger el patrimonio del hijo de familia.

Resta advertir que, llevada a efecto la enajenación sin surtir el trámite, el negocio jurídico será susceptible de ser declarado nulo de nulidad absoluta y acarreará la responsabilidad del padre, la madre o ambos, según se trate.

---

[461] FERNANDO VÉLEZ, *Estudio sobre el derecho civil colombiano*, 310.

Así mismo, importa precisar que, con motivo de la expedición del Decreto 1664 de 2015, del Ministerio de Justicia y el Derecho, se facultó a los notarios para conceder la autorización requerida para disponer de bienes de los menores de edad. Al respecto, la subsección 1 de la sección 2 del decreto en análisis precisa, en el artículo 2.2.6.15.2.1.1., que,

> [s]in perjuicio de la competencia judicial, la solicitud y trámite correspondiente de autorización para enajenar bienes o cuotas partes de estos, cuya propiedad sea de menores de edad (…) podrá hacerse por escritura pública, ante notario. La solicitud la suscribirán los padres del menor o los guardadores según el caso.

Más adelante, el artículo 2.2.6.15.2.1.4. ordena al notario que, una vez recibida la solicitud, se la transmita al defensor de familia del domicilio del menor de edad, a fin de que éste, en el término de quince (15) días hábiles contados desde el tercer día hábil siguiente al envío de la solicitud por correo certificado, se pronuncie en el sentido de aprobar, condicionar o negar el requerimiento puesto en su conocimiento.

La situación no ofrece ninguna clase de complejidad si el defensor de familia aprueba la solicitud. Tampoco reviste mayor dificultad el eventual condicionamiento que deje vertido el funcionario en su pronunciamiento, pues ello solo implicará que el notario se verá obligado a sujetar la autorización que confiera a los lineamientos ofrecidos por el defensor de familia. En cambio, tratándose de un pronunciamiento en sentido negativo, la disposición en comentario indica que el notario deberá remitir toda la documentación al juez competente e informar, en lo pertinente, a los solicitantes y a las autoridades, para que se surta el trámite ante la jurisdicción.

Finalmente, puede ocurrir que el defensor de familia deje transcurrir el lapso previsto por la normativa sin emitir pronunciamiento alguno. En tal caso, el notario quedará facultado para continuar con el trámite, pero deberá dejar constancia de lo ocurrido en la escritura pública que finalmente se otorgue.

C". Actos de disposición de derechos

Hemos aludido ya a los actos de disposición de bienes muebles e inmuebles. Corresponde ahora tratar lo relacionado con actos de disposición de derechos; en particular, la cesión de derechos hereditarios.

De conformidad con lo establecido por el artículo 1° de la Ley 67 de 1930, "[l]o dispuesto en los artículos 303, 483, 484 y 1810 del Código Civil se aplicará también a la enajenación de los derechos hereditarios del menor bajo patria potestad, o guarda". Vale decir que los artículos 483, 484 y 1810 del Código Civil se encuentran hoy derogados, por lo que solo es pertinente concordar la norma con el texto del artículo 303, antes citado, que exige la obtención de autorización judicial. Y, según se vio en el título anterior, también se debe concatenar la disposición con la posibilidad ofrecida por el Decreto 1664 de 2015, proferido por el Ministerio de Justicia y del Derecho, en el sentido de que la autorización la otorgue el notario respectivo, previo pronunciamiento del defensor de familia.

Por manera que, a fin de evitar repeticiones innecesarias, la cesión de derechos hereditarios de un menor de edad tendrá que contar con autorización judicial o notarial. En el primer caso, se deberá seguir el trámite consagrado en el artículo 581 del Código General del Proceso. En el segundo, el previsto en la subsección 1 de la sección 2 del Decreto 1664 de 2015, proferido por el Ministerio de Justicia y del Derecho.

D". Regla especial para los actos de disposición gratuitos

El artículo 304 del Código Civil precisa que "[n]o podrán los padres hacer donación de ninguna parte de los bienes del hijo, (…) sino en la forma y con las limitaciones impuestas a los tutores y curadores". Actualmente, el literal a) del artículo 93 de la Ley 1306 de 2009 establece que los curadores requieren autorización judicial cuandoquiera que pretendan efectuar donaciones de bienes del pupilo, con excepción de aquellos regalos moderados, autorizados por la costumbre, en ciertos días y casos y los dones manuales de poco valor. Así mismo, el Decreto 1664 de 2015 faculta a los notarios para otorgar la autorización necesaria.

Significa lo anterior que, independientemente de que el negocio de donación verse sobre un bien mueble o un inmueble, habrá necesidad de solicitar autorización judicial o notarial, salvo que se trate de regalos moderados que permite la costumbre.

D'. Repudiación de la herencia

Para entender la ubicación del presente título, es primero menester aclarar que "la repudiación no es un es un negocio dispositivo en el sentido de que el repudiante transfiera su derecho a los demás coasignatarios o a personas indeterminadas"[462]. La razón para que ello sea así es bien sencilla: la repudiación tiene efectos retroactivos, en cuanto, según lo enseña BAR-BERO, se entiende que quien la lleva a cabo abandona su vocación heredi-

---

[462]   PEDRO LAFONT PIANETTA. *Derecho de sucesiones*, 315.

taria como si nunca hubiera sido asignatario[463]. Y justamente por ello se diferencia de la renuncia, en la medida en que ésta produce efectos hacia el futuro. En los términos que nuestro Código Civil lo señala: "[n]o dona el que repudia una herencia"[464]. Con ese contexto en mente, queda clara la necesidad de ubicar la repudiación de la herencia en un título separado de los actos de disposición de los padres.

Ahora bien, para entrar en materia, el artículo 304 del Código Civil establece que "[n]o podrán los padres (...) aceptar ni repudiar una herencia deferida al hijo, sino en la forma y con las limitaciones impuestas a los tutores o curadores". Antiguamente, el artículo 486 del Código Civil precisaba que "[e]l tutor o curador no podrá repudiar ninguna herencia deferida al pupilo, sin decreto judicial, con conocimiento de causa, ni aceptarla sin beneficio de inventario". Así, era claro que, cuando el titular de la patria potestad quisiera repudiar la herencia deferida a su hijo, quedaba conminado a iniciar un proceso de jurisdicción voluntaria sobre la inconveniencia de tal aceptación. Por el contrario, cuando fuera su intención aceptarla, tendría siempre que hacerlo con beneficio de inventario.

Mas, como insistentemente se ha expuesto, el régimen de tutelas y curatelas original del Código Civil fue sustituido íntegramente por la Ley 1306 de 2009. Este último cuerpo normativo trae sendas disposiciones en cuanto tiene que ver con las prohibiciones y limitaciones de los guardadores y, desafortunadamente, abdica de la claridad que se quisiera en tan sensible temática. Por tal motivo, dedicaremos algunas líneas a explorar su contenido:

En primer lugar, el literal a) del artículo 92 prohíbe por completo al curador "dejar de aceptar actos gratuitos desinteresados en favor del pupilo". Y, en segundo lugar, el literal e) del artículo 93 exige la autorización judicial para "[e]l repudio de los actos gratuitos interesados o modales en favor del pupilo", al tiempo como agrega que "[l]as herencias podrán ser aceptadas libremente, pero se presumirá de derecho que han sido aceptadas con beneficio de inventario".

Vistas las anteriores disposiciones, ¿cuál es la que resulta aplicable al repudio de una herencia? De tan importante elección fluyen dos consecuencias diametralmente opuestas: o bien les está completamente vedado

---

[463] Domenico Barbero. *Sistema del derecho privado*, tomo V: *Sucesiones por causa de muerte.* (Buenos Aires: Ed. Ejea, 1967), núm. 1056. En el mismo sentido, véase a Hernando Carrizosa Pardo. *Las sucesiones*, 62.

[464] Cfr. Artículo 1451.

a los titulares de la patria potestad y a los guardadores la repudiación de una herencia que ha sido deferida a sus hijos de familia o pupilos, según sea el caso, o bien podrán repudiar, previa autorización judicial. Para aclarar el punto, viene bien acudir a los planteamientos de MEDINA PABÓN: "[A] los curadores y padres les queda prohibida toda renuncia o repudio a derechos gratuitos desinteresados concedidos por cualquier razón al hijo tal como lo dispone el literal a) del artículo 92 de la ley 1306 de 2009, lo que incluye las herencias y donaciones"[465].

Y, al aludir al "repudio de donaciones y otros actos jurídicos interesados o con causa onerosa", que requieren autorización judicial en los términos del literal e) del artículo 93, *ibidem,* el profesor emplea como ejemplo las "herencias y donaciones modales"[466].

Entendemos que el tratadista solo hace alusión a las "herencias" pero se refiere, en realidad, a las asignaciones, tanto a título universal como singular; esto es, a herencias como legados. En efecto, la Ley 1306 de 2009 regula los "actos gratuitos" sin formular precisiones y MEDINA se limita a ofrecer unos valiosos ejemplos didácticos a título enunciativo, de donde mal se podría limitar, en forma impropia, el alcance de sus planteamientos.

Pues bien, con el anterior contexto, será preciso bifurcar las asignaciones sucesorias, según sean "desinteresadas" o "interesadas". Entiéndase por la primera categoría toda asignación, a título universal o singular, gratuita, que se deja pura y simplemente al hijo de familia. La segunda, por su parte, engloba toda asignación, a título singular o universal, gratuita, que se deja bajo un modo. No sobra recordar, al efecto, que el artículo 1147 del Código Civil define las asignaciones modales, en los siguientes términos:

> Si se asigna algo a alguna persona para que lo tenga por suyo, con la obligación de aplicarlo a un fin especial, como el de hacer ciertas obras o sujetarse a ciertas cargas, esta aplicación es un modo y no una condición suspensiva. El modo, por consiguiente, no suspende la adquisición de la cosa asignada.

Hecha la anterior bifurcación, se tiene que las asignaciones efectuadas pura y simplemente no pueden hoy, en Colombia, ser repudiadas ni por los padres ni por los curadores, en virtud del mandato previsto por el artículo 92 de la Ley 1306 de 2009. Por el contrario, las asignaciones modales, o "interesadas",

---

[465]   JUAN ENRIQUE MEDINA PABÓN, *Derecho civil. Derecho de familia,* quinta edición. (Bogotá: Ed. Universidad del Rosario, 2018), 495.

[466]   *Ibidem,* 496.

podrán ser repudiadas, previa autorización judicial. Para ese efecto, se deberá seguir el trámite indicado en el artículo 494 del Código General del Proceso.

Finalmente, resta indicar que el literal e) del artículo 93 de la Ley 1306 de 2009 consagra una presunción de derecho, conforme a la cual se reputa, sin posibilidad de probar en contrario, que las herencias aceptadas por los titulares de la patria potestad o guardadores en representación de sus hijos o pupilos lo han sido con beneficio de inventario.

Estas reglas, además de oportunas, resultan ser consistentes con el Código Civil. De tiempo atrás ya se había impuesto la obligación de solicitar autorización judicial para el repudio de asignaciones a título universal o de bienes raíces o de bienes muebles cuyo valor superara más de mil pesos, cuandoquiera que el repudiante no tuviera la libre administración de sus bienes[467]; obligación que se ve robustecida con estas nuevas disposiciones, en el entendido de que la renuncia está proscrita si la asignación es pura y simple o será sometida a revisión judicial cuando la asignación sea modal. Y del propio modo, era ya obligatoria la aceptación con beneficio de inventario para los incapaces (menores de edad), so pena de no quedar obligados a responder por las deudas y cargas de la sucesión, sino hasta la concurrencia de lo que existiere en la herencia al tiempo de la demanda[468]; lo que en últimas sugiere que, de ser aceptada sin beneficio de inventario, la ley de oficio aplicaba la aceptación beneficiaria.

E'. *Actos que no requieren representación*

Pese a que la regla general que se desprende de la patria potestad es la representación legal de los padres, hay casos en los que el Legislador ha previsto, en forma expresa, que los hijos de familia no requieren representación. A ellos dedicaremos las líneas que siguen.

En primer lugar, según ya se ha visto, los hijos se reputan emancipados para *administrar* los bienes que conforman su peculio profesional o industrial[469]. Mas agrega el ordenamiento jurídico que, en cuanto tiene que ver con la enajenación de bienes raíces o constitución de hipotecas sobre activos de ese peculio profesional o industrial, el hijo de familia se encuentra

---

[467]   Cfr. Artículo 1293 del Código Civil.

[468]   Cfr. Artículo 1307 del Código Civil.

[469]   Cfr. Artículo 294 del Código Civil.

conminado a obtener autorización judicial[470]. De ambas previsiones, atadas a lo dispuesto por el artículo 301 del Código Civil, que más adelante se estudiará, se tiene que los hijos de familia *administran* libremente su peculio profesional o industrial y pueden *disponer* sin problemas de los activos muebles, pero no en lo que toca con los bienes raíces, para cuya enajenación o gravamen se requiere licencia judicial o administrativa (cfr. Decreto 1664 de 2015, proferido por el Ministerio de Justicia y del Derecho).

En segundo lugar, el artículo 290 del Código Civil establece que "[l]a patria potestad no se extiende al hijo que ejerce un empleo o cargo público, en los actos que ejecuta en razón de su empleo o cargo. Los empleados públicos, menores de edad, son considerados como mayores en lo concerniente a sus empleos". Síguese de lo anterior que, supuesto el caso de que el menor de edad ostentara la condición de servidor público, en los términos del artículo 123 de la Carta Política, no requerirá autorización de los padres para la celebración de negocios jurídicos, ni mediará el derecho de representación que aquí se ha expuesto.

En tercer lugar, el artículo 12 del Estatuto Mercantil colombiano dispone que "[l]os menores adultos pueden, con autorización de sus representantes legales, ocuparse en actividades mercantiles en nombre o por cuenta de otras personas y bajo la dirección y responsabilidad de éstas". Por lo tanto, los mayores de 12 años, pero menores de 18, que hayan sido autorizados por los titulares de la patria potestad, pueden ejercer válidamente el comercio. Sin embargo, esa habilitación se circunscribe al desarrollo de actividades en nombre o por cuenta de terceras personas, con dirección del titular de la patria potestad y sin que éste quede eximido de responsabilidad.

Cabe agregar, en todo caso, que los menores adultos, es decir, quienes hayan cumplido los 12 años, pero no los 18, que abracen un peculio profesional o industrial, no requerirán autorización escrita de sus padres para ejercer el comercio. Pero las obligaciones que libremente contraigan solo podrán ascender hasta la concurrencia de su peculio profesional o industrial.

Actos de comercio que podrían ejercer los menores adultos, o adolescentes, son el contrato de sociedad o de transporte.

En cuarto lugar, los hijos de familia tienen libertad para otorgar un testamento en el que libremente dispongan de sus bienes. Así se sigue del artículo 309 del Código Civil. Mas importa aclarar que esta libertad es solo concedida, y con buena razón, al adolescente o menor adulto, esto es, a quien haya

---

[470]   Cfr. Artículo 303 del Código Civil.

cumplido 12 años, pero no 18. Tal precisión se deriva de lo dispuesto por el artículo 1061, *ibidem*, a cuyas voces el *impúber*, o niño, es inhábil para testar.

En quinto lugar, y en concordancia con lo anterior, el adolescente hábil para otorgar testamento está, por tanto, facultado para reconocer voluntariamente a sus hijos extramatrimoniales. En efecto, si el testamento es una de las vías previstas por el ordenamiento jurídico para efectuar tal reconocimiento, por fuerza de la razón se debe admitir la posibilidad de que en él se incluyan todas las cláusulas que habilita la legislación. Por la misma vía, resultaría inconsecuente admitir que el menor adulto pudiera reconocer voluntariamente a sus hijos extramatrimoniales mediante testamento, pero no por los demás medios voluntarios previstos en la ley. De consiguiente, se acepta que los mayores de 12 pero menores de 18 reconozcan voluntariamente, por cualquier medio previsto en la ley, a sus hijos extramatrimoniales.

En sexto lugar, se advierte que el permiso de los padres para que los mayores de 14 y menores de 18 contraigan nupcias no es un acto de representación. De hecho, el casamiento que inobserve o desatienda tal "permiso" no está viciado de nulidad, sino que simplemente dará lugar a que el padre objetante, si así lo estima, desherede a su descendiente[471]. Sin embargo, los matrimonios celebrados por menores de 14 años serán anulables, con o sin permiso de los titulares de la patria potestad, y el término máximo para el efecto, según lo precisa el artículo 143 del Código Civil, es hasta que transcurran tres meses después de que el último (o único) de los contrayentes cumpla los 14 años de edad.

F'. Recapitulación

En razón de la extensión y complejidad de las reglas que se han expresado, enseguida se elabora una tabla didáctica, sin perjuicio de que el lector acuda a cada uno de los títulos que anteceden en procura de un desarrollo más profundo sobre la materia:

---

[471] Bueno es advertir que la Corte Constitucional se declaró inhibida para conocer de una demanda en ejercicio de la acción pública de inconstitucionalidad que se había instaurado contra las disposiciones que consagran la posibilidad de que los mayores de catorce años de edad, pero menores de dieciocho, contraigan matrimonio. El pronunciamiento de la Corporación quedó vertido en la Sentencia C-056 de 2022, M. P. Jorge Enrique Ibáñez Najar.

Tabla 2. Cuadro síntesis sobre los actos según el tipo de hijo y las limitaciones aplicables.

Tipo de acto	Quién lo ejerce	Limitación
Actos domésticos	Los titulares de la patria potestad	No hay restricciones particulares
Administración de bienes muebles	Los titulares de la patria potestad	No hay restricciones particulares
Administración de bienes inmuebles en general	Los titulares de la patria potestad	No hay restricciones particulares
Arrendamiento por largo tiempo de bienes inmuebles	Los titulares de la patria potestad	Se deberán observar las formalidades previstas para los tutores y curadores (Artículos 304 C.C. y 91 y ss. Ley 1306 de 2009).
Disposición de bienes muebles	Los titulares de la patria potestad	No hay restricciones particulares
Enajenación o hipoteca de bienes inmuebles	Los titulares de la patria potestad	Necesidad de obtener licencia judicial (Artículo 303 C.C.) o notarial (Decreto 1664 de 2015)
Cesión de derechos hereditarios	Los titulares de la patria potestad	Necesidad de obtener licencia judicial (Artículo 1º Ley 67 de 1930 y 303 C.C.) o notarial (Decreto. 1664 de 2015)
Donación de bienes de los hijos en general	Los titulares de la patria potestad	Necesidad de obtener licencia judicial (Artículos. 304 C.C. y 93 Ley 1306 de 2009) o notarial (Decreto. 1664 de 2015)
Donación de bienes constitutivos de regalos moderados autorizados por la costumbre	Los titulares de la patria potestad	No hay restricciones particulares (Artículos 304 C.C. y 93 Ley 1306 de 2009)
Repudiación de asignaciones puras y simples por causa de muerte	Los titulares de la patria potestad	Está prohibido (Artículos 304 C.C. y 92 Ley 1306 de 2009)
Repudiación de asignaciones modales por causa de muerte	Los titulares de la patria potestad	Se requiere obtener licencia judicial (Artículos 304 C.C. y 93 Ley 1306 de 2009)
Administración de bienes del peculio profesional o industrial	Los hijos de familia	No hay restricciones particulares (Artículo 294 C.C.)
Disposición de bienes muebles del peculio profesional o industrial	Los hijos de familia	No hay restricciones particulares (Artículos. 294 y 301 C.C.)
Enajenación o hipoteca de bienes inmuebles del peculio profesional o industrial	Los hijos de familia	Se requiere obtener licencia judicial (Artículo 303 C.C.) o notarial (Decreto 1664 de 2015)

Tipo de acto	Quién lo ejerce	Limitación
Actos relacionados con el ejercicio de empleo o cargo público	Los hijos de familia	No hay restricciones particulares, salvo en lo relativo a enajenación e hipoteca de bienes raíces (Artículo 290 C.C.)
Ejercicio del comercio, por adolescentes, sobre bienes del peculio profesional o industrial	Los hijos de familia	No hay restricciones particulares, salvo en lo relativo a enajenación e hipoteca de bienes raíces (Artículo. 12 C.Co., 294 y 301 del C.C.)
Ejercicio del comercio, por adolescentes, sobre bienes distintos del peculio profesional o industrial	Los hijos de familia	Se requiere autorización de los padres (Artículos 12 C.Co. y 301 del C.C.)
Otorgar testamento por adolescentes	Los hijos de familia	No hay restricciones particulares (Artículo 309 C.C.)
Otorgar testamento por niños	Los hijos de familia	Está prohibido (Artículo 1061 C.C.)
Reconocimiento de hijos extramatrimoniales por adolescentes	Los hijos de familia	No hay restricciones particulares (Artículos 309 C.C. y 1º Ley 75 de 1968)
Reconocimiento de hijos extramatrimoniales por niños	Los hijos de familia	No producen efecto legal alguno (Artículo 1504 C.C.)
Matrimonio por mayores de 14, pero menores de 18 años de edad	Los hijos de familia	No hay restricciones de naturaleza alguna (Artículos 117 y ss. y 140 C.C. y 53 Ley 1306 de 2009)
Matrimonio por menores de catorce años de edad	Los hijos de familia	Está viciado de nulidad (Artículo 140 C.C.)

Fuente: Elaboración propia.

B. *Representación legal judicial*

De conformidad con lo previsto por el artículo 305 del Código Civil, cuando el hijo haya de litigar contra alguno de los titulares de la patria potestad, "se le dará un curador para la litis, el cual será preferencialmente un abogado defensor de familia cuando exista en el respectivo municipio; y si obrare como actor será necesaria la autorización del juez". Seguidamente, el artículo 306 establece una serie de reglas: (i) la representación judicial del hijo corresponde a *cualquiera* a los padres; (ii) el hijo de familia debe obtener autorización o ser representado por sus padres para comparecer a un juicio; de lo contrario, se habrán de aplicar las normas del Código General del Proceso para la designación de un curador *ad lítem*, como enseguida se verá; y (iii) cuando la acción civil se dirija contra el hijo, la demanda se debe dirigir contra *cualquiera* de los padres.

En primer lugar, es de hacer notar cómo en este caso la patria potestad, a diferencia de lo que ocurre en los demás, se ejerce alternativamente por *cualquiera* de los titulares y no por los dos *conjuntamente*. Esa regla consulta plenamente el devenir procesal, habida cuenta de que sería nugatorio del derecho de acceso a la administración de justicia exigir doble firma y autorización para comparecer a la jurisdicción.

Por otro lado, el artículo 54 del Código General del Proceso establece que tendrán capacidad para comparecer al proceso quienes puedan disponer de sus derechos; quienes no puedan hacerlo, "deberán comparecer por intermedio de sus representantes o debidamente autorizadas por estos con sujeción a las normas sustanciales". Por lo que concierne a los hijos de familia, la disposición en análisis precisa que, "[c]uando los padres que ejerzan la patria potestad estuvieren en desacuerdo sobre la representación judicial del hijo, o cuando hubiere varios guardadores de un mismo pupilo en desacuerdo, el juez designará curador ad lítem, a solicitud de cualquiera de ellos o de oficio".

De manera concordante con la norma recién tratada, el artículo 55 del Código General del Proceso dispone la forma en que se debe proceder para la designación del curador *ad lítem*, así:

> 1. Cuando un incapaz haya de comparecer a un proceso en que no deba intervenir el defensor de familia y carezca de representante legal por cualquier causa o tenga conflicto de intereses con este, el juez le designará curador ad lítem, a petición del Ministerio Público, de uno de los parientes o de oficio.
>
> Cuando intervenga el defensor de familia, este actuará en representación del incapaz.
>
> 2. Cuando el hijo de familia tuviere que litigar contra uno de sus progenitores y lo representare el otro, no será necesaria la autorización del juez. Tampoco será necesaria dicha autorización cuando en interés del hijo gestionare el defensor de familia.

3. Responsabilidad

Como lo tiene entendido buena parte de la doctrina, los padres fungen como verdaderos mandatarios legales de sus hijos. De consiguiente, los negocios jurídicos que lleven a efecto los titulares de la patria potestad tienen impacto directo en las esferas personal y patrimonial de sus hijos de familia. Empero, la condición de mandatarios legales supone, de suyo, que el encargo no está completamente exento de responsabilidad para los intermediarios, como enseguida se verá.

En todo caso, importa advertir, antes de principiar nuestro análisis, que el objeto de estudio en estas líneas no es la validez (o invalidez) de los actos ejecutados por los titulares de la patria potestad, sino la responsabilidad de estos últimos.

Cuando se trata de actos de administración, en general, que se desarrollan o ejecutan en el marco de la representación legal *extrajudicial*, es menester acudir al artículo 298 del Estatuto Civil. Así, la responsabilidad de los titulares de la patria potestad se activa si media *culpa leve* o *dolo*.

Ahora bien, si la discusión gira en torno a los actos de administración de bienes raíces, particularmente constituidos por la entrega en arrendamiento por largo tiempo, habrá que auscultar la verdadera responsabilidad. Según se comentó en líneas previas, y abstracción hecha de las dificultades para determinar cuánto tiempo es considerado como "largo" por el Derecho Común, no es bien sabido, en el régimen actual, la consecuencia jurídica de que se celebre un contrato de arrendamiento semejante por los padres de familia. Antes era claro: el negocio jurídico no era obligatorio respecto del hijo de familia ni de quien llegare a hacerse al dominio del bien. Ahora es un punto sin definición clara, aunque nos decantamos por creer que ya no rige tal limitación entre nosotros.

Por otro lado, en cuanto a los actos de disposición, se deben distinguir aquellos que entrañan limitaciones particulares de los que pueden ser ejercidos sin restricciones específicas por los titulares de la patria potestad.

En el primer cúmulo se ubican los actos cuyas restricciones son fruto de la remisión al régimen de los guardadores (como el caso de la donación de los bienes del hijo o la repudiación de una herencia) y aquellos en los que las limitaciones son específicas previstas para los titulares de la patria potestad (verbigracia la enajenación o hipoteca de bienes inmuebles).

Respecto de los actos que se encuentran restringidos por las reglas de los guardadores, la fuente de la responsabilidad, a nuestro juicio, se encuentra en el artículo 107 de la Ley 1306 de 2009. Ello implica que los titulares de la patria potestad responden hasta por *culpa leve*.

Alguna voz se podría alzar en contra de tal conclusión, respaldada en el argumento de que lo que aquí se pretende es la aplicación de un régimen sancionatorio por analogía, situación proscrita a la luz de nuestro ordenamiento jurídico. No estimamos acertado un planteamiento semejante, debido a que el artículo 303 del Código Civil es suficientemente claro al sujetar la procedencia de determinados actos a "la forma y con las limitaciones impuestas a los tutores y curadores". En un recto entendimiento de la inteligencia de la norma se debe admitir, por fuerza de la razón, que, cuando el Legislador quiso delimitar los contornos de la actuación de los titulares de la patria potestad por vía de la remisión expresa a las restricciones de los guardadores, quedaron los primeros sometidos, indefectiblemente, al régimen de responsabilidad que gobierna a los segundos. No parece serio considerar que el único reproche susceptible de ser formulado sea el tendiente a atacar la eficacia del acto jurídico indebidamente celebrado, porque con ello se laceraría, en forma seria, el inveterado y pacíficamente aceptado aforismo jurídico que proscribe irrogar daño a otro (*neminem laedere*); tanto más si este surge en el marco de la sacrosanta relación paternofilial.

En lo que concierne a los actos de disposición ejercidos por los titulares de la patria potestad que tienen restricción específica[472], se estima que la fuente de responsabilidad es la prevista en el artículo 2155 del Código Civil. Así, los padres responden hasta por *culpa leve* en el ejercicio de su encargo. Nuevamente, la visión del asunto en esta materia se rige por dos premisas pacíficamente aceptadas: (i) la primera: que los titulares de la patria potestad obran como verdaderos mandatarios legales; y (ii) la segunda: eximir a los padres de cualquier responsabilidad civil es tanto como querer atentar contra el principio jurídico conforme al cual no es dable irrogar daño a otro (*neminem laedere*).

Las anteriores consideraciones son también predicables para la cesión de derechos hereditarios que, pese a no ser un acto de disposición propiamente tal, por virtud de lo dispuesto en el artículo 1° de la Ley 67 de 1930 está sometido a la misma restricción de que trata el artículo 303 del Estatuto Civil.

Ahora bien, en lo que hace a los actos de disposición respecto de los cuales no se previó limitación o restricción particular para los padres de familia, es preciso observar que la ausencia de limitaciones o restricciones no puede conducir, ni por asomo, a pensar que su ejecución fraudulenta o dañosa queda exenta de cualquier régimen de responsabilidad. A decir verdad, aquí es donde más aflora el principio según el cual nadie puede irrogar daño a otro (*neminem laedere*). Por consiguiente, amparados en una justa interpretación del ordenamiento jurídico y orientados por los princi-

---

[472] Cfr. Artículo 303 del Código Civil.

pios *favoris familiæ* y *pro infans*, se debe reconocer que la fuente de responsabilidad es también el artículo 2155 del Estatuto Civil, de donde se sigue que los padres responden hasta por *culpa leve*.

Otra es, en cambio, la situación de responsabilidad cuando el acto jurídico de que se trate es celebrado directamente por el hijo de familia, en abierta inobservancia de la autorización de los padres que se exige por las normas legales. En esta materia, y, se repite, sin discutir la validez o eficacia del acto como tal, el artículo 301 del Código Civil dispone que el hijo solo quedará obligado en su peculio profesional o industrial. No habiéndolo, como es obvio, no será posible afectar el resto de su patrimonio.

Y tanto más agrega la norma al prohibir que se tome dinero a interés o comprar al fiado sin autorización escrita de los padres. Aquí, la responsabilidad del hijo de familia solo se extenderá hasta la concurrencia del beneficio que haya reportado de tales negocios jurídicos.

Nada de lo expuesto obsta para que el titular de la patria potestad, según lo estime conveniente, autorice o ratifique los actos o negocios jurídicos celebrados por el hijo de familia. En tal caso, indica el artículo 302 del Estatuto Civil, la responsabilidad descansa sobre quien haya dado la autorización y solo subsidiariamente en cabeza del hijo; pero, para este último, su extensión se limita hasta la concurrencia del beneficio recibido por causa de la celebración de los actos o negocios jurídicos.

4. Ejercicio

El artículo 307 del Código Civil, en concordancia con los artículos 62 y 288, *ibidem*, manda que la representación legal *extrajudicial* sea ejercida en forma conjunta por los padres. Ese es el principio general que gobierna la materia. Empero, excepcionalmente prevé la posibilidad de que uno de los titulares de la patria potestad delegue en el otro, por escrito, total o parcialmente, esa representación legal *extrajudicial*.

Vimos ya, al estudiar los actos domésticos, que la doctrina especializada se ha decantado por admitir la delegación de la representación, por un titular de la patria potestad en cabeza del otro, sin necesidad de que medie el escrito como fórmula sacramental. Ello es así, habida cuenta de que se trata de una formalidad *ad probationem* y no *ad substantiam actus*. Por tanto, se sostuvo que en estos eventos la costumbre *contra legem* ha trascendido como verdadera fuente creadora de derecho. Sin embargo, en lo atañedero a los demás actos de representación legal *extrajudicial* la delegación escrita parece inobjetable.

Desde luego, cuando no hubiere acuerdo entre los titulares de la patria potestad sobre el ejercicio de la representación legal extrajudicial, será necesario acudir ante las autoridades competentes para que diriman la controversia particular.

Por cuanto toca con la representación legal *judicial* la situación es bien diferente. Sabido es que no se requiere, sino la autorización de uno de los titulares de la patria potestad para que el hijo de familia acuda a la jurisdicción o la autoridad administrativa, según el caso, de donde se deduce que el ejercicio de esta prerrogativa no debe ser conjunto. Mas, cual sucede con la representación legal *extrajudicial*, en caso de mediar desacuerdo con la forma en la que el titular de la patria potestad ha llevado la representación legal *judicial*, el otro quedará facultado para acudir al juez, con miras a que zanje la discusión. Y otro tanto agrega el artículo 54 del Código General del Proceso, a cuyas voces el juez habrá de designar un curador *ad lítem* que represente al hijo de familia.

SECCIÓN III. SUSPENSIÓN Y PRIVACIÓN DE LA PATRIA POTESTAD–EMANCIPACIÓN DEL HIJO DE FAMILIA

En las secciones que anteceden quedaron vertidos los principales planteamientos en torno al alcance de la patria potestad en nuestro ordenamiento normativo. Ahora se estudiarán las vías por las cuales queda paralizada o se extingue esta institución jurídica.

I. Suspensión de la patria potestad

1. Noción

Suspender, en su sentido natural y obvio, implica "[d]etener o diferir por algún tiempo una acción u obra". Luego, referida a la patria potestad, la suspensión no significa más que la detención *temporal* de las prerrogativas o derechos que la ley reconoce a los padres de familia. Bien importante resulta la naturaleza *pro tempore* de la suspensión, pues de ella se deriva la posibilidad de obtener la restitución de los derechos de patria potestad, como enseguida se dilucidará.

A más de lo expuesto, importa advertir que la suspensión de la patria potestad no opera *ipso iure*; esto es, la sola verificación de las causales que se estudian en el título siguiente no entraña la detención de las prerrogativas o derechos derivados de la patria potestad. Para que ello ocurra se requiere, indefectiblemente, un pronunciamiento de las autoridades judiciales en ese sentido. El fundamento que subyace a esta premisa es en extremo sencillo: pese a que la suspensión no envuelve, *per se*, una sanción, sí se erige como medida precautelativa que procura evitar la consumación de un daño al hijo de familia; pero, por ser la patria potestad una institución que ha sido precisamente estructurada con apoyo en los mandatos de la naturaleza, su limitación o restricción no puede estar despojada de formalidades precisas, porque de lo contrario se podría desproteger, en grado sumo, a los hijos de familia.

El proceso judicial que conduce a la determinación de suspensión por causas directas se tramita como un *verbal sumario*, según lo dispone el ordinal 3° del artículo 390 del Código General del Proceso. A la luz de lo previsto por el parágrafo 1° de la preceptiva en cita, el proceso solo debería tener una única instancia. Empero, la competencia para su conocimiento fue atribuida, por el ordinal 4° del artículo 22 del Código General del Proceso, a los jueces de familia *en primera instancia*, de donde se ha sugerido que estamos ante un juicio *verbal sumario especial*, por cuanto, pese a su trámite procesal, admite la doble instancia[473].

2. Vías de suspensión

En los términos que se han comentado, la sensibilidad que reporta la suspensión de una institución como la patria potestad ha conducido a que el Legislador haya arrebatado tal posibilidad del fuero personal de los progenitores, a diferencia de lo que sucede con otro tipo de prerrogativas, de carácter personal, como la custodia, las visitas o el régimen de alimentos. No es dable, entonces, que los titulares de la patria potestad definan, de común acuerdo, regímenes de suspensión de estas prerrogativas, precisamente porque se trata de una temática de orden público, indisponible e irrenunciable por sus titulares. Por tanto, el único facultado para prohijar una medida en este sentido es el juez de la República.

Ahora bien, para que proceda la declaratoria jurisdiccional en el sentido de suspender la patria potestad, es menester que concurra alguna de las causas justificativas preestablecidas taxativa y específicamente en la ley. Estas causas serán objeto de comentario en las líneas que siguen.

---

[473] Véase a MIGUEL ENRIQUE ROJAS GÓMEZ, *Lecciones de derecho procesal,* tomo 6: *Procesos de familia e infancia.* (Bogotá: Ed. Esaju, 2021), 251 a 254.

A. *Indirectas*

Llámense indirectas las causas que son objeto de un pronunciamiento judicial de manera accesoria al proceso principal. Expresado, en otros términos, las causas indirectas son aquellas que abren paso a la suspensión de la patria potestad, incluso a pesar de que no es ese el petitorio de la demanda por la cual se accede a la jurisdicción.

A'. *Penas accesorias a la principal en materia penal*

La primera causa indirecta que conoce nuestro ordenamiento jurídico es aquella reglada en el ámbito penal como pena accesoria a la principal. Al respecto, el ordinal 4° del artículo 43 del Código Penal colombiano señala que la inhabilitación para el ejercicio de la patria potestad es una pena privativa de otro derecho. *Prima facie* se podría pensar que esta es una pena principal o que, por la redacción de la norma, que se refiere a la *inhabilitación*, se trata de una privación en lugar de aludir a una suspensión.

Sin embargo, el artículo 47, *ibidem*, aclara el punto cuando precisa que la inhabilitación para el ejercicio de la patria potestad consiste en la privación al penado de los derechos inherentes a la patria potestad, "durante el tiempo de la condena". Brota del aparte transcrito la naturaleza *pro tempore* de la sanción, lo que se corrobora con la redacción del inciso cuarto del artículo 51, conforme al cual la inhabilitación para el ejercicio de la patria potestad durará de "seis (6) meses a quince (15) años".

Idéntico tratamiento recibe la cuestión en el ordenamiento penal militar, aunque con mayor claridad. El ordinal 4° del artículo 37 del Estatuto que gobierna ese régimen dispone que la "[s]uspensión de la patria potestad" es una "pena accesoria", cuando no se imponga como principal. Nótese que la disposición transcrita se refiere, en este caso, a la "suspensión", lo que depone cualquier duda sobre la materia. Mas para abundar en razones, el ordinal 6° del artículo 39 señala que la duración máxima de la aludida suspensión es de hasta quince años, al propio tiempo como el artículo 49 dispone que "[l]a suspensión de la patria potestad consiste en prohibir al sentenciado, por un período hasta de quince (15) años, el ejercicio de los derechos que la ley reconoce a los padres sobre los hijos no emancipados".

En todo caso, bueno es poner de relieve que la pena accesoria de suspensión del ejercicio de la patria potestad, como de antaño lo tiene entendido la Sala de Casación Penal de la Corte Suprema de Justicia, no puede ser impuesta por la comisión de cualquier ilícito. Se requiere la valoración activa del juez, en el sentido de constatar el nexo causal de la conducta constitutiva del delito y la ineptitud del encausado para ejercer como titular de la patria potestad. Para ello, se deben revisar

> la naturaleza del hecho punible, el grado de culpabilidad, las circunstancias de atenuación y agravación concurrentes y la personalidad del sentenciado, en aras de determinar su aptitud para continuar ligado a su familia y, por ende, si la formación integral y tranquilidad de sus hijos no se va a ver afectada[474].

B'. *Nulidad de matrimonio civil, divorcio o cesación de efectos civiles de matrimonio católico*

La segunda causa indirecta que conoce nuestro ordenamiento jurídico es la prevista por el ordenamiento procesal para los casos de nulidad del matrimonio, divorcio o cesación de efectos civiles de matrimonio católico. El artículo 398 del Código General del Proceso establece que la sentencia en la cual se decrete la nulidad del matrimonio civil, el divorcio o la cesación de efectos civiles de matrimonio católico deberá decidir a quién corresponde la patria potestad sobre los hijos no emancipados, cuando la causa del divorcio, nulidad o cesación de efectos civiles abra paso a la suspensión la misma. Aquí se advierte una peculiaridad, cual es la constituida por el hecho de que, aunque el objetivo principal de la demanda de nulidad, divorcio o cesación de efectos civiles de matrimonio católico no es la de suspender a un titular del ejercicio de la patria potestad sobre los hijos de familia, sino extinguir el vínculo habido entre la pareja, el juez puede auscultar los motivos que dieron paso al resquebrajamiento de la unidad familiar y, de encontrar probada alguna de las causas directas que más adelante se estudian, decretar la suspensión del ejercicio de las prerrogativas derivadas de la patria potestad.

Sería admisible la formulación de una crítica a esta clasificación, habida cuenta de que la suspensión de que aquí se trata halla su fundamento en la configuración de una causa directa que advierte el juez en desarrollo del juicio ordinario puesto en su conocimiento. Por tanto, más allá de que no sea el objeto principal del petitorio que abre paso al proceso, la suspensión no es propiamente una derivación consecuencial del divorcio, nulidad o

---

[474] Cfr. Sentencia de la Sala de Casación Penal de la Corte Suprema de Justicia, proferida el 16 de diciembre de 1999, expediente 10503, M. P. Carlos E. Mejía Escobar. En el mismo sentido, véanse las sentencias de la misma Corporación, proferidas: (i) el 7 de octubre de 1999, expediente 12394, M. P. Yesid Ramírez Bastidas; y (ii) el 2 de agosto de 1955, expediente 9188, M. P. Juan Manuel Torres Fresneda.

cesación de efectos civiles del matrimonio, sino que preserva su naturaleza autónoma. No encontramos obstáculos para que se sostenga un argumento semejante, pero la ubicación lógica que se efectúa en este texto obedece, como se advirtió, a que los cónyuges, cuando acceden a la jurisdicción con miras a la declaratoria de nulidad de su vínculo, el decreto de divorcio o de cesación de efectos civiles de su matrimonio, buscan poner fin al ligamento que hay entre ellos, no que se suspenda a uno o a otro del ejercicio de la patria potestad. Esta última declaratoria es verdaderamente accesoria y, eso sí, tiene lugar cuando juez constata que se ha configurado una de las causas directas que a continuación se analizan.

A manera de ejemplo, la Sala de Casación Civil y Agraria de la Corte Suprema de Justicia ha entendido que, mientras la causal de infidelidad (ordinal 1° del artículo 154 del Código Civil) para impetrar el divorcio o la cesación de efectos civiles de matrimonio católico no abre paso a la suspensión de la patria potestad, la causal de abandono de los deberes de cónyuge y padre sí da lugar a la suspensión e incluso a la privación de la patria potestad[475].

B. Directas

Son causas directas las que abren paso a la declaración judicial de suspensión de la patria potestad y constituyen el eje central del petitorio por el cual se accede a la jurisdicción. Ellas están taxativamente enumeradas en el artículo 310 del Código Civil, a cuyo tenor "[l]a patria potestad se suspende, con respecto a cualquiera de los padres, por su demencia, por estar en entredicho de administrar sus propios bienes y por su larga ausencia".

Es preciso indicar, en este punto, que la suspensión de la patria potestad respecto de ambos cónyuges conduce, forzosamente, a la designación de un guardador para el hijo. Ello, como es obvio, procura evitar que se deje en situación de desprotección al menor de edad.

Además, según lo establece el artículo 311 del Código Civil, para adoptar una decisión en el sentido de suspender el ejercicio de la patria potestad, el juez deberá oír a los parientes del hijo y al defensor de familia.

---

[475] Véanse las siguientes sentencias de la Sala de Casación Civil y Agraria de la Corte Suprema de Justicia: (i) S-214 del 9 de octubre de 1986, M. P. Rafael Romero Sierra; y (ii) S-432 del 19 de octubre de 1988, M. P. Rafael Romero Sierra.

Naturalmente, también se oirá al menor de edad, en los términos previstos por el Código de la Infancia y la Adolescencia.

A'. *Discapacidad mental (**demencia**)*

La primera causa directa de suspensión de la patria potestad que enlista nuestro ordenamiento jurídico es la discapacidad mental, otrora denominada *demencia*. Desde luego que el criterio para dictaminar la configuración de la causal es clínico, pero no basta con la sola demostración de esa circunstancia. Es también necesario acreditar que la discapacidad mental del padre o la madre constituye un peligro que amerita el decreto de la medida precautelativa de suspensión.

Sobre el particular, cabe recordar que, aunque las prerrogativas derivadas de la patria potestad se radican en cabeza de los padres, los destinatarios reales de esta institución jurídica son los hijos de familia. De consiguiente, en aplicación de principios orientadores fundamentales como el *favoris familiæ*, la prevalencia de los derechos de los niños[476] y la familia como núcleo fundamental de la sociedad[477], el juez debe ser cuidadoso en el decreto de este tipo de medidas para evitar lacerar, con ellas, a sujetos de especial protección constitucional como son los menores de edad.

Ahora bien, no porque estemos ante una discapacidad mental se requerirá, para la configuración o acreditación de esta causa de suspensión de la patria potestad, que se hayan iniciado o tramitado los procesos de *interdicción* (hoy derogado)[478] o de adjudicación de apoyos, ni tampoco que tales apoyos se hayan alcanzado mediante acuerdos o directivas anticipadas[479]. Estas últimas alternativas son medidas por las cuales se pretende proteger y dignificar a la persona con discapacidad mental, en tanto que la suspensión de la patria potestad es una vía para salvaguardar los derechos de los hijos de familia que son, en últimas, los destinatarios del ejercicio de la patria potestad.

---

[476]   Artículo 44 de la Carta Política colombiana.

[477]   Artículos 5º y 42 de la carta política colombiana.

[478]   *Pese a que el proceso de interdicción fue derogado por el artículo 53 la Ley 1996 de 2019, el artículo 56 de ese cuerpo normativo ordenó que, dentro de los 36 meses siguientes a la entrada en vigor del capítulo V de la ley, se revisaran las sentencias de interdicción. Comoquiera que el capítulo V entró a regir el 26 de agosto de 2021, es factible que todavía haya personas declaradas en interdicción en el ordenamiento jurídico colombiano.*

[479]   *Véase la Ley 1996 de 2019.*

Huelga advertir, pese a que fácil es concluirlo de los planteamientos que anteceden, que la discapacidad mental que obra como causa de suspensión de la patria potestad no es aquella constituida por un episodio esporádico o circunstancial. Se requiere que sea prolongada y que, efectivamente, pueda llegar a poner en peligro al destinatario de esa institución jurídica.

B'. Por estar en entredicho la capacidad de administrar sus propios bienes

Se podría sostener, y con buena razón, que esta causa directa se encuentra parcialmente cubierta por la relacionada con la discapacidad mental. En efecto, nadie duda que una persona que padece de Alzheimer, demencia senil o que se encuentra en estado de coma está imposibilitada para administrar sus propios bienes y, lógicamente, también lo está para administrar los de su hijo de familia.

Empero, no parece razonable que el Legislador haya sido tan descuidado como para distinguir, en dos, una misma causa que da origen a la suspensión de la patria potestad. A fin de desentrañar la verdadera inteligencia de esta causal, se estima oportuno dejar por fuera de discusión a quienes, por obvios motivos de discapacidad mental, quedan en entredicho de administrar sus propios bienes. Así, se vuelca la mirada hacia un grupo específico de individuos que son aquellos a quienes vulgarmente se los denomina *disipadores* o *dilapidadores*. Esta visión del asunto, claro está, encuentra mayor fundamento en el andamiaje normativo que nos rige en la actualidad, según se pasa a ver:

En el sistema original del Código Civil, el título XXVII del libro I consagraba las "Reglas especiales relativas a la curaduría del disipador". Particularmente, el artículo 531 de ese Estatuto disponía que, "[a] los que por pródigos o disipadores han sido puesto en entredicho de administrar sus bienes, se dará curador legítimo, y a falta de éste, curador dativo". No hace falta mayor elucubración para entender, sistemáticamente, que la intención del artículo 310, *ibidem,* al regular la segunda causa directa de suspensión de la patria potestad, fue establecer una referencia directa a los *disipadores* o *pródigos.*

En su sentido natural y obvio, es disipador quien "destruye y malgasta la hacienda o caudal"[480]. Entonces, esta causal se entiende referida a los titulares de la patria potestad que no saben administrar sus propios bienes.

---

[480] Diccionario de la Real Academia de la Lengua Española.

Más adelante, la ley 1306 de 2009 vino a derogar el sistema original del Código Civil y, en su lugar, estableció el proceso de inhabilitación para las personas que padecieran "deficiencias de comportamiento, prodigalidad o inmadurez negocial y que, como consecuencia de ello, pu[dieran] poner en serio riesgo su patrimonio"[481]. Fruto del proceso en análisis se designaba un consejero que venía a complementar la capacidad jurídica del inhabilitado en los negocios objeto de la declaratoria judicial[482].

Una vez más, a los *disipadores* o *pródigos* se los tenía por personas con discapacidad mental (aunque relativa), con lo cual se abría paso un proceso judicial tendiente a su protección.

Finalmente, la Ley 1996 de 2019 modificó el régimen de discapacidad de los mayores de edad y consagró la institución de los apoyos. El cambio de paradigma consistió en deponer la visión clínica para reivindicar la condición humana y la personalidad jurídica de los individuos. Así, se restituyó la capacidad de ejercicio a quienes padecen una discapacidad mental y se eliminó toda forma de discriminación.

En cuanto atañe a los *disipadores* o *pródigos*, ya no se consagra un régimen especial, como antes, para su protección. Se ha de admitir, entonces, que ellos podrán solicitar la designación de un apoyo, o fijarla mediante los acuerdos de apoyos o directivas anticipadas que autoriza ese cuerpo normativo, pero ya no podrán terceras personas intervenir judicialmente para que les sea designado un apoyo. Ello es así, porque el artículo 38 de la Ley 1996 de 2019 solo prevé esta posibilidad para los casos en los que la persona con discapacidad no pueda manifestar su voluntad y preferencias por ningún medio de comunicación posible. Del sucinto recuento histórico saltan a la vista dos conclusiones:

En primer lugar, esta causa directa de suspensión del ejercicio de patria potestad se refiere, específicamente, a las personas que se conocen ordinariamente como *disipadores* o *pródigos*.

En segundo lugar, si bien la condición de *disipación* o *prodigalidad* tenía un trámite judicial específico para su protección en el sistema original del Código Civil y la Ley 1306 de 2009, desde la promulgación de la Ley 1996 de 2016 la designación de un apoyo ha quedado reservada al arbitrio personal de quien padece la *disipación* o *prodigalidad*.

---

481   Artículo 34 de la Ley 1306 de 2009.
482   Artículo 55 de la Ley 1306 de 2009.

Surge entonces un interrogante obvio: ¿habrá desaparecido la segunda causa directa de suspensión de la patria potestad del ordenamiento jurídico? La respuesta, clara y contundente, es que no lo hizo. Antes se vio que la discapacidad mental, como causa directa de suspensión de la patria potestad, no requiere ser acreditada mediante los procesos judiciales de interdicción (hoy derogado) o adjudicación de apoyos. La misma suerte corre la condición de quien está en entredicho para administrar sus propios bienes.

Así pues, el hecho de que ya no se prevea un trámite judicial específico para los *disipadores* o *pródigos*, no conlleva la imposibilidad de que se pruebe que el titular de la patria potestad está en entredicho para administrar sus propios bienes y, consiguientemente, se solicite la suspensión del ejercicio de la patria potestad. Es de recordar, en este aspecto, que el Estatuto Civil no consagró tarifa legal probatoria alguna, de lo cual se desprende que la acreditación de esta causa queda librada a todos los medios de prueba consagrados en el régimen procesal para el efecto.

C'. *Larga ausencia*

La tercera causa directa consagrada en la legislación para que se decrete la suspensión del ejercicio de la patria potestad es la larga ausencia.

Lo primero por decir es que, de conformidad con lo establecido por el artículo 96 del Código Civil, se tendrá por ausente a la persona que "desaparezca del lugar de su domicilio, ignorándose su paradero". Hay, según se verá, una intrincada relación entre esta causa directa de suspensión y el abandono, que obra como causa de privación de la patria potestad. Cabe entonces escudriñar en dónde se debe trazar la línea que las distingue.

En realidad, es bastante difusa la distinción entre ambas causales y parece que la determinación de suspender o privar del ejercicio de la patria potestad le corresponde al juez, según la valoración que haga en cada caso particular. De hecho, en Sentencia SC4695 de 2016, la Sala de Casación Civil y Agraria de la Corte Suprema de Justicia concedió el exequátur a una providencia dictada en Honduras, en la cual se decretó la suspensión de la patria potestad a un padre al auspicio de la siguiente causal: "abandono manifiesto e injustificado de uno de los cónyuges por más de dos años sin comunicación con el otro"[483]. Para decidir, la Corporación encontró una concordancia sustancial entre esa disposición y la larga ausencia del padre,

---

[483]   Artículos 187 y 238, ordinal 4º, del Código de Familia de Honduras.

consagrada en el artículo 310 del Código Civil colombiano, por lo que concedió el exequátur solicitado[484].

Empero, importa agregar que la Corte Suprema de Justicia ha conceptualizado abandono, como causal para la privación del ejercicio de la patria potestad, según se estudiará en líneas posteriores[485]. Por ese motivo, y a fin de establecer un criterio que permita dilucidar la configuración de la larga ausencia para la suspensión del ejercicio de la patria potestad, acompañamos a SUÁREZ FRANCO en sus planteamientos:

> [C]reemos que el juez no podrá decretar la suspensión con fundamento en dicha causal [se refiere a la larga ausencia], si no se prueban los siguientes elementos: 1) que la ausencia sea larga; 2) que se siga perjuicio a los intereses del hijo, y 3) que el padre o madre ausente no provea a la administración de los bienes del hijo a fin de evitar graves perjuicios[486].

3. Restitución de los derechos de patria potestad

La naturaleza *pro tempore* de la suspensión de los derechos de patria potestad apareja consigo la condición ínsita de restitución. Si no hubiera posibili-

---

[484]   Consúltese la sentencia de la Sala de Casación Civil y Agraria SC4695 de 2016, M. P. FERNANDO GIRALDO GUTIÉRREZ.

[485]   En la extraordinaria sentencia del 13 de octubre de 2010, Expediente 2009-00113, M. P. CLAUDIA MARÍA ARCILA RÍOS, el Tribunal Superior de Pereira disertó sobre la distinción entre la larga ausencia y el abandono, así: "El Código Civil, en su artículo 310, no define lo que debe entenderse por larga ausencia para suspender al progenitor de la patria potestad, pero no puede equipararse al abandono que consagra el artículo 315 y que se sanciona con la pérdida del ejercicio de tal derecho. A juicio de la Sala, la larga ausencia, en una concepción simple, puede ser considerada como el alejamiento voluntario de uno de los padres respecto de sus hijos, y que conlleva un descuido en la administración de sus bienes o en la representación que requieren y que al menor esté causando perjuicio. El abandono de un hijo menor es situación más grave. Implica el mayor de los atentados contra la solidaridad, el olvido de la procreación, de la existencia de un ser que siendo menor es indefenso y requiere de amor, de cuidado y de protección. Es dejar a un lado la actitud de ser padre o madre para desprenderse sin justificación alguna del valioso regalo que nos da la naturaleza: la misión de ser padres. Diferente entonces de esta última es la del progenitor que se ausenta del domicilio, pero continua en contacto con sus hijos, se comunica con ellos por algún medio, colabora con su crianza, sustentación y establecimiento. En situación así, podría hablarse de larga ausencia, que no es la que aquí se ha probado".

[486]   ROBERTO SUÁREZ FRANCO, *Derecho de familia*, tomo II, 189.

dad de que los padres recobraran sus prerrogativas estaríamos, a no dudar-lo, ante una privación definitiva e irreversible de la patria potestad. Fluyen dos preguntas corrientes de los anteriores planteamientos: ¿hasta cuándo dura la suspensión? y ¿cuál es el mecanismo para obtener la restitución de los derechos de patria potestad? Ambas respuestas se ofrecerán enseguida.

A. Restablecimiento

Por restablecimiento se entiende la figura que genera la restitución de los derechos de patria potestad sin necesidad de declaratoria judicial. Expresado en otros términos, es una institución jurídica que opera *ipso iure* y, por tanto, acaecido el hecho que da lugar al restablecimiento, el titular de la patria potestad recobra sus prerrogativas sin trámites ni limitaciones de naturaleza alguna.

El restablecimiento es de naturaleza excepcionalísima y solo se produce, en nuestros tiempos, cuando la causa que dio origen a la suspensión es la pena accesoria a la principal en materia penal. Como se recordará, las disposiciones que rigen la materia enseñan que, una vez cumplida la pena principal, siempre que no exceda el término de quince años, la suspensión de los derechos de patria potestad queda sin efectos.

Muy importante es recalcar, para evitar equívocos, que el restablecimiento no se extiende a todas las causas indirectas estudiadas con antelación. Puesto en otros términos, no opera el restablecimiento respecto de la suspensión ordenada en la sentencia que declara la nulidad del matrimonio, decreta el divorcio o la cesación de efectos civiles de matrimonio católico. En tal caso, dado que se ha configurado una causa directa que advierte el juez de conocimiento, se debe proceder con la rehabilitación que a continuación se estudia.

B. Rehabilitación

En caso de que la suspensión de la patria potestad se establezca por una causa directa, su término de duración será indefinido, mientras subsista aquella causa que le dio origen. Así las cosas, dado que no se tiene conocimiento sobre el momento en que la causa directa va a desaparecer, el Legislador, con buen tino, forzó a que se adelantara un trámite judicial tendiente a la declaratoria judicial por la cual se restituyen los derechos a los titulares de la patria potestad.

Según se aprecia, en este evento, constitutivo verdaderamente de la regla general en la materia, la restitución de los derechos de la patria potestad no opera *ipso iure*, pues se requiere de un pronunciamiento judicial que así lo disponga. Además, se debe acreditar por el interesado que ha cesado la causa que dio origen a la declaratoria de suspensión. Bien se podría decir que en este caso tiene plena aplicación el aforismo jurídico según el cual "las cosas en derecho se deshacen como se hacen" (*Quae sunt quod praeteriit facite*).

Bueno es mencionar que el ordinal 4º del artículo 22 del Código General del Proceso asignó a los jueces de familia la competencia, en primera instancia, para conocer de la "rehabilitación de la patria potestad". De consiguiente, se siguen aquí los mismos parámetros explicados en cuanto al trámite judicial de suspensión de la patria potestad; esto es, que se trata de un proceso *verbal sumario especial*, en el que sí hay doble instancia.

II. *Privación de la patria potestad*

El Diccionario de la Real Academia de la Lengua Española define el verbo privar, en su primera acepción, como "[d]espojar a alguien de algo que poseía". Dentro del contexto de que aquí se trata, la privación de la patria potestad significa, en verdad, despojar al titular de los derechos de patria potestad que venía poseyendo.

La característica definitoria de la privación es que, contrario a lo que ocurre con la suspensión, una vez se produce la declaratoria judicial, sus efectos son irreversibles. No hay, por tanto, lugar a la restitución de los derechos de patria potestad, ni por vía de restablecimiento, ni por vía de rehabilitación. Obviamente, ello no implica que la sentencia no pueda ser eventualmente revocada por el *ad quem*, cuandoquiera que se apele, o en un eventual recurso extraordinario o por medio de una acción de tutela si se encontraren probados los motivos que se requieren para un pronunciamiento en tal sentido. Lo que se trata de hacer ver es que, ejecutoriada la sentencia que decreta la privación, quien alguna vez fue titular de la patria potestad ya no volverá a serlo.

También importa distinguir la privación de la emancipación judicial, instituto jurídico al que dedicaremos la siguiente subsección. Mientras que la privación se predica de un padre en particular, se dice haber emancipación judicial cuando la patria potestad les es removida a ambos padres. Por lo demás, las mismas reglas que gobiernan la emancipación judicial son aplicables a la privación, según se desprende del artículo 310 del Código Civil, a cuyas voces la patria potestad "termina por las causales contempladas en el artículo 315; pero si éstas se dan respecto de ambos cónyuges, se aplicará lo dispuesto en dicho artículo".

La privación a que aquí se alude es respecto de *todas* las prerrogativas que engloba la patria potestad. Antes se discutió sobre las causales que abrían paso a la privación particular de cada una de las prerrogativas, pero ahora nos referimos al despojo absoluto de la titularidad de tales derechos. Así las cosas, la privación de la patria potestad participa de una dualidad en su naturaleza, habida cuenta de que entraña, por un lado, una verdadera sanción para a los padres renuentes a cumplir con sus obligaciones y, por el otro, una medida de protección a favor del hijo.

Con base en lo que se acaba de explicar, por motivos de orden y oportunidad se remite al lector al título dedicado al estudio de la emancipación judicial, con miras a profundizar en las causales que abren paso a la privación de la patria potestad.

III. Emancipación del hijo de familia

1. Noción

El Código Civil colombiano define la emancipación, en su artículo 312, como aquel "hecho que pone fin a la patria potestad". Dijimos ya que la privación tiene la virtud de despojar a uno de los titulares de la patria potestad de sus prerrogativas, en tanto que la emancipación se encamina a extinguir la patria potestad respecto de ambos padres.

También es oportuno precisar que la definición de la emancipación, prevista en la ley, alude a un *hecho*. Sin embargo, se verá más adelante que puede provenir de un acto jurídico. Por consiguiente, el vocablo *hecho*, en esta materia, debe ser entendido en un sentido más lato que restringido.

Finalmente, la disposición en comentario se encarga de enunciar las tres clases de emancipación que rigen en Colombia: (i) voluntaria; (ii) legal; y (iii) judicial. Cada una se estudiará por separado.

2. Emancipación judicial y su relación con la privación de la patria potestad

El artículo 315 del Estatuto Civil precisa que la emancipación judicial se efectúa, pese a ser una tautología, mediante decreto del juez. Sin embargo, hay un caso especial, que más adelante se estudiará, en el que no se requiere el decreto judicial, sino del defensor de familia. Se trata de la declaratoria en situación de adoptabilidad. Por consiguiente, es acertado afirmar que la emancipación judicial, pese a su denominación, entraña la extinción de la patria potestad mediante el decreto de la autoridad competente.

Importa reiterar, en este punto, que la emancipación judicial o la privación de la patria potestad, según corresponda, es un hecho irreversible. La causa se tramita como un proceso verbal sumario *especial*, pues ya es pacíficamente admitido por la Corte Suprema de Justicia que se trata de un juicio que se puede componer de dos instancias[487]. La razón para que así sea estriba en que, cual sucede con los procesos de *suspensión* y *rehabilitación*, el ordinal 4º del artículo 22 del Código General del Proceso descarga en el juez de familia la competencia para conocer sobre los juicios de pérdida de patria potestad "en primera instancia".

Las causales que conducen a este tipo de emancipación son las siguientes.

A. Maltrato del hijo

En su versión original, la causal consagrada para la emancipación judicial era el maltrato habitual del hijo, en términos de poner en peligro su vida o de causarle grave daño. Sin embargo, en buena hora la Corte Constitucional, mediante Sentencia C-1003 de 2007, M. P. CLARA INÉS VARGAS HERNÁNDEZ, declaró inexequibles las expresiones *habitual* y *en términos de poner en peligro su vida o de causarle grave daño*.

> En tal medida, si la causal para que un juez decrete la emancipación del menor es solamente el maltrato del hijo, le corresponderá al juez de conocimiento respectivo valorar en cada caso las circunstancias que rodean al menor afectado, para efectos de determinar si amerita decretar la pérdida de la patria potestad del padre o padres que incurren en tales conductas[488].

Ahora bien, no hace falta reiterar los planteamientos esgrimidos en torno a la Ley 2089 de 2021, cuyo artículo 1º establecía en el inciso segundo, antes de su declaratoria de inexequibilidad por la Corte Constitucional, que el

---

[487] A guisa de ejemplo, consúltense las siguientes sentencias de la Sala de Casación Laboral de la Corte Suprema de Justicia STL5495 de 2021, M. P. FERNANDO CASTILLO CADENA, y de la Sala de Casación Civil y Agraria de la Corte Suprema de Justicia STC3787 de 2021, M. P. ÁLVARO FERNANDO GARCÍA RESTREPO, en las que se declaró la razonabilidad de que el Tribunal Superior del Distrito Judicial de Yopal hubiera declarado desierto el *recurso de apelación* contra la sentencia de primera instancia por la cual se privó de la patria potestad a la progenitora.

[488] Sentencia C-1003 de 2007, M. P. CLARA INÉS VARGAS HERNÁNDEZ.

castigo físico y los tratos crueles o humillantes no serán causal de pérdida de la patria potestad o de la custodia, ni causal para procesos de emancipación, siempre y cuando no sean una conducta reiterativa y no afecte la salud mental o física del niño, niña o adolescente; sin perjuicio a que la utilización del castigo físico o tratos crueles o humillantes ameriten sanciones para quienes no ejerzan la patria potestad, pero están encargados del cuidado, en cada uno de los diferentes entornos en los que transcurre la niñez y la adolescencia.

La infortunada redacción de la disposición conducía a pensar en una interpretación exegética, que se volvió a estructurar la causal de pérdida de patria potestad como estaba antes de la declaratoria de inexequibilidad por la Corte Constitucional en la Sentencia C-1003 de 2007. Empero, como ya lo hicimos notar en el literal H) del ordinal 1) de la subsección II de la sección III del capítulo I de este tomo, una concepción semejante sería insostenible. Adicionalmente, en forma afortunada, el Máximo Tribunal Constitucional expulsó tal disposición del ordenamiento jurídico, mediante la Sentencia C-066 de 2022. Por tanto, actos inexcusables de violencia, así sean perpetrados por una sola vez, incluso sin constituir el tipo penal de violencia intrafamiliar, pueden dar lugar a que se inicien los procesos de privación de patria potestad y emancipación judicial. En cambio, actos aislados o esporádicos de *castigo moderado*, inadmisibles en el ordenamiento jurídico por virtud de los alcances trazados por la jurisprudencia constitucional, civil y penal, pero que no configuran violencia intrafamiliar reprochable mediante la acción de protección a cargo de los comisarios de familia o la acción penal, no bastarán para la prosperidad de este tipo de procesos.

B. Abandono del hijo

En cuanto al abandono del hijo, mucho se ha elucubrado al respecto. En sus primeros atisbos, la Corte Suprema de Justicia estimó que la inasistencia alimentaria era, por sí misma, constitutiva de la causal prevista en el ordenamiento civil para la privación de la patria potestad[489].

Sin embargo, luego de proferida la Carta Política de 1991, la Corporación perfeccionó su entendimiento para aducir que "se requiere que el

---

[489] Consúltese la sentencia de la Sala de Casación Civil y Agraria de la Corte Suprema de Justicia S-006 del 23 enero de 1990, M.P. PEDRO LAFONT PIANETTA.

abandono sea absoluto y que obedezca a su propio querer [el del padre]"[490]. Al respecto, precisó la Corte:

> No se trata, entonces de predicar un juicio de valor, de más o menos, sobre la responsabilidad que le atañe al padre, ni de establecer cuánto aportó para la educación y bienestar material de la infante, sino de comprobar, de manera irrefutable que éste se desentendió totalmente de estos menesteres; por consiguiente, si como lo afirmaron unos testigos, en algunas oportunidades el accionante dejó a su hija bajo el cuidado de sus abuelos o que ocasionalmente la recibía del colegio el celador, le incumbía al juzgador examinar si esos hechos verdaderamente implicaban un total abandono de los deberes filiales del allí demandado; inclusive, valga la pena destacarlo, tales circunstancias miradas con otra óptica, en verdad razonable, podrían estimarse de una manera muy distinta a la que coligió el sentenciador, máxime si se articularan con otras pruebas, como la certificación del colegio del 21 de septiembre de 2005 (folio 138 cuad. copias)[491].

La totalidad del abandono radica, entonces, en la constatación de un desentendimiento absoluto desde el punto de vista educacional, emocional, físico, material, médico y moral. Quiere ello decir que un padre, aun sin prestar la asistencia material, puede no estar incurso en la causal prevista para la privación de la patria potestad si, desde la óptica emocional, educacional, física y moral, asiste plenamente a sus hijos[492]. En verdad, mal se podría pretender que, con un ánimo vindicativo, se castigara a los hijos, por medio de la privación de la patria potestad a los progenitores, cuando estos últimos sí han cumplido parcialmente con sus obligaciones.

No se debe olvidar que la privación de la patria potestad entraña una enorme sensibilidad y que, por consiguiente, se debe prohijar como *última ratio*, pues de por medio está el goce efectivo de los derechos de los hijos de familia. Así, son varios los pronunciamientos de las Altas Cortes[493] en el

---

[490]   Sentencia de la Sala de Casación Civil y Agraria de la Corte Suprema de Justicia, proferida el 25 de mayo de 2006, expediente 2006-714, M.P. PEDRO OCTAVIO MUNAR CADENA.

[491]   *Ibidem.*

[492]   Consúltese, sobre el particular, a LEONARDO FABIÁN SÁNCHEZ LOMBANA, MARIA-LEJANDRA VARGAS PLAZAS y VIVIANA GARCÍA SÁNCHEZ, *Análisis de la causal de abandono absoluto en la privación de la patria potestad.* Tesis para optar por el título de Especialistas en Derecho de Familia de la Universidad La Gran Colombia. Ed. Facultad de Derecho de la Universidad La Gran Colombia, 2016, 53 a 59.

[493]   A manera de ejemplo, véanse la sentencia de la Corte Constitucional T-953 de 2006, M. P. JAIME CÓRDOBA TRIVIÑO y de la Corte Suprema de Justicia del 15 de diciembre de 2011, Expediente 2011-02624, M. P. JAIME ALBERTO ARRUBLA PAUCAR.

sentido de amonestar o llamar la atención de los padres que han incumplido parcialmente con sus obligaciones, sin que ello signifique de contera la
pérdida de los derechos de patria potestad.

A más de lo anterior, repárese en que el nuevo planteamiento de la Corporación sobre la materia demanda que el abandono sea producto del querer
del padre; esto es, que esté permeado por el requisito de la voluntariedad. Tan
elemental apreciación deviene natural, puesto que las difíciles situaciones particulares no pueden conducir a crear un rasero objetivo con fundamento en el
cual, abstracción hecha de la intención de los padres, se decrete la privación
de la patria potestad. Sobre este punto, muy ilustrativa resulta la Sentencia
STC5561 de 2019, M. P. Álvaro Fernando García Restrepo, en donde se logró constatar que la falta de contacto entre el padre y su descendencia obedeció a los artilugios adelantados por la madre y la abuela materna. Dijo la Corte:

> En efecto, la Corporación convocada arribó a la decisión que finalmente
> adoptó, tras considerar que del conjunto de pruebas recaudadas se extraía
> que la supuesta situación de abandono de la menor en que se fundó la de-
> manda, «fue causad[a] por actitudes y actuaciones de Vanesa Vázquez Giral-
> do y Luz Marleny Giraldo Restrepo, madre y abuela materna respectivamente
> de ésta, que le impidieron [al demandado] acercarse a ella y no le permitieron
> cumplir sus obligaciones que la ley impone como padre», conclusión a la
> que dicha autoridad arribó a partir del análisis sistemático del interrogatorio
> de parte rendido por el demandado, en consonancia con varios testimonios
> recaudados, documentos tales como fotografías de éste con la menor, y la
> confesión de la demandante, pruebas que en conjunto permitieron dar cuenta
> a dicha autoridad, que el abandono alegado no fue voluntario, pues, se evi-
> denció que el demandado trataba de cumplir con sus obligaciones de padre,
> y aunque en varias ocasiones iba a la residencia de la menor, y llamaba a la
> puerta, la madre la abuela de ésta no le permitían si quiera verla.

> Así mismo, también se observa que la autoridad accionada expuso las razones
> por las cuales restaba mérito a los medios de convicción en que se fundó la
> sentencia de primera instancia, esto es, que se trataba principalmente de testi-
> monios que provenían de personas a quienes no les constaban directamente los
> hechos sobre los que testificaron, y que dieron versiones que no resultaban con-
> testes con el conjunto de pruebas del juicio, pudiendo colegir, entonces, que
> «si bien es cierto que con su confesión se demostró que Juan Esteban Agudelo
> Delgado abandonó totalmente a su hija niña Nicol Agudelo Vásquez desde el
> 14 de mayo del 2013 hasta principios del 2018, también lo es que se evidenció
> que no lo hizo voluntariamente» (CD. fl. 22), razón por la que debían negarse
> las pretensiones de la demanda, por incumplimiento del elemento volitivo que
> argumentó connatural a la causal de pérdida de patria potestad alegada.

Idéntica fue la conclusión en la Sentencia STC7892 de 2021, M. P. Álvaro Fernando García Restrepo, en la cual la Sala de Casación Civil y
Agraria de la Corte Suprema de Justicia respaldó un fallo desestimatorio de

la privación de la patria potestad, toda vez que la madre no había abandonado a sus hijos por voluntad. De consiguiente, por ausencia del requisito de voluntariedad, se hacía improcedente la prosperidad de la acción.

En suma, se puede afirmar que, en la actualidad, la configuración del abandono como causal para la privación de la patria potestad tiene dos requisitos claros: (i) por un lado, debe ser absoluto, es decir, desde el punto de vista educacional, emocional, físico, material, médico y moral; y, (ii) por el otro, debe obedecer al querer o a la voluntad de quien abandona.

C. *Depravación que lo incapacite para ejercer la patria potestad*

CHAMPEAU y URIBE describen esta causal, en los siguientes términos: "La depravación, que constituye una incapacidad moral, es igualmente causa que autoriza para sacar el hijo de su poder, según el artículo 254"[494]. Y, al comentar el artículo 254, sostienen que "[l]a autoridad de los padres tiene como base sobre todo la idea de la protección para los hijos; cuando el ejercicio de tal autoridad acarrea para éstos algún peligro grave, físico o moral, es lógico que la justicia para ponerla en otras manos"[495].

Por su parte, VÉLEZ indica que,

> [p]ara que la depravación del padre o de la madre sea causa de emancipación, es necesario que *los haga incapaces de ejercer la patria potestad*, esto es, que vaya acompañada, como dicen los Sres. COOD y FABRES[496], de mal ejemplo, de peligro inmediato de perversión para la persona que se pretende emancipar. Suele suceder, en efecto, y con no poca frecuencia, que padres de malas costumbres, no sólo no las manifiestan en presencia de sus hijos, sino que, por el contrario, procuran con diligencia infundirles principios de moralidad y decoro[497].

Queda claro que la configuración de esta causal demanda la satisfacción de dos requisitos: (i) debe mediar *depravación* o inhabilidad moral del padre; y (ii) esta debe incidir indefectiblemente en el ejercicio de la patria potestad. Así pues, como lo sostiene VÉLEZ, cuando el padre cumpla con la primera característica, pero no con la segunda, no se abrirá paso la prosperidad de la privación de la patria potestad.

---

[494] EDMOND CHAMPEAU y ANTONIO JOSÉ URIBE. *Tratado de derecho civil colombiano*, 363.

[495] *Ibidem*, 311

[496] *Explicaciones* etc. Comentario al artículo 267.

[497] FERNANDO VÉLEZ, *Estudio sobre el derecho civil colombiano*, tomo I, segunda edición. (París: Ed. Imprenta París-América, 1926), 345.

Huelga advertir que la amplitud terminológica de la expresión hace que esta causal sea de difícil configuración. Normalmente, ella viene aparejada o concurre con otro tipo de causales, como podría ser la pena privativa de la libertad superior a un año por delitos sexuales.

D. Condena privativa de la libertad superior a un año

De acuerdo con el ordinal 4º del artículo 315 del Código Civil, da lugar a la emancipación judicial la condena privativa de la libertad del padre, cuando sea superior a un año. Por su naturaleza aparentemente objetiva, la conformidad de disposición en análisis con la Carta Política fue cuestionada ante la Corte Constitucional, Órgano que zanjó la discusión en la Sentencia C-997 de 2004, M.P. JAIME CÓRDOBA TRIVIÑO.

Para avalar su exequibilidad, la Corporación recordó que la teleología de la causal no es otra que separar a los niños de la criminalidad, independiente de la forma que ésta adquiera y de los motivos o circunstancias que llevaron al padre o a la madre de un menor a cometer una conducta punible. Lo anterior, debido al importante rol que cumplen los progenitores respecto de su descendencia y a título de desarrollo de los postulados supralegales. Con miras al cumplimiento de tan alto propósito, el Legislador estaba impedido para elaborar una exhaustiva lista de tipos penales puesto que con ello, eventualmente, dejaría de regular situaciones en las cuales delitos no contenidos en dicho catálogo ameritarían también, en un caso concreto, que los padres, en aras de proteger los intereses del menor, fueran privados de la patria potestad.

Así las cosas, concluyó que

> la disposición acusada se ajusta a los mandatos constitucionales contenidos en los artículos 5, 42 y 44 puesto que permiten que un padre que ha realizado una conducta punible, sea privado de los derechos que la ley otorga para el cumplimiento de los deberes que esa condición impone el ordenamiento jurídico, siempre que esa decisión sea la que mejor corresponda a los intereses del menor, debiendo el juez en cada caso, hacer la valoración correspondiente; ello implica que la aplicación de la causal no es objetiva, sino que por el contrario, como toda actuación tendiente a restringir derechos deberá analizarse desde un punto de vista subjetivo y, en el caso de los menores, a partir del principio constitucional del interés superior del menor[498].

---

[498] Sentencia de la Corte Constitucional C-997 de 2004, M.P. JAIME CÓRDOBA TRIVIÑO.

De lo expuesto se deduce que la aplicación de la causal debe estar rodeada por un ejercicio valorativo del juez, en el que se analice, cual sucede con la suspensión de la patria potestad como pena accesoria, la conducta del hecho punible, su intensidad, las causales de agravación o atenuación que concurren en el caso concreto y la incidencia del ilícito en el ejercicio de los deberes de patria potestad. Mal se podría pretender, en esas condiciones, que un padre condenado por el delito de hurto, al intentar obtener comida para su familia, fuese privado de la patria potestad; no así sucede, por el contrario, cuando el padre es condenado por el delito de acto sexual sobre menor de catorce años[499].

E. Condena del adolescente por los delitos de homicidio doloso, secuestro, extorsión en todas sus formas y delitos agravados contra la libertad, integridad y formación sexual, siempre que los titulares de la patria potestad hayan favorecido las conductas punibles

La configuración de esta causal se abre paso, en primer lugar, cuando el hijo de familia es condenado por cualquiera de los siguientes ilícitos: (i) homicidio *doloso*; (ii) secuestro; (iii) extorsión en cualquiera de sus formas; (iv) delitos agravados contra la libertad; (v) delitos agravados contra la integridad; y (vi) delitos agravados contra la formación sexual. Pero no basta con la sola condena para que proceda la privación de la patria potestad, pues también se requiere comprobar un segundo elemento: que los padres han favorecido las conductas punibles.

Demostrados ambos requisitos, es procedente la declaratoria de privación de la patria potestad.

F. Declaratoria en situación de adoptabilidad

Esta causal es particularmente importante, en la medida en que, según se apuntó previamente, es la única que procede por declaratoria de una autoridad distinta a la judicial. En efecto, el ordinal 14 del artículo 82 del Código de la Infancia y la Adolescencia establece que corresponde al defensor de familia "[d]eclarar la situación de adoptabilidad en que se encuentre el niño, niña o adolescente". Significa lo anterior que no

---

[499] En este sentido, véase el Concepto 095 de 2017, proferido por el Instituto Colombiano de Bienestar Familiar.

es cualquier autoridad la encargada de acometer una declaratoria en este sentido, sino única y exclusivamente el defensor de familia, justamente por la sensibilidad que la temática reporta.

La declaratoria en situación de adoptabilidad de un menor de edad conlleva su ingreso al programa de adopciones del Instituto Colombiano de Bienestar Familiar. Por tal motivo, resulta apenas lógico que el artículo 108 del Código de la Infancia y la Adolescencia establezca, sin ambages, que "la resolución que declare la adoptabilidad producirá, respecto de los padres, la terminación de la patria potestad del niño, niña o adolescente adoptable y deberá solicitarse la inscripción en el libro de Varios y en el registro civil del menor de edad de manera inmediata a la ejecutoria". Para ese propósito la Registraduría Nacional del Estado Civil cuenta con un término máximo de diez días, contados desde la solicitud que formule el funcionario competente. Hecho lo anterior, el defensor de familia deberá remitir la historia de atención al Comité de Adopciones de la regional correspondiente dentro de los diez días siguientes.

G. ¿Condena del menor de edad que, dentro de un espectáculo deportivo, estadio, cancha, tribuna, en el entorno de este, o con ocasión del evento deportivo, incite o cometa acto de agresión física o verbal sobre otra persona, o daños a infraestructura deportiva pública, residencial o comercial?

El artículo 15 de la Ley 1445 de 2011 señala que, sin perjuicio de las penas contempladas en el Código Penal, quien

> dentro de un espectáculo deportivo, estadio, cancha, tribuna, en el entorno de este, o con ocasión del evento deportivo incite o cometa acto de agresión física o verbal sobre otra persona, o daños a infraestructura deportiva pública, residencial o comercial, será sancionado con una multa y la prohibición de ingresar a escenarios deportivos de la siguiente forma:
>
> a) Agresión física: La multa será de veinte (20) a cien (100) salarios mínimos legales mensuales vigentes y prohibición de acudir a escenarios deportivos por un período entre tres (3) años y cinco (5) años.
>
> b) Agresión verbal: La sanción será a través de trabajo social con la comunidad sobre la formación pedagógica para la prevención y el desarrollo social de la convivencia en los escenarios deportivos. En caso de reincidencia, la multa será de uno (1) a veinte (20) salarios mínimos legales mensuales vigentes y prohibición de acudir a escenarios deportivos por un período entre un (1) año hasta tres (3) años.

c) Daño a infraestructura deportiva, pública, residencial o comercial, la multa será de veinte (20) a cien (100) salarios mínimos legales mensuales vigentes y prohibición de acudir a escenarios deportivos por un período entre dos (2) años y cuatro (4) años.

Aunado a lo anterior, el parágrafo 2°, objeto de discrepancias que enseguida se analizan, precisa que "[e]l menor de edad que incurra en las conductas descritas será conducido por la Policía Nacional para que se llame a quienes ostenten la patria potestad y hacerlos solidarios en las sanciones aquí previstas y a que hubiere lugar. Se iniciará proceso de pérdida de custodia del menor".

Pues bien, recientemente se ha alzado una voz en la doctrina que indica que este parágrafo consagra una causal adicional de pérdida de la patria potestad. Su razonamiento se basa, en lo fundamental, en el fragmento que dispone que la Policía Nacional habrá de llamar a los titulares de la patria potestad para hacerlos solidariamente responsables en las sanciones allí previstas "y a que hubiere lugar".

Además, robustecen su entendimiento con la aparente discordancia que presenta la norma al ordenar que se dé inicio al proceso de pérdida de custodia. En efecto, según se ha visto con suficiencia, es perfectamente posible que los padres ostenten la patria potestad, pero no la custodia de sus hijos de familia. Así, parecería inocuo que, por un lado, se cite a los titulares de la patria potestad para hacerlos solidariamente responsables de las sanciones a que hubiere lugar, mientras, por el otro, se disponga el inicio de un proceso de privación de custodia si ellos no la ostentan.

Nos apartamos de tan respetables consideraciones, puesto que la privación de la patria potestad constituye una sanción para los padres y, en su condición de tal, su aplicación debe ser restrictiva y limitada a los casos expresamente previstos por la ley. En nuestra opinión, la referencia que hace la disposición a las sanciones "a que hubiere lugar" se debe entender dirigida a las penales que pudieren caber. Recuérdese que el encabezado de la preceptiva inicia claramente con la aseveración de que las sanciones allí reguladas lo son "sin perjuicio de las penas contempladas en la Ley 599 de 2000", es decir, el Código Penal colombiano.

Por supuesto que por conducto de las sanciones penales que cupieren a los titulares de la patria potestad como instigadores, coautores o copartícipes de los delitos, sería posible que se configuraran las causales de privación de la patria potestad explicadas en las letras D) y E) del presente numeral. Mas ello no significa que sea esta la consagración de una nueva causal, autónoma, en tal sentido.

Adicionalmente, no se advierte contradicción alguna entre la responsabilidad solidaria que se descarga sobre los titulares de la patria potestad por las sanciones que se llegarán a imponer a los hijos y el eventual proceso con el objeto de remover la custodia a quien la ostente. En primera medida, la responsabilidad solidaria parece tener sentido por el carácter preponderantemente patrimonial de las prerrogativas que se desprenden de la patria potestad. De manera que resulta coherente entender que quienes ejercen la representación legal extrajudicial de los hijos de familia están llamados a responder con ellos. En segunda medida, la remoción de la custodia, independientemente de que se encuentre radicada en cabeza de los mismos titulares de la patria potestad, o no, obedece a la importante función que se sigue de tal encargo. Si la obligación del custodio es cuidar, proteger, formar, criar y tantas otras que se apuntan *supra*, el hecho de que el menor de edad incurra en conductas como las arriba descritas dan cuenta de que se ha fallado, cuando menos parcialmente, en el ejercicio del encargo, lo que despeja el camino para creer que se requiere hacer una nueva adjudicación de la custodia y cuidado personal del menor de edad.

Las anteriores elucubraciones no tienen como base los antecedentes normativos, los cuales, una vez revisados, no dan cuenta del verdadero querer del Legislador en la materia. Se fincan, según se advirtió, en una interpretación restrictiva de las sanciones y en la orientación proporcionada por el principio general *favoris familiæ* (conforme al cual lo dudoso de una disposición se debe resolver siempre en favor de la familia).

3. Emancipación voluntaria

El artículo 313 del Código Civil, tal como fue reformado por el artículo 43 del Decreto 2820 de 1974 y adicionado por el artículo 8° del Decreto 772 de 1975, alberga la regulación atañedera a la emancipación voluntaria y consagra una serie de requisitos para su procedencia, los cuales pasamos a estudiar.

En primer lugar, se establece como ritualidad indispensable que la emancipación voluntaria se efectúe mediante *instrumento público*. Ello supone que la concreción de esta figura debe constar en escritura pública otorgada ante el notario del círculo que corresponda.

En segundo lugar, la emancipación voluntaria ha de provenir, indefectiblemente, de los titulares de la patria potestad que consienten en su extinción. Así pues, dado que en la actualidad la patria potestad ha sido reconocida por la ley a los dos progenitores, salvo casos puntuales, conviene hacer notar que debe mediar el consentimiento de *ambos* para que opere esta figura jurídica. Lo anterior obedece a que, según se explicó precedentemente, la emancipación "es un hecho que pone fin a la patria potestad"[500].

En tercer lugar, el hijo cuya emancipación se pretende debe ser mayor de 12 y menor de 18 años de edad. La norma alude al hijo *adulto* lo que, según el artículo 34 del Código Civil, en concordancia con los artículos 53, parágrafo 1°, de la ley 1306 de 2009 y 3° del Código de la Infancia y la Adolescencia, equivale al adolescente.

En cuarto lugar, el artículo 313 del Código Civil exige que medie el *consentimiento del hijo*. Este requisito explica por qué los únicos sujetos susceptibles de recibir la emancipación voluntaria son los *menores adultos* (o adolescentes), pues la ley concede valor a sus actos en ciertas circunstancias —como la que aquí se discute—, en tanto que no lo hace para los actos de los *impúberes* (o niños)[501]. Antiguamente se sostenía, con buen fundamento legal, que los *menores adultos* (o adolescentes) que padecieran de "discapacidad mental absoluta" no podían manifestar su consentimiento y, por tanto, respecto de ellos no se podía predicar la emancipación voluntaria. Empero, a raíz de la promulgación de la Ley 1996 de 2019, la discapacidad mental dejó de ser una causa de incapacidad legal y, consiguientemente, los *menores adultos* en estas circunstancias están facultados, según el régimen de apoyos y la normativa vigente, para obtener su emancipación voluntaria.

En quinto lugar, se requiere *autorización judicial* con conocimiento de causa. Así las cosas, no basta con que la emancipación voluntaria se plasme en una escritura pública, sino que se requiere, previamente a la protocolización del instrumento, que un juez de la República convalide la decisión de los padres. Para el efecto, la licencia se deberá obtener mediante un proceso de jurisdicción voluntaria[502].

Por último, agrega el artículo 313 del Código Civil un inciso, conforme al cual la emancipación voluntaria es de naturaleza *irrevocable,* incluso si el hijo demuestra ingratitud hacia sus padres. Expresado en otros términos, los otrora titulares de la patria potestad no se pueden retractar del consentimiento manifestado para emancipar voluntariamente a su hijo[503]. Mas lo

---

[500] Artículo 310 del Código Civil.

[501] Cfr. Artículo 1504 del Código Civil.

[502] Cfr. Artículo 577 del Código General del Proceso.

[503] Suárez Franco considera que esta última norma es "inocua", en la medida en que no aporta nada nuevo al ordenamiento jurídico. En efecto, la emancipación supone

expuesto no implica que la naturaleza *irrevocable* conlleve la característica de *inimpugnable*, esto es, si el consentimiento de los padres no estuvo exento de vicios o se avizora un objeto o causa ilícitos, fácilmente se puede atacar la validez de la emancipación voluntaria y, surtido el juicio correspondiente, el juez estará facultado para decretar su nulidad, lo que supondría la restitución de la patria potestad en cabeza de los titulares.

4. Emancipación legal

En los términos del artículo 314 del Código Civil, esta clase de emancipación proviene por el acaecimiento de alguno de los hechos puntual y taxativamente previstos en la ley, cuales son: (i) la muerte real o presunta de los padres; (ii) el matrimonio del hijo; (iii) cumplir el hijo la mayor edad; y (iv) el decreto que da la posesión de los bienes del padre desaparecido. Veamos cada causal en detalle.

A. Muerte real o presunta de los padres

Sabido es que "[l]a existencia de las personas termina con la muerte"[504]. Entre nosotros, la muerte se puede decretar de dos maneras distintas: (i) por ser directamente comprobable, en cuyo caso se denomina *real*; o (ii) por la constatación de ciertos requisitos que dan lugar a tal deducción[505], en cuyo caso se denomina *presunta*.

Comoquiera que la patria potestad fue reconocida a ambos padres según el artículo 288 del Código Civil, forzoso es concluir que la muerte (real o presunta) que abre paso a la emancipación es la que se predica de los dos progenitores; de otro modo, el fallecimiento de uno dará lugar a que la patria potestad quede radicada en cabeza del que le sobrevive.

Pero puede ocurrir que solo uno de los progenitores sea titular de la patria potestad (verbigracia los hijos extramatrimoniales no reconocidos por el padre o cuando se priva a un padre de este cúmulo de prerrogativas). En tal caso, el fallecimiento del único y exclusivo titular de la patria potestad da lugar a la emancipación del hijo de familia.

---

la terminación definitiva de la patria potestad y, consiguientemente, no admite restitución o reviviscencia de esta última figura jurídica. (*Derecho de familia*, tomo II, 194).

[504]   Artículo 94 del Código Civil.

[505]   Cfr. Artículos 66 y 96 a 109 del Código Civil.

B. Matrimonio del hijo

El matrimonio de los hijos de familia es causal obvia de emancipación. Y lo es, porque no resultaría serio concebir que, después de haber tomado la importante decisión, voluntaria y libre de vicios, de conformar familia con tercera persona, el menor de edad continuara cobijado por las prerrogativas que la ley reconoce a los padres y que reciben el nombre de patria potestad.

Recuérdese que, en Colombia, quienes han cumplido 14 años, pero no 18 pueden contraer nupcias libremente. Según se explicó *supra*, el permiso de los padres no es un acto de representación legal extrajudicial y solo apareja como posible consecuencia adversa el desheredamiento del descendiente. El casamiento supone la concurrencia de voluntades libres, espontáneas y sin presiones de quienes lo celebran, incluso si son menores de edad, pues así lo enseñó el Concilio de Trento al condenar con la excomunión a quien sostuviera lo contrario.

Cuestión distinta es averiguar si la disolución del vínculo matrimonial conlleva el renacimiento de la patria potestad. Suárez Franco, en planteamiento al que adhiere el autor de esta obra, sostiene que

> [s]i las causas de terminación son la muerte o el divorcio, la emancipación persiste, es irrevocable; si se trata de un matrimonio declarado nulo, el hijo debe regresar a la potestad de sus padres o de quien la ejercía, puesto que la causa de su emancipación estaba viciada y los efectos de la sentencia se retrotraen a la celebración[506].

C. Cumplir el hijo la mayoría de edad

La mayoría de edad implica, entre nosotros, la adquisición de la capacidad plena o de ejercicio, es decir, la absoluta facultad de obligarse y disponer de los propios derechos y obligaciones[507]. Comoquiera que el artículo 34 del Código Civil, en los términos en que fue modificado por el artículo 1° de la Ley 27 de 1977, estableció que sería mayor de edad quien cumpliera los 18 años, una vez el hijo alcanza la decimoctava conmemoración de su natalicio adquiere la capacidad de representarse a sí mismo y de disponer de lo suyo, por lo que no será necesario que los padres continúen a cargo de las prerrogativas que la ley les reconoce y que se aglutinan con el nombre de patria potestad.

---

[506]   Roberto Suárez Franco. *Derecho de familia*, tomo II, 196.
[507]   Artículos 1503 y siguientes del Código Civil.

Bueno es advertir que, fruto de la promulgación de la ley 1996 de 2019, se extinguió en Colombia la figura de la *patria potestad prorrogada*, en virtud de la cual los padres de hijos que padecieran de discapacidad mental absoluta podían extender sus derechos, incluso después de que se cumpliera la mayoría de edad, previo proceso judicial de interdicción.

D. El decreto que da posesión de bienes del padre desaparecido

Esta causal se mantuvo por el artículo 9º del Decreto 772 de 1975, pese a que ya no se podía configurar (ni puede hacerlo hoy) en Colombia. En vigencia del texto original de nuestro Código Civil, varias eran las etapas del proceso de declaratoria de muerte presunta:

> en primer lugar, la sentencia que declaraba muerto al ausente una vez transcurridos dos años desde su desaparecimiento; en segundo término, la posesión provisional de los bienes del desaparecido a los herederos provisorios una vez transcurridos dos años más; por último, la posesión definitiva de los bienes si pasados cuatro años de decretada la posesión provisional, no se hubieran tenido noticias del declarado muerto[508].

Empero, el artículo 698 del Código de Procedimiento Civil (Decreto 1400 de 1970) expresamente derogó los artículos 99 y 101 a 106 del Código Civil, que regulaban la temática de la posesión provisoria y definitiva, al propio tiempo como el artículo 657 de ese Estatuto Procesal estableció el nuevo trámite judicial para la declaratoria de muerte presunta, sin aludir en forma alguna a decretos de posesión provisoria o definitiva de los bienes del finado. Dado que ese era el estado del arte para la fecha de expedición del Decreto 772 de 1975, no hay forma de explicar por qué se mantuvo la causal que ahora se analiza para la emancipación legal. Acaso podrá ser tenido lo anterior como un funesto error del Legislador.

Sobra advertir que la regulación del trámite de la muerte presunta se encuentra hoy consagrada en el artículo 584 del Código General del Proceso y tampoco alude, ni siquiera tangencialmente, a decreto de posesión de bienes alguno. En esos términos, preciso es concluir que esta causal es inoperante en Colombia, pese a figurar nominalmente en la ley.

---

[508] Arturo Valencia Zea. *Derecho civil*, Tomo V, *derecho de familia*, 380 y 381.

Capítulo III.
De los alimentos

SECCIÓN I. MARCO NORMATIVO APLICABLE

La obligación alimentaria tiene una multiplicidad de regulaciones, bastante dispersas por demás. Para evitar confusiones sobre lo que se estudiará a lo largo de este capítulo, haremos primero referencia a cada uno de los cuerpos normativos que dicen relación con los alimentos.

I. Tratados internacionales suscritos por Colombia

Es de todos sabido que la Carta Política colombiana establece, en su artículo 93, una cláusula general según la cual integran el bloque de constitucionalidad los convenios internacionales suscritos y ratificados por Colombia, con especial énfasis en aquellos que regulan los derechos humanos. Como se verá en la siguiente sección, los alimentos tienen una íntima relación con la dignidad humana, la familia, la solidaridad y tantos otros derechos humanos que rigen en nuestro ordenamiento jurídico como normas *ius cogens*.

Tres son los tratados que aquí interesa abordar: (i) la Convención de los Derechos del Niño; (ii) la Convención Interamericana sobre Obligaciones Alimentarias; y (iii) la Convención de Nueva York sobre la obtención de alimentos en el exterior. Veamos:

1. Convención sobre los Derechos del Niño

Bastante se ha aludido en esta obra a la Convención sobre los Derechos del Niño de 1989, que fue incorporada al ordenamiento doméstico mediante la Ley 12 de 1991 y entró en vigor el 28 de febrero de ese mismo año. Este instrumento se erige como la columna vertebral de todo análisis que tenga relación, directa o indirecta, con los menores de edad, porque en sus 54 artículos se condensa una rica diversidad de derechos que han de ser observados y protegidos por los Estados Parte.

En particular, fuera de las referencias mediatas a las condiciones mínimas con que debe contar todo niño o adolescente, que de suyo suponen la intervención de recursos materiales provenientes de los padres, el literal c) del párrafo 2 del artículo 24 exige que se adopten las medidas requeridas para proporcionar alimento *nutritivo* a los niños y adolescentes. La preceptiva en análisis cobra relevancia porque, como se verá en el título siguiente, la Carta Política colombiana expresamente consagra la *alimentación balanceada* como un derecho fundamental de los menores de edad.

Adicionalmente, el párrafo 4 del artículo 27, *ibídem*, demanda que los Estados Parte incorporen los mecanismos necesarios para que se asegure, en forma efectiva, el pago de la "pensión alimenticia" (en nuestro medio llamada mesada alimentaria) por los padres. Se refiere, desde luego, a la importancia de establecer procedimientos expeditos para adelantar los cobros ejecutivos pertinentes, en beneficio de los menores de edad.

2. Convención Interamericana sobre Obligaciones Alimentarias

La Convención Interamericana sobre Obligaciones Alimentarias fue suscrita en Uruguay, el 15 de julio de 1989, en la Conferencia Especializada sobre Derecho Internacional Privado. Colombia aprobó este Instrumento por medio de la Ley 449 de 1998, respecto de cuya exequibilidad se pronunció favorablemente la Corte Constitucional en Sentencia C-184 de 1999, M.P. Antonio Barrera Carbonell. Posteriormente, la Convención fue ratificada por Colombia el 28 de julio de 2010 y entró en vigor el 26 de agosto siguiente[509].

Su objetivo fundamental, como se analizará en los títulos posteriores, consiste en determinar el derecho aplicable a las obligaciones alimentarias, así como a la competencia y a la cooperación procesal internacional, cuando el acreedor de alimentos tenga su domicilio o residencia habitual en un Estado Parte y el deudor de alimentos tenga su domicilio o residencia habitual, bienes o ingresos en otro Estado Parte.

---

[509] Sobre la aprobación y ratificación del Instrumento por Colombia, véase la información proporcionada por el Ministerio de Relaciones Exteriores disponible en: http://apw.cancilleria.gov.co/tratados/SitePages/VerTratados.aspx?IDT=716655e1-89a2-4888-a44e-4a8015bc7ab1

3. Convención de Nueva York sobre la Obtención de Alimentos en el Extranjero

La Convención de Nueva York sobre la obtención de alimentos en el extranjero fue suscrita el 20 de junio de 1956, en virtud de lo previsto por la Resolución 572(XIX) del Consejo Económico y Social de las Naciones Unidas. Colombia firmó la Convención el 16 de julio de 1956, la aprobó mediante la Ley 471 de 1998, cuya exequibilidad fue declarada por la Corte Constitucional en Sentencia C-305 de 1999, M.P. JOSÉ GREGORIO HERNÁNDEZ GALINDO, y su entrada en vigor principió el 10 de diciembre de 1999[510].

La Convención tiene por objeto facilitar a una persona, que se encuentra en el territorio de una de las Partes Contratantes, la obtención de los alimentos que pretende tener derecho a recibir de otra persona, que está sujeta a la jurisdicción de otra Parte Contratante. Su análisis se desarrollará en los títulos posteriores.

II. Carta Política de 1991

Aunque la institución jurídica alimentaria no nació con la adopción de la Carta Política de 1991, ciertamente en ella encontró un respaldo indiscutible, el cual ha servido de fundamento para su prolijo desarrollo por la Corte Constitucional. Se podría decir, sin asomo de duda, que la primera base sobre la que descansa esta institución es la concepción misma del Estado Social y Democrático de Derecho, prohijado por el artículo 1° de la Carta y a cuyas voces la República se cimienta en "el respeto de la dignidad humana, en el trabajo y la solidaridad de las personas que la integran y en la prevalencia del interés general".

A lo largo del presente Capítulo se verá que la finalidad de la obligación alimentaria es justamente la protección de la dignidad humana que se reafirmó como criterio orientador y límite infranqueable en la concepción de nuestro Estado Social y Democrático Derecho.

Por lo que toca con su fundamento, se reiterará con insistencia que el punto de partida se encuentra en la *solidaridad,* principio que fue ascendido a la categoría constitucional por nuestra Carta Política. Precisamente

---

[510] Sobre la aprobación y ratificación del Instrumento por Colombia, véase la información proporcionada por el Ministerio de Relaciones Exteriores disponible en: http://apw.cancilleria.gov.co/tratados/SitePages/VerTratados.aspx?IDT=e71ddd6b-1d35-4ac2-a060-75ec0dd21248

de ahí se desprende la capital importancia del canon 95, ordinal 2°, de la Constitución de 1991, que consagra como deber fundamental de todos los ciudadanos "[o]brar conforme al principio de solidaridad social".

Ese deber, en la institución alimentaria, cuenta con especial proyección en la familia. Para corroborarlo, basta recordar que los artículos 5° y 42 Superiores han concebido a la familia como núcleo básico de la sociedad. Por eso se encontrarán manifestaciones del principio de *solidaridad*, que irradia la obligación de la que se ocupa este Capítulo, en cada uno de los ámbitos familiares, amparadas por diversos preceptos constitucionales: (i) cónyuges y compañeros permanentes (artículo 42 de la Carta Política); (ii) hijos y menores de edad (arts. 42 y 44, *ibídem*); (iii) padres y abuelos (art. 46, *ibídem*); y (iv) personas en debilidad manifiesta dentro del núcleo familiar (art. 13, *ibídem*).

Los preceptos citados integran el marco constitucional de la institución que aquí se abordará.

III. Código Civil

No hay discusión en cuanto a que el marco normativo clásico de referencia para la institución alimentaria es el Estatuto Civil colombiano. Múltiples son las disposiciones que gobiernan la materia, pero especial alusión se debe hacer al título XXI del libro I, intitulado *De los alimentos que se deben por ley a ciertas personas* (artículos 411 a 427). Adicionalmente, se debe observar que el capítulo I del título V del libro III gobierna el régimen *De las asignaciones alimenticias que se deben a ciertas personas* en el ámbito de la sucesión por causa de muerte (artículos 1227 a 1229).

IV. Código de la Infancia y la Adolescencia y Código del Menor

En 1989, por medio del Decreto 2737 publicado en el Diario Oficial 39.080, se adoptó en Colombia el Código del Menor. Como su nombre lo indica, allí se albergaron la mayoría de las reglas relativas a las personas que aún no hubieran cumplido la mayoría de edad. Posteriormente, el Congreso de la República aprobó la Ley 1098 de 2006, conocida como Código de la Infancia y la Adolescencia, cuyo artículo 217 derogó el "Código del Menor a excepción de los artículos 320 a 325 y los relativos al juicio especial de alimentos". Sobre el ámbito procesal nos referiremos en Subsección posterior.

De lo anterior se sigue, por tanto, que las materias relacionadas con la obligación alimentaria de menores de edad, destinatarios del Código de la Infancia y la Adolescencia (arts. 1° y 2°) salvas contadas excepciones, se rigen por lo previsto en la Ley 1098 de 2006. Especial mención debemos hacer, en la conceptualización del marco normativo, a los artículos 24 (derecho de alimentos), 41 (obligaciones del Estado), 82 (funciones del Defensor de Familia), 86 (funciones del Comisario de Familia), 111 (alimentos), 129 (alimentos), 130 (medidas especiales para el cumplimiento de la obligación alimentaria), 131 (acumulación de procesos de alimentos), 133 (prohibiciones en relación con los alimentos) y 134 (prelación de los créditos por alimentos).

V. Ley 1850 de 2017

Mediante la Ley 1850 de 2017 se establecieron regulaciones tendientes la cumplida protección del adulto mayor en Colombia, adicionales a las ya existentes en las leyes 1251 de 2008, 1315 de 2009, 599 de 2000 y 1276 de 2009. Particularmente relevante para este estudio, según se abordará más adelante, es el artículo 9° del cuerpo normativo en comentario, que reguló en forma especial el derecho de alimentos de los adultos mayores.

VI. Código General del Proceso y Código del Menor

Ya se explicó que el Código de la Infancia y la Adolescencia dejó vigentes los artículos 320 a 325 del Código del Menor, así como sus disposiciones relacionadas con el juicio de alimentos. Corresponde ahora indicar que, en 2012, el Congreso de la República adoptó el Código General del Proceso y, mediante el literal c) del artículo 626, derogó expresamente los "artículos 139 al 147 y 320 a 325 del Decreto-Ley 2737 de 1989" —Código del Menor—.

Se ha discutido si, desde entonces, quedó completamente derogado el Código del Menor en Colombia. Hay quienes afirman que algunos artículos, como el que definía los alimentos (133), continúan vigentes en el ordenamiento jurídico[511]. En nuestro sentir, el Código del Menor dejó de regir en Colombia con la entrada en vigor del Código General del Proceso y el Código de la Infancia y la Adolescencia.

---

[511] En ese sentido, véase a JOHN EISENHOWER RAMÍREZ SÁNCHEZ. *El derecho de alimentos*. 1ª Edición. Editorial Leyer. Bogotá, 2017. Pág. 11.

Pues bien, el Código General del Proceso regula algunos aspectos transversales a los procesos o juicios relacionados de la obligación alimentaria *in genere*, como son la competencia y el trámite que recibe el litigio. Sin embargo, por remisión expresa del parágrafo 2° del artículo 397, a las causas en las que se ventile la obligación alimentaria de un menor de edad serán aplicables las disposiciones pertinentes del Código de la Infancia y la Adolescencia. Así las cosas, se tiene que el Código General del Proceso preside todos los aspectos de trámite para los juicios en los que el reclamante sea un mayor de edad; mas cuando el demandante sea un menor de edad, corresponderá integrar sus disposiciones con lo previsto por el Código de la Infancia y la Adolescencia.

Para estructurar el marco normativo relevante, es oportuno tener en consideración los artículos 21 (competencia), 28 (atribución territorial), 304 (sentencias que no constituyen cosa juzgada), 397 (alimentos a favor del mayor de edad), 390 (asuntos que comprende el proceso verbal sumario), 391 (demanda y contestación), 392 (trámite), 426 (ejecución por obligación de dar o hacer).

Desde luego, no se debe inobservar la posibilidad de conciliar y la condición como requisito de procedibilidad. Al respecto, el lector se podrá remitir, entre otros, a la explicación formulada por Luis Alberto Domínguez Giraldo[512].

SECCIÓN II. DEFINICIÓN Y ALCANCE DE LA OBLIGACIÓN ALIMENTARIA

Delimitado el marco normativo aplicable a la materia objeto de estudio, corresponde ahora delinear los elementos estructurales básicos para la comprensión de lo que implica la obligación alimentaria, cuál es su alcance y contenido, las características de que está revestida y las múltiples clasificaciones en que se divide. A ese propósito dedicaremos el desarrollo de la presente Sección.

---

[512]   Cfr. Luis Alberto Domínguez Giraldo. *Derecho de familia. Los alimentos (juicio oral)*. 2ª Edición. Ed. Librería Jurídica Sánchez Ltda. Bogotá, 2016. Pág. 45 a 52.

I. Noción

La doctrina argentina, liderada particularmente por MAZZINGHI[513] y PERRINO[514], remonta el derecho de alimentos al plano moral desde las enseñanzas del cristianismo, particularmente derivadas del Evangelio según SAN MARCOS y la epístola del Apóstol SAN PABLO a los romanos:

El Evangelio según SAN MARCOS relata la respuesta dada por JESÚS al ser interrogado sobre cuál era el primero de todos los mandamientos: "El primero de todos los mandamientos es éste: Escucha, ¡oh Israel!, el Señor Dios tuyo, es el solo Dios (…) el segundo, semejante al primero, es[515]: Amarás a tu prójimo como a ti mismo. No hay otro mandamiento que sea mayor que éstos"[516] (12: 29-31). A su turno, la epístola del Apóstol SAN PABLO a los romanos señala que:

> "quien ama al prójimo, tiene cumplida la ley. En efecto, estos mandamientos de *Dios*: No cometerás adulterio, no matarás, no robarás, no levantarás falso testimonio, no codiciarás *nada de los bienes de tu prójimo,* y cualquier otro que haya, están recopilados en esta expresión: Amarás a tu prójimo como a ti mismo[517]. El amor que se tiene al prójimo no sufre que se le haga daño alguno. Y así el amor es el cumplimiento de la ley"[518] (Rm. 13, 8-10).

Mas, como lo afirma CLARO SOLAR, el deber moral de solidaridad sobre el que descansa el derecho de alimentos no basta, por sí solo, para hacerse efectivo en condición de obligación civilmente exigible, sino que se requiere un texto legal que así lo establezca[519]. Es por ello que JORGE ANTONIO CASTILLO RUGELES, siguiendo a ENNECCERUS y HUSAREK, afirma que "la

---

[513]   Cfr. JORGE ADOLFO MAZZINGHI. *Tratado de derecho de familia.* Tomo IV. *Filiación. Procreación asistida. Patria potestad, tutela y curatela. Parentesco. Mediación.* Cuarta Edición. Ed. La Ley. Buenos Aires, 2006. Pág. 457.

[514]   Cfr. JORGE ÓSCAR PERRINO. *Derecho de familia.* Tomo I. Ed. Lexis Nexis. Buenos Aires, 2006. Pág. 141.

[515]   *Deut.* VI, 4.

[516]   *Sagrada Biblia.* Traducida de la vulgata latina al español, aclarado el sentido de algunos lugares con la luz que dan los textos originales hebreo y griego e ilustrada con varias notas sacadas de los Santos Padres y Expositores Sagrados por FÉLIX TORRES AMAT. Ed. Sopena Argentina S.A.C.I. e I. Charlotte –Carolina del Norte–, 1959. Pág. 1159.

[517]   *Lev. XIX, 18. – Mat. XXII, 29.*

[518]   *Sagrada Biblia.* Traducida de la vulgata latina al español, aclarado el sentido de algunos lugares con la luz que dan los textos originales hebreo y griego e ilustrada con varias notas sacadas de los Santos Padres y Expositores Sagrados por FÉLIX TORRES AMAT. Ed. Sopena Argentina S.A.C.I. e I. Charlotte –Carolina del Norte–, 1959. Pág. 1278.

[519]   Cfr. LUIS CLARO SOLAR. *Explicaciones de derecho civil chileno,* 391.

obligación de alimentos reposa sobre el fundamento de una obligación moral hecha coactiva"[520].

Sobre las anteriores bases, el ordenamiento positivo ha recogido la prestación alimentaria en forma monolítica e inalterada a lo largo del tiempo. En sus inicios, la voz *alimonium-ii* dio paso para que se designara la asignación a cargo del marido y en favor de la cónyuge separada sin su culpa como *alimoniaorum*. Más tarde, la expresión fue sustituida por *ailmentum-i*, sin perder su derivación etimológica de la locución latina *alere*, que significa *nutrir* o *alimentar*. Así, desde el siglo XV[521] se ha venido empleando el vocablo *alimento* para designar la obligación a que aquí se alude, pero con un significado tanto más amplio que el que su aparente significado común parece albergar.

Fernando Fueyo Laneri describe la deuda alimentaria como aquella "prestación que pesa sobre determinadas personas económicamente posibilitadas, para que algunos de sus parientes pobres u otras personas que la ley señala puedan subvenir las necesidades de su existencia"[522]. Así, "desde el punto de vista de la finalidad, los alimentos representan asistencia y protección. Para emplear la sinonimia de nuestro Código, diré que representan amparo, auxilio, caridad, defensa, favor, liberalidad, mantenimiento, manutención, pensión, protección, suministraciones"[523].

Augusto César Belluscio explica que "[s]e entiende por alimentos el conjunto de medios materiales necesarios para la existencia física de las personas, y en ciertos casos también para su instrucción y educación"[524]. El ya retirado Juez de la Corte Suprema de Justicia Argentina agrega que:

> "[s]e consideran comprendidos en la obligación alimentaria gastos ordinarios y extraordinarios. Los primeros son los de subsistencia, habitación y vestuario. Los gastos extraordinarios son los de enfermedades –asistencia médica, gastos de farmacia, intervenciones quirúrgicas, intrenación, etc.–, los funerarios por sepelio del alimentado, gastos de mudanza, provisión de libros de estudio y litisexprensas"[525].

---

[520]   Jorge Antonio Castillo Rugeles. *Derecho de familia.* Ed. Leyer. Bogotá, 2000. Pág. 43.

[521]   Cfr. Eduardo García Sarmiento. *Elementos de derecho de familia,* 513 y 514.

[522]   Fernando Fueyo Laneri. *Derecho civil.* Tomo I. Volumen III. Ed. Imprenta Litográfica Universo. Valparaíso, 1959. Pág. 554.

[523]   *Ibídem.*

[524]   Augusto César Belluscio. *Manual de derecho de familia.* Tomo II. Séptima Edición. Ed. Depalma. Buenos Aires, 2004. Pág. 485.

[525]   *Ibídem.*

Ya en la doctrina patria, PEDRO ALEJO CAÑÓN RAMÍREZ opina que la alimentaria es "una obligación impuesta por la ley, por una convención o por un testamento, a una persona para asegurar la subsistencia de otra no solamente en virtud de la solidaridad humana y familiar sino por la ausencia absoluta y total en nuestro medio de la asistencia pública a que está obligado el Estado"[526]. Y añade MARCO GERARDO MONROY CABRA que esta prestación "comprende los alimentos propiamente dichos, el vestuario, la educación, el aspecto médico y de seguridad social, y todo lo necesario para el perfeccionamiento cultural"[527].

Desde el punto de vista jurisprudencial, la Corte Constitucional tiene definido el derecho de alimentos como "aquel que le asiste a una persona para reclamar de quien está obligado legalmente a darlos, lo necesario para su subsistencia cuando no está en capacidad de procurársela por sus propios medios"[528]. Con un criterio muy similar, la Corte Suprema de Justicia definió el derecho de alimentos "como el poder de voluntad de una persona, llamada alimentaria (acreedor), que faculta para exigirle a otra, denominada alimentante (deudor), los medios para su congrua o necesaria subsistencia[529], cuando no los puede proveer por cuenta propia"[530].

Ahora bien, el ordenamiento jurídico ha guardado silencio parcial en relación con la definición del derecho de alimentos. Se dice que es parcial el silencio, puesto que el artículo 24 del Código de la Infancia y la Adolescencia establece que los menores de edad:

---

[526] PEDRO ALEJO CAÑÓN RAMÍREZ. *Derecho civil.* Tomo II. Volumen 1. *Familia.* Ed. Presencia. Bogotá, 1995. Pág. 205 y 206.

[527] MARCO GERARDO MONROY CABRA. *Derecho de familia, infancia y adolescencia.* Decimosexta Edición. Ed. Librería Ediciones del Profesional. Bogotá, 2017. Pág. 168.

[528] Esa definición fue inicialmente consignada en la sentencia C-919 de 2001, M.P. JAIME ARAÚJO RENTERÍA, luego reiterada por las sentencias C-1033 de 2002, M.P. JAIME CÓRDOBA TRIVIÑO, C-156 de 2033, M.P. EDUARDO MONTEALEGRE LYNETT, T-212 de 2003, M.P. JAIME ARAUJO RENTERÍA, T-324 de 2004, M.P. MARCO GERARDO MONROY CABRA, T-746 de 2008 M.P. JAIME ARAUJO RENTERÍA, T-1096 de 2008, M.P. CLARA INÉS VARGAS HERNÁNDEZ, T-324 de 2016, M.P. JORGE IGNACIO PRETELT CHALJUB, y T-154 de 2019, M.P. GLORIA STELLA ORTIZ DELGADO.

[529] En los términos del artículo 413 del Código Civil, los alimentos congruos "*son los que habilitan al alimentado para subsistir modestamente de un modo correspondiente a su posición social*"; y los necesarios "*los que le dan lo que basta para sustentar la vida*".

[530] La definición de base fue propuesta por la sentencia proferida por la Sala de Casación Civil de la Corte Suprema de Justicia el 18 de noviembre de 1994, expediente 1705, luego reiterada por la sentencia SC21761 de 2017, M.P. LUIS ARMANDO TOLOSA VILLABONA.

"tienen derecho a los alimentos y demás medios para su desarrollo físico, psicológico, espiritual, moral, cultural y social, de acuerdo con la capacidad económica del alimentante. Se entiende por alimentos todo lo que es indispensable para el sustento, habitación, vestido, asistencia médica, recreación, educación o instrucción y, en general, todo lo que es necesario para el desarrollo integral de los niños, las niñas y los adolescentes. Los alimentos comprenden la obligación de proporcionar a la madre los gastos de embarazo y parto".

Así mismo, con una técnica muy similar, el artículo 34A de la Ley 1251 de 2008, tal como fue adicionado por el artículo 9° de la Ley 1850 de 2017, prevé que los adultos mayores:

"tienen derecho a los alimentos y demás medios para su mantenimiento físico, psicológico, espiritual, moral, cultural y social. Serán proporcionados por quienes se encuentran obligados de acuerdo con la ley y su capacidad económica. Los alimentos comprenden lo imprescindible para la nutrición, habitación, vestuario, afiliación al sistema general de seguridad social en salud, recreación y cultura, participación y, en general, todo lo que es necesario para el soporte emocional y la vida autónoma y digna de las personas adultas mayores".

Pero, vistas con detenimiento, las disposiciones transcritas tampoco definen propiamente lo que significa el *derecho de alimentos*, sino que se ocupan de regular lo atañedero a su alcance y contenido. Diremos entonces que, en nuestra opinión, los alimentos se pueden definir de la siguiente manera:

"Obligación civil, que encuentra sustento en el deber moral y en el principio constitucional de solidaridad, así como en la ley, en virtud de la cual una persona carente de los medios necesarios, denominada acreedor o alimentario, puede perseguir y exigir de otra que sí los tiene, denominada deudor o alimentante, la satisfacción de una prestación, en dinero o en especie, con la finalidad de garantizar su subsistencia".

Importa destacar, de la conceptualización propuesta, que el fundamento del *derecho de alimentos* sigue siendo la solidaridad. Si bien la doctrina clásica fue reticente a admitir que la solidaridad como imperativo moral bastara para que emergiera la obligación civil, ciertamente esa preocupación quedó superada, en Colombia, con la adopción de la Carta Política de 1991. Es así, pues la solidaridad fue ascendida a la condición de principio orientador del discurrir jurídico en el ordenamiento Superior, como lo reconoció la propia Corte Constitucional al afirmar que "la obligación alimentaria tiene fundamento constitucional (…) en el principio de solidaridad"[531].

---

[531]   Sentencia T-154 de 2019, M.P. Gloria Stella Ortiz Delgado. En el mismo sentido, véanse las sentencias Sentencias C-174 de 1996 M.P. Jorge Arango Mejía,

Tal visión ha sido enfáticamente reiterada por la Corte Suprema de Justicia con la afirmación según la cual "[e]l fundamento constitucional de los alimentos es el deber de solidaridad social, según el artículo 95, numeral 2° de la Constitución Política"[532].

II. Características

El derecho de alimentos tiene las siguientes características:

1. Obligación civil

Los alimentos son una verdadera obligación civil, entendida en los términos de Hinestrosa como ligamen o vínculo sancionado por el derecho, mediante el cual un acreedor fundadamente espera un determinado comportamiento, útil para él, de parte de otra persona, deudor, que debe ajustar su conducta al contenido del nexo, so pena de verse constreñido a la prestación[533]. En efecto, como se desarrollará más adelante, aquí son claramente identificables dos extremos: (i) el acreedor, o alimentario; y (ii) el deudor, o alimentante. Además, del segundo se espera el cumplimiento de una prestación, so pena que de ser constreñido al efecto. Y el vínculo obligacional es más nítido si se tiene en cuenta que el *contenido* de la prestación es de naturaleza *patrimonial*.

Eduardo Zannoni y Gustavo Bossert puntualizan que:

> [e]l derecho a percibir alimentos —y la correlativa obligación de prestarlos— deriva de una *relación alimentaria legal*, de *contenido* patrimonial, pero cuyo *fin* es esencialmente extrapatrimonial: la satisfacción de necesidades personales para la conservación de la vida, para la subsistencia de quien los requiere. De ahí que, si bien el *objeto* del crédito alimentario es patrimonial —dinero o especie—, la *relación jurídica* que determina ese crédito atiende a la preserva-

---

C-237 de 1997 M.P. Carlos Gaviria Díaz, C-657 de 1997 M.P. José Gregorio Hernández Galindo, C-184 de 1999, M.P. Antonio Barrera Carbonell, T-212 de 2003, C-156 de 2003 y T-324 de 2016.

[532] Sentencia de la Sala Civil y Agraria de la Corte Suprema de Justicia SC21761 de 2017, M.P. Luis Armando Tolosa Villabona.

[533] Fernando Hinestrosa Forero. *Curso de obligaciones. Conferencias.* Segunda Edición Mimeografiada. Ed. Universidad Externado de Colombia. Bogotá, 1960. Pág. 7.

ción de la *persona* del alimentado, y no es de índole *económica* (en la medida
en que no satisface un *interés* de naturaleza patrimonial)[534].

De la exposición de los Jueces argentinos se aprecia claramente que,
pese a que el contenido de la prestación debida es de naturaleza *patrimonial*, la finalidad persigue un interés distinto, cual es la subsistencia del
acreedor. Esa visión es seguida por EDUARDO GARCÍA SARMIENTO, quien
explica que, sin perjuicio de la tasación económica, la prestación alimentaria tiene componentes personales, como la formación integral, la formación espiritual, el establecimiento y la recreación, y también componentes
patrimoniales como la comida adecuada para el desarrollo físico, mental y
social, la vivienda y los gastos médicos[535].

En todo caso, el elemento más importante a destacar es la naturaleza coercible de la prestación debida. En su oportunidad se analizará que
el derecho de alimentos es, en principio, abstracto y requiere de la mediación de un acto o negocio jurídico o una providencia judicial para su
concreción. Mas ello no obsta para afirmar que se trata de una obligación
exigible por el acreedor, toda vez que, concretado el contenido específico
de la prestación, la renuncia del deudor a cumplir con el pago o entrega
del alimento faculta al acreedor para iniciar causas legales y lograr la imposición de las sanciones a que haya lugar.

2. Naturaleza recíproca

La naturaleza recíproca de la obligación alimentaria se manifiesta en el
hecho de que, por regla general, las personas que tienen el deber de prestarlos también gozan del derecho de recibirlos. Significa ello que, perfectamente, quien obra actualmente como acreedor mañana podría aparecer
como deudor, cumplidos los supuestos necesarios para la concreción de la
obligación alimentaria.

Piénsese, a manera de ejemplo, en la madre que, divorciada del padre y
sin la custodia de su hijo menor de edad, queda obligada a consignar una
mesada alimentaria mensual a favor del niño. Años más tarde, en la ancia-

---

[534] GUSTAVO BOSSERT y EDUARDO ZANNONI. *Manual de derecho de familia*. Sexta Edición. Ed. Astrea. Buenos Aires, 2004. Pág 47.

[535] EDUARDO GARCÍA SARMIENTO. *La jurisdicción de familia y alimentos*. Ed. El Foro de
la Justicia Ltda. Bogotá, 1991. Pág. 49 y 50.

nidad, si la madre se encuentra en estado de necesidad y el hijo ostenta la capacidad requerida, aquélla podrá exigir alimentos a éste.

Se debe observar, sin embargo, que la característica de reciprocidad no tiene cabida cuando el origen de la obligación alimentaria radica en una donación cuantiosa que se efectúa en favor de alguien.

3. Intransmisible

El artículo 424 del Código Civil establece, con claridad, que "[e]l derecho de pedir alimentos no puede transmitirse por causa de muerte". Esta disposición fue calcada en forma idéntica en el artículo 133 del Código de la Infancia y la Adolescencia. Significa ello que se trata de un derecho personalísimo, o *intuitu personæ*, puesto que el titular es el único que puede pretender su exigibilidad.

Obviamente, lo anterior no se traduce en que, al momento de fallecer el alimentario (acreedor), sus herederos queden imposibilitados para exigir el pago de las mesadas alimentarias causadas y no satisfechas. Desde luego que podrán hacerlo, puesto que se trata de un derecho que ya se había hecho exigible para el acreedor y, consiguientemente, integraba su patrimonio; de ahí que no quede otra alternativa que admitir que los herederos de ese patrimonio, en su calidad de causahabientes, exijan la satisfacción de la deuda por el alimentante. Pero este supuesto parte ineludiblemente de la premisa de que, en vida, el alimentario (acreedor) concretó su derecho de alimentos en una obligación clara, expresa y exigible, bien sea mediante acuerdo privado con el alimentante (deudor), por decisión administrativa o por providencia judicial, y que el alimentante (deudor) quedó debiendo algunas mesadas que ya se habían causado.

Lo que se descarta de plano es la posibilidad de que la obligación alimentaria que se había concretado en favor del alimentario (acreedor) mientras vivía se perpetúe indefinidamente en cabeza de sus causahabientes. *A pari*, si el derecho de alimentos no se había concretado en una obligación en favor del alimentario (acreedor), no podrán concretarlo después sus herederos, pues no se trata de un derecho patrimonial que sea susceptible de transmisión por causa de muerte.

4. No es enajenable

El artículo 424 del Código Civil dispone que "[e]l derecho de pedir alimentos no puede (...) venderse o cederse en modo alguno". Así también lo dispone el artículo 133 del Código de la Infancia y la Adolescencia. Resulta evidente que esta regla es derivación lógica de la naturaleza *intuitu personæ* del derecho; no cabría posibilidad alguna de que una persona pretendiera vender o ceder el derecho que tiene para pedirle alimentos a un tercero, pues ello atentaría contra el origen y la estructura misma de la institución alimentaria.

5. Irrenunciable

El artículo 15 del Código Civil establece los derechos conferidos por las leyes se podrán renunciar, con tal que sólo miren al interés individual del renunciante y que no esté prohibida la renuncia. Este es uno de aquellos casos en los que la ley expresamente prohibió la renuncia, como se lee en los artículos 424 del Código Civil y 133 del Código de la Infancia y la Adolescencia. Si llegara a mediar una renuncia estaríamos, indefectiblemente, ante un acto jurídico viciado de nulidad absoluta por objeto ilícito.

Julio López del Carril explica bien la cuestión cuando afirma que "[l]a regulación del derecho de familia es de orden público, y por ende la del derecho alimentario, porque la regulación respectiva tiene el carácter de esenciabilidad, típica de la norma de orden público, donde la voluntad del individuo en general ya no juega, ya que las leyes de orden público son de carácter imperativo"[536].

6. Incompensable

Al tenor de los artículos 425 del Código Civil y 133 del Código de la Infancia y la Adolescencia, "[e]l que debe alimentos no puede oponer al demandante en compensación lo que el demandante le deba a él". La razón para que esta sea una de las características de los alimentos es obvia y se encuentra en la finalidad de la institución: si lo pretendido es garantizar la subsistencia de una persona, es decir, sus derechos fundamentales al mínimo vital y la dignidad humana, no tendría ningún propósito admitir que, en la solicitud de alimentos, el convocado (futuro alimentante-deudor) pudiera oponer una o varias deudas que el solicitante (futuro alimentario-acreedor) tiene con él. Sostener lo contrario implicaría hacer del todo nugatorio el derecho de alimentos.

---

[536] Julio López del Carril. *Derechos y obligaciones alimentarias.* Ed. Abeledo Perrot. Buenos Aires, 1981. Pág. 80.

7. Imprescriptible

El derecho de alimentos no se pierde por no ser ejercido en determinado lapso. Quien sea titular del derecho podrá ejercerlo en cualquier tiempo, siempre que acredite el cumplimiento de los requisitos fijados en la ley para la concreción del derecho en una obligación alimentaria clara, expresa y exigible.

8. Inembargable

El ordinal 13 del artículo 594 del Código General del Proceso señala que son inembargables los "derechos personalísimos e intransferibles". Sin duda, uno de ellos es el derecho de alimentos. Nuevamente, la razón de ser de esta disposición, en cuanto toca con los alimentos, estriba en la finalidad de la institución: ¿cómo podría ser de recibo que se autorizara a un acreedor a embargar los recursos que recibe determinada persona para subsistir? La respuesta es clara: no podría ser de recibo, porque ello se traduciría en vulnerar derechos fundamentales como el mínimo vital y la dignidad humana.

9. Perpetuo

La perpetuidad tiene una doble manifestación en cuanto a la institución alimentaria: por un lado, implica que el *derecho de alimentos* subsiste mientras subsistan las personas que se pueden convertir en acreedor-alimentario y deudor-alimentante de la obligación concreta; por el otro, significa que la *obligación alimentaria* concretada subsiste mientras viva el alimentario.

Por lo que toca con la primera manifestación, se podría decir que la perpetuidad se identifica con la imprescriptibilidad, antes estudiada. En efecto, el hecho de que no se ejerza el derecho de alimentos no significa que no exista, que no se tenga o que se vaya a perder, porque, en cualquier tiempo, mientras vivan las personas que se pueden constituir como extremos de la relación jurídica y se acrediten los requisitos necesarios, será posible concretar el derecho de alimentos en una obligación alimentaria clara, expresa y exigible.

En lo que hace a la segunda manifestación, en cambio, es de la mayor importancia comprender que la perpetuidad en la obligación alimentaria que ya se ha concretado solo se predica del alimentario-acreedor; esto es, el fallecimiento del alimentante-deudor no da lugar a la extinción de la relación jurídica. Tal entendimiento se deriva, por un lado, de lo previsto por el artículo 422 del Estatuto Civil, conforme al cual "[l]os alimentos que se deben por ley, se entienden concedidos para toda la vida del alimentario, continuando las circunstancias que legitimaron la demanda"; y, por el otro, de lo establecido por el artículo 1227, *ibídem*, al decir del cual "[l]os alimentos que el difunto ha debido por ley a ciertas personas, gravan la masa hereditaria, menos cuando el testador haya impuesto esa obligación a uno o más partícipes de la sucesión".

En idéntico sentido se han pronunciado la Corte Constitucional[537] y la Corte Suprema de Justicia[538].

10. Nota aclaratoria: libre disposición de las mesadas alimentarias atrasadas

Muy cuidadoso se debe ser al analizar las características antes indicadas, puesto que no es lo mismo el *derecho de alimentos* que la *mesada alimentaria*. El primero, se ha explicado aquí, es una prerrogativa de carácter etéreo, inconcreta pero susceptible de ser concretada. La segunda es la prestación que se exige cuando ese derecho de alimentos ya se ha concretado en una obligación clara, expresa y exigible.

Para ilustrar el punto, piénsese en una familia en la que el padre y la madre procrearon un hijo y se separaron de hecho. La madre se quedó con su retoño y el padre se radicó en hogar separado. Desde la separación, el padre no ha proveído ni un centavo para la subsistencia de su hijo, que todavía es menor de edad.

En este ejemplo, nadie duda que el hijo, por su condición de tal (art. 411 del Código Civil, que se estudiará próximamente), tiene un *derecho de alimentos* contra el padre. Sin embargo, ese derecho aún no se ha concretado, no se sabe la cuantía, la forma de pago, ni las demás características particulares.

Supóngase ahora, en ese mismo ejemplo, que la madre y el padre acuerdan que este último proveerá una *mesada alimentaria* de $1.000 mensuales. En ese caso, el *derecho de alimentos* del hijo ya se habrá concretado en una obligación clara, expresa y exigible que se puede ejecutar si el padre se substrae de su cumplimiento.

---

[537] Véase la sentencia T-203 de 2013, M.P. Luis Guillermo Guerrero Pérez.

[538] Véanse las sentencias de la Sala de Casación Civil y Agraria STC3149 de 2020, M.P. Luis Armando Tolosa Villabona, y STC9526 de 2016, M.P. Luis Alonso Rico Puerta.

Con ese contexto, se debe observar que los artículos 426 del Código Civil y 133 del Código de la Infancia y la Adolescencia disponen que "las pensiones alimenticias atrasadas podrán renunciarse o compensarse; y el derecho de demandarlas, transmitirse por causa de muerte, venderse y cederse; sin perjuicio de la prescripción que competa al deudor". Para el caso de los menores de edad, todo esto requiere de autorización judicial, según lo especifica el artículo 133, antes citado.

Pues bien, las normas transcritas se refieren específicamente a la *mesada alimentaria* y no al *derecho de alimentos*. Esta *mesada* puede ser renunciada o compensada y, según antes se dijo, el derecho de exigirla mediante demanda sí se transmite por causa de muerte, al paso como puede ser también enajenado.

III. Clasificación

A manera didáctica, es posible clasificar los alimentos conceptualmente desde varias ópticas. La utilidad de las diversas clasificaciones no solo estriba en la facilidad de su comprensión, sino que proyecta algunos efectos en el plano jurídico que serán objeto de estudio conforme avance el capítulo:

1. Desde el punto de vista de la forma y momento en que se decretan

A. Provisionales

Para los procesos judiciales, el artículo 417 del Código Civil establece que, "[m]ientras se ventila la obligación de prestar alimentos, podrá el juez o prefecto ordenar que se den provisionalmente, desde que en la secuela del juicio se le ofrezca fundamento plausible". Así mismo, en tratándose de menores de edad, el artículo 129 del Código de la Infancia y la Adolescencia manda que, "[e]n el auto que corre traslado de la demanda o del informe del Defensor de Familia, el juez fijará cuota provisional de alimentos, siempre que haya prueba del vínculo que origina la obligación alimentaria".

Son ejemplos de procesos judiciales en los que se fijan *alimentos provisionales* aquellos relativos a la investigación de paternidad, la nulidad del matrimonio, el divorcio, la separación de bienes, la separación de cuerpos y, desde luego, la fijación de cuota alimentaria, cuando se dictan de manera precautelativa (porque los fijados en sentencia son alimentos definitivos).

Para los procesos administrativos de restablecimiento de derechos, cuya conducción corresponde al Defensor de Familia en primer término y subsidiariamente al Comisario de Familia, los parágrafos 3º del artículo 52 y 1º del artículo 100 del Código de la Infancia y la Adolescencia establecen que, si se tratare de un asunto conciliable y la conciliación fracasare, "el funcionario mediante resolución motivada fijará las obligaciones provisionales respecto a custodia, alimentos y visitas".

Para las acciones de protección contra la violencia en el contexto familiar, que se tramitan por el Comisario de Familia, el literal j) del artículo 5º de la Ley 294 de 1996, tal como fue modificado por los artículos 17 de la Ley 1257 de 2008 y 17 de la Ley 2126 de 2021, establece como una de las medidas a adoptar, además de la orden al agresor de abstenerse de realizar la conducta objeto de la queja, "[d]ecidir provisionalmente quién tendrá a su cargo las pensiones alimentarias, sin perjuicio de la competencia en materia civil de otras autoridades quienes podrán ratificar esta medida o modificarla". Esta previsión se concatena con la función conferida al Comisario de Familia por el ordinal 10º del artículo 13 de la Ley 2126 de 2021, en virtud de la cual le compete:

> [d]efinir provisionalmente sobre la custodia y cuidado personal, la cuota de alimentos y la reglamentación de visitas, la suspensión de la vida en común de los cónyuges o compañeros permanentes y fijar las cauciones de comportamiento conyugal, en las situaciones de violencia.

Aunado a lo anterior, para los alimentos en favor de adultos mayores, el artículo 34A de la Ley 1251 de 2008, tal como fue modificado por el artículo 9º de la Ley 1850 de 2017, establece que los comisarios de familia, en caso de no lograr la conciliación, deberán fijar una cuota provisional de alimentos. Hecho lo anterior, se deberá remitir el expediente a la defensoría de familia para que presente en nombre del adulto mayor la demanda de alimentos ante el juez competente.

Sobre esta disposición ha habido una importante controversia interpretativa, debido a que el ordinal 11 del artículo 13 de la Ley 2126 de 2021 asignó a los comisarios de familia la competencia para "[f]ijar cuota provisional de alimentos de las personas adultas mayores, conforme a lo dispuesto en el artículo 34A de la Ley 1251 de 2008 o la norma que lo adicione, sustituya, modifique o complemente". Sin embargo, ese mismo cuerpo normativo removió la facultad conciliatoria de los comisarios de familia, precisamente para alivianar sus cargas.

Entonces, varios son los interrogantes que surgen: ¿la derogatoria de la facultad conciliatoria cobijó lo relacionado con los adultos mayores? De ser así, ¿cuál es el procedimiento o trámite que deben observar los comisarios de familia para fijar la cuota provisional de alimentos a favor de los adultos mayores? Una vez fijada la cuota, ¿subsiste la obligación de remitir el expediente al defensor de familia para que éste presente demanda ante la Jurisdicción Ordinaria? De ser así, ¿el defensor de familia deberá convocar a una audiencia de conciliación para satisfacer el requisito de procedibilidad o bastará con que presente la demanda en forma directa ante la Jurisdicción?

Todas estas preguntas encuentran su respuesta en los lineamientos expedidos por el Ministerio de Justicia[539]. Nuestros comentarios al respecto se plasman en la sección VI del capítulo III de este tomo.

B. Definitivos

Son definitivos los alimentos que se decretan por medio de sentencia judicial, así como aquellos que se fijan por acuerdo entre las partes. La naturaleza *definitiva* no puede ser entendida en un sentido exageradamente rigorista, porque con ello se laceraría gravemente la institución alimentaria.

En tratándose de procesos que terminan con sentencia judicial, el carácter *definitivo* de los alimentos implica que ese proceso cuenta con sentencia. Empero, nada obsta para que se tramite una nueva discusión en torno a la exoneración, aumento o disminución de cuota, cumplidos los supuestos para su procedencia. Se reitera que el artículo 304 del Código General del Proceso enseña con suficiente claridad que no hacen tránsito a cosa juzgada las sentencias que deciden situaciones susceptibles de modificación mediante proceso posterior, por autorización expresa de la ley. Tal es el caso de los alimentos, según lo tiene pacíficamente entendido la Corte Suprema de Justicia[540].

Cuando la decisión ha sido alcanzada por las partes de mutuo acuerdo, la situación no es distinta. Es perfectamente posible intentar procesos posteriores para la disminución, exoneración o aumento de cuota, sin que se pueda oponer la naturaleza "definitiva" de los alimentos.

---

[539] https://www.minjusticia.gov.co/programas-co/tejiendo-justicia/Documents/publicaciones/genero/caso27731/JF_LJC%20%281%29.pdf.

[540] Véanse, a manera de ejemplo, las siguientes sentencias de la Sala de Casación Civil de la Corte Suprema de Justicia: (i) STC5583 de 2021, M.P. AROLDO WILSON QUIROZ MONSALVO; (ii) 26 de abril de 2013, expediente 00032-01; (iii) 25 de mayo de 2012, expediente 00139-01; y (iv) 27 de mayo de 2011, expediente 00095-01.

C. Crítica

Mucho se ha criticado la distinción entre los alimentos *definitivos* y *provisionales*, en razón de su relativamente nula utilidad práctica. Acaso se podrá decir que, en tratándose de *alimentos definitivos* fijados por sentencia judicial, los interesados en procesos de aumento, reducción o exoneración de la cuota podrán acudir al mismo Despacho que profirió la providencia, sin necesidad de agotar requisito de procedibilidad alguno, siempre y cuando el menor de edad no haya cambiado su domicilio (art. 390 del Código General del Proceso). Pero luce verdaderamente discutible la aplicación práctica de esta clasificación si se tiene en cuenta que no es esa una solución transversal a todos los alimentos *definitivos*, puesto que aquellos que son pactados por mutuo acuerdo entre las partes sí requieren, indefectiblemente, que se agote el requisito de procedibilidad de conciliación extrajudicial para acudir a la Jurisdicción Ordinaria en procura de solicitar el aumento, disminución o exoneración de la cuota.

La discusión no gravita sobre la posibilidad de solicitar la disminución o aumento de la cuota, según se trate de alimentos *definitivos* o *provisionales*. En efecto, es pacífico que los alimentos *provisionales* son siempre susceptibles de variación en determinadas circunstancias y con el cumplimiento de ciertos requisitos. La discusión se orienta hacia la exigencia de que, en tratándose de alimentos *provisionales*, sea necesario agotar el requisito de procedibilidad de conciliación extrajudicial para obtener la disminución, aumento o exoneración.

Nuevamente, luce bastante cuestionable la utilidad práctica de la distinción en este aspecto, pues los alimentos *provisionales* decretados por un Juez de la República en el marco de un proceso de divorcio, por ejemplo, pueden ser aumentados o disminuidos, según sea el caso, sin necesidad de agotar el requisito de procedibilidad, mientras se ventila el respectivo juicio y no se haya dictado sentencia en la que se fijen alimentos *definitivos*. Así también, por ejemplo, puede ocurrir en el marco de un proceso administrativo de restablecimiento de derechos (PARD), donde el defensor de familia dicta una medida de alimentos *provisionales* cuando la conciliación (siempre que se trate de un asunto conciliable) ha fallado, fuera del PARD, y luego profiere el auto de apertura de éste. Probada la variación de la necesidad del alimentario o la capacidad económica del alimentante, el funcionario se encuentra facultado para modificar su decisión de alimentos *provisionales*, por medio de la resolución en la que define la situación jurídica del menor de edad.

Quizás la diferencia más relevante, entonces, en punto a la utilidad práctica de esta distinción, estriba en la previsión de los artículos 417 y 418 del Código Civil, según los cuales se autoriza la restitución de los alimentos pagados cuandoquiera que el demandado-alimentante obtenga sentencia absolutoria. Para ilustrar el punto, esto podría suceder en el evento de que se diera inicio a un proceso de impugnación de paternidad, el Juez fijara una cuota alimentaria *provisional* en contra del demandado y mediante sentencia se estableciera que él no era padre del demandante. Pero esa hipótesis sería cuestionable porque, a la postre, cuando se ha reconocido un hijo de quien no se es padre y luego se obtiene la impugnación de la paternidad, el afectado queda habilitado para solicitar la indemnización de perjuicios que, en nuestro medio, equivale a la restitución, entre otras, de los alimentos pagados.

Es de observar, sin embargo, que los cánones precedentemente aludidos disponen, por un lado, que el derecho de restitución no procederá cuando el demandante haya obrado de buena fe y con fundamento plausible; y, por el otro, que cuando haya mediado dolo para la obtención de los alimentos, todos los participantes del dolo serán solidariamente responsables de la restitución de los valores sufragados por el demandado.

2. Desde el punto de vista de su alcance

A. Congruos

El artículo 413 del Código Civil establece que "son congruos los que habilitan al alimentado para subsistir modestamente de un modo correspondiente a su posición social". Significa lo anterior que los alimentos congruos tienen en cuenta las condiciones intrínsecas y extrínsecas de la vida (su estilo, calidad, condición) del alimentario, de donde se sigue que su finalidad es, precisamente, preservar esas condiciones intrínsecas y extrínsecas.

El artículo 414, *ibídem*, enseña que se deben alimentos congruos a: (i) el cónyuge o compañero permanente; (ii) los ascendientes (matrimoniales, extramatrimoniales y adoptivos); (iii) el cónyuge inocente y, en casos específicos que se analizarán en su oportunidad, el compañero permanente inocente; y (iv) el que hizo una donación cuantiosa, siempre que no haya sido revocada o rescindida. Su estudio detallado se hará en las secciones posteriores.

B. Necesarios

Los alimentos necesarios, conforme al artículo 413 del Código Civil, son "los que le dan lo que basta para sustentar la vida". Quiere ello decir que, en este aspecto, no se hace imprescindible analizar las condiciones extrínsecas e intrínsecas del alimentario, con miras a preservarlas incólumes por la vía de los alimentos, sino que se debe satisfacer lo mínimo requerido para la subsistencia del individuo.

Con su acostumbrada claridad, FERNANDO VÉLEZ explica que la

> diferencia entre alimentos congruos y necesarios, no debe referirse a lo que comprendan, esto es, a que en los últimos se suprima, por ejemplo, la habitación o los medicamentos, sino a la cuantía de lo que deba darse para satisfacer las necesidades respectivas del alimentario. Cuando los alimentos son congruos, se tiene en cuenta la posición social del alimentario para sostenerla de una manera modesta. Cuando son necesarios, apenas se tienen en cuenta las necesidades indispensables para sustentar la vida. Esta diferencia en vez de ser contraria a la igualdad que establecen nuestras instituciones como base fundamental de la República, la consulta, puesto que la verdadera igualdad no consiste en que a todos los individuos se les aplique la medida de un mismo cartabón, lo que implicaría una desigualdad, sino en que, teniéndose presentes las circunstancias de cada cual, se armonicen con ellas las disposiciones legales. La igualdad en el fondo es una proporción y no una regla absoluta. La igualdad, en suma, es relativa[541].

De conformidad con lo establecido por el artículo 414 del Código Civil, los únicos titulares de alimentos necesarios son los hermanos matrimoniales. En su oportunidad se analizará lo que, al respecto, han sostenido las Altas Cortes.

C. Los alimentos para los menores de edad

El artículo 414 del Estatuto Civil prevé que se deben alimentos congruos a los descendientes, categoría que comprende todo tipo de filiación (matrimonial, extramatrimonial y adoptiva). Sin embargo, el artículo 24 del Código de la Infancia y la Adolescencia, antes transcrito, establece que a los menores de edad tienen derecho a recibir alimentos y todos los medios para su desarrollo físico, psicológico, espiritual, moral, cultural y social. En esta categoría especial queda comprendido todo aquello que sea indispensable para el sustento, habitación, vestido, asistencia médica, recreación,

---

[541]   FERNANDO VÉLEZ. *Estudio sobre el derecho civil colombiano*. Tomo II. Segunda Edición. Ed. Imprenta París-América. París, 1926. Pág. 43.

educación o instrucción y, en general, todo lo que es necesario para el desarrollo integral de los niños, las niñas y los adolescentes.

Así las cosas, en los términos de MONROY CABRA, "ya no se acepta la distinción entre alimentos congruos y necesarios que consagraba (SIC) el Código Civil, sino que se adopta un criterio amplio de alimentos"[542] cuando el acreedor-alimentario sea un niño o un adolescente. En efecto, tratándose de este grupo de individuos, se impone la aplicación de lo previsto por el artículo 44 de la Carta Política, de donde se sigue la necesaria fijación de una cuota que comprenda, por ejemplo, la "alimentación equilibrada" y tantos otros conceptos que resultan más amplios que la definición de *alimentos congruos.*

Incluso si se quisiera cuestionar que la categoría de alimentos *congruos* es bastante similar a la prevista por el artículo 24 del Código de la Infancia y la Adolescencia, la utilidad práctica de la distinción radica en que, de no existir, no todos los menores de edad tendrían derecho de reclamar alimentos *congruos.* Piénsese en el caso de los hermanos matrimoniales, quienes por virtud de lo previsto en los artículos 411, ordinal 9°, y 414 del Código Civil son titulares de alimentos *necesarios.* Si un menor de edad reclamare alimentos a su hermano matrimonial mayor de edad y solvente, sin existir la distinción en la clasificación, solo tendría derecho de recibir alimentos *necesarios;* sin embargo, gracias a la una clasificación especial para los menores de edad, derivada del artículo 24 del Código de la Infancia y la Adolescencia, en ese caso los alimentos reclamados por el niño no serán simplemente *necesarios,* sino los de naturaleza *especial* y *amplia* que se comentan en esta categoría[543].

D. Los alimentos para los adultos mayores

El artículo 9° de la Ley 1850 de 2017 incorporó el artículo 34A a la Ley 1251 de 2008, conforme al cual las personas adultas mayores tienen derecho a los alimentos y demás medios para su mantenimiento físico, psicológico, espiritual, moral, cultural y social. Tales alimentos:

> comprenden lo imprescindible para la nutrición, habitación, vestuario, afiliación al sistema general de seguridad social en salud, recreación y cultura, par-

---

[542] MARCO GERARDO MONROY CABRA. *Derecho de familia, infancia y adolescencia.* Decimosexta Edición. Ed. Librería Ediciones del Profesional. Bogotá, 2017. Pág. 169.

[543] Así lo manifestó la Corte Constitucional en sentencia C-156 de 2003, M.P. EDUARDO MONTEALEGRE LYNETT.

ticipación y, en general, todo lo que es necesario para el soporte emocional y la vida autónoma y digna de las personas adultas mayores.

Al hacer alusión a las personas *adultas mayores*, la ley se refiere a quienes han cumplido los sesenta años de edad (art. 3º de la Ley 1251 de 2008). Esta categoría es muy similar a la prevista por el artículo 24 del Código de la Infancia y la Adolescencia, con las necesarias adaptaciones para el caso de los adultos mayores.

Importa precisar que, como ocurre con la situación de los menores de edad, fácilmente se podría aducir que esta categoría especial es innecesaria, habida cuenta de que a los ascendientes se les deben alimentos *congruos* y, por tanto, no hay una diferencia real entre ese tipo de alimentos y los previstos por la Ley 1251 de 2008, tal como fue adicionada por la Ley 1850 de 2017. Al respecto, se debe observar que la utilidad de la categoría especial adquiere relevancia cuando se pretende la concreción de la obligación en favor de hermanos matrimoniales, a quienes la ley les concede alimentos *necesarios*. En estos eventos, si el reclamante es *adulto mayor* se tendrá que concluir, forzosamente, que los alimentos que se deben al hermano matrimonial son los especiales que regula el artículo 34A de la ley 1850 de 2017[544].

E. Crítica

Se ha dicho por algún sector de la doctrina que esta clasificación es hoy intrascendente e, incluso, se ha llegado a pensar que desapareció[545] desde

---

[544] En esta línea, consúltese la sentencia de la Sala de Casación Civil de la Corte Suprema de Justicia STC4285 de 2020, M.P. Álvaro Fernando García Restrepo.

[545] Esa visión ha sido prohijada por John Eisenhower Ramírez Sánchez (*El derecho de alimentos*, 23), quien sostiene que "ya no hay distinción para los alimentos congruos y necesarios". Agrega, sin embargo, que "quizá la excepción a la regla que se plantea sigue operando tan solo a favor de los hermanos". No compartimos esta afirmación y los argumentos que sustentan nuestra disidencia se pueden leer en el texto principal. En el mismo sentido se pronunció Monroy Cabra, en la 9ª edición de su libro *Derecho de familia y de menores* (Ed. Librería del Profesional. Bogotá, 2004. Pág. 178). Sin embargo, en la 16ª edición de la obra *Derecho de familia, infancia y adolescencia* (Ed. Librería del Profesional. Bogotá, 2017. Pág. 170) parece dar un viraje a su posición cuando afirma que "[e]sta definición es autónoma y referida a los menores. Por tanto, no se aplica a los alimentos debidos por una convención o a título distinto como la que se debe al ex cónyuge divorciado, o a los alimentos en el matrimonio (…) o la separación de cuerpos, que se rigen por la ley aplicable al matrimonio, al divorcio o a la nulidad del matrimonio".

la expedición del Código del Menor (art. 133), derogatoria luego reafirmada por el Código de la Infancia y la Adolescencia (art. 24). Tal visión encontró respaldo parcial en la sentencia de la Corte Constitucional C-875 de 2003, M.P. MARCO GERARDO MONROY CABRA, por la cual se concluyó que:

> De acuerdo con la normatividad posterior al Código Civil, puede decirse que aunque la clasificación de alimentos congruos y necesarios no ha sido definitivamente abolida, ésta sí ha perdido vigor respecto de muchas de las personas frente a las cuales se tiene obligación alimentaria.

A nuestro juicio, la distinción entre alimentos congruos y necesarios está bastante lejos de ser derogada o inocua. El hecho de que hayan surgido dos nuevas clasificaciones que se adjudican desde el punto de vista del sujeto que reclama el derecho de alimentos (menores de edad o adultos mayores), no significa que la clasificación tradicional haya perdido relevancia. Es claro, eso sí, que los únicos sujetos titulares de alimentos necesarios son los hermanos matrimoniales (siempre que no sean menores de edad o adultos mayores), pues los demás individuos que quedaban allí comprendidos han ido ascendiendo, poco a poco y por vía de jurisprudencia, a la titularidad de alimentos congruos.

Con todo, los pocos o muchos titulares que haya en una u otra clasificación no pueden ser motivo suficiente para afirmar que operó una derogatoria que lejos está de haber operado. De hecho, la jurisprudencia de la Corte Constitucional avaló la distinción entre alimentos congruos y necesarios en Sentencia C-156 de 2003, M.P. EDUARDO MONTEALEGRE LYNETT, por considerar que ella:

> Es producto de la libertad de configuración del legislador en la materia, pues precisamente reserva los alimentos congruos (deber más riguroso) para las personas que son más próximas al alimentante en términos de parentesco, y frente a las cuales tiene mayores obligaciones de protección, como los ascendientes, descendientes, cónyuge y compañero, mientras que establece los alimentos necesarios (obligación menos estricta) frente a los hermanos, que tienen mayor lejanía familiar y frente a los cuales el alimentante tiene menores responsabilidades de solidaridad. Esta diferencia de trato se funda entonces en un juicio político del Legislador sobre los deberes de solidaridad que es compatible con la Carta.

Más últimamente, la Corte Constitucional ha vuelto sobre la distinción en análisis, por ejemplo, en Sentencia C-017 de 2019, M.P. ANTONIO JOSÉ LIZARAZO OCAMPO. Por su parte, la Corte Suprema de Justicia también se ha referido a ella en Sentencia STC21761 de 2017, M.P. LUIS ARMANDO TOLOSA VILLABONA.

3. Desde el punto de vista de la fuente de la obligación

A. *Legales*

Son legales los alimentos que encuentran su fuente en la ley. En palabras de CASTILLO RUGELES, por legales se tienen los alimentos "que dan acción para exigir su cumplimiento, por lo que se les llama también obligatorios"[546]. Así pues, la cuota que se paga a quienes aparecen enumerados en el título XXI del libro primero del Código Civil son, para los efectos que aquí interesan, legales.

B. *Voluntarios*

Los alimentos voluntarios son aquellos que encuentran su fuente en la voluntad del individuo. A esta tipología no le son aplicables las disposiciones del título XXI del libro primero del Código Civil, según el mandato expreso del artículo 427 de ese Estatuto, sino aquellas que rijan el acto de liberalidad que alberga su génesis. Puede ocurrir, entonces, que la voluntad se manifieste para ser cumplida en vida del alimentante-deudor, en cuyo caso las reglas aplicables serán las relativas a los actos jurídicos unilaterales; pero si la voluntad se manifiesta para tener efecto después de los días del alimentante-alimentario, la sucesión se gravará como lo disponen los artículos 1192 y 1229 del Estatuto Civil.

Aunado a lo expuesto, la Corte Suprema de Justicia ha señalado que los alimentos que se entregan voluntariamente, al no estar conminados por la rigidez normativa del Código Civil, constituyen una liberalidad que puede ser revocada en cualquier tiempo, sin necesidad de que el deudor-alimentante tenga que acudir a un proceso de exoneración. Veamos:

> [T]ratándose de alimentos voluntarios, no es posible aplicar la normatividad civil que regula los alimentos en general, dado que aquellos devienen de la mera liberalidad del que se obliga, más (SIC) no de la ley, por ello pueden ser revocados sin necesidad de tramitar un proceso de exoneración de cuota alimentaria, pues como lo sugiere aquel principio de dogmática jurídica, 'en derecho las cosas se deshacen como se hacen'.

> Al respecto, la Corte en reiteradas ocasiones ha señalado que, «Sea lo que fuere, aun con prescindencia de lo de la nulidad matrimonial, y se ubique entonces el asunto en el campo estrictamente contractual, donde la fuerza de la voluntad es capaz de crear la carga alimentaria donde la ley no la ha

---

[546] JORGE ANTONIO CASTILLO RUGELES. *Derecho de familia.* Ed. Leyer. Bogotá, 2000. Pág. 48.

impuesto, se tiene: no hay duda que la declaración de voluntad con causa en la mera liberalidad es eficaz; empero, dadas las peculiaridades y la naturaleza de los alimentos es claro que si es deseo de los comprometidos otorgarlos sin que la ley los obligue, eso sólo no tiene el carácter de obligación sempiterna, y que por lo mismo, quien por generosidad los suministra podrá ya no seguir deseándolo. Las liberalidades son así. Como los alimentos crean prestaciones periódicas la liberalidad es asunto que demanda ratificación, sin que pueda decirse que la inicialmente expresada encadene fatalmente hacía el futuro, de modo ilimitado; es cuestión de confirmarlo constantemente.

Por eso es que los alimentos 'voluntarios' es tema al que no se le puede aplicar la normatividad que en punto de alimentos trae el Código Civil, pues estos regulan los alimentos que son debidos por ley, cual se infiere del pórtico mismo del artículo 411 que empieza por decir 'Se deben alimentos'» (CSJ STC, 6 de dic. 2006, Exp: 05001-22-10-000-2006-02920-01)"[547].

Por último, conviene plantear el interrogante de si los alimentos que se pagan voluntariamente por el alimentante a favor de una persona que, por ley, tiene la condición de acreedor forzoso se deben clasificar dentro de los alimentos *legales* o *voluntarios*. La controversia, que parece netamente académica, constituye la piedra angular de un debate práctico-teórico de suma relevancia en el ámbito sucesoral, al que nos abocaremos en secciones posteriores.

SECCIÓN III. REQUISITOS PARA SU CONFIGURACIÓN

El derecho de alimentos es una prerrogativa inconcreta pero susceptible de ser concretada. Para su materialización se requiere la concurrencia de varios elementos que se desprenden de los artículos 411, 419 y 420 del Estatuto Civil. El primero de ellos establece el criterio que LÓPEZ DEL CARRIL denomina subjetivo, toda vez que se acuña en función del sujeto reclamante y el sujeto reclamado. Los otros dos, en opinión de CASTILLO RUGELES, establecen criterios objetivos, puesto que miran la materialidad desde la óptica del reclamante, en su necesidad, y del reclamado, en su capacidad.

Así pues, los requisitos que se exigen a fin de concretar la obligación alimentaria son los siguientes: (i) la necesidad del beneficiario, (ii) la capa-

---

[547] Véase la sentencia de la Corte Suprema de Justicia STC3838 de 2020, M.P. ÁLVARO FERNANDO GARCÍA RESTREPO.

cidad del obligado y (iii) el vínculo jurídico. Estos requisitos son pacíficamente admitidos por la jurisprudencia de las Altas Cortes[548].

I. Necesidad económica del alimentario

El artículo 420 del Estatuto Civil enseña que "[l]os alimentos congruos
o necesarios no se deben sino en la parte en que los medios de subsistencia
del alimentario no le alcancen para subsistir de un modo correspondiente a
su posición social o para sustentar la vida". Significa lo anterior que no basta
con ostentar la calidad de titular del derecho de alimentos, sino que, para su
materialización, se requiere acreditar que al reclamante no le alcanzan sus
propios medios para subsistir en forma correspondiente a su posición social,
cuando lo que se solicitan son alimentos congruos, o para sustentar la vida,
cuando lo pedido son alimentos necesarios. Así, se colige que la necesidad
del acreedor-alimentario es el primer requisito que se debe satisfacer.

Buena parte de la doctrina, dentro de la que cabe destacar a Zannoni y
Bossert, haciendo una suerte de símil con las expresiones que se emplean
en materia de porción conyugal en las sucesiones, han afirmado que la
necesidad de que aquí se trata "[s]e traduce en un estado de *indigencia*"[549]
del reclamante. En las antípodas, Suárez Franco sostiene que "[b]asta
demostrar el estado de necesidad, sin que sea preciso probar la indigen-

---

548   Entre muchas otras, el lector puede consultar las sentencias de la Corte Cons-
      titucional: (i) C-017 de 2019, M.P. Antonio José Lizarazo Ocampo; (ii) C-727
      de 2015, M.P. Myriam Ávila Roldán; (iii) C-994 de 2004, M.P. Jaime Araújo
      Rentería; (iv) C-156 de 2003, M.P. Eduardo Montealegre Lynett; y (v) C-388
      de 2000, M.P. Eduardo Cifuentes Muñoz. Desde la óptica de la Corte Suprema
      de Justicia, es posible acudir a las sentencias: (i) STC229 de 2021, M.P. Aroldo
      Wilson Quiroz Monsalvo; (ii) STC11128 de 2020, M.P. Aroldo Wilson Qui-
      roz Monsalvo; (iii) STC9932 de 2020, M.P. Francisco Ternera Barrios; (iv)
      STC4669 de 2020, M.P. Álvaro Fernando García Restrepo; (v) STC14530 de
      2019, M.P. Luis Alonso Rico Puerta; (vi) STC10127 de 2019, M.P. Ariel Sala-
      zar Ramírez; (vii) STC10069 de 2019, M.P. Luis Armando Tolosa Villabona;
      (viii) STC8675 de 2019, M.P. Aroldo Wilson Quiroz Monsalvo; (ix) STC6975
      de 2019, M.P. Luis Armando Tolosa Villabona; (x) STC3849 de 2019, M.P.
      Luis Alonso Rico Puerta; (xi) STC14204 de 2018, M.P. Álvaro Fernando Gar-
      cía Restrepo; (xii) STC6066 de 2018, M.P. Luis Alonso Rico Puerta; (xiii)
      STC20190 de 2017, M.P. Luis Armando Tolosa Villabona; y (xiv) STC13837 de
      2017, M.P. Álvaro Fernando García Restrepo.
549   Gustavo Bossert y Eduardo Zannoni. *Manual de derecho de familia*. Sexta Edi-
      ción. Ed. Astrea. Buenos Aires, 2004. Pág. 50.

cia para que se configure el derecho"[550]. A nuestro juicio, resulta mucho más aceptable la tesis de SUÁREZ FRANCO, puesto que la exigencia derivada del propio artículo 420 del Código Civil, antes transcrito, se centra en acreditar que no le alcanzan los recursos al individuo para poder subsistir congrua o necesariamente, lo cual por antonomasia excluye que se exija la mendicidad absoluta.

En tratándose de niños y adolescentes, es bastante claro que estamos ante sujetos de especial protección constitucional, cuya necesidad económica se da por sentada, sin perjuicio de que se requiera probar la cuantía para tasar apropiadamente las sumas de la cuota alimentaria. Mal se podría pensar que un menor de edad está en condiciones de procurar su propia subsistencia, sin más, porque ello implicaría levantar una barrera injustificada y absolutamente desproporcionada para acceder a los derechos fundamentales consagrados en el artículo 44 de la Carta Política.

Ciertamente, según se vio, nuestra legislación civil impone a ambos padres la obligación de atender la crianza, educación, recreación, alimentación balanceada, vestuario, salud y todos los demás elementos que se requieran para el adecuado desarrollo de sus hijos. Esa es la más nítida manifestación de la progenitura responsable que reclama el artículo 42 Superior. Entonces, no caben discusiones en torno a la necesidad de este grupo poblacional.

No obstante, cuando se está en presencia de mayores de edad que reclaman el derecho de alimentos, otra es la situación. Con su habitual fluidez, GUILLERMO BORDA advierte que, en esta materia, "no se trata de proteger a los haraganes ni a quienes no encuentran trabajo que les cuadre"[551]. Pese a la dureza de sus planteamientos, no se puede desconocer que participan de la verdad. Impensable resultaría que cualquier persona se substrajera de procurar su propia manutención bajo la premisa de que otra, que está obligada por ley, lo haga.

Desde luego, tampoco se quiere con esto reseñar una fórmula sacramental que termine por hacer nugatorio el derecho de alimentos. Pero sucede que quien reclama se debe ver imposibilitado, según el tipo de prestación que le asista (congrua o necesaria), o bien para trabajar y procurar

---

[550] ROBERTO SUÁREZ FRANCO. *Derecho de familia.* Tomo II. *Régimen de los incapaces.* Cuarta Edición Ed. Temis. Bogotá, 2014. Pág. 292.

[551] GUILLERMO BORDA. *Manual de derecho de familia.* Séptima Edición. Ed. Abeledo Perrot. Buenos Aires, 1975. Pág. 429.

una condición de vida semejante a la que venía acostumbrado, o bien para obtener los mínimos recursos que garanticen su subsistencia. No se puede premiar la desidia al cobijo de la *solidaridad.*

Con todo, cada caso particular demanda el análisis del funcionario competente para dirimir la controversia. En efecto, no es lo mismo estar ante un hijo de diecinueve años de edad, y por tanto mayor de edad, que reclama del padre alimentos para poder continuar sus estudios universitarios o técnicos y tecnológicos, que copan la mayor parte de su tiempo y le impiden trabajar, que estar ante un hermano de treinta y cinco años de edad a quien siempre mantuvo su padre porque jamás le gustó trabajar y ahora, tras la muerte de éste, persigue a su hermano para que le provea una cuota alimentaria.

Luz Amparo Serrano Quintero[552] proporciona otro ejemplo, cual es el de la esposa que, pese a haberse graduado como profesional universitaria, lleva treinta años dedicada al hogar y la crianza de sus hijos. Ante el divorcio sobrevenido, la mujer goza de una capacidad de trabajo desde la perspectiva teórica, aunque no así en la práctica, por lo que sería procedente encontrar acreditada la necesidad en este caso particular.

Sin perjuicio de que esta temática se abordará con mayor detalle en los títulos que siguen, la Corte Suprema de Justicia ha reconocido el principio de que la necesidad, en mayores de edad, depende también de la posibilidad real de trabajo del individuo. Mediante la Sentencia STC6066 de 2018, M.P. Luis Alonso Rico Puerta, sostuvo que la decisión de un Juez de Familia de exonerar al padre de la cuota alimentaria en favor de su hijo de poco menos de veinticinco años de edad se ajustaba a derecho y no vulneraba principio constitucional alguno, en la medida en que se había hecho una valoración adecuada del acervo probatorio. El menor de edad, en ese caso, ya se había recibido como administrador de empresas de la Universidad de los Andes y llevaba cinco años estudiando una segunda carrera en ese mismo centro educativo, de donde concluyó el juez que no había motivos para pensar que el hijo no pudiera procurar su propia subsistencia y que el padre tuviera la obligación de continuar asistiéndolo alimentariamente. La decisión, bueno es advertirlo, tuvo dos salvamentos de voto que estimaron del todo improcedente prohijar el principio que aquí se comenta, puesto que no emana de texto legal alguno.

---

[552]   Luz Amparo Serrano Quintero. *Una mirada al derecho de familia desde la psicología jurídica: personas, parejas, infancia y adolescencia.* Ed. Universidad Santo Tomás de Aquino. Bogotá, 2017. Pág. 160.

También se ha cuestionado si la tenencia de un patrimonio improductivo por el presunto acreedor demuestra el estado de necesidad. En este aspecto son chocantes las visiones de la doctrina, aunque en la época reciente ha sido criterio uniforme que, en tales casos, lo procedente es conminar al demandante a desprenderse de su peculio para procurar su propia subsistencia[553]. Y no podría ser distinto, pues lo que está en juego, se repite, es el deber de solidaridad que solo se activa en forma subsidiaria a la imposibilidad de que cada quien mire por su propia manutención. Si se tiene en cuenta que la solidaridad, como lo ha preceptuado la Corte Constitucional, representa un límite al ejercicio de los derechos propios[554], mal se podría decir que para la procedencia de tal restricción lo único que se requiere es la vanidad, hedonismo y egoísmo del individuo que reclama los alimentos.

II. Capacidad económica del alimentante

El artículo 419 del Código Civil prevé que "[e]n la tasación de los alimentos se deberán tomar siempre en consideración las facultades del deudor y sus circunstancias domésticas". De la disposición transcrita se colige que la concreción del derecho de alimentos está muy lejos de depender, en forma exclusiva, de la necesidad que llegare a acreditar el demandante, porque es verdad incontestable que, en la vida como en el derecho, nadie está obligado a lo imposible. Así pues, se hace imperioso consultar cuál es el estado de solvencia del demandado para atender, en forma total o parcial, la subsistencia del demandante.

En cuanto toca con la explicación de la norma, FERNANDO VÉLEZ enseña que:

> las *facultades* se refieren a los recursos pecuniarios de que dispone [el presunto alimentante], y de éstos, lo equitativo es que de preferencia se tengan en cuenta las rentas o ganancias del alimentante, ya que de éstas es de donde generalmente se hacen los gastos que exigen las necesidades normales de la vida"[555].

---

[553] En ese sentido, véanse a FERNANDO FUEYO LANERI (*Derecho civil*, tomo I, 500), JORGE ADOLFO MAZZINGHI (*Tratado de derecho de familia*, tomo IV, 479), GUILLERMO BORDA (*Manual de derecho de familia*, tomo II, 346), EDUARDO ZANNONI (*Derecho de familia*, tomo II, 87) y ROBERTO SUÁREZ FRANCO (*Derecho de familia*, tomo II, 293).

[554] Cfr. Sentencias T-032 de 2020, M.P. LUIS GUILLERMO GUERRERO PÉREZ, y T-801 de 1998, M.P. EDUARDO CIFUENTES MUÑOZ.

[555] FERNANDO VÉLEZ. *Estudio sobre el derecho civil colombiano*, tomo II, 57.

A su turno, Champeau y Uribe señalan que la:

> expresión *circunstancias domésticas* envuelve la idea de que deben tenerse en cuenta los gastos que el deudor está obligado a hacer en su propia familia; en otros términos: la única base en esta materia no es la fortuna pura y simplemente considerada: deben apreciarse las cargas que soporta. Antes de satisfacer las obligaciones alimentarias propiamente dichas, el deudor debe cumplir con las obligaciones más sagradas de cónyuges y de padre o de madre de familia[556].

A pesar de que el gravamen por alimentos habrá de recaer, en primer, término sobre las ganancias o rentas del presunto alimentante, las *facultades* de éste se derivan, además, de su capital o patrimonio[557]. En verdad, mal haría quien prohijara la substracción de la obligación alimentaria por el deudor, cuando éste goza de un patrimonio robusto y formidable cuya liquidación parcial le permitiría asistir al acreedor que así lo necesita. Y mucho más relevante se vuelve la discusión cuando quien reclama los alimentos es el hijo menor de edad, porque de por medio estará la efectividad de los postulados constitucionales del interés superior del niño y la obligación fundamental de la progenitura responsable.

Así las cosas, no resulta posible confundir los criterios indiciarios de la capacidad económica del alimentante, como son el patrimonio y la renta, con la conveniencia de gravar, en primer término, los ingresos líquidos de que dispone el deudor.

---

[556] Edmond Champeau y Antonio José Uribe. *Tratado de derecho civil colombiano*, tomo I, 152 y 153.

[557] En nuestro ordenamiento jurídico, el artículo 129 del Código de la Infancia y la Adolescencia precisa que el juez podrá establecer la prueba de la capacidad económica con base en el patrimonio del presunto alimentante. En este sentido, véase la sentencia de la Sala de Casación Civil y Agraria de la Corte Suprema de Justicia STC5574 de 2021, M.P. Aroldo Wilson Quiroz Monsalvo. Allí se aprecia claramente cómo la valoración de la capacidad económica depende también del patrimonio y no solo de la renta. También se puede consultar la sentencia de la Sala de Casación Penal de la Corte Suprema de Justicia SP405 de 2021, M.P. Eyder Patiño Cabrera, en la cual se recordó que el delito de inasistencia alimentaria solo se tipifica cuando el presunto responsable se substrae *sin justa causa* de su obligación, lo que implica que, pudiendo cumplir, no lo haya hecho. Para el efecto, señaló que "a efecto de proporcionar alimentos no se exige liquidez monetaria sino capacidad económica", por lo que se puede demostrar la capacidad económica y la injustificada substracción de la obligación con prueba de: (i) pagos que hubiere recibido; (ii) afiliaciones al Sistema Integral de Seguridad Social; (iii) propiedades muebles o inmuebles, entre otros.

Por otro lado, en cuanto hace a las circunstancias domésticas del presunto alimentante, corresponde al funcionario analizar la existencia de hijos o cónyuge[558], enfermedades o tratamientos médicos[559], obligaciones alimentarias con terceros (como padres o ascendientes)[560], obligaciones

---

[558] La Sala de Casación Civil de la Corte Suprema de Justicia, mediante Sentencia STC4669 de 2020, M.P. Álvaro Fernando García Restrepo, conoció de un caso en el que el Juez de Familia había accedido a la reducción de la cuota alimentaria tras constatar "las obligaciones [del demandado] con su cónyuge y su otra hija menor de edad". Si bien es cierto que se concedió el amparo solicitado por el acreedor alimentario, y se revocó la disminución de la cuota, la razón estribó en que no se había hecho el análisis pertinente para constatar que tales obligaciones del demandado hubieran variado (aumentado) en relación las existentes al momento de la fijación inicial de la cuota alimentaria. Empero, es indiscutible que la Corte Suprema admite, como no podría ser distinto, que parte del análisis relacionado con la capacidad económica del demandante se centra en determinar su relación familiar. En este aspecto, se debe tener muy presente que con ello no quiso decir la Corte "que al tener el alimentante otra obligación alimentaria con otra descendiente, también menor de edad, la graduación de los alimentos a favor de su hijo resulte de una simple equiparación con las condiciones de aquélla, como si se tratara de una sencilla división en partes iguales del patrimonio del alimentante, pues, lo cierto es que la tasación partirá de la capacidad económica del alimentante y resultará del estudio concienzudo de las diferencias existentes entre los alimentarios, desde el punto de vista de la edad, su entorno social y las necesidades básicas y particulares de cada uno". En el mismo sentido, véanse las sentencias de la Corte Constitucional T-288 de 2003, M.P. Manuel José Cepeda Espinosa, y T-492 de 2003, M.P. Eduardo Montealegre Lynett.

[559] Dentro del análisis vertido por la Corte Suprema de Justicia en la sentencia STC6066 de 2018, M.P. Luis Alonso Rico Puerta, comentada en el título anterior del texto principal, se tuvo en consideración, para la exoneración de la cuota alimentaria, la menguada capacidad económica del alimentante, quien era un sujeto mayor de 60 años, pensionado y con un problema médico de diabetes que le implicaba serios gastos médicos.

[560] En Sentencia STC5006 de 2021, M.P. Octavio Augusto Tejeiro Duque, la Corte Suprema de Justicia conoció de una tutela instaurada por una mujer de 78 años contra un Juzgado de Familia, habida cuenta de que la autoridad se rehusó a disminuir el embargo del salario del hijo de la señora, medida cautelar con la cual se garantizaba el cumplimiento de la obligación alimentaria del embargado con uno de sus hijos. Al decir de la accionante, la reducción era imperiosa con el propósito de permitir que su hijo pudiera prestarle alimentos a ella y a su otro nieto. Pese a que la Corte Suprema de Justicia rechazó el amparo, consideró que los sujetos de la tercera edad tienen *interés transitorio* en los procesos de solicitud de reducción de embargos (art. 600 del Código General del Proceso), por lo que la accionante contaba con otro medio de defensa. Con todo, se reconoció en la providencia

pecuniarias con terceros[561], entre otras tantas[562], porque a nadie escapa la veracidad de la afirmación según la cual uno solo es el sujeto y una sola es su capacidad económica. Ese sabio y natural entendimiento de la jurisprudencia nacional obra como criterio determinante para la fijación de la mesada que se habrá de satisfacer por el deudor.

En todo caso, bueno es advertir que la capacidad a que aquí se alude debe estar demostrada en el plenario. Para tal propósito, la legislación nacional no consagra tarifa legal de naturaleza alguna, por lo que basta acudir a cualesquier medios de prueba de que disponga el demandante. Incluso, por mandato expreso del ordinal 3° del artículo 397 del Código General del Proceso, "[e]l juez, aún de oficio, decretará las pruebas necesarias para

---

que, al analizar la capacidad económica del alimentante, es necesario observar las obligaciones alimentarias de éste con terceros.

561   Mediante la Sentencia STC1353 de 2021, M.P. Luis Armando Tolosa Villabona, en que se pretendía la ejecución por mesadas alimentarias atrasadas en sumas exorbitantes mientras el alimentante tenía en curso un proceso de insolvencia, la Corte Suprema de Justicia explicó que, si bien es claro que las deudas por alimentos gozan de un privilegio en los trámites concursales, "tales privilegios no pueden significar que, a sabiendas de la existencia de un proceso concursal, los padres de familia puedan ofrecer o reconocer montos con los cuales, justamente, no pudieron cumplir ante sus demás acreedores, obligándose a entrar en el estado ya mencionado". Así, concluyó que, aunque "la Ley 641 de 2000 no establece ningún tipo de condicionamiento a las partes para ofrecer alimentos a menores de edad, (…) de una interpretación sistemática del ordenamiento jurídico, puede concluirse que esa libertad se encuentra limitada en casos como el de ahora, donde quien pretende disponer de sus bienes, no tiene la facultad de hacerlo por encontrarse inmerso en un trámite de liquidación judicial".

562   La Corte Suprema de Justicia, por medio de la Sentencia STC5574 de 2021, M.P. Aroldo Wilson Quiroz Monsalvo, sostuvo que también era necesario valorar circunstancias como la ausencia de trabajo. Esa postura fue también prohijada en la clásica Sentencia S-192, del 14 de junio de 1988, M.P. Pedro Lafont Pianetta, en donde se liberó a un hombre de prestar alimentos a su hijo, luego de que se constatara por todos los medios probatorios que carecía de trabajo y cualquier otro medio de subsistencia. Dijo la Corporación: "Más (SIC), como quiera que la condena al pago de una cuota determinada para cumplir con el deber de suministrar alimentos congruos a quienes se deben por ley exige la demostración de la capacidad económica del alimentante y la demostración de que el alimentario se encuentra en las condiciones previstas por el legislador, la sentencia consultada habrá de modificarse en su numeral tercero por cuanto allí se fijó una suma de dinero a cargo del demandado y con destino a los gastos de educación y sostenimiento de su menor hijo Miguel Armando Rodríguez Silva, sin que se encuentre acreditada en el proceso la capacidad económica del demandado".

establecer la capacidad económica del demandado y las necesidades del demandante, si las partes no las hubieren aportado". La inobservancia de esta disposición ha motivado que la Corte Suprema de Justicia admita la más variada cantidad de los amparos constitucionales solicitados[563].

Importa observar que la situación para los menores de edad tiene unas particularidades propias. Al respecto, el artículo 129 del Código de la Infancia y la Adolescencia prevé que, a fin de establecer los alimentos provisionales,

> [s]i no tiene la prueba sobre la solvencia económica del alimentante, el juez podrá establecerlo tomando en cuenta su patrimonio, posición social, costumbres y en general todos los antecedentes y circunstancias que sirvan para evaluar su capacidad económica. En todo caso se presumirá que devenga al menos el salario mínimo legal.

Dos son las precisiones que se derivan del artículo en comentario: (i) por un lado, alude a las distintas alternativas con las que cuenta el juez para establecer la solvencia económica del presunto alimentante; y, (ii) por el otro, se consagra una presunción de capacidad económica. Nos ocuparemos de cada una de ellas:

En relación con lo primero, el artículo se refiere a la "solvencia" del alimentante. La expresión quiere significar la *liquidez*, que es el punto de partida para identificar la eventual capacidad económica del obligado. Sigue la preceptiva con la orden de que, en ausencia de prueba sobre la *liquidez*, el funcionario podrá fijar la cuota provisional de alimentos auscultando el patrimonio, posición social, costumbres y todas aquellas circunstancias que permitan evaluar la capacidad económica del deudor. A juicio de CASTILLO RUGELES, esta disposición es también aplicable para los alimentos que se deben a los mayores de edad[564]; su opinión, vale decir, ha sido prohijada por la Corte Suprema de Justicia[565].

---

[563] Consúltense, entre muchas otras, las siguientes sentencias de la Sala de Casación Civil y Agraria de la Corte Suprema de Justicia: (i) STC5574 de 2021, M.P. AROLDO WILSON QUIROZ MONSALVO; (ii) STC229 de 2021, M.P. LUIS ARMANDO TOLOSA VILLABONA; (iii) STC200 de 2021, M.P. OCTAVIO AUGUSTO TEJEIRO DUQUE; (iv) STC11128 de 2020, M.P. AROLDO WILSON QUIROZ MONSALVO; (v) STC9932 de 2020, M.P. FRANCISCO TERNERA BARRIOS; (vi) STC9523 de 2020, M.P. AROLDO WILSON QUIROZ MONSALVO; (vii) STC2035 de 2020, M.P. ÁLVARO FERNANDO GARCÍA RESTREPO; y (viii) STC14530 de 2019, M.P. LUIS ALONSO RICO PUERTA.

[564] JORGE ANTONIO CASTILLO RUGELES. *Derecho de familia.* Ed. Leyer. Bogotá, 2000. Pág. 44.

[565] En sentencia del 11 de febrero de 2011, M.P. EDGARDO VILLAMIL PORTILLA, expediente 76111221300020100039401, la Sala de Casación Civil y Agraria de la Corte Suprema de Justicia, al conocer de una tutela instaurada por un individuo de la

Ahora bien, por cuanto tiene que ver con lo segundo, es claro que la presunción de capacidad económica es *iuris tantum*; vale decir, puede ser desvirtuada por los interesados. El fragmento que ahora se comenta fue demandado ante la Corte Constitucional y su exequibilidad se declaró en Sentencia C-388 de 2000, M.P. Eduardo Cifuentes Muñoz. Allí se explicó que, pese a que algunos de los demandados-alimentantes no tuvieran ese ingreso en realidad, la norma simplemente consagraba una presunción susceptible de ser desvirtuada que parte de criterios lógicos: (i) en Colombia, ningún individuo puede devengar un salario inferior al mínimo legal mensual vigente establecido por la ley; y (ii) la progenitura responsable es fundamento para que los padres procuren obtener los ingresos suficientes para solventar las necesidades económicas de sus hijos. Por lo anterior, aunado al hecho de admitir prueba en contrario, la presunción de que el padre devenga al menos un salario mínimo legal mensual vigente se encuentra vigente en el ordenamiento jurídico.

III. Vínculo jurídico

Es imprescindible que las dos personas que constituirán los extremos de la obligación alimentaria se encuentren ligadas por un vínculo o nexo jurídico que permita colegir que uno es acreedor del otro. En efecto, no cualquiera puede solicitar la concreción del derecho de alimentos, porque para ello se requiere, en primer lugar, que el reclamante ostente la titularidad del derecho y, en segundo lugar, que el reclamado se encuentre obligado a satisfacer la prestación que se le exige.

El origen del derecho y su correlativa obligación aparecen claros en la ley. Es fundamentalmente el artículo 411 del Estatuto Civil, sin perjuicio de algunas normas que ratifican su contenido, el que dispone quiénes son titulares del derecho de alimentos y quiénes los obligados a suministrar la prestación.

Para efectos de la acreditación del vínculo se debe distinguir según el tipo de relación que ata al acreedor con el deudor: (i) en tratándose del matrimonio, se deberá aportar el registro civil, conforme lo establece el Decreto 1260

---

tercera edad, exigió que se aplicaran las previsiones del artículo 129 del Código de la Infancia y la Adolescencia con el propósito de establecer la capacidad económica de los alimentantes. Tal planteamiento fue luego reforzado, en grado sumo, por la sentencia STC5029 de 2015, M.P. Luis Armando Tolosa Villabona, reiterada por la providencia del 21 de mayo de 2020, expediente 2020-047, M.P. Octavio Augusto Tejeiro Duque.

de 1970; (ii) cuando lo pretendido sea acreditar la unión marital de hecho, no hay medio de prueba específico que consagre la ley, por lo que el interesado podrá demostrar su calidad libremente; (iii) si se quiere acreditar el parentesco, corresponderá aportar el registro civil, en los términos del Decreto 1260 de 1970; (iv) en el evento del donante, por exigir la ley que el objeto del acto jurídico sea "cuantioso" probablemente se requerirá la insinuación notarial, documento que prestará el mérito necesario para constituir la prueba; y (iv) la demostración de que se es cónyuge o compañero permanente inocente se logra mediante la aportación de la sentencia judicial que así lo establece.

SECCIÓN IV. TITULARES DEL DERECHO DE ALIMENTOS

De la titularidad del derecho de alimentos se colige, como correlato indispensable, la obligación que surge para otro individuo de prestarlos. Antes se dijo que la fuente de los alimentos a los que nos abocaremos radica en la ley, que en forma taxativa consagra un listado preciso. Empero, con motivo de los diversos pronunciamientos de la jurisprudencia constitucional el artículo inicialmente concebido en nuestro Estatuto Civil ha sufrido algunas variaciones, por lo que procuraremos simplificar en el mayor grado posible su análisis:

Se deben alimentos a: (i) el cónyuge[566] o compañero permanente[567], de igual o distinto sexo[568]; (ii) los descendientes (matrimoniales, extramatrimoniales y adoptivos)[569]; (iii) los ascendientes (matrimoniales, extramatrimonia-

---

[566] Los cónyuges estuvieron previstos desde la redacción original del Código Civil.

[567] Los compañeros permanentes fueron incluidos en el listado de titulares, mediante la sentencia de la Corte Constitucional C-1033 de 2002, M.P. Jaime Córdoba Triviño.

[568] Los compañeros permanentes del mismo sexo fueron incluidos en el listado de titulares, mediante la sentencia de la Corte Constitucional C-029 de 2009, M.P. Rodrigo Escobar Gil. Por su parte, el matrimonio entre parejas del mismo sexo fue avalado por la Corte Constitucional en sentencias C-577 de 2011, M.P. Gabriel Eduardo Mendoza Martelo, y SU-214 de 2016, M.P. Alberto Rojas Ríos.

[569] Aunque de antaño estuvieron incluidos los descendientes en el listado, según su tipo de filiación se encontraban dispersos en distintos numerales del artículo 411 del Código Civil y se les confería un derecho de alimentos (congruo o necesario) diverso. Por medio de la Sentencia C-105 de 1994, M.P. Jorge Arango Mejía, la Corte Constitucional declaró la inexequibilidad de la expresión "legítimos", que acompañaba a los descendientes, por lo que todos pasaron a integrar una misma titularidad, con derecho a percibir alimentos congruos. En ese sentido, véase la Sentencia C-156 de 2003, M.P. Eduardo Montealegre Lynett.

les y adoptivos)[570]; (iv) el cónyuge inocente del divorcio o separación de cuerpos, según el caso[571]; (v) el compañero permanente inocente de la ruptura, cuando ésta se origina por maltrato del otro compañero permanente[572]; (vi) los hermanos matrimoniales[573], y (vii) el que hizo una donación cuantiosa, si ésta no ha sido rescindida ni revocada[574].

Se dedicará un espacio a estudiar a cada uno de los titulares antes indicados.

I. *Cónyuge o compañero permanente, de igual o distinto sexo*

LUIS CLARO SOLAR explica que "la ley no hace más que reconocer el resultado necesario del cambio de voluntades que forma el consentimiento de los esposos para su matrimonio; y es de este consentimiento, y no de la ley, de donde la obligación [alimentaria] procede"[575].

---

[570] Aunque de antaño estuvieron incluidos los ascendientes en el listado, según el tipo de filiación se encontraban dispersos en distintos numerales del artículo 411 del Código Civil y se les confería un derecho de alimentos (congruo o necesario) diverso. Por medio de la sentencia C-105 de 1994, M.P. JORGE ARANGO MEJÍA, la Corte Constitucional declaró la inexequibilidad de la expresión "legítimos", que acompañaba a los ascendientes, por lo que todos pasaron a integrar una misma titularidad, con derecho a percibir alimentos congruos. En ese sentido, véase la Sentencia C-156 de 2003, M.P. EDUARDO MONTEALEGRE LYNETT.

[571] Estos titulares estuvieron incluidos desde la redacción original del Código Civil. A raíz de la promulgación de la ley 1ª de 1976, por la cual se adoptó el divorcio vincular en Colombia, se hizo necesario explicar que los cónyuges inocentes del divorcio vincular o de la separación de cuerpos tendrían derecho a alimentos (art. 23 de la Ley 1ª de 1976).

[572] En sentencia C-117 de 2021, M.P. ALEJANDRO LINARES CANTILLO, la Corte Constitucional dispuso que "a los compañeros permanentes que, al término de una unión marital de hecho, les sean imputables situaciones de violencia intrafamiliar o conductas a las que se refiere en numeral 3° del artículo 154 del Código Civil", quedarán obligados al pago de alimentos en favor de los compañeros permanentes inocentes.

[573] Estos titulares estuvieron incluidos desde la redacción original del Código Civil. En su versión inicial, los titulares del derecho eran los hermanos "legítimos", expresión que fue declarada exequible por la Corte Constitucional en sentencia C-105 de 1994, M.P. JORGE ARANGO MEJÍA. Por razones de la nueva concepción, sustituimos el término "legítimos" por "matrimoniales", aunque tienen el mismo alcance.

[574] Estos titulares estuvieron incluidos desde la redacción original del Código Civil.

[575] Cfr. LUIS CLARO SOLAR. *Explicaciones de derecho civil chileno y comparado*, 400.

Antes se indicó que los alimentos encuentran su raíz en el deber moral de solidaridad, que ha recibido su ascenso expreso a la categoría de principio *supralegal* con la adopción de la Carta Política de 1991, mediante sus artículos 1º y 95, ordinal 2º. Pero, además, en el ámbito familiar, la solidaridad tiene una proyección especial y particular.

Para el caso de los cónyuges o compañeros permanentes, el artículo 42 establece que la familia se forma por la decisión libre, voluntaria y responsable de dos personas, al paso que agrega que las relaciones familiares se basan en la igualdad de derechos y deberes de la pareja y en el respeto recíproco entre todos sus integrantes. A su turno, los artículos 5º y 42 reconocen que la familia es el núcleo básico de la sociedad, de donde se desprende un importante contenido axiológico de protección a esta primigenia célula social.

Desde el punto de vista legal, el deber de solidaridad, fuente primaria del derecho de alimentos, hunde su raíz en el propio artículo 113 del Código Civil, el cual, al definir el matrimonio, señala que por medio de este contrato se unen los cónyuges con el fin de auxiliarse mutuamente. Esa obligación de carácter personal es también desarrollada por el artículo 176, *ibídem*, en cuanto ordena el socorro y ayuda mutua en todas las circunstancias de la vida. Y, como corolario, el ordinal 5º del artículo 1796, *ibídem*, dispone que el sostenimiento de los cónyuges incumbe a la sociedad conyugal.

Por su parte, en tratándose de los compañeros permanentes, la Ley 54 de 1990 define la unión marital de hecho como una comunidad de vida singular y permanente. De ahí se han elucubrado varias doctrinas encaminadas a reconocer los efectos personales de esa institución, uno de los cuales es, por supuesto, el de socorro y ayuda mutuos.

En punto al desarrollo concreto del principio de solidaridad familiar entre cónyuges y compañeros permanentes, la Corte Suprema de Justicia se manifestó en Sentencia STC9870 de 2020, M.P. Luis Armando Tolosa Villabona. Veamos:

> Los principios y valores que postula la ética democrática, y por supuesto, el principio de solidaridad social, en adición, también impone análoga conclusión como piedra angular para abordar el problema de las parejas de hecho o convivientes sin vínculo solemne. Aunque '(...) *cada persona debe velar por su propia subsistencia y por la de aquellos a quienes la ley le obliga, con fundamento en el principio de solidaridad, según el cual los miembros de la familia tienen la obligación de procurar la subsistencia a aquellos integrantes de la misma que no están en capacidad de asegurársela por sí mismos. Considera entonces esta Corte que la obligación alimentaria tiene su fundamento tanto

en el principio constitucional de protección a la familia, en la solidaridad[576], y en el principio de equidad, en la medida en que 'cada miembro es obligado y beneficiario recíprocamente'[577].

l derecho de exigir y la obligación de dar alimentos tienen su base, además, en el principio de solidaridad social y familiar enunciado. La solidaridad desde esta perspectiva es un vínculo, un compromiso perdurable en el tiempo y en el espacio, por cuanto '(...) *la solidaridad, es un principio, una norma y un derecho, con esencia ética, que endereza una relación horizontal de igualdad y que incorpora a cada sujeto en el cumplimiento de tareas colectivas internalizando el deber de ayuda y protección por el otro. Y si se trata de la solidaridad familiar se justifica de conformidad con las reglas 42, 13 y 5 de la Carta, que un integrante de la familia exija a sus parientes más cercanos asistencia y protección cuando se hallen en peligro sus derechos fundamentales'[578]".*

Así pues, no cabe duda del fundamento teórico que subyace a la previsión legal de que cónyuges y compañeros permanentes son titulares del derecho de alimentos. Acompañamos a Castillo Rugeles en su afirmación según la cual el hecho de que se busque la concreción de la obligación alimentaria de manera judicial o administrativa, mientras subsiste el vínculo, en lugar de fluir de la naturaleza misma de la relación, da buenas luces de que "la comunidad de vida entre ellos se halla seriamente quebrantada"[579].

Con todo, quedan algunos interrogantes que vale la pena abordar:

1°) Se ha cuestionado si los cónyuges que están separados de hecho, sin culpa de ninguno de los consortes, siguen siendo titulares del derecho de alimentos.

A nuestro juicio la respuesta es que sí, porque la exigencia es que medie un vínculo matrimonial, el cual es fácilmente acreditable con el registro civil de matrimonio. En opinión de la Corte Constitucional, la exigibilidad de

---

[576] Corte Constitucional, sentencias C-174/96 M.P. Jorge Arango Mejía, C-237/97 M.P. Carlos Gaviria Díaz y C-657/97 M.P. José Gregorio Hernández Galindo, entre otras.

[577] Corte Constitucional, sentencia C-156 del veinticinco (25) de febrero de dos mil tres (2003), Mg. Pon. Dr. Eduardo Montealegre Lynett.

[578] *Ídem.*

[579] Cfr. Jorge Antonio Castillo Rugeles. *Derecho de familia.* Ed. Leyer. Bogotá, 2000. Pág. 51.

alimentos cesa para el cónyuge separado de hecho si llegare a conformar una unión marital de hecho o contrajera, contra la ley, nuevas nupcias[580].

2°) Ha surgido la inquietud sobre si el cónyuge que ha abandonado al otro sin causa justificada preserva el derecho de alimentos.

VALENCIA ZEA sostuvo enfáticamente que no, apoyado en la doctrina foránea y la jurisprudencia francesa[581]. En nuestro criterio, la respuesta es afirmativa. Si el fundamento sobre el cual descansa la institución alimentaria es la solidaridad y ésta permanece incólume por no haber sido decretado el divorcio, el incumplimiento de los deberes por una de las partes no puede servir de excusa para que el otro se substraiga de los que a él le atañen. Expresado en otros términos, el cónyuge abandonado ha podido iniciar un proceso de divorcio, por el cual se obtiene el cierre definitivo del matrimonio y cesan en buena parte los derechos y deberes derivados de éste, pero, al no hacerlo, lanza señales inequívocas de que sigue dispuesto a cumplir con los mandatos legales que presiden su matrimonio, uno de los cuales es el deber de solidaridad. Siendo ello así, mal se podría resguardar en las culpas del otro para evitar cumplir los deberes que, por su propia decisión, permanecieron incólumes.

3°) Se discute la subsistencia de la titularidad del derecho de alimentos cuando media separación judicial de cuerpos, sin culpa de ninguno de los cónyuges.

En nuestra opinión, en tales eventos sí subsiste el derecho de alimentos[582]. Al respecto, téngase en cuenta que la norma de base autoriza al "cónyuge" para reclamar alimentos y los separados de cuerpos siguen ostentando tal condición. Habrá quien replique que el ordinal 4° del artículo 411 del Código Civil se refiere específicamente a la hipótesis de separación judicial de cuerpos al indicar que se deben alimentos, "a cargo del cónyuge culpable, al cónyuge (…) separado de cuerpos sin su

---

[580]   Dijo la Corte Constitucional en sentencia T-506 de 2011, M.P. HUMBERTO ANTONIO SIERRA PORTO: "Los cónyuges separados de hecho (…), entre tanto se mantengan sin hacer vida marital con otra persona conservan el derecho a los alimentos".

[581]   Cfr. ARTURO VALENCIA ZEA. *Derecho civil*, tomo V, *Derecho de familia*, 63. En apoyo de su posición, el civilista colombiano cita a HENRI, LEON y JEAN MAZEAUD y a KIPP y WOLFF.

[582]   Otra es la posición de CAÑÓN RAMÍREZ, quien afirma que en tales casos el derecho de alimentos no subsiste. (PEDRO ALEJO CAÑÓN RAMÍREZ. *Derecho civil*. Tomo II. Volumen 1. *Familia*. Ed. Presencia. Bogotá, 1995. Pág. 327).

culpa". Así, se afirmará que, por haber una disposición especial que se arrogó el conocimiento de los casos en que mediara separación judicial de cuerpos (porque la culpa solo es susceptible de ser decretada por un juez), queda de suyo excluida la posibilidad de invocar otra norma en defensa del derecho de alimentos.

Creemos que una apreciación semejante parte del equívoco insalvable de confundir el supuesto de hecho regulado en el ordinal 4° con el previsto en el ordinal 1° del artículo 411. En efecto, aquél subsume los casos en los que debe haber una declaratoria de culpabilidad, en tanto que éste se limita a expresar una regla genérica: los cónyuges se deben alimentos entre sí. No significa que con ello defendamos la posibilidad de que un cónyuge declarado culpable de la separación judicial de cuerpos pueda invocar el ordinal 1° del artículo 411 para solicitar alimentos al cónyuge inocente, porque en ese caso sí estamos en presencia de una regulación especial que, de no aplicarse, perdería todo sentido. Luego, la solución aquí planteada es en extremo sencilla: (i) cuando no hay cónyuges culpables en la separación judicial de cuerpos, ambos quedarán facultados, por virtud del ordinal 1°, para reclamar alimentos; (ii) cuando alguno de los cónyuges sea declarado culpable en la separación judicial de cuerpos, él perderá el derecho de reclamar alimentos y solo lo preservará el cónyuge inocente, por virtud de lo previsto en el ordinal 4° del artículo 411 del Código Civil[583].

A lo anterior es de añadir que, al decir de la Corte Constitucional, "[l]os cónyuges separados (...) de cuerpos o judicialmente, entre tanto se mantengan sin hacer vida marital con otra persona conservan el derecho a los alimentos"[584].

4°) Hay duda en relación con la titularidad del derecho de alimentos cuando media separación de bienes entre los cónyuges.

La respuesta, para el autor, es que sí hay titularidad del derecho de alimentos. La separación de bienes no es una figura que extinga el matrimonio y, consiguientemente, los cónyuges preservan su calidad de tales. Siendo ello así, mal se podría afirmar que están imposibilitados para invocar el ordinal 1° del artículo 411 en un juicio de reclamación de

---

[583] Esta segunda conclusión, según se verá en los párrafos que siguen, no es completamente compartida por la más reciente línea jurisprudencial de la Corte Suprema de Justicia.

[584] Sentencia T-506 de 2011, M.P. Humberto Antonio Sierra Porto.

alimentos. Lo anterior se robustece si se tiene en cuenta que el artículo 205 del Código Civil ordena que, "[e]n el estado de separación, ambos cónyuges deben proveer a las necesidades de la familia común a proporción de sus facultades". Ello implica que, si no hay facultades económicas por uno de los cónyuges, corresponde al otro subvenir las cargas familiares, una de las cuales es, sin duda, la manutención de su consorte. Esto se aplica, en idénticos términos, a los compañeros permanentes.

5°) Se debate el momento en que finaliza la obligación alimentaria decretada durante el matrimonio de los cónyuges o la unión marital de hecho de los compañeros permanentes.

Sea lo primero advertir que, en esta materia, está fuera de discusión que la obligación alimentaria que se concreta durante el matrimonio de los cónyuges o la unión marital de hecho de los compañeros permanentes sigue vigente después de la ruptura afectiva. Ello es así, en primer término, porque el artículo 422 del Código Civil indica que "[l]os alimentos que se deben por ley, se entienden concedidos para toda la vida del alimentario, continuando las circunstancias que legitimaron la demanda". Si bien uno de los requisitos exigidos (el vínculo jurídico) desaparece por la finalización de la relación, ha sido criterio consistente de la Corte Constitucional que el artículo 422, antes transcrito, se refiere a los requisitos de capacidad económica del alimentante y necesidad económica del alimentario[585].

Así, la discusión radica en el momento en que se puede dar por terminada la obligación alimentaria que inició en vigencia del matrimonio o la unión marital de hecho. Para dar respuesta, se debe enfatizar que el artículo 422 del Código Civil precisa que la obligación alimentaria subsiste mientras continúen "las circunstancias que legitimaron la demanda". De ahí que, ante la solvencia del acreedor o la insolvencia del deudor, sea posible solicitar la exoneración, disminución o aumento de la cuota. Una de las variaciones que, sin duda, sería relevante para el caso estudiado, podría constituirse por la celebración de nuevas nupcias o la conformación de una unión marital de hecho por el acreedor alimentario.

6°) Queda la inquietud de si la nulidad del matrimonio da lugar al pago de alimentos a los cónyuges.

---

[585]   Véanse, a manera de ejemplo, las sentencias de la Corte Constitucional T-559 de 2017, M.P. Iván Humberto Escrucería Mayolo, T-199 de 2016, M.P. Jorge Iván Palacio Palacio, y T-467 de 2015, M.P. Jorge Iván Palacio Palacio.

La respuesta, sencilla y contundente, es que no. El silencio del Legislador al respecto no se puede interpretar como una habilitación, porque la obligación alimentaria tiene su fuente en la ley. Ese criterio se ha sostenido por la Corte Suprema de Justicia en Sentencia STC10662 de 2016, M.P. Ariel Salazar Ramírez.

7°) Recientemente se ha hecho visible una discusión en torno a la posibilidad de que los *ex* cónyuges o compañeros permanentes sean titulares del derecho de alimentos.

En postura de la cual nos apartamos, el criterio más reciente de la Corte Suprema de Justicia parece indicar que los *ex* cónyuges o compañeros permanentes sí son titulares de tal derecho. Estos han sido los planteamientos de la Corporación:

> [T]ratándose de compañeros o de cónyuges[,] al margen de la culpabilidad o del elemento subjetivo que puede imputarse a su conducta para efectos de la terminación de su vida de pareja, así esa extinción se surta con respecto al vínculo solemne o meramente consensual; sin duda, pueden reclamarse alimentos entre sí, cuando uno de los compañeros o cónyuges se encuentre en necesidad demostrada, salvo las limitaciones que imponen los casos de *'injuria grave o atroz'*.

> De tal forma que los alimentos postruptura conyugal, marital, conviviente; postdivorcio o postcesación matrimonial para la pareja que, sin distingos de raza, color, sexo, religión, constituyó una familia, corresponden a un régimen excepcional, el cual de ningún modo puede ser ajeno el juez en el Estado de Derecho Constitucional y Social. Por supuesto que en el caso de las uniones de hecho, ante las intermitencias y veleidades de algunas de ellas, el juez debe analizar los tiempos de permanencia de la convivencia (por ejemplo, la del caso concreto superó los veinte años), esto es, su duración; los roles de la pareja, la situación patrimonial, el estado de salud o enfermedades graves, la edad de las partes, las posibilidades de acceso al mercado laboral del necesitado, la colaboración prestada a las actividades del otro, las responsabilidades en la economía del hogar, etc.

> Se trata también de la solidaridad posterminación, que mediante juicios de inferencia analiza en cada situación de hecho el juez, sin que se trate de una indemnización por daños o de enriquecimiento injusto, o de la construcción de un régimen sancionatorio o culpabilístico, como consecuencia de actos antijurídicos, como los tocantes con la regla 411 del numeral 4 del C.C. colombiano vigente.

> Incumbe a un tratamiento singular y extraordinario, *'no común ni habitual'* de las prestaciones alimentarias entre la pareja que da por terminada su convivencia, coherente con el concepto de Estado Constitucional y social de derecho, que defiende la familia, el socorro, la ayuda mutua, la ética social y familiar en las relaciones familiares de pareja y en la buena fe en la cele-

bración de los negocios o actos jurídicos familiares como los concernientes a los acuerdos de una pareja que edificara una familia, frente a la regla general de la cesación de toda obligación recíproca entre excompañeros o excónyuges. No emerge, por consiguiente, se itera, como sanción o castigo, ni como fuente de enriquecimiento para el necesitado; sino que brota de las entrañas del Estado Constitucional fincado en valores, principios y derechos, anclado en una axiología desde la estructura jurídica y ética de la familia, ante la fragilidad, la debilidad, el desamparo o la incapacidad vital, como puede quedar uno de los convivientes, que por tanto, reclama una hermenéutica humanitaria y fraterna, desde la óptica de la solidaridad familiar, de la equidad y de la ética.

Por consiguiente, para la determinación de la cuota alimentaria, tal cual se anticipó, el juez debe entonces, observar elementos tales como la posibilidad de la reinserción laboral del cónyuge o compañera alimentario, su edad, el número de hijos, la calificación laboral que se posea, la dignidad humana, acorde con las condiciones que se tenían antes de la ruptura o terminación de la unión; y por supuesto, la capacidad económica del obligado y sus propias necesidades y obligaciones alimentarias frente a quienes dependen de él; sin que ahora se predique que se trata de la continuación de la unión postdisolución, o del surgimiento de una carga prestacional eterna, sino dependiente de la permanencia o vigencia de la necesidad del alimentario y de la capacidad del obligado; pues puede extinguirse porque si se prueba la desaparición de la necesidad del acreedor o la capacidad del deudor, en fin, reviste una naturaleza diferente a la erigida con fundamento en la relación inocencia-culpabilidad, encofrado y detonante de la causal 4 del art. 411 del C.C., citado[586].

La loable intención de la Corporación, que se anuncia en sí misma como absolutamente excepcional, no encuentra respaldo en la ley. Ciertamente, se habrá de configurar la titularidad del derecho, o bien mediante el ordinal 1° del artículo 411, o bien por medio de su ordinal 4° (a pesar de las constantes distinciones que recalca la Corte). Pero lo indiscutible es que no hay una previsión legal en que encaje, porque quienes finalizan su vínculo amoroso, sea que se trate de un matrimonio, ora de una unión marital de hecho, pierden la condición de cónyuges y compañeros permanentes, respectivamente, luego su supuesto fáctico no se subsume en lo previsto por el ordinal 1° del artículo 411 del Código Civil.

Si bien se puede justificar, como muy bien lo hizo la Corte Suprema de Justicia, que la titularidad del derecho de alimentos se desprende de los

---

[586] Sentencias de la Sala de Casación Civil de la Corte Suprema de Justicia: (i) STC6975 de 2019, M.P. Luis Armando Tolosa Villabona; (ii) STC13758 de 2019, M.P. Luis Armando Tolosa Villabona; (iii) STC9870 de 2020, M.P. Luis Armando Tolosa Villabona; y (iv) STC1512 de 2021, M.P. Octavio Augusto Tejeiro Duque.

postulados constitucionales, que no legales, la verdad es que muta dramáticamente el ordenamiento jurídico porque impone una nueva obligación alimentaria que antes no existía.

Para evitar que esta nueva categoría deje sin utilidad práctica la titularidad del derecho de alimentos asignada por el ordinal 4° del artículo 411 del Código Civil al cónyuge o compañero permanente inocente de la ruptura, y a cargo del culpable, es fundamental comprender y aplicar la naturaleza excepcional de la nueva figura. Solo procede en casos absolutamente especiales donde se pueda avizorar que, aún con culpa de las partes, las circunstancias propias de la relación (como la duración, los oficios hogareños desempeñados por el reclamante, entre otros) exigen que uno de los extremos sea beneficiario de alimentos. Porque si no se tiene clara la condición extraordinaria, fácilmente se podría decir que no tiene más cabida en el ordenamiento jurídico colombiano el ordinal 4° del artículo 411 del Estatuto Civil, en cuanto todos los *ex* cónyuges o compañeros permanentes, culpables o inocentes, quedarían facultados en lo sucesivo para reclamar alimentos, lo que no corresponde a la realidad[587].

Esta nueva tendencia de la Corte Suprema de Justicia, que tuvo origen en una sentencia de la Corte Constitucional de principios de siglo, se asemeja en buen grado a las reglas previstas en el Código Civil argentino, antes de su derogatoria por el Código Civil y Comercial de 2014. Mientras había causales de divorcio vincular (hoy desaparecidas), con fundamento en algunas de las cuales procedía la declaratoria de "culpabilidad", el "culpable" quedaba conminado a la satisfacción de alimentos en favor del "inocente" a fin de evitar disminuir las condiciones de vida en que se encontraba antes de la ruptura. Sin embargo, el desaparecido artículo 209 del Código Civil argentino disponía que:

> [c]ualquiera de los esposos, haya o no declaración de culpabilidad en la sentencia de separación personal, si no tuviera recursos propios suficientes ni posibilidad razonable de procurárselos, tendrá derecho a que el otro, si tuviera medios, le provea lo necesario para su subsistencia.

---

[587] Es por estos motivos que antes se afirmó que nuestra conclusión, relacionada con la pérdida de la titularidad del derecho de alimentos por el cónyuge culpable de la separación de cuerpos, no es necesariamente prohijada por esta reciente línea jurisprudencial de la Corte Suprema de Justicia. En efecto, si se admite que los *ex* cónyuges (y *ex* compañeros permanentes) se encuentran facultados para solicitar alimentos, independientemente de la culpabilidad en la ruptura de la relación, se debe admitir, *a pari*, que los cónyuges culpables de la separación de cuerpos no pierden, por ese hecho, su titularidad del derecho de alimentos.

La disposición transcrita era, sin duda alguna, constitutiva de un régimen de excepción, similar al que se pretende aplicar hoy en Colombia.

Al comentar la preceptiva, MAZZINGHI recuerda que el:

> derecho a percibir alimentos que reconoce la norma (...) no tiene por fundamento la obligación genérica entre cónyuges, que fluye del art. 198, ni su mantenimiento posterior a la separación, que se reconoce a favor del inocente. La previsión de la ley es una consecuencia de solidaridad personal entre cónyuges, que la separación atenúa, pero no elimina por completo, hasta el extremo de consentir que uno pueda contemplar con indiferencia la miseria del otro"[588].

De ahí deriva justamente su naturaleza excepcional, porque, en sus propias palabras,

> la idea central que inspira [los alimentos derivados del régimen de culpabilidad] consiste en impedir que, producida la crisis matrimonial, el inocente de ella deba sufrir, además del quebranto moral que suele ocasionar tal crisis, una sensible disminución del nivel económico de que gozaba[589].

En todo caso, valga aclarar que, cuando afirmamos que nos apartamos de los planteamientos de la Corte Suprema de Justicia en la creación de este régimen, no queremos decir que nos opongamos a su fundamentación. Lo que ocurre es que no hay disposición legal alguna que permita sostener el régimen y, consiguientemente, la fijación de los contornos de esta novedosa obligación se librará a la jurisprudencia y a la doctrina. Ello abre paso a un cierto grado de inseguridad jurídica y nos fuerza a hacer un llamado, por un lado, al Congreso de la República para que legisle sobre la materia y, por el otro, a los operadores jurídicos para que sean cautelosos y acudan a la jurisprudencia internacional con el fin de ilustrar su posición sobre la procedibilidad de la concreción de la obligación alimentaria en los casos particulares que sean puestos en su conocimiento.

II. Descendientes (matrimoniales, extramatrimoniales y adoptivos)

PLANIOL y RIPERT, siguiendo a LOYSEL, enseñan que "[q]uien hace al niño debe alimentarlo"[590].

---

[588] JORGE ADOLFO MAZZINGHI. *Tratado de derecho de familia.* Tomo III. *Separación personal y divorcio.* 4ª Edición. Ed. La Ley. Buenos Aires, 2006. Pág. 261.

[589] *Ibídem.* Pág. 246.

[590] MARCEL PLANIOL Y GEORGES RIPERT, con el concurso de RENÉ SAVATIER. *Tratado práctico de derecho civil francés.* Tomo I. *De las personas.* Trad. MARIO DÍAZ CRUZ. Ed.

Desde luego, aquí también obra como fundamento básico el principio de solidaridad, consagrado en los artículos 1° y 95 de la Carta Política, cuya proyección en la familia se hace visible en los artículos 5° y 42, *ibídem*. Pero de su fuente directa se ocupan el inciso del artículo 42 que ordena la progenitura responsable y el artículo 44 que consagra los derechos fundamentales de los niños.

Sobre el particular, la Corte Constitucional entendió desde muy temprano que "la obligación alimentaria, contemplada de tiempo atrás en el Código Civil, encuentra hoy fundamentos mucho más firmes en el propio texto de la Constitución Política, particularmente en cuanto respecta a los niños (art. 44 C.P.)"[591]. Además, y muy en línea con los planteamientos de PLANIOL y RIPERT, la Corporación ha señalado que

> el derecho de alimentos, cuando los titulares son menores de edad, exige por parte del alimentante o persona obligada a darlos, generalmente los padres, una gran responsabilidad constitucional y legal, en tanto se encuentran en juego principios, valores y derechos fundamentales, puesto que este derecho es indispensable y esencial para el desarrollo de los niños, niñas y adolescentes, los cuales se hallan inhabilitados para proveer su propio sostenimiento y se encuentran en una situación de indefensión y vulnerabilidad por ser menores de edad o por otras razones señaladas por el legislador. En efecto, así como los padres tienen derecho a decidir libre y responsablemente el número de hijos que desean tener, consecuentemente les asiste la obligación de cuidarlos, sostenerlos y alimentarlos desde su concepción, durante el embarazo y parto, y mientras sean menores de edad, con el fin de garantizarles una vida digna y el ejercicio pleno de sus derechos fundamentales[592].

En el capítulo I de este tomo se dejó establecido que los alimentos son una manifestación directa de los Derechos y obligaciones *personales* entre padres e hijos. Bastante se ha desarrollado, en este capítulo, la finalidad extra patrimonial de la obligación alimentaria, con lo cual se disipa toda duda en cuanto a que se trata de un derecho-obligación *personal* y no *patrimonial*. Ahora nos ocuparemos, en detalle, del desarrollo de esta cuestión.

Para comenzar, es preciso observar que la obligación alimentaria que se tiene con los descendientes emana del conjunto de Derechos y obligaciones *personales* entre padres e hijos, antes estudiados. Así, por ejemplo, se proyecta como concreción de los deberes de *crianza*, *educación* y *establecimiento* que tienen los padres (art. 253, 257 y 258 del Código Civil); pues nadie pone en

---

Cultural S.A. La Habana, 1935. Pág. 350.

[591]   Sentencia T-657 de 1997, M.P. JOSÉ GREGORIO HERNÁNDEZ GALINDO.

[592]   Sentencia C-017 de 2019, M.P. ANTONIO JOSÉ LIZARAZO OCAMPO.

tela de juicio que la cumplida satisfacción de esas obligaciones requiere, en buena parte, de recursos líquidos y no solo morales o espirituales.

De esa forma, se tiene que los extremos de la obligación alimentaria son, por un lado, los padres, en condición de deudores, y, por el otro, los hijos, en condición de acreedores.

Sin embargo, puede ocurrir, porque el ministerio de la ley así lo previó, que en el extremo pasivo de la obligación se ubiquen los abuelos (artículo 260 del Estatuto Civil), cuandoquiera que los padres carezcan de bienes para alimentar y educar a sus propios hijos. Sobre este aspecto, la Corte Suprema de Justicia tiene un icónico planteamiento que, por su relevancia, se transcribe *in extenso*:

> [E]l derecho de los hijos a percibir alimentos de sus abuelos (paternos o maternos) está consagrado en el canon 260 del comentado estatuto civil[593], el cual señala que «[l]*a obligación de alimentar y educar al hijo que carece de bienes, __pasa__, por la falta o insuficiencia de los padres*, a los abuelos por una y otra línea conjuntamente», advirtiendo seguidamente que, «[e]*l juez reglará la contribución, tomadas en consideración las facultades de los contribuyentes, y podrá de tiempo en tiempo modificarla, según las circunstancias que sobrevengan*» (Énfasis de la Sala).

> Dada la trascendencia del caso, es preciso aclarar que el Legislador con el establecimiento de dicha norma no pretende indultar o exonerar a los padres de la obligación de dar alimentos a sus hijos, pues, se recalca, siempre esta será responsabilidad de éstos; la cual subsistirá mientras no se extingan o desaparezcan las circunstancias que avalan su reclamo, sino que está consagrando dos eventualidades claramente **excepcionales** para que los abuelos paternos y maternos entren a sufragar o complementar los gastos que demanda la aludida obligación[594], situación que puede llegar a ser indefinida o temporal, según el caso, de ahí que se hace necesario entender cuál es el significado de las expresiones *falta* e *insuficiencia*, pues tales locuciones viene a ser, en términos procesales, presupuestos de la acción, los cuales está forzado a probar, indudablemente, el peticionario.

---

[593] Norma que se debe armonizar con los artículos 411 y 416 *ejusdem*.

[594] Esto en desarrollo del principio de solidaridad que impera en nuestro ordenamiento y que se hace visible en esta materia en el inciso 2° del artículo 44 superior, el cual prevé que *"La familia, la sociedad y el Estado tienen la obligación de asistir y proteger al niño para garantizar su desarrollo armónico e integral y el ejercicio pleno de sus derechos. Cualquier persona puede exigir de la autoridad competente su cumplimiento y la sanción de los infractores."*

2.6. De acuerdo al diccionario de la Real Academia Española (RAE)[595], el primer enunciado hace alusión a la *"Carencia o privación de algo"*, mientras que la segunda palabra *"Falta de suficiencia"* o *"Cortedad o escasez de algo"*, enunciados que para esta puntual temática se han entendido y deben entenderse, de un lado, como ausencia del progenitor o progenitora por causa de su muerte o desconocimiento de su paradero, hipótesis en que se debe incluir, en criterio de la Corte, al secuestrado[596], y de otro, la escasez de recursos para costear la real necesidad del alimentario[597], circunstancias que deberá analizar el juez en cada caso en particular de acuerdo a sus matices, de cara a establecer, entonces, si fija o no la respectiva cuota alimentaria, en la proporción que legalmente corresponda, la cual podrá ser modificada o revocada según las sucesos que sobrevengan.

2.7. Así mismo, es posible acotar que, aunque en el imaginario común se pudiera pensar que en los casos del padre o madre renuentes a atender las necesidades de sus hijos, el citado canon premia su falta de interés, siendo eufemísticos, lo cierto es que esta, como antes se dijo, no releva a éstos de su obligación de prodigar los alimentos y, por ende, de que sean objeto de sanciones civiles, administrativas y penales, como lo son, entre otras, la suspensión o privación de la patria potestad del menor, lo que conlleva a la pérdida del ejercicio de la administración y usufructo de sus bienes, hecho que, se recuerda, no los exonera de sus deberes (Art. 288 y s.s. C.C.); medida de restablecimiento de derechos (Art. 53 Ley 1098/06); y, prisión de uno (1) a tres (3) años y multa de diez (10) a veinte (20) SMLMV cuando la inasistencia alimentaria se cometa contra un menor de catorce (14) años, siendo de dos (2) a cuatro (4) años y multa de quince (15) a veinticinco (25) SMLMV, si aquel supera esta edad (Art. 233 Ley 599/00), delito que está obligado el funciona-

---

[595]   Consultado en http://www.rae.es/ Link *"diccionario de la lengua española"*.

[596]   Pues recuérdese que conforme al artículo 11 de la Ley 986 de 2005, *"Por medio de la cual se adoptan medidas de protección a las víctimas del secuestro y sus familias, y se dictan otras disposiciones"*, se interrumpirán para el deudor secuestrado, de pleno derecho y retroactivamente a la fecha en que ocurrió el delito de secuestro, los términos de vencimiento de todas sus obligaciones dinerarias, tanto civiles como comerciales, que no estén en mora al momento de la ocurrencia del secuestro. Las respectivas interrupciones tendrán efecto durante el tiempo de cautiverio y se mantendrán durante un período adicional igual a este, que no podrá ser en ningún caso superior a un año contado a partir de la fecha en que el deudor recupere su libertad; además, durante el tiempo del cautiverio estarán interrumpidos los términos y plazos de toda clase, a favor o en contra del secuestrado, dentro de los cuales debía hacer algo para ejercer un derecho, para no perderlo, o para adquirirlo o recuperarlo (Art. 13, *ejusdem*), y los procesos ejecutivos en contra de una persona secuestrada originados por la mora causada por el cautiverio, y los que se encuentren en curso al momento de entrar en vigencia la presente ley, se suspenderán de inmediato, durante el término señalado con antelación (Art. 14 *ídem*).

[597]   Ver en este sentido, CSJ STC316-2017.

rio judicial a poner en conocimiento de la autoridad competente, para que sea investigado (Art. 153-6 Ley 270/96)"[598].

Por las diferencias en los regímenes aplicables a los descendientes, según su edad, analizaremos separadamente el caso del nasciturus, el del menor de edad y el del mayor de edad. Veamos:

1. El *nasciturus*

Desde la Ley 75 de 1968 se previó, en su artículo 35, que la mujer grávida podría solicitar al juez de menores que se decretaran alimentos a su favor. La disposición fue objeto de críticas, en la medida en que no era correcto afirmar que los alimentos se decretaran *a favor* de ella, pues las más de las veces carecía de título legal habilitante.

Para enmendar el yerro, el artículo 135 del Código del Menor dispuso que "[l]a mujer grávida podrá reclamar alimentos respecto del hijo que está por nacer, del padre legítimo o del que haya reconocido la paternidad en el caso del hijo extramatrimonial". Esta norma fue recogida, en forma idéntica, por el ordinal 1º del artículo 111 del Código de la Infancia y la Adolescencia.

Sobre el particular, repárese en que la disposición exige, como es natural, que el deudor alimentario sea el padre (matrimonial o extramatrimonial) del *nasciturus*, lo que supone necesariamente el reconocimiento de la paternidad. Empero, nada obsta para que los alimentos se fijen en un proceso de investigación de paternidad.

En cuanto a la extensión y alcance de los alimentos, el artículo 24 del Código de la Infancia y la Adolescencia, *in fine*, prevé que "[l]os alimentos comprenden la obligación de proporcionar a la madre los gastos de embarazo y parto". Naturalmente, en este estado prematuro de vida, que apenas supone la concepción, el humano no podrá recibir otros alimentos que los que ingiera la madre, ni podrá estudiar u obtener recreación alguna. Acaso se lo podrá estimular tempranamente, por lo que se impone la conclusión de que la *necesidad* del *nasciturus* se probará a partir de los gastos que entrañan el embarazo y el parto.

---

[598] Sentencia de la Sala de Casación Civil de la Corte Suprema de Justicia STC13837 de 2017, M.P. Álvaro Fernando García Restrepo, luego reiterada, entre muchas otras, en las sentencias STC8090 de 2020, M.P. Francisco Ternera Barrios, y STC2054 de 2021, M.P. Luis Armando Tolosa Villabona.

2. Los menores de edad

Situación especial se presenta con los menores de edad. Como se ha recalcado, son sujetos de especial protección (art. 44 de la Carta Política) y los alimentos que se les deben encajan en una categoría especial que comprende, además de una dieta balanceada, todos medios para su desarrollo físico, psicológico, espiritual, moral, cultural y social, de acuerdo con la capacidad económica del alimentante; esto es, todo lo indispensable para el sustento, habitación, vestido, asistencia médica, recreación, educación o instrucción y, en general, todo lo que es necesario para su desarrollo integral (art. 24 del Código de la Infancia y la Adolescencia).

De lo anterior se colige, por un lado, que la condición *sujetos de especial protección* despliega sus efectos sobre la necesidad de alimentos, la cual se da por sentada; y, por el otro, que no se procura ya atender su congrua subsistencia, sin más, sino que se propende por garantizar el desarrollo integral del menor de edad y satisfacer su interés superior.

Para cumplir los altos propósitos impuestos por el ordenamiento superior, el Código de la Infancia y la Adolescencia consagra reglas especiales para el trámite de los alimentos en favor de un menor de edad.

La primera de ellas, ya explicada, es la concerniente a la facultad del juez para auscultar la capacidad económica del demandado y la presunción de que no devenga menos de un salario mínimo legal mensual vigente (inc. 1° del art. 129 del Código de la Infancia y la Adolescencia).

La segunda consiste en la facultad que se confiere al juez para ordenar que el demandado constituya un capital para garantizar el cumplimiento de los alimentos futuros. De no hacerlo, la autoridad judicial queda habilitada para decretar el embargo, secuestro, avalúo y remate de los bienes o derechos del demandado, los cuales se practicarán con sujeción a las reglas del proceso ejecutivo. Empero, el embargo se podrá levantar si el obligado paga las cuotas atrasadas y presta caución que garantice el pago de las cuotas correspondientes a los dos años siguientes (inc. 2°, 3° y 4° del art. 129 del Código de la Infancia y la Adolescencia).

La tercera corresponde a la competencia que se le atribuye al juez de familia para el cobro o ejecución de cuotas vencidas, y las que en lo sucesivo se llegaren a causar, cuando la obligación alimentaria es concretada mediante acuerdo privado o en conciliación extrajudicial (inc. 5° del art. 129 del Código de la Infancia y la Adolescencia).

La cuarta tiene que ver con la posibilidad de que el juez impida la salida del país del demandado, cuandoquiera que advierta la mora en una o más cuotas alimentarias, hasta que preste garantía suficiente (inc. 6° del art. 129 del Código de la Infancia y la Adolescencia). Es muy importante advertir que la Corte Suprema de Justicia ha modulado los efectos de esta norma. Si bien es cierto que está redactada en forma imperativa, de donde se podría afirmar que no es una facultad sino una obligación del juez, no lo es menos que el entendimiento armónico del ordenamiento jurídico conduce a la conclusión de que se otorga al juez una amplia gama de "medidas cautelares con el propósito de que el obligado a suministrar alimentos no evada su responsabilidad". Mas ello no supone una camisa de fuerza que lleve a desenlaces adversos para el menor, como la pérdida del trabajo del padre[599].

La quinta es una indexación automática, de origen legal, para las cuotas alimentarias, que opera el 1° de enero del año siguiente a aquel en el cual se fija y su ajuste corresponde al índice de precios al consumidor certificado por el Departamento Administrativo Nacional de Estadística. Tal regla, sin embargo, es de naturaleza supletiva, por lo que solo tiene validez cuando las partes no pacten, el juez no disponga o el funcionario administrativo no indique cosa distinta (inc. 7° del art. 129 del Código de la Infancia y la Adolescencia).

La sexta consiste en la posibilidad que le asiste al juez para ordenar que, respecto de los demandados que estén vinculados con contratos de trabajo, se embargue hasta el cincuenta por ciento del salario y las prestaciones sociales. El embargo supone una orden al empleador para efectuar el descuento, so pena de responder solidariamente por las cantidades no descontadas (ord. 1° del art. 130 del Código de la Infancia y la Adolescencia).

La séptima, que se contempla como subsidiaria de la octava, autoriza decretar medidas cautelares sobre bienes corporales e incorporales, en cantidad suficiente para garantizar la obligación, hasta el 50 % de los frutos que produzcan (ord. 2° del art. 130 del Código de la Infancia y la Adolescencia). Quedan excluidos de las medidas precautelativas los útiles e implementos de trabajo del deudor-alimentante.

La octava, que ha sido objeto de amplias discusiones, tiene que ver con la facultad de acumular los procesos que recaigan sobre el mismo objeto y contra la misma persona por concepto de alimentos (art. 131 del Código de la Infancia y la Adolescencia). Su viabilidad era muy clara cuando el

---

[599] Véase la sentencia STC15663 de 2015, M.P. LUIS ARMANDO TOLOSA VILLABONA.

trámite judicial de alimentos seguía las reglas especiales previstas en el Código del Menor, que no fueron objeto de derogatoria por el Código de la Infancia y la Adolescencia. Sin embargo, con la promulgación del Código General del Proceso y la subsecuente derogatoria del juicio especial previsto en el Código del Menor, se puso en entredicho la subsistencia de esta facultad acumulativa. A juicio del autor es plenamente viable la acumulación, al menos por dos motivos: (i) desde el punto de vista procesal, pese a que el juicio de fijación de alimentos se tramita como verbal sumario (que no admite acumulación), el ordinal 2º del parágrafo 2º del artículo 397 del Código General del Proceso remite a las normas especiales del Código de la Infancia y la Adolescencia, una de las cuales es la que ahora se comenta; y (ii) desde la óptica sustancial, la razón de ser de la acumulación obedece a la garantía del interés superior de los menores de edad y su protección integral, pues procura evitar que, por dispersión de procesos en múltiples despachos, uno de ellos agote la capacidad del deudor-alimentante, en perjuicio de los demás acreedores-alimentarios. Por tal motivo, se estima procedente la acumulación de procesos cuando los demandantes sean menores de edad, se persiga la concreción o satisfacción de obligaciones alimentarias y el demandado sea el mismo deudor-alimentante.

La novena tiene mucho que ver con la razón por la cual ANDRÉS BELLO decidió separar la institución de Derechos y deberes personales entre padres e hijos y la patria potestad, pues consiste en la aclaración de que la *suspensión* o *privación* de la patria potestad no implica la cesación de la obligación alimentaria. Sin embargo, se precisa que la obligación alimentaria sí termina cuando el menor de edad es entregado en adopción (art. 132 del Código de la Infancia y la Adolescencia). En nuestra opinión esta regla sobra, pues repite una consecuencia que es obvia. Si los Derechos y deberes *personales* entre padres e hijos son una institución autónoma y diferente de la patria potestad, y el derecho de alimentos se ubica en la primera figura jurídica, no hay motivos para creer que la terminación de la patria potestad podría conducir a la finalización de la obligación alimentaria.

La décima entraña el mandato de que los créditos por alimentos en favor de los niños y adolescentes tienen prelación sobre los demás (art. 134 del Código de la Infancia y la Adolescencia). Evidentemente, se trata del desarrollo indefectible del apartado final del artículo 44 de la Carta Política en cuanto dispone que los derechos de los menores de edad prevalecen sobre los de los demás.

La décima primera y última regla consagra una legitimación especial en el trámite de alimentos, según la cual los representantes del menor de edad o el Defensor de Familia quedan habilitados para promover los procesos necesarios tendientes a la protección y efectividad del pago de la obligación alimentaria, incluidos los relacionados con la simulación de actos jurídicos para evitar la insolvencia. Esta regla ha sido particularmente abordada por la Corte Suprema de Justicia en sentencias STC8585 de 2016, M.P. LUIS ARMANDO TOLOSA VILLABONA, y SC21761 de 2017, M.P. LUIS ARMANDO TOLOSA VILLABONA, en las que retomó el interés jurídico del menor de edad para intentar juicios de simulación contra actos celebrados por el progenitor y arribó a las siguientes conclusiones: (i) la primera demanda, que es desde cuando se deben los alimentos, no corresponde a la fecha de la actuación procesal, sino a la fecha de reclamación por el medio que se quiera[600]; (ii) el interés jurídico no depende de la concreción de la obligación alimentaria, "sino de las circunstancias objetivas que lesionan o ponen en peligro un bien jurídico subjetivo tutelado por la ley, que en el caso que se examina se materializó en la desaparición del patrimonio con el propósito de menoscabar su derecho fundamental"; y (iii) "[e]l interés del menor demandante para el ejercicio de la acción de simulación, únicamente requiere para la fecha de la demanda, como lo tiene anticipado esa misma Corporación en doctrina aplicable, '(….) *que sea actualmente titular de un derecho cuyo ejercicio se halle impedido o perturbado por el acto ostensible, y que la conservación de ese acto le cause un perjuicio (…)*'[601]".

3. Mayores de edad

CHAMPEAU y URIBE señalan que

> los ascendientes también deben alimentos a sus hijos adultos, fuera de la obligación más estrecha que les impone la ley para con ellos, hasta que estén educados, porque por el hecho de dar la vida a miembros de la sociedad humana se contrae la obligación de conservársela"[602].

---

[600] Esta misma postura fue prohijada por la Corte Constitucional en sentencia C-017 de 2019, M.P. ANTONIO JOSÉ LIZARAZO OCAMPO, cuando declaró la exequibilidad de la expresión "primera demanda", contenida en el artículo 423 del Código Civil.

[601] CSJ. Civil. Sentencia de 14 de octubre de 2010, expediente 00855.

[602] EDMOND CHAMPEAU y ANTONIO JOSÉ URIBE. *Tratado de derecho civil colombiano,* tomo I, 445. Conviene aclarar que, para el momento en que se redactó la cita que ahora se transcribe, el artículo 34 del Código Civil establecía que eran adultos los mayores de dieciocho años, pero la mayoría de edad solo se reconocía hasta cumplir los veintiún años de edad. No fue sino hasta la promulgación de la ley 27 de 1977 que se fijó la mayoría de edad a los dieciocho años, con lo cual las expresiones "adulto" y "mayor de edad" pasaron a ser sinónimas. A pesar de que la apreciación de los au-

Tan nítida elucubración pone al descubierto una verdad irrefutable: la obligación alimentaria, propia que es de los derechos y obligaciones *personales* entre padres e hijos, no se extingue por el hecho de que éstos alcancen la mayoría de edad. Una vez más se constata, entonces, el incontestable acierto de Bello al separar esta figura de la patria potestad, habida cuenta de que no es materia de debate que los padres no pierden su condición de tales por la adultez de sus retoños; las obligaciones naturales entre unos y otros se perpetúan, ordinariamente, hasta el fallecimiento. Esas son las leyes naturales de la vida y su trascendencia en el ordenamiento jurídico no puede ser menos que elogiada.

El artículo 422 del Estatuto Civil, *in fine*, establece que "ningún varón de aquéllos a quienes sólo se deben alimentos necesarios, podrá pedirlos después que haya cumplido veintiún años [hoy dieciocho[603]], salvo que por algún impedimento corporal o mental, se halle inhabilitado para subsistir de su trabajo". La exequibilidad de la disposición transcrita fue declarada por la Corte Constitucional en Sentencia C-875 de 2003, M.P. Marco Gerardo Monroy Cabra, bajo el entendido de que también se encuentra referida a las mujeres. Sin embargo, más importante es observar que la norma es hoy inoperante en el contexto de los hijos[604], porque, por un lado, mientras

---

tores se dirigía a quienes seguían siendo menores de edad, su vigencia permanece incólume entre nosotros y es plenamente aplicable a estas consideraciones.

[603] En sentencia C-875 de 2003, M.P. Marco Gerardo Monroy Cabra, la Corte Constitucional precisó lo siguiente: "La edad de veintiún años, a que hace referencia la disposición, marca el límite entre la minoría y la mayoría de edad para quienes pretenden reclamar este crédito. En virtud de la modificación introducida por la Ley 27 de 1977, la mayoría de edad en Colombia pasó de los veintiuno a los dieciocho años, razón por la cual la norma acusada debe entenderse subrogada en ese aspecto. Así las cosas, ha de concluirse que, según los términos de la norma, los varones mayores de dieciocho años están inhabilitados para demandar alimentos necesarios, a menos que demuestren un impedimento corporal o mental que no les permita subsistir de su trabajo".

[604] Es imprescindible aclarar que, en sentencia del 7 de mayo de 1991, M.P. Héctor Marín Naranjo, expediente 463606, la Sala de Casación Civil y Agraria sostuvo que, "según el alcance que la jurisprudencia le ha dado al artículo 422 del Código Civil, se deben alimentos necesarios al hijo que estudia, aunque haya alcanzado la mayoría de edad". Ese planteamiento fue recogido en las siguientes sentencias de tutela, proferidas por la misma Corporación: (i) 9 de julio de 1993, M.P. Eduardo García Sarmiento, expediente 632; (ii) 18 de noviembre de 1994, M.P. Héctor Marín Naranjo, expediente 1705; (iii) 3 de febrero de 2010, M.P. Edgardo Villamil Portilla, expediente 2009-265; y (iv) STC11059 de 2018, M.P. Aroldo Wilson Quiroz Monsalvo. En la última de las providencias señaladas se indicó

son menores de edad rige para ellos la categoría especial de alimentos consagrada en el artículo 24 del Código de la Infancia y la Adolescencia y, por el otro, una vez alcanzan la mayoría de edad, por su condición de descendientes son todos beneficiarios de alimentos congruos (no necesarios). De manera que, contrario a lo que usualmente se cree, no es este el fragmento

---

que el inciso segundo del artículo 422 era el que se había interpretado en el sentido de que los hijos mayores de edad solo tenían derecho a percibir alimentos "necesarios". Nos apartamos de las consideraciones de la Corte Suprema de Justicia, puesto que la interpretación que se ha transcrito tenía cabida en una concepción anterior del ordenamiento jurídico, en la que los artículos 411 y 414 del Código Civil preveían que los hijos y descendientes "naturales", así como los hijos adoptivos, tenían derecho a alimentos *necesarios*, en tanto que los descendientes "legítimos" podían reclamar alimentos *congruos*. Con ese andamiaje normativo era claro que el inciso segundo del artículo 422, transcrito en el texto principal, limitaba indefectiblemente el derecho de alimentos de los hijos y descendientes "naturales", así como de los hijos adoptivos, después de cumplida la mayoría de edad, salvo que mediara una discapacidad particular, por lo que la Corporación, en un entendimiento coherente y garantista, interpretó la disposición en el sentido de que la obligación subsistía para estos individuos después de alcanzada la mayoría de edad, siempre que estuvieran estudiando. Pero con la promulgación de la ley 29 de 1982, la adopción de la Carta Política de 1991 y la expedición de la sentencia de la Corte Constitucional C-105 de 1994, M.P. Jorge Arango Mejía, en la que se declaró inexequible la expresión "legítimos", que condicionaba a los descendientes del ordinal 2° del artículo 411 del Código Civil, todos los descendientes, sin importar el tipo de filiación, quedaron incluidos en ese ordinal, con lo cual se hicieron beneficiarios de los alimentos *congruos*, en los términos del inciso primero del artículo 414, *ibídem*. Siendo ello así, como en efecto lo es, se impone la conclusión de que ya no hay hoy, en Colombia, hijos o descendientes a los que se les deban alimentos *necesarios*, porque todos, sin excepción, son acreedores de dos tipos alimentos: (i) los previstos en la categoría especial de que trata el artículo 24 del Código de la Infancia y la Adolescencia, cuando todavía son menores de edad; y (ii) los *congruos*, una vez alcanzada la mayoría de edad. Y tampoco hay disposición alguna que establezca que a los descendientes mayores de edad se les deban, por el solo hecho de alcanzar la adultez, alimentos *necesarios*. Con motivo de lo anterior, el autor se aparta de los planteamientos de la Corte Suprema de Justicia en esta materia. No se desconoce que las providencias transcritas fueron aplicadas, también, en casos de hijos *matrimoniales*, con lo cual se podría oponer alguna réplica al planteamiento del autor. Empero, cualquier fundamentación del pasado parece haber quedado sin piso hoy, especialmente porque si se admitiera que a los hijos mayores de edad tan solo se les deben alimentos *necesarios*, no se habría de consultar su *posición social* y, consiguientemente, bastaría con que el padre suministrara una cuota mínima, útil para sufragar estudios superiores en instituciones *técnicas o tecnológicas* o *públicas*, mientras el descendiente recibe su instrucción en otro tipo de institución, afirmación que se cae de su propio peso.

de la norma el que limita el derecho de los hijos a reclamar alimentos después de cumplir la mayoría de edad.

La disposición que verdaderamente frena los alimentos cuando los hijos han alcanzado la mayoría de edad es ese mismo artículo 422; pero en su inciso primero, cuando dispone que "[l]os alimentos que se deben por ley, se entienden concedidos para toda la vida del alimentario, continuando las circunstancias que legitimaron la demanda". Sucede que los menores de edad, por su falta de madurez mental y física, han sido pacíficamente admitidos como sujetos de especial protección en nuestro ordenamiento jurídico. Esas *circunstancias* les impiden procurar su propia subsistencia, al tiempo que exigen una mayor intensidad en la presencia de los padres, tanto desde el punto de vista personal y espiritual como desde la perspectiva material, para ayudarlos a alcanzar su desarrollo integral. Cuando llegan la mayoría de edad, los hijos ya dejan de ser, por regla general, particular y especialmente protegidos por el ordenamiento jurídico, al paso como se les reconoce, por ejemplo, la capacidad de ejercicio.

Entonces surge el interrogante obvio de hasta cuándo se puede decir que ha operado el cambio de esas *circunstancias* que motivaron la demanda y, consiguientemente, la concreción del derecho de alimentos. La respuesta, en forma afortunada, ha sido trazada monolíticamente por la jurisprudencia de la Corte Suprema de Justicia y la Corte Constitucional.

Pues bien, lo primero que se debe reiterar es que la obligación alimentaria integra el cúmulo de Derechos y obligaciones *personales* entre padres e hijos. De acuerdo con lo estudiado en los capítulos que anteceden, el fundamento teórico de la autoridad paterna descansa sobre dos pilares ineludibles, cuales son (i) el amor hacia los hijos y (ii) el deber que se tiene con la República de entregar ciudadanos probos, con una estatura ética, espiritual, personal y profesional suficiente para atender sus propias obligaciones y beneficiar a la comunidad. Siendo ello así, como en efecto lo es, dado que no se extinguen los Derechos y obligaciones *personales* entre padres e hijos con la mayoría de edad de éstos, resulta indispensable que medie una adecuada provisión de elementos materiales para el cumplimiento del encargo hecho por la naturaleza y el ordenamiento jurídico a los padres.

Esa disquisición, que es perfectamente armónica con los planteamientos de CHAMPEAU y URIBE, se aúna a las reglas de la experiencia que permiten concluir que la completitud de la instrucción académica de los hijos no siempre acaba, en los tiempos actuales, con la sola culminación del bachillerato. Ello puede ocurrir, por supuesto, y en tal caso la sociedad habrá adquirido un ciudadano que, con buena formación de hogar e instrucción académica suficiente, estará en condiciones para procurar su propio sostenimiento. Es ese el primer derrotero.

Mas cuando el bachillerato no basta para la instrucción de un individuo en particular, se impone la necesidad de complementarla con estudios superiores, sean técnicos y tecnológicos, sean universitarios. En este supuesto, es menester identificar la edad hasta la que, de ordinario, se debe seguir prestando la ayuda material por los padres.

De acuerdo con la jurisprudencia, para evitar dar continuidad indefinida al período estudiantil se identificó un segundo umbral, constituido por los veinticinco años de edad del hijo. Ello se hizo:

> teniendo en cuenta que la generalidad de las normas relativas a la sustitución de la pensión de vejez y las relacionadas con la seguridad social en general han establecido que dicha edad es *'el límite para que los hijos puedan acceder como beneficiarios a esos derechos pensionales, en el entendido de que ese es el plazo máximo posible para alegar la condición de estudiante'*[605][606].

Así se consultan otros intereses constitucionalmente protegidos, como la solidaridad y el reconocimiento de la unidad de la familia, pero en función de permitir que sus miembros desarrollen sus talentos propios, emprendan sus esfuerzos independientes y alcancen sus logros personales, porque "el paternalismo mal entendido, merma la autonomía del individuo que con el paso del tiempo ha de volverse amo de su propia vida"[607]. Sin embargo:

> Contar con 25 años de edad como límite para el suministro de alimentos a hijos mayores de edad que cursan estudios superiores no es un parámetro absoluto, pues allí entran en juego circunstancias disímiles como la duración de la carrera escogida por el alimentario o alimentaria, o la edad en que empieza tal formación académica por factores también diversos como, entre

---

[605] Esta Corporación, en sentencia T-192 de 2008, estudió el caso de un joven de 22 años, quien por medio de la tutela buscaba que se le protegieran sus derechos fundamentales a la educación, al libre desarrollo de la personalidad y a la dignidad humana, ante la negativa de su padre a avalar con su firma el otorgamiento de una beca de estudios en España conferida por ECOPETROL S.A.. Del mismo modo, la sentencia T-285 de 2010 sostuvo que los 25 años es la edad "límite establecida en la ley para que una persona se procure, así misma, su propio sustento, no puede deducirse la intención del alimentario de permanecer indefinidamente como beneficiario de la obligación alimentaria que le asiste a su padre".

[606] Sentencia de la Corte Constitucional T-854 de 2012, Jorge Iván Palacio Palacio.

[607] Sentencia de la Corte Suprema de Justicia, proferida el 3 de febrero de 2010, expediente 2009-265.

otros, la obligación de prestar el servicio militar obligatorio en tratándose de los alimentarios varones, etc."[608].

De manera que nada de lo anterior:

> Constituye una verdad inconcusa, pues lo cierto es que para acceder a su prórroga el beneficio mencionado, cuando el demandante supera ampliamente la mayoría de edad, el fallador debe examinar con esmerado cuidado si aquél es merecedor del mismo, como que no resulta equitativo que se obligue a los padres mayores a continuar con la carga mencionada, cuando la falta de adquisición de una carrera o arte por parte del beneficiario, que le permita enfrentar el futuro de manera independiente, obedezca exclusivamente a su desidia o negligencia[609].

Otra es, desde luego, la situación para los hijos que padecen discapacidades mentales o físicas que les impidan procurar su propia subsistencia. Si bien se dejó de lado la interdicción y, mediante la Ley 1996 de 2019, se restituyó su plena capacidad de ejercicio a todos los mayores de edad, resulta tanto más discriminatorio y abusivo librar a su propia suerte a quien no goza de los medios necesarios para garantizar su propio bienestar. De manera que, en estos casos, se entenderá que las *circunstancias* que motivaron la asignación alimentaria no han cambiado y, por consiguiente, tampoco habrá lugar a relevar a los padres de su obligación.

En definitiva, cuatro son los criterios que se deben observar para establecer si las *circunstancias* que dieron origen a la obligación alimentaria han variado y, consiguientemente se abre paso su finalización:

1°) En caso de que el hijo mayor de edad presente una discapacidad física o mental que le impida trabajar y procurar su propia subsistencia, no habrá jamás cambio de *circunstancias* del individuo.

2°) Si se trata de un hijo que alcanzó la mayoría de edad y no desea perfeccionar o especializar su instrucción académica, entonces ya estará preparado para velar por sí mismo y sus propias necesidades, con lo cual se entenderá que ya habrán mutado sus *circunstancias*.

3°) Por el contrario, cuando el hijo alcanza la mayoría de edad y se enfila en instituciones académicas para continuar su instrucción

---

[608] Sentencia de la Corte Suprema de Justicia, proferida el 9 de septiembre de 2009, expediente 2009-144.

[609] Sentencia de la Corte Suprema de Justicia, proferida el 27 de febrero de 2006, expediente 2005-935.

profesional, entonces estaremos en presencia de un individuo cuyas *circunstancias* no han cambiado. Mientras sea menor de veinticinco años y continúe estudiando, serán excepcionales los casos en los que procederá relevar al padre de la obligación alimentaria. Uno de esos casos atípicos fue conocido por la Corte Suprema de Justicia en Sentencia STC6066 de 2018, M.P. Luis Alonso Rico Puerta.

4°) Superado el umbral de los veinticinco años, se impone la necesidad de que el juez de cada causa analice sus particularidades propias con miras a establecer los motivos por los cuales el hijo mayor de edad continúa vinculado en una institución académica. Sobre este particular, se puede consultar la sentencia de la Corte Suprema de Justicia STC1982 de 2017, M.P. Álvaro Fernando García Restrepo, en la que se avaló la continuidad de la obligación alimentaria para un descendiente con veintiséis años de edad cumplidos.

III. Ascendientes (matrimoniales, extramatrimoniales y adoptivos)

Los alimentos que se deben a los ascendientes encuentran fundamento constitucional en las normas de base, antes referidas, sobre el principio de solidaridad y el rol fundamental de la familia (artículos 1°, 5°, 42 y 95). Pero, aunado a ello, su andamiaje descansa también, en forma particular, sobre los artículos 13 y 46 de la Carta Política. El primero de ellos exige la protección especial a quienes, por su condición económica, física o mental, se encuentran en circunstancia de debilidad manifiesta; el segundo, ya tratado en estas páginas, ordena que el Estado, la sociedad y la familia concurran para la protección y la asistencia de las personas de la tercera edad.

Desde el punto de vista legal, el artículo 251 del Código Civil establece que los *hijos* quedan siempre obligados a cuidar de los padres (i) en su ancianidad, (ii) en el estado de demencia y (iii) en todas las circunstancias de la vida en que necesitaren sus auxilios. A su turno, el artículo 252, *ibídem*, dispone que tienen derecho al mismo socorro todos los demás ascendientes, en caso de inexistencia o de insuficiencia de los inmediatos descendientes[610].

En este caso, como en el analizado en el título anterior, la relación obligacional ubica en sus extremos, de un lado, a los padres-alimentarios y, del otro, a los hijos-alimentantes. Solo por causas excepcionales, vale decir,

---

[610] Ambas disposiciones se comentan en detalle en la Subsección III de la Sección III del Capítulo I de este Tomo.

la inexistencia o la insuficiencia de los hijos, será posible que el extremo pasivo de la obligación lo ocupe otro descendiente no inmediato, en cuyo caso el acreedor (alimentario) ya no será el *padre*, sino el *ascendiente* que por parentesco corresponda.

Ahora bien, resulta de la mayor importancia precisar, porque no se tiene siempre en cuenta, que el artículo 411 del Código Civil, al conceder la titularidad del derecho de alimentos, lisa y sencillamente se refiere a los *ascendientes*. Ello demuestra, a las claras, que es del todo incorrecto limitar la categoría exclusivamente a los *adultos mayores*. Y se ratifica sin dificultad cuando el artículo 251, *ibídem*, enseña que se debe auxiliar a los padres "en todas las circunstancias en que [lo] necesitaren". Desde luego, mal haría quien pensara que el progenitor solo puede caer en necesidad una vez ha tocado la ancianidad, puesto que nadie está exento de presentar una discapacidad sobrevenida antes de ese momento, entre muchos otros escenarios penosos.

Con ese contexto, se tiene que todos los *ascendientes*, sin excepción, son titulares del derecho de alimentos y podrán concretar la obligación si demuestran el cumplimiento de los tres requisitos antes estudiados (capacidad económica del alimentante, necesidad económica del alimentario y vínculo jurídico). Por motivos de orden, sin embargo, es pertinente dividir el análisis entre los ascendientes que no son adultos mayores y los que sí lo son. Veamos:

Para comenzar con las apreciaciones de rigor, es primero necesario delimitar el objeto de estudio. Adulto mayor, según lo previsto por el artículo 3º de la Ley 1251 de 2008, es quien ha cumplido los sesenta años de edad. Tal definición no es admitida en todas las ramas del derecho[611], porque la propia norma que la consagra establece que ella tiene efectos "para la interpretación y aplicación de la presente ley". Empero, por lo que toca con el Derecho de Familia sí resulta admisible, en la medida en que el régimen de alimentos del adulto mayor se encuentra contenido en al artículo 34A de ese cuerpo normativo, tal como fue adicionado por el artículo 9º de la Ley 1850 de 2017.

Esclarecido lo anterior, conviene ahora explicar que el artículo al cual se acaba de aludir precisa que las personas adultas mayores tienen derecho a los alimentos y demás medios para su mantenimiento físico, psicológico, espiritual, moral, cultural y social. Así mismo, señala que los alimentos

---

[611] Por ejemplo, en materia pensional, según lo explicó la Corte Constitucional en sentencia T-138 de 2010, M.P. Mauricio González Cuervo.

comprenden lo imprescindible para la nutrición, habitación, vestuario, afiliación al sistema general de seguridad social en salud, recreación y cultura, participación y, en general, todo lo que es necesario para el soporte emocional y la vida autónoma y digna de las personas adultas mayores.

No se requiere un análisis muy detallado para constatar, sin dificultad, que el alcance del derecho de alimentos previsto para este grupo poblacional es muy similar al que contempló el Código de la Infancia y la Adolescencia para los menores de edad. Con fundamento en ello, y en su condición de sujetos de especial protección, sostenemos que se creó una categoría adicional a la clasificación de los alimentos desde el punto de vista de su alcance. Y, se repite, no se podría oponer como réplica que estos alimentos caben perfectamente dentro de la categoría de los *congruos*, habida cuenta de que no solo proporcionan lo necesario para vida digna de los adultos mayores, sino que también suponen el mantenimiento de las condiciones de vida a que venía acostumbrado el alimentario, porque si lo que ocurre es que un hermano matrimonial adulto mayor reclama la concreción de la obligación, de no admitir la nueva clasificación se llegaría a la incorrecta conclusión de que solo puede reclamar alimentos *necesarios*.

Pero quizás el aspecto más relevante a destacar es que, por tratarse de sujetos de especial protección constitucional (artículos 13 y 46 de la Carta Política), la jurisprudencia de la Corte Suprema de Justicia ha permitido la aplicación de los criterios previstos para los menores de edad, en el Código de la Infancia y la Adolescencia, relativos a la presunción de capacidad y las alternativas para identificar la solvencia del presunto alimentante. Así, en sentencia del 11 de febrero de 2011, expediente 2010-394, M.P. EDGARDO VILLAMIL PORTILLA, la Corporación revocó una providencia en la que el juez de familia había rechazado decretar una cuota alimentaria *provisional* en favor del adulto mayor, toda vez que no se había aportado prueba sobre la solvencia del demandado. Dijo la Corte:

> La locución '*fumus boni iuris*' o *aroma de buen derecho*, en este caso exige poner de relieve al juzgador que su decisión fue superficial y casi intuitiva, pero que encierra un yerro grave, que como tal exige su inmediata solución, pues si el artículo 129 de la 1098 de 2006, al dar protección a los menores, permite al juez fijar una cuota provisional de alimentos, con la sola prueba del vínculo que origina la obligación alimentaria, vale la pena tomar en cuenta esta exigencia mínima, en pos de la protección a las personas de la tercera edad.

> Además la misma norma establece que '*si no tiene la prueba sobre la solvencia económica del alimentante, el juez podrá establecerlo tomando en cuenta su patrimonio, posición social, costumbres y en general todos los antecedentes y circunstancias que sirvan para evaluar su capacidad económica. En todo caso se presumirá que devenga al menos el salario mínimo legal*'; de suerte

que no es razonable negar la fijación de cuota alimentaria *'por no contar con suficientes elementos'*, cuando la Ley tiene definidas las soluciones a estas circunstancias. (…)

La edad del demandante y la exigencia de reconocer en su favor el mínimo vital, no debió dejar al juez indiferente. Hubo entonces violación al debido proceso por lo magro e infundado del proveído que negó la cautela.

Los planteamientos de la Corporación fueron luego reiterados, en forma idéntica, en las sentencias del (i) 20 de abril de 2015, STC5029, M.P. Luis Armando Tolosa Villabona, y (ii) 21 de mayo de 2020, expediente 2020-047, M.P. Octavio Augusto Tejeiro Duque.

Quiere ello decir que el juez de familia de que se trate queda habilitado para aplicar, cuando el demandante sea un adulto mayor, lo previsto en el artículo 129 del Código de la Infancia y la Adolescencia, con miras a establecer la solvencia del deudor por los medios allí previstos. En caso de no ser posible, de todas formas se habrá de presumir que el demandado devenga al menos un salario mínimo legal mensual vigente.

Esa presunción de capacidad económica se engrana con la presunción de necesidad económica del adulto mayor, en la medida en que lo único que se exige para la procedencia de la cuota provisional es "la demostración del vínculo legal" que ata al alimentante con el alimentario. Empero, cual sucede en todo proceso de reclamación de alimentos, si se llegare a probar en el proceso la inexistencia de la necesidad del demandante, así como el dolo para la obtención de la mesada, los interesados estarán facultados para intentar las acciones de restitución de lo pagado indebidamente.

A más de lo expuesto, bueno es indicar que, como medida de protección adicional, el artículo 34A de la Ley 1251 de 2008, tal como fue adicionado por el artículo 9° de la Ley 1850 de 2017, confirió facultades a los comisarios de familia para que, surtida la conciliación extrajudicial sin éxito, fijen la cuota provisional de alimentos en favor del adulto mayor. Después de ello, tendrán que remitir el expediente al defensor de familia que corresponda, para efectos de que éste presente, en nombre y representación del adulto mayor, la respectiva demanda ante la jurisdicción ordinaria.

Sobre esta disposición ha habido una importante controversia interpretativa, debido a que el ordinal 11 del artículo 13 de la ley 2126 de 2021 asignó a los comisarios de familia la competencia para "[f]ijar cuota provisional de alimentos de las personas adultas mayores, conforme a lo dispuesto en el artículo 34A de la Ley 1251 de 2008 o la norma que lo adicione, sustituya, modifique o complemente". Sin embargo, ese mismo cuerpo normativo removió la facultad conciliatoria de los comisarios de familia, precisamente para alivianar sus cargas.

Entonces, varios son los interrogantes que surgen: ¿la derogatoria de la facultad conciliatoria cobijó lo relacionado con los adultos mayores? De ser así, ¿cuál es el procedimiento o trámite que deben observar los comisarios de familia para fijar la cuota provisional de alimentos a favor de los adultos mayores? Una vez fijada la cuota, ¿subsiste la obligación de remitir el expediente al defensor de familia para que éste presente demanda ante la Jurisdicción Ordinaria? De ser así, ¿el Defensor de Familia deberá convocar a una audiencia de conciliación para satisfacer el requisito de procedibilidad o bastará con que presente la demanda en forma directa ante la Jurisdicción?

Todas estas preguntas encuentran su respuesta en los lineamientos expedidos por el Ministerio de Justicia[612]. Nuestros comentarios al respecto se plasman en la sección VI del capítulo III de este tomo.

Huelga advertir que tan importantes avances hacia la protección de la tercera edad han sido también respaldados por la Corte Constitucional. A manera de ejemplo, el lector puede acudir a las sentencias T-685 de 2014, M.P. JORGE IGNACIO PRETELT CHALJUB, T-696 de 2012, M.P. MARÍA VICTORIA CALLE CORREA, y T-169 de 1998, M.P. FABIO MORÓN DÍAZ.

No obstante lo anterior, el hecho de que se haya diseñado un robusto andamiaje para proteger y salvaguardar los intereses de los adultos mayores, justamente en razón de su condición de sujetos de especial protección constitucional, no significa que los demás ascendientes hayan quedado excluidos de la titularidad del derecho de alimentos. Expresado en otros términos, nada impide que los ascendientes que no hayan cumplido los sesenta años de edad inicien contra sus descendientes un proceso tendiente a concretar la obligación alimentaria en su favor, pero: (i) respecto de ellos no se presumirá necesidad alguna, por lo cual deberán acreditarla en debida forma; (ii) tampoco se presumirá la capacidad económica del demandado, lo que implica que, en caso de que pretendan la fijación de una cuota alimentaria provisional por el Juez, tendrán que allegar las pruebas que así lo demuestren; y, (iii) para tales eventos, no es procedente que el comisario de familia fije cuota alimentaria provisional alguna.

---

[612] https://www.minjusticia.gov.co/programas-co/tejiendo-justicia/Documents/publicaciones/genero/caso27731/JF_LJC%20%281%29.pdf

IV. Cónyuge o compañero permanente inocente

Otros titulares del derecho de alimentos son los miembros de la pareja que se consideran "inocentes" del resquebrajamiento familiar. La rigidez o flexibilidad en la determinación de esa "inocencia", y de la correlativa "culpabilidad", para efectos de establecer la titularidad del derecho de alimentos, varía según el tipo de familia de que se trate. Así, unas serán las condiciones que se requerirán en el marco de las parejas que han solemnizado su vínculo mediante el matrimonio y otras serán las que se reclamen para las parejas que han conformado uniones maritales de hecho. Por consiguiente, el análisis de la categoría que se anuncia debe efectuarse en forma individualizada.

Empero, es menester dejar sentados algunos planteamientos comunes, relacionados con la obligación alimentaria derivada del rompimiento del vínculo afectivo familiar:

1º) Los extremos de la relación obligacional están claramente definidos: (i) por un lado, el *acipiens* (acreedor-alimentario) es el cónyuge o compañero permanente que sea judicialmente declarado como "inocente"; y, (ii) por el otro, el *solvens* (deudor-alimentante) es el cónyuge o compañero permanente que sea judicialmente declarado como "culpable".

2º) La titularidad del derecho de alimentos, en los supuestos que aquí se abordan, surge con motivo de la finalización de la relación sentimental que dio origen a la familia. En consecuencia, no es posible confundir o identificar esta causal con la consagrada en el ordinal 1º del artículo 411 del Código Civil.

3º) En cuanto toca con el fundamento de la obligación alimentaria, la Corte Suprema de Justicia, en su jurisprudencia más reciente, ha advertido que se deriva, sencillamente, del imperativo moral y el principio constitucional de *solidaridad*, en lugar de responder a la indemnización o resarcimiento de un daño. La tesis en comentario tuvo su génesis en la Sentencia STC10829 de 2017, M.P. Luis Armando Tolosa Villabona, en la que se expuso lo siguiente:

> En principio, la postura del juzgador se observa razonada y acorde con los principios reguladores de la materia, pues aclaró que la figura de los alimentos, sean de personas mayores o menores de edad, tiene como sustento el principio de la solidaridad pues buscan resguardar el mínimo vital, la dignidad y la integridad física y emocional de aquéllas en condición de vulnerabilidad, a través de la concesión de unos ingresos o de una prestación generalmente periódica para la manutención a cargo del obligado por la ley a cumplir con esa erogación, una vez acreditada la capacidad económica para proveerla. (…)

Debe recordar esta Sala que de la hermenéutica de los preceptos 411 y 414 no puede inferirse naturaleza indemnizatoria en la obligación alimentaria para ser asimilada como una prestación ligada al daño contractual o extra-contractual. Los cánones mencionados refieren la prestación por causa de las distintas fuentes obligacionales que le dan nacimiento a la misma o para extinguirla. Analizan los congruos y los necesarios, frente a los cuales las ofensas graves o atroces provenientes del acreedor inciden para su cuantifica-ción o determinación, según sean unos u otros, pero de ninguna manera para edificar el nacimiento de una prestación indemnizatoria, esta última como ya se ha explicado tiene su fuente en el derecho de daños que difiere sustancial-mente del vínculo obligacional que surge en materia de alimentos[613].

Más tarde, esa misma Corporación reiteró los anteriores planteamien-tos, en Sentencia STC6975 de 2019, M.P. Luis Armando Tolosa Villa-bona, aunque parece haber dado un viraje argumentativo, o cuando menos un matiz, al señalar que los alimentos debidos al *ex* cónyuge o *ex* compañero permanente sin culpa alguna de la ruptura eran admisibles por hallar su fundamento en:

la solidaridad posterminación, que mediante juicios de inferencia analiza en cada situación de hecho el juez, sin que se trate de una indemnización por daños o de enriquecimiento injusto, o de la construcción de un régimen san-cionatorio o culpabilístico, como consecuencia de actos antijurídicos, como los tocantes con la regla 411 del numeral 4 del C.C. colombiano vigente.

Del aparte transcrito se puede deducir que la Corte, en este caso, sí pa-rece haber reconocido que los alimentos debidos por haber sido decla-rado "culpable" de la ruptura obedecen a un "régimen de sancionatorio o culpabilístico" y entrañan, por tanto, una "indemnización". Sin em-bargo, no despeja con claridad la duda relacionada con la naturaleza de la obligación, justamente porque la providencia últimamente citada re-toma, sin reparos, la sentencia de 2017 a la que antes se hizo referencia.

Al respecto, muy oportuno resulta traer a colación los planteamientos del Magistrado Álvaro Fernando García Restrepo quien, en su salva-mento de voto a ambas providencias, puso de manifiesto lo siguiente:

Es necesario advertir, que a pesar de la antigüedad de la norma mencionada, (artículo 411 del código civil, numerales 1 y 4) ya se vislumbra en ella el ánimo de protección a la persona que es víctima de comportamientos in-adecuados dentro de la pareja, y propende por la paz y el sosiego doméstico sancionando a quien con sus comportamientos da lugar al divorcio o la se-

---

[613] Estos planteamientos fueron también prohijados en sentencia STC17191 de 2017, M.P. Luis Armando Tolosa Villabona.

paración entre los cónyuges, aún para después de terminada la relación de pareja y por ende su calidad de tales. Pero aquí es claro que los alimentos se deben al cónyuge que no dio lugar a la causal alegada y probada de divorcio o separación de cuerpos, y por parte del cónyuge culpable, es decir, se debe alimentos por el cónyuge culpable al cónyuge inocente de la causal probada y que dio lugar al divorcio. (…)

Sobre estos alimentos así concebidos, aunque el proyecto diga lo contrario en forma un poco contradictoria, se ha dicho de tiempo atrás por la doctrina nacional y extranjera, que tienen una doble naturaleza: alimentaria e indemnizatoria. La primera porque de todas formas el derecho a reclamar alimentos no nace del solo divorcio ni de la sola culpa, pues es necesario además que el cónyuge inocente requiera los alimentos, que tenga necesidad de ellos, y que el culpable tenga capacidad para darlos, todo lo cual deberá quedar demostrado en el proceso en que se fijan, que puede ser el mismo de divorcio u otro posterior encaminado exclusivamente a la condena alimentaria, el cual debe tener como antecedente el divorcio declarado por culpa de quien es demandado por alimentos. Y la segunda, o sea la naturaleza indemnizatoria, se reclama de la culpa, ya que solo a quien se le probó que era el culpable de la causal probada y declarada de divorcio se te condenará al pago de obligaciones alimentarias. Esta es indemnizatoria, porque ya la razón de ser de la obligación alimentaria no es la misma que existe dentro del matrimonio, la solidaridad de la pareja, sino un castigo por haber dado lugar al divorcio con un comportamiento que se acornada a una de las causales señaladas en la ley.

El autor acoge, *in toto*, los planteamientos vertidos en el salvamento de voto transcrito, habida cuenta de que el fundamento de la obligación alimentaria que se deriva de la inocencia y la culpabilidad en la ruptura del vínculo sentimental no puede estar constituido, lisa y llanamente, por la *solidaridad* que se reclama de los miembros de la pareja. En efecto, si se ha adicionado el ingrediente subjetivo para la fijación de los extremos de la obligación y se ha descargado la prestación sobre quien es declarado "culpable", mal se puede afirmar que no estamos ante una sanción, un castigo y una indemnización.

Desde luego que la *solidaridad* cumple un papel fundamental, porque para concretar la obligación se exige que, además del título de "inocente", quien la reclama acredite su estado de necesidad y la solvencia del "culpable". Sin embargo, la norma en análisis solo tendría un efecto útil si se reconoce, a la inversa, que el "culpable" perdió su derecho de reclamar alimentos, porque se trata de la sanción que se le impone por dar cabida al resquebrajamiento familiar.

La tesis de la Corte Suprema de Justicia halla su razón de ser en la intención perseguida por el Alto Tribunal. En ambas oportunidades se procuró aducir que la naturaleza de los alimentos surgidos por la declaratoria de "culpabilidad" en la ruptura eran insuficientes para indemnizar al afectado, precisamente con miras a autorizar la búsqueda de figuras jurídicas alternativas que satisficieran tan alto propósito. Así, terminó por concluir que era procedente acudir al Derecho de Daños propiamente tal, en aras de lograr un resarcimiento de los perjuicios irrogados cuando mediara violencia, ultrajes, maltratamientos o tratos crueles de un miembro de la pareja hacia el otro, en virtud del(los) cual(es) se motivara la ruptura.

Tan loable intención se pudo haber satisfecho, a juicio del autor, con la sola indicación de que, en tales eventos, era del todo insuficiente limitar el resarcimiento a los alimentos debidos con ocasión de la terminación de la relación. Con mayor razón si se tiene en cuenta que la naturaleza meramente alimentaria, que es una de las aristas características de esta obligación, impide que el reclamante concrete la mesada de alimentos si no demuestra efectivamente su *necesidad*. Pero es bastante exótico sostener que el derecho de alimentos que nace para el cónyuge o compañero permanente "inocente" no presenta como una de sus aristas características la de constituir una sanción. Además, un planteamiento semejante choca en forma frontal con lo pacífica y monolíticamente reiterado por la doctrina[614].

Con todo, se debe observar que la Corte Constitucional seleccionó la Sentencia STC10829 de 2017 para su revisión y, en Providencia SU-080 de 2020, M.P. José Fernando Reyes Cuartas, confirmó *parcialmente* la

---

[614] En la doctrina nacional, cabe destacar a: (i) Arturo Valencia Zea (*Derecho de familia*, Tomo V, 201 y 202); (ii) Alcides Morales Acacio (*Lecciones de derecho de familia*, 337); (iii) Eduardo García Sarmiento (*Elementos de derecho de familia*, 434 y 435); (iv) Jorge Antonio Castillo Rugeles (*Derecho de familia*, 50 y 51); (v) Roberto Suárez Franco (*Derecho de familia*, tomo II, Pág. 299); (vi) Jorge Parra Benítez (*Derecho de família*, tomo I, 601); y (vii) Sonia Esperanza Segura Calvo (*Derecho de familia*. Ed. Ibáñez. Bogotá, 2020. Pág. 83 a 85). En la doctrina extranjera, es posible acudir a: (i) Marcel Planiol y Georges Ripert (*Tratado práctico de derecho civil francés*, tomo II, 496 a 408); Henri, Leon y Jean Mazeaud (*Leçons de droit civil*. Tomo I. Ed. Montchrestien. París, 1955. Núm. 1506); (iii) Jean Carbonnier (*Derecho civil*. Tomo I. Volumen II. *Situaciones familiares y cuasifamiliares*. Trad. Manuel María Zorrilla Ruiz. Ed. Bosch. Barcelona, 1961. Pág. 186 a 188); (iv) Jorge Adolfo Mazzinghi (*Tratado de derecho de familia*. Tomo III. *Separación personal y divorcio*. 4ª Edición. Ed. La Ley. Buenos Aires, 2006. Pág. 246 y siguientes); (v) Gustavo Bossert (*Régimen jurídico de los alimentos*. Ed. Astrea. Buenos Aires, 1993. Pág. 249); (vi) Eduardo Fanzolato (*Alimentos y reparaciones en la separación y en el divorcio*. Ed. Depalma. Buenos Aires, 1993. Pág. 257); y (vii) Jorge Óscar Perrino (*Derecho de familia*, tomo II, 1230 y 1231).

decisión de la Sala Civil de la Corte Suprema de Justicia. Desafortunadamente, el Tribunal Constitucional se liberó de adoptar una posición en
relación con la naturaleza de esta obligación alimentaria, bajo el argumento de que ello quedaba deferido a la Jurisdicción Ordinaria, por lo
cual no es posible afirmar cuál es su visión sobre la materia[615]. Acaso se
podrá acudir a providencias más antiguas, como la Sentencia C-985 de
2010, M.P. JORGE IGNACIO PRETELT CHALJUB, en las que se deja entrever
la admisibilidad de la tesis de los "alimentos sanción", pero quizás resulte insuficiente porque en ese entonces no había surgido la novedosa
postura de la Corte Suprema de Justicia.

Lo que sí queda claro es que, por un lado, cuando medie violencia en
el contexto familiar el juzgador se encuentra facultado para "adentrarse
en el tema de la reparación del daño" mediante la "apertura de un incidente de reparación integral" en el respectivo proceso; y, por el otro,
que es el objeto de estas disquisiciones, independientemente de que se
quiera tratar como una obligación que encuentra su fundamento exclusivamente en la *solidaridad*, o que se añada el componente sancionatorio, lo cierto es que su procedencia demanda: (i) la declaratoria de
un "culpable" y un "inocente" en la terminación del vínculo afectivo y
(ii) la demostración, por el "inocente", de su estado de necesidad y del
estado de capacidad económica del "culpable".

4°) En la subsección I de esta sección se advirtió que la Corte Suprema
de Justicia ha admitido, recientemente, la procedencia *absolutamente
excepcional* de la reclamación de alimentos por cónyuges divorciados o
compañeros permanentes separados de hecho, sin declaratorias de culpabilidad. Desde luego, la causal que se habrá de invocar no será la que
en esta oportunidad se estudia, porque aquí el titular del derecho de

---

[615] Dijo la Corporación: "77. Con relación al defecto fáctico, encuentra la Sala que,
habiendo dado por probado el defecto sustantivo en los términos antes referidos,
el hecho de que se determine la capacidad económica o no del cónyuge culpable
es un asunto irrelevante dado que, el problema jurídico se centra en la necesidad
de reparación integral de la cónyuge inocente y no específicamente en el derecho
de alimentos en favor de ella. 78. En efecto, el tema de los alimentos que de ordinario es un asunto de la ocupación del juez de familia en los procesos aquí tantas
veces mencionados, a más de la decisión sobre la custodia de los hijos, entre otras,
no es el tema puntual de esta tutela. Así, las discusiones respecto de la naturaleza
de los alimentos y cuándo se deben, a quién, cuánto y por qué, no son objeto de
los planteamientos que en este caso aborda la Corte".

alimentos es quien haya sido declarado "inocente", sino la prevista en el ordinal 1° del artículo 411 del Código Civil.

Aunque remitimos a los comentarios plasmados en las páginas anteriores, bueno es insistir en que la procedibilidad de esta reclamación ha de ser vista como *absolutamente excepcional*. De lo contrario, se tendría que afirmar que la causal que ahora se estudia se habría tornado completamente inocua.

5°) Los alimentos que se deben a los cónyuges y compañeros permanentes inocentes son los congruos, según se desprende de la lectura de los artículos 411 y 414 del Código Civil.

1. Cónyuge inocente del divorcio o de la separación de cuerpos

En la versión original de nuestro Estatuto Civil, era titular del derecho de alimentos el cónyuge *divorciado* sin su culpa y, correlativamente, el obligado a suministrarlos era el cónyuge *divorciado* por su culpa. Como se estudió en la sección VII del capítulo VI del tomo I de esta obra, la referencia al *divorcio* que se hacía en las normas civiles tenía por objeto aludir a la modalidad *quoad thorum et cohabitationem* o *imperfecto* que, con algunos matices, corresponde a lo que hoy se conoce como *separación de cuerpos*.

Salvo un corto lapso en 1853, no fue sino hasta la promulgación de la Ley 1ª de 1976 que Colombia conoció el *divorcio vincular* o *perfecto*, en virtud del cual se rompe el vínculo conyugal. Empero, esa figura quedó estrictamente reservada para los matrimonios que se hubieren celebrado por el rito civil y solo se vino a extender a los matrimonios celebrados por el rito católico, bajo el nombre de *cesación de efectos civiles de matrimonio católico*, con la adopción de la Carta Política de 1991 y la promulgación de la Ley 25 de 1992[616].

A raíz de la diferenciación entre las figuras del *divorcio vincular* y la *separación de cuerpos*, el artículo 23 de la Ley 1ª de 1976 reformó el ordinal 4° del artículo 411 del Código Civil para darle la redacción que preserva en la actualidad: "Se deben alimentos: 4°. A cargo del cónyuge culpable, al cónyuge divorciado o separado de cuerpos sin su culpa".

Es desafortunada e impropia la redacción de la norma al aludir al *cónyuge divorciado*, puesto que no repara en que el *divorcio vincular* extingue el vínculo matrimonial y, por tanto, desde que se decreta los *cónyuges* pierden su condición de tales. En el contexto inicial en que fue redactada, mucho

---

[616]   Véase, al respecto, el Capítulo XII del Tomo I de esta obra.

sentido tenía comoquiera que el *divorcio quoad thorum et cohabitationem* no hacía cesar el matrimonio y, consiguientemente, los cónyuges preservaban su denominación. Pero con la modificación introducida por la ley 1ª de 1976 ya no es correcto hacer referencia a *cónyuges divorciados*, porque quienes han optado por el *divorcio* serán, a lo sumo, *ex cónyuges*.

Sea como fuere, lo cierto es que la nueva redacción de la norma, que todavía conserva el ordinal 4° del artículo 411 del Código Civil, contempla dos supuestos distintos: por un lado se refiere al *divorcio* y por el otro alude a la *separación de cuerpos*. A pesar de que ambas figuras tienen finalidades diferentes[617], su regulación es exactamente idéntica. En consecuencia, formularemos algunos planteamientos comunes:

Las causales para que proceda el divorcio o la separación de cuerpos se dividen en dos grupos: (i) las subjetivas, según las cuales quien es declarado "inocente" de la ruptura del contrato de matrimonio se hace titular del derecho de alimentos a favor suyo y en contra del cónyuge "culpable" y las donaciones hechas por causa de matrimonio quedan sujetas a su eventual revocación; y (ii) las objetivas, conforme a las cuales simplemente se disuelve el vínculo matrimonial. En el primer cúmulo se encuentran las causales consagradas en los ordinales 1° a 5° y 7° del artículo 154 del Estatuto Civil. Por su parte, del segundo grupo participan (i) la separación de cuerpos, judicial o de hecho, que haya perdurado por más de dos años, y (ii) el mutuo consentimiento de los cónyuges.

En principio, las causales objetivas no estarían llamadas a desencadenar en la declaratoria de un cónyuge culpable, con las implicaciones que ello apareja. Sin embargo, a raíz de la línea jurisprudencial que se ha venido confeccionando en la materia, particularmente orientada por las sentencias C-1495 del 2000, M.P. Álvaro Tafur Galvis, y T-559 del 2017, M.P. Iván Humberto Escrucería Mayolo, de la Corte Constitucional, y STC 442-2019, M.P. Luis Alonso Rico Puerta, de la Corte Suprema de Justicia, así como de la lectura del parágrafo primero del artículo 281 del Códi-

---

[617] En cuanto a la diferencia entre las finalidades de la *separación de cuerpos* y el *divorcio*, el lector puede acudir a los planteamientos vertidos en la Sección VIII del Capítulo VI del Tomo I de esta obra. Una propuesta para superar la inconveniente regulación idéntica entre ambas figuras, que ha llevado a la desafortunada subutilización de la *separación de cuerpos*, se encuentra en la Sección II del Capítulo XII del Tomo I de este libro, específicamente en la nota de pie de página referida a nuestra participación en la mesa de trabajo del Colegio Mayor de Nuestra Señora del Rosario que culminó con la formulación de algunos comentarios al Proyecto de Código Civil puesto en consideración por la Universidad Nacional de Colombia.

go General del Proceso, cuando se está en presencia de la causal octava, particularmente en lo que toca con la separación de hecho por más de dos años, las autoridades judiciales se encuentran obligadas a analizar los motivos que dieron origen a esa ruptura en la cohabitación y, de hallar fundamento para atribuir responsabilidad a uno de los cónyuges, deben proceder a declarar su culpabilidad.

Sobre las anteriores bases, cuandoquiera que se obtenga la declaratoria de culpabilidad, que solo procede en el marco de un proceso judicial, el "inocente" quedará facultado para reclamar del "culpable" el pago de alimentos. Sin embargo, ese solo título que se adquiere deviene inútil si no se acredita, además, la necesidad del "inocente" y la capacidad económica del "culpable".

Ahora bien, es necesario aludir a una causal específica cuyo tratamiento es particular. Se trata de la contemplada en el ordinal 6º del Código Civil, de acuerdo con la cual procede la solicitud de divorcio o de separación de cuerpos cuando medie cualquier "enfermedad o anormalidad grave e incurable, física o síquica, de uno de los cónyuges, que ponga en peligro la salud mental o física del otro cónyuge e imposibilite la comunidad matrimonial". En la sentencia de la Corte Constitucional C-246 de 2002, M.P. MANUEL JOSÉ CEPEDA ESPINOSA, se declaró exequible la disposición, "en el entendido [de] que el cónyuge divorciado (SIC) que tenga enfermedad o anormalidad grave o incurable, física o psíquica, que carezca de medios para subsistir autónoma y dignamente, tiene derecho a que el otro cónyuge le suministre los alimentos respectivos".

Así las cosas, en este supuesto particular, el cónyuge "culpable" del divorcio será quien obtenga la titularidad del derecho de alimentos. La razón, en extremo obvia, radica en la preponderante solidaridad familiar que inspira la totalidad del ordenamiento jurídico colombiano. Aquí no es posible afirmar, como en otras causales, que el "culpable" se haya substraído del cumplimiento de sus obligaciones como cónyuge; simplemente cayó en una difícil situación que impidió la continuidad de la vida en común, circunstancia que no puede exonerar al "inocente" de tender su mano y coadyuvar a la congrua subsistencia de quien fuera su pareja.

2. Compañero permanente inocente de la ruptura, cuando ésta se origina por maltrato del otro compañero permanente

Contrario a lo que acontece con el matrimonio, la titularidad del derecho de alimentos para el compañero permanente "inocente" no tuvo consagración legal. Y es que la unión marital de hecho, de reciente creación normativa, está presidida por una serie de disposiciones que la distinguen claramente del matrimonio. El sello principal de esta alternativa para la conformación de familia es, a no dudarlo, su naturaleza consensual.

Con ese contexto, y orientada por su carácter consensual, la unión marital de *hecho*, como su nombre lo indica, surge por los *hechos* y también por ellos finaliza. No se requieren trámites formales o solemnes para dar por terminado el vínculo afectivo entre los compañeros permanentes, sino que basta la simple desaparición de alguno de los elementos que abren paso a su catalogación como tal (comunidad de vida, singular y permanente). Sin embargo, las facilidades dadas, aunque pueden presentar innumerables ventajas, pueden entrañar también múltiples dificultades.

Así pues, si se está en presencia de una figura puramente consensual, brota palmaria la dificultad para establecer la "culpabilidad" en el resquebrajamiento familiar. No se discute que quienes acuden a la unión marital de hecho con el propósito de conformar una familia deben tener una voluntad responsable, según lo exige el propio artículo 42 de la Carta Política, pero el andamiaje sobre el que se construyó el régimen dotó de un inmensurable grado de libertad a los miembros de la pareja en distintos aspectos, uno de los cuales es justamente la finalización del vínculo.

Antes se vio que la terminación del matrimonio por divorcio está gobernada por un régimen de causales, sin cuya configuración taxativa y perentoria se hace imposible impetrar la demanda respectiva (o, en tratándose del mutuo acuerdo, acudir al notario que corresponda). En cambio, otra es la situación en la unión marital de hecho, donde no se consagró ninguna causal específica o determinada, pues basta con la voluntad de cualquiera de los compañeros permanentes, motivada por la más variada gama de razones, para que proceda la terminación.

Siendo ello así, mal se puede hablar con ligereza de juicios de valor que conduzcan a determinar quién es el "culpable" y quién el "inocente" del resquebrajamiento de la unidad familiar. Y no podría ser distinto, porque ello apareja trascendentales consecuencias, como la que es objeto de análisis en estas páginas. Es que, en verdad, la situación se torna más compleja si se entiende que quienes eligieron la vía de la unión marital de hecho, en lugar del matrimonio, optaron por un régimen despojado de rigorismos y quizás una de sus motivaciones fue substraer a las autoridades judiciales y al Estado de ventilar públicamente las razones que pudieran mediar para que uno de los compañeros permanentes decida poner fin al vínculo afectivo.

Sobre esas bases, la difícil situación ante la que se encuentra el ordenamiento jurídico condujo a concluir, por vía de radical interpretación legal, que la figura de alimentos derivados de la "culpabilidad" no cabía en tratándose de uniones maritales de hecho. A pesar del pacífico consenso que imperó en la jurisprudencia y la doctrina sobre el particular, la Corte Suprema de Justicia, en 2019, trajo a colación el debate relacionado con la posibilidad de extender la aplicación del ordinal 4° del artículo 411 del Estatuto Civil a los compañeros permanentes. Al respecto, adujo que no había diferencias substanciales entre el matrimonio y la unión marital de hecho, al tiempo como se refirió específicamente a la violencia en el contexto familiar y precisó que era inconcebible dejar desprovisto de protección al compañero permanente que la sufriera[618].

Posteriormente, en 2020 se presentó una *acción pública de inconstitucionalidad* contra los artículos 411, ordinal 4°, y 154, ordinales 1° a 7°, del Código Civil. A juicio del demandante, era necesario que se extendiera la protección recibida por los cónyuges, en materia de alimentos derivados de la culpabilidad en la ruptura de la relación, a los compañeros permanentes. En Sentencia C-117 de 2021, M.P. ALEJANDRO LINARES CANTILLO, la Corte Constitucional se eximió de analizar varios de los cargos formulados en la demanda, por ineptitud substantiva, y planteó el siguiente problema jurídico: "¿Vulneró el legislador, con la expedición del artículo 411.4 del Código Civil, el principio de igualdad (art. 13 superior) y los literales b) a g) del artículo 7° de la Convención de Belém do Pará, al establecer que sólo tendrían derecho a alimentos las mujeres víctimas de violencia intrafamiliar, ultrajes, trato cruel y maltratamientos de obra dentro de un matrimonio y no hacerlo extensivo a las mujeres que hubiesen formado parte de una unión marital de hecho?".

Luego de un importante recuento sobre la necesidad de proteger a las mujeres de la violencia intrafamiliar, la Corporación resolvió:

---

[618] Sentencia STC6975 DE 2019, M.P. LUIS ARMANDO TOLOSA VILLABONA. Muy oportuno es destacar que en esta providencia se presentaron dos salvamentos de voto: (i) el primero, formulado por el Magistrado ÁLVARO FERNANDO GARCÍA RESTREPO, que fue objeto de algunos comentarios previamente; y, (ii) el segundo, suscrito por el Magistrado LUIS ALONSO RICO PUERTA. Así mismo, el Magistrado ARIEL SALAZAR RAMÍREZ aclaró su voto e indicó que, pese a compartir la decisión, se apartaba de los planteamientos de la Corporación. Hubo varios cuestionamientos importantes a la providencia, dentro de los que se destacan los siguientes: (i) la indebida equiparación, sin bemol alguno, entre *unión marital de hecho* y *matrimonio*; y (ii) la innecesaria referencia a la temática de la violencia familiar y la culpabilidad, cuando el caso analizado nada tenía que ver con ellas.

declarar exequible, por los cargos analizados, el numeral 4° del artículo 411 del Código Civil, bajo el entendido de que esta disposición es aplicable a los compañeros permanentes que, al término de una unión marital de hecho, les sean imputables situaciones de violencia intrafamiliar o conductas a las que se refiere el numeral 3° del artículo 154 del Código Civil".

Así mismo, hizo un llamado a los operadores judiciales y al Legislador, para dar aplicación a dicho condicionamiento, garantizando que las mujeres parte de una unión marital de hecho que sean víctimas de violencia intrafamiliar o cualquiera de las conductas a las que hace referencia el numeral 3° del artículo 154 del Código Civil, puedan acceder a su pretensión de acceso al resarcimiento o reparación integral mediante la solicitud de alimentos (art. 411.4 del Código Civil), en el marco del proceso que corresponda.

La decisión de la Corporación fue bastante ajustada, en la medida en que cuatro de los nueve magistrados salvaron su voto por considerar que la demanda era inepta para ser estudiada de fondo. Esta circunstancia pone de relieve lo disputado del punto, no porque se crea que las parejas que conforman uniones maritales de hecho deban carecer de aptitud para reclamar alimentos, sino porque el régimen consensual que disciplina esa institución no admite que se le aplique, lisa y llanamente, la normativa que gobierna al matrimonio[619]. Y, justamente, el sistema de "culpabilidad-inocencia" es propio del ordenamiento matrimonial.

Con todo, quedan algunas dudas en torno a la decisión de la Corte Constitucional, específicamente encaminadas a indagar sobre la correspondencia entre el razonamiento vertido en la providencia y la decisión de declarar la exequibilidad condicionada de la norma:

---

[619] Bueno es advertir que el autor de esta obra, junto con los doctores Cecilia Díez Vargas, Directora de la Especialización en Derecho de Familia, y José Alberto Gaitán Martínez, Decano de la Facultad de Jurisprudencia, tuvo la oportunidad de intervenir en el proceso de que aquí se trata en nombre del Colegio Mayor de Nuestra Señora del Rosario. En la misma línea que se comenta, el escrito radicado puso de manifiesto la posible ineptitud sustantiva de la demanda para ser conocida de fondo por la Corporación. Sin embargo, también se advirtió que, en caso de que se encontraran acreditados los requisitos necesarios para emitir un pronunciamiento sobre la materia discutida, se debía admitir que había un déficit de protección para los miembros de las uniones maritales de hecho en esta materia y, consiguientemente, se solicitó extender la protección a los compañeros permanente y exhortar al Congreso de la República para definir la vía procesal por la cual se podría hacer efectiva la garantía concedida.

> bajo el entendido de que esta disposición es aplicable a los compañeros permanentes que, al término de una unión marital de hecho, les sean imputables situaciones de violencia intrafamiliar o conductas a las que se refiere el numeral 3° del artículo 154 del Código Civil.

Pues bien, el parámetro de control empleado por la Corporación fue, en particular, la Convención de Belém do Pará, cuyo articulado tiene por objeto "Prevenir, Sancionar y Erradicar la Violencia contra la Mujer". A lo largo de los distintos acápites de la providencia, la Corte identifica como términos de comparación para el juicio de igualdad (*tertium comparationis*) a las mujeres cónyuges víctimas de violencia intrafamiliar y a las mujeres compañeras permanentes víctimas de violencia intrafamiliar. También durante su recorrido argumental, el Tribunal Constitucional efectúa una "aproximación al marco jurídico de protección a la mujer contra cualquier forma de violencia", un análisis sobre "la protección de la mujer y la existencia de una obligación del Legislador de crear herramientas para eliminar la violencia contra ella y repararla" y da aplicación a "los mandatos constitucionales y el marco normativo internacional de protección a la mujer víctima de violencia, respecto de lo dispuesto en el artículo 411.4 del Código Civil, frente a mujeres víctimas de violencia intrafamiliar que formen parte de una unión marital de hecho". Empero, concluye su estudio con la decisión según la cual el artículo 411, ordinal 4°, del Código Civil es aplicable a los compañeros permanentes, sin distinción de sexo, siempre que se acredite que ha mediado violencia intrafamiliar en la pareja.

En primer lugar, debemos afirmar que no nos oponemos, en absoluto, a la decisión prohijada por la Corte Constitucional en su sentencia. Pero resulta curioso, desde el punto de vista lógico, que, mientras la estructura argumentativa de la providencia se cimienta sobre la base de la protección a la mujer, sin contexto o explicación alguna se haga extensiva la decisión a los hombres compañeros permanentes víctimas de violencia intrafamiliar.

V. Hermanos matrimoniales

El ordinal 9° del artículo 411 del Estatuto Civil señala que se deben alimentos a los hermanos "legítimos". Adicionalmente, el artículo 414, *ibídem*, señala que a estos titulares se les deben alimentos *necesarios*.

La categoría en comentario reviste particular interés, por lo cual se formularán algunos planteamientos:

1°) Los extremos de la relación obligacional están claramente definidos: (i) por un lado, será acreedor el hermano matrimonial necesitado; (ii) por el otro, será deudor el hermano matrimonial con capacidad económica suficiente.

2°) Según se explicó precedentemente, de acuerdo con la estructura actual del ordenamiento jurídico colombiano, los hermanos matrimoniales son hoy los únicos acreedores de alimentos *necesarios*. Esta precisión cobra particular relevancia, porque la concreción de la obligación se encuentra limitada por el inciso final del artículo 422 del Código Civil, conforme al cual ningún hombre o mujer[620] a quienes sólo se deben alimentos necesarios, podrá pedirlos después que haya cumplido dieciocho[621] años, salvo que, por algún impedimento corporal o mental, se halle inhabilitado para subsistir de su trabajo; pero si posteriormente se inhabilitare, revivirá la obligación de alimentarle.

Así pues, dado que los hermanos matrimoniales son los únicos acreedores de alimentos *necesarios*, cuando alcancen la mayoría de edad solo se podrá concretar la obligación alimentaria si se encuentran inhabilitados para subsistir de su trabajo, en razón de alguna discapacidad corporal o mental. Mientras sean menores de edad, por tratarse de sujetos de especial protección, será factible que se concrete la obligación, en cuyo caso se suministrarán los alimentos especiales previstos en el artículo 24 Código de la Infancia y la Adolescencia. Con ese mismo razonamiento, cuando sean adultos mayores, su protección constitucional reforzada los habilitará para solicitar los alimentos pertinentes, previstos en el artículo 34A de la Ley 1251 de 2008, siempre que no haya otros parientes capaces de atender su subsistencia[622].

3°) La calificación "legítimos", que acompaña a los hermanos, fue declarada exequible por la Corte Constitucional en Sentencia C-105 de 1994, M.P. Jorge Arango Mejía. En sus planteamientos, la Corporación sostuvo que:

---

[620] Inicialmente, la disposición estaba dirigida exclusivamente a los *varones*. Sin embargo, la Corte Constitucional, en sentencia C-875 de 2003, M.P. Marco Gerardo Monroy Cabra, declaró la exequibilidad de la disposición, en el entendido de que es también aplicable a las mujeres.

[621] La norma se alude a los *veintiún* años de edad, pero la Corte Constitucional, en sentencia C-875 de 2003, M.P. Marco Gerardo Monroy Cabra, aclaró que se debe entender referida a los *dieciocho* años, que es cuando se adquiere la mayoría de edad hoy en Colombia.

[622] En este sentido, véase la sentencia de la Sala de Casación Civil y Agraria de la Corte Suprema de Justicia STC4285 de 2020, M.P. Álvaro Fernando García Restrepo.

sería opuesto a la equidad extender el derecho a todos los hermanos eliminando la calidad de legítimos exigida por el numeral 9 del artículo 411. Téngase en cuenta que los hermanos extramatrimoniales que únicamente son hijos del mismo padre, es posible que ni siquiera se conozcan entre sí, y no serían parte de la misma familia. Además, hay que tener presente que el inciso sexto del artículo 42 de la Constitución consagra la igualdad de derechos y obligaciones entre los hijos, no entre los hermanos.

4°) En Sentencia C-156 de 2003, M.P. Eduardo Montealegre Lynett, el Tribunal Constitucional estudió si se ajustaba a la Carta Política el hecho de que los hermanos matrimoniales solo estuvieran habilitados para reclamar alimentos *necesarios*. Al respecto, consideró que:

> aunque la obligación alimentaria tiene fundamento constitucional (...), ello no significa que el Legislador carezca de libertad de configuración para regular el tema. Por ello, bien podía la ley establecer distintas intensidades de la obligación alimentaria, a fin de consagrar un deber más intenso para el alimentante en relación con aquellas personas que le son más próximas y frente a las cuales tiene un mayor deber de solidaridad, y una obligación menos fuerte frente a otras personas en relación a las cuales su deber de solidaridad es menor. En tales circunstancias, la distinción entre distintos tipos de obligaciones alimentarias, tal y como lo establece la disposición acusada, es producto de la libertad de configuración del legislador en la materia, pues precisamente reserva los alimentos congruos (deber más riguroso) para las personas que son más próximas al alimentante en términos de parentesco, y frente a las cuáles tiene mayores obligaciones de protección, como los ascendientes, descendientes, cónyuge y compañero, mientras que establece los alimentos necesarios (obligación menos estricta) frente a los hermanos, que tienen mayor lejanía familiar y frente a los cuales el alimentante tiene menores responsabilidades de solidaridad. Esta diferencia de trato se funda entonces en un juicio político del Legislador sobre los deberes de solidaridad que es compatible con la Carta.

5°) Conviene aclarar que, en palabras de la Corte Constitucional, la obligación alimentaria entre hermanos se establece en función de su filiación *matrimonial*. De ello se deduce que:

> [n]o existe entonces obligación entre hermanos extramatrimoniales, ni tampoco a favor del hermano legítimo por parte de su hermano extramatrimonial, ni al contrario, a favor del hermano extramatrimonial por parte del hermano legítimo. Pero entre hermanos de simple conjunción legítimos (medios hermanos) existe la obligación[623].

---

[623] Sentencia C-156 de 2003, M.P. Eduardo Montealegre Lynett.

6°) A pesar de los pronunciamientos del Tribunal Constitucional, muy lejos está de ser pacífica la situación entre nosotros. En 2014, la Corte Suprema de Justicia conoció de una acción de tutela instaurada por una Procuradora Judicial, en representación de tres niños cuya reclamación alimentaria contra sus hermanas de simple conjunción fue rechazada por el juez de familia, en razón de que los niños eran hijos extramatrimoniales, mientras que las hermanas eran hijas matrimoniales. La Sala de Casación Civil de la Corporación[624] dejó ver su inconformidad con los planteamientos de la Corte Constitucional pero, en estricto acatamiento del precedente judicial, reconoció que no había yerro alguno en la providencia del juzgado de familia, por lo que rechazó el amparo solicitado.

Sin embargo, el Magistrado Luis Armando Tolosa Villabona salvó su voto y lanzó duras críticas al razonamiento de la Corte Constitucional, al punto de indicar que la:

> *ratio decidendi* [de la Sentencia C-105 de 1994] es vacua e inconsistente, porque se sustrae de la completud (SIC) del ordenamiento jurídico recostándose en una razón sociológica, y pasando por alto la confrontación con otros principios y derechos de la misma Carta, como los de solidaridad e igualdad, al no extender el derecho a todos los hermanos en forma recíproca configurando, entonces, una violación incontestable a los derechos fundamentales de aquéllos otros hermanos no 'legítimos' o extramatrimoniales, estructurándose una asimetría en la calidad jurídica de cada uno de los hermanos.

Concluyó el Magistrado disidente que, en su opinión, la Sala debió prohijar la excepción de inconstitucionalidad para inaplicar la regla prevista por el ordinal 9° del artículo 411 del Código Civil, "ante la prevalencia de los derechos de los niños del art. 44, los de familia del art. 42, la solidaridad del art. 1, y la igualdad del art. 13, todos de raigambre constitucional". A ese efecto, agregó que:

> [s]i la igualdad se extiende únicamente hasta los hijos, como lo sostienen erradamente los precedentes constitucionales analizados, debió otorgarse el amparo con pábulo en el interés superior de los menores reclamantes cual se predica por el C.I.A. y el bloque de constitucionalidad, desquiciando las fronteras que separan a las diferentes clases de hermanos, protegiendo la unidad de la familia y la solidaridad familiar, en tiempos como el de ahora, cuando se reconocen alimentos a personas del mismo sexo, pero que paradójicamente se dejan al vaivén y en la incertidumbre los recíprocos entre los hermanos no 'legítimos'.

---

[624] Cfr. Sentencia de la Sala de Casación Civil y Agraria de la Corte Suprema de Justicia STC2206 de 2014, M.P. Fernando Giraldo Gutiérrez.

7°) En 2019, la Corte Constitucional conoció de una nueva demanda de inconstitucionalidad contra el ordinal 9° del artículo 411 del Código Civil. En esa oportunidad, los actores estimaban que, a pesar de los pronunciamientos anteriores de la Corporación, era factible superar la cosa juzgada (*res judicata*) y realizar un nuevo análisis de fondo, en la medida en que había habido una variación en el significado constitucional sobre esta materia. Al estudiar los argumentos, el Tribunal Constitucional[625] sostuvo que: (i) por un lado, respecto de los hermanos de crianza se configuraba el fenómeno de omisión legislativa absoluta, lo que impedía emitir un pronunciamiento material; y, (ii) por el otro, el transcurso del tiempo no implicaba, por sí solo, una mutación en la interpretación constitucional, capaz de motivar que se adelantara un nuevo análisis sobre el particular.

Importa poner de presente la aclaración de voto formulada por la Magistrada Cristina Pardo Schlesinger. Aunque coincidió con la configuración de la cosa juzgada en el caso específico, estimó que la Corte debió estudiar la posibilidad de modificar la expresión "legítimos", en aras de superar los vestigios peyorativos que quedan en el ordenamiento jurídico. Así, indicó compartir "la opinión expresada en esta ocasión por el Ministerio Público que sugería sustituir la palabra *'legítimo'* del numeral 9° del artículo 411 del Código Civil, por *'hermanos de doble conjunción'* y *'hermanos de simple conjunción integrantes de un mismo núcleo familiar'*".

8°) El autor considera que, en verdad, mantener la discriminación entre hermanos en razón de su filiación parece hoy insostenible. En efecto, los argumentos vertidos por la Corte Constitucional en la Sentencia C-105 de 1994, según los cuales la distinción tenía cabida con motivo de la cercanía de los hermanos matrimoniales, quizás resultaba admisible para aquella época. Sin embargo, el vertiginoso incremento de uniones maritales de hecho, producto de las cuales se procrean hijos "extramatrimoniales", hace imposible admitir el planteamiento hoy.

Varios pueden ser los escenarios que lo constatan: (i) dos hijos procreados por una pareja que conformó unión marital de hecho son extramatrimoniales y, consiguientemente, no se podrán reclamar alimentos entre sí en el futuro; (ii) un hijo procreado en un matrimonio y otro procreado en la posterior unión marital de hecho de la madre del primero con otra

---

[625] Cfr. Sentencia de la Corte Constitucional C-439 de 2019, M.P. Luis Guillermo Guerrero Pérez.

persona, incluso a pesar de haber vivido y crecido juntos, no se podrán reclamar alimentos entre sí en el futuro; etcétera.

Así se demuestra que la cercanía no dice ya relación con la filiación "matrimonial" o "extramatrimonial", porque las circunstancias fácticas de la sociedad no permiten avalar tal conclusión.

Lo anterior conduce a la inequívoca conclusión de que es necesario que el Congreso de la República, en ejercicio de las competencias que le han sido atribuidas por la Carta Política, modifique el ordinal 9º del artículo 411 del Código Civil, en el sentido de disponer que se deberán alimentos a los *'hermanos de doble conjunción'* y *'hermanos de simple conjunción integrantes de un mismo núcleo familiar'*. Es de advertir que, aunque esa fue la propuesta del Ministerio Público y de la Magistrada Pardo Schlesinger en su aclaración de voto, si se adopta directamente por la Corte Constitucional se habrá modificado substancialmente el ordenamiento jurídico vigente. No entraña una simple corrección formal, tendiente a superar la expresión peyorativa "legítimos", sino que contraría los planteamientos de la Corporación en las sentencias C-105 de 1994 y C-156 de 2003, antes estudiadas.

Si se tratara de la simple superación de la expresión, sin alterar el contenido de las reglas jurisprudenciales fijadas, bastaría modificar la expresión "legítimos" por "matrimoniales". Pero al establecer que los hermanos de doble conjunción y los de simple conjunción que integran un mismo núcleo familiar son titulares del derecho de alimentos se modifica seria, importante y afortunadamente el ordenamiento jurídico, en la medida en que los ejemplos expuestos en los párrafos que anteceden quedarían cobijados en la nueva comprensión de la obligación alimentaria.

En todo caso, se recomienda que quien formule el cambio sea el Congreso de la República, y no la Corte Constitucional, no solo por pertenecer la situación al resorte del primero, sino porque adoptar la posición expuesta plantea un interrogante adicional: ¿cuál es el alcance de la expresión "integrantes de un mismo núcleo familiar"?, ¿significa cohabitar? En caso afirmativo ¿cuánto tiempo?, porque puede ocurrir que un hijo viva con su padre y los otros hijos de éste durante tres años, pero después se vaya a vivir con su madre. En tal caso, ¿se considerará que los hermanos "integraron un mismo núcleo familiar"? En fin, se requiere una regulación holística de la materia.

VI. Quien efectuó una donación cuantiosa que no haya sido rescindida, resuelta ni revocada

El ordinal 10° del artículo 411 del Código Civil concede la titularidad del derecho de alimentos a quien efectúe una donación cuantiosa que no haya sido rescindida ni revocada. Desde luego que el fundamento constitucional de la obligación a que aquí se alude no es otro que el de la solidaridad del donatario. Además, en un planteamiento moral, quiso el Legislador reconocer la necesaria *gratitud* que le debe el que recibe una liberalidad.

Por cuanto toca con los extremos de la obligación, vale decir que el deudor será siempre el donatario y el acreedor será el donante. En estos eventos no se cumple, por razones obvias, con la característica de reciprocidad del derecho de alimentos, pues el donatario nunca podrá adquirir la condición de acreedor.

A más de lo expuesto, el artículo 1465 del Código Civil establece que:

> [e]l que hace una donación de todos sus bienes deberá reservarse lo necesario para su congrua subsistencia; y si omitiere hacerlo podrá en todo tiempo obligar al donatario a que, de los bienes donados o de los suyos propios, le asigne a este efecto, a título de propiedad o de un usufructo vitalicio, lo que se estimare competente, habida proporción a la cuantía de los bienes donados.

También se observa que el Legislador se limitó a indicar que lo que activa el derecho de alimentos es lo *cuantioso* de una donación, calificativo que resulta etéreo y ambiguo. La razón la explica VÉLEZ cuando afirma que "lo *cuantioso* de [la donación] es relativo, porque depende de la fortuna de quien la haga. De modo que si el donante es una persona rica, lo que para él no sería cuantioso puede serlo para un donante de pocos recursos"[626]. Por consiguiente, corresponderá al juez determinar, en cada controversia, si la donación cumple con el adjetivo empleado por la norma para acreditar la titularidad del derecho de alimentos. A tal efecto, habrá de consultar las condiciones del donante en el momento de hacer la donación, puesto que verificarlas en otro tiempo podría conducir a equívocos en la determinación de lo *cuantioso*.

---

[626] FERNANDO VÉLEZ. *Estudio sobre el derecho civil colombiano*. Tomo II. Segunda Edición. Ed. Imprenta París-América. París, 1926. Pág. 40.

SECCIÓN V. RECLAMACIÓN DE ALIMENTOS EN EL EXTERIOR

Como consecuencia de la globalización y la liberalización, es cada vez más frecuente que se disminuyan las barreras para que una persona se radique fuera de las fronteras patrias. Muchos son los motivos que pueden dar origen a una decisión semejante, verbigracia la búsqueda de mejores oportunidades, la realización de estudios o simplemente la concreción de un proyecto de vida diferente. Sea cual fuere la razón, lo cierto es que es esa una realidad irrefutable en nuestros días, a la que en buena hora se ha hecho frente por el Derecho de Familia.

Actualmente, no es extraño conocer casos en los cuales el reclamante se encuentra domiciliado en una jurisdicción, mientras el reclamado está fincado en otra distinta. En tales eventos, el andamiaje clásico de los ordenamientos jurídicos nacionales puede resultar insuficiente y nugatorio de las prerrogativas de los individuos, situación que se vuelve más compleja cuando de por medio están los derechos de los niños y adolescentes.

Así las cosas, la fuerza de la cada vez más vívida realidad ha obligado a los distintos Estados a evaluar alternativas comunes para atajar estas problemáticas y garantizar la cumplida protección de los derechos de los acreedores alimentarios, fruto de lo cual han surgido, entre otros, la Convención Interamericana sobre Obligaciones Alimentarias y la Convención de Nueva York sobre la Obtención de Alimentos en el Extranjero. A continuación se analizan separadamente:

I. *Convención Interamericana sobre Obligaciones Alimentarias*

La Convención Interamericana sobre Obligaciones Alimentarias fue suscrita en Uruguay, el 15 de julio de 1989, en la Conferencia Especializada sobre Derecho Internacional Privado. Colombia aprobó este Instrumento por medio de la Ley 449 de 1998, respecto de cuya exequibilidad se pronunció favorablemente la Corte Constitucional en Sentencia C-184 de 1999, M.P. Antonio Barrera Carbonell. Posteriormente, la Convención fue ratificada por Colombia el 28 de julio de 2010 y entró en vigor el 26 de agosto siguiente[627].

---

[627] Sobre la aprobación y ratificación del Instrumento por Colombia, véase la información proporcionada por el Ministerio de Relaciones Exteriores disponible en: http://apw.cancilleria.gov.co/tratados/SitePages/VerTratados.aspx?IDT=716655e1-89a2-4888-a44e-4a8015bc7ab1

1. Objeto y Estados Parte

De acuerdo con el artículo 1°, la Convención tiene por objeto la determinación del derecho aplicable a las obligaciones alimentarias, así como a la competencia y a la cooperación procesal internacional, cuando el acreedor de alimentos tenga su domicilio o residencia habitual en un Estado Parte y el deudor de alimentos tenga su domicilio o residencia habitual, bienes o ingresos en otro Estado Parte.

Para los efectos que enseguida se analizan, téngase presente que han ratificado o adherido a la Convención, y son por tanto Estados parte, Argentina, Belice, Bolivia, Brasil, Colombia, Costa Rica, Ecuador, Guatemala, México, Panamá, Paraguay, Perú y Uruguay[628].

2. Ámbito de aplicación

El artículo 1° establece que la Convención es aplicable a (i) las obligaciones alimentarias respecto de menores de edad y a (ii) las que se deriven de las relaciones matrimoniales entre cónyuges o quienes hayan sido tales. Sin embargo, los Estados quedan autorizados, al suscribir, ratificar o adherir a la Convención, para restringir su aplicación exclusivamente a las obligaciones alimentarias respecto de menores. Esta facultad se amplía por el artículo 3°, conforme al cual, en las mismas oportunidades, los Estados pueden hacer extensivos sus efectos a las obligaciones alimentarias en favor de otros acreedores y quedarán facultados para declarar el grado de parentesco u otros vínculos legales que determinen la calidad de acreedor y deudor de alimentos en sus respectivas legislaciones.

Para todos los efectos, el artículo 2° establece que se consideran menores quienes no hayan cumplido los dieciocho años de edad. Empero, los beneficios de la Convención se hacen extensivos a quienes, habiendo cumplido los dieciocho años, continúan siendo acreedores de prestaciones alimentarias de conformidad a la legislación aplicable en cada caso.

En el caso colombiano, al momento de la ratificación se declaró que la Convención desplegaría sus efectos en relación con las obligaciones alimentarias de las que fueran titulares: (i) los descendientes; (ii) los ascendientes; (iii) los hijos adoptivos; (iv) los padres adoptantes; (v) los herma-

---

[628] La fecha de ratificación o adhesión de cada uno de los Estados Parte se puede consultar en la página web de la Organización de Estados Americanos, disponible en: http://www.oas.org/juridico/spanish/firmas/b-54.html

nos; (vi) la persona que hizo una donación cuantiosa si no hubiere sido rescindida o revocada; y (vii) el compañero o compañera permanente que forma una unión marital de hecho.

3. Ley aplicable

De conformidad con lo previsto por el artículo 6°, las obligaciones alimentarias, la calidad de deudor y la calidad de acreedor alimentario se gobernarán por la ley más favorable al interés del acreedor, a juicio de la autoridad competente, entre: (i) las leyes del Estado del domicilio o de la residencia habitual del acreedor; y (ii) las leyes del Estado del domicilio o de la residencia habitual del deudor.

En cuanto al contenido y alcance de lo que podrá regular la ley aplicable, el artículo 7° contempla: (i) el monto del crédito alimentario y los plazos y condiciones para hacerlo efectivo; (ii) la determinación de quienes pueden ejercer la acción alimentaria en favor del acreedor; y (iii) las demás condiciones requeridas para el ejercicio del derecho de alimentos.

4. Autoridad competente

El artículo 8° establece que cualquiera de las siguientes autoridades es competente para conocer de los procesos relacionados con obligaciones alimentarias, a elección del acreedor: (i) el juez o autoridad del Estado del domicilio o de la residencia habitual del acreedor; (ii) el juez o autoridad del Estado del domicilio o de la residencia habitual del deudor; o (iii) el juez o autoridad del Estado con el cual el deudor tenga vínculos tales como posesión de bienes, percepción de ingresos u obtención de beneficios económicos.

Aunado a ello, la disposición prevé una cláusula residual de competencia general en favor de la autoridad judicial o administrativa de cualquier Estado, siempre que el demandado comparezca sin objetar la competencia. En esa forma, es incluso posible acudir a una autoridad de cualquier Estado Parte con el que no se tenga relación alguna y, en caso de que el demandado guarde silencio y no oponga la excepción de incompetencia, el juez o funcionario administrativo habrá de conocer del caso.

Por su parte, el artículo 9° precisa que cualquier autoridad de las antes indicadas será competente para conocer de los procesos de aumento de cuota alimentaria. En cambio, tratándose de cese (exoneración) o disminución (reducción) de la cuota, atribuye el fuero de atracción en favor de la autoridad que hubiere conocido de la fijación de los alimentos.

Como no podría ser distinto, el artículo 10° ordena que los alimentos sean fijados en forma proporcional a la necesidad del demandante (acreedor) y a la necesidad del demandado (deudor).

5. Eficacia extraterritorial de las sentencias

Las providencias extranjeras, de acuerdo con lo previsto por el artículo 11 de la Convención, gozan de eficacia extraterritorial en todos los Estados Parte, siempre que se acrediten los siguientes requisitos: (i) Que el juez o autoridad que dictó la sentencia haya tenido competencia en esfera la internacional para conocer y juzgar el asunto; (ii) Que la sentencia y los documentos anexos necesarios estén debidamente traducidos al idioma oficial del Estado donde deban surtir efecto; (iii) Que la sentencia y los documentos anexos se presenten debidamente legalizados de acuerdo con la ley del Estado en donde deban surtir efecto, cuando sea necesario; (iv) Que la sentencia y los documentos anexos vengan revestidos de las formalidades externas necesarias para que sean considerados auténticos en el Estado de donde proceden; (v) Que el demandado haya sido notificado o emplazado en debida forma legal de modo sustancialmente equivalente a la aceptada por la ley del Estado donde la sentencia deba surtir efecto; (vi) Que se haya asegurado la defensa de las partes; y (vii) Que las sentencias tengan el carácter de firme en el Estado en que fueron dictadas. En caso de que existiere apelación de la sentencia ésta no tendrá efecto suspensivo.

Para la acreditación de los anteriores requisitos, el artículo 12 exige la aportación de copias auténticas de la sentencia, de las piezas procesales o administrativas pertinentes y del auto que declare que la sentencia se encuentra en firme o que ha sido apelada. Recuérdese, al respecto, que la apelación no se concede en efecto suspensivo y es, por tanto, ejecutable la providencia de primer grado.

El control de los requisitos, en los términos del artículo 13, corresponderá directamente al juez que deba conocer de la ejecución, quien actuará en forma sumaria, con audiencia de la parte obligada, mediante citación personal y con la comunicación al Ministerio Público, sin entrar en la revisión del fondo del asunto. En caso de que la resolución fuere apelable, el recurso no suspenderá las medidas provisionales ni el cobro y ejecución que estuvieren en vigor.

Sin perjuicio de lo anterior, el artículo 18 faculta a los Estados Parte para que, al suscribir, ratificar o adherir a la Convención, señalen que sus propias normas procedimentales serán las que apliquen en relación con el reconocimiento y ejecución de sentencias extranjeras. Panamá y Guatemala han sido los únicos dos países que, hasta el momento, han formulado aclaraciones interpretativas en este aspecto, al señalar que serán sus normas procesales las que determinen el reconocimiento y ejecución de las providencias a que se refiere la Convención.

6. Caución

El artículo 14 prohíbe expresamente la exigencia de caución alguna al acreedor alimentario, cuando ésta se solicite por razón de su nacionalidad extranjera o de su domicilio o residencia habitual en otro Estado.

7. Medidas cautelares

El artículo 15 faculta y manda que las autoridades jurisdiccionales de los Estados Parte ordenen y ejecuten, previa solicitud motivada de la parte interesada o por intermedio de agente diplomático o consultar a que haya lugar, las medidas cautelares de carácter territorial, cuya finalidad sea garantizar el resultado de una reclamación de alimentos pendiente o por ser instaurada. Estas medidas se deben adoptar sin importar de qué Estado es la autoridad competente, pues basta que el bien o los ingresos respectivos se encuentren en el territorio en que la medida se promueve.

El artículo 16, sin embargo, aclara que la adopción de las medidas cautelares no conlleva el reconocimiento de la competencia del órgano judicial que requiere, ni el compromiso de reconocer la validez o de proceder con la ejecución de la sentencia que se llegare a dictar. Además, el artículo 17 añade que las resoluciones interlocutorias y las medidas cautelares que se dicten en materia de alimentos, verbigracia en procesos de divorcio, nulidad, separación de cuerpos, entre otros, tendrán que ser ejecutadas por la autoridad competente, incluso si contra ellas procede el respectivo recurso de apelación en el Estado en que se dictaron.

II. *Convención de Nueva York, de 1956, sobre la Obtención de Alimentos en el Extranjero*

La Convención de Nueva York sobre la obtención de alimentos en el extranjero fue suscrita el 20 de junio de 1956, en virtud de lo previsto por la Resolución 572(XIX) del Consejo Económico y Social de las Naciones Unidas. Colombia firmó la Convención el 16 de julio de 1956, la aprobó mediante la Ley 471 de 1998, cuya exequibilidad fue declarada por la Corte Constitucional en Sentencia C-305 de 1999, M.P. José Gregorio Hernández Galindo, y su entrada en vigor principió el 10 de diciembre de 1999[629].

1. Objeto y Estados Parte

De acuerdo con el artículo 1°, la Convención tiene por objeto facilitar a una persona, que se encuentra en el territorio de una de las partes contratantes, la obtención de los alimentos que pretende tener derecho a recibir de otra persona, que está sujeta a la jurisdicción de otra Parte Contratante. Empero, se aclara que los medios jurídicos a que se refiere la Convención son adicionales a los demás medios que puedan utilizarse conforme al derecho interno o al derecho internacional, y no sustitutivos de los mismos. Esta última afirmación es de capital importancia, puesto que aclara que su objeto no es dejar sin efecto otros instrumentos, como la Convención Interamericana sobre la Obligaciones Alimentarias, sino complementarlos.

Por cuanto toca con los Estados Parte, se advierte que hay un robusto listado compuesto por 64 países. Entre ellos, cabe destacar a Alemania, Argentina, Australia, Austria, Bélgica, Bolivia, Brasil, Chile, Croacia, Cuba, Dinamarca, Ecuador, El Salvador, España, Finlandia, Francia, Grecia, Guatemala, Haití, Hungría, Irlanda, Israel, Italia, México, Mónaco, Nueva Zelanda, Países Bajos, Polonia, Portugal, Reino Unido, República Checa, República Dominicana, Santa Sede, Suecia, Suiza y Uruguay[630].

Como nota preliminar se debe advertir que la traducción al español de la Convención es bastante deficiente y se presta a equívocos. Por ese motivo, trataremos de ser muy claros en la explicación de cada uno de los aspectos.

---

[629] Sobre la aprobación y ratificación del Instrumento por Colombia, véase la información proporcionada por el Ministerio de Relaciones Exteriores disponible en: http://apw.cancilleria.gov.co/tratados/SitePages/VerTratados.aspx?IDT=e71ddd6b-1d35-4ac2-a060-75ec0dd21248

[630] El listado completo de países y la fecha de adopción del Instrumento internacional se encuentra en la página de las Naciones Unidas disponible en: https://treaties.un.org/Pages/ViewDetailsIII.aspx?src=TREATY&mtdsg_no=XX-1&chapter=20&Temp=mtdsg3&clang=_en

2. Designación de organismos

Los procedimientos previstos por el la Convención se efectúan entre dos organismos de cada Estado que deben ser designados al momento de depositar su ratificación o adhesión (art. 2°). Los organismos se denominan Autoridad Remitente e Institución Intermediaria. Para el caso de Colombia, la Autoridad Remitente es el Consejo Superior de la Judicatura y la Institución Intermediaria es el Instituto Colombiano de Bienestar Familiar.

Las Autoridades Remitentes y las Instituciones Intermediarias de un Estado serán, normalmente, las encargadas de establecer comunicación directa con las Autoridades Remitentes y las Instituciones Intermediarias de los demás Estados.

3. Solicitud a la autoridad remitente

Según lo establece el artículo 3°, el procedimiento a observar es el siguiente:

1) Si el demandante se encuentra en el territorio de uno de los Estados Parte y el demandado está sujeto a la jurisdicción de otro Estado Parte, el demandante podrá presentar una solicitud a la Autoridad Remitente en su Estado, con el propósito de obtener alimentos del demandado.

2) Todos los Estados Parte deberán informar al Secretario General de la Organización de las Naciones Unidas los elementos de prueba normalmente exigidos por la ley del Estado de la Institución Intermediaria para justificar la demanda de prestación de alimentos, la forma en la que la prueba se debe presentar para que sea admisible y todos los demás requisitos previstos en la ley.

3) La solicitud que presente el demandante se debe acompañar con todos los documentos pertinentes e incluso, de ser necesario, con un poder que faculte a la Institución Intermediaria para obrar en nombre del demandante o para designar a un tercero con ese propósito. Indefectiblemente se deberá aportar una fotografía del demandante y, de ser posible, una fotografía del demandado.

4) La Autoridad Remitente adoptará las medidas necesarias para asegurar que se cumplan los requisitos exigidos por la ley del Estado de la Institución Intermediaria. Sin perjuicio de lo que disponga la ley del Estado de la Institución Intermediaria, la solicitud debe contener, como mínimo: (i) el nombre y apellido del demandante, su dirección, la fecha de nacimiento, la nacionalidad y ocupación y, en su

caso, el nombre y dirección de su representante legal; (ii) el nombre y apellido del demandado y, en tanto sea conocido por el demandante, las direcciones del demandado durante los últimos cinco años, su fecha de nacimiento, nacionalidad y ocupación; y (iii) una exposición detallada de los motivos en que se funda la pretensión del demandante y del objeto de la demanda, así como todos aquellos datos que resulten relevantes, como son los relacionados con la situación económica y familiar del demandante y del demandado.

En Colombia, la solicitud fue reglamentada por el Acuerdo 2207 de 2003, del Consejo Superior de la Judicatura (Autoridad Remitente colombiana).

4. Transmisión de documentos

El artículo 4º dispone que la Autoridad Remitente transmitirá los documentos a la Institución Intermediaria del Estado del demandado, salvo que encuentre que la solicitud se ha presentado de mala fe. En Colombia, de acuerdo con lo previsto por el Acuerdo 2207 de 2003, adoptado por el Consejo Superior de la Judicatura, si la solicitud se archiva por considerar que se ha presentado de mala fe, el solicitante tendrá derecho de pedir que el archivo sea revisado por la Sala Administrativa del Consejo Superior de la Judicatura.

En todo caso, la Autoridad Remitente debe estudiar la solicitud a profundidad, con miras a establecer si ella satisface todos los requisitos exigidos por la ley del demandante. Acreditado lo anterior, la Autoridad Remitente podrá informarle a la Institución Intermediaria cuál es su concepto sobre el mérito de la pretensión y si se recomienda que se conceda al demandante asistencia jurídica gratuita y exención de costas.

5. Transmisión de sentencias y otros actos judiciales

Conforme al artículo 5º, la Autoridad Remitente del Estado del demandante debe transmitir a la Institución Intermediaria del Estado del demandado, por solicitud del demandante: toda decisión, provisional o definitiva, o cualquier acto judicial en materia de alimentos a favor del demandante, que haya sido proferido por un tribunal competente de cualquiera de los Estados Parte. De ser necesario y posible, también se adjuntará copia de las actuaciones y piezas procesales que hayan sido relevantes en la decisión que se transmite.

Tales documentos se podrán transmitir como sustitutos o como complemento de los documentos exigidos en el artículo 3º de la Convención.

El procedimiento que previsto en el artículo 6°, que se explica en el próximo título, podrá incluir, según lo exija la ley del Estado del demandado, el exequátur o cualquier acción basada en la decisión transmitida por la Autoridad Remitente.

6. Funciones de la institución intermediaria

El artículo 6° precisa que la Institución Intermediaria del Estado del demandado deberá tomar, con sujeción a las facultades conferidas por el demandante, todas y cada una de las medidas necesarias para lograr el pago de los alimentos, inclusive por transacción. También podrá, si llegare a ser necesario, iniciar y dar trámite a una acción de alimentos y hacer ejecutar cualquier sentencia, decisión u otro acto judicial.

Como es obvio, la Institución Intermediaria del Estado del demandado mantendrá informada a la Autoridad Remitente del Estado del demandante sobre todas las actuaciones que adelante. En caso de que se vea imposibilitada para actuar, pondrá en conocimiento de esta información a la Autoridad Remitente, con la respectiva explicación de los motivos que la informan, y procederá a devolver la documentación transmitida.

Sin perjuicio de las disposiciones especiales de la Convención, la ley aplicable a la resolución de las acciones de alimentos y a todas las demás cuestiones, como procedimientos y formalidades, será la ley del Estado del demandado, incluidas las normas de derecho internacional privado.

7. Exhortos

En caso de que las legislaciones de los dos Estados Parte admitan exhortos, serán susceptibles de aplicación las disposiciones previstas en el artículo 7°, que se explican a continuación:

El tribunal que conozca la acción de alimentos podrá enviar exhortos para que se alleguen más pruebas, documentales o de otra especie, al tribunal que sería competente para conocer del asunto en el otro Estado Parte o a cualquier otra autoridad o institución que haya sido designada por el Estado Parte en cuyo territorio se debe diligenciar el exhorto.

Para efectos de garantizar que las partes en el proceso puedan asistir a la diligencia o estar representadas en él, la autoridad que recibe el exhorto debe informar a la Institución Intermediaria, a la Autoridad Remitente y al demandado, la fecha y el lugar en que se practicarán las diligencias solicitadas (exhortadas).

Los exhortos se deben llevar a cabo en forma expedita. Si pasados cuatro meses desde que se recibió el exhorto la autoridad no hubiere procedido a practicar las diligencias, tendrán que ser informadas a la autoridad requirente las razones por las cuales no se ha procedido con la práctica de las diligencias.

La tramitación del exhorto no da lugar al reembolso de derechos, costos o gastos de ninguna clase.

Las únicas razones que permiten negar la tramitación del exhorto son las siguientes: (i) si no se puede establecer la autenticidad del documento; y (ii) si el Estado Parte en el que se debe tramitar el exhorto considera que llevar a cabo la diligencia correspondiente podría menoscabar su soberanía o su seguridad.

8. Modificación de las decisiones judiciales

La Convención, y por tanto sus reglas, son aplicables a la modificación de decisiones judiciales en materia de prestación de alimentos (art. 8º).

9. Exenciones y facilidades

En los procedimientos regidos por la Convención, al decir del artículo 9º, los demandantes gozarán del mismo trato y de las mismas exenciones de gastos y costas que aquellos previstos por la ley del Estado en que se tramita el procedimiento a favor de sus nacionales o a favor de sus residentes. De la misma manera, queda proscrita la imposición de cauciones, pagos o depósitos que garanticen las costas u otras erogaciones, cuandoquiera que su imposición obedezca a la condición de extranjería o no residencia del demandante. Además, las Autoridades Remitentes y las Instituciones Intermediarias no percibirán remuneración alguna por los servicios que presten en razón de lo previsto por la Convención.

10. Transferencia de fondos

El artículo 10 hace un llamado para que los Estados Parte cuyas leyes restrinjan la transferencia de fondos al exterior concedan máxima prioridad a los fondos destinados al pago de los alimentos o a cubrir los gastos a que den lugar los procedimientos previstos en la Convención.

III. Comentarios

Indudablemente, el primer criterio que debe satisfacer cualquier interesado en la reclamación de alimentos es constatar que los Estados en los que se encuentran domiciliados el reclamante y el reclamado hagan parte de alguno o ambos instrumentos internacionales. Si resulta que los dos Estados solo son Parte de uno de los Convenios, indefectiblemente se tendrá que acudir a él para los propósitos perseguidos. Si, por el contrario, los Estados son Parte de ambos Convenios, creemos que el reclamante puede elegir la vía que mejor le convenga para la protección de sus intereses[631].

Sin pretender elaborar una comparación exhaustiva, enseguida se presenta una tabla que contiene algunos criterios de interés para los reclamantes, cuando los Estados sean Parte de ambos Convenios:

Tabla 3. Comparativo entre la Convención de Nueva York y la Convención Interamericana.

Criterio de comparación	Convención de Nueva York	Convención interamericana
Titulares/Reclamantes	Puede reclamar cualquier persona que tenga derecho de obtener los alimentos. (Art. 1°).	Se dirige fundamentalmente a (i) los menores de dieciocho años de edad y a (ii) los cónyuges o quienes hayan tenido la calidad de tales. Sin embargo, se autoriza que los Estados, al suscribir, ratificar o adherir a la Convención, agreguen otros individuos, por lo que es necesario analizar las notas de cada Estado. (Art. 1°).

---

[631] Sonia Rodríguez, al comparar la compatibilidad entre ambos Convenios Internacionales, concluye que procede el principio *favor creditoris*. Pese a que no hay compatibilidad expresa declarada, ambos señalan que sus disposiciones no tienen por objeto derogar o impedir la aplicación de otros Tratados sobre la misma materia. Sin embargo, aconseja que, cuando los Estados en los que se ubican *demandante-reclamante* y *demandado-reclamado* sean Parte de los dos Convenios, se acuda al Instrumento Interamericano "en cuanto procede de un foro de codificación regional y es un instrumento posterior. Criterios de especialidad y posterioridad nos inclinan a pensar que este es el instrumento más correcto para dar respuesta a un supuesto de alimentos internacional". (*La protección de los menores en el derecho internacional privado mexicano*. Ed. Universidad Nacional Autónoma de México. México D.F., 2006. Pág. 70 y 71).

Criterio de comparación	Convención de Nueva York	Convención interamericana
Autoridad competente	No la individualiza, pero será siempre aquella del Estado del demandado. (Art. 6°).	Pueden ser competentes: (i) el juez o autoridad del Estado del acreedor –*forum creditoris*–; (ii) el juez o autoridad del Estado del deudor –*forum debitoris*–; (iii) el Juez o autoridad donde el deudor tenga vínculos patrimoniales[632] –*forum patrimonii*–; y, (iv) residualmente, el juez o autoridad de cualquier Estado parte, donde no se tengan vínculos, siempre que el demandado comparezca sin objetar la competencia. (Art. 8° y 9°).
Ley aplicable	Lo será siempre, para todos los aspectos procedimentales y substanciales, la del foro del demandado. (Art. 6°).	La *autoridad competente* será la facultada para elegir, en función de lo que resulte más favorable para el reclamante, entre: (i) la legislación del Estado del demandante; y (ii) la legislación del Estado del demandado. El derecho aplicable cubrirá: (i) el monto del crédito alimentario y los plazos y condiciones para hacerlo efectivo; (ii) la determinación de quienes pueden ejercer la acción alimentaria en favor del acreedor; y (iii) las demás condiciones requeridas para el ejercicio del derecho de alimentos. (Art. 6° y 7°).
Alcance	Queda contemplada la posibilidad de que la Institución Intermediaria logre la obtención de alimentos, mediante: (i) transacción; (ii) iniciar o proseguir acción de fijación de cuota de alimentos; y (iii) ejecutar cualquier sentencia o decisión sobre el particular. (Art. 6°)	El demandante podrá reclamar: (i) la fijación de cuota de alimentos; (ii) el aumento de la cuota de alimentos; (iii) la disminución de la cuota de alimentos; (iv) el cese de la cuota de alimentos; y (v) la ejecución de las decisiones sobre alimentos. (Art. 8°, 9°, 10° y 13 a 17).

Fuente: Elaboración propia.

---

[632] La Convención emplea la expresión "vínculos personales", pero nos parece más apropiado aludir a los "vínculos patrimoniales" por el contenido del nexo (patrimonio, ingresos, rentas y derechos apreciables en dinero).

SECCIÓN VI. BREVE REFERENCIA A LOS DISTINTOS TRÁMITES PARA LA FIJACIÓN DE ALIMENTOS

1°) Los interesados se encuentran facultados para celebrar o elaborar un acuerdo privado sobre la materia. Respecto de los menores de edad, los representantes legales quedan expresamente habilitados por el artículo 129 del Código de la Infancia y la Adolescencia, incisos 7° y 8°[633]. A su turno, la libertad de la autonomía de los mayores de edad para suscribir un acuerdo en este sentido fue expresamente respaldada por la Corte Suprema de Justicia, mediante Sentencia STC7849 de 2019, M.P. Ariel Salazar Ramírez.

2°) Es también posible acudir a la conciliación extrajudicial. Además de ser un método alternativo de solución de controversias, la conciliación extrajudicial se erige como requisito que se debe agotar para poder presentar la demanda respectiva ante la Jurisdicción. Así se desprende del ordinal 1° del artículo 40 de la Ley 640 de 2001 (vigente hasta el 30 de diciembre de 2022) y del ordinal 2° del artículo 69 del Estatuto de Conciliación (Ley 2220 de 2022, vigente desde el 31 de diciembre de diciembre de 2022, según su artículo 145). Pero cuando concurra violencia intrafamiliar no será necesario agotar el requisito de procedibilidad, como lo precisó la Corte Constitucional en Sentencia C-1195 de 2001, M.P. Manuel José Cepeda Espinosa y Marco Gerardo Monroy Cabra.

Según lo previsto por el artículo 31 de la Ley 640 de 2001 (vigente hasta el 30 de diciembre de 2022) y el artículo 12 del Estatuto de Conciliación (Ley 2220 de 2022, vigente desde el 31 de diciembre de diciembre de 2022, según su artículo 145), el interesado podrá solicitar la conciliación ante los conciliadores de los centros de conciliación, ante los defensores y los comisarios de familia cuando ejercen competencias subsidiarias en los términos de la Ley 2126 de 2021, los delegados regionales y seccionales de la Defensoría del Pueblo, los agentes del ministerio público ante las autoridades judiciales y administrativas en asuntos de familia y ante los notarios. A falta de todos los anteriores en el respectivo municipio, la conciliación podrá ser adelantada por los personeros y por los jueces civiles o promiscuos municipales, siempre que el asunto a conciliar sea de su competencia.

Es de observar, como lo señala expresamente el parágrafo 1° del artículo 1° de la ley 640 de 2001 (vigente hasta el 30 de diciembre de 2022) y

---

[633] En el mismo sentido, véase el Concepto 018 de 2018, emitido por el Instituto Colombiano de Bienestar Familiar.

el inciso primero del artículo 64 del Estatuto de Conciliación (Ley 2220 de 2022, vigente desde el 31 de diciembre de diciembre de 2022, según su artículo 145), que el acta de conciliación presta mérito ejecutivo.

3°) Solo respecto de los menores de edad, cuando se verifique una posible amenaza o vulneración de los derechos, la cuota provisional de alimentos se fijará por el Defensor de Familia, previo intento de conciliación cuando sea procedente, en el marco del proceso administrativo de restablecimiento de derechos[634]. Así lo disponen los artículos 52 y 100 del Código de la Infancia y la Adolescencia.

4°) En las acciones de protección contra la violencia en el contexto familiar, el Comisario de Familia se encuentra facultado para establecer provisionalmente el régimen de alimentos, como lo señala el ordinal 10° del artículo 13 de la Ley 2126 de 2021 (esta previsión es muy similar a la prevista, anteriormente, en el ordinal 5° del artículo 86 del Código de la Infancia y la Adolescencia).

Adicionalmente, en tratándose de adultos mayores, el artículo 34A de la Ley 1251 de 2008, tal como fue adicionado por el artículo 9° de la Ley 1850 de 2017, dispone que, previo intento fallido de conciliación, los Comisarios de Familia quedan facultados para fijar cuota provisional de alimentos en su favor, después de lo cual deben remitir el expediente al Defensor de Familia para que éste interponga la demanda ante la Jurisdicción Ordinaria.

Sobre esta disposición ha habido una importante controversia interpretativa, debido a que el ordinal 11 del artículo 13 de la Ley 2126 de 2021 asignó a los comisarios de familia la competencia para "[f]ijar cuota provisional de alimentos de las personas adultas mayores, conforme a lo dispuesto en el artículo 34A de la Ley 1251 de 2008 o la norma que lo adicione, sustituya, modifique o complemente". Sin embargo, ese mismo cuerpo normativo removió la facultad conciliatoria de los Comisarios de Familia, precisamente para aliviianar sus cargas.

---

[634] Téngase en cuenta que la competencia principal para adelantar los procesos administrativos de restablecimiento de derechos quedó radicada en cabeza del Defensor de Familia. En forma subsidiaria, cuando no haya Defensor de Familia en el municipio de que se trate, el competente será el Comisario de Familia. Y, de manera residual, cuando no haya Defensor ni Comisario de Familia, lo será el Inspector de Policía. Un mayor detalle se encuentra en CECILIA DÍEZ VARGAS y MATEO VARGAS PINZÓN. *Guía metodológica del procedimiento administrativo de restablecimiento de derechos* en Retos del Derecho de Familia Contemporáneo. Bogotá, 2022.

Entonces, varios son los interrogantes que surgen: ¿la derogatoria de la facultad conciliatoria cobijó lo relacionado con los adultos mayores? De ser así, ¿cuál es el procedimiento o trámite que deben observar los comisarios de familia para fijar la cuota provisional de alimentos a favor de los adultos mayores? Una vez fijada la cuota, ¿subsiste la obligación de remitir el expediente al Defensor de Familia para que éste presente demanda ante la Jurisdicción Ordinaria? De ser así, ¿el Defensor de Familia deberá convocar a una audiencia de conciliación para satisfacer el requisito de procedibilidad o bastará con que presente la demanda en forma directa ante la Jurisdicción?

Al respecto, los *Lineamientos técnicos para el abordaje comisarial de las violencias en el contexto familiar colombiano*, del Ministerio de Justicia y del Derecho y Programa de las Naciones Unidas para el Desarrollo[635], precisan lo siguiente:

> La ley 1850 de 2017 adicionó un artículo a la ley 1251 del 2008, referente al derecho de los alimentos para el adulto mayor y la competencia para que las CdF fijen la cuota de alimentos provisional, mientras que a los defensores se les otorga la función de presentar la demanda de alimentos en favor del adulto mayor. La ley 2126 del 2021 en el artículo 5 y 16 reafirma esta competencia en las comisarías de Familia. Los comisarios y comisarias continúan con la competencia de fijar la cuota provisional de alimentos de las personas adultos mayores, en atención a que la derogatoria del artículo 48 literal (a) de la Ley 2126 de 2021, afecta sólo el trámite originario de la conciliación, establecido en el artículo 34A de la Ley 1251 de 2008 o la norma que lo adicione, sustituya, modifique o complemente. Esto es considerado también en la Ley 2126 de 2021, al precisar que es competencia de las CdF —fijar cuota provisional de alimentos de las personas adultos mayores—, recalcando que no es necesario para ello agotar conciliación[636].

> Así mismo se aclara que, lo anterior, es sin perjuicio del derecho que le asiste al adulto mayor de optar no por la fijación impositiva de la cuota de alimentos, sino intentar un trámite conciliatorio solicitándolo ante cualquier otro actor de la conciliación en derecho de familia (conciliadores de los centros de conciliación, defensores de familia, delegados regionales y seccionales de la defensoría del pueblo, agentes del ministerio público, autoridades judiciales y administrativas en asuntos de familia, notarios, o residualmente ante los personeros y los jueces civiles o promiscuos municipales) que para tal efecto, contribuya a su acceso a la justicia familiar.

---

[635] Disponibles en: https://www.minjusticia.gov.co/programas-co/tejiendo-justicia/Documents/publicaciones/genero/caso27731/JF_LJC%20%281%29.pdf

[636] Numeral 11, artículo 13.

Conforme a lo expuesto se concluye que, una vez se tenga conocimiento de una solicitud de fijación de alimentos a favor de un adulto mayor, los comisarios y comisarias deberán proceder al establecimiento de alimentos provisionales atendiendo los factores jurídicos para determinar una cuota de alimentos, sin tener que surtir y sin poder exigir, el agotamiento de un trámite conciliatorio. Así mismo, la fijación provisional de alimentos que lleve a cabo el comisario o comisaria estará supeditada a la validación de los criterios definidos por el Código Civil y la Ley 1850 de 2017 (existencia de obligados a prestarlos, condiciones socioeconómicas del adulto mayor y de los llamados a prestar alimentos), más [SIC] no de información que se obtenga en el marco de un trámite conciliatorio. En tal sentido, el comisario o comisaria deberá tener en cuenta que el derecho a alimentos tiene su fundamento en la Constitución como protección especial de la familia, y en especial el artículo 46 en cuanto respecta a las personas mayores, y los artículos 411 a 427 del Título XXI del Libro I del Código Civil[637]. Tales normas amparadas a los principios de la Ley 2126 de 2021 orientarán la interpretación comisarial para responder a los casos concretos.

En el evento en que la persona adulto mayor quiera primero intentar una alternativa conciliatoria, este trámite podrá llevarse a cabo ante cualquier autoridad con competencia para ello, incluidas las CdF estrictamente en los casos en los que despliegan una competencia subsidiaria"[638].

Pues bien, en mucho disentimos de los lineamientos aquí vertidos. A nuestra manera de ver, si bien la Ley 2126 de 2021 removió la facultad conciliatoria principal de los Comisarios de Familia, la remisión expresa que hace el ordinal 11 de su artículo 13 al artículo 34A de la Ley 1850 de 2017 permite concluir que esta última sigue vigente en todas sus partes. No otro podría ser el entendimiento de que la propia disposición indique que la fijación de los alimentos para los adultos mayores se debe hacer "conforme a lo dispuesto en el artículo 34A de la Ley 1251 de 2008 o la norma que lo adicione, sustituya, modifique o complemente".

---

[637] Sobre el particular, la Corte Constitucional ha fijado unos criterios básicos a tener en cuenta, referidos, entre otros pronunciamientos, en la sentencia T-685 de 2014: "la obligación alimentaria tiene fundamento en la propia Carta Política, pues se vincula con la protección que el Estado debe dispensar a la familia como institución básica de la sociedad y con la efectividad y vigencia de las garantías por ella reconocidas, en el entendido de que el cumplimiento de dicha acreencia civil aparece necesario para asegurar la vigencia del derecho fundamentales al mínimo vital de los niños, de las personas de la tercera edad o de quienes se encuentren en condiciones de marginación o de debilidad manifiesta (Arts. 2°, 5°, 11, 13, 42, 44 y 46 C.P.). En: C-919 de 2001; C-875 de 2003; C-156 de 2003 y T-1096 de 2008.

[638] Cfr. Pág. 55.

Una recta y armónica interpretación de la ley ha debido conducir a la conclusión según la cual las facultades conciliatorias principales de los comisarios de familia quedaron derogadas, *excepto* en tratándose del caso de los adultos mayores. Y ello es así, por múltiples razones, a saber:

En primer lugar, por la redacción del ordinal 11 del artículo 13 de la Ley 2126 de 2021. Si lo querido hubiera sido subrogar o derogar, total o parcialmente su texto, la norma lo habría indicado así, pero no lo hizo.

En segundo lugar, porque no parece lógico afirmar que los comisarios de familia se encuentren impedidos para celebrar una conciliación, pero sí deban validar los criterios requeridos para decretar los alimentos que se solicitan por el adulto mayor como requisito previo a la fijación de la cuota. ¿De qué manera pueden cumplir su encargo si no es mediante el acercamiento de las partes o la realización de un encuentro que les permita auscultar los requisitos de *capacidad económica del alimentante, necesidad económica del alimentario* y *vínculo jurídico*? Se podrá decir que no hay cabida a celebrar conciliaciones y que ese fue el querer de la ley, pero, en la práctica, la gestión de los comisarios será muy cercana (si no idéntica) a una conciliación.

En tercer lugar, porque si no se surte la conciliación previa tampoco se agota el requisito de procedibilidad exigido por la propia ley para que se tramite la demanda de fijación de alimentos respectiva. Entonces, o se tiene que aseverar que el ordinal 11 del artículo 13 de la Ley 2126 de 2021 sí derogó parcial y tácitamente el artículo 34A de la Ley 1850 de 2017, o se tiene que admitir que modificó el ordenamiento jurídico en forma sustancial. Lo primero, en la medida en que el comisario de familia ya no tendría que enviar el expediente al defensor de familia para que éste presentara la demanda en nombre del adulto mayor. Lo segundo, toda vez que sí habría tal obligación, pero se exoneraría del cumplimiento del requisito de procedibilidad a la demanda que, al efecto, preparara y presentara el Defensor de Familia, lo que entraña un cambio en la sustancia misma del sistema (salvo que medie violencia, todas las demandas para la fijación de cuota alimentaria exigirían el agotamiento de requisito de procedibilidad menos una: ¿por qué? ¿cuál es el argumento jurídico para ello?).

Ambas alternativas suponen la mengua importante del efecto útil del artículo 34A de la Ley 1850 de 2017. En forma alguna se podrá decir que lo pretendido por el Legislador de 2021 fue conferir semejante alcance a su cuerpo normativo, sin ello siquiera haber quedado plasmado en los textos preparatorios del proyecto que se convertiría en la ley 2126. Es más, esta temática no es abordada en los *Lineamientos*.

Una tercera alternativa sugeriría que, cuando el adulto mayor quiera acudir a la Jurisdicción, luego de fijada la cuota por el Comisario de Familia, debe comparecer a una nueva autoridad para agotar el requisito de procedibilidad, después de lo cual podrá presentar la respectiva demanda. El supuesto se cae por sí solo. ¿A quién se le puede ocurrir que lo querido por el Legislador fue obligar al adulto mayor (sujeto de especial protección constitucional) a acudir a tres autoridades distintas para obtener la garantía de sus derechos (Comisario de Familia, a fin de obtener la fijación de cuota provisional, Autoridad facultada para celebrar conciliación, a fin de satisfacer el requisito de procedibilidad, y Juez de la República, a fin de obtener la fijación de cuota definitiva)?

La recta razón conduce a pensar que lo verdaderamente armónico sería admitir que la ley 2126 de 2021 no introdujo cambios en lo previsto por la ley 1850 de 2017, porque ordenó al Comisario de Familia fijar la cuota alimentaria "conforme a lo dispuesto en el artículo 34A de la Ley 1251 de 2008 o la norma que lo adicione, sustituya, modifique o complemente"; es decir, con todo el trámite allí previsto (conciliación previa y remisión posterior del expediente). Desde luego, mientras no se modifiquen los *Lineamientos* o se declare su nulidad, parece inobjetable que su contenido debe ser observado por los Comisarios de Familia (y no es muy claro el papel que tendrán los Defensores de Familia), so pena de incurrir en conductas sancionables por la vía disciplinaria.

5°) Luego de agotado el requisito de procedibilidad, los interesados pueden acudir ante el Juez de Familia para que, en única instancia, defina la controversia, de acuerdo con lo establecido por el ordinal 7° del artículo 22 del Código General del Proceso. La causa se tramita como un proceso verbal sumario, según lo prevé el ordinal 2° del artículo 390, *ibídem*, y se debe tener particularmente en cuenta lo dispuesto por el artículo 397, *ibídem*, y las reglas especiales para los menores de edad (y, en lo pertinente, para los adultos mayores) de que trata el Código de la Infancia y la Adolescencia.

Como se explicó en los títulos que anteceden, la naturaleza personalísima del derecho de alimentos impide que la decisión judicial que se adopte haga tránsito a cosa juzgada material y, por tanto, ante el advenimiento de circunstancias que motiven una variación en la regulación respectiva, siempre será posible iniciar un nuevo proceso.

6°) El régimen de alimentos se puede definir en los procesos de nulidad de matrimonio, divorcio, cesación de efectos civiles de matrimonio religioso, separación de cuerpos y de bienes, declaratoria de existencia de unión marital de hecho y disolución y liquidación de sociedades patrimoniales entre compañeros permanentes. Como medida cautelar, en beneficio de los hijos y del cónyuge o compañero permanente, la facultad está reglada por el literal c) del ordinal 5° del artículo 598 del Código General del Proceso y el artículo 417 del Código Civil. Como parte fundamental del contenido de la sentencia de nulidad del matrimonio, divorcio, cesación de efectos civiles de matrimonio católico o separación de cuerpos, la regla se encuentra en el artículo 389 del Código General del Proceso.

También procede la fijación de una cuota alimentaria, para los menores de edad, en los procesos de suspensión o privación de patria potestad, de impugnación de la paternidad y de reclamación de la paternidad.

7°) En los trámites de divorcio o cesación de efectos civiles de matrimonio católico ante notario, cuando la causa en que se fundamente sea el mutuo acuerdo, los cónyuges deberán aportar, además, el acuerdo relativo al régimen de alimentos de sus hijos menores de edad. En virtud de lo previsto por el artículo 34 de la ley 962 de 2005 y los artículos 2.2.6.8.1., 2.2.6.8.2. y 2.2.6.8.3. del decreto 1069 de 2015, el Defensor de Familia deberá intervenir en el divorcio o cesación de efectos civiles de matrimonio católico cuando haya hijos menores de edad, con miras a impartir aprobación sobre el acuerdo de alimentos.

SECCIÓN VII. BREVE REFERENCIA AL PROCESO EJECUTIVO DE ALIMENTOS Y A LA PRESCRIPCIÓN DE LAS MESADAS ALIMENTARIAS

El proceso ejecutivo de alimentos parte de un presupuesto cardinal obvio: que la cuota o mesada ha sido previamente fijada. Se dice que es obvio, puesto que no es posible ejecutar o pretender el cobro de una suma que no se ha concretado. Recuérdese, para todos los efectos, que el título que presta mérito ejecutivo es aquel que contiene una obligación *clara, expresa* y *exigible* (art. 422 del Código General del Proceso).

Así pues, es factible que se presenten varias hipótesis en esta materia: (i) que los alimentos se hayan fijado por las partes, mediante acuerdo privado o trámite conciliatorio; (ii) que se hayan fijado por una autoridad administrativa; y (iii) que se hayan fijado por una autoridad judicial. Para los dos primeros supuestos, el ordinal 7° del artículo 21 del Código General del Proceso atribuye la competencia, en única instancia, al Juez de Familia. Para el tercer supuesto, el ordinal 2° del artículo 397, *ibídem*, consagra un fuero de atracción en favor del Juez que haya conocido del proceso regulatorio de alimentos (que, según se vio, también es el Juez de Familia).

En cuanto al factor territorial del Juez llamado a conocer del proceso ejecutivo, tres son las disposiciones pertinentes:

1°) El artículo 28, ordinal 1°, del Código General del Proceso, radica la competencia en cabeza del Juez del domicilio del *demandado*. Esta disposición resulta aplicable cuando el *demandante* es mayor de edad.

2°) El artículo 28, ordinal 2°, *ibídem*, señala que el Juez del domicilio común es el competente para conocer de los procesos de alimentos, cuando el demandante es un cónyuge o compañero permanente. Si se trata de un menor de edad, la competencia territorial se adjudica al Juez de Familia de su domicilio o residencia.

3°) El artículo 397, ordinal 2°, *ibídem*, señala que el Juez que conoció del proceso de fijación de alimentos será competente para conocer de la ejecución, competencia que se concede en función del factor de *conexión*.

Fuera de los demás aspectos procesales[639], de los que no nos ocuparemos, importa señalar que el artículo 134 del Código de la Infancia y la Adolescencia les concede el carácter de créditos privilegiados a los alimentos que se deben a los menores de edad, de manera que habrán de tener prevalencia sobre cualquier otro. Cabe interrogar si este privilegio se puede aplicar a los adultos mayores, con el mismo rasero con el cual se han venido aplicando otras disposiciones del Código de la Infancia y la Adolescencia por la Corte Suprema de Justicia. Creemos que sería factible, en razón de su condición de sujetos de especial protección constitucional.

Ahora bien, otra temática de singular relevancia, muy discutida en esta materia, es la atañedera a la *prescripción* de las mesadas alimentarias. Sabido es que el *derecho de alimentos* es de naturaleza *imprescriptible*, según se estudió previamente, mas no ocurre lo mismo con la *mesada alimentaria*, que constituye la concreción de ese *derecho de alimentos* en los casos particulares. Esa prestación

---

[639] Respecto de las especiales prerrogativas en la ejecución de alimentos, previstas por el Código de la Infancia y la Adolescencia en relación con los menores de edad, el lector se puede remitir al número 2 de la Subsección II de la Sección IV de este Capítulo.

identificable, que se torna *clara, expresa* y *exigible,* sí puede *prescribir* por el paso del tiempo y la inactividad del interesado para obtener su satisfacción.

Quizás es esta la excepción más común en los juicios ejecutivos que se adelantan en materia de alimentos, puesto que tiende, cuando menos, a reducir la carga que deberá satisfacer el deudor de la obligación alimentaria. Veamos, entonces, cuáles son las distintas regulaciones sobre el particular:

1°) El artículo 426 del Estatuto Civil señala que "las pensiones alimenticias atrasadas podrán renunciarse o compensarse; y el derecho de demandarlas, transmitirse por causa de muerte, venderse y cederse; sin perjuicio de la prescripción que competa [alegar] al deudor". A su turno, el artículo 133 del Código de la Infancia y la Adolescencia recoge idéntica previsión, con una adición, al precisar que "las pensiones alimentarias atrasadas podrán renunciarse o compensarse y el derecho de demandarlas transmitirse por causa de muerte, venderse o cederse, con autorización judicial, sin perjuicio de la prescripción que compete alegar al deudor".

2°) El artículo 2512 del Estatuto Civil establece que la "prescripción es un modo de adquirir las cosas ajenas, o de extinguir las acciones o derecho ajenos, por haberse poseído las cosas o no haberse ejercido dichas acciones y derechos durante cierto lapso de tiempo (…). Se prescribe una acción o derecho cuando se extingue por la prescripción". Del texto transcrito ha surgido una formidable y antiquísima doctrina que, en suma, clasifica la prescripción en dos tipologías diferentes, según su consecuencia jurídica: (i) adquisitiva, en la medida en que permite hacerse a la propiedad de un derecho; y (ii) extintiva, o liberatoria, por cuanto finiquita la posibilidad de que se ejerza un derecho o acción. Esta última tipología es la que interesa a nuestro texto, habida cuenta de que ella es la que se alega para impedir el cobro de las mesadas alimentarias atrasadas.

VÍCTOR-NAPOLEÓN MARCADÉ, clásico comentarista del *Code* francés, al verter sus planteamientos sobre el artículo homólogo de ese Estatuto, enseñó que "la prescripción es una manera de adquirir o de perder por el efecto del tiempo"[640]. Adicionalmente, en lo tocante

---

[640]   VÍCTOR-NAPOLEÓN MARCADÉ. *Explication théorique et pratique du code civil.* Tomo XII. *De la prescription.* Séptima Edición. Ed. Delamotte et Fils. París, 1874. Pág. 5. La anterior es una traducción libre. En su versión original: "la prescription est une manière d'acquérir ou de perdre par l'effet du temps".

con su fundamento, precisó que "[u]na cuestión que ha sido muy controvertida, es la relativa a determinar si la prescripción proviene del derecho natural o sólo del derecho civil. (…) Pertenece al derecho natural en cuanto a su principio fundamental, ya que es la razón misma y la fuerza de las cosas (…) la que imperativamente manda que sea admitida; pero pertenece al derecho civil en razón de que son en su mayoría normas detalladas las que organizan su aplicación, especificando las diversas condiciones bajo las cuales se cumplirá"[641]. Y agregó que, en todo caso, "[l]a extinción de una deuda por prescripción deja intacta la cuestión de la existencia o la inexistencia de la obligación natural, y es de toda evidencia que el deudor, en tal caso, aunque quedará liberado a los ojos de la ley, podrá continuar sujeto a ella en su consciencia"[642].

Los nítidos planteamientos del civilista francés dejan sentada una verdad irrefutable, que debe obrar como premisa clara en este estudio: quien se logra liberar de la satisfacción de la deuda ante los ojos de la ley, por la vía de la prescripción, no por ese hecho se entiende haber cumplido su obligación, que se vuelve natural. De ahí que la posterior satisfacción de la prestación debida, mediante el pago, no dé derecho de reclamar la devolución de las sumas sufragadas.

3°) En relación con la prescripción extintiva, o liberatoria, el artículo 2536 del Código Civil fija el lapso para su configuración en cinco (5) años, cuandoquiera que se trate de la acción ejecutiva.

4°) Consiguientemente, se tiene por regla general que quedarán prescritas las mesadas alimentarias que no se exijan dentro de los cinco años siguientes a su causación.

---

[641] *Ibídem*. Pág. 7 y 8. La anterior es una traducción libre. En su versión original: "C'est une question qui a été très-controversée, que celle de savoir si la prescription est du droit naturel ou seulement du droit civil (…) Elle est du droit naturel quant à son principe fondamental, puisque c'est la raison elle-même et la force des choses, comme on l'a vu au numéro II, qui commandent impérieusement de l'admettre; mais elle est du droit civil pour la plupart des règles de détail qui en organisent l'application, en précisant les diverses conditions sous lesquelles elle s'accomplira".

[642] *Ibídem* Pág. 9. La anterior es una traducción libre. En su versión original: "L'extinction d'une dette par la prescription laisse intacte la question d'existence ou d'inexistence de l'obligation naturelle, et il est de toute évidence que le débiteur, dans ce cas, quoique libéré aux yeux de la loi, pourra continuer d'être tenu en conscience".

5°) El artículo 2539 del Código Civil establece que una de las formas de interrumpir la prescripción es mediante la demanda. Tal interrupción, al decir del artículo 2536, *ibídem,* supone que el término de prescripción comienza nuevamente su cómputo. Sin embargo, el artículo 94 del Código General del Proceso desarrolla esta disposición e indica que la presentación de la demanda interrumpe el término para la prescripción e impide que se produzca la caducidad, siempre que el mandamiento ejecutivo se notifique al demandado dentro del término de un (1) año contado a partir del día siguiente a la notificación de tales providencias al demandante.

De lo anterior se deduce que, para efectos de interrumpir efectivamente la prescripción, el deudor que pretende la ejecución de las mesadas alimentarias atrasadas no solo debe interponer la demanda respectiva ante la Jurisdicción Ordinaria, sino que debe notificar efectivamente al demandado dentro del año siguiente al día en que se le notificó a él el mandamiento de pago librado por el Juzgado.

6°) El artículo 2541 del Código Civil manda la suspensión de la prescripción en favor de las personas indicadas en el artículo 2530, *ibídem.* Esta última disposición se refiere a "los incapaces y, en general, (…) quienes se encuentran bajo tutela y curaduría".

Muy importante es precisar que, a raíz de la promulgación de la ley 1996 de 2019, en Colombia se abolió el régimen de interdicción para las personas con discapacidad y, por tanto, hoy no son consideradas como incapaces para efectos legales. En consecuencia, la institución de la incapacidad jurídica solo descansa sobre un pilar: los menores de edad.

7°) Sobre las anteriores bases, cuando el demandante en un proceso ejecutivo sea menor de edad, no será de recibo que el demandado alegue la prescripción como excepción al mandamiento de pago librado por el Despacho de que se trate. Por fuerza de la razón, respecto de las mesadas efectivamente causadas durante su estado de incapacidad jurídica no es aplicable la prescripción liberatoria y, de consiguiente, la ejecución será procedente hasta que transcurran cinco años contados desde el día en que se cumple la mayoría de edad.

Para ilustrar el punto, viene bien acudir al siguiente caso estudiado por la Corte Suprema de Justicia[643]: En 1999 nació un niño y en 2002, re-

---

[643]   Sentencia de la Sala de Casación Civil y Agraria de la Corte Suprema de Justicia STC7987 de 2020, M.P. Álvaro Fernando García Restrepo.

presentado por su madre, demandó a su padre en un juicio para la fijación de cuota alimentaria. En 2017 el niño cumplió la mayoría de edad y en 2019 inició el juicio ejecutivo contra su padre, a fin de obtener el pago de la totalidad de las mesadas atrasadas (que se remontaban al 2002). Su padre propuso la excepción de *prescripción* de las mesadas comprendidas entre 2002 y 2015, habida cuenta de que habían transcurrido los cinco años de que trata el artículo 2536 del Código Civil.

La excepción del padre fue rechazada por el Juez de Familia, y su decisión corroborada por el Tribunal Superior y la Corte Suprema de Justicia, en la medida en que no operó prescripción alguna de las mesadas alimentarias. En efecto, si el niño se hizo acreedor de la mesada alimentaria adeudada más antigua en 2002, la prescripción extintiva quedó suspendida en virtud de su minoría de edad hasta el año 2017, fecha en la que llegó a la adultez. A partir de entonces principió el cómputo de la prescripción que se habría de configurar cinco años después, es decir, en 2022. Sin embargo, debido a que la demanda ejecutiva fue interpuesta en 2019, muy en término se encontraba el acreedor para reclamar de su padre la satisfacción de todas las mesadas alimentarias adeudadas.

Esta línea de pensamiento ha sido constante en la jurisprudencia de esa Corporación[644].

8°) Por lo que hace a la interrupción de la prescripción, idénticas consideraciones son aplicables cuando el acreedor es menor de edad. En efecto, si no ha principiado a correr la prescripción (art. 2530 del Código Civil), mal se podría aducir que ella ha operado cuando el mandamiento de pago que se libre en un proceso ejecutivo no es notificado al demandado dentro del año siguiente a que se conoce por

---

[644] Véanse, entre otras tantas, las siguientes sentencias de la Sala de Casación Civil y Agraria de la Corte Suprema de Justicia: (i) STC11177 de 2020, M.P. Luis Armando Tolosa Villabona; (ii) STC10165 de 2020, M.P. Luis Alonso Rico Puerta; (iii) STC7987 de 2020, M.P. Álvaro Fernando García Restrepo; (iv) STC1710 de 2020, M.P. Álvaro Fernando García Restrepo; (v) STC4983 de 2019, M.P. Luis Alonso Rico Puerta; (vi) STC4243 de 2019, M.P. Aroldo Wilson Quiroz Monsalvo; (vii) STC743 de 2019, M.P. Luis Alonso Rico Puerta; (viii) STC13255 de 2018, M.P. Luis Alonso Rico Puerta; (ix) STC860 de 2018, M.P. Luis Alonso Rico Puerta; (x) STC20107 de 2017, M.P. Aroldo Wilson Quiroz Monsalvo; (xi) STC15028 de 2017, M.P. Luis Alonso Rico Puerta; (xii) STC7668 de 2016, M.P. Fernando Giraldo Gutiérrez; y (xiii) 2020-174, del 30 de enero de 2013, M.P. Margarita Cabello Blanco.

el demandante. De ahí se concluye que no es aplicable lo previsto por el artículo 94 del Código General del Proceso en tratándose de niños y adolescentes. Ese razonamiento fue prohijado y desarrollado por la Corte Suprema de Justicia en sentencia STC13255 de 2018, M.P. Luis Alonso Rico Puerta.

9°) Algún sector de la doctrina[645] ha sostenido que la prescripción de las mesadas alimentarias, incluso si el alimentario-acreedor es menor de edad, puede empezar su cómputo después de diez años de suspensión. En apoyo de su tesis, esgrimen que el inciso segundo del artículo 2541 del Código Civil dispone que "[t]ranscurridos diez años no se tomarán en cuenta las suspensiones mencionadas en el inciso precedente" y, justamente, una de las suspensiones a las que remite ese inciso es la prevista por el artículo 2530, *ibídem*, para los incapaces (menores de edad).

Aunque parece lógico el planteamiento desde una perspectiva legal, la Corte Suprema de Justicia tiene entendido que es del todo improcedente cuando lo que se pretende es cercenar los derechos de los niños y los adolescentes, cuyo interés superior goza de protección constitucional y sus derechos prevalecen sobre los de los demás por mandato del artículo 44 de la Carta Política. Específicamente en cuanto toca con el inciso segundo del artículo 1541 del Código Civil, aplicado a un caso de petición de herencia, la Corporación señaló lo siguiente:

> [L]a Corte ha establecido que cuando dicha acción deba ser ejercida por un niño, niña o adolescente, es inevitable que tenga efecto la *«suspensión de la prescripción»* a su favor, pues ostentan una *«protección reforzada»* hasta tanto adquieran la posibilidad de obrar directamente o por ministerio de la ley (STC14336-2018), al puntualizar:

> 'En efecto, tratándose de menores o discapacitados, la prescripción no corre, hasta tanto no desaparezcan las circunstancias que los inhabilitan o afectan, sean de raigambre, antropológicas, sociológicas, jurídicas en lo procesal y sustantivo, psicológicas, etc. Más aún, si los derechos discutidos se hallan a la deriva por la transitoriedad de su representación e imposibilidad para ejercer su propia defensa, por ausencia sustantiva de capacidad de obrar, del mismo modo que por la procesal para actuar directamente o sin el ministerio de la ley.'

---

[645]   En ese sentido, consúltese a Fernando Badillo Abril. *La prescripción de las obligaciones alimentarias* en Ámbito Jurídico, edición del 25 de octubre de 2019. Disponible en: https://www.ambitojuridico.com/noticias/analisis/civil-y-familia/la-prescripcion-de-las-obligaciones-alimentarias

Dicha tesis también se basa en que la Constitución (arts. 13, 44), el derecho interamericano y las convenciones internacionales ejercen una celosa *«protección de los derechos de los niños, niñas y adolescentes»* y en general, de las personas con en condición de discapacidad.

Ahora bien, en cuanto al inciso final del precepto 2541, esta Colegiatura en sentencia CSJ SL 30 de octubre de 2012 n° 39631, adoctrinó:

'(…) [A]l acudir la Corte Suprema de Justicia a la normativa civil que consagra la figura de la suspensión de la prescripción, artículos 2541 y 2530, se evidencia que el Tribunal no advirtió la insoslayable circunstancia de que la acción fue promovida, entre otros, por los hijos menores de edad del señor Carlos Arturo Cajar Rivera y, por tanto, **la prescripción no puede correr para ellos, mientras no se haya llegado a la mayoría de edad, porque tanto procesal como sustancialmente el eventual derecho discutido en el juicio no hace parte del haber patrimonial del representante legal de los incapaces, sino de sus representados** (…)' (negrillas propias)"[646].

La visión plasmada por la Corte Suprema de Justicia es consistente con los argumentos que ha sostenido reiterativamente en materia de juicios ejecutivos de alimentos. En efecto, no se puede admitir, simple y sencillamente, que la Corporación haya pasado por alto el artículo en comentario, en particular si se tiene en cuenta que la tesis uniforme ha sido privilegiar los intereses de los niños y adolescentes. Al respecto, se ha planteado lo siguiente:

"Conforme a lo discurrido, enfatiza la Sala que si bien en el juicio ejecutivo de alimentos, es procedente que el demandado interponga las defensas sin más restricciones que las impuestas por la ley procedimental, en lo tocante a la prescripción el juzgador de instancia debe ser cuidadoso en no afectar los derechos de los incapaces, precisando que en el caso de los menores de edad y sin ninguna discapacidad, las exigencias para la efectividad de la prescripción de la acción ejecutiva, sólo es aplicable a partir del momento en que adquieren su mayoría de edad en virtud a que con anterioridad se interrumpe el término prescriptivo. (…)

Lo anterior significa que el término para que por ese modo se extinga la acción ejecutiva, actualmente previsto en cinco (5) años, empieza a correr respecto de aquellas cuotas no cobradas oportunamente, desde que el beneficiario de alimentos cumplió los dieciocho años de edad (…)

Esta Sala ha venido sosteniendo que cuando se está ante un proceso judicial en el que se involucran los derechos superiores de los niños, el juez de conocimiento de los distintos juicios, debe ser más acucioso al realizar el

---

[646] Sentencia de la Sala de Casación Civil y Agraria de la Corte Suprema de Justicia STC9996 de 2020, M.P. Octavio Augusto Tejeiro Duque.

abordaje de cualquiera de los temas que puedan llegar a afectarlos, en tanto el reconocimiento de sus intereses debe verse desde un contexto más amplio.

Lo anterior porque se tienen como principios básicos que orientan la Doctrina de la Protección Integral a los niños, niñas y adolescentes, consolidada a partir de la Convención sobre Derechos del Niño: (i) la igualdad y no discriminación; (ii) el interés superior de las y los niños; (iii) la efectividad y prioridad absoluta; y (iv) la participación solidaria.

A tono con ello, la Constitución Política de 1991, en su artículo 44, establece que «Los derechos de los niños prevalecen sobre los derechos de los demás», y frente a ello, la misma disposición superior señala que «la familia, la sociedad y el Estado tienen la obligación de asistir y proteger al niño para garantizar su desarrollo armónico e integral y el ejercicio pleno de sus derechos. Cualquier persona puede exigir de la autoridad competente su cumplimiento y la sanción de los infractores». (…)

Cabe recordar, además, que frente a la interpretación de la ley procesal, el artículo 11 del Código General del Proceso prevé que «el juez deberá tener en cuenta que el objeto de los procedimientos es la efectividad de los derechos reconocidos por la ley sustancial», y que las posibles dudas que surjan «deberán aclararse mediante la aplicación de los principios constitucionales y generales del derecho procesal garantizando en todo caso el debido proceso, el derecho de defensa, la igualdad de las partes y los demás derechos constitucionales fundamentales»".

Los planteamientos transcritos que, se repite, han sido acogidos uniformemente por la Corte Suprema de Justicia, dejan bastante claro que el límite de la suspensión en el cómputo prescripción, impuesto en inciso segundo del artículo 2541 del Código Civil, no tiene cabida en los procesos ejecutivos de alimentos cuando el acreedor es un menor de edad. Porque otra visión podría lacerar los derechos fundamentales de los niños y adolescentes, quienes sin culpa alguna verán desmejorados sus derechos y afectado su interés superior.

Entonces, no desde una perspectiva estrictamente legal, sino a partir de un miramiento constitucional, se debe admitir que la limitación de que trata el inciso segundo del artículo 2541 del Código Civil cede su paso ante los derechos de los menores de edad y, por tanto, no resulta aplicable en los cobros ejecutivos de las mesadas alimentarias atrasadas.

SECCIÓN VIII. EL FALLECIMIENTO DEL ALIMENTANTE-DEUDOR

El tantas veces citado artículo 422 del Código Civil es muy claro al indicar que los alimentos se entienden concedidos por toda la vida del *alimentario-acreedor*, siempre que permanezcan incólumes las circunstancias que dieron origen a la demanda, pero nada dispone en relación con la vida del *alimentante-deudor*. Ante el silencio de la ley se ha hecho necesaria la intervención de la jurisprudencia y la doctrina, para lo cual se ha tenido en especial consideración la característica personalísima del *derecho de alimentos*, que de suyo supone la imposibilidad de ser transmitido por causa de muerte.

Así las cosas, si el fallecimiento del *alimentante-deudor* impide que el derecho de alimentos se transmita a sus herederos, cabe discutir cuál es el alcance de la obligación que tenía mientras vivía. El punto central radica en la comprensión de que el caudal relicto se compone del activo y pasivo dejado por el causante[647] y, como regla general, no es posible para los herederos recoger los bienes y derechos sin haber satisfecho primero las deudas. Es esa la enseñanza de la máxima del derecho según la cual el patrimonio no se aprecia verdaderamente sino una vez deducidos los pasivos (*bona non sunt nisi deducto aere alieno*).

En tal sentido, particular cuidado se debe tener al determinar cuáles bienes, rentas o derechos son pasibles de ser gravados para la satisfacción de los alimentos debidos, por cuanto es la herencia la que responde, con sus propias fuerzas, por la prestación que se adeuda; nunca pueden ser los herederos, con su patrimonio, quienes afronten estas cargas. A manera de ejemplo, es pertinente traer a colación la sentencia de la Sala de Casación Civil de la Corte Suprema de Justicia STC1664 de 2019, M.P. Margarita Cabello Blanco, en donde se discutió la posibilidad de acudir, para la ejecución de mesadas alimentarias atrasadas, a los frutos civiles (arrendamientos) producidos por los bienes del causante con posterioridad a su fallecimiento. Pese a que los actores pretendían la satisfacción de su mesada alimentaria, la Corporación recordó que el artículo 1395 del Código Civil dispone que los frutos civiles pertenecen a los herederos y no a la sucesión del causante[648]. Por consiguiente, permitir que se ejecute la prestación debida contra los arrendamientos producidos por los bienes del *de cujus*, que en estrictez pertenecen a los herederos y no a la masa sucesoral, afecta la

---

[647] Hernando Carrizosa Pardo. *Las sucesiones*, 553.

[648] En el mismo sentido, véase la sentencia de la Sala de Casación Civil de la Corte Suprema de Justicia STC10342 de 2018, M.P. Margarita Cabello Blanco.

premisa fundamental de que es la herencia la que debe responder, con sus propias fuerzas, por la carga alimentaria dejada por el *de cujus,* lo que hacía improcedente acceder a su solicitud.

Esclarecida la importancia de definir los contornos del patrimonio relicto en forma cuidadosa para no gravar indebidamente a los herederos, bueno es ahora reparar en que el artículo 1016 del Estatuto Civil prevé que, para la determinación del acervo partible, esto es, el capital susceptible de ser distribuido entre quienes acudan a recoger la herencia, se deben efectuar algunas deducciones o bajas generales, dentro de las que se destacan dos de particular importancia: (i) las deudas hereditarias; y (ii) las asignaciones alimentarias forzosas. A continuación se explorarán algunos elementos importantes en esta materia:

I. Los alimentos como asignación forzosa en la sucesión

VÉLEZ explica que las deudas hereditarias "[s]on las contraídas en vida por el individuo de cuya sucesión se trata, o sea, aquellas cuyo pago podía exigírsele"[649]. A su turno, CARRIZOSA PARDO se detiene en el estudio de la naturaleza de la asignación alimentaria forzosa y concluye que "[p]ura y simplemente es la de una deuda hereditaria, no la de una asignación *mortis causa.* La obligación del causante tiene por fuente la ley, que la hace dimanar de las relaciones de familia o de los nexos de la gratitud. (…) Tienen sí la peculiaridad, que los distingue de las deudas hereditarias, de que pueden ser rebajados para el futuro, si su cuantía manifiesta ser desproporcionada con el patrimonio efectivo"[650].

En una muy interesante síntesis, ALEJANDRO GUZMÁN BRITO señala que "[l]a asignación forzosa de alimentos es, en verdad, un fantasma legal inconsistente, cuya idea esencial de mantener aun contra la voluntad del testador los alimentos a quienes los recibían en vida del alimentante, se satisface por sí misma, atendida su verdadera naturaleza de deuda hereditaria, que no necesita ser ni siquiera mencionada por el testador y que se paga con o sin su voluntad; no por ser una asignación forzosa, sino precisamente por ser deuda hereditaria"[651].

---

[649] FERNANDO VÉLEZ. *Estudio sobre el derecho civil colombiano,* tomo IV, 29.
[650] HERNANDO CARRIZOSA PARDO. *Las sucesiones,* 374 y 375.
[651] ALEJANDRO GUZMÁN BRITO. *La doble naturaleza de deuda hereditaria y asignación hereditaria forzosa de los alimentos debidos por ley a ciertas personas* en Revista Chilena de

Vista la naturaleza dual de esta prestación, corresponde ahora fijar el alcance de su contenido. El artículo 1227 del Código Civil establece que "[l] os alimentos que el difunto ha debido por la ley a ciertas personas, gravan la masa hereditaria, menos cuando el testador haya impuesto esa obligación a uno o más partícipes de la sucesión". ¿Qué quiso decir el Legislador cuando se refirió a los alimentos que el difunto ha debido por ley a ciertas personas? ¿cuál es el alcance de los alimentos?

Manuel Somarriva Undurraga enseña que "[a]lgunos piensan que es necesario que se haya dictado sentencia condenatoria en vida del causante. Otros afirman ser suficiente que se haya notificado la demanda de alimentos. No faltan quienes opinen que también existe esta asignación forzosa sin necesidad de juicio si el causante daba en vida alimentos al alimentario. Finalmente, parte de la doctrina estima ser bastante que en vida del causante haya existido un título legal para solicitar alimentos, aun cuando no se hubieran dado ni por voluntad del causante ni por sentencia judicial"[652].

Cuatro son los supuestos que, posiblemente, podría abarcar el enunciado legal: (i) la obligación alimentaria que ha sido concretada mediante sentencia judicial; (ii) aquella que estaba en proceso de concreción, por haber sido radicada la demanda de fijación de alimentos, pero fallece el causante previo a que se dicte sentencia; (iii) la que, sin haber sido concretada por acuerdo privado, conciliación extrajudicial, autoridad administrativa o sentencia judicial, venía sufragando voluntariamente el causante; y (iv) la que no solo no fue concretada por ninguno de los anteriores medios, sino que tampoco se pagó en vida por el causante ni se exigió por quien era titular del derecho de alimentos.

Respecto del primer supuesto, no cabe ninguna duda de que queda perfectamente subsumido en la hipótesis normativa del artículo 1227 del Código Civil. Hay absoluta armonía entre la doctrina[653] y la jurisprudencia,

---

Derecho. Núm. 2. Vol. 35. Ed. Pontificia Universidad Católica de Chile. Santiago de Chile, 2008. Pág. 338.

[652] Manuel Somarriva Undurraga. *Evolución del código civil chileno.* Segunda Edición. Ed. Temis. Bogotá, 1983. Pág. 260.

[653] En la doctrina colombiana, así lo sostienen: (i) Fernando Vélez (*Estudio sobre el derecho civil colombiano,* tomo IV, 377); (ii) Hernando Carrizosa Pardo (*Las sucesiones,* 374); (iii) Arturo Valencia Zea (*Derecho civil,* tomo VI, *Las sucesiones,* 312 y 313); (iv) John Eisenhower Ramírez Sánchez (*El derecho de alimentos,* 204 y 205); (v) Sonia Esperanza Segura Calvo (*Derecho de sucesiones,* 113); (vi) Jorge Para Benítez (*Derecho de familia,* tomo I, 610 y 611); (vii) Roberto Suárez Franco (*Derecho de sucesiones,* 310); y (vii) Pedro Lafont Pianetta (*Derecho de sucesiones,*

colombiana y extranjera, en punto a que los alimentos a cuyo pago haya sido condenado el causante mediante sentencia judicial son indudablemente forzosos. Basta transcribir, al efecto, un clásico pronunciamiento de la Corte Suprema de Justicia colombiana que fue reiterado hace algunos años por la misma Corporación:

"[U]na cosa es la incuestionable obligación del padre de alimentar a sus hijos y otra muy distinta que por solo establecer la ley esa obligación haya de entenderse que en la sucesión del padre figuren asignaciones alimenticias. Según el C.C., puede haberla por disposición testamentaria y estos son los alimentos voluntarios; y también los hay forzosos, que es a lo que atiende en su caso el art. 1016 ord. 4º, pero estos son aquellos a cuyo pago ha sido condenado el causante en el juicio especial de alimentos. Concedidos por la vida del alimentario mientras subsistan las circunstancias que justificaron la demanda en su caso (art. 422), tiene en la sucesión del alimentante el sello de lo forzoso (arts. 1126 y 1127)"[654].

En relación con el segundo supuesto, es decir, cuando fallece el presunto alimentante mientras se ventila el juicio de fijación de cuota alimentaria, hay opiniones divididas. Algún sector de la doctrina[655] cree se impone la terminación del proceso y que, por no haberse concretado la mesada pre-

---

Décima Edición, tomo II, 270). En la doctrina extranjera, esta tesis es defendida por: (i) Luis Claro Solar (*Explicaciones de derecho civil chileno y comparado,* 166 y 167); (ii) Manuel Somarriva Undurraga (*Derecho sucesorio.* Tomo II. Sexta Edición. Ed. Editorial Jurídica de Chile. Santiago de Chile, 2005. Pág. 363 a 365); (iii) Carlos Aguirre Vargas (*Las asignaciones alimenticias forzosas y la porción conyugal* en Obras Jurídicas de Carlos Aguirre Vargas. Ed. Imprenta Gutenberg. Santiago de Chile, 1891. Pág. 76); (iv) Ramón Domínguez Benavente y Ramón Domínguez Águila (*Derecho sucesorio.* Tomo II. Segunda Edición. Ed. Editorial Jurídica de Chile. Santiago de Chile, 1998. Pág. 903 a 910); (v) Pablo Rodríguez Grez (*Instituciones de derecho sucesorio.* Tomo I. Segunda Edición. Ed. Editorial Jurídica de Chile. Santiago de Chile, 2002. Pág. 290); (vi) Alejandro Guzmán Brito (*La doble naturaleza de deuda hereditaria y asignación hereditaria forzosa de los alimentos debidos por ley a ciertas personas,* 313); y (vii) Fabián Elorriaga de Bonis (*Derecho sucesorio.* Segunda Edición. Ed. Abeledo Perrot. Santiago de Chile, 2010. Pág. 397).

[654]   Sentencia de la Sala de Casación Civil y Agraria de la Corte Suprema de Justicia, proferida el 20 de octubre de 1945, G.J. LIX, Pág. 760, M.P. Ricardo Hinestrosa Daza. La providencia fue reiterada en sentencia de la misma Corporación del 11 de septiembre de 2012, expediente 2012-393, M.P. Ariel Salazar Ramírez.

[655]   En ese sentido, véanse a (i) Fernando Vélez (*Estudio sobre el derecho civil colombiano,* tomo IV, 377); y (ii) John Eisenhower Ramírez Sánchez (*El derecho de alimentos,* 194 a 196).

tendida, no hay lugar a reconocer alimentos forzosos. Otro sector[656], más amplio y al cual adscribe el autor de este texto, considera que, si hay lugar a la prosperidad de la demanda, se debe reconocer la cuota alimentaria como partida a deducir de la masa partible (en el entendido de que el causante no los reconoció y asignó su carga a un partícipe de la sucesión mediante testamento).

La razón para que así proceda es en extremo sencilla: el artículo 421 del Código Civil establece que los alimentos se deben "desde la primera demanda". Esta expresión, según el monolítico entendimiento de la Corte Suprema de Justicia y la Corte Constitucional, no solo significa la actuación procesal, sino que comprende todo acto de reclamación. Ese amplio entendimiento hace todavía más claro el hecho de que, si ya hubo una actuación procesal, ésta debe culminar en debida forma y, de llegar a prosperar, la cuota así reconocida debe ser tenida como asignación forzosa en la sucesión del *de cujus – alimentante*.

El tercer supuesto consiste en la mesada alimentaria que, sin haber sido concretada por acuerdo privado, conciliación extrajudicial, autoridad administrativa o sentencia judicial, venía sufragando voluntariamente el causante a favor de una persona enlistada en el artículo 411 del Código Civil. Aquí el punto es disputadísimo. Un amplio sector de la doctrina sostiene[657]

---

[656] Esta tesis es apoyada, en la doctrina patria, por: (i) Hernando Carrizosa Pardo (*Las sucesiones*, 374); (ii) Jorge Parra Benítez (*Derecho de familia*, tomo I, 610 y 611); y (iii) Pedro Lafont Pianetta (*Derecho de sucesiones*, Décima Edición, tomo II, 270). En la doctrina extranjera apoyan esta tesis: (i) Luis Claro Solar (*Explicaciones de derecho civil chileno y comparado*, 166 y 167); (ii) Manuel Somarriva Undurraga (*Derecho sucesorio*. Tomo II. Sexta Edición. Ed. Editorial Jurídica de Chile. Santiago de Chile, 2005. Pág. 363 a 365); (iii) Carlos Aguirre Vargas (*Las asignaciones alimenticias forzosas y la porción conyugal* en Obras Jurídicas de Carlos Aguirre Vargas. Ed. Imprenta Gutenberg. Santiago de Chile, 1891. Pág. 76); (iv) Ramón Domínguez Benavente y Ramón Domínguez Águila (*Derecho sucesorio*. Tomo II. Segunda Edición. Ed. Editorial Jurídica de Chile. Santiago de Chile, 1998. Pág. 903 a 910); (v) Pablo Rodríguez Grez (*Instituciones de derecho sucesorio*. Tomo I. Segunda Edición. Ed. Editorial Jurídica de Chile. Santiago de Chile, 2002. Pág. 290); (vi) Alejandro Guzmán Brito (*La doble naturaleza de deuda hereditaria y asignación hereditaria forzosa de los alimentos debidos por ley a ciertas personas*, 313); y (vii) Fabián Elorriaga de Bonis (*Derecho sucesorio*. Segunda Edición. Ed. Abeledo Perrot. Santiago de Chile, 2010. Pág. 397).

[657] En la doctrina nacional, adscriben a esta postura: (i) Hernando Carrizosa Pardo (*Las sucesiones*, 374); (ii) Jorge Parra Benítez (*Derecho de familia*, tomo I, 610 y 611); y (iii) Pedro Lafont Pianetta (*Derecho de sucesiones*, Décima Edición, tomo

que esta prestación debe ser subsumida dentro del supuesto de hecho del artículo 1227 del Código Civil, bajo el argumento de que se reconoció inequívocamente la obligación alimentaria y no hubo necesidad de fijarla por otro medio en la medida en que era satisfecha oportunamente por el deudor-causante. Otro sector igualmente amplio[658], y del que participa el autor de este texto, sostiene que no es posible considerar esa prestación voluntaria como una asignación susceptible de gravar la masa hereditaria, por cuanto carece el sello de *forzosa*.

La jurisprudencia chilena estuvo también dividida, aunque recientemente se ha acentuado la tesis que en estas páginas se defiende[659]. La jurisprudencia colombiana, por su parte, no parece haber vacilado en adoptar la posición que aquí se prohíja. Prueba de ello es la nítida distinción que ha

---

II, 270). En la doctrina extranjera, participan de esta tesis: (i) Luis Claro Solar (*Explicaciones de derecho civil chileno y comparado,* 166 y 167); (ii) Manuel Somarriva Undurraga (*Derecho sucesorio.* Tomo II. Sexta Edición. Ed. Editorial Jurídica de Chile. Santiago de Chile, 2005. Pág. 363 a 365); y (iii) Ramón Domínguez Benavente y Ramón Domínguez Águila (*Derecho sucesorio.* Tomo II. Segunda Edición. Ed. Editorial Jurídica de Chile. Santiago de Chile, 1998. Pág. 903 a 910).

[658]   En la doctrina colombiana, son de este parecer: (i) Fernando Vélez (*Estudio sobre el derecho civil colombiano,* tomo IV, 377); (ii) Arturo Valencia Zea (*Derecho civil,* tomo VI, *Las sucesiones,* 312 y 313); (iii) John Eisenhower Ramírez Sánchez (*El derecho de alimentos,* 204 y 205); y (iv) Roberto Suárez Franco (*Derecho de sucesiones,* 310). En la doctrina extranjera, apoyan esta postura: (i) Pablo Rodríguez Grez (*Instituciones de derecho sucesorio.* Tomo I. Segunda Edición. Ed. Editorial Jurídica de Chile. Santiago de Chile, 2002. Pág. 290); (ii) Alejandro Guzmán Brito (*La doble naturaleza de deuda hereditaria y asignación hereditaria forzosa de los alimentos debidos por ley a ciertas personas,* 313); y (iii) Fabián Elorriaga de Bonis (*Derecho sucesorio.* Segunda Edición. Ed. Abeledo Perrot. Santiago de Chile, 2010. Pág. 398).

[659]   Dice Fabián Elorriaga de Bonis (*Derecho sucesorio,* 398) en una nota de pie de página: "A este respecto resolvió la Corte Suprema que para que pueda producirse el efecto de que los alimentos que e! difunto debía por ley a ciertas personas graven la masa hereditaria, es indispensable que aquél los haya debido, o sea, que se encuentre establecida su obligación alimenticia. Por esta razón es necesario comprobar que el difunto estaba obligado a prestar alimentos por sentencia judicial o por instrumento auténtico o, al menos, que existía pendiente una demanda de alimentos en contra suya cuando ocurrió el fallecimiento. No puede, pues, accionarse originariamente contra los herederos, porque resultaría que personas distintas de las indicadas en el artículo 321 del Código Civil tendrían derecho a exigir alimentos, aparte de que la obligación alimenticia deriva de una relación personalísima de parentesco, que no puede existir con los herederos del alimentante (RDJ. T. 51, l. p. 405). En el mismo sentido cfr. GT, 1885. d55. p. 192; 1885. d753. p. 2225; RDJ. T. 3.1, pág. 294 y T.47, 1, p. 211".

venido haciendo al afirmar que "una cosa es la incuestionable obligación del padre de alimentar a sus hijos y otra muy distinta que por solo establecer la ley esa obligación haya de entenderse que en la sucesión del padre figuren asignaciones alimenticias". Pero para abundar en razones, conviene traer a cuento un fallo del Juzgado Séptimo de Familia de Medellín en el que se discutió la existencia de una cuota alimentaria que venía sufragando un hermano –antes de su muerte– en favor de otro, fallo que, se debe advertir, fue dejado intacto por la Corte Suprema de Justicia en sentencia STC5640 de 2021, M.P. Luis Armando Tolosa Villabona, cuando se atacó por vía de tutela por incurrir en una presunta vía de hecho:

> "[Y]a está demostrado que no hay título por una providencia judicial, una conciliación o así que hiciera titular, o no estaba tampoco demostrada la incapacidad del demandante, esa ineptitud física o mental, no está, él mismo lo admitió, entonces para qué los testigos, ¿qué nos iban a probar?, que el hermano le daba alimentos, pues sí, que le ayudaba, sí, eso está establecido, eso se cree, pero mire que era voluntario, no era forzado, no era porque se sintiese obligado por la ley y sólo lo que la ley exige, lo que la ley impone es exigible, sólo ello, no lo que se da voluntariamente, pues lo que se da voluntariamente generalmente se puede interrumpir, cortar, terminar".

Se podría formular una réplica consistente en que la entrega de una mesada voluntaria en favor de quien ostenta la condición de alimentario en virtud del listado del artículo 411 del Código Civil equivale a un acuerdo privado, plenamente admitido por la ley, por lo que corresponde a una *asignación forzosa*. En apoyo de tal postura se dirá que la ley no ha previsto formalidad alguna en cuanto toca con el *acuerdo privado*, de lo cual se deduce su naturaleza absolutamente consensual y se tiene que aceptar, por tanto, que la prestación voluntaria se encuadra en este supuesto.

Una tesis en el sentido expuesto se presenta como robusta en apariencia, pero desconoce la necesaria distinción entre lo *forzoso* y lo *voluntario*. Precisamente es este el caso que se reseña en la letra C) de la Subsección III de la Sección II de este Capítulo. El hecho de que el receptor de un pago sea una persona que la ley consagra en su listado taxativo no implica, por sí mismo, que estemos ante alimentos *forzosos* que deban venir a gravar la sucesión.

Se cree que una alternativa útil para definir la situación en estos casos es considerar lo que sucedería si el alimentante-deudor, en vida, se substrajera del cumplimiento de la obligación: ¿podría el alimentario-acreedor iniciar un proceso ejecutivo? ¿habría algún título contentivo de una obligación *clara, expresa* y *exigible*? En opinión del autor, la respuesta es negativa en la mayoría de los casos. En cambio, según se explicó, cuando se suscribe un acuerdo privado sobre alimentos que a la postre es incumplido por una de las partes, el acreedor sí tiene acción ejecutiva para exigir la satisfacción de la prestación debida, como lo aseveró la Corte Suprema de Justicia en sentencia STC7849 de 2019, M.P. Ariel Salazar Ramírez.

Desde esa óptica, no es suficiente que el causante haya venido haciendo desembolsos periódicos en favor de una persona que, según el artículo 411 del Estatuto Civil, es titular del derecho de alimentos para afirmar que estamos ante una *asignación forzosa* que deba gravar la sucesión. Es evidente que cuando el deudor otorgue testamento y asigne la continuidad en el pago de la mesada a cargo de algún partícipe en su sucesión estaremos ante una obligación alimentaria constitutiva de *asignación forzosa,* pero ello sería un caso excepcional.

El cuarto supuesto, relativo a las mesadas alimentarias que no solo no fueron concretadas por acuerdo privado, conciliación extrajudicial, autoridad administrativa o sentencia judicial, sino que tampoco se pagaron voluntariamente en vida por el causante ni se exigieron por quien era titular del derecho de alimentos, no admite discusión. Pacíficamente se reconoce que no hay lugar a subsumir el supuesto dentro de la hipótesis normativa del artículo 1227 del Código Civil.

Añadiremos dos supuestos adicionales al estudio: (i) cuando la obligación alimentaria se ha concretado mediante acuerdo privado, conciliación extrajudicial, decisión de autoridad administrativa o providencia judicial distinta de la sentencia; y (ii) cuando media testamento en los supuestos 3º y 4º, antes analizados, con fundamento en el cual se asigna la obligación alimentaria.

En el primer supuesto adicional, que corresponde al quinto supuesto analizado, no hay duda de que estamos en presencia de alimentos forzosos en los términos del artículo 1227 del Código Civil.

En el segundo supuesto adicional, que corresponde al sexto supuesto analizado, sí habrá lugar a considerar que se está ante una *asignación forzosa* que tendrá que gravar la masa sucesoral, salvo que en el testamento se haya impuesto la obligación a uno o más partícipes en la sucesión (art. 1227 del Estatuto Civil).

A manera de recapitulación de cuanto se ha expuesto, es posible afirmar que las *asignaciones alimentarias forzosas* son aquellas que se han concretado en favor de personas titulares del derecho de alimentos de acuerdo con el artículo 411 del Código Civil, en los siguientes casos:

1º) Cuando media sentencia judicial;

2°) Cuando se ha interpuesto la demanda de fijación de alimentos, pero fallece el causante previo a que se dicte sentencia y, luego del deceso, la providencia judicial declara la prosperidad de las pretensiones de la demanda;

3°) Cuando media acuerdo privado, conciliación extrajudicial, decisión de autoridad administrativa o providencia judicial distinta de sentencia;

4°) Cuando media testamento que así lo disponga, sin haber sido concretada la mesada durante la vida del causante en acuerdo privado, conciliación extrajudicial, decisión de autoridad administrativa, providencia o sentencia judicial, e independientemente de si el *de cujus* la venía sufragando voluntariamente o no.

Resulta ahora oportuno estudiar el tratamiento de las mesadas, según se adeuden al momento del fallecimiento o estén pendientes de causarse en el futuro:

1. Cuotas atrasadas

La situación de las cuotas que quedó debiendo el alimentante antes de su fallecimiento es relativamente sencilla, en la medida en que su valor está plenamente cuantificado y es exigible. Se trata, sin discusión, de un pasivo de la herencia que se debe satisfacer con el activo bruto y se hace efectivo en el trabajo de partición.

2. Cuotas futuras

En tratándose de cuotas alimentarias forzosas futuras, será necesario tener en consideración la duración legal, convencional o judicial de la obligación (art. 422 del Código Civil). Por tanto, puede ocurrir que la masa herencial se quede sin activos porque los pasivos de obligatoria deducción los consumen en forma íntegra (art. 1016, *ibídem*), en cuyo caso operará la extinción de la obligación por falta absoluta de capacidad económica del alimentante –que en este caso es su masa hereditaria– (art. 419, *ibídem*). También puede suceder que el acreedor-alimentario tenga la condición de heredero del deudor-alimentante y, consiguientemente, esté llamado a recoger toda o parte de la mortuoria, evento en el cual la obligación se habrá de extinguir por carecer de necesidad económica el alimentario (art. 422, *ibídem*). En estos supuestos, la extinción de la obligación alimentaria deriva lógicamente en que sea innecesario calcular cuotas o alimentos futuros.

Por otro lado, podría acontecer que las fuerzas de la masa sucesoral se vean menguadas, pero no extintas, por las deudas hereditarias y el acreedor de la asignación alimentaria forzosa no sea un asignatario en la sucesión del causante. Piénsese, por ejemplo, en el siguiente caso:

Pedro, de robusta capacidad económica, mientras vivía fue condenado judicialmente al pago de una mesada alimentaria en favor de su madre, Julia, por valor de $100 mensuales, los cuales canceló oportunamente hasta su deceso. Al fallecer, Pedro deja a su hija Lorena, un activo de $20.000 y un pasivo de $19.500, contraído en los últimos meses de vida. Hecha la deducción de que trata el artículo 1016 del Código Civil, se tendría un caudal de $500 sin descontar las cuotas de alimentos forzosos futuros para Julia. Si no se hicieran variaciones, la mesada de Julia absorbería el patrimonio restante en cinco meses y, desde luego, Lorena no podría recoger parte alguna de la herencia.

La respuesta a este problema la ofrece el artículo 1228 del Código Civil, cuando establece que "[l]os asignatarios de alimentos no estarán obligados a devolución alguna, en razón de las deudas o cargas que gravaren el patrimonio del difunto; pero podrán rebajarse los alimentos futuros que parezcan desproporcionados a las fuerzas del patrimonio efectivo". De consiguiente, corresponderá al Juez rebajar la cuota de Julia por resultar completamente desproporcionada de cara a las fuerzas del caudal relicto.

Tal disposición es plenamente lógica con la forma en que se encuentra regulado el derecho de alimentos entre nosotros, pues si Pedro viviera hubiera podido, perfectamente, acudir al Juez de Familia para solicitar la disminución de la cuota alimentaria fijada, en razón de que su capacidad económica se vio seriamente afectada.

II. Los alimentos como 'gravamen' a la sustitución pensional o a la pensión de sobrevivientes

Bastante se ha discutido si los alimentos forzosos son, o pueden ser, un 'gravamen' a la sustitución pensional o a la pensión de sobrevivientes. La inquietud radica en que la obligación alimentaria de la cual era deudor el causante antes del fallecimiento es considerada por el artículo 1016 del Código Civil como una baja general de la *herencia*, en tanto que la sustitución pensional o la pensión de sobrevivientes tiene la finalidad específica de proteger la familia del trabajador que depende económicamente de éste y, en estrictez, no obedecen a un derecho del causante que integre su herencia.

En 2008, mediante la sentencia T-1096, M.P. CLARA INÉS VARGAS HERNÁNDEZ, la Corte Constitucional reconoció la continuidad en la prestación de alimentos, con cargo a la pensión de invalidez del fallecido alimentante, en favor de la ex cónyuge que no disponía de otro medio distinto de subsistencia. Posteriormente, en sentencia T-203 de 2013, M.P. Luis Guillermo Guerrero Pérez, la Corporación perfeccionó su criterio al respecto. Luego de reconocer las diferentes finalidades de ambas figuras, con fundamento en lo cual sería improcedente afectar la prestación de seguridad social con la mesada alimentaria, estimó necesario interpretar su alcance conforme lo previsto con el artículo 4° de la Carta Política y precisó que el 'gravamen' de la primera por la segunda sería admisible si concurren los siguientes elementos: (i) que el alimentario sea un sujeto de especial protección constitucional; (ii) que exista una sentencia judicial en la cual (a) se reconozca una acreencia alimentaria a favor del accionante, y (b) se asegure su pago con un porcentaje de una pensión de vejez o de invalidez; (iii) que se encuentre probado en el expediente que persiste la necesidad del alimentario; (iv) que exista una sustitución pensional, de la prestación con la que se aseguraba la cuota alimentaria; y (v) que en caso de autorizarse el descuento de la cuota alimentaria no se afecten los derechos fundamentales de la persona beneficiaria de la prestación sustituida.

Por su parte, la Corte Suprema de Justicia sentó su postura en 2016, mediante la sentencia STC9523, M.P. Ariel Salazar Ramírez. En su providencia hizo visible un requisito que, pese haber sido expuesto por la Corte Constitucional, no era siempre tenido en cuenta por los operadores jurídicos: que la sucesión del causante carezca de activos con los cuales se pueda satisfacer la prestación alimentaria. Aunque es evidente, muy oportuno fue el énfasis de la Sala de Casación Civil en esta materia, toda vez que las diferentes finalidades que persiguen las prestaciones derivadas de la seguridad social y la derivada del régimen civil hacen que sea inapropiado gravar directamente la pensión respectiva si lo que estrictamente manda la ley es que se deduzca de la *herencia* la obligación alimentaria del causante.

Con ese contexto, reiteradamente se ha sostenido que el gravamen a las pensiones solo puede ser una medida subsidiaria para garantizar el cumplimiento de la obligación alimentaria del causante, admisible si el caudal relicto no goza de suficiente capacidad para afrontar el pago de la asignación alimentaria forzosa, y con el lleno de los requisitos expuestos por la Corte Constitucional. Así lo han precisado, por citar algunos ejemplos, las siguientes sentencias de la Sala de Casación Civil y Agraria de la Corte Suprema de Justicia: (i) STC3149 de 2020, M.P. Luis Armando Tolosa Villabona; (ii) STC5307 de 2020, M.P. Luis Armando Tolosa Villabona; (iii) STC8064 de 2020, M.P. Luis Alonso Rico Puerta; y (iv) STC15765 de 2018, M.P. Ariel Salazar Ramírez.

III. Los alimentos voluntarios

La regla general que permite determinar que se está en presencia de mesadas alimentarias *voluntarias* descansa sobre la titularidad del derecho de alimentos: cuando el acreedor-alimentario no es alguna de las personas que la ley establece como titular del derecho de alimentos, estaremos siempre ante alimentos *voluntarios*. Se trata tan solo de una regla general, porque su excepción se configura, según se ha explicado, cuando se entrega un pago mensual en favor de una persona que sí se encuentra consagrada en el listado taxativo del artículo 411 del Código Civil, por mera liberalidad del deudor-alimentante y sin mediar acuerdo privado, conciliación extrajudicial, decisión administrativa o providencia judicial. En tales casos los alimentos serán también *voluntarios*, y no *legales* o *forzosos*, como se analizó en la Subsección I de la presente Sección.

La liberalidad que entraña la prestación alimentaria *voluntaria* permite concluir, sin asomo de duda, que no es posible que se queden "debiendo" mesadas, porque la jurisprudencia de la Corte Suprema de Justicia[660] ha dejado claro que no se requiere adelantar, en estos casos, un proceso de exoneración de cuota alimentaria. Por consiguiente, no habrá lugar a efectuar deducciones a la masa sucesoral por este concepto, en la medida en que no configuran *deudas hereditarias* ni *asignaciones alimentarias forzosas atrasadas*.

Se debe hacer hincapié, sin embargo, en que cuando la obligación se ha concretado en favor de alguien que la ley contempla como titular del derecho de alimentos mediante acuerdo privado, conciliación extrajudicial, decisión administrativa o providencia judicial, estamos ante alimentos *forzosos* y el deudor-alimentante tendrá que recurrir, indefectiblemente, a la exoneración judicial de su cuota. Solo excepcionalmente, cuando no ha habido concreción alguna de la obligación, sino que quien efectúa el pago lo hace por mera liberalidad, se podrá afirmar claramente que se está ante alimentos *voluntarios*, que no *legales* o *forzosos*, incluso a pesar de que el alimentario-acreedor sea de aquellas personas previstas en el artículo 411 del Estatuto Civil. En esos casos especiales, se repite, no habrá lugar a aducir que hay mesadas o cuotas "atrasadas", porque es legítimo que quien preste la liberalidad decida, por voluntad propia, dejar de efectuar los pagos.

Con tal aclaración, la discusión relevante se ubica en las cuotas futuras. Por línea de principio, si los alimentos voluntarios entrañan una liberalidad de tracto sucesivo que permite a su deudor dejar de incurrir en ella

---

660   El lector puede acudir al número 3 de la Subsección III de la Sección II de este capítulo.

cuando a bien lo tenga, mal se podría aludir a cuotas futuras. Empero, puede ocurrir que una persona establezca, en su testamento, una obligación alimentaria en favor de un tercero.

Llegado el caso, habrá que ser cuidadoso al determinar la forma de proceder, porque aquí puede haber variaciones trascendentales en la materia:

1°) Si los alimentos se legan en favor de una persona que se encuentra consagrada en el listado del artículo 411 del Código Civil, se habrá concretado una obligación alimentaria *forzosa*. La razón es en extremo sencilla: Si mientras vivía el causante entregaba una suma, por mera liberalidad, en favor de una persona consagrada en el listado del artículo 411, se estaba en presencia de una prestación meramente *voluntaria*. Ello es así, porque si se abstenía de entregar la suma no había ningún título que habilitara al acreedor para efectuar el cobro de lo "adeudado", en la medida en que la "obligación alimentaria" no había sido concretada por acuerdo privado, conciliación extrajudicial, decisión administrativa o providencia judicial. En cambio, cuando el causante otorga testamento y dispone que se presten alimentos en favor de esa misma persona, se habrá concretado la "obligación alimentaria" y, consiguientemente, su naturaleza ya no será *voluntaria*, sino *forzosa*.

La importancia de lo expuesto estriba en que esa cuota alimentaria fijada se tendrá que deducir de la masa hereditaria como una *asignación forzosa*, en los términos del artículo 1016 del Código Civil, salvo que el causante haya descargado esa obligación en uno o más partícipes de la sucesión (art. 1227, *ibídem*). Sin embargo, si se llegara a constatar que la mesada era extraordinariamente más cuantiosa de lo que corresponde a la necesidad del alimentario y la capacidad de la herencia del causante, el exceso entre lo fijado por testamento y lo que debería corresponder se habrá de imputar a la libre disposición del *de cujus* (art. 1229, *ibídem*).

Esta circunstancia hace más evidentes los motivos por los que defendemos que las prestaciones que se entregan voluntariamente en vida, sin ningún documento que concrete la obligación alimentaria, no participan de la naturaleza de *asignaciones forzosas*. Porque entrañan verdaderas liberalidades que, pese a ser recibidas por una persona que la ley designa como titular del derecho de alimentos, no tienen por finalidad atender la subsistencia del acreedor-alimentario. De acuerdo con esa línea argumentativa, si el deudor-alimentario concreta tal obligación mediante su testamento solo se tendrá como deducción ineludible de la masa hereditaria una suma que verdaderamente corresponda a la necesidad del alimentario (si la hay) y la capacidad del alimentante, pero el resto se sacará de la libre disposición (como liberalidad que es).

2°) Si los alimentos se legan en favor de una persona que no se encuentra en el listado del artículo 411 del Código Civil, la totalidad de la prestación se habrá de sacar de la libre disposición del causante (art. 1229 del Código Civil). Puede ocurrir que, al legar los alimentos voluntarios, el causante no determine su forma o su cuantía. En tal caso, se deberá consultar la forma en la que el testador acostumbraba a suministrarlos a la misma persona y, si no se venían prestando en vida, su regulación se hará sobre la base de la necesidad del legatario, sus relaciones con el testador y la fuerza del patrimonio hereditario en la parte de que el testador pudo disponer libremente. Por lo que toca con su duración, el silencio del testador se entenderá significar que los alimentos se deben por toda la vida del legatario (art. 1192 del Código Civil).

SECCIÓN IX. MUTACIÓN O EXTINCIÓN DE LA TITULARIDAD DEL DERECHO DE ALIMENTOS

El derecho de alimentos, se ha explicado aquí, es una prerrogativa inconcreta pero susceptible de ser concretada; cuando esto último ocurre se materializa la obligación alimentaria propiamente tal. Así, la terminación de la *obligación alimentaria* opera por morir el acreedor-alimentario o por variar las circunstancias que dieron origen a la concreción de esa obligación.

Pero tratándose del derecho de alimentos, es decir, la facultad o prerrogativa que da origen a la posibilidad de concretar la obligación alimentaria, pueden acontecer algunos hechos que suponen la mutación o extinción de su titularidad. El primero y más lógico es el fallecimiento de alguno de los sujetos, especialmente el acreedor, que podrían llegar a constituir los extremos de la obligación. En efecto, ocurrido el deceso del hijo, por ejemplo, éste ya no podrá hacer valer ninguna acción judicial contra el padre para reclamar la concreción de la obligación alimentaria, toda vez que su vida ha cesado y, con ella, su personalidad jurídica.

A más de lo anterior, ordinariamente se extinguiría la titularidad del derecho de alimentos por: (i) haberse decretado el divorcio o haber finalizado la unión marital de hecho; y (ii) haber sido judicialmente declarado *culpable* del divorcio, la separación de cuerpos o la terminación de la unión marital de hecho. Lo primero, porque el *divorcio* o la *terminación de la unión marital de hecho* suponen que los miembros de la pareja ya no son considerados *cónyuges* o *compañeros permanentes,* respectivamente, con lo cual ya no tienen título legal que los habilite para ser acreedores alimentarios, según el artículo 411 del Código Civil. Lo segundo, porque el ordinal 4º de la disposición últimamente citada solo concede la titularidad del derecho de alimentos al "inocente", a cargo del "culpable", de donde se podría concluir lógicamente que el "culpable" ha perdido su titularidad del derecho de alimentos.

Sin embargo, de acuerdo con lo analizado *supra,* la más reciente línea jurisprudencial de la Corte Suprema de Justicia tiene entendido que, excepcionalmente, *ex* cónyuges o compañeros permanentes, sin importar su "culpabilidad" o "inocencia", son titulares del derecho de alimentos y quedan, por tanto, facultados para reclamar la concreción de la obligación alimentaria en cabeza de su *ex* pareja. Así las cosas, tendrán que demostrar la concurrencia de particulares circunstancias, además de los requisitos ordinarios (necesidad del alimentario y capacidad económica del alimentante), para ejercer su derecho.

Otro supuesto que hasta ahora no ha sido objeto de análisis es el regulado por el artículo 414 del Código Civil, en virtud del cual la titularidad del derecho de alimentos: (i) muta cuando el alimentario se haya hecho culpable de injuria *grave* contra la persona que le debía alimentos, con lo cual si se le debían alimentos congruos se le pasa a deber alimentos necesarios; y (ii) se extingue cuando el alimentario se haya hecho culpable de injuria *atroz* contra la persona que le debía alimentos. Seguidamente, la disposición en análisis explica qué se entiende por *injuria* en sus diferentes modalidades: "constituyen injuria atroz los delitos graves y aquellos delitos leves que entrañen ataque a la persona del que debe alimentos. Constituyen injuria grave los demás delitos leves contra cualquiera de los derechos individuales de la misma persona que debe alimentos".

A pesar de la loable intención del Legislador por ofrecer una definición capaz de aclarar la cuestión, lo cierto es que las expresiones "delito grave", "delito leve que entrañe ataque" y "delito leve contra cualquier derecho individual" son muy amplias y requieren concreción. Es por tanto necesario concordar el entendimiento con lo previsto por el artículo 1036 del Código Civil, de acuerdo con el cual "[l]a incapacidad o indignidad no priva al heredero o legatario excluido de los alimentos que la ley le señale; pero en los casos del artículo 1025, no tendrá ningún derecho a alimentos".

Así pues, es perfectamente claro que se considera delito atroz: (i) el homicidio contra el alimentante o dejarlo perecer habiendo podido salvarlo; (ii) atentar gravemente contra la vida, el honor o los bienes del alimentante, o de su cónyuge o compañero permanente o de sus ascendientes o descendientes; (iii) siendo consanguíneo dentro del sexto grado, no socorrer al alimentante en el estado de demencia o destitución[661]; (iv) impedir con dolo que el alimentante testara o hacerlo mediante el uso de la fuerza; (v) el ocultamiento doloso del testamento del alimentante; (vi) el abandono sin justa causa al alimentante, entendido por tal la falta absoluta o temporal a las personas que requieran de cuidado personal en su crianza, o que, conforme a la ley, demandan la obligación de proporcionar a su favor habitación, sustento o asistencia médica, salvo que el alimentante lo hubiere perdonado[662]; (vii) ser condenado por los delitos de violencia intrafamiliar (art. 229 del Código Penal), maltrato por descuido, negligencia o abandono en persona mayor (art. 229A, *ibídem*), maltrato mediante restricción a la libertad física (art. 230, *ibídem*) y ejercicio arbitrario de la custodia de hijo menor de edad (art. 230A, *ibídem*), cuando el sujeto pasivo de la conducta sea el alimentante[663]; y (viii) abandonar sin justa causa y no prestar las atenciones necesarias al alimentante, teniendo las condiciones para hacerlo, si éste se encontrare en situación de discapacidad.

En punto al segundo cúmulo de delitos atroces, LAFONT PIANETTA explica que "[e]l atentado grave contra la vida comprende la tentativa de homicidio, homicidio frustrado, el desistimiento de homicidio (si lo ejecutado constituye un atentado grave), al delito de lesiones personales graves (incluyendo el aborto). El atentado contra el honor comprende en su aceptación amplia (que ha sido el sentido del Código) los delitos de calumnia e injuria[664], el rapto, el incesto, la bigamia y los delitos contra la libertad y el honor sexual (violencia carnal, estupro, abusos deshonestos, corrupción de menores y proxenetismo). Como quiera que el honor civil es considerado como la valoración subjetiva que se tiene de sí mismo (honor propiamente dicho) y como valoración externa u objetiva que los demás tienen de uno (honra o fama), la Corte ha considerado que se atenta contra él cuando se ha cometido adulterio por parte de uno de los cónyuges, siempre que haya sido 'declarado por sentencia en juicio de divorcio'[665]. Asimismo corresponderá al juez, según las condiciones en que

---

[661]   Véanse nuestros comentarios en la letra A) del número 2) de la Subsección III de la Sección III del Capítulo I de este texto.

[662]   Véanse nuestros comentarios en la letra A) del número 2) de la Subsección III de la Sección III del Capítulo I de este texto.

[663]   Véanse nuestros comentarios en la letra C) del número 2) de la Subsección III de la Sección III del Capítulo I de este texto.

[664]   En Francia es una causal expresa.

[665]   Sentencia del 6 de abril de 1956, G.J. LXXII, p. 555.

se hubiese originado, determinar si constituye (SIC) un atentado de esta clase las relaciones extramatrimoniales, la prostitución la administración o propiedad de casas de lenocinio, homosexualismo, actividades pornográficas. El atentado contra los bienes comprende los delitos y defraudaciones contra la propiedad (robo, hurto, abuso de confianza, atraco, extorsión, chantaje, estafa, etc.)"[666].

En la práctica, la Corte Suprema de Justicia ha sido vehemente e implacable con la determinación de las injurias que dan cabida a la privación del derecho de alimentos, cuandoquiera que media maltrato intrafamiliar y vejámenes o ultrajes en el marco de la relación afectiva. Así, ha señalado que "este criterio lo ha mantenido esta Sala, clarificándolo en el caso de injuria grave o atroz para efectos de su cuantificación fijando pautas y diferencias en relación con la existencia de hechos dañosos entre cónyuges o compañeros por motivos de violencia de género o intrafamiliar en sus múltiples manifestaciones, analizando la cuestión en correspondencia con el derecho de daños en la comunidad familiar, en el caso Conto – Albán Medina, Tutela contra la Sala de Familia del Tribunal de Bogotá, radicado 11001-02-03-000-2017-01401-00"[667].

SECCIÓN X. CONSECUENCIAS DERIVADAS DE LA INOBSERVANCIA DEL PAGO DE ALIMENTOS

Por su elevada importancia, el hecho de que el deudor-alimentante inobserve la obligación alimentaria acarrea una serie de consecuencias que trascienden al simple reproche moral y a la posibilidad de que el acreedor-alimentario pueda perseguir la ejecución de las mesadas atrasadas. En lo fundamental, tres son los ámbitos desde los cuales se reprocha el incumplimiento: (i) el penal; (ii) el civil; y (iii) el sucesoral. Veamos:

---

[666] PEDRO LAFONT PIANETTA. *Derecho de sucesiones.* Tomo I. *Parte general y sucesión intestada.* Decimoprimera Edición. Ed. Librería del Profesional. Bogotá, 2020. Pág. 231.

[667] Sentencia de la Corte Suprema de Justicia STC17191 de 2017, M.P. LUIS ARMANDO TOLOSA VILLABONA. En el mismo sentido, véase la sentencia STC10829 de 2017, M.P. LUIS ARMANDO TOLOSA VILLABONA.

I. Consecuencias penales

El artículo 233 del Código Penal colombiano tipifica el delito de inasistencia alimentaria, así:

"El que se sustraiga sin justa causa a la prestación de alimentos legalmente debidos a sus ascendientes, descendientes, adoptante, adoptivo, cónyuge o compañero o compañera permanente, incurrirá en prisión de dieciséis (16) a cincuenta y cuatro (54) meses y multa de trece punto treinta y tres (13.33) a treinta (30) salarios mínimos legales mensuales vigentes.

La pena será de prisión de treinta y dos (32) a setenta y dos (72) meses y multa de veinte (20) a treinta y siete punto cinco (37.5) salarios mínimos legales mensuales vigentes cuando la inasistencia alimentaria se cometa contra un menor

Parágrafo 1º. Para efectos del presente artículo, se tendrá por compañero y compañera permanente al hombre y la mujer que forman parte de la Unión Marital de Hecho durante un lapso no inferior a dos años en los términos de la Ley 54 de 1990[668].

Parágrafo 2º. En los eventos tipificados en la presente ley se podrá aplicar el principio de oportunidad".

En la conceptualización del delito, la Sala de Casación Penal de la Corte Suprema de Justicia ha sostenido lo siguiente:

1º) El bien jurídico tutelado es la familia[669].

2º) Es un "delito de infracción de deber, por cuanto no atiende la naturaleza externa del comportamiento del autor -resultado en el mundo exterior-, sino que se centra en el incumplimiento del deber especial que le incumbe, esto es, las prestaciones ligadas a un determinado rol social[670], en este caso, el de alimentante"[671].

---

[668]   La Corte Constitucional, en sentencia C-798 de 2008, M.P. Jaime Córdoba Triviño, declaró la exequibilidad del parágrafo, bajo el entendido de que es también aplicable a los compañeros permanentes del mismo sexo. Desde luego, lo propio ocurre con los cónyuges.

[669]   Cfr. Sentencia de la Corte Constitucional C-237 de 1997, M.P. Carlos Gaviria Díaz.

[670]   SÁNCHEZ-VERA GÓMEZ-TRELLES, JAVIER. Delito de infracción de deber y participación delictiva. Madrid: Marcial Pons, 2002, p. 29. 3123711 ext 13527

[671]   Sentencia de la Sala de Casación Penal de la Corte Suprema de Justicia SP405 de 2021, M.P. Eyder Patiño Cabrera.

3°) Es un delito de peligro[672], puesto que no requiere la causación efectiva de un daño al bien jurídico protegido.

4°) La conducta punible "tiene como elementos constitutivos la existencia del vínculo o parentesco entre alimentante y alimentado, la sustracción total o parcial de la obligación y la inexistencia de una justa causa, es decir, que la estructuración del incumplimiento ocurra sin motivo o razón que lo justifique -CSJ SP, 29 nov. 2017, rad. 44.758-"[673].

5°) En relación con la justa causa que se reclama, la Corporación ha explicado que "resulta fundamental la determinación de las posibilidades fácticas y jurídicas del obligado para suministrar alimentos. Sobre el particular, la Sala, siguiendo la jurisprudencia constitucional (C-237/97), ha precisado que el deber de asistencia alimentaria se establece sobre dos requisitos fundamentales: la necesidad del beneficiario y la capacidad económica del deudor, quien debe ayudar a la subsistencia de sus parientes, sin que ello implique el sacrificio de su propia existencia (CSJ SP 19 ene. 2006, rad. 21.023).

En ese entendido, la carencia de recursos económicos impide la deducción de responsabilidad penal, dado que cuando el agente se sustrae el cumplimiento de su obligación, no por voluntad suya, sino por haber mediado una circunstancia de fuerza mayor como lo es la carencia de recursos económicos, la conducta no es punible (CSJ SP 4 dic. 2008, rad. 28.813). Esto, por cuanto la punibilidad de la sustracción a la obligación de prestar alimentos no puede transgredir el principio jurídico cifrado en que nadie está obligado a lo imposible"[674].

El artículo 234 del Código Penal consagra una agravación punitiva, hasta en una tercera de la pena, cuando el deudor-alimentante, con el propósito de sustraerse a la prestación alimentaria, fraudulentamente oculta, disminuye o grava su renta o patrimonio. A su turno, el artículo 235, *ibídem*, establece que la sentencia condenatoria ejecutoriada no impide la iniciación de otro proceso si el responsable incurre nuevamente en inasistencia alimentaria.

---

[672] CSJ AP 28 mar.2012, rad. 38.094; AP 28 ago. 2013, rad. 41.634 y AP 11 sep. 2013, rad. 41.584.

[673] Sentencia de la Sala de Casación Penal de la Corte Suprema de Justicia SP405 de 2021, M.P. EYDER PATIÑO CABRERA.

[674] Sentencia CSJ SP, 30 may. 2018, rad. 47107.

II. Consecuencias civiles, en materia de procesos relativos al ejercicio de derechos sobre niños, niñas y adolescentes

El artículo 129 del Código de la Infancia y la Adolescencia establece que, "[m]ientras el deudor no cumpla o se allane a cumplir la obligación alimentaria que tenga respecto del niño, niña o adolescente, no será escuchado en la reclamación de su custodia y cuidado personal ni en ejercicio de otros derechos sobre él o ella".

No hace falta reiterar la importancia del derecho de alimentos, máxime cuando sus destinatarios son sujetos de especial protección constitucional como los menores de edad. Lo que sí conviene destacar, es que la jurisprudencia de la Corte Suprema de Justicia ha entendido, uniformemente, que la disposición en análisis entraña una clara sanción para el padre incumplido, consistente en la imposibilidad de ser oído en "demandas relacionadas no solo con la custodia y cuidado personal de sus descendientes, sino también con el ejercicio de cualquier otro derecho respecto de él o ella, lo cual, desde luego, incluye el 'derecho de visitas'"[675].

Lo anterior significa que la sanción despliega sus efectos sobre todos y cada uno de los procesos que se relacionan con los derechos susceptibles de ser ejercidos por los padres respecto de los hijos menores de edad. Y cuando haya procesos en curso, éstos deberán seguir su trámite, sin suspensiones[676].

A la postre, se podría pensar que la norma sanciona también a los menores de edad y que resulta inconveniente. Sobre el particular, se advierte que la disposición consagrada en el artículo 129 del Código de la Infancia y la Adolescencia estuvo recogida, en su minuto, en el artículo 150 del Código del Menor. Contra el texto del Estatuto anterior se instauró una acción pública de inconstitucionalidad, la cual fue resuelta por la Corte Constitucional en sentencia C-011 de 2002, M.P. Álvaro Tafur Galvis.

Para declarar la exequibilidad de la disposición, la Corporación señaló que "la exigencia del legislador impuesta al alimentante, respecto del cumplimiento de la obligación alimentaria, para ejercer los derechos relacionados con el menor, no quebranta el ordenamiento constitucional, en razón de que se trata de un requisito posible y sencillo de cumplir, además

---

[675]   Sentencia de la Sala de Casación Civil y Agraria de la Corte Suprema de Justicia STC9230 de 2020, M.P. Luis Armando Tolosa Villabona.

[676]   Sentencia de la Sala de Casación Civil y Agraria de la Corte Suprema de Justicia, proferida el 19 de agosto de 2008, expediente 2008-092, M.P. Jaime Alberto Arrubla Paucar.

de enorme trascendencia para el desarrollo del menor[677], dada la ordinaria imposibilidad de éste de atender no solamente su congrua subsistencia, sino también sus necesidades básicas y la defensa de sus propios intereses".

Sin embargo, aclaró que la difícil situación del alimentante puede ser evaluada, si éste así lo solicita. "Lo que sucede es que no se compadecería con una necesidad vital, como viene a serlo para el menor la de recibir alimentos, que el responsable se sustraiga, sin más, de su cumplimiento, y que además se le permita ejercer sus derechos en relación con el menor, sin que medie la explicación que demanda tal conducta. Porque a quien está obligado a suministrar alimentos a un menor, y no puede seguir haciéndolo, o puede hacerlo, pero en menor grado, le corresponde acudir ante la justicia a dar las explicaciones del caso, con miras a que, de ser procedente, el juez traslade total o parcialmente tal obligación, al inmediatamente obligado, sin solución de continuidad y sin ninguna dilación –artículo 411 C.C.-".

De esa forma, aunque la regla general será la aplicación de la sanción, desde una óptica constitucional y concienzuda se deberá analizar, en cada caso, si hay mérito para cercenar el derecho del padre a ser oído. Porque si bien es cierto que "los funcionarios judiciales no pueden soslayar que la exigibilidad del derecho de alimentos de los niños, niñas y adolescentes, al tratarse de sujetos de especial protección, es de carácter prevalente, pues su desprotección imposibilita el máximo nivel de satisfacción de otras de sus prerrogativas"[678], no lo es menos que puede haber casos excepcionales en que varía dramática e intempestivamente la situación de un padre-deudor.

Así pues, sería inadmisible que a un padre cumplido, responsable y juicioso, cuyas circunstancias económicas cambian dramáticamente de un momento para otro, se le impida el ejercicio de sus derechos en un juicio que puede perfectamente estar en curso, mientras empieza los trámites

---

[677] "El deber de asistencia alimentaria se establece sobre dos requisitos fundamentales: la necesidad del beneficiario y la capacidad del deudor, quien debe ayudar a la subsistencia de sus parientes, sin que ello implique el sacrificio de su propia existencia. Los términos de la obligación aparecen regulados en la ley, que contiene normas sobre los titulares del derecho, las clases de alimentos, las reglas para tasarlos, la duración de la obligación, los alimentos provisionales; el concepto de la obligación, las vías judiciales para reclamarlos, el procedimiento que debe agotarse para el efecto, y el trámite judicial para reclamar alimentos para mayores de edad."-Sentencia C-237 de 1999-.

[678] Sentencia de la Sala de Casación Civil y Agraria de la Corte Suprema de Justicia STC9230 de 2020, M.P. Luis Armando Tolosa Villabona.

para la solicitud de disminución de cuota alimentaria. El principio de la razonabilidad juega, en este aspecto, un papel de capital importancia.

Con ello no se quiere decir que se cohoneste la desidia de un progenitor, que se ha substraído de satisfacer sus obligaciones por un largo lapso sin dar explicaciones o acudir a las instancias correspondientes, al amparo de no lacerar los derechos fundamentales. Flaco favor haría el fallador en un caso como el descrito, pues se estaría premiando la irresponsabilidad del padre y no se satisfaría el interés superior del niño, habida cuenta de que la falta de esa cuota le está significando un perjuicio grave para su desarrollo integral.

III. Consecuencias sucesorales

El artículo 1º de la ley 1893 de 2018 adicionó tres causales de indignidad al artículo 2015 del Código Civil. En particular, interesa a estas páginas la causal que consagra el abandono sin justa causa a la persona de cuya sucesión se trata, estando obligado por ley a suministrarle alimentos.

En la letra A) de la Subsección III de la Sección IIII del Capítulo I de este Tomo se explicó que, para la configuración de la causal, no se requiere que haya una obligación alimentaria concretada, porque basta con estar enunciado en el artículo 411 del Código Civil como titular del derecho de alimentos y que quede demostrado el abandono sin justa causa. Sin embargo, con mayor razón se podrá vislumbrar el alcance de la causal si la obligación alimentaria está efectivamente concretada y el deudor-alimentante se substraer de su satisfacción por abandonar al causante.

Capítulo IV.
De las obligaciones tributarias formales de los hijos, su cumplimiento y responsabilidad derivada del incumplimiento[679]

SECCIÓN I. APUNTACIONES PRELIMINARES

CARNELUTTI tiene enseñado que "[l]a noción más amplia y sencilla de relación jurídica es la de una relación constituida por el derecho, entre dos sujetos, con referencia a un objeto"[680]. A partir de tan contundente definición, es fácil deducir que la tributaria debe ser calificada como una verdadera relación jurídica, pues se trata de un vínculo o nexo que ata a un Estado con un particular y versa sobre el tributo. Mas, como acertadamente lo puntualiza ACHILLE DONATO GIANNINI, la relación jurídica tributaria "tiene un contenido *complejo*, puesto que de ella derivan, de un lado, poderes y derechos, así como obligaciones, de la autoridad financiera, a los que corresponden obligaciones, positivas y negativas, así como derechos, de las personas sometidas a su potestad, y de otra parte, con carácter más específico, el derecho del ente público a exigir la correlativa obligación del contribuyente de pagar la cantidad equivalente al importe del impuesto debido en cada caso"[681].

---

[679] Este Capítulo se apoya en el texto *Obligación tributaria formal*, de autoría de MATEO VARGAS PINZÓN y NICOLÁS DE BRIGARD GARNICA, elaborado para el libro Procedimiento Tributario Colombiano según el amable encargo de sus coordinadores, JUAN DE DIOS BRAVO GONZÁLEZ y CATALINA PLAZAS MOLINA. Como su nombre lo indica, el texto que sirve de apoyo para los planteamientos que aquí se elucubran versa sobre las *Obligaciones tributarias formales*. Los apartes que se reproducen en este Capítulo, y a los cuales se les han introducido modificaciones, fueron estructurados por el autor de esta obra pero estuvieron sujetos al análisis, discusión y aprobación de NICOLÁS DE BRIGARD GARNICA, quien gentilmente nos ha autorizado para proceder con la publicación de que aquí se trata.

[680] FRANCESCO CARNELUTTI. *Teoría general del derecho*. Trad. Francisco Xavier Osset. Ed. Revista de Derecho Privado. Madrid, 1955. Pág. 184.

[681] ACHILLE DONATO GIANNINI. *Istituzioni di Diritto Tributario*. Trad. Fernando Sainz de Bujanda. Séptima Edición. Ed. Editorial de Derecho Financiero. Madrid, 1957. Pág. 68 y 69.

Repárese en que la naturaleza *compleja*[682] de la relación jurídica tributaria dimana del hecho de que en ella concurren varios tipos de obligaciones: (i) la "principal", cuya prestación es de dar (*dare*) y consiste en
ingresar determinada suma al Fisco; y (ii) las "accesorias", cuya prestación
es de hacer (*facere*) o no hacer (*non facere*) y pretenden concretar la obligación "principal". Deliberadamente hemos incluido las comillas al aludir a
la obligación "principal" y las "accesorias", porque a nuestro juicio resulta
impropio conferirles tal tratamiento, según se pasa a analizar:

La denominación "principal" se ha empleado, en la doctrina, para aludir
a la obligación tributaria *sustancial*, que es aquel "vínculo jurídico obligacional que se entabla entre el Fisco como sujeto activo, que tiene la pretensión
de una prestación pecuniaria a título de tributo, y un sujeto pasivo, que está
obligado a la prestación"[683]. Sin perjuicio de que volveremos sobre este aspecto en el Capítulo que sigue, brevemente se podría definir la obligación
tributaria sustancial como aquella que tiene por objeto el pago del tributo.

A su turno, la expresión "accesorias" se ha usado para aglutinar, con un
criterio de subordinación, a las obligaciones de tipo formal que coadyuvan
a materializar la obligación sustancia. ALEJANDRO RAMÍREZ CARDONA señala que, "[a]l depender las obligaciones accesorias, tanto las del sujeto activo como las del pasivo, de la obligación principal, si ésta no existe aquéllas
no se configuran"[684]. Empero, aclara que "[s]e trata de que exista potencialmente la obligación de pagar impuestos, no siempre que sea efectiva,
como sucede en el caso de sujetos exentos no eximidos por ello de cumplir
determinadas obligaciones accesorias"[685].

---

[682] Bueno es advertir, sin embargo, que la naturaleza *compleja* de la relación jurídica tributaria no ha estado exenta de discusión en la doctrina. Algunos, como MARIO PU-
GLIESE, argumentan que la relación jurídica tributaria es *unitaria* y solo comprende
la obligación de dar; esto es, la sustancial (*Istituzioni di diritto finanziario: diritto tributario*. Trad. Ed. Fondo de Cultura Económica. México, 1939. Pág. 40). Otros, como
DINO JARACH, desligan la relación jurídica tributaria material de la relación jurídica
tributaria administrativa (o formal), en la medida en que la primera no supone
necesariamente el nacimiento de la segunda (*El hecho imponible*. Tercera Edición.
Ed. Abeledo-Perrot. Buenos Aires, 1943. Pág. 47 a 56). Por lo solidez lógica de la
argumentación, el autor de esta obra adhiere a los planteamientos de GIANNINI.

[683] HÉCTOR BELISARIO VILLEGAS. *Curso de finanzas, derecho financiero y tributario*. Quinta Edición. Ed. Depalma. Buenos Aires, 1992. Pág. 246.

[684] ALEJANDRO RAMÍREZ CARDONA. *Derecho tributario sustancial y procedimental*. Tercera
Edición. Ed. Temis. Bogotá, 1985. Pág. 18.

[685] *Ibídem.*

Esta visión del asunto, según la cual las obligaciones tributarias formales son simples instrumentos para alcanzar la materialización de la obligación tributaria sustancial, condujo a que se soslayara su estudio. En efecto, por ser consideradas un elemento no más que "accesorio" o "secundario", toda la atención de la doctrina se hubo de centrar en los alcances de la obligación "principal".

Pero en lo que no se ha reparado con suficiencia es en que la desatención de tan importantes obligaciones, tanto en lo que atañe a sus alcances como en lo que toca con su contenido, ha dado paso al robustecimiento de las actuaciones administrativas, muchas veces en desmedro de los derechos de los contribuyentes, con lo cual ha resurgido entre nosotros, parafraseando los términos de PLAZAS VEGA, el fantasma de la *relación de poder* como sustituto de la *relación jurídica tributaria*[686]. Por ello insistimos en la importancia de reivindicar el estudio de las obligaciones tributarias formales, "con el objeto de garantizar plenamente los derechos de los asociados por dos vías: en primer lugar, con la fijación de límites a la Administración para evitar abusos; y, en segundo lugar, mediante el establecimiento de reglas y procedimientos claros que permitan ingresar al Fisco las sumas adeudadas, en beneficio de la colectividad"[687].

Puesto lo anterior en contexto, resta únicamente agregar, de la mano de ALBERT HENSEL, que las obligaciones tributarias formales, como la sustancial, "son debidas en virtud de la ley cuando se realiza el hecho generador"[688]. Por tal motivo, puede ocurrir que surjan obligaciones tributarias formales aun cuando no haya lugar al nacimiento de obligación tributaria sustancial alguna. De esta forma, conviene ser cuidadosos al distinguir la conminación al *pago* de un tributo del débito de otro tipo de prestaciones, como las que enseguida se analizan.

---

[686] Cfr. MAURICIO A. PLAZAS VEGA. *Derecho de la hacienda pública y derecho tributario*, tomo II, Tercera Edición, 599 y siguientes.

[687] MATEO VARGAS PINZÓN y NICOLÁS DE BRIGARD GARNICA. *Obligación tributaria formal* en "Procedimiento Tributario". Ed. Colegio Mayor de Nuestra Señora del Rosario y Temis. Coord. Juan de Dios Bravo González y Catalina Plazas Molina. Bogotá, 2022.

[688] ALBERT HENSEL. *Derecho tributario*. Trad. Leandro Stok y Francisco Cejas. Ed. Nova Tesis. Rosario, 2004. Pág. 229.

SECCIÓN II. PRINCIPALES OBLIGACIONES TRIBUTARIAS FORMALES

No es este el espacio para explicar, en detalle, las obligaciones tributarias formales que se encuentran reguladas en nuestro ordenamiento jurídico[689], pero sí conviene enunciarlas brevemente. Lo anterior, con el objeto de poner en evidencia la utilidad práctica de los planteamientos que se dejarán plasmados en la siguiente Sección, donde se discute la capacidad o no de los menores de edad para ejercer su propia representación ante el Fisco y la responsabilidad derivada del incumplimiento de las cargas radicadas en cabeza suya.

I. Presentar declaraciones tributarias

Aunque la obligación tributaria *sustancial* nace por incurrir el sujeto pasivo en el hecho previsto por la ley como originario de ella (según se verá en el Capítulo que sigue), la cuantificación y determinación del importe que se debe trasladar al Estado es solo posible mediante un acto de liquidación o de determinación. El acto al que aquí se alude puede ser expedido por dos personas distintas: (i) la Entidad facultada por el Estado para ese propósito, en cuyo caso toma la forma de acto administrativo; o (ii) el particular (llámese contribuyente o responsable), evento en el cual se está ante un documento eminentemente privado.

Los actos de liquidación emanados del particular, que son los que interesan a este estudio, se denominan declaraciones tributarias o denuncios privados y su admisibilidad en el ordenamiento jurídico fue avalada por la Corte Constitucional bajo la premisa de que los contribuyentes o responsables son operadores dinámicos en la cuantificación de sus obligaciones[690]. Por consiguiente, esta obligación tributaria formal exige que los individuos que satisfagan los requisitos previstos en la ley presenten, con las formalidades y en los términos allí consagrados, un documento en el que consignen

---

[689]　Para un análisis pormenorizado, el lector puede acudir a Mateo Vargas Pinzón y Nicolás de Brigard Garnica. *Obligación tributaria formal* en "Procedimiento Tributario". Ed. Colegio Mayor de Nuestra Señora del Rosario y Temis. Coord. Juan de Dios Bravo González y Catalina Plazas Molina. Bogotá, 2022.

[690]　Corte Constitucional. Sentencia C-231 de 2003, M.P. Eduardo Montealegre Lynett.

toda la información relevante para determinar el contenido y alcance de la deuda tributaria, si la hay, a su cargo[691].

Como se ha insistido, la estrecha relación entre las obligaciones tributarias formales y la sustancial no implica que aquéllas se activen solo cuando surja ésta. Perfectamente puede ocurrir, y así sucede con no poca frecuencia, que haya sujetos obligados a presentar declaraciones pero sin tener que sufragar un solo centavo en favor del Estado. En tales casos se habrá configurado una obligación tributaria formal, sin la correlativa obligación tributaria sustancial. Y, como es natural, del incumplimiento de la primera se derivarán sanciones que tendrá que asumir el particular.

Con criterio meramente enunciativo se resalta que en el ordenamiento jurídico colombiano hay declaraciones del impuesto sobre la renta, el impuesto sobre el valor agregado, el impuesto de industria y comercio y, eventualmente, en algunas entidades territoriales, el impuesto predial, entre otras. Tales serían los denuncios que potencialmente habría de presentar el hijo de familia si sus condiciones fácticas se subsumen dentro de los supuestos de hechos regulados por la ley.

II. Inscripción y actualización del registro único tributario (RUT)

El Registro Único Tributario es un instrumento que sirve para identificar, ubicar y clasificar a los contribuyentes, responsables, agentes retenedores de tributos nacionales, inversionistas del exterior, importadores y exportadores de bienes y servicios, obligados del mercado cambiario, entre otros[692]. Desde luego, su crucial importancia estriba en que es ese el documento que posibilita el cumplimiento de las obligaciones tributarias, aduaneras y cambiarias de las personas naturales o jurídicas ante la Administración Tributaria nacional. Sin el Registro Único Tributario no es posible presentar declaraciones, por ejemplo.

Pero no basta con el cumplimiento de la inscripción inicial. Como es obvio, dado que la función del RUT es servir como instrumento de control, los cambios relevantes en la identificación, ubicación o actividad económi-

---

[691] En este sentido, véase a JULIO ROBERTO PIZA RODRÍGUEZ. *Curso de derecho tributario, procedimiento y régimen sancionatorio*. Primera Edición, Segunda Reimpresión. Ed. Universidad Externado de Colombia. Bogotá, 2013. Pág. 582.

[692] Cfr. Artículo 555-2 del Estatuto Tributario.

ca de quien se encuentre inscrito deben ser oportunamente actualizados, so pena de generar sanciones a su cargo[693].

Por ello, resulta de la mayor importancia comprender que esta es una obligación tributaria formal ineludible, en la que los menores de edad fácilmente podrían obrar como sujetos pasivos. Para constatarlo, basta imaginar un niño o adolescente que deba presentar su declaración del impuesto sobre la renta: será primero necesario que se inscriba en el Registro Único Tributario; o que ese mismo niño o adolescente, luego de estar debidamente inscrito, cambie su domicilio: tendrá que proceder con la actualización.

III. Presentar información

En el marco de su función fiscalizadora, la Administración Tributaria cuenta con la facultad de solicitar a los contribuyentes o responsables la presentación de información relevante su gestión. Ello puede ocurrir de manera genérica, como cuando se expiden resoluciones que precisan los requisitos que debe satisfacer una persona para quedar obligada a suministrar la información pertinente[694], o de manera particular, caso en el cual se contacta a un determinado contribuyente o responsable para que allegue información suya o de terceros[695].

En cualquiera de los dos eventos, el incumplimiento de la obligación tributaria formal está sujeto a las sanciones previstas en el artículo 651 del Estatuto Tributario.

SECCIÓN III. CUMPLIMIENTO DE LAS OBLIGACIONES TRIBUTARIAS FORMALES POR LOS MENORES DE EDAD Y RÉGIMEN DE RESPONSABILIDAD ANTE EL INCUMPLIMIENTO

En esta Sección se centrará la atención en el extremo pasivo de la obligación tributaria formal; esto es, en el sujeto de quien se reclama la

---

[693]   Cfr. Artículo 658-2 del Estatuto Tributario.

[694]   Tales resoluciones se profieren al cobijo de los artículos 631 y 631-2 del Estatuto Tributario.

[695]   Ello se hace mediante autos de verificación o cruce, requerimientos ordinarios de información o emplazamientos. El lapso para responder depende de lo que se indique en el acto administrativo de que se trate, sin que en ningún caso pueda ser inferior a quince días calendario, según lo dispone el artículo 261 de la ley 223 de 1995.

prestación debida (*solvens*). El análisis materializa su utilidad en términos prácticos, en la medida en que el Código Tributario colombiano es muy claro al establecer, en dos artículos de idéntico alcance, la responsabilidad **subsidiaria** de quienes están llamados a responder por las obligaciones formales de terceros, en lo que atañe a las consecuencias que se deriven de tal omisión. Se trata de los artículos 583 y 798 del Estatuto Tributario, cuyo texto es el siguiente:

"Responsabilidad subsidiaria de los representantes por incumplimiento de deberes formales. Los obligados al cumplimiento de deberes formales de terceros responden subsidiariamente cuando omitan cumplir tales deberes, por las consecuencias que se deriven de su omisión".

Sentadas las anteriores bases, sea lo primero apuntar que el ordenamiento jurídico colombiano, mediante el artículo 571 del Estatuto Tributario, hizo recaer la sujeción pasiva de las obligaciones tributarias formales sobre los "contribuyentes o responsables directos del pago del tributo, personalmente o por medio de sus representantes, y a falta de éstos, por el administrador del respectivo patrimonio". Por su parte, el titular de la potestad reglamentaria fue consciente, con buen acuerdo, de que la estructura del sistema jurídico colombiano contemplaba casos en los que, incluso sin haber obligaciones tributarias sustanciales, nacían obligaciones formales que debían ser atendidas por los individuos o entes económicos y, consiguientemente, reguló la sujeción pasiva de estos supuestos de hecho en cabeza de quienes incurrieran en los presupuestos descritos en la ley, "personalmente o a través de sus representantes legales o convencionales, según corresponda"[696].

Empero, surge de bulto el interrogante sobre quiénes están facultados para comparecer personalmente ante la Administración Tributaria. Aunque ya quedó establecida la titularidad pasiva de la obligación tributaria formal, que se asigna a quien incurra en el presupuesto previsto en la ley, no es siempre sencillo determinar, con absoluta precisión, en cuáles casos es posible que ese titular actúe en forma personal y en cuáles no. Sabido es que hay personas que, dadas sus condiciones intrínsecas, a los ojos del ordenamiento jurídico carecen de aptitud legal para obligarse, por lo que son considerados incapaces y no podrían satisfacer, en forma personal, las prestaciones impuestas por la normativa; también es claro que hay otro tipo de personas –como las jurídicas– o entes –como los patrimonios autónomos– a los que, por su naturaleza misma, les es físicamente imposible

---

[696]   Cfr. Artículo 1.6.1.1.5. del decreto 1625 de 2016, único reglamentario en materia tributaria – en adelante, DUR.

atender las obligaciones en forma personal; y, finalmente, hay un tercer grupo de personas que, a pesar de estar facultadas por la ley y tener la posibilidad física de satisfacer las prestaciones debidas de forma directa, deciden voluntaria y convencionalmente constituir mandatarios o apoderados para que, en su nombre y representación, cumplan las obligaciones tributarias formales a su cargo.

En cuanto tiene que ver con las personas naturales o físicas, es de observar que la capacidad legal entraña la posibilidad de que una persona se obligue por sí misma, sin el ministerio o la autorización de otra[697]. Expresado en los términos de EDMOND CHAMPEAU y ANTONIO JOSÉ URIBE, la capacidad legal entraña la aptitud para adquirir un derecho y usar de él o ejercerlo conforme a las leyes[698].

Por consiguiente, no basta con que la ley prescriba que, por incurrir en un supuesto de hecho determinado, se adquiere la condición de deudor (*solvens*) o sujeto pasivo de la obligación tributaria formal; es también menester determinar cómo se puede satisfacer la prestación debida. Y, respecto de las personas naturales o físicas, se pueden predicar las más variadas situaciones, como por ejemplo si se tiene una discapacidad o si se es mayor o menor de edad.

Dado que en este Tomo estamos abocados al tratamiento de los hijos, solo elucubraremos en torno a los menores de edad, a saber:

El artículo 34 del Código Civil establece que son menores de edad quienes no han obtenido la habilitación legal. Y, según la modificación introducida por los artículos 1º y 2º de la ley 27 de 1977, la habilitación fue fijada a los dieciocho años. En consecuencia, la expresión menores de edad se refiere a todos aquellos individuos que no han cumplido los dieciocho años de edad.

A su turno, el ordenamiento jurídico colombiano diferencia entre los tipos de menores de edad, habida cuenta de que, en algunos casos, sus actos están llamados a producir efectos jurídicos y cuentan con validez legal, mientras que en otros no. Es así como el artículo 34 del Código Civil denominaba infante o niño a quien no hubiera cumplido siete años; impúber al hombre menor de catorce y a la mujer menor de doce; y menor adulto al hombre mayor de catorce pero menor de dieciocho y a la mujer mayor de doce pero menor de dieciocho años.

---

[697]   Cfr. Artículo 1502 del Código Civil.

[698]   Cfr. EDMOND CHAMPEAU y ANTONIO JOSÉ URIBE. *Tratado de derecho civil colombiano.* Tomo Primero. *De las personas.* Ed. Librairie Larose. París, 1899. Pág. 459.

En primer lugar, la distinción entre impúberes por razón del sexo fue declarada inexequible por la Corte Constitucional en sentencia C-534 de 2005, M.P. Humberto Antonio Sierra Porto, con lo cual se estableció que serían impúberes todas las personas menores de catorce años y se llamarían menores adultos los hombres y mujeres mayores de catorce años, pero menores de dieciocho.

Posteriormente, la ley 1306 de 2009 estableció, en el parágrafo 1º de su artículo 53, que para todos los efectos legales el término impúber se equipararía al de niño o niña, conforme a lo definido en el artículo 3º del Código de la Infancia y la Adolescencia, y la expresión menor adulto se equipararía a la de adolescente. Y el artículo 3º del Código de la Infancia y la Adolescencia señaló que se consideraría niño o niña a la persona menor de doce años y adolescente al mayor de doce pero menor de dieciocho años.

Este sucinto recuento normativo arroja como resultado que, en la actualidad, el artículo 34 del Código Civil se encuentra tácitamente derogado y, por tanto, los menores de edad solo se dividen en niños y adolescentes. Además, como se advirtió precedentemente, el ordenamiento civil contempla que toda persona cuenta con capacidad legal, salvo aquellas que la ley declare incapaces[699]; y, seguidamente, dispone que los impúberes (o niños) son absolutamente incapaces, en tanto que los menores adultos (o adolescentes) lo son relativamente, por lo que resulta posible que la ley confiera validez a sus actos en determinadas circunstancias y para ciertos efectos[700].

La utilidad práctica de las anteriores consideraciones estriba en el hecho de que el artículo 555 del Estatuto Tributario, al regular las personas que se consideran capaces para comparecer ante la Administración, señaló que los contribuyentes menores adultos se encontraban facultados para hacerlo y cumplir por sí mismos los deberes tributarios formales y materiales. Ello implica, en otras palabras, que los mayores de doce que no hayan cumplido los dieciocho años de edad son los conminados directos a satisfacer las prestaciones debidas, surgidas en razón y con ocasión de las obligaciones tributarias formales a su cargo.

La conclusión expuesta parece reñir con lo previsto en la normativa tributaria cuando indica que los padres deben cumplir las obligaciones formales por sus "hijos menores", en los casos en los que el impuesto se

---

[699]   Cfr. Artículo 1503 del Código Civil.
[700]   Cfr. Artículo 1504 del Código Civil.

liquide directamente a éstos[701]. En efecto, la disposición en comentario no distingue entre los tipos de menores de edad, por lo que se podría pensar que los responsables directos de satisfacer las obligaciones tributarias formales de los niños y adolescentes son, en todos los casos, los padres. Para explicar claramente por qué no hay tal contradicción, enseguida nos ocuparemos de analizar, por separado, la situación de los niños o impúberes y la de los menores adultos o adolescentes.

I. Niños o impúberes

Ya se explicó con suficiencia que son niños o impúberes las personas menores de doce años. También se precisó que el Derecho Común es enfático al afirmar que los actos de estas personas no producen ni siquiera obligaciones naturales. Es precisamente en razón de esa incapacidad legal absoluta que se impone la necesidad de que terceras personas sean conminadas por el ordenamiento jurídico a satisfacer las prestaciones debidas de los niños, cuando el tributo se liquide directamente a ellos o se satisfagan los presupuestos previstos en la ley.

Así las cosas, en esta hipótesis no resulta extraña la previsión legal de que los padres son llamados a cumplir las obligaciones tributarias formales de sus hijos. Esa imposición ha sido desarrollada por el reglamento, en el sentido de indicar que los "representantes" deben satisfacer las prestaciones debidas, "en el [caso] del impúber", cuando el impuesto deba liquidársele directamente[702]. De no hacerlo, como lo anticipamos previamente, los padres serán subsidiariamente responsables por las consecuencias que se deriven de su omisión, como lo mandan los artículos 583 y 798 del Estatuto Tributario.

Es mucho más precisa la terminología empleada por el reglamento, puesto que afirmar que los padres serán siempre los representantes de sus hijos menores parte de una premisa lógica que guarda armonía con el ordenamiento civil, aunque no resulta en todos los casos exacta, cual es la de que los hijos siempre reciben el tratamiento legal de "hijos de familia" y están, por tanto, sujetos al ejercicio de la patria potestad por sus padres.

n condiciones ordinarias, por estar los hijos de familia sujetos a la patria potestad de sus padres, éstos adquieren la representación legal, judicial y

---

[701]   Así lo dispone el literal a) del artículo 572 del Estatuto Tributario.
[702]   Cfr. Literal a) del artículo 1.6.1.1.1. del DUR.

extrajudicial, de aquéllos[703]. En virtud de ella, pueden los padres representar a sus hijos menores de edad, considerados incapaces, en la celebración de actos o contratos y, para el caso que aquí interesa, ante la Administración Tributaria.

Mas, como se explicó con precisión en el Capítulo II de este Tomo, la sujeción a la patria potestad se extingue con la privación o emancipación, la cual, en tratándose de niños o impúberes, puede ocurrir por ministerio de la ley (*ope legis*)[704] o por vía judicial[705]. También hay otro caso en el que, sin emancipación del hijo, queda suspendido el ejercicio de la patria potestad: cuando concurren las causales directas o indirectas a que alude la Subsección I de la Sección III del Capítulo II de este Tomo.

Extinta o suspendida la patria potestad, el ordenamiento jurídico prevé la necesidad de designar un curador para el niño o impúber. Según lo explica el artículo 53 de la ley 1306 de 2009, la guarda judicialmente decretada tendrá la representación legal, el cuidado del menor de edad y la administración de sus bienes[706].

En verdad, carece de sentido pensar que, aun después de haber sido privados de la patria potestad (v.gr. por maltrato intrafamiliar), los padres de un niño o impúber sigan conminados a cumplir las obligaciones tributarias formales de éste. Por consiguiente, debido a que la privación de la patria potestad de los padres respecto de sus hijos menores de edad conduce a la necesidad de fijarles a éstos un guardador, en estos casos tendrá aplicación prevalente el literal b) del artículo 572 del Estatuto Tributario, que dispone que los tutores o curadores deben cumplir las obligaciones formales de los incapaces a quienes representan, sobre el literal a), *ibídem*, que señala que los padres deben cumplir tales obligaciones por sus hijos menores. Es por ese motivo que indicamos que la terminología empleada por el reglamento es más apropiada, puesto que no se refiere a los "padres", sino a los "representantes" del niño o impúber.

---

[703] Artículos 302 a 308 del Código Civil.

[704] Ello ocurriría por la muerte de los padres.

[705] Que resulta del proceso de privación de patria potestad, iniciado con fundamento en las causales previstas en el artículo 315 del Código Civil.

[706] Véanse, en este aspecto, los planteamientos que dejamos sentados en el Número 3 de la Subsección II de la Sección II del Capítulo II de este Tomo.

II. Adolescentes o menores adultos

En líneas anteriores se sostuvo que surge una aparente contradicción entre lo previsto por el literal a) del artículo 572 del Estatuto Tributario y el inciso segundo del artículo 555, *ibídem*. En efecto, mientras la primera disposición señala que los padres deben cumplir las obligaciones tributarias formales de sus hijos menores, sin distinguir entre niños o impúberes y adolescentes o menores adultos, la segunda habilita a los menores adultos para comparecer directamente ante la Administración y para cumplir sus propias obligaciones formales y materiales.

Empero, la contradicción tan solo lo es en apariencia, porque una lectura detallada del inciso primero del artículo 572 del Estatuto Tributario permite advertir que la imposición de tal representación se hace "sin perjuicio de lo dispuesto en otras normas". Conclusión esta que se robustece en grado sumo si se acude al reglamento, pues el literal a) del artículo 1.6.1.1.1. del DUR solo conmina a los representantes "del impúber" a cumplir sus obligaciones tributarias formales, al propio tiempo como los artículos 1.6.1.1.1 y 1.6.1.14.2., *ibídem*, indican que los menores adultos pueden cumplir por sí mismos los deberes formales tributarios, en tanto que los infantes e impúberes solo podrán actuar por medio de sus representantes.

Superada la anterior discusión, bueno es ahora aludir a algunos yerros en que, sobre esta materia, ha incurrido la Doctrina Oficial. En Concepto número 105989 de diciembre de 2009, luego de ser consultada respecto de la posibilidad de que los menores adultos o adolescentes cumplieran por sí sus obligaciones tributarias formales, la Dirección de Impuestos y Aduanas Nacionales hizo un análisis en relación con las personas que la ley consideraba "menores adultos" y concluyó que son tales "los varones y las mujeres que se encuentran entre los catorce y los diecisiete años de edad".

No hace falta volver sobre el equivocado razonamiento de la Administración Tributaria, que soslayó por completo de su estudio el parágrafo 1° del artículo 53 de la ley 1306 de 2009, conforme al cual, para todos los efectos legales, la expresión "menores adultos" debía ser equiparada a la de "adolescentes", consagrada en el artículo 3° del Código de la Infancia y la Adolescencia. Y esta última preceptiva, como ya se explicó, establece que son adolescentes las personas que han cumplido doce pero no dieciocho años de edad. Consiguientemente, y abstracción hecha del error en que incurrió la Doctrina Oficial, son legalmente capaces para acudir ante la Administración y cumplir sus deberes formales los menores de edad que hayan cumplido los doce años.

Ello no significa, como acertadamente lo puntualiza la Administración en su Concepto, que los padres no puedan, en ejercicio del derecho de representación legal que les confiere la patria potestad, actuar en nombre de sus hijos de familia. Lo que sucede es que, a diferencia de lo analizado en el título anterior, ya no serán subsidiariamente responsables de las consecuencias derivadas del incumplimiento de los deberes formales de los menores adultos o adolescentes, porque no están "obligados" a su cumplimiento por la ley; es tan solo una facultad que concede la integración armónica del ordenamiento jurídico. Pero conviene hacer una precisión adicional: si los padres no ejecutan ningún acto de representación, quedarán eximidos de toda responsabilidad en esta materia; mas cuando cumplan imperfectamente la obligación tributaria formal en representación de sus hijos de familia, los padres de familia estarán sujetos al régimen de responsabilidad solidaria que contempla la ley para los mandatarios, según se explica *infra*, toda vez que se ha de presumir que los adolescentes o menores adultos, que obran como plenamente capaces para este efecto, delegan la responsabilidad de cumplir tales prestaciones.

Por otro lado, en forma aislada y sin ningún tipo de contexto, la Administración señaló que "cuando el menor adulto esté sujeto a curaduría corresponderá al curador cumplir los deberes formales de su representado en los términos del literal b) del artículo 572 del E.T.". Esa apreciación es solo admisible en la medida en la que se matice su alcance y resultaba aplicable hasta antes de la expedición de la ley 1996 de 2019, como se pasa a explicar:

1. Adolescente o menor adulto emancipado

Vimos que la patria potestad subsiste mientras los hijos respecto de los cuales se aplica reciban la connotación de hijos de familia y, por tanto, no estén emancipados. Sin embargo, habrá lugar a la activación del sistema de guardas, con la correlativa designación de un curador para el menor adulto o adolescente, si la emancipación ocurre por causa distinta al cumplimiento de la mayoría de edad.

Así, en caso de que los padres de un menor adulto fallezcan o se les prive de la patria potestad por cualquiera causa consagrada en la ley, entre otros, de acuerdo con lo preceptuado por el artículo 54 de la ley 1306 de 2009 se hará de suyo necesaria la iniciación de un proceso judicial tendiente a la obtención de una medida de protección materializada en la designación de un curador. En esos casos, dice expresamente la norma, "el curador obrará del mismo modo que los consejeros, pero el menor adulto podrá conferir a su guardador poderes plenos para representarlo en todos sus actos jurídicos extrajudiciales".

Abstracción hecha de que la figura de los consejeros dejó de regir en Colombia en virtud de la promulgación de la ley 1996 de 2019, y sobre cuyos alcances nos referimos en el ordinal 3 de la Subsección II de la Sección II del Capítulo II de este Tomo, lo cierto es que, en estos casos, la curatela a que queda sujeto el menor adulto no prevalece sobre su propia capacidad de ejercicio, reconocida a nivel legal por el ordenamiento fiscal. Expresado en otros términos, en este caso no prevalece la aplicación del literal b) del artículo 572 del Estatuto Tributario sobre el inciso segundo del artículo 555, *ibídem*, como erradamente lo sugiere la DIAN en su doctrina, porque el inciso primero de aquella preceptiva es nítido al señalar que la conminación directa a determinadas personas para que cumplan las obligaciones tributarias formales de terceros se hace "sin perjuicio de lo dispuesto en otras normas".

Por consiguiente, a nuestro juicio, en los casos en los que se ha designado un guardador por emancipación del menor adulto o adolescente, el responsable directo de cumplir sus propias obligaciones tributarias formales es el menor adulto. Corolario obligado de lo anterior es que, en el evento de que nazcan consecuencias patrimoniales adversas por el incumplimiento de la obligación tributaria formal, no habrá lugar a la responsabilidad subsidiaria del guardador.

Temática distinta es que, en ejercicio de lo previsto por el artículo 54 de la ley 1306 de 2009, el menor adulto o adolescente "conf[iera] a su guardador poderes plenos para representarlo en todos sus actos jurídicos extrajudiciales". Pero ese aspecto deberá ser considerado como una representación convencional, la cual será objeto de análisis *infra*.

2. Adolescente o menor adulto emancipado y declarado en interdicción (antes de la promulgación de la Ley 1996 de 2019)

A diferencia de lo expresado en el título anterior, sí le asiste razón a la DIAN en el Concepto 105989 de 2009, en el cual manifestó que los curadores de los menores adultos son los directamente obligados a cumplir las obligaciones tributarias formales, en el escenario en el cual el menor adulto o adolescente emancipado esté sujeto a curatela, además, por causa de interdicción. De ordinario, cuando el menor adulto es emancipado se debe iniciar un proceso judicial tendiente a la designación de un curador, a título de medida de protección. Sin embargo, el artículo 54 de la ley 1306 de 2009 señala que, "[c]uando el menor adulto presente discapacidad mental absoluta, el curador actuará de la misma manera que el curador de una persona en dicha condición y estará obligado a solicitar la interdicción del pupilo a partir de la pubertad y en todo caso antes de llegar el pupilo a la mayoría de edad, so pena de responder por los eventuales perjuicios que se causen al pupilo o sus herederos".

El fragmento transcrito se encuentra hoy tácitamente reformado, habida cuenta de que el proceso de interdicción fue abolido a raíz de la promulgación de la ley 1996 de 2019 y, en su lugar, se instituyó el sistema de apoyos que más adelante se estudiará. Pero antes de su derogatoria, lo cierto es que la normativa autorizaba al curador del menor adulto con "discapacidad mental absoluta" para actuar como lo haría en los casos de curaduría por interdicción y, adicionalmente, conminaba al guardador a iniciar el respectivo proceso ante la jurisdicción, luego de cumplidos los doce años de edad por el pupilo y antes de que cumpliera dieciocho.

La razón que fundamentaba la disposición obedecía, en esencia, a que el hoy reformado artículo 1504 del Código Civil consideraba como totalmente incapaces, entre otros, a los impúberes y a las personas con "discapacidad mental"; y como relativamente incapaces a los menores adultos. Esa circunstancia llevaba a que el menor adulto con "discapacidad mental absoluta" fuera legalmente incapaz por dos motivos distintos: (i) por razón de su edad, en cuyo caso la incapacidad legal sería relativa, solo superable en los casos en los que, como sucede con la legislación fiscal, se admitiera la validez de sus actos; y (ii) por razón de la "discapacidad mental absoluta", en cuyo caso la incapacidad legal sería absoluta.

Antes advertimos que este era uno de los casos en que podía ser tenida como cierta la apreciación de la DIAN, en el sentido de que el curador quedaba directamente conminado a cumplir las obligaciones tributarias formales de su pupilo, porque en este caso no se cuestionaría la presunta capacidad o incapacidad del menor adulto o adolescente por razón de la edad, sino que entraría en juego la incapacidad legal derivada de la discapacidad. Por lo tanto, en este evento sí sería aplicable el literal b) del artículo 572 del Estatuto Tributario (y el literal b) del artículo 1.6.1.1.1. del DUR), pero no porque la curatela surgida en razón de la emancipación del menor adulto prevaleciera sobre la capacidad legal conferida por el artículo 555, *ibídem*, sino en razón de la discapacidad del adolescente.

Ello conduce, como no podría ser distinto, a que en estos escenarios el guardador sea subsidiariamente responsable por las consecuencias derivadas del incumplimiento de las obligaciones tributarias formales del menor adulto con "discapacidad mental absoluta".

En todo caso, se insiste, esta discusión perdió la mayor parte de su vigencia desde la promulgación de la ley 1996 de 2019, según se analizará más adelante, en la medida en que la discapacidad dejó de ser causal de incapacidad legal y se removió del ordenamiento jurídico la figura de la interdicción. Y se dice que solo se agotó parte de su vigencia porque, según lo establece el artículo 56 de la ley 1996 de 2019, los procesos de interdicción con sentencia ejecutoriada estarán sujetos a revisión judicial de oficio dentro del lapso de 36 meses contados a partir del 26 de agosto de 2021, con el propósito de ajustarlos a la nueva normativa, por lo que es posible que en nuestro ordenamiento jurídico subsistan casos como los aquí comentados.

3. Adolescente o menor adulto declarado en interdicción, sujeto a patria potestad (antes de la promulgación de la Ley 1996 de 2019)

Debido a que en el título anterior se abordó la posibilidad ofrecida por el artículo 54 de la ley 1306 de 2009, hoy derogado en ese aspecto, para iniciar un eventual proceso de interdicción respecto de los menores adultos con discapacidad que, además, estuvieran emancipados, importa ahora precisar la situación de los adolescentes con discapacidad, sujetos a patria potestad, antes de la promulgación de la ley 1996 de 2019.

El parágrafo 1° del artículo 36 del Código de la Infancia y de la Adolescencia, hoy derogado por la ley 1996 de 2019, consagraba la posibilidad de que los padres de los adolescentes o menores adultos que sufrieran severa discapacidad cognitiva permanente promovieran el respectivo proceso de interdicción, antes de que éstos cumplieran la mayoría de edad, con miras a prorrogar indefinidamente su sujeción a la patria potestad. Esta disposición no reviste mayor relevancia para nuestro estudio puesto que, mientras que no obtuvieran la habilitación de edad, los menores de edad seguirían ordinariamente cobijados por la patria potestad. Mas lo verdaderamente interesante se encuentra en el artículo 26 de la Ley 1306 de 2009, también derogado por la ley 1996 de 2019, mediante el cual se complementó el Código de la Infancia y la Adolescencia y se precisó que el proceso de interdicción tendría como "consecuencia (…) mantener [al] adolescente como incapaz absoluto".

De lo anterior se sigue que, aunque en forma impropia, en estos casos era también admisible la afirmación de la DIAN en su Concepto. Ello es así, porque el adolescente o menor adulto, en este escenario particular, no podría ejercer la capacidad legal conferida por el artículo 555 del Estatuto Tributario, a partir de la ejecutoria de la sentencia de interdicción, por haber retornado a su estado de incapacidad legal absoluta. Por tanto, en estos casos los padres, sin ser denominados curadores, tendrían, más allá de la patria potestad, una verdadera función de guardadores del incapaz absoluto, lo que indudablemente desembocaría en la necesidad de que, fruto de una interpretación armónica del derecho legislado, tuviera aplicación prevalente el literal b) del artículo 572 del Estatuto Tributario y se entendiera que los padres sí estarían directamente conminados a cumplir con las obligaciones tributarias formales de sus hijos no emancipados, con discapacidad. Y, en tal sentido, los progenitores serían subsidiariamente responsables por las consecuencias derivadas del incumplimiento de las obligaciones formales de sus hijos (artículos 573 y 798 del Estatuto Tributario).

Como sucede con la hipótesis analizada en el título anterior, esta discusión perdió la mayor parte de su vigencia desde la promulgación de la ley 1996 de 2019, según se analizará más adelante, en la medida en que la discapacidad dejó de ser causal de incapacidad legal y se removió del ordenamiento jurídico la figura de la interdicción. Pero se dice que solo se agotó parte de su vigencia porque, según lo establece el artículo 56 de la ley 1996 de 2019, los procesos de interdicción con sentencia ejecutoriada estarán sujetos a revisión judicial de oficio dentro del lapso de 36 meses contados a partir del 26 de agosto de 2021, con el propósito de ajustarlos a la nueva normativa, por lo que es posible que en nuestro ordenamiento jurídico subsistan casos como los aquí comentados.

4. Adolescente o menor adulto con discapacidad, emancipado o sujeto a patria potestad, a la luz de la Ley 1996 de 2019

En los términos expuestos con toda propiedad por CECILIA DÍEZ VARGAS, que ahora hacemos nuestros, fruto de la paradigmática Ley 1996 de 2019 no hay hoy en Colombia incapacidad legal por causa de la discapacidad[707]. En efecto, el cuerpo normativo en comentario modificó la redacción del artículo 1504 del Código Civil para excluir esta causa de aquellas susceptibles de configurar la incapacidad legal, sustituyó el proceso de interdicción por el de adjudicación de apoyos y, más importante aún, estableció expresamente que "[t]odas las personas con discapacidad son sujetos de derecho y obligaciones, y tienen capacidad legal en igualdad de

---

[707] CECILIA DÍEZ VARGAS. *La reforma al régimen de capacidad jurídica en Colombia: ley 1996 de 2019*. Ponencia en el III Encontro Internacional sobre os Direitos das Poessoas com Deficiência. Realizado virtualmente el 25 y 26 de noviembre de 2020.

condiciones, sin distinción alguna e independientemente de si usan o no apoyos para la realización de actos jurídicos. En ningún caso la existencia de una discapacidad podrá ser motivo para la restricción de la capacidad de ejercicio de una persona"[708].

Fue sin duda paradigmático el cambio incorporado por la legislación en comentario, toda vez que varió la concepción que, hasta entonces, el ordenamiento jurídico había tenido de las personas con discapacidad. Ya en la materia que nos atañe, se introdujeron cambios sustanciales a los aspectos tratados en los títulos que anteceden:

Por lo que toca con los menores adultos o adolescentes emancipados y con discapacidad, la ley 1996 no reformó expresamente el artículo 54 de la ley 1306 de 2009, antes estudiado. Empero, en razón de la derogatoria del proceso de interdicción (artículo 53 de la ley 1996 de 2019), por sustracción de materia se debe admitir la derogatoria o reforma tácita del artículo 54 de la ley 1306 de 2009, en el entendido de que ya no será posible para los curadores iniciar ese tipo de procesos respecto de menores adultos emancipados y con discapacidad. En su lugar, será necesario iniciar el respectivo proceso de adjudicación judicial de apoyos, de acuerdo con lo indicado por el artículo 7º de la ley 1996 de 2019[709].

Mas se deberá tener en cuenta que solo en presencia de las circunstancias absolutamente excepcionales que prevé el artículo 48 de la ley será posible solicitar el apoyo con representación. En consecuencia, debido a la capacidad legal plena con la que ese cuerpo normativo revistió a las personas con discapacidad, los menores adultos emancipados, aun a pesar de ser sujetos de la curatela de que trata el artículo 54 de la Ley 1306 de 2009, podrán comparecer personalmente ante la Administración y estarán conminados a cumplir por sí las obligaciones tributarias formales que sean del caso. Así, por regla general, sus guardadores, cuando sean designados como apoyos, no serán subsidiariamente responsables por las consecuen-

---

[708]   Artículo 6º de la ley 1996 de 2019. La inconstitucionalidad de este artículo fue demandada ante la Corte Constitucional, cuyo estudio correspondió a la Magistrada Cristina Pardo Schlesinger, expediente D-13575. Mediante sentencia C-025 de 2021, la Corporación declaró la exequibilidad de la disposición demandada.

[709]   "**Artículo 7º. Niños, niñas y adolescentes**. Las personas con discapacidad que no hayan alcanzado la mayoría de edad tendrán derecho a los mismos apoyos consagrados en la presente ley para aquellos actos jurídicos que la ley les permita realizar de manera autónoma y de conformidad con el principio de autonomía progresiva, o en aquellos casos en los que debe tenerse en cuenta la voluntad y preferencias del menor para el ejercicio digno de la patria potestad".

cias derivadas del incumplimiento de las obligaciones formales de sus pupilos. En efecto, en ningún caso habrá responsabilidad subsidiaria si el
apoyo se concede, por la vía que fuere, <u>sin representación</u>. Y, aunque una
persona sea designada como apoyo <u>con representación</u> mediante sentencia judicial, no estará sujeta ni al régimen de responsabilidad subsidiaria ni
al de responsabilidad solidaria que consagra el Estatuto Tributario, pero sí
podrá ser alcanzada por el régimen de responsabilidad civil consagrado en
el artículo 50 de la Ley 1996 de 2019[710].

En segundo lugar, en tratándose de menores adultos con discapacidad
que, además, estén sujetos a patria potestad, la situación sí tuvo una importante variación. Tanto el parágrafo 1º del artículo 36 del Código de la
Infancia y de la Adolescencia como el artículo 26 de la Ley 1306 de 2009,
relativos a la prórroga de la patria potestad, fueron expresamente derogados por el artículo 61 de la Ley 1996 de 2019. Por consiguiente, ante la
capacidad legal con la que quedaron revestidos los adolescentes, solo será
posible iniciar un proceso judicial de adjudicación de apoyos, en los términos señalados por el artículo 7º de la Ley 1996, y, en esa medida, serán
ellos mismos los únicos que responderán por las consecuencias derivadas
del incumplimiento de sus obligaciones tributarias formales, cuando se de-
signen apoyos <u>sin representación</u>. Y, aunque una persona sea designada
como apoyo <u>con representación</u> mediante sentencia judicial, no estará sujeta ni al régimen de responsabilidad subsidiaria ni al de responsabilidad
solidaria que consagra el Estatuto Tributario, pero sí podrá ser alcanzada
por el régimen de responsabilidad civil consagrado en el artículo 50 de la
Ley 1996 de 2019[711].

Finalmente, resta advertir que, para los procesos de interdicción que hayan culminado con sentencia ejecutoriada, bien sea que se trate de menores
adultos emancipados o sujetos a patria potestad (este último caso también

---

[710] Ver, para un mayor detalle, los comentarios en el título **CUMPLIMIENTO DE LAS OBLIGACIONES TRIBUTARIAS FORMALES DE LOS MAYORES DE EDAD CON DISCAPACIDAD, A LA LUZ DE LA LEY 1996 DE 2019** (Disponible en: Mateo Vargas Pinzón y Nicolás de Brigard Garnica. *Obligación tributaria formal* en "Procedimiento Tributario". Ed. Colegio Mayor de Nuestra Señora del Rosario y Temis. Coord. Juan de Dios Bravo González y Catalina Plazas Molina. Bogotá, 2022). En todo caso, desde ya dejamos sentada la imperiosa necesidad de que se reforme el régimen tributario, como se sugiere en el acápite al que se dirige al lector, con miras a que se incluya a los apoyos con representación como responsables del cumplimiento de las obligaciones tributarias formales de sus representados.

[711] *Ibídem.*

conocido como prórroga de la patria potestad), resultarán aplicables las consideraciones esbozadas en los títulos que anteceden y solo readquirirán su capacidad legal cuando se produzca la revisión judicial de oficio, ordenada por el artículo 56 de la Ley 1996, que podrá terminar en la adjudicación judicial de un apoyo o en la rehabilitación de la persona de que se trate.

5. Mandatarios o apoderados

Este título constituye una categoría residual. Aquí se aglutinan los diversos grupos de contribuyentes que son capaces de obligarse y que podrían cumplir sus obligaciones tributarias formales directamente o por medio de otro tipo de representantes, como los adolescentes o menores adultos, pero eligen designar a un tercero para que lo haga; es decir, en ejercicio de su autonomía de la voluntad celebran contratos de mandato, generales o especiales, y vinculan al mandatario al cumplimiento de las prestaciones debidas en el ámbito fiscal. El literal h) del artículo 572 del Estatuto Tributario responsabiliza a los mandatarios o apoderados generales y a los apoderados especiales para el correspondiente deber formal del cumplimiento de las obligaciones tributarias formales de sus representados. Así también lo dispone el artículo 1.6.1.1.4 del DUR.

Seguidamente, el artículo 572-1 del Estatuto Tributario aclara que los mandatarios constituidos para la suscripción y presentación de declaraciones tributarias no tienen que ser abogados. Además, indica que los apoderados generales y los mandatarios especiales son **solidariamente** responsables por los impuestos, anticipos, retenciones, sanciones e intereses que resulten del incumplimiento de las obligaciones sustanciales y formales del contribuyente.

En tratándose de menores adultos o adolescentes, este régimen será aplicable para quienes queden emancipados y, en ejercicio de lo previsto por el artículo 54 de la ley 1306 de 2009, confieran a su curador amplios poderes que los representen. La misma suerte correrán los padres de familia que ejerzan la representación de sus hijos ante la Administración tributaria, pues habrán obrado como meros mandatarios de sus hijos en relación con actos jurídicos respecto de los cuales el ordenamiento tributario les confiere plena capacidad.

III. Recapitulación

Para mayor claridad, y sin perjuicio de la explicación que se hace en los títulos que anteceden, se elabora el siguiente esquema:

Tabla 4. Síntesis de las obligaciones tributarias formales y el obligado a su cumplimiento.

Titular de la obligación tributaria formal	Obligado al cumplimiento de la obligación tributaria formal	Régimen de responsabilidad aplicable al obligado	Disposiciones aplicables
Niño o impúber sujeto a patria potestad	Titulares de la patria potestad	Subsidiaria	Arts. 572, lit. a), 583 y 798 E.T.
Niño o impúber emancipado	Curador	Subsidiaria	Arts. 572, lit. b), 583 y 798 E.T.
Adolescente o menor adulto sujeto a patria potestad	Adolescente o menor adulto	N/A	Art. 555 E.T.
Adolescente o menor adulto emancipado	Adolescente o menor adulto emancipado	N/A	Art. 555 E.T.
Adolescente o menor adulto emancipado y declarado en interdicción (antes de la promulgación de la ley 1996 de 2019)	Curador	Subsidiaria	Arts. 572, lit. b), 583 y 798 E.T.
Adolescente o menor adulto declarado en interdicción y sujeto a patria potestad (antes de la ley 1996 de 2019)	Titulares de la patria potestad	Subsidiaria	Arts. 572, lit. b), 583 y 798 E.T.
Adolescente o menor adulto con discapacidad, emancipado o sujeto a patria potestad, a la luz de la ley 1996 de 2019	Adolescente o menor adulto con discapacidad	N/A	Art. 555 E.T.
Adolescente o menor adulto con discapacidad, emancipado o sujeto a patria potestad, al que se le designaron apoyos con representación	Adolescente o menor adulto con discapacidad	Los apoyos con representación estarán sujetos al régimen de responsabilidad civil, no tributaria, previsto en el artículo 50 de la ley 1996 de 2019	Art. 555 E.T.
Adolescente o menor adulto emancipado que confiere a su guardador poderes plenos para representarlo en todos sus actos jurídicos extrajudiciales	Curador	Solidaria	Arts. 555, 572, lit. h), y 572-1 E.T. y 54 ley 1306 de 2009.
Adolescente o menor adulto sujeto a patria potestad que delega en uno o ambos padres la representación extrajudicial ante la Administración	Padres	Solidaria	Arts. 555, 572, lit. h), y 572-1 E.T. y 1504 C.C.

Fuente: Elaboración propia.

Capítulo V.
De la obligación tributaria sustancial: aspectos regulatorios y controversias

SECCIÓN I. APUNTACIONES PRELIMINARES

Ya se vio que la relación jurídica tributaria es de naturaleza *compleja*, pues en ella concurren dos tipos de obligaciones, cuales son la sustancial y las formales. El Capítulo que antecede se abocó al estudio de las obligaciones formales, la capacidad de los individuos para cumplir con el débito de la prestación y la responsabilidad derivada del eventual incumplimiento; ahora centraremos nuestra atención en la obligación tributaria sustancial. Veamos:

Para comenzar con nuestras apreciaciones, resulta ineludible insistir en que la obligación tributaria sustancial, también llamada *deuda tributaria*[712], alberga una prestación de dar, generalmente en dinero aunque puede ser también en especie, exigible por el Estado al sujeto pasivo, a título de tributo. En plata blanca, se pudiera decir que la obligación sustancial tiene como objeto el pago efectivo del tributo y su prestación es de dar. De tan marcada importancia se sigue que la doctrina haya volcado la mayor parte de su atención, en el estudio de la fiscalidad, sobre esta obligación.

Pues bien, en Colombia, el artículo 1º del Código Fiscal establece que "[l]a obligación tributaria sustancial se origina al realizarse el presupuesto o los presupuestos previstos en la ley como generadores del impuesto y ella tiene por objeto el pago del tributo". En estos términos, basta con que una persona transite los supuestos de hecho previstos en la norma para que surja, en cabeza suya, la sujeción pasiva de la obligación tributaria sustancial[713].

---

[712] Véase, a manera de ejemplo, a Juan Rafael Bravo Arteaga. *Nociones fundamentales de derecho tributario*. Tercera Edición, Segunda Reimpresión. Ed. Legis. Bogotá, 2007 [2000]. Pág. 194 y siguientes.

[713] En el pasado hubo una fuerte discusión alrededor del nacimiento de la obligación tributaria sustancial. De un lado, autores como Benvenuto Griziotti (*L'imposition fiscale des étrangers* en Recueil de Cours de L'Académie de Droit International de La Haye. Vol. 13. Ed. Sirey. París, 1927; y *Riflessioni di diritto internazionale, politica, economia e finanza*. Ed. Treves. Pavía, 1936. Pág. 17 y 18), Dino Jarach (*El hecho*

imponible. Tercera Edición. Ed. Abeledo-Perrot. Buenos Aires, 1943. Pág. 91 a 109),
Mario Pugliese (*Istituzioni di diritto finanziario: diritto tributario*. Trad. Ed. Fondo
de Cultura Económica. México, 1939. Pág. 41 a 47; y *L'imposizione delle imprese di
carattere internazionale*. Ed. CEDAM. Padua, 1930. Pág. 98 y siguientes), Ezio Vanoni (*Naturaleza e interpretación de las leyes tributarias*. Trad. Juan Martín Queralt.
Ed. Giuffrè. Milán, 1961. Pág. 169 a 174), Matteo Maffuccini (*Manuale di diritto
tributario*. Ed. Il Foro Tributario. Roma, 1942. Pág. 74 y siguientes), Louis Trotabas (*L'applicazione della teoria della causa nel diritto finanziario* en Rivista di Diritto
Finanziario et Scienza delle Finanze. Parte I. Ed. Giuffè. Milán, 1937. Pág. 34 y
siguientes) y Oreste Ranelletti (*Natura giuridica dell'imposta* en Municipio Italiano, 1898. Publicado nuevamente en Revista *Diritto e pratica tributaria*. Tomo I. Ed.
CEDAM. Padua, 1974. Pág. 8 y 24), sostuvieron que, pese a la configuración de
la situación de hecho prevista en la ley, no había lugar al nacimiento de la deuda
tributaria si no concurría otro elemento esencial de la obligación: la *causa*. Sin
perjuicio de las diferencias particulares, que no corresponde escudriñar en detalle
en una nota de pie de página, la *causa* se identificó con alguno de los siguientes
conceptos: (i) las ventajas generales y particulares que le reportaba al deudor la
pertenencia al grupo social en favor del cual sufragaba el tributo (Griziotti en
su primer planteamiento y Vanoni); y (ii) la capacidad contributiva (Griziotti
en su segundo planteamiento como causa última o mediata, Jarach, Pugliese,
Maffuccini, Trotabas y Ranelletti). En las antípodas, autores como Achille
Donato Giannini (*Istituzioni* ... Pág. 70 a 76), Giorgio Tesoro (*Principii* ... 172),
Salvatore Scoca (*Sulla causa giuridica dell'imposta* en Rivista di Diritto Pubblico.
Tomo I. Ed. Giuffrè. Milán, 1932. Pág. 650 y siguientes), Ernst Blumenstein (*La
causa nel diritto tributario svizzero*. Ed. Antonio Milani. 1939. Pág. 355 y siguientes),
Bruno Gorini (*La causa giuridica dell'obbligazione tributaria* en Rivista Italiana di Di-
ritto Finanziario. Tomo I. Ed. Giuffrè. Milán, 1940. Pág. 160 y siguientes), Carlos
María Giuliani Fonrouge (*Anteproyecto de Código fiscal: precedido de un estudio sobre
lo contencioso-fiscal en la legislación argentina y comparada: doctrina, legislación y jurisprudencia sobre derecho fiscal*. Ed. Seminario de Ciencias Jurídicas y Sociales. Buenos
Aires, 1942. Pág. 395) y Gaspare Falsitta (*Corso istituzionale di diritto tributario*. Ed.
Antonio Milani. Verona, 2009) sostienen que la *causa* no es un elemento esencial
de la obligación tributaria. Se oponen a la teoría de la *causa* como participación en
las ventajas generales y particulares que recibe el deudor como sujeto de la colectividad, porque la realización efectiva de tales beneficios no es, en verdad, elemento
indispensable para el surgimiento de la deuda fiscal. Y rechazan la teoría de la
causa como capacidad contributiva, dado que ella constituye el basamento propio
de la ley. Entonces, no puede esa *causa* obrar, a la vez, como *ratio legis* y elemento
propio de la obligación tributaria, dado que la deuda fiscal surge, precisamente,
de los presupuestos que, con antelación, ha previsto la ley, fundamentados en la
capacidad contributiva. Acaso la capacidad contributiva, en cuanto causa de la ley
tributaria (no elemento esencial de la obligación tributaria), se podrá erigir como
parámetro de control constitucional, como en efecto ocurre. En opinión del autor
de esta obra, son decisivos los argumentos planteados por la corriente anticausa-
lista. Al descender específicamente al caso colombiano, se advierte que la Carta
Política de 1991, según se explicará más adelante en el texto principal, enlista los

A más de lo anterior, fluye del artículo 338 de la Carta Política que los elementos esenciales de todo tributo son: (i) el sujeto activo; (ii) el sujeto pasivo; (iii) el hecho generador; (iv) la base gravable; y (v) la tarifa. Si se trata de un impuesto, los anteriores elementos deben estar directamente consagrados en la ley, ordenanza o acuerdo; mas, si se tratare de tasas o contribuciones especiales, la tarifa puede ser fijada por las autoridades administrativas, previa autorización de la ley, ordenanza o acuerdo y con la indicación del sistema y el método para definir los costos y beneficios, así como la forma en que se debe hacer su reparto.

Hasta ahora se ha elucubrado en torno a la obligación tributaria sustancial *in genere*. Sin embargo, es este el momento para entrelazar los anteriores planteamientos con el objeto de esta Parte de la obra: los hijos.

En apariencia, no genera dificultad concebir, desde lo abstracto, que un individuo pueda ser sujeto pasivo de la obligación tributaria sustancial. Se dirá, con buen acierto, que basta incurrir en el presupuesto de hecho previsto en la ley para que surja indefectiblemente la *deuda fiscal*. Pero esa claridad comienza a desaparecer cuando confluyen otros elementos del Derecho Común, como son el *goce legal* o la administración que detentan los titulares de la patria potestad sobre ciertos bienes de sus hijos, el régimen de alimentos, entre otros.

¿Quién es el llamado a declarar los activos sobre los que recaen el goce legal o la administración, o solo uno de ellos, como prerrogativa de la patria potestad?, ¿los hijos?, ¿los padres?, ¿quién debe reflejar el ingreso derivado de los bienes sobre los que recae el goce legal?, ¿los hijos?, ¿los padres?, ¿las

---

elementos esenciales de la obligación tributaria, al propio tiempo como fija un mandatorio parámetro de control cuando dispone que se contribuya al financiamiento de los gastos del Estado en condiciones de justicia y equidad. Esta última directriz lleva implícito el respeto por la capacidad contributiva que debe tener el Legislador al formular leyes con contenido fiscal y, fruto de su desatención, será procedente el enjuiciamiento constitucional de la norma respectiva. Empero, habiéndose observado manifestaciones mediatas o inmediatas de capacidad contributivas, y quedando ellas enquistadas en los presupuestos que constituyen el hecho generador delimitado por la ley, mal se podría pensar que no surgirá la deuda fiscal en cabeza de un sujeto respecto de quien no concurra esa llamada *causa*. Para constatarlo, basta revisar un tributo como el impuesto predial, que grava al individuo propietario o poseedor de un inmueble. Supóngase que ese individuo ha adquirido el inmueble mediante endeudamiento: en tal caso, la capacidad contributiva estaría en entredicho, sin que sea factible aducir que, por no haberla, se enerva el nacimiento de la obligación tributaria para el sujeto en cuestión.

prestaciones alimentarias constituyen un ingreso para los hijos susceptibles de ser alcanzadas por el impuesto sobre la renta?, si lo son, ¿corre la misma suerte el apoyo económico proporcionado por los padres que no han sido conminados al pago de una mesada de alimentos?, ¿en qué condiciones es factible que los padres disminuyan su impuesto sobre la renta a partir de las erogaciones en que incurren para el mantenimiento de sus hijos? Estas y otras inquietudes, que no siempre son fáciles de absolver, serán materia de análisis en los títulos que siguen.

SECCIÓN II. DISCUSIONES TRIBUTARIAS EN TORNO AL GOCE (O USUFRUCTO) LEGAL COMO ATRIBUTO DE LA PATRIA POTESTAD

En esta Sección se analizarán las principales complejidades que han surgido, desde el ámbito tributario, alrededor de la institución del goce legal como atributo de la patria potestad, regulado esencialmente en el ordenamiento civil. Y es que, como se hizo notar en algunos de los interrogantes que se dejaron plasmados en la parte final de la Sección que antecede, la correspondencia entre dos ramas del Derecho no es siempre sencilla, circunstancia que abre paso a que se susciten controversias interpretativas que conviene estudiar en procura de ofrecer insumos para dotar la discusión de mayor claridad.

Para cumplir con el propósito que nos hemos trazado, la cuestión se abordará de la manera como se expresa enseguida: primero se hará un breve planteamiento general que permita delimitar los cauces de la institución jurídica del goce legal; luego se expondrá, descriptivamente, el tratamiento y la concepción que esa figura ha recibido en los impuestos sobre la renta y complementario y sobre el patrimonio, incluida la ficción de renuncia; y, por último, se formularán algunas críticas que explican los motivos por los cuales el autor de esta obra se aparta de la forma en que se ha conceptualizado el goce legal desde el ámbito fiscal, a la vez como se dejará sentada una propuesta para debate. Veamos:

I. Brevísima recapitulación

Resulta cuando menos imperioso efectuar una breve recapitulación del contenido y alcance de la institución jurídica del goce legal, impropiamente denominado por nuestro ordenamiento civil como usufructo legal. La Subsección I de la Sección II del Capítulo II de este Tomo tuvo por objeto discutir, con algún detalle, la figura a la que ahora se hará referencia, por lo que sería necio reiterar lo ya expuesto. Empero, la correcta delimitación conceptual del goce legal entraña una elevada importancia para los planteamientos que siguen, porque constituye el punto de partida para comprender la totalidad de la argumentación que a continuación se despliega.

Con motivo de lo anterior, y sin perjuicio de que el lector se remita a lo estudiado *supra*, sucintamente indicaremos lo siguiente:

De manera desafortunada nuestro Derecho Común le dio el nombre de usufructo legal a la prerrogativa de la patria potestad materia de estos comentarios. Y se afirma que se trata de una circunstancia desafortunada, porque un lector desprevenido podría caer en el execrable equívoco de creer que el *usufructo* legal corresponde a una especie del derecho real de usufructo que regulan los artículos 823 y siguientes del Estatuto Civil. Pero nada está más alejado de la realidad.

En verdad, lo que se denomina *usufructo* legal es una institución autónoma, bien diferenciada de los demás *usufructos* que conoce nuestro ordenamiento jurídico. Ello motiva una importante objeción que se ha vertido consistentemente en estas líneas, en el sentido de promover un cambio en el lenguaje que permita identificar el impropiamente bautizado *usufructo legal*, en los términos empleados por los franceses, como *goce legal*.

Para plantear simples ejemplos demostrativos de la capital diferencia que hay entre el goce legal y los demás tipos de usufructos, basta pasar revista por las obligaciones de registro, inscripción o prestar caución, todas ellas exigibles ordinariamente para los usufructos que participan de la naturaleza de derecho real, pero no para el goce legal. Así mismo, es factible traer a cuento la natural distinción que surge en el usufructo como derecho real entre nudo propietario y usufructuario, que no tiene cabida alguna en tratándose del goce legal. Y, para abundar en razones, qué decir sobre la temporalidad del usufructo como derecho real, que bien puede ser a término convencionalmente pactado o vitalicio, en tanto que el goce legal se extiende indefectiblemente hasta la emancipación[714].

Así, nítidamente se arriba a una conclusión capital, sobre la que volveremos a lo largo de estos comentarios: el goce legal **no** se identifica con el derecho real de usufructo ordinario.

---

[714] Véase, sobre este aspecto, el Numeral 1) de la Subsección I de la Sección II del Capítulo II de este Tomo.

Mas surge de contera la inquietud, igualmente relevante, sobre qué significa entonces el goce legal y cuáles son sus alcances, si no son los ordinariamente explicados por las disposiciones que gobiernan el usufructo. La respuesta, que constituye el eje central de la argumentación que sigue, la proporciona el maestro EDUARDO RODRÍGUEZ PIÑERES de manera tan clara y sencilla que sería irreverente obviar su transcripción:

> "El Código, por el solo hecho de no haber traducido *jouissance légale* por 'goce legal' y haber empleado la expresión 'usufructo legal', no ha querido, a nuestro juicio, cambiar la tradicional institución de un verdadero derecho real, por una desmembración al derecho de propiedad; él se ha limitado, aquí como en Francia, a conceder al sujeto del derecho de la patria potestad, el 'saldo' de los frutos del patrimonio del hijo que resulte después de hechos los gastos de crianza, educación y establecimiento del hijo y los de conservación y administración de su patrimonio"[715].

Es inevitable incurrir en la nueva digitación de tales planteamientos, pese a que ya se habían transcrito, porque la conceptualización ofrecida le permitirá al lector, en estas páginas, tener absoluta claridad en cuanto a la materia que se estudia. Así las cosas, el goce legal implica, ni más ni menos, que todo rédito, fruto o lucro que provenga de los bienes del hijo sobre los que se ejerce el goce legal está sometido a las siguientes dos deducciones: (i) los gastos de sostenimiento, crianza y educación del hijo propietario; y

---

[715] EDUARDO RODRÍGUEZ PIÑERES. *Curso elemental de derecho civil colombiano.* Tomo I. Ed. Librería Americana. Bogotá, 1919. Pág. 308. En idéntico sentido, al comentar el goce legal en la Argentina, AUGUSTO CÉSAR BELLUSCIO (*Manual de derecho de familia,* tomo II, 409 y 410) indica que "el usufructo está afectado en primer término al cumplimiento de determinadas obligaciones, de manera que únicamente el excedente que resta una vez cumplidas las cargas entra en el patrimonio de los padres y está sujeto a la acción de sus acreedores". Y tales cargas, continúa el juez de la Suprema Corte de Justicia, son (i) Las que pesan sobre todo usufructuario, excepto la de afianzar; (ii) Los gastos de subsistencia y educación de los hijos, en proporción a la importancia del usufructo; (iii) El pago de los intereses de los capitales que venzan durante el usufructo; y (iv) Los gastos de enfermedad y entierro del hijo, como los del entierro y funerales del que hubiese instituido por heredero al hijo. Poco importa que la figura del goce legal se haya extinto, en la Argentina, con motivo de la promulgación del Código Civil y Comercial que derogó el Estatuto Civil, y que ahora se autorice excepcionalmente a los padres para usar las rentas propias de los hijos en las condiciones previstas por el artículo 698 del compendio normativo vigente, porque solo se pretende hacer ver el alcance de la institución jurídica del goce legal cuya permanencia en el ordenamiento colombiano sigue inalterada y su regulación es en buena parte coincidente con la que preveía el Código Civil argentino, hoy desaparecido.

(ii) los gastos necesarios para la conservación y administración del patrimonio del hijo propietario. El sobrante o remanente, si lo hubiere, será de propiedad exclusiva de los progenitores.

II. El goce legal en el impuesto sobre la renta y su complementario de ganancias ocasionales: estado del arte

Como se hizo ver en el Tomo I, históricamente se confeccionó la tesis según la cual el goce legal implica, tributariamente, que los titulares de la patria potestad deben integrar sus rentas propias con la totalidad de aquellas provenientes de los bienes del hijo sobre los cuales recae la prerrogativa que aquí se comenta. En la actualidad, el ordenamiento fiscal cuenta con norma expresa que regula el tratamiento del goce legal de los titulares de la patria potestad en el impuesto sobre la renta y complementario. Se trata del artículo 1.2.1.1.8. del decreto reglamentario 1625 de 2016 y su texto, en lo pertinente, es el siguiente:

> "**Artículo 1.2.1.1.8. *Usufructo legal.*** Las rentas originadas en el usufructo legal de los padres de familia se gravarán en cabeza de quien ejerza la patria potestad".

Según se aprecia, la disposición es nítida al conminar a los titulares de la patria potestad para que agreguen, a sus rentas propias, las originadas en el goce legal. Sin embargo, huelga advertir que, por diversas razones, es posible que los padres de familia no detenten, conjuntamente, el goce legal sobre ciertos bienes de sus hijos. Tal sería el caso en el que el descendiente no hubiera sido reconocido por su progenitor extramatrimonial o cuando acaece el deceso de alguno de los ascendientes, entre otros. En un escenario semejante, la totalidad de las rentas habrán de ser atribuidas al único titular de la patria potestad.

Así pues, en virtud de la preceptiva transcrita se tiene que, para liquidar el impuesto sobre la renta a cargo de cada titular de la patria potestad, es primero necesario establecer si el hijo de familia es titular de bienes que integran su peculio adventicio ordinario y están, por tanto, sujetos a la prerrogativa del goce legal. En caso de que se responda afirmativamente al anterior interrogante, corresponde indagar si los dos progenitores son titulares de la patria potestad en general y de la prerrogativa de goce legal en particular, o no. Cuando se establezca que los padres detentan conjuntamente la Patria potestad y el goce legal, las rentas derivadas de los bienes respectivos se distribuirán por mitades entre los dos; mas si se establece que solo uno de ellos lo hace, será el respectivo progenitor el encargado de integrar tales rentas en su liquidación del impuesto sobre la renta.

Para explicar la situación con un mejor grado de detalle, a continuación se formulan algunos casos:

Caso 1) Mario y Juliana son padres de Alberto y ambos son titulares de la patria potestad. Alberto adquiere un apartamento que le legó su tío Andrés mediante testamento. Desde enero de un año cualquiera, Mario y Juliana arriendan el apartamento de Alberto por un canon mensual de $1.000. Luego de finalizado el año de que se trate, surge el interrogante sobre cómo proceder para efectos de la liquidación del impuesto sobre la renta y complementario.

Lo primero que se debe indagar es a qué peculio pertenece el apartamento de Alberto. De acuerdo con lo previsto por los artículos 291 y siguientes del Código Civil, el inmueble pertenece al peculio adventicio ordinario. Ello es así, por cuanto no fue adquirido mediante el trabajo o la industria de Alberto, sino como consecuencia del legado que le dejó Andrés, lo que significa que no integra el peculio profesional o industrial, y su tío, al testar, no dispuso expresamente que Mario y Juliana quedaran privados del goce legal del inmueble, con lo cual se descarta que integre el peculio adventicio extraordinario. Con esas bases, y por hacer parte del peculio adventicio ordinario de Alberto, sobre el inmueble recae el goce legal de los titulares de la patria potestad.

De lo expuesto se deduce que, a pesar de que el apartamento es de su propiedad, Alberto **NO** está llamado a liquidar el impuesto sobre la renta por los ingresos derivados del arrendamiento del inmueble. Así lo prevé la norma reglamentaria transcrita en los párrafos que anteceden.

Establecido lo anterior, corresponde indagar sobre la titularidad de la patria potestad. De los supuestos del caso planteado, es claro que Mario y Juliana son titulares de la patria potestad y no es factible colegir que alguno de ellos haya sido privado específicamente del goce legal[716]. Por lo tanto, el valor total de los ingresos anuales ($12.000, que equivale al canon de $1.000 mensuales) se debe distribuir entre los dos, por partes iguales.

Si se parte de la hipótesis de que Mario y Juliana, individualmente considerados, cumplen los requisitos para presentar la declaración del impuesto sobre la renta, entonces cada uno tendrá que reflejar, en su propia declaración, un mayor ingreso de $6.000 ($12.000 ÷ 2).

---

[716] Sobre la privación particular, véase el Número 7) de la Subsección I de la Sección II del Capítulo II de este Tomo.

Caso 2) Camilo y Tatiana son padres biológicos de Laura, pero Camilo no la ha reconocido como hija extramatrimonial. Por tanto, solo Tatiana figura jurídicamente como madre de Laura y ostenta la patria potestad exclusiva respecto de ella. Laura recibe, a título de donación, una finca de producción de guayabas. Como consecuencia de la administración, durante un año cualquiera Tatiana logra vender cosechas de guayaba en total por $2.000.

Nuevamente, se trata de una finca que integra el peculio adventicio ordinario de Laura, toda vez que no fue adquirida mediante su trabajo o industria y en el acto de donación tampoco se privó a la madre de la prerrogativa del goce legal. De manera que, en este caso, **NO** le corresponde a Laura liquidar el impuesto sobre la renta en cabeza suya por los ingresos derivados de la venta de las cosechas de guayaba.

La situación varía cuando se indaga por la titularidad de la patria potestad, pues aparece claro que Camilo no ha reconocido a su hija biológica y, por tanto, desde el punto de vista jurídico no se tiene declarada la paternidad extramatrimonial, circunstancia que obra como fundamento básico para el reconocimiento legal de la patria potestad y sus atributos. En tal sentido, la totalidad de las rentas obtenidas por la venta de cosechas de guayaba se tendrán que integrar, exclusivamente, en la liquidación del impuesto sobre la renta de Tatiana.

Caso 3) Juan José y Andrés son padres de Sofía. Sofía recogió, a título de legado, un local comercial en la sucesión de Mariana. Después de acreditada la culpa grave de Andrés en la administración del inmueble, mediante sentencia judicial ejecutoriada se lo privó de las prerrogativas del goce legal y la administración sobre el local comercial. Desde enero del año siguiente, producto del arrendamiento del inmueble se percibieron cánones mensuales por valor de $5.000. ¿Cómo se debe reflejar el ingreso, y quién debe hacerlo, en el impuesto sobre la renta?

Por lo que toca con el primer punto de análisis, fluye palmario que el local comercial integra el peculio adventicio ordinario de Sofía. Ello es así, en la medida en que su adquisición no fue producto del trabajo o industria de la hija y tampoco aparece en los supuestos del caso que Mariana haya privado a los padres del goce legal. Así, se tiene que Sofía **NO** debe liquidar el tributo en cabeza suya.

En cuanto atañe a la patria potestad, nada de lo expuesto permite inferir que Juan José o Andrés hayan sido privados de ésta. Empero, sí hubo una privación particular de las prerrogativas de administración y goce legal, mediante sentencia judicial ejecutoriada, de Andrés, a raíz de haber sido demostrada la culpa grave en el ejercicio de la administración[717].

Por consiguiente, solamente Juan José detentó el goce legal del inmueble durante el año gravable en que se tendrán en cuenta los ingresos para la depuración del impuesto sobre la renta. Tal planteamiento conduce, indefectiblemente, a la conclusión de que los ingresos por valor de $60.000 (12 meses X $5.000 de canon mensual) se deben agregar a las rentas propias de Juan José.

Caso 4) Andrea y Liliana son madres de Julián. Julián adquirió, a título de legado, un camión de carga en la sucesión de Rodrigo. En su memoria testamentaria, Rodrigo expresamente dispuso que Andrea no tendría el goce legal sobre el vehículo legado a Julián. Producto del arrendamiento del camión, durante un año determinado se percibieron rentas por valor de $15.000.

El camión de carga integra el peculio adventicio ordinario de Julián, por los siguientes motivos: (i) no fue adquirido como consecuencia del trabajo o industria del hijo; y, (ii) pese a que el testador dispuso expresamente que Andrea no detentaría el goce legal, nada se dijo en relación con Liliana[718]. Consiguientemente, Julián **NO** debe tener en consideración los ingresos de que aquí se trata para la liquidación de su impuesto sobre la renta.

Ahora bien, aunque Andrea y Liliana son titulares de la patria potestad sobre Julián, Andrea fue expresamente privada del goce legal en relación con el camión de carga por Rodrigo en su testamento. Así las cosas, los $15.000 de ingresos se tendrán que acumular exclusivamente en liquidación del impuesto a cargo de Liliana.

Caso 5) Julio y Antonia son padres de Felipe. Felipe es un influenciador o *influencer* (verbigracia, *youtuber, instagrammer* o *TikToker*) en redes sociales y, producto de esa labor, percibe ingresos anuales por valor de $30.000.

Los ingresos de que aquí se trata hacen parte del peculio profesional o industrial de Felipe. Por tanto, respecto de ellos no se despliega el goce legal

---

[717]   Cfr. Artículo 299 del Estatuto Civil. Para un mayor detalle, consúltese el Número 7) de la Subsección I de la Sección II del Capítulo II de este Tomo.

[718]   El inciso final del artículo 291 del Estatuto Civil dispone que el peculio adventicio extraordinario se forma por los bienes "sobre los cuales *ninguno* de los padres tiene el usufructo [goce legal]". Al respecto, el lector puede acudir a la Letra B del Número 4) de la Subsección I de la Sección II del Capítulo II de este Tomo.

de los titulares de la patria potestad[719]. Así las cosas, **SÍ** corresponde a Felipe incluir tales ingresos en su propia depuración del impuesto sobre la renta.

Resulta evidente que, en este caso particular, carece de importancia indagar acerca de la titularidad de la patria potestad. En efecto, si bien se encuentra fuera de toda discusión que Julio y Antonia no han sido privado de tales prerrogativas, lo cierto es que su goce legal no cobija los activos que conforman el peculio profesional o industrial de Felipe, ni su peculio adventicio extraordinario.

Caso 6) Carlos y Ricardo son padres de Natalia. Natalia recibió, a título de donación, un taxi de su prima Juana. En el negocio jurídico, Juana dispuso que Carlos y Ricardo no ostentarían el goce legal sobre el vehículo. Carlos y Ricardo arrendaron el taxi y, producto de ese acto de administración y representación, se obtuvieron réditos en el año por valor de $10.000.

Desde el primer punto de análisis, se advierte que el taxi integra el peculio adventicio extraordinario. Ello es así, debido a que Juana privó a Carlos y a Ricardo del ejercicio del goce legal sobre el bien[720]. Por tanto, **SÍ** corresponde a Natalia incluir los $10.000 de ingresos en su propia depuración del impuesto sobre la renta.

Se podría pensar que ello no es así, debido a que Carlos y Ricardo, en ejercicio de los atributos de administración y representación que les confiere la patria potestad, fueron quienes celebraron el negocio jurídico de arrendamiento sobre el taxi. Sin embargo, no se debe olvidar que las prerrogativas que dimanan de la patria potestad (goce legal, administración y representación) son independientes, aunque íntimamente relacionadas. Por ello, pese a que los padres hayan celebrado los negocios jurídicos originarios de la renta, el hecho de que su goce legal no se extienda a los bienes que fueron objeto de los contratos hace imposible que los ingresos se agreguen a sus rentas propias. Recuérdese, en todo caso, que la norma tributaria únicamente alude al goce legal, no a la administración[721]

Ahora bien, repárese en que el artículo 1.2.1.1.8. del Decreto 1625 de 2016 no solo se limita a establecer una directriz en cuanto atañe al impues-

---

[719]   Cfr. Artículo 291, ordinal 1°, del Estatuto Civil.

[720]   Cfr. Artículo 291 del Código Civil.

[721]   Según se vio en el Tomo I, las disposiciones fiscales sí disponían, en su etapa primitiva, la acumulación de rentas de los hijos al padre, respecto de los bienes que éste administraba. Pero esa visión fue luego modificada, con buen acuerdo, y en la actualidad la disposición se estructura a partir del usufructo legal.

to sobre la renta, sino que se refiere también al impuesto complementario sobre las ganancias ocasionales. Así se sigue del último fragmento del inciso primero de la norma, cuando afirma que "[i]gual tratamiento se aplicará respecto de las ganancias ocasionales de los hijos menores, cuando no haya renuncia del usufructo legal".

No es este el momento de elucubrar en torno al impuesto complementario sobre las ganancias ocasionales, pues ello se hizo con suficiencia en el Tomo I. Sí interesa, en cambio, precisar los alcances de la disposición tributaria transcrita. Para el efecto, será necesario aplicar los mismos parámetros previstos en relación con el impuesto sobre la renta, es decir, primero se deberá establecer si el hijo de familia es titular de bienes que integran su peculio adventicio ordinario y, posteriormente, se tendrá que analizar si los dos progenitores son titulares de la patria potestad en general y de la prerrogativa de goce legal en particular, o no.

A fin de aclarar el punto, se propondrán algunos ejemplos:

Caso 1) Luisa y Daniela son madres de Pablo. Pablo recoge, a título de legado, derechos fiduciarios por valor de $40.000 en la sucesión de su amigo Claudio. Claudio no dispuso, en su testamento, que Luisa y Daniela quedaran privadas del goce legal sobre los derechos.

En cuanto toca con el primer punto de estudio, los derechos fiduciarios integran el peculio adventicio ordinario de Pablo. Es así, por cuanto su adquisición no tuvo como causa el trabajo o industria del hijo y Claudio, en su memoria testamentaria, no privó a Luisa ni a Daniela del goce legal. Sobre esas bases, es claro que Pablo **NO** debe reflejar el ingreso en su propia liquidación del impuesto complementario sobre las ganancias ocasionales.

Por lo que hace al segundo aspecto, Luisa y Daniela son titulares de la patria potestad en general y ninguna de ellas fue privada, en forma particular, del goce legal. En consecuencia, procede la división del valor de los derechos fiduciarios en partes iguales ($40.000 ÷ 2 = $20.000).

Con ese contexto, parecería claro que Luisa y Daniela tendrían que reflejar, cada una, los $20.000 que les corresponden en el goce legal de los derechos fiduciarios, a efectos de calcular el impuesto complementario sobre las ganancias ocasionales. Al respecto, bueno es agregar que el ordinal 8º del artículo 303 del Estatuto Tributario dispone que, para liquidar el impuesto sobre las ganancias ocasionales, "[e]l valor de los derechos fiduciarios será el 80 % del valor determinado de acuerdo con lo dispuesto en el artículo 271-1 de este Estatuto". De manera que la base para el cálculo de la ganancia ocasional no será de $40.000, sino de $32.000 ($40.000 X 80%), con lo cual cada una deberá reflejar un importe total de $16.000 ($32.000 ÷ 2).

Empero, surge una dificultad adicional, sobre la cual se profundizará con suficiencia en la Tomo IV, cual es la relacionada con los beneficios que se tienen previstos, en el régimen de las ganancias ocasionales, para lo que se recoge por donación, herencia o legado. Se trata del artículo 307 del Estatuto Tributario, que consagra unas exenciones generales (ordinales 1°, 2° y 5°) y otras particulares (ordinales 3° y 4°).

Si nos detenemos en las exenciones particulares, es decir, las que se conceden a cada asignatario en una sucesión, encontramos que los legitimarios y el cónyuge o compañero permanente supérstite reciben un beneficio de 3.250 UVT, en tanto que los asignatarios no legitimarios y los donatarios se benefician del 20% del valor de su cuota o donación, sin que en ningún caso supere de 1.625 UVT.

De acuerdo con el artículo 1240 del Estatuto Civil, son legitimarios los descendientes y los ascendientes. Comoquiera que, en el caso presente, Claudio es un simple amigo de Pablo, el beneficio tributario particular que le corresponde a Pablo equivale 20% del valor de su cuota, sin que en ningún caso supere de 1.625 UVT.

Para el ejercicio académico, supóngase que las 1.625 UVT ascienden, en dinero, a $3.000. Entonces, al momento de liquidar el impuesto sobre la ganancia ocasional, el siguiente será el problema que deberán afrontar Luisa y Daniela:

Si Pablo liquidara la ganancia ocasional en cabeza suya, se tendría una base gravable de $32.000 ($40.000 X 80%) de la que se debería detraer el 20%, sin que ese valor pueda ser superior a $3.000. El 20% de $32.000 equivale a $6.400, por lo que opera el límite de 1.625 UVT que, como se dejó claro, para este caso es de $3.000. Así las cosas, la base gravable depurada del impuesto asciende a $29.000 ($32.000 - $3.000), con lo cual, si se aplica la tarifa del 15% (que actualmente rige), el tributo a cargo sería de $4.350.

Pero cuando el tributo lo liquidan las madres, cada una tendría una base gravable de $16.000 ($32.000 ÷ 2) de la que se debería detraer el 20%, sin que ese valor pueda ser superior a $3.000. El 20% de $16.000 equivale a $3.200, por lo que opera el límite de 1.625 UVT que, como se dejó claro, para este caso es de $3.000. Así las cosas, la base gravable depurada del impuesto, para cada una, asciende a $13.000 ($16.000 - $3.000), con lo cual, si se aplica la tarifa del 15% (que actualmente rige), el tributo a cargo sería de $1.950.

Al sumar el tributo asumido por Luisa y por Daniela, se obtiene un total sufragado de $3.900. Empero, del simple contraste con el valor que hubiera pagado Pablo si el impuesto se hubiera liquidado directamente a él ($4.350), se aprecia una diferencia de $450 ($4.350 - $3.900). ¿Quiso el Legislador que mediante las disposiciones atañederas al goce legal se redujera el importe a recaudar por el Estado? La respuesta, a nuestro juicio, es que no.

Sobre las anteriores bases, hemos de afirmar que lo correcto sería, desde el punto de vista del deber fundamental de contribuir al financiamiento del Estado en condiciones de justicia y equidad (art. 95, ord. 2°, de la Carta Política), que Luisa y Daniela limitaran los beneficios a la suma que le habría correspondido a su hijo, Pablo, en caso de que el tributo se le hubiere liquidado directamente a él. En efecto, no estamos aquí ante dos asignaciones independientes, hechas por Carlos a Luisa y Daniela, sino ante una sola que, por virtud de la ficción de atribución prevista en el reglamento, ha de ser declarada por cada una de sus progenitoras.

Estas disquisiciones, en cuanto tienen que ver con la problemática particular, son también aplicables al caso de la donación.

Caso 2) Miguel y Diana son padres de Emilia. Emilia recoge, a título de herencia, unas acciones por valor de $50.000 en la sucesión de su abuela María. Antes de fallecer, María testó en el sentido de designar a Emilia, su nieta, como heredera de un porcentaje de su haber y, fruto de la liquidación, la asignación que le correspondió fue la de las acciones. Sin embargo, en su memoria no se dispuso la privación del goce legal de Miguel ni de Diana.

En cuanto toca con el primer punto de estudio, las acciones integran el peculio adventicio ordinario de Emilia. Es así, por cuanto su adquisición no tuvo como causa el trabajo o industria de la hija y María, en su memoria testamentaria, no privó a Miguel ni a Diana del goce legal. Sobre esas bases, es claro que Emilia **NO** debe reflejar el ingreso en su propia liquidación del impuesto complementario sobre las ganancias ocasionales.

Por lo que hace al segundo aspecto, Miguel y Diana son titulares de la patria potestad en general y ninguno de ellos fue privado, en forma particular, del goce legal. En consecuencia, procede la división del valor de las acciones en partes iguales ($50.000 ÷ 2 = $25.000).

A diferencia de lo que ocurre con los derechos fiduciarios, las normas fiscales no disponen la disminución de la tasación de las acciones para efectos de la liquidación del impuesto complementario sobre las ganancias ocasionales. Sin embargo, sí se consagran las exenciones o beneficios tributarios, previamente tratados, para las asignaciones a título gratuito.

En el caso particular, Emilia es nieta de María, por lo cual, en aplicación de lo previsto por el artículo 1240 del Código Civil, se considera legitimaria. Así las cosas, la exención particular que le atañe es la equivalente a 3.250 UVT. Para efectos didácticos, entreténgase que 3.250 UVT ascienden, en dinero, a $20.000.

Pues bien, si el impuesto se liquidara directamente en cabeza de Emilia, se diría que la base gravable ascendería a $50.000 (valor de las acciones recibidas) y la exención, con la cual se depura tal base, a $20.000. Por consiguiente, la base gravable depurada equivaldría a $30.000. Aplicada la tarifa del 15%, el impuesto sobre las ganancias ocasionales a cargo de Emilia sería de $4.500.

Por otro lado, cuando el tributo se liquida en cabeza de Miguel y Diana, separadamente, tenemos una base gravable bruta de $25.000 ($50.000 ÷ 2). Detraído el valor de la exención ($20.000 que, para este ejemplo, es el importe de las 3.250 UVT), se obtiene una base gravable depurada de $5.000. Así, al aplicar la tarifa del 15%, Miguel y Diana deberán asumir, cada uno, $750 a título de impuesto sobre las ganancias ocasionales.

Sumado el importe de Miguel y Diana ($750 + $750 = $1.500), se aprecia que el tributo total asumido difiere en $3.000 del que hubiera correspondido si el impuesto se liquidara en cabeza de Emilia ($4.500 - $1.500 = $3.000). Nuevamente, al cuestionarnos si fue intención legislativa que, en virtud de la ficción de acumulación, resultara un menor impuesto a cargo, concluimos que no parece ello razonable. Se insiste, desde luego, en que la razón estriba en el hecho de que Miguel y Diana no son adjudicatarios independientes de la asignación, sino que simplemente incorporan tales rentas de su hija por mandato del reglamento. En consecuencia, creemos que lo correcto sería atender al tope global de deducción ($20.000) y dividirlo por dos, en lugar de que cada uno reciba la totalidad del beneficio, pues con esta última alternativa se duplicaría, sin razón, un tratamiento tributario de favor.

Caso 3) Marcela y Ramón son padres de Mauricio. Hace más de dos años Mauricio adquirió, como consecuencia de la donación efectuada por su primo Julio, un apartamento. En el negocio jurídico, Julio no especificó la privación del goce legal que les atañe a Marcela y Ramón. Luego de obtenida la licencia judicial que ordena el artículo 303 del Código Civil, Marcela y Ramón enajenan el apartamento por $30.000. El costo fiscal del inmueble, en total, ascendía a $15.000.

Desde el primer punto de análisis, se advierte que el inmueble hace parte del peculio adventicio ordinario de Mauricio. Ello es así, pues no fue adquirido por el trabajo o industria del hijo, ni se dispuso en el nego-cio jurídico la privación de la prerrogativa del goce legal por los padres. En consecuencia, queda claro que Mauricio **NO** debe liquidar la ganancia ocasional en cabeza suya.

Por lo que concierne al segundo aspecto de estudio, de los supuestos del caso no se colige que Marcela y Ramón hayan sido privados de la patria potestad en general, como tampoco fueron excluidos del goce legal en particular por Julio al efectuar la donación. De consiguiente, la ganancia ocasional derivada de la enajenación del inmueble se deberá reflejar en cabeza de ambos progenitores.

Huelga advertir que el ingreso se grava con el impuesto complementa-rio sobre las ganancias ocasionales, debido a que el artículo 300 del Esta-tuto Tributario así lo dispone, al señalar que "[s]e consideran ganancias ocasionales para los contribuyentes sujetos a este impuesto, las provenien-tes de la enajenación de bienes de cualquier naturaleza, que hayan hecho parte del activo fijo del contribuyente por un término de dos años o más". En el presente caso, de los supuestos se sigue que el inmueble fue adqui-rido por Mauricio hace más de dos años y se parte de la premisa según la cual hace parte de su activo fijo, en la medida en que no tenía vocación de ser enajenado dentro del giro ordinario de sus negocios[722].

Agrega la disposición en análisis que la cuantía de lo que se grava con el impuesto complementario sobre las ganancias ocasionales "se determina por la diferencia entre el precio de enajenación y el costo fiscal del activo enajenado". Por manera que, en últimas, lo que aquí se pretende alcanzar con el tributo es la utilidad en la venta.

Por oposición a los casos que se comentan en líneas previas, aquí no hay distinción entre la liquidación del tributo efectuada en cabeza de Mauricio o de cada uno de sus padres[723]. En efecto, si el apartamento se enajenó por $30.000 y el costo fiscal que venía declarando Mauricio era de $15.000, la base del impuesto sobre la ganancia ocasional es de $15.000 ($30.000 - $15.000). Al aplicar la tarifa del 15%, el importe a cargo sería de $2.250.

---

[722]   Cfr. Artículo 60 del Estatuto Tributario.

[723]   Ello porque, para este ejemplo, deliberadamente hemos decidido no tener en consideración la exención aplicable sobre la utilidad en la venta de casa o aparta-mento, a que alude el artículo 311-1 del Estatuto Tributario. Sobre el particular, el lector se puede remitir a los comentarios vertidos en el Tomo I de esta obra.

En similar sentido, cuando quienes liquidan el tributo son directamente Marcela y Ramón, la situación será la siguiente: el precio de venta se dividirá, entre ellos, por partes iguales ($30.000 ÷ 2 = $15.000). El costo fiscal que en teoría venía declarando cada uno de ellos es la mitad del costo fiscal total ($15.000 ÷ 2 = $7.500). Así, la utilidad que cada cual reflejará será de $7.500 ($15.000 - $7.500). Si se aplica la tarifa del 15%, Marcela y Ramón, en forma individual, tendrán un impuesto a cargo de $1.125. Sumados ambos importes, se tiene un total asumido de $2.250, que es consistente con el valor que habría sufragado Mauricio si el impuesto se hubiera liquidado en cabeza suya.

Hasta aquí queda conceptualizada la manera en la que se trata hoy, en Colombia, el goce legal desde la perspectiva fiscal. Ello, como es habitual, supone algunas ventajas y otras desventajas, como enseguida se discutirá.

1. Ventajas del tratamiento

A. *En el impuesto sobre la renta*

Desde el punto de vista del impuesto sobre la renta, fluye palmaria una ventaja obvia, cual es la relacionada con la disminución de los costos administrativos que supone la elaboración de una declaración independiente para el hijo de familia. En efecto, serán los padres, que las más de las veces ya tendrán que presentar el respectivo denuncio por sus rentas propias, quienes agreguen los ingresos pertinentes a su declaración personal. Y, por supuesto, esta ventaja es solo aplicable cuando los hijos de familia no detenten rentas atribuibles al peculio profesional o industrial ni al peculio adventicio extraordinario por las que tuvieran que presentar su propio denuncio rentístico.

De la misma manera, esta alternativa resulta atractiva para quebrar la progresividad del impuesto en algunos casos, aunque exóticos. Para demostrar la anterior afirmación, entreténganse los siguientes supuestos:

- El impuesto sobre la renta es progresivo, así: a una renta líquida entre $0 y $9.999 se le asigna una tarifa del 0%; a una renta líquida entre $10.000 y $29.999 se le asigna una tarifa del 20%; y a una renta líquida de $30.000 o más se le asigna una tarifa del 30%.

- Rafael y Clara son padres de Carolina. Carolina recibió una casa en donación, de Lucas, sin que se estipulara la privación del goce legal para Rafael ni para Clara. Rafael y Clara arrendaron la casa y percibieron, en el año gravable, cánones por valor de $30.000.

- Por otros arrendamientos de inmuebles propios, Rafael recibió ingresos de $12.000.

- A su turno, Clara recibió, también por otros arrendamientos de inmuebles propios, ingresos equivalentes a $14.000.

Con base en los anteriores supuestos, se tienen los siguientes escenarios:

Si el impuesto se liquidara directamente a Carolina, se diría que la base gravable es de $30.000, que equivale al valor de los ingresos por el arrendamiento de su inmueble[724]. Al aplicar la tabla progresiva, la tarifa que le correspondería al ingreso sería del 30%, lo que arroja un impuesto a cargo de $9.000.

Por su parte, la base gravable para liquidar el tributo de Rafael es de $12.000, por lo cual la tarifa aplicable sería del 20%. Ello resulta en un impuesto a cargo de $2.400. En el caso de Clara, dado que la base gravable es de $14.000, y la tarifa aplicable asciende al 20%, el tributo a sufragar equivale a $2.800.

En total, la familia asumió, a título del impuesto sobre la renta, $14.200.

Ahora bien, si las rentas derivadas del arrendamiento del inmueble de Carolina se distribuyen entre los progenitores, a cada uno le corresponderá atribuir un mayor valor de $15.000 ($30.000 ÷ 2). Por tanto, Rafael tendría una nueva base gravable de $27.000 ($12.000 + $15.000), la tarifa aplicable sería del 20% y el impuesto a cargo equivaldría a $5.400. Así mismo, Clara tendría una nueva base gravable de $29.000 ($14.000 + $15.000), cuya tarifa aplicable sería del 20% y daría como resultado un impuesto a cargo de $5.800.

En total, la familia sufragó, a título del impuesto sobre la renta, $11.200.

Del contraste entre ambos escenarios se aprecia que, en el segundo, que es como se tributa actualmente, hay un menor valor del impuesto asumido por cuantía $3.000. La razón para que así ocurra es en extremo sencilla: los $30.000 provenientes del arrendamiento del apartamento de Carmen pasaron de estar gravados con la tarifa del 30%, en el primer supuesto, a estarlo, en el segundo, con la tarifa del 20%.

Se repite, sin embargo, que se trata de casos exóticos en la práctica diaria.

---

[724] Se parte del supuesto de que no hay rubros que permitan depurar la base gravable.

B. En el impuesto complementario sobre las ganancias ocasionales

En cuanto atañe al impuesto complementario sobre las ganancias ocasionales, no se avizora propiamente una ventaja, sino un punto gris de discusión. Su génesis se remonta, según las explicaciones proporcionadas en líneas previas, a la posible duplicidad en la aplicación de beneficios o exenciones tributarias por causa de donaciones, herencias y legados[725].

Ya se dijo que, en opinión del autor, no es adecuado que los padres puedan depurar la base del impuesto con exenciones que superan los límites individuales permitidos, pues no son ellos los asignatarios de la herencia o legado ni los beneficiarios de la donación, sino que obran como llanos responsables de la liquidación del tributo porque así lo dispuso la norma fiscal. Sin embargo, y aunque no estaríamos de acuerdo, lo cierto es que no hay disposición expresa que cercene la posibilidad de que algún titular de la patria potestad actúe en esta forma.

2. Desventajas del tratamiento

A. En el impuesto sobre la renta

En un fenómeno que es de muy frecuente ocurrencia, la forma en la que está diseñado el sistema de tributación del goce legal arroja como resultado un exceso en el monto de tributos asumidos por un mismo núcleo familiar. Veamos el siguiente ejemplo demostrativo:

- El impuesto sobre la renta es progresivo, así: a una renta líquida entre $0 y $10.000 se le asigna una tarifa del 10%; a una renta líquida entre $10.001 y $20.000 se le asigna una tarifa del 20%; y a una renta líquida de $20.001 o más se le asigna una tarifa del 30%.

- Jorge y Alejandro son padres de Carmen. Carmen recibió una casa en donación, de Paula, sin que se estipulara la privación del goce legal para Jorge ni para Alejandro. Jorge y Alejandro arrendaron la casa y percibieron, en el año gravable, cánones por valor de $10.000.

- Por otros arrendamientos de inmuebles propios, Jorge recibió ingresos de $12.000.

- A su turno, Alejandro recibió, también por otros arrendamientos de inmuebles propios, ingresos equivalentes a $15.000.

---

[725] Cfr. Artículo 307 del Estatuto Tributario.

Con base en los anteriores supuestos, se tienen los siguientes escenarios:

Si el impuesto se liquidara directamente a Carmen, se diría que la base gravable es de $10.000, que equivale al valor de los ingresos por el arrendamiento de su inmueble[726]. Al aplicar la tabla progresiva, la tarifa que le correspondería al ingreso sería del 10%, lo que arroja un impuesto a cargo de $1.000.

Por su parte, la base gravable para liquidar el tributo de Jorge es de $12.000, por lo cual la tarifa aplicable sería del 20%. Ello resulta en un impuesto a cargo de $2.400. En el caso de Alejandro, dado que la base gravable es de $15.000, y la tarifa aplicable asciende al 20%, el tributo a sufragar equivale a $3.000.

En total, la familia asumió, a título del impuesto sobre la renta, $6.400.

Ahora bien, si las rentas derivadas del arrendamiento del inmueble de Carmen se distribuyen entre los progenitores, a cada uno le corresponderá atribuir un mayor valor de $5.000 ($10.000 ÷ 2). Por tanto, Jorge tendría una nueva base gravable de $17.000 ($12.000 + $5.000), la tarifa aplicable sería del 20% y el impuesto a cargo equivaldría a $3.400. Así mismo, Alejandro tendría una nueva base gravable de $20.000 ($15.000 + $5.000), cuya tarifa aplicable sería del 20% y daría como resultado un impuesto a cargo de $4.000.

En total, la familia sufragó, a título del impuesto sobre la renta, $7.400.

Del contraste entre ambos escenarios se aprecia que, en el segundo, que es como se tributa actualmente, hay un mayor valor del impuesto asumido que asciende a $1.000. La razón para que así ocurra es en extremo sencilla: los $10.000 provenientes del arrendamiento del apartamento de Carmen pasaron de estar gravados con la tarifa del 10%, en el primer caso, a estarlo, en el segundo, con la tarifa del 20%.

B. En el impuesto complementario sobre las ganancias ocasionales

No se advierte ninguna desventaja derivada de la manera como se trata el goce legal en el impuesto complementario sobre las ganancias ocasionales.

---

[726] Se parte del supuesto de que no hay rubros que permitan depurar la base gravable.

III. El goce legal en el impuesto sobre el patrimonio: estado del arte

A diferencia de lo que ocurre con el impuesto sobre la renta y complementario, en el impuesto sobre el patrimonio se echa de menos norma expresa que regule el tratamiento que se le debe dar a los bienes de los hijos que son objeto del goce legal de los titulares de la patria potestad. Sin embargo, históricamente se ha ido confeccionando una posición jurisprudencial de la Sección Cuarta del Consejo de Estado, según la cual los titulares del goce legal deben reflejar los activos de los hijos en cabeza suya. Veamos:

1. Sentencia proferida por la Sección Cuarta del Consejo de Estado el 15 de septiembre de 1972, expediente 2072, C.P. Hernando Gómez Mejía

En este caso, el contribuyente presentó declaración del impuesto sobre la renta y su entonces complementario impuesto sobre el patrimonio por el año gravable 1963, en la cual incluyó su propio patrimonio y rentas. A su turno, su hijo menor de edad y sujeto a patria potestad presentó otro denuncio, independiente, en el que liquidó los tributos a su cargo con base en las rentas y patrimonio radicados en cabeza suya, y respecto de los cuales se predicaba el goce legal del padre.

En opinión de la Administración de Impuestos, era menester que el padre, como titular del goce legal sobre esa porción del patrimonio, reflejara los activos declarados por su hijo en el denuncio personal.

Para resolver la controversia, el Consejo de Estado estudió la posesión en el Derecho Común, a propósito de lo cual evocó el artículo 762 del Estatuto Civil y precisó que, con miras a su configuración, se requiere la concurrencia de dos elementos: (i) la tenencia y (ii) el *animus domini*. Así mismo, recordó que, conforme al artículo 775, *ibídem*, la mera tenencia es la que se ejerce sobre una cosa, no como dueño, sino en lugar o a nombre del dueño.

Posteriormente, al descender al ordenamiento fiscal encontró que, de acuerdo con lo establecido por el artículo 70 de la ley 80 de 1960, la posesión se configura por el aprovechamiento económico del bien que se tiene, en forma tal que será sujeto del impuesto al patrimonio de toda persona que recibe aprovechamiento efectivo de un bien. A idéntica conclusión arribó mediante la transcripción del artículo 202 del decreto 437 de 1961.

Con base en el anterior contraste, concluyó la Corporación que "dentro del ordenamiento civil el padre no es más que administrador de los bienes del hijo y por lo mismo un simple tenedor de ellos, en cambio en el campo tributario el padre tiene la posesión de los bienes que le producen aprovechamiento económico, es decir, los que constituyen el peculio adventicio ordinario, y que por lo mismo deben ser gravados en su cabeza para efecto del impuesto al patrimonio; por la misma razón cuando se va a liquidar el impuesto al patrimonio del padre debe sumársele el del hijo sobre el cual tiene aquél el derecho de usufructo [goce legal]".

2. Sentencia proferida por la Sección Cuarta del Consejo de Estado el 9 de mayo de 2019, expediente 23040, C.P. Milton Chaves García

En este caso, el contribuyente presentó declaración del impuesto sobre la renta, por el año gravable 2006, en la que reflejó en el renglón de patrimonio un importe superior a \$4.368.000.000. Sin embargo, omitió presentar declaración del impuesto sobre el patrimonio por el año 2008, con fundamento en lo cual la Administración practicó liquidación oficial de aforo.

A manera de contexto, es oportuno indicar que el hecho generador del impuesto al patrimonio para los años 2007, 2008, 2009 y 2010 se encontraba consagrado en el artículo 293 del Estatuto Tributario, la causación del impuesto en el artículo 294 y la definición de "posesión de riqueza" en el artículo 292 del mencionado Estatuto. De las anteriores disposiciones se desprendía que la obligación de pagar y declarar el impuesto al patrimonio para el año 2008 recaía sobre los contribuyentes que, a primero de enero de 2007, tuviesen un patrimonio líquido superior a \$3.000.000.000.

El demandante sostuvo que el valor reflejado en el renglón de "patrimonio" de su denuncio rentístico por el año gravable 2006 correspondía a la suma de su patrimonio propio (algo más de \$2.992.000.000) y el 50% del patrimonio de sus hijas menores de edad sobre el cual recaía el goce legal (algo más de \$1.376.000.000). Además, arguyó el demandante que, si bien las disposiciones fiscales ordenan que las rentas derivadas de esos bienes se graven en cabeza de los titulares del goce legal, no ocurre lo mismo con el patrimonio. Por tanto, que se haya reflejado en la declaración del impuesto sobre la renta por el año gravable 2006 la sumatoria del patrimonio propio del padre y el 50% del patrimonio de sus hijas menores de edad, simplemente tenía por objeto presentar la información correspondiente al impuesto sobre la renta, pero no implicaba que el padre fuera titular real de todo el patrimonio allí indicado ni que se configurara en cabeza suya la sujeción pasiva del impuesto sobre el patrimonio.

En opinión contraria, la Corporación evocó la jurisprudencia sentada en la providencia del 15 de septiembre de 1972, a la que se hace referencia en el título anterior de este texto, e indicó que el alcance de la "posesión" en las normas tributarias no coincide aquel que le dan a esta a figura las disposiciones civiles. Así las cosas, y dado que las reglas fiscales que fueron tenidas en cuenta por el Consejo de Estado en 1972 seguían vigentes en el ordenamiento jurídico, la Sección Cuarta del Máximo Tribunal de lo Contencioso Administrativo concluyó que "el valor de los bienes que usufructúan los padres en nombre de sus hijos deben de (SIC) hacer parte del cálculo del impuesto al patrimonio, ya que existe un aprovechamiento económico del peculio adventicio ordinario de sus hijos".

3. Sentencia proferida por la Sección Cuarta del Consejo de Estado el 29 de abril de 2020, expediente 23662, C.P. Julio Roberto Piza Rodríguez

En la sentencia proferida el 9 de mayo de 2019, objeto de comentario en el título que antecede, el Consejo de Estado analizó la obligación de un padre de familia consistente en presentar la declaración del impuesto sobre el patrimonio por el año 2008, incluyendo dentro de la base gravable los bienes de sus hijas respecto de los cuales detentaba el goce legal. Por su parte, en esta oportunidad la Corporación estudió la obligación de la madre de esas mismas hijas consistente en presentar la declaración del impuesto sobre el patrimonio por el año 2010, con inclusión en la base gravable de los bienes respecto de los cuales detentaba el goce legal.

En síntesis, la Corporación reiteró su jurisprudencia en torno a la materia y, consiguientemente, dispuso que los padres de familia se encuentran obligados a incluir en su declaración y liquidación del impuesto sobre el patrimonio el valor de los bienes de sus hijos respecto de los cuales detentan el goce legal.

4. Sentencia proferida por la Sección Cuarta del Consejo de Estado el 22 de julio de 2021, expediente 24951, C.P. Milton Chaves García

Esta providencia tuvo las mismas partes y versó sobre los mismos supuestos fácticos y jurídicos que la sentencia del 29 de abril de 2020, pero se circunscribió a analizar la sujeción pasiva del impuesto al patrimonio de la demandante por el año 2010. El Consejo de Estado reiteró y afianzó su jurisprudencia, en los mismos términos que los expuestos en los párrafos anteriores.

5. Conclusiones y síntesis

La jurisprudencia del Consejo de Estado ha sido monolítica, a lo largo de los años, en el sentido de reconocer que los activos de los hijos respecto de los cuales los padres ejercen el goce legal se deben incluir en la determinación del impuesto sobre el patrimonio de estos últimos. Su razón fundamental se finca en el hecho de que las normas relacionadas con el impuesto sobre la renta prevean que las rentas derivadas de esos mismos bienes han de ser gravadas en cabeza de los padres.

Bien consistente parece la lógica jurídica que, hasta el momento, ha empleado la Corporación. En efecto, las disposiciones que históricamente han regulado el impuesto al patrimonio circunscriben su hecho generador a la "posesión" de determinada riqueza. Por su parte, el artículo 263 del Estatuto Tributario, cuyo texto fue fijado por el artículo 110 del decreto 2053 de 1974, señala que "[s]e entiende por posesión el aprovechamiento económico, potencial o real, de cualquier bien en beneficio del contribuyente".

Así pues, si los réditos, lucros, frutos y, en general, cualesquier ingresos que provengan de los bienes sobre los que recae el goce legal deben ser atribuidos a los padres de familia y, consiguientemente, gravados en cabeza suya, resulta coherente pensar que hay un aprovechamiento económico de tales activos por los padres. Ello deviene, desde la perspectiva tributaria, en que los progenitores, titulares de la patria potestad, sean considerados "poseedores" del patrimonio de sus hijos respecto del cual ejercen el goce legal. Por consiguiente, les corresponde a ellos, y no a sus hijos, reflejar ese patrimonio que poseen como base para liquidar el impuesto sobre el patrimonio (últimamente llamado impuesto a la riqueza).

Ahora bien, surge de contera un interrogante: ¿cuál es el valor que deben incluir los padres en su liquidación tributaria? La razón que motiva la inquietud encuentra su base en que las disposiciones del Código Tributario colombiano tienen identificado un valor patrimonial específico para la nuda propiedad y otro para el usufructo. Así, el artículo 303 de ese Estatuto precisa que "[e]l valor del derecho de usufructo temporal se determinará en proporción al valor total de los bienes entregados en usufructo, (…) a razón de un 5% de dicho valor por cada año de duración del usufructo, sin exceder del 70% del total del valor del bien".

De una primera lectura de la norma se podría pensar que, para calcular el valor del derecho de *goce legal* (impropiamente denominado *usufructo legal*) de los padres, se deberían hallar los años que les restan a los hijos para cumplir la mayoría de edad (y, por tanto, para quedar emancipados) y multiplicar ese número por el 5. El resultado, que en todo caso tendrá que ser como máximo 70, correspondería al porcentaje del valor de los activos que los padres estarían obligados a reflejar como propio en su liquidación del impuesto sobre el patrimonio. Veamos un ejemplo:

Supóngase que Jorge y Sonia son padres de Bruno. Bruno recibe, por donación, un carro avaluado en $50.000. Al cabo del tiempo, cuando Bruño tiene 6 años de edad, se promulga una ley que instituye el impuesto sobre el patrimonio y cuyos obligados son todos los ciudadanos colombianos. Jorge y Sonia no tienen más patrimonio radicado en cabeza suya.

Para resolver el caso, es sabido que el carro integra el peculio adventicio ordinario de Bruno y que Jorge y Sonia ejercen el goce legal respecto del vehículo, dado que son titulares de la patria potestad y no fueron privados de esa prerrogativa específicamente por el donante. Comoquiera que Bruno tiene 6 años de edad, le faltarían 12 años para alcanzar los 18 y recibir así su emancipación legal. Al multiplicar los 12 años por 5 se obtiene un total de 60, que equivaldría al porcentaje del activo que los padres deberían declarar como el valor de su goce legal. Entonces, dado que el 60% de $50.000 es $30.000, Jorge y Sonia tendrían que incluir, en la base gravable de su impuesto, un total de $15.000 ($30.000 ÷ 2). Por su parte, Bruno incluiría los $20.000 restantes.

Este razonamiento, que fluye de una primera lectura de la norma, además de ser equivocado, ha sido infirmado, y con buena razón, por el Consejo de Estado. Una interpretación semejante desconoce que la emancipación no se agota únicamente con el cumplimiento de la mayoría de edad, ella puede ocurrir por el matrimonio del hijo mayor de catorce, pero menor de dieciocho, por voluntad de los padres y con el consentimiento del hijo adolescente, por el fallecimiento de los progenitores, etc. Aunado a ello, la Corporación reconoció, desde sus inicios, que el mal llamado *usufructo legal* no entraña, en sí mismo, una desmembración de la propiedad plena y, por tanto, no hay en el goce legal propiamente una distinción entre "usufructuario" y el "nudo propietario".

Con esa línea de pensamiento, el Consejo de Estado ha venido a aclarar que, en su criterio, los padres deben incluir el valor *total* de los activos de sus hijos respecto de los cuales detentan el goce legal como base gravable del impuesto sobre el patrimonio (o riqueza). En consecuencia, la solución para el caso que planteamos en los párrafos que anteceden sería la siguiente: Jorge y Sonia tendrían que incluir $25.000 en la base gravable del impuesto de cada uno.

A. *Ventajas del tratamiento*

La principal ventaja radica en la disminución de los costos administrativos que supone la elaboración de una declaración independiente para el hijo de familia. Ello es así, puesto que serán los padres quienes agreguen los activos pertinentes a su declaración personal. Y, por supuesto, esta ventaja es solo aplicable cuando los hijos de familia no detenten activos atribuibles al peculio profesional o industrial ni al peculio adventicio extraordinario por los que tuvieran que presentar su propio denuncio privado.

Otra ventaja, aunque de poca ocurrencia, es que esta forma de tributación puede resultar útil para evitar que un núcleo familiar quede obligado a tributar por el impuesto sobre el patrimonio, en el supuesto de que la distribución del valor del activo en cabeza de ambos progenitores no alcance los topes previstos para la configuración de la sujeción pasiva. Esta ventaja supone, desde luego, que haya dos progenitores titulares de la patria potestad y del goce legal sobre el respectivo bien o derecho. Veamos un ejemplo demostrativo:

- La tarifa del impuesto sobre el patrimonio es proporcional, del 1%, y los sujetos pasivos son todos los individuos que posean un patrimonio igual o superior a $10.000.

- Clara y Fernando son padres de Andrés. Andrés recibe, a título de donación, diez cabezas de ganado, avaluadas en $10.000. El donante no privó expresamente a Clara ni a Fernando del goce legal.

- Clara posee un patrimonio total de $2.000.

- Fernando posee un patrimonio total de $4.000.

Con base en los anteriores supuestos se tienen los siguientes escenarios:

Si las cabezas de ganado se gravaran en cabeza de Andrés, él alcanzaría los topes para ser considerado sujeto pasivo del impuesto sobre el patrimonio. Al aplicar la tarifa del 1% sobre los $10.000, tendría que asumir, a título de tributo, $100. Clara y Fernando, en cambio, no superarían los topes.

En este caso, la tributación familiar global ascendería a $100.

Ahora bien, si el valor de las cabezas de ganado se distribuye entre Clara y Fernando, el patrimonio poseído por cada uno de ellos será el siguiente: Clara $7.000 ($2.000 + $5.000) y Fernando $9.000 ($4.000 + $5.000). Según se aprecia, ni Clara ni Fernando ni Andrés ($0) alcanzan los topes para ser considerados sujetos pasivos del impuesto al patrimonio y, por consiguiente, ninguno debe liquidar el tributo.

En este caso, la tributación familiar global asciende a $0.

B. Desventajas del tratamiento

La principal desventaja se avizora en la cotidianidad de casos y se concreta en la asunción de mayores cargas tributarias por un núcleo familiar, derivada de la obligación de incrementar el patrimonio propio de los padres con el valor de los activos de los hijos sobre los cuales detentan el goce legal. Veamos dos ejemplos demostrativos:

Caso 1) Supuestos:

- La tarifa del impuesto sobre el patrimonio es proporcional, del 1%, y los sujetos pasivos son todos los individuos que posean un patrimonio igual o superior a $10.000.

- Marcelo y Lina son padres de Camila. Camila recoge, a título de legado, doce cargas de café en la sucesión de José, avaluadas en $8.000. José no privó expresamente a Marcelo ni a Lina del goce legal. Al cabo de los años, cuando Camila tiene 15 años de edad, fue promulgada la ley que creó el impuesto sobre el patrimonio con las características antes anotadas.

- Marcelo posee un patrimonio total de $9.000.

- Lina posee un patrimonio total de $7.000.

Con base en los anteriores supuestos se tienen los siguientes escenarios:

Si las cargas de café se gravaran en cabeza de Camila, ni Marcelo ni Lina ni Camila alcanzarían los topes para ser considerados sujetos pasivos del impuesto sobre el patrimonio.

En este caso, la tributación familiar global ascendería a $0.

Ahora bien, si el valor de las cargas de café se distribuye entre Marcelo y Lina, el patrimonio poseído por cada uno de ellos será el siguiente: Marcelo $13.000 ($8.000 + $4.000) y Lina $11.000 ($7.000 + $4.000). Según se aprecia, tanto Marcelo como Lina alcanzan los topes para ser considerados sujetos pasivos del impuesto al patrimonio y, por consiguiente, deben liquidar el tributo. Para Marcelo: Al aplicar la tarifa del 1% sobre los $13.000 de base gravable, se obtiene un importe, a título de tributo, de $130. Para Lina: Al aplicar la tarifa del 1% sobre los $11.000 de base gravable, se obtiene un importe, a título de tributo, de $110.

En este caso, la tributación familiar global asciende a $240.

Del contraste entre ambos escenarios se observa que la forzosa atribución de una parte del patrimonio de los hijos a los padres genera como resultado un exceso en la tributación global familiar de \$240. Este desafortunado escenario apareja dos consecuencias: (i) el gravamen del patrimonio personal de cada uno de los padres pese a que, individualmente considerados, no hubieran adquirido la condición de sujetos pasivos del tributo; y (ii) el gravamen del patrimonio personal del hijo respecto del cual los padres detentan el goce legal pese a que, individualmente considerado, no hubiera adquirido la condición de sujeto pasivo del tributo.

Ejemplos palpables de estos casos son los estudiados por el Consejo de Estado en las sentencias del 9 de mayo de 2019, 29 de abril de 2020 y 22 de julio de 2021, donde ni los padres ni los hijos habrían resultado gravados por su patrimonio personal, pero como consecuencia de la atribución patrimonial en cabeza de los progenitores se configuró la sujeción pasiva del tributo en cabeza de estos últimos.

Caso 2) Supuestos:

- La tarifa del impuesto sobre el patrimonio es proporcional, del 1%, y los sujetos pasivos son todos los individuos que posean un patrimonio igual o superior a \$10.000.

- Óscar y Consuelo son padres de Adriana. Adriana recibe, a título de donación, un inmueble avaluado en \$7.000. El donante no privó expresamente a Óscar ni a Consuelo del goce legal. Al cabo de los años, cuando Adriana tiene 12 años de edad, fue promulgada la ley que creó el impuesto sobre el patrimonio con las características antes anotadas.

- Óscar posee un patrimonio total de \$11.000.

- Consuelo posee un patrimonio total de \$15.000.

Con base en los anteriores supuestos se tienen los siguientes escenarios:

Si el inmueble se gravara en cabeza de Adriana, ella no alcanzaría los topes para ser considerada sujeto pasivo del impuesto sobre el patrimonio. Por su parte, Óscar y Consuelo sí superarían tales topes, por lo que su tributo a cargo se liquidaría así:

Para Óscar: Al aplicar la tarifa del 1% sobre los \$11.000 de base gravable, se obtiene un importe, a título de tributo, de \$110. Para Consuelo: Al aplicar la tarifa del 1% sobre los \$15.000 de base gravable, se obtiene un importe, a título de tributo, de \$150.

En este caso, la tributación familiar global ascendería a \$260.

Ahora bien, si el valor del inmueble se distribuye entre Óscar y Consuelo, el patrimonio poseído por cada uno de ellos será el siguiente: Óscar

$14.500 ($11.000 + $3.500) y Consuelo $18.500 ($15.000 + $3.500). Según se aprecia, tanto Óscar como Consuelo alcanzan los topes para ser considerados sujetos pasivos del impuesto al patrimonio y, por consiguiente, deben liquidar el tributo. Para Óscar: Al aplicar la tarifa del 1% sobre los $14.500 de base gravable, se obtiene un importe, a título de tributo, de $145. Para Consuelo: Al aplicar la tarifa del 1% sobre los $18.500 de base gravable, se obtiene un importe, a título de tributo, de $185.

En este caso, la tributación familiar global asciende a $330.

Del contraste entre ambos escenarios se observa una diferencia de $70, que resulta de aplicar la tarifa del 1% al inmueble de propiedad de Adriana, sobre el que Óscar y Consuelo ejercen el goce legal. Este desafortunado escenario apareja como consecuencia el gravamen del patrimonio personal del hijo respecto del cual los padres detentan el goce legal pese a que, individualmente considerado, no hubiera adquirido la condición de sujeto pasivo del tributo.

IV. La renuncia al goce legal como ficción: estado del arte

Ya se dijo que, en nuestra opinión, no es posible renunciar al goce legal[727]. Es por ello que se afirma que la consagración de tal renuncia en el ordenamiento fiscal, como lo sostienen Roberto Suárez Franco[728] y Marco Gerardo Monroy Cabra[729], no pasa de ser una simple ficción. Pero que se asevere que se trata de una ficción no significa que sea irrelevante o que carezca de efectos, según enseguida se estudiará:

El segundo inciso del varias veces citado artículo 1.2.1.1.8 del decreto 1625 de 2016 establece que "[l]a renuncia del usufructo [léase goce] legal, para los efectos fiscales, solo será válida cuando se haga por escritura pública y no producirá efectos sino a partir del año gravable en que se otorgue el instrumento respectivo, según lo expresado en este por el renunciante".

Síguese de lo anterior que, sin ambages, el ordenamiento tributario da expreso reconocimiento a la figura de la *renuncia* en lo que atañe al goce

---

[727] Véase la Letra D del Punto 3) de la Subsección I de la Sección II del Capítulo II de este Tomo.

[728] Roberto Suárez Franco. *Derecho de familia,* tomo II, 172.

[729] Marco Gerardo Monroy Cabra. *Derecho de familia, infancia y adolescencia,* 222.

legal[730]. Sin embargo, como solemnidad insalvable para su eficacia exige que ésta se haga mediante escritura pública. Cumplidos los anteriores presupuestos, la *renuncia* producirá efectos desde el año gravable en que se otorgue el instrumento público.

Queda la inquietud sobre el alcance de la expresión "según lo expresado en este por el renunciante". ¿Podrá el padre renunciante dar efectos retroactivos a su renuncia? ¿será una autorización para que los efectos de la renuncia se surtan a partir de períodos gravables posteriores a aquel en cual se protocoliza? o ¿carecerá de efectos prácticos tal aseveración? Nos inclinamos por la segunda alternativa, con base en el siguiente razonamiento:

Sea lo primero advertir, con apoyo en la jurisprudencia del Consejo de Estado, que queda descartada la posibilidad de que este tipo de renuncias tengan efectos *ex tunc*. En efecto, en los casos analizados en las sentencias del (i) 15 de septiembre de 1972, expediente 2072, C.P. Hernando Gómez Mejía, (ii) 9 de mayo de 2019, expediente 23040, C.P. Milton Chaves García, (iii) 29 de abril de 2020, expediente 23662, C.P. Julio Roberto Piza Rodríguez y (iv) 22 de julio de 2021, expediente 24951, C.P. Milton Chaves García, los demandantes pretendieron dar eficacia retroactiva a sus renuncias, con la esperanza de cobijar períodos gravables que ya habían cerrado. La Corporación, en todas las controversias, concluyó que ello no era posible y, consiguientemente, despachó desfavorablemente esta pretensión.

Ahora bien, revisados los antecedentes históricos, en los que más adelante profundizaremos, la expresión fue incorporada desde el comienzo en el artículo 49 del decreto reglamentario 437 de 1961. La disposición en comentario señalaba que la renuncia "no producir[ía] efectos sino a partir de la fecha o del año gravable en que se otorg[ara] el instrumento respectivo, según lo expresado en éste por el renunciante".

Más adelante, el artículo 24 del decreto reglamentario 187 de 1975 reguló nuevamente la materia e introdujo una precisión, cual es la relativa a que la renuncia "no producir[ía] efectos sino a partir del año gravable en que se otorg[ara] el instrumento respectivo, según lo expresado en éste por el renunciante". Esta norma sería luego compilada en el decreto 1625 de 2016.

Del contraste entre ambas disposiciones se aprecia, con facilidad, que, mientras la primera ofrecía dos alternativas para determinar la fecha a par-

---

[730]   Sobre este aspecto, véase el Concepto número 21762 de la Dirección de Impuestos y Aduanas Nacionales.

tir de la cual la renuncia producía efectos, la segunda, hoy vigente, eliminó una de ellas. En efecto, de acuerdo con lo previsto por el artículo 49 del decreto reglamentario 437 de 1961, la eficacia de la abdicación principiaba a regir, alternativamente, o en la fecha de protocolización del instrumento o en el año gravable de su otorgamiento. Empero, a la luz de lo establecido por el artículo 24 del decreto reglamentario 187 de 1975 se excluyó la posibilidad de que la eficacia de la renuncia comenzara en "la fecha" de su protocolización. Así las cosas, se podría pensar que la expresión en análisis carece de efectos prácticos en la actualidad.

Sin embargo, cabe indagar sobre la posibilidad de que el padre difiera la eficacia de su renuncia a un período gravable posterior a aquel en el cual se protocoliza el instrumento público respectivo.

La especialísima naturaleza de la renuncia al *goce legal*, consagrada en el ordenamiento tributario, halla sustento en una antiquísima interpretación efectuada por la Jefatura de Rentas e Impuestos Nacionales, que es materia de comentario en el Tomo I y se abordará nuevamente en las próximas Secciones, y el Consejo de Estado en sentencia del 6 de diciembre de 1955, según la cual estamos ante una prerrogativa que solo mira al interés del renunciante, es decir, del padre. Pese a que nos apartamos de esta visión, como ya se dejó plasmado en líneas anteriores, lo cierto es que esta consideración se vuelve capital para comprender la manera en que se debe abordar el asunto: si esa es la fundamentación que dio origen a la ficción que hoy alberga la normativa tributaria, como en efecto lo es, deviene apenas razonable concebir que, por el mismo cauce, el renunciante se encuentre facultado para diferir los efectos de la abdicación de su prerrogativa.

Mas no sería acertado utilizar un razonamiento semejante para forzar la conclusión según la cual el padre debería poder decidir que su renuncia tuviera efectos hacia el pasado, al menos por dos motivos claros: (i) porque la norma reglamentaria establece un punto de partida infranqueable, cual es el período gravable en que se protocoliza el instrumento; y, más importante, (ii) porque admitir esa tesis implicaría autorizar a los padres para reorganizar relaciones jurídicas ya trabadas y definidas, en la medida en que el hecho generador ya se consumó en su totalidad.

1. Incidencia en el impuesto sobre la renta y el impuesto complementario sobre las ganancias ocasionales

La regla general en materia del goce legal es que los padres deben reflejar en su denuncio rentístico los ingresos provenientes de los activos de los hijos que conforman el peculio adventicio ordinario. Por consiguiente, el efecto natural y obvio de la ficción de renuncia al goce legal no es otro que poner fin a la atribución de las rentas en cabeza de los padres, con miras a que sea el hijo quien liquide el impuesto sobre la renta o su complementario de ganancias ocasionales, cuando haya lugar, a partir de tales ingresos.

Como se expuso, la renuncia solo será válida cuando medie escritura pública en la que quede protocolizada la voluntad del padre que abdica de su derecho y su eficacia principia, por regla general, en el período gravable en el cual se otorga el instrumento. Empero, si así lo dispone expresamente el padre, creemos factible que los efectos de la renuncia comiencen a partir de un período gravable posterior a aquel en el cual se produce.

2. Incidencia en el impuesto sobre el patrimonio

La incidencia de la renuncia en lo atañedero al impuesto al patrimonio es igualmente obvia: los padres ya no acumularán el valor de los activos sobre los cuales detentan el goce legal en cabeza propia, sino que serán los hijos los llamados a liquidar el tributo cuando a ello haya lugar.

Para su eficacia se requieren los mismos elementos que los comentados en el título anterior.

V. Críticas al tratamiento tributario del goce legal

Ya se expuso el estado del arte en cuanto atañe a la forma de tributación del goce legal en nuestro ordenamiento jurídico. En lo sucesivo se plantearán algunas críticas con el objeto de poner de relieve los motivos por los cuales consideramos que ese tratamiento fiscal resulta incompatible con la regulación del goce legal en el Derecho Común y, más importante todavía, la forma en la que la estructura actual del sistema tributario contraviene los postulados supralegales de justicia y equidad en la contribución al financiamiento del Estado.

Para cumplir tal cometido, el análisis de la presente Subsección se dividirá en tres Subsecciones, en las cuales se abordarán, por separado, las críticas: (i) al tratamiento vigente del goce legal en materia del impuesto sobre la renta; (ii) al tratamiento vigente del goce legal en materia del impuesto sobre el patrimonio; y (iii) a la inserción de la renuncia como ficción en el ordenamiento fiscal. Veamos:

1. La ostensible ilegalidad del tratamiento del goce legal en el impuesto sobre la renta y su complementario de ganancias ocasionales

Desde la promulgación de la ley 56 de 1918, todos sus decretos reglamentarios ordenaron la acumulación de las rentas derivadas de los bienes de los hijos que el padre administrara[731]. En ese entonces, la atribución de los ingresos no estuvo ideada en función del goce legal, sino de la administración.

Más adelante, el decreto 1923 de 1927, reglamentario de la ley 64 de 1927, corrigió la situación, con miras a indicar que quienes tuvieran la administración de bienes ajenos debían presentar un informe detallado sobre la renta bruta de sus representados y de las exenciones, deducciones y créditos concedidos por la ley. A partir de ese momento los hijos empezaron a liquidar separadamente el impuesto sobre la renta atribuible a los ingresos derivados de los bienes que sus padres administraban[732].

Sin embargo, la tributación del goce legal estuvo desprovista de regulación normativa en la primera evolución de nuestro sistema legislativo, por lo que su suerte se hubo de librar a la interpretación de los operadores jurídicos[733]. No fue sino hasta la expedición de la resolución número 114, del 21 de febrero de 1947, cuando la Jefatura de Rentas e Impuestos Nacionales se pronunció sobre la materia, en el sentido de indicar que las rentas provenientes de los activos de los hijos respecto de los cuales los padres detentaban el goce legal se debían agregar a las rentas propias de estos últimos. Aunque no se hizo mayor elucubración al respecto, resulta evidente que la base sobre la que quedó cimentada la resolución de la Administración fue la consideración de que el goce legal era una verdadera especie del derecho de *usufructo* ordinario regulado en el ordenamiento civil[734].

Por su parte, la primera oportunidad en la que el Consejo de Estado tuvo ocasión de dirimir una controversia de criterios en este aspecto fue mediante la sentencia del 6 de diciembre de 1955, expediente 800, C.P. ANTONIO JOSÉ PRIETO. Allí se discutió la legalidad de la liquidación practicada por la Administración de Hacienda Nacional de Antioquia a una madre,

---

[731]   Véase el Capítulo I del Tomo I.

[732]   Véase el Capítulo II del Tomo I.

[733]   Véanse los Capítulos I y II del Tomo I. En específico, el lector puede acudir a la Letra D del número 1) y al número 3 de la Subsección II de la Sección I del Capítulo I, así como a la Subsección I del Capítulo II del Tomo I.

[734]   El texto de la resolución se puede consultar en la Sección III del Capítulo IV del Tomo I.

por medio de la cual acumuló las rentas derivadas de los bienes de su hijo sobre los que ella detentaba el goce legal.

Para solucionar la discusión puesta en su conocimiento, la Corporación hizo suyos los planteamientos de la resolución 632, proferida por la Jefatura de Rentas e Impuestos Nacionales, en los cuales se expresó que "[e] l derecho de usufructo considerado en abstracto es una renta potencial y puede suceder que nunca llegue a hacerse efectiva pues con una mala administración de la cosa fructuaria, o a pesar de una diligente y avisada, puede no dar rendimiento, y aún puede llegar a dar pérdida". Seguidamente, apuntó que en el caso que allí se ventilaba los activos habían producido ingresos significativos, de donde se desprendía que era derecho de la madre hacerlos suyos e incorporarlos a su esfera patrimonial, independientemente de que materialmente no lo hubiera hecho. Finalmente, la providencia dejó sentado que no se había probado renuncia o donación de tal derecho de usufructo, con lo cual quedaba claro que la madre era la llamada jurídicamente a percibir los frutos y réditos de la cosa fructuaria, por lo que negó las súplicas de la demanda.

Como se observa, el razonamiento del Consejo de Estado, que obra como antecedente inmediato de la disposición reglamentaria que más adelante se analizará, fue el siguiente: (i) el derecho de usufructo, en abstracto, concede a su titular la prerrogativa de hacer suyas las rentas de la cosa fructuaria; (ii) la madre, por detentar la patria potestad, es titular del derecho de usufructo legal (léase goce legal) sobre ciertos bienes de su hijo; (iii) no se acreditó la renuncia o donación de tal derecho; (iv) la cosa fructuaria produjo réditos; (v) por consiguiente, tales réditos deben ser denunciados por la madre y en cabeza de ella recae la obligación de liquidar el impuesto sobre la renta.

La estructura lógica recién comentada luce robusta, pero solo lo es en apariencia. Si la discusión versara sobre cualquier otro derecho real de usufructo, sería verdad incontestable y no admitiría oposición alguna. Mas resulta que los planteamientos vertidos en la providencia pasaron por alto un aspecto indispensable: el goce legal (mal llamado usufructo legal) en mucho difiere de los usufructos ordinarios, al punto que su destinación está predeterminada y no se podría decir, sin caer en un equívoco insalvable, que el enriquecimiento lo percibe el titular de la patria potestad (sobre este tema se volverá más adelante).

En todo caso, no hay duda de que la interpretación del Consejo de Estado obró como fuente inmediata para la expedición, años más tarde, del artículo 49 del decreto 437 de 1961, cuyo texto hemos transcrito reiterativamente en esta obra y ordenaba a los titulares de la patria potestad agregar a sus rentas propias aquellas derivadas de los bienes de sus hijos respecto de los cuales detentaban el goce legal.

Al amparo de la disposición en análisis, la Corporación profirió un segundo pronunciamiento el 15 de septiembre de 1972, expediente 2072, C.P. Hernando Gómez Mejía. Pese a que el grueso de la discusión gravitó sobre las implicaciones del goce legal en el impuesto sobre el patrimonio, al aludir al impuesto sobre la renta el Consejo de Estado precisó lo siguiente:

> "Si nos vamos al campo de la renta tenemos que el Artículo 62 de la Ley 81 de 1960 dice que son derechos apreciables en dinero los derechos reales y personales a que se refieren los Artículos 665 y 666 del Código Civil y con base en esto preceptúa el inciso 1° del Artículo 49 del Decreto 437 de 1961 que 'Las rentas originadas en el usufructo legal de los padres de familia se gravarán en cabeza de quien ejerza la patria potestad'".

Nótese, por tanto, que el Cuerpo Colegiado estimó que el artículo 49 del decreto 437 de 1961 reglamentaba el artículo 62 de la Ley 81 de 1960 y, como no podía ser distinto, dio aplicación a su mandato sin revisar su eventual legalidad.

Por último, el artículo 24 del decreto 187 de 1975, reglamentario del impuesto sobre la renta y complementarios, volvió a regular el tratamiento del goce legal en el impuesto sobre la renta y extendió la aplicación de la integración allí prevista al nuevo impuesto complementario sobre las ganancias ocasionales que había introducido el decreto legislativo 2053 de 1974[735]. Esa disposición se encuentra hoy compilada en el artículo 1.2.1.1.8 del decreto 1625 de 2016.

Pues bien, el recuento sumario de los antecedentes históricos permite comprender la evolución en el tratamiento tributario del goce legal. Empero, abstracción hecha de que, desde el punto vista jurídico, haya una norma que establece claramente su contenido y alcance, es preciso indagar si la disposición reglamentaria en análisis se aviene a los postulados legales y constitucionales que rigen nuestro ordenamiento. Para ello se efectúan los siguientes planteamientos:

Aquí se ha insistido en la conceptualización del goce legal como figura en virtud de la cual los titulares de la patria potestad están llamados a recoger el saldo de los réditos provenientes de los activos de los hijos que conforman su peculio adventicio ordinario, previa deducción de los gastos

---

[735] Véase, sobre este aspecto, el Capítulo VI del Tomo I.

de crianza, educación y establecimiento de sus hijos, así como de aquellas erogaciones relacionadas con el mantenimiento de la cosa fructuaria. En consecuencia, aunque impropiamente se aluda al *usufructo legal*, lo cierto es que esta prerrogativa no da derecho a los titulares de la patria potestad para ampliar sus arcas, sin más. Simplemente, se ha querido designar a terceros como una especie de mandatarios de los incapaces legales (menores de edad) y para ese propósito la ley ha concebido que los más idóneos son sus propios padres, en estricta observancia de las leyes de la naturaleza.

Expresado en términos más concretos, y sin necesidad de reiterar todas las diferencias que distinguen al goce legal del usufructo ordinario, en el *usufructo legal* no tiene lugar la clásica desmembración del derecho de dominio pleno y, por tanto, no coexisten un *nudo propietario* y un *usufructuario*. El hijo, como titular que es del dominio del bien sobre el cual recae el goce legal, es llamado también a percibir los beneficios económicos que de él se derivan. Pero ocurre que su incapacidad legal y su inmadurez negocial hicieron forzoso que la ley instituyera una figura de protección, por la vía de encomendar a sus padres, los titulares de la patria potestad, la función de gestionar tales activos para hacerlos redituables o productivos, pero no para sí sino para su prole. Y como resultado de ello, el saldo o remanente que quede luego de imputar los gastos propios del titular del activo y los de conservación de la cosa fructuaria pasará a la esfera patrimonial de los padres, a fin de que cumplan con los encargos que su condición de tales les impone.

He ahí el punto de partida para comprender el equívoco insalvable en que incurrió el ordenamiento fiscal al establecer, por vía reglamentaria, una atribución de rentas en cabeza de los titulares de la patria potestad. No son ellos quienes aprovechan económicamente los réditos de los activos sobre los cuales detentan el goce legal, por lo menos no íntegramente, sino que apenas fungen como mandatarios y reciben un saldo, si es que queda, para atender sus obligaciones como padres. Así las cosas, es clara la discordancia que impera entre los regímenes civil y fiscal.

Se podría pensar que no habría inconvenientes con la introducción una disposición tributaria que ordenare la atribución de las rentas de los bienes sobre los cuales recae el goce legal si la tarifa del impuesto sobre la renta fuera proporcional, como sucede con el impuesto sobre las ganancias ocasionales. En ese caso, el sacrificio económico sería idéntico sin importar si el obligado a denunciar los ingresos es el titular de la patria potestad o el hijo de familia. Pero ello no es así: las alícuotas progresivas del impuesto sobre la renta usualmente terminan por distorsionar el nivel de tributación global familiar, en los términos que se dejaron sentados en los títulos que anteceden. La razón para que tal sea el efecto obedece a que la agregación de rentas que pertenecen a los hijos (y a ellos se destinarán) a las propias de los padres aumentan la base gravable de estos últimos y fácilmente pueden desencadenar en la aplicación de una tarifa mayor a la que ordinariamente habría correspondido.

Y no se diga que la anterior afirmación puede ser atemperada en la medida en que la progresividad se quiebra al distribuir la renta derivada del activo perteneciente al peculio adventicio ordinario del hijo entre el padre y la madre, titulares de la patria potestad, por partes iguales, porque el hecho de que la disposición pueda resultar en ocasiones beneficiosa para la tributación familiar global no sanea sus nocivos efectos en el común denominador de los casos.

A todo ello es de añadir que por medio de esta norma se transgrede la Carta Política, en cuanto se distorsionan los parámetros de justicia y equidad con que cada individuo de la colectividad debe contribuir al financiamiento de las cargas del Estado. En efecto, un hijo cuyas rentas se vean gravadas con una tarifa superior a la que ordinariamente le habría correspondido si se hubiera liquidado el tributo en cabeza suya está soportando una carga tributaria inadmisible, como también lo hace el padre a quien, fruto de la comentada atribución de rentas, ve sus propios ingresos sometidos a una tarifa superior a la que tendría que asumir en estricta justicia.

Los planteamientos aquí vertidos se agravan por el hecho de que la regla en análisis haya sido incorporada y mantenida en el ordenamiento fiscal como consecuencia del ejercicio de la potestad reglamentaria de que está revestido el Presidente de la República, en lugar de provenir de la voluntad del Parlamento. Ello es así, por cuanto el artículo 1.2.1.1.8 del decreto 1625 de 2016 regula uno de los elementos esenciales del tributo, cual es la base gravable, y el artículo 338 Superior es muy claro al reservar esta facultad al Congreso de la República.

Tan importante advertencia, que no puede pasar desapercibida, está lejos de ser una simple equivocación de forma. El principio de reserva de ley en materia fiscal hunde sus raíces en el ya inveterado aforismo axiológico según el cual no hay tributación sin representación (*no taxation without representation*) y se erige como garantía para los ciudadanos desde toda óptica[736]. Con ese contexto, la alteración arbitraria de las bases gravables del impuesto sobre la renta por medio de una decisión del Ejecutivo es ostensiblemente inconstitucional.

---

[736]   Para un robusto desarrollo sobre el particular, el lector puede acudir a MAURICIO A. PLAZAS VEGA. *Derecho de la hacienda pública y derecho tributario*, tomo II, 426 y siguientes.

Hay más: se podría sostener que, en ejercicio de su potestad reglamentaria, el Ejecutivo pretendió desarrollar lógicamente la ley, sin intención alguna de ampliarla, modificarla, subvertirla o enervarla. Entonces, surge de bulto el interrogante obvio: ¿cuál es la ley que se reglamenta? No hay claridad sobre la materia, pero si se acude a los valiosos insumos ofrecidos por la jurisprudencia del Consejo de Estado, sería dable afirmar que la disposición en la cual se apoya la atribución de rentas es, hoy, el artículo 262 del Estatuto Tributario, a cuyas voces "son derechos apreciables en dinero, los reales y personales, en cuanto sean susceptibles de ser utilizados en cualquier forma para la obtención de una renta".

Al respecto, se hace indispensable trazar una línea divisoria entre el derecho que da lugar a la obtención de la renta (el goce legal) y la renta misma. La disposición transcrita (artículo 262 del Estatuto Tributario) se encuentra inserta en el Capítulo I del Título II del Libro I del Estatuto Tributario y regula lo atañedero al "patrimonio" de los contribuyentes. De ahí que su ordenación permita que los comentarios pertinentes se dejen plasmados en la próxima Sección. En todo caso, cuando se diferencia con claridad el derecho que da lugar a la obtención de la renta, que es lo que regula el artículo 262 del Estatuto Tributario, y la renta misma, no parece haber una relación tan íntima que conduzca a pensar que el artículo 1.2.1.1.8. del decreto 1625 de 2016 tiene por objeto su desarrollo. Nadie discute, desde ahora se advierte, que el derecho de goce legal conceda la posibilidad a los titulares de la patria potestad para percibir un ingreso gravado (el saldo que quede después de imputar los gastos de educación, establecimiento y crianza de los hijos y el mantenimiento de la cosa fructuaria), pero que esa prerrogativa deba ser reflejada en el patrimonio de los progenitores no implica, de suyo, que la totalidad de rentas derivadas de los bienes o derechos sobre los que recae el goce legal deban correr la misma suerte.

También se podría pensar que el artículo 1.2.1.1.8., en comentario, no hace más que integrar armónicamente el ordenamiento jurídico, en atención al *uno universo iure*, de manera que haya una coincidencia lógica entre las disciplinas fiscal y civil. Tal afirmación, se repite, sería inconsistente, porque no hay congruencia en cuanto al tratamiento del goce legal en el Derecho Común y en el Derecho Tributario.

Es cierto que, en tratándose del usufructo ordinario, el Código Civil concede al usufructuario el derecho de hacer suyos los frutos de la cosa sobre la cual recae el derecho real[737], lo que implica que el usufructuario es el

---

[737]   Cfr. Artículos 841 y 849 del Código Civil.

obligado, en el campo fiscal, a reflejar los ingresos que provienen de la cosa y a liquidar el impuesto sobre la renta que corresponda.

Mas no participa de la misma naturaleza el goce legal de que quedan revestidos los padres de familia, por cuanto ellos no se hacen a la propiedad de los frutos, réditos y lucros que produzcan los bienes de sus hijos, sino tan solo del remanente que quede después de restar los gastos de educación, establecimiento y crianza de estos últimos. Esa específica destinación de los ingresos explica, se insiste, que no se pueda hablar con propiedad de unos usufructuarios y un nudo propietario en esta figura y, consiguientemente, desdibuja que, en el campo fiscal, deban ser los padres los llamados a reflejar los ingresos en sus propios denuncios y liquidar el impuesto sobre la renta con base en ellos. Siendo ello así, no sería consistente afirmar que la norma reglamentaria objeto de análisis entrañe un verdadero desarrollo o integre armónicamente el ordenamiento jurídico *in toto*.

Sobre las bases de lo expuesto, fácilmente advertible resulta que el artículo 1.2.1.1.8. del decreto 1625 de 2016 entraña una nueva regla de derecho, en lugar de consistir en el desarrollo lógico de una disposición de rango legal. Y, desde luego, su contenido sustancial toca uno de los elementos esenciales de la obligación tributaria, pues ordena la agregación indiscriminada de rentas en la base gravable del impuesto sobre la renta de los titulares de la patria potestad. Por consiguiente, es apenas natural que se reconozca que la expedición del reglamento ha desbordado la potestad con que el artículo 189 de la Carta Política reviste al Presidente de la República, en la medida en que se han usurpado las funciones constitucionalmente conferidas al Congreso. Ello es motivo suficiente para sostener que se trata de una norma abiertamente ilegal.

2. El cuestionable tratamiento del goce legal en el impuesto sobre el patrimonio

Es inobjetable que el razonamiento del Consejo de Estado en torno a la tributación del goce legal en el impuesto sobre el patrimonio resulta lógica y consistente con el ordenamiento fiscal en vigor. En efecto, cuando se consulta el régimen del impuesto sobre la renta y se advierte que las disposiciones pertinentes exigen que los padres agreguen a sus propias rentas *todas* aquellas derivadas de los bienes y derechos de sus hijos sobre los que recae el goce legal, se torna incontestable la conclusión según la cual los progenitores son los llamados a reflejar el valor de tales bienes y derechos en su patrimonio.

Recuérdese que el artículo 262 del Estatuto Tributario señala con contundencia que "[s]on derechos apreciables en dinero, los reales y personales, en cuanto sean susceptibles de ser utilizados en cualquier forma para la obtención de una renta". Así pues, al ser el goce legal un derecho real que, según la normativa vigente, puede ser empleado de tal manera que le genere rentas a su titular (el progenitor), no queda otra alternativa que admitir que la totalidad del activo subyacente (sobre el cual recae el goce legal) deba ser reflejado por el titular de la patria potestad.

Ahora bien, que no se discuta la congruencia lógica de la argumentación imperante como consecuencia de la regulación en vigor no significa que se comparta o que deje de ser reprochable. A decir verdad, si se comprende que la verdadera renta a que tienen derecho los titulares del goce legal no es la totalidad del fruto producido por el activo de propiedad del hijo de familia, sino solamente el remanente que queda después de imputar los gastos de crianza, educación y establecimiento de la descendencia, es relativamente sencillo entender que no sería adecuado forzar a los progenitores a incluir la totalidad del valor del activo como parte de su patrimonio.

Y no se atempera la anterior conclusión por el hecho de que, como ha sido visión consistente del Consejo de Estado, el titular del goce legal se repute *poseedor* de los activos de los hijos para efectos tributarios, así no lo sea en materia civil, porque aparentemente detenta el aprovechamiento económico, potencial o real, de los activos en su propio beneficio[738]. Si bien es cierto que en la normativa tributaria la *posesión* tiene un cariz distinto al que aparece en la legislación civil, no lo es menos que aquí el aprovechamiento económico no lo tienen los progenitores en su propio beneficio. En realidad, los principales y primeros beneficiarios de los frutos, réditos y lucros que produzcan los bienes y derechos sobre los cuales recae el goce legal son los hijos de familia.

No es del caso oponer, al anterior planteamiento, que el inciso segundo del artículo 263 del Estatuto Tributario presume que quien "aparece como usufructuario de un bien lo aprovecha económicamente en su propio beneficio", puesto que, como tantas veces se ha manifestado, la impropia denominación de "usufructo legal" con que el Legislador bautizó al "goce legal" no permite desprender que se trate de una especie de usufructo ordinario. En esa medida, no cabe aquí la presunción antedicha, pues la figura del goce legal tiene cauces propios que han sido claramente definidos y delimitados por la ley y la jurisprudencia.

---

[738] Cfr. Artículo 263 del Estatuto Tributario.

Con lo expuesto no se pretende infirmar que el goce legal podría generar, actual o potencialmente, rentas gravadas en cabeza de los padres y que, consiguientemente, corresponde a un derecho apreciable en dinero y susceptible de ser reflejado en el patrimonio de los progenitores. Pero lo que sí se descarta es que los titulares de la patria potestad deban ser conminados a reflejar la totalidad del activo como si fuera de su entera propiedad, puesto que el grueso de las rentas aprovechará a sus hijos por expreso mandato legal.

En esas condiciones, ¿cuál es el valor que deberían reflejar los padres y cuál los hijos? Contrario a lo que sucede con el usufructo ordinario, la normativa fiscal no alberga, como debería hacerlo, disposición alguna que regule lo atañedero al goce legal. Sin embargo, al acudir a las reglas que gobiernan el usufructo ordinario se aprecia que al usufructuario se le impone la carga de reflejar el 5% del valor del activo por cada año o fracción de año por el que ostente el derecho real de usufructo, sin superar el 70%.

Este mandato resulta de la mayor importancia, habida cuenta de que uno de los rasgos distintivos entre el usufructo ordinario y el goce legal es que el usufructuario tiene derecho, porque así lo ordena la ley, a percibir la totalidad de los frutos civiles y naturales que produce la cosa fructuaria, en tanto que el titular del goce legal tan solo se hace a un remanente. Por tanto, si el Legislador ha establecido que en materia del usufructo ordinario el usufructuario se encuentra obligado a reflejar el 5% del valor del activo por cada año en que es propietario del derecho real en cuestión, sin superar el 70%, luce por completo irrazonable que en lo que toca con el goce legal se ordene a los progenitores reflejar el 100% del valor del activo.

Así las cosas, en caso de que se llegare a derogar o anular la disposición reglamentaria que ordena la agregación indiscriminada de las rentas de los activos de los hijos respecto de los cuales se despliega el derecho de goce legal en cabeza de los titulares de la patria potestad, será necesario que el Legislador precise la forma de determinar el valor patrimonial de la prerrogativa que los padres deben reflejar como propia en su patrimonio, a título de goce legal. Para el efecto, será imperativo que se consulte adecuadamente el ordenamiento jurídico y se tengan en cuenta las reglas de valoración de los usufructos ordinarios establecidas en el artículo 303 del Estatuto Tributario. Porque, se repite, luciría completamente exótico e irrazonable que quienes detentan el goce legal deban calcular el valor patrimonial de su derecho en los mismos términos que un usufructuario ordinario, si aquéllos, a diferencia de éstos, no son beneficiarios absolutos de la totalidad de rentas derivadas de la cosa fructuaria, sino de un remanente.

3. La ficción de renuncia al goce legal y la afrenta a la equidad y justicia en la tributación

Como se ha expuesto reiterativamente en esta obra, el goce legal estuvo desprovisto de regulación normativa en el ámbito tributario durante buena parte de la existencia del impuesto sobre la renta entre nosotros, motivo por el cual sus alcances estuvieron librados a la interpretación de los operadores jurídicos. En cuanto toca con la renuncia de esta prerrogativa, el primer pronunciamiento relevante se remonta al 4 de diciembre de 1946, fecha en la que la Jefatura de Rentas e Impuestos Nacionales profirió la Resolución número 1.524. En esa oportunidad, la Administración avaló la posibilidad de renuncia con el siguiente razonamiento:

"[E]s preciso estudiar si la renuncia del usufructo legal afecta o no el interés de orden público que contempla la Ley al concederlo: ¿Qué repercusión tiene para los intereses del hijo de familia la renuncia del usufructo efectuada por el padre? Como el padre es administrador legal aún de los bienes del hijo menor sobre los cuales no tenga el usufructo, la renuncia de tal derecho sólo representa el tránsito de un régimen en el cual el padre no rinde cuentas y tiene la facultad de libre disposición, a otro en el que ha de responder hasta la culpa leve por la propiedad y los frutos, según lo dispuesto por el artículo 298 del C.C. (…)

Siendo esto así, la renuncia del usufructo legal, lejos de perjudicar los intereses del menor, le ofrece una mayor garantía, máxime si se considera que tal renuncia en nada altera los lazos naturales que impulsan al padre a procurar el bien de los hijos.

Si como se ha visto, el interés del orden público no sufre lesión con la renuncia del usufructo legal, desaparece toda dificultad para que el padre pueda efectuarla legalmente y, por tanto, lo que hizo el señor N.N. debe producir todas sus consecuencias civiles y fiscales".

Repárese en que los planteamientos de la Administración, que obran como fundamento primario para la estructuración de la renuncia como ficción en el ordenamiento fiscal, parten de la premisa según la cual la abdicación no contraviene los límites impuestos por el artículo 15 del Código Civil; esto es, no afecta intereses de terceros ni contraría el orden público. En nuestro sentir, según se expone detalladamente en la letra D) del número 3 de la Subsección I de la Sección II del Capítulo II de esta Parte, esa conclusión es incorrecta. Perfectamente se pueden lacerar los intereses de otros hijos, también considerados terceros, cuando el padre o los padres que renuncian al goce legal pierden su solvencia económica y, por esa vía, incumplen o desatienden los deberes que su condición de tales les impone. Ello se deriva, desde luego, de la comprensión del fundamento teórico que subyace a la institución del goce legal entre nosotros.

Pero, abstracción hecha de que más adelante se estructurará la crítica con detenimiento, por ahora interesa destacar que, en la misma Resolución, la Jefatura de Rentas e Impuestos Nacionales creó la exigencia, luego reiterada por las normas fiscales, de que la renuncia al goce legal se hiciera por medio de escritura pública. Señaló, al efecto, la Administración:

"[L]a renuncia del usufructo, ya sea legal o común, no encarna un título traslaticio de dominio, pues ella sólo apresura la consolidación de la propiedad, que de otra manera demoraría hasta el vencimiento del plazo fijado por la ley, el acto o el contrato; y como la consolidación es un fenómeno jurídico que opera *ipso-facto* a la terminación del usufructo, y no requiere solemnidad alguna, síguese que la renuncia tampoco la requiere para su validez. Otra cosa es que, para preconstituir una prueba, se haga constar por alguno de los medios que la ley autoriza. Y esta prueba, en el caso que se estudia, aparece de un documento privado fechado el 22 de noviembre, en el cual el señor N.N. consigna expresamente su renuncia al usufructo de los bienes de sus hijos menores A, B, C y D, acto que más tarde se ratificó por medio de la escritura número … de la Notaría …".

Ahora bien, desde la perspectiva jurisprudencial, la primera vez que se adujo la posibilidad de renunciar al goce legal fue en la sentencia proferida por la Sección Cuarta del Consejo de Estado el 6 de diciembre de 1955, expediente 800, C.P. Antonio José Prieto. En esa oportunidad se planteó lo siguiente:

"Y está de acuerdo con lo sostenido por la Jefatura, este Tribunal, pues, aun cuando ocurre que el derecho de usufructo, como casi todos los derechos inherentes a una persona, son renunciables, siempre que no sea en perjuicio de derechos de terceros, pero la renuncia de un derecho de estos implica una donación, y estas cuando pasan de dos mil pesos, requieren insinuación judicial, que en el caso en estudio no se obtuvo o por lo menos no consta en el expediente. Pero es que hay más. Bien pudo la señora Ángel de Correa donar a su hijo Álvaro el derecho de usufructo, pero al hacerlo para que esta donación tuviera un valor legal, no sólo debía haberse insinuado, como antes se dijo, sino que también debió haber sido en forma expresa, que constara en algún documento, pero nunca en forma tácita. (…)

Además no se allegó, ni intentó siquiera hacerlo, prueba de que la señora Inés Ángel de Correa hubiera renunciado a percibir o gozar del usufructo dicho por haberlo dejado en beneficio del mismo hijo Álvaro Correa, o que se lo hubiera donado o donado a un tercero, que son los casos, cuando ocurren y se demuestran, que hacen Imposible gravarlo para el padre o madre del menor, liquidarlo y cobrarlo él o ella".

Es nítido que, en la providencia que ahora se comenta, se hizo una asimilación plena y absoluta entre el usufructo ordinario y el goce legal. En efecto, se partió de la base de que la renuncia del goce legal era admisible a la luz del ordenamiento civil, al no contrariar el orden público ni afectar derechos de terceros, sin detenerse a cuestionar o explorar su verdadera viabilidad que, como se ha expresado, en el Derecho de Familia la doctrina más especializada ha repudiado.

Adicionalmente, y contrario a lo afirmado por la Jefatura de Rentas e Impuestos Nacionales en la Resolución antes transcrita, la providencia equiparó, extrañamente, la renuncia a una donación. En verdad, la renuncia al derecho de usufructo ordinario, que comporta la abdicación de un derecho, no entraña propiamente una donación, sino que, como lo afirmara la Resolución número 1.524 de la Administración Tributaria, precipita la consolidación del derecho de dominio pleno en cabeza del nudo propietario. De ahí que, si hipotéticamente fuera posible tratar en pie de igualdad al usufructo ordinario y al goce legal, la renuncia de los titulares de la patria potestad no habría de ser sometida a las reglas de insinuación que rigen las donaciones, como lo expone con suficiente claridad VÉLEZ en su obra:

"De acuerdo con el artículo 15 [del Código Civil] pueden renunciarse los derechos con tal que sólo miren al interés individual del renunciante, y que no esté prohibida la renuncia. El derecho de usufructo [ordinario] es un derecho individual, y no hay razón para que se prohíba su renuncia siempre que la haga una persona capaz o con las formalidades legales.

Al hablar del artículo 862 [del Código Civil] dijimos que la renuncia del usufructo es la abdicación de un derecho y no la cesión de éste. Al renunciarlo desaparece consecuencialmente la limitación correspondiente, o sea, el nudo propietario queda con el dominio perfecto sobre los bienes que constituían el usufructo. Si el usufructuario cede su derecho al nudo propietario, bien a título oneroso o a título gratuito, también se extingue el usufructo. Si lo cede a un tercero (art. 852) el usufructo no queda extinguido"[739].

---

[739]   FERNANDO VÉLEZ. *Estudio sobre el derecho civil colombiano*. Tomo III. Segunda Edición. Ed. Imprenta París-América. París, 1926. Pág. 293.

"La renuncia de un usufructo [ordinario] no es una cesión al propietario, sino la abdicación de un derecho. Ella no puede presumirse de ningún acto del usufructuario; debe ser expresa y reunir las condiciones de toda declaración de voluntad. No necesita la intervención del propietario; pero siendo un acto voluntario del usufructuario, éste puede revocarlo mientras el propietario no lo acepte formalmente.

También podría el usufructuario donar su derecho al nudo propietario: pero tratándose entonces de una donación, que extinguiría el usufructo, el acto debe regirse por los preceptos relativos a las donaciones"[740].

En cualquier caso, más allá de que la renuncia del derecho real de usufructo ordinario no comporte *per se* una donación, o que sea posible la cesión –en este caso sí se trata como donación– al nudo propietario, lo cierto es que, en materia del goce legal, no caben estas figuras. Y mucho menos se admite la cesión o donación a terceros, contrario a lo admitido por la providencia en análisis, precisamente por su naturaleza de derecho familiar que se concede específica y puntualmente a los titulares de la patria potestad, que no son otros que los propios progenitores[741].

Sin embargo, a pesar de las objeciones plasmadas en las líneas que anteceden, lo cierto es que esta providencia, junto con la Resolución de la Administración Tributaria, fueron la fuente directa de la que más tarde abrevaría la legislación fiscal para establecer, en el artículo en el artículo 49 del decreto reglamentario 437 de 1961, la posibilidad de renuncia. Como se sabe, esta disposición fue luego reiterada en el artículo 24 del decreto reglamentario 187 de 1975 y, finalmente, compilada en el artículo 1.2.1.1.8. del decreto 1625 de 2016.

Pues bien, más allá de la disposición legal que autoriza la renuncia, importa precisar los motivos por los cuales, a nuestro juicio, se trata de una norma que lesiona gravemente los postulados supralegales de equidad y justicia en la tributación. Veamos:

El hecho de que se admita la renuncia del goce legal como una llana ficción en el régimen fiscal implica de suyo que, en términos prácticos, dos contribuyentes que se encuentran exactamente en la misma posición deban soportar cargas tributarias disímiles. En efecto, si en materia civil la renuncia del goce legal está proscrita, como en efecto lo está, poco interesará que un padre protocolice su renuncia a la prerrogativa del goce legal

---

[740] *Ibidem.* Pág. 278 y 279.
[741] Este aspecto es uniformemente aceptado por la doctrina y la jurisprudencia ordinaria.

porque, en términos económicos y jurídicos, no habrá la más mínima variación: el hijo, antes como después de la abdicación del padre, preservará la titularidad de los ingresos y réditos que provengan de los activos sobre los que recae el goce legal; y el padre, antes como después de su renuncia, será titular del remanente que quede después de imputar los réditos e ingresos al establecimiento, educación y crianza de sus hijos.

En esa medida, la ficción que alberga el ordenamiento fiscal no pasa de ser una simple alternativa de planeación tributaria, en virtud de la cual se permite a los contribuyentes, sin razón aparente alguna, modificar sus bases gravables y elegir el importe que deben ingresar al Fisco a título de impuesto. Ello supone, sin lugar a dudas, una laceración del principio de equidad tributaria, por cuanto apareja la nociva consecuencia de que dos contribuyentes en la misma posición jurídica y fáctica tributen en forma disímil.

Y no es ese el único reparo que merece la institución jurídica en análisis. Si su creación hubiera sido de origen legal, ciertamente la discusión se centraría en determinar su conformidad con la Carta Política desde la óptica sustancial. Pero sucede que, como se apuntó en la crítica formulada respecto de la regulación del goce legal en el impuesto sobre la renta y complementario, esta es una norma que funda su raíz en el reglamento y que toca directamente con uno de los elementos esenciales de los tributos: la base gravable.

Según se dijo, por causa de la ficción de renuncia se obtienen dos consecuencias distintas: (i) en el impuesto sobre la renta y complementario, los ingresos provenientes de los activos respecto de los cuales se despliega el goce legal del padre de familia comienzan a ser reflejados directamente por los hijos, quienes tendrán que liquidar individualmente el tributo; y (ii) en el impuesto sobre el patrimonio, los bienes y derechos que son objeto del goce legal dejan de ser reflejados en el patrimonio de los padres para pasar a figurar en el de los hijos. En uno y otro casos se está ante la más evidente modificación de la base gravable del tributo que, como dijera Giannini, constituye la dimensión cuantificada del hecho generador.

Si a lo expuesto se agrega el mandato supralegal según el cual, en tiempos de paz, corresponde al Congreso, las Asambleas Departamentales y los Concejos Municipales o Distritales fijar, entre otros elementos, la base gravable de los impuestos y aquel que proscribe al Ejecutivo crear o modificar tributos, bien sea en condición de legislador extraordinario o por virtud de la potestad reglamentarias, forzoso es concluir que estamos ante una norma jurídica que debe ser retirada del ordenamiento. En parte alguna del sistema legal se ha previsto la admisibilidad de la renuncia y, por tanto, no estamos ante nada distinto que la creación de una regla de derecho que resulta incompatible con el ordenamiento superior.

Nada más exótico que pensar en la posibilidad de admitir una ficción como la que ocupa estas líneas, si con ella no se altera la realidad económica de los individuos que intervienen en su materialización. Porque, se repite, el padre que renuncie al goce legal no deja por ese hecho de preservar la titularidad de esa prerrogativa en su cabeza, ni tampoco deja el hijo de ser destinatario principal de los ingresos y réditos de sus activos por el hecho de que su progenitor se abstenga de abdicar de su prerrogativa. Entonces, ¿cómo se podría sostener en el ordenamiento una disposición semejante? Parece no haber otra respuesta que el equivocado razonamiento de creer que la renuncia del goce legal es factible, en la medida en que no contraviene el artículo 15 del Código Civil. Mas ello no pasa de ser un incorrecto entendimiento de la prerrogativa de la patria potestad de que aquí se trata y que solo da cuenta de que el ordenamiento fiscal no tuvo en consideración la doctrina especializada sobre la materia.

VI. Nuestra propuesta

Un lector sagaz ya habrá podido identificar la propuesta que en estas líneas se defiende. Empero, a fin de brindar la mayor claridad posible, se estructurará una breve síntesis del tratamiento que, a juicio del autor, debería recibir el goce legal entre nosotros:

1) En materia del impuesto sobre la renta y su complementario de ganancias ocasionales, los ingresos provenientes de los activos sobre los cuales los progenitores detentan el goce legal deben ser reflejados, en primer lugar, por lo hijos. En cuanto al saldo que quede después de imputar tales ingresos a los gastos de crianza, educación y establecimiento de los hijos, que es el que los padres pueden hacer suyo, los progenitores lo habrán de reflejar como propio en su denuncio y con base en él liquidarán el tributo a cargo que les corresponda.

2) Por cuanto toca con el impuesto sobre el patrimonio, es función del Legislador establecer cuál es el porcentaje del activo respecto del cual recae el goce legal que los padres habrán de reflejar como propio en su declaración. El resto, como es apenas normal, tendrá pertenecerá íntegro al patrimonio del hijo. Para el efecto, se recomienda tener en cuenta la distribución patrimonial que impera en nuestro ordenamiento fiscal en relación con el derecho de usufructo ordinario. Y ello es importante, a no dudarlo, porque en tratándose

del usufructo ordinario el usufructuario tiene derecho de percibir la totalidad de los frutos, ingresos y réditos que produzca la cosa, en tanto que no sucede lo mismo con el goce legal, donde los padres, que vendrían a fungir como usufructuarios si se quisieran equiparar impropiamente las figuras, solo tienen derecho de recoger el saldo o remanente que quede después de imputar los ingresos, frutos y réditos producidos por el bien a los gastos de educación, establecimiento y crianza de sus titulares reales.

3) La renuncia debe desaparecer del ordenamiento fiscal. No es admisible una ficción si la realidad económica se ve inalterada. Ello contraría los más elementales principios constitucionales de la tributación.

Ahora bien, desde luego que, para que esta propuesta pueda tener aplicación, es primero necesario que se elimine la regulación vigente sobre la materia y, en su lugar, sea sustituida por otra que disponga lo aquí planteado. También es importante que quien tome las decisiones normativas pertinentes sea el Congreso de la República, como en derecho corresponde, y no el titular de la potestad reglamentaria.

SECCIÓN III. DISCUSIONES TRIBUTARIAS EN TORNO A LA DEPURACIÓN DE LA RENTA DE LOS PADRES: LA FIGURA DE LOS DEPENDIENTES

Sabido es que, en nuestro medio, el ordenamiento jurídico que disciplina el impuesto sobre la renta no grava a las personas por sus ingresos brutos, sino por su *enriquecimiento*. Abstracción hecha de las distintas aproximaciones que se han hecho en relación con ese concepto, lo cierto es que el *enriquecimiento* es aquella proporción de los ingresos percibidos durante un período que verdaderamente incrementa el patrimonio de su receptor. Por tal motivo, el artículo 26 del Estatuto Tributario consagra un procedimiento preciso para retirar, de los ingresos brutos, aquellas rentas que no enriquecen al contribuyente y, desde luego, en la materia que nos aboca, se reconoce por el ordenamiento que, al interior de las familias, las más de las veces los progenitores deben incurrir en gastos y erogaciones para satisfacer las necesidades de sus hijos.

Como se vio en el Tomo I, las diferentes escuelas de pensamiento han abordado la cuestión desde las más variadas aristas. En Colombia, pese al asentamiento del neoliberalismo en el ámbito tributario, por medio de la Ley 75 de 1986, se mantuvo una especial consideración respecto de las erogaciones que tienen lugar al interior de la familia, sin importar que ellas no tengan ninguna relación de causalidad con la actividad que le genera la renta al individuo respectivo. Tal estructura se vino a robustecer con la expedición de nuestra Carta Política, en 1991, cuando se elevó la protección de la familia a rango constitucional y se la reconoció como *núcleo fundamental de la sociedad.*

Así las cosas, las minoraciones que se admiten a la base gravable de la renta de los contribuyentes por concepto de las erogaciones familiares no gozan hoy de una protección meramente legal, sino que su estructura se cimienta sobre los más profundos principios constitucionales que informan el Estado Social y Democrático de Derecho colombiano. Desde luego, no se desconoce que los gastos en que incurren los contribuyentes para la atención de las necesidades de sus familiares pueden ser variados, ni que los destinatarios de tales erogaciones pueden ser muy distintos, pero en este punto nos hemos de referir a un cúmulo específico de beneficiarios que dan derecho a la deducción: los hijos. Y ello es así, como no podría ser distinto, puesto que es esa la materia que ahora se trata.

I. Conceptualización general

La deducción de las erogaciones por dependientes, como factor de resta en la depuración de la renta del contribuyente que perciba rentas de trabajo[742], se encuentra regulada en el artículo 387 del Estatuto Tributario. La estructura normativa no parece ser la más afortunada, toda vez que está diseñada en función de la disminución de la base de retención en la fuente que debe practicar quien efectúa los pagos al contribuyente y, en forma tangencial, dispone que "[l]as deducciones establecidas en este artículo se tendrán en cuenta en la declaración ordinaria del Impuesto sobre la Renta".

En todo caso, es pacífico que obra como factor de renta para la disminución de la renta del contribuyente "una deducción mensual de hasta el 10% del total de los ingresos brutos provenientes de la relación laboral o

---

[742] De acuerdo con la definición legal suministrada por el artículo 103 del Estatuto Tributario, rentas de trabajo no son solo las derivadas del contrato laboral, sino que también comprenden los honorarios, comisiones, emolumentos y todos aquellos estipendios que se erigen como compensación por servicios personales. En el caso particular de quienes no perciben ingresos derivados de una relación "laboral o legal y reglamentaria", se ha generado discusión en torno a la procedencia de la deducción. Tales casos serán objeto de discusión en líneas posteriores.

legal y reglamentaria del respectivo mes por concepto de dependientes, hasta un máximo de treinta y dos (32) UVT mensuales". Adicionalmente, la Ley 2277 de 2022 agregó una deducción adicional por dependientes en el artículo 336 del Estatuto Tributario, con motivo de la ostensible limitación incluida por ese compendio normativo a las rentas exentas y deducciones que se pueden restar de la base gravable de la cédula general del impuesto sobre la renta de las personas naturales (hasta 1.340 UVT anuales). El texto de esa adición es el siguiente:

"Sin perjuicio de lo establecido en el inciso 2 del artículo 387 del Estatuto Tributario el trabajador podrá deducir, en adición al límite establecido en el inciso anterior, setenta y dos (72) UVT por dependiente hasta un máximo de cuatro (4) dependientes".

Nótese que se trata de una deducción "adicional" a la prevista en el artículo 387 del Estatuto Tributario, que no fue materia de variación por la Ley 2277 de 2022 en este aspecto. Por consiguiente, aunque se trata de una deducción que versa sobre la misma materia que regula el inciso segundo del artículo 387 del Estatuto Tributario, no se confunde ni se identifica con ella. En consecuencia, los contribuyentes tendrán derecho de restar el 10 % de sus ingresos brutos laborales mensuales por concepto de un dependiente, sin exceder de 32 UVT por mes, y, adicionalmente, por cada dependiente adicional (hasta un máximo de 4 dependientes) podrán restar 72 UVT anuales en la depuración de la base gravable del impuesto sobre la renta.

Ahora bien, previo a la modificación incorporada por el artículo 9º de la Ley 2277 de 2022, el parágrafo segundo del artículo 387 del Estatuto Tributario preveía una definición legal sobre quiénes se consideraban dependientes y precisaba que recibían tal connotación, entre otros: (i) los hijos del contribuyente que tuvieren hasta 18 años de edad; (ii) los hijos del contribuyente con edad entre 18 y 23 años, cuando el padre o madre contribuyente persona natural se encontrare financiando su educación en instituciones formales de educación superior certificadas por el ICFES o la autoridad oficial correspondiente; o en los programas técnicos de educación no formal debidamente acreditados por la autoridad competente; y (iii) los hijos del contribuyente mayores de 23 años que se encontraren en situación de dependencia originada en factores físicos o psicológicos que sean certificados por Medicina Legal. Por su parte, el artículo 1.2.4.1.1.18. del Decreto 1625 de 2016 recoge una definición idéntica a la que proporcionaba la ley.

Pues bien, varios son los comentarios que merece la disposición en análisis:

1. Contribuyentes que pueden solicitar la deducción

Recuérdese que, según se explicó en el Tomo I, el ordenamiento tributario colombiano migró, con motivo de la promulgación de la Ley 1819 de 2016, del sistema global del impuesto sobre la renta a uno de naturaleza cedular, en virtud del cual las rentas, según su fuente, son separadas y se someten a tratamiento diferente en cuanto a las condiciones y reglas de depuración y recaudación. En tal sentido, la deducción de que aquí se trata es solo procedente para los contribuyentes que perciban rentas de trabajo, las cuales se han de computar en la cédula de rentas generales.

Resulta incontestable que no es dable que el contribuyente que percibe rentas distintas, como por ejemplo por dividendos y participaciones, solicite la deducción por dependientes en la depuración de su impuesto sobre la renta. Sin embargo, la Dirección de Impuestos y Aduanas Nacionales, en Concepto 01717 de 2017[743], señaló que, a su juicio, no todas las *rentas de trabajo* a que alude el artículo 103 del Estatuto Tributario son susceptibles de depuración con la deducción por dependientes, sino únicamente aquellas provenientes de la relación laboral, legal o reglamentaria. Así las cosas, quien perciba honorarios no tendría derecho de solicitar la deducción en comentario, puesto que los ingresos percibidos hallarían su origen en una relación de tipo civil o comercial, mas no en el *contrato de trabajo*.

El autor se aparta de los planteamientos vertidos por la Administración Tributaria en su Doctrina Oficial, habida cuenta de que una lectura armónica del ordenamiento jurídico permite concluir lo contrario. En efecto, aunque una lectura aislada y exegética del artículo 387 del Estatuto Tributario podría sugerir, en algún grado, que la deducción es solo susceptible de ser solicitada por aquellos contribuyentes que perciban rentas derivadas de una *relación laboral, legal o reglamentaria,* el artículo 1.2.1.20.3. del decreto 1625 de 2016, único reglamentario en materia tributaria, dispone que la depuración de la sub cédula de rentas de trabajo, que pertenece a la cédula de general, admite como deducciones "las establecidas en el artículo 119, el inciso 6 del artículo 126-1 y el artículo 387 del Estatuto Tributario", sin distinguir entre el origen de las rentas.

Huelga advertir, al respecto, que el artículo 335 del Estatuto Tributario indica que las rentas de trabajo a que alude el artículo 103, *ibídem*, se consideran ingresos pertenecientes a la sub cédula de rentas de trabajo que integra la cédula general. Y el artículo 103, sin cortapisa de naturaleza

---

[743] También lo sostuvo así en el Concepto 19453 de 2017.

alguna, dispone que "son rentas exclusivas de trabajo las obtenidas por personas naturales por concepto de salarios, comisiones, prestaciones sociales, viáticos, gastos de representación, honorarios, emolumentos eclesiásticos, compensaciones recibidas por el trabajo asociado cooperativo y en general, las compensaciones por servicios personales".

Nótese que la norma últimamente transcrita no distingue si la remuneración halla su origen en un contrato de trabajo o en uno civil, a efectos de catalogarla como renta exclusiva de trabajo. Siendo ello así, en la medida en que todas ellas integran la sub cédula de rentas de trabajo se debe admitir, por no haber hecho distinción alguna el reglamento, que en cualquier evento son susceptibles de depuración con la deducción por dependientes a que alude el artículo 387 del Estatuto Tributario. Sostener lo contrario implicaría descargar una injustificada barrera, que no se sigue de la integración armónica del ordenamiento jurídico, sobre los padres que no perciben ingresos derivados de un contrato de trabajo, pero sí provenientes de la prestación de servicios personales.

2. Los hijos de crianza como dependientes

Recientemente ha surgido una importante discusión en relación con la condición de *hijo*. Según se explicó en líneas previas, en materia de filiación, es decir, de relaciones jurídicas entre *padres* e *hijos*, el discurrir histórico tiene enseñado que lo común y habitual es que sean los lazos de sangre los que marquen la pauta. Empero, puede ocurrir, y cada vez sucede con mayor frecuencia, que la realidad biológica en torno a la paternidad no coincida con la jurídica. Dentro de estos últimos supuestos se encuentran casos regulados por la ley, como la adopción y la inseminación artificial heteróloga, y otros que no lo están, como la paternidad de crianza.

Es normal que la ausencia de regulación normativa desencadene en importantes discusiones que se deben zanjar a la luz de la principalística contenida en la Carta Política. Y, sin lugar dudas, la paternidad de crianza, cuya creación obedece sin bemoles a la jurisprudencia constitucional y ordinaria, no escapa a tales controversias.

En el campo tributario, una de las más importantes divergencias que ha tenido lugar es la relacionada con la definición de si los *hijos de crianza* pueden ser tenidos como *hijos* para efectos de solicitar la deducción por dependientes. Sobre el particular, bien relevante resulta el Concepto 100208221-873 de 2020, proferido por la Dirección de Impuestos y Aduanas Nacionales, en el que se abordó la temática. En aquella oportunidad, la Administración se decantó por la respuesta negativa y sus fundamentos se apoyaron en la sentencia de la Corte Constitucional C-085 de 2019, M.P. Cristina Pardo Schlesinger, por medio de la cual se negó la extensión de efectos sucesorales a los hijos de crianza. Veamos:

"3.2.14. Ciertamente, no se ha planteado en el ordenamiento jurídico colombiano una regulación concreta para la familia de crianza. Su reconocimiento y protección se ha dado caso a caso en el ejercicio del control concreto de constitucionalidad. Esta labor que no se puede confundir con la labor que despliega esta Corporación en sede de control abstracto de constitucionalidad, porque en el primer caso se juzgan casos concretos, mientras que en el segundo, la Corte se limita a armonizar un texto legal con los mandatos previstos en la Constitución. En el control abstracto de constitucionalidad el juez no hace una aproximación específica a casos concretos sino que compara la norma acusada con la Constitución.

3.2.15. El reconocimiento que esta Corporación le ha otorgado a la familia de crianza no ha llegado a definir los efectos jurídicos que tiene sobre la filiación y el parentesco de las personas que hacen parte de ella. En otras palabras, y en la medida que es una tarea que compete exclusivamente al legislador, no ha establecido en términos generales la capacidad para ejercer derechos y contraer obligaciones de los hijos y padres de crianza como sí ocurre en las relaciones parentales que surgen a partir de vínculos de consanguinidad o por adopción.

3.2.16. La crianza no es un hecho que la ley haya previsto como fuente de filiación. Los hijos y padres de crianza carecen de mecanismos legales que acrediten su condición jurídica en calidad de padres e hijos. El mecanismo particular que la ley ha establecido para acreditar relaciones entre padres e hijos que no tienen un vínculo de consanguinidad es el trámite de adopción. Ésta se declara a través de sentencia judicial y tiene el efecto directo en el registro del estado civil de los hijos adoptivos. Tal como lo ha establecido el legislador, la adopción es principalmente y por excelencia, una medida de protección a través de la cual, bajo la suprema vigilancia del Estado, se establece de manera irrevocable, la relación paterno – filial entre personas que no la tienen por naturaleza.[744] La adopción ha sido establecida principalmente como un mecanismo de protección a la infancia abandonada mediante su incorporación definitiva a una familia estable.

---

[744] Ley 1098 de 2006. Artículo 61.

3.2.17. De allí que el legislador haya consagrado no solo presunciones legales para la adecuada protección de los derechos de hijos y padres, sino también los recursos judiciales idóneos y efectivos para reconocer la calidad de hijo o para hacer exigibles los derechos que se desprenden de las relaciones parentales, y para que estas sean oponibles a terceros".

La paternidad de crianza es una figura cuyos cauces, se repite, no se encuentran delimitados, en su totalidad, por la ley o la jurisprudencia, lo que hace compleja la definición concreta de cualquier tema que se relacione con ella. Pero lo que resulta inobjetable es que, incluso a pesar de los vacíos, cada vez con mayor asiduidad se ha convertido en una temática que ocupa las páginas y foros de discusión en el ámbito del Derecho de Familia, con proyección en diversas ramas del derecho. Por tal motivo, para definir la cuestión que aquí se aborda, obra también como punto cardinal de obligatoria referencia la sentencia STC5594 de 2020, M.P. Aroldo Wilson Quiroz Monsalvo, proferida por la Sala de Casación Civil y Agraria de la Corte Suprema de Justicia.

En la providencia se discutió el caso de una niña cuya madre había sostenido una unión marital de hecho con un señor, en virtud de la cual se había procreado a otra hija. La unión marital de hecho duró entre 2006 y 2015, luego de lo cual finalizó por una presunta violencia intrafamiliar. El compañero permanente era empleado de Ecopetrol, compañía que concedía importantes beneficios educativos a quienes obtuvieran altos puntajes en el examen de Estado. Sin embargo, en vista de que la unión marital de hecho ya había finalizado, Ecopetrol no extendió la cobertura del plan educacional a la hija de la antigua compañera permanente de su empleado. Por tanto, la presunta hija de crianza inició una acción de reclamación de alimentos contra su presunto padre de crianza, la cual le fue negada en primera instancia y concedida en segunda. Luego de instaurada la acción de tutela respectiva, la Corte Suprema de Justicia decidió revocar el fallo del *ad quem*, en el sentido de negar las pretensiones de la tutela, pero abrió un exótico boquete, como se sigue a continuación:

"[A]tendiendo a que el vínculo de crianza refiere a la posesión notoria del estado civil de las personas, encuentra la Corte que la gestora, tal como lo afirmó el fallador encausado, tiene a su alcance la acción judicial encaminada a determinar el parentesco del cual se desprende[n] derechos y obligaciones entre las partes, no puede tener dos filiaciones –biológica y de crianza–, habida cuenta [de] que iría en contravía del principio de la Unidad del Estado Civil. (…) Entonces, la accionante puede acudir ante los jueces de familia a fin de adelantar la acción de «declaratoria de hija de crianza», pues, itérese, dicha declaratoria involucra su estado civil, a más que de lo allí dispuesto, nace[n] los respectivos derechos y obligaciones entre las partes, esto es, las derivadas del padre al hijo y del hijo al padre (...). Así las cosas, es en dicho juicio donde debe demostrar la calidad aducida a fin de obtener dicha declaratoria".

Más allá de las polémicas que se han originado alrededor del fallo, que siguen sin tener respuesta satisfactoria[745], queda claro que el Órgano de Cierre de la Jurisdicción Ordinaria dio su aval para que se intentaran procesos de posesión notoria, en aras de obtener la declaratoria judicial del estado civil de hijo de crianza. Esa declaratoria, conforme al razonamiento de la Corte Suprema de Justicia, abriría paso a que se impetren acciones tendientes a la fijación de una mesada alimentaria en cuyos extremos se radicarían los hijos de crianza, en condición de acreedores, y el padre o madre de crianza, en condición de deudor.

De lo anterior se deduce un interrogante bastante obvio: ¿cómo es posible sostener que los padres de crianza queden conminados, con fundamento en la declaratoria judicial de la posesión notoria del estado civil de tales, a suministrar alimentos legales a sus hijos de crianza, pero no cuenten con la posibilidad, desde la óptica tributaria, de solicitar la deducción por dependientes en la depuración de su impuesto sobre la renta?

La sindéresis sugiere que la única respuesta razonable es que no hay manera de sostener, en forma coherente, ambas premisas. Por consiguiente, a partir del reconocimiento de la filiación de los hijos de crianza, el medio jurisdiccional para declararlo y hacer exigibles los derechos y obligaciones derivados de ella, lo lógico sería admitir que, cuando se esté ante este tipo de situaciones, en donde una persona figura en el registro civil de la otra como padre de crianza, y obviamente la segunda dependa económicamen-

---

[745] Estos son algunos de los interrogantes que formulamos en la parte introductoria de este Tomo: ¿Quiénes pueden intentar la acción de posesión notoria del estado civil? ¿Solo los hijos de crianza que no tienen paternidad reconocida –como en el caso estudiado por la Corte– o todos quienes se consideren hijos de crianza? En caso de que pueda hacerlo cualquier persona que se considere hija de crianza, ¿el efecto correlativo de la acción de posesión notoria será destruir y dejar sin efecto la paternidad biológica reconocida? ¿El padre biológico será oído en la diligencia de la acción de posesión notoria? ¿Qué sucede cuando una mujer con un hijo anterior ha tenido relaciones de más de cinco años con varias personas y éstas han establecido vínculos afectivos con su hijo? ¿La acción de posesión notoria se podría dirigir contra cualquiera de las personas? ¿Cómo se logra identificar un eventual abuso del derecho en esta materia?

te de la primera y satisfaga las condiciones previstas en la ley y el reglamento, a la primera le está dado solicitar la deducción por dependientes de que trata el artículo 387 del Estatuto Tributario.

Ahora bien, otro caso, diametralmente opuesto y de ostensible mayor complejidad, es el constituido por los eventos en los que no medien declaratorias judiciales. Comoquiera que no se han instituido, en la ley[746], las vías para acreditar la filiación de crianza, es preciso respaldar la conclusión de la Corte Constitucional, en el sentido de que no sería factible desestimar, sin más, que la forma prevista por el ordenamiento jurídico para entablar el vínculo filial entre dos personas que no lo tienen por naturaleza es la adopción. Porque opinar en contrario conllevaría el desconocimiento abierto del instituto jurídico ideado por el Derecho Común para el efecto, con las más variadas y adversas consecuencias, dentro de las cuales se destaca la absoluta desprotección en que quedarán las personas que se encuentren en el sistema de adopciones del Instituto Colombiano de Bienestar Familiar.

Entonces, debemos concluir que en estos últimos supuestos, salvas excepciones precisas que habrá de delimitar la ley o la jurisdicción, no será factible solicitar la deducción por dependientes.

3. Los hijos menores de edad y su condición de dependientes

De los artículos 387 del Estatuto Tributario y 1.2.4.1.18. pareciera fluir que la sola condición de hijo *menor de edad* es suficiente para solicitar la deducción de que aquí se trata. Empero, razonablemente se concluye que no basta con que una persona sea padre de otra y que esta última sea menor de edad para que se configure el derecho de solicitar la deducción por dependientes.

Como su nombre lo indica, es menester que los hijos *dependan* económicamente de los padres; esto es, que no se encuentren en condiciones para satisfacer sus necesidades básicas. De otro modo, se arribaría a la insólita conclusión según la cual el ordenamiento tributario tendrá prevista una prerrogativa que no atiende a ninguna finalidad específica y seria.

Es perfectamente nítido que, por regla general, los menores de edad se reputan dependientes de sus padres. Sin embargo, las normas (civiles y la-

---

[746] Sobre el particular, bueno es anotar que, al momento de terminación de este escrito, cursa, en el Congreso de la República, el Proyecto de Ley 068 de 2020, Senado, de autoría del parlamentario José RITTER López Peña, con el cual se pretende regular lo atañedero a las familias de crianza.

borales) y el desarrollo acelerado de la telemática han brindado un sinnúmero de oportunidades a los menores de edad para gestionar contenidos e incursionar en trabajos redituables, que muchas veces les garantizan una solvencia incluso mayor a aquella con la que cuentan sus padres.

Desde la perspectiva del Derecho de Familia, esta solvencia integra el peculio profesional o industrial de los hijos de familia, respecto del cual, como se recordará, los menores de edad tienen la libre administración y disposición (salvas algunas excepciones). Por su parte, desde la óptica del derecho tributario, la autosuficiencia económica de los hijos se tendrá que traducir, indefectiblemente, en la ausencia de dependencia de los recursos o solvencia de los padres. Así, no sería de recibo que un padre en estas condiciones solicitara la deducción por dependientes, solo por el hecho de que su hijo sea menor de edad, a pesar de que no incurra en erogación alguna para la satisfacción de las necesidades de su prole. Por el contrario, si, pese a que el hijo goza de buena solvencia, el padre atiende su subsistencia, forzosamente se habrá de concluir que éste sí tiene derecho para solicitar la deducción de que aquí se trata. Y ello es así, por la sencilla pero potísima razón de que los padres no quedan liberados de atender las necesidades de sus hijos por el solo hecho de que éstos adquieran solvencia. Acaso en una controversia que se ventile ante la Jurisdicción se podrá determinar, por el fallador, que la ausencia del requisito de necesidad del alimentante torna innecesaria la fijación de una mesada a cargo del padre, pero tal escenario, además de obscuro, no implica que el progenitor no pueda atender las necesidades básicas de subsistencia de su prole, porque es ese el mandato que proviene de la propia ley[747].

4. Los hijos entre los 18 y 23 años de edad y su condición de dependientes

En cuanto tiene que ver con los hijos del contribuyente que tengan entre 18 y 23 años de edad, es de advertir que la disposición agrega una condición adicional para la procedencia de la deducción por dependientes: que el progenitor "se encuentre financiando su educación en instituciones formales de educación superior certificadas por el Instituto Colombiano

---

[747] Tanto así que el propio artículo 257 del Código Civil, al establecer la prelación y orden en que se deben imputar los gastos de crianza, educación y establecimiento de los hijos, precisa que, en primer término, esas erogaciones son del resorte de la sociedad conyugal. Los demás casos allí regulados son subsidiarios. En ese sentido, véase a EDUARDO GARCÍA SARMIENTO. *Elementos de derecho de familia*, 512 y 513.

para la Evaluación de la Educación ICFES o la autoridad oficial correspondiente, o en los programas técnicos de educación no formal debidamente acreditados por la autoridad competente".

Para efectos de la cabal comprensión del requisito impuesto por la ley y reiterado por el reglamento, resulta indispensable acudir a las leyes 30 de 1992 y 115 de 1994. El primer compendio normativo "organiza el servicio público de Educación Superior", en tanto que el segundo versa sobre la "ley general de educación".

De acuerdo con la ley fiscal, los padres deben financiar la educación de sus hijos en "instituciones formales de educación superior certificadas por el Instituto Colombiano para la Evaluación de la Educación ICFES o la autoridad oficial correspondiente". Al respecto, se observa que el artículo 16 de la Ley 30 de 1992 clasifica las instituciones de Educación Superior entre: (i) Instituciones Técnicas Profesionales, que son las facultadas legalmente para ofrecer programas de formación en ocupaciones de carácter operativo e instrumental y de especialización en su respectivo campo de acción, sin perjuicio de los aspectos humanísticos propios de este nivel (artículo 17); (ii) Instituciones Universitarias o escuelas tecnológicas, que son las facultadas para adelantar programas de formación en ocupaciones, programas de formación académica en profesiones o disciplinas y programas de especialización (artículo 18); y (iii) Universidades, que son las instituciones que acrediten su desempeño con criterio de universalidad en la investigación científica o tecnológica, la formación académica en profesiones o disciplinas y la producción, desarrollo y transmisión del conocimiento y de la cultura universal y nacional y a las cuales se les permite adelantar programas de formación en ocupaciones, profesiones o disciplinas, programas de especialización, maestrías, doctorados y postdoctorados (artículo 19).

En los anteriores términos, queda claro que la solicitud de la deducción procederá cuando los padres sean quienes asuman las erogaciones relacionadas con el estudio de sus hijos mayores de 18 años y menores de 24, siempre que estos últimos cursen sus actividades en cualquiera de las instituciones mencionadas en el párrafo que antecede. Naturalmente, también será menester que el centro educativo cuente con el aval del ICFES o la autoridad competente para el efecto.

Sobre el particular, bueno es advertir que, en forma extraña, la ley tributaria agrega un requisito adicional para la procedencia de la deducción, cual es que las instituciones de educación superior sean "formales". Y se dice que se trata de una exigencia extraña, porque la Ley 30 de 1992 no consagra, en parte alguna, la clasificación de las instituciones de educación superior como "formales", a diferencia de lo que sucede con la Ley 115 de 1994, en cuyo artículo 10° se establece que la educación formal es aquella que se imparte en establecimientos educativos aprobados, en una secuencia regular de ciclos lectivos, con sujeción a pautas curriculares progresivas, y conducente a grados y títulos. Pero es evidente que la categoría regulada en la Ley 115 de 1994 no es aplicable a las instituciones de educación superior, pues el artículo 11 de ese cuerpo normativo los niveles de educación formal entre preescolar, educación básica y educación media.

Así las cosas, es menester entender que el adjetivo empleado por el Estatuto Tributario para la procedencia de la deducción por dependientes se debe interpretar en su sentido natural y obvio, puesto que carece de definición legal alguna. Por consiguiente, la exigencia de que la institución de educación superior sea "formal" se traduce en que haya recibido el aval del ICFES o la autoridad a quien competa; ni más, ni menos.

Por su parte, la educación no formal, denominada educación para el trabajo y desarrollo humano desde la promulgación de la Ley 1064 de 2006, se define en el artículo 36 de la Ley 115 de 1994 como aquella que se ofrece con el objeto de complementar, actualizar, suplir conocimientos y formar, en aspectos académicos o laborales, sin sujeción al sistema de niveles y grados establecidos en el artículo 11 de esa ley. A diferencia de lo que sucede con la "educación formal", el compendio normativo no circunscribe la educación para el trabajo y desarrollo humano a ningún ámbito lectivo específico. En consecuencia, es dable afirmar que, en estos casos, sí son plenamente aplicables las regulaciones de la ley 115 de 1994, para efectos de determinar las instituciones y programas respecto de los cuales aplica la deducción por dependientes, previo cumplimiento de los demás requisitos de que trata el Código Tributario.

A más de lo expuesto, importa comentar que la deducción se sujetó, por el Legislador, a que los padres sean quienes financien los programas educativos en los que se encuentran vinculados sus hijos. En criterio del autor, esta exigencia resulta desproporcionada si se tiene en cuenta que el hecho de que los progenitores no asuman la carga económica de los estudios de sus hijos, por ejemplo por falta parcial de solvencia económica, no los libera de la obligación legal de suministrarles alimentos, según se expuso en el Punto 3 de la Subsección II de la Sección IV del Capítulo III de esta Parte. En efecto, el derecho de alimentos para los menores de edad que se incursionan en programas de instrucción académica halla su origen en que, las más de las veces, tales programas copan la disponibilidad con que, de otro modo, contaría el individuo para incursionar en la vida laboral y atender sus propias necesidades.

Por consiguiente, incluso si los padres carecen de capacidad económica para financiar la totalidad de los estudios de sus hijos, nada los exime de que, según su solvencia, sean conminados por la ley a suministrarles alimentos. Siendo ello así, se impone la necesidad de reestructurar el sistema jurídico para permitir la deducción por dependientes cuandoquiera que los padres asistan a su descendencia en lo que tiene que ver con las necesidades de subsistencia distintas de la educación.

5. Los hijos mayores de 23 años de edad y su condición de dependientes

En la versión anterior del artículo 387 del Estatuto Tributario, la disposición autorizaba la deducción por dependientes cuando los hijos son mayores de 23 años, siempre que estos "se enc[ontraren] en situación de dependencia originada en factores físicos o psicológicos que sean certificados por Medicina Legal". Actualmente, la disposición fue modificada por la Ley 2277 de 2022, con miras a indicar que tal deducción procede para los hijos mayores de 18 años, siempre que se verifique la misma exigencia (sobre este tema trata el capítulo siguiente). Sin embargo, por la especial importancia del requisito fijado por la norma, enseguida dejaremos sentados algunos comentarios que estimamos pertinentes.

Como es sabido, el Instituto Nacional de Medicina Legal no era ni es la única Entidad autorizada por la ley para expedir las certificaciones de discapacidad, porque el marco normativo que disciplina la seguridad social también faculta a las Instituciones Prestadoras de Salud para ese efecto. Por tal motivo, resulta oportuno indagar si la deducción por dependientes, desde el punto de vista tributario, era y es solo admisible cuando la situación de discapacidad se encuentre acreditada por el Instituto Nacional de Medicina Legal o si procedía y procede también cuando tal constatación la efectúa otra entidad a la que el ordenamiento jurídico le defirió esa competencia.

Para absolver la inquietud planteada, es primero oportuno señalar que el texto anterior del artículo 387 del Estatuto Tributario fue asignado por el artículo 15 de la ley 1607 de 2012. A su turno, el texto del artículo 15 de la ley 1607 de 2012 corresponde al aprobado en el Primer y Tercer Debate de las Comisiones Terceras y Cuartas conjuntas del Senado de la República y la Cámara de Representantes.

En cuanto aquí interesa, la exigencia de que la certificación que acredite la situación de discapacidad sea expedida por el Instituto Nacional de Medicina Legal fue consagrada desde el proyecto inicialmente radicado por el Gobierno Nacional en el Congreso de la República y sobre ella no se avizora ninguna fundamentación particular en la exposición de motivos. Al respecto, la única justificación, legible en la Gaceta del Congreso de la República número 666 de 2012, es la siguiente: "De otro lado se elimina la deducción por educación y se reemplaza por un monto de 42 UVT mensuales por persona dependiente, hasta dos dependientes, sin exigir requisitos que demuestren gastos. Estas modificaciones permiten que transversalmente todos los contribuyentes puedan hacer uso de esta deducción independientemente de su nivel de ingresos".

En la Ponencia para Primer Debate[748], únicamente se alteró el importe susceptible de ser deducido en el cálculo de la renta de cada contribuyente, con miras a incrementarlo a 64 UVT. Sin embargo, la sugerencia fue rechazada por las Comisiones Terceras y Cuartas conjuntas del Senado de la República y la Cámara de Representantes[749]. En su lugar, mediante una proposición se fijó el límite en 32 UVT, límite que finalmente quedó incorporado en la ley 1607 de 2012.

Queda claro, entonces, que los antecedentes legislativos no permiten concluir, nítidamente, cuál fue la voluntad del Parlamento en esta materia.

Por otro lado, pocos meses después de promulgada la ley 1607 de 2012, el Gobierno Nacional profirió el decreto 1070 de 2013, por el cual reglamentó el Estatuto Tributario. En particular, en su artículo 4° se dispuso que, "[p]ara efectos de lo previsto en el parágrafo 2° del artículo 387 del Estatuto Tributario, en relación con el cónyuge o compañero permanente, los hijos de cualquier edad y los padres o hermanos del contribuyente, se entenderá que la discapacidad originada en factores físicos o psicológicos será certificada para la aplicación de las deducciones respectivas mediante examen médico expedido por el Instituto Nacional de Medicina Legal y Ciencias Forenses. En este caso, tales circunstancias también podrán ser certificadas por las Empresas Administradoras de Salud a las que se encuentre afiliada la persona o cualquier otra entidad que legalmente sea competente".

Tan afortunada norma parecía haber zanjado toda controversia en relación con la temática que nos aboca. En efecto, disipó cualquier duda que pudiera haber cuando indicó, con buena precisión, que la certificación de discapacidad podía ser expedida por cualquier entidad legalmente competente y tendría plena validez para solicitar la deducción por dependientes.

---

[748] Véase la Gaceta del Congreso de la República número 829 de 2012.

[749] Consúltense, sobre el particular, las Gacetas del Congreso de la República números 30 y 425 de 2013, en las cuales se encuentran las actas de los debates.

Esta disposición, conviene señalarlo, fue compilada en el artículo 1.2.4.1.20 del decreto 1625 de 2016, único reglamentario en materia tributaria.

Empero, sin razón aparente, con la expedición del decreto 2250 de 2017, modificatorio del Decreto 1625 de 2016, el Gobierno Nacional sustituyó el texto del artículo 1.2.4.1.20 y, en su lugar, incorporó una regulación ajena a la temática que aquí se comenta. Así pues, desapareció del ordenamiento jurídico la afortunada claridad que había imperado en el sistema tributario.

Habrá quien sostenga que la derogatoria de la disposición, por la vía de la reforma integral de su texto, es muestra inequívoca de que el titular de la Potestad Reglamentaria circunscribió, sin bemoles, la procedencia de la deducción por dependientes a que la certificación fuera expedida exclusivamente por el Instituto Nacional de Medicina Legal y Ciencias Forenses. Mas, a nuestro juicio, resulta desproporcionado impedir que se solicite la deducción cuando la discapacidad del dependiente de que se trate haya sido certificada por otra entidad habilitada por la ley para el efecto. Con ello se laceran gravemente los derechos de las personas en situación de discapacidad, en la medida en que se las conmina a someterse, por partida doble y sin justificación alguna, a una valoración. Veamos:

Colombia incorporó a su ordenamiento doméstico, mediante la promulgación de la Ley 1346 de 2009, la Convención sobre los Derechos de las Personas con Discapacidad, en cuyo artículo 31 se comprometió a establecer mecanismos que le permitieran recopilar información estadística adecuada, para la formulación y aplicación de las políticas dirigidas a la población con discapacidad, con miras a identificar y eliminar las barreras con que se enfrentan las personas con discapacidad en el ejercicio de sus derechos.

En desarrollo de lo anterior, se gestó y promulgó la Ley Estatutaria 1618 de 2013, "[p]or medio de la cual se establecen las disposiciones para garantizar el pleno ejercicio de los derechos de las personas con discapacidad". Para garantizar la inclusión real y efectiva de las personas con discapacidad, el artículo 5° de ese cuerpo normativo dispuso que las entidades públicas del orden nacional, departamental, municipal, distrital y local, en el marco del Sistema Nacional de Discapacidad, serían responsables, entre otras, de "[i]mplementar mecanismos para mantener actualizado el registro para la localización y caracterización de las personas con discapacidad, integrados en el sistema de información de la protección social, administrado por el Ministerio de Salud y Protección Social". Adicionalmente, específicamente en cuanto toca con las entidades públicas territoriales, ordenó que se incluyeran, en sus planes de desarrollo, acciones para fortalecer el Registro de Localización y Caracterización de las Personas con Discapacidad (Rlcpcd), integrado al Sistema de Información de la Protección Social (Sispro), y se incorporara la variable discapacidad en los demás sistemas de protección social y sus registros administrativos.

Posteriormente, el CONPES SOCIAL 166 de 2013, por medio del cual se adoptó Política Pública Nacional de Discapacidad e Inclusión Social 2013-2022, recomendó garantizar, dentro del plan de beneficios en salud, la "certificación de discapacidad". Fue así como el parágrafo del artículo 81 de la ley 1753 de 2015[750] ordenó, al Ministerio de Salud y Protección Social, la implementación de la "Certificación de Discapacidad para la inclusión y redireccionamiento de la población [en situación de] discapacidad a la oferta programática institucional".

Luego de diversos diálogos y mesas de trabajo, el Ministerio de Salud y Protección Social expidió la resolución 583 de 2018, "[p]or la cual se implementa la certificación de discapacidad y el Registro de Localización y Caracterización de Personas con Discapacidad". Este acto administrativo fue modificado por la resolución 246 de 2019 y, más recientemente, por la resolución 113 de 2020. Para cuanto aquí interesa, el artículo 4º de la resolución 113 de 2020 define la certificación de discapacidad como aquel "procedimiento de valoración clínica multidisciplinaria simultánea, fundamentado en la Clasificación Internacional del Funcionamiento, de la Discapacidad y de la Salud -CIF-, que permite identificar las deficiencias corporales, incluyendo las psicológicas, las limitaciones en la actividad y las restricciones en la participación que presenta una persona, cuyos resultados se expresan en el correspondiente certificado, y son parte integral del RLCPD [Registro de Localización y Caracterización de Personas en situación de Discapacidad]".

Así mismo, el artículo 6º, *ibídem,* señaló que las secretarías de salud de los órdenes distrital y municipal, o las entidades que hagan sus veces, serían las encargadas de autorizar a las Instituciones Prestadoras de Salud (IPS) para realizar el procedimiento de certificación de discapacidad, de

---

[750] Importa advertir que la ley 1753 de 2015 fue el cuerpo normativo por el cual se adoptó el Plan Nacional de Desarrollo 2014-2018 y, como es de todos sabido, este tipo de leyes traen ínsita una temporalidad clara, cual es la duración del gobierno de turno. Sin embargo, el Plan Nacional de Desarrollo 2018-2022, promulgado mediante la ley 1955 de 2019, dispuso, en su artículo 336, que los artículos de la ley 1753 de 2015 que no hubieran sido expresamente derogados continuarían vigentes hasta que se produjera su derogatoria o modificación por norma posterior. Comoquiera que el artículo 81 de la ley 1753 de 2015 no ha sido reformado o derogado por norma posterior, mantiene su vigencia hasta nuestros días.

acuerdo con los criterios expedidos por el Ministerio de Salud y Protección Social. De manera que, desde entonces, para acceder a varios beneficios y participar del Registro de Localización y Caracterización de Personas en situación de Discapacidad, corresponde solicitar la certificación de discapacidad a la EPS a la que se encuentre afiliado el individuo de que se trate, en los términos previstos por el artículo 7° de la resolución 113 de 2020, y estas Entidades procederán con la remisión a la IPS autorizada para el efecto.

La notable importancia, rigurosidad y seriedad de la certificación de discapacidad, aunada al andamiaje normativo que recién se comentó, hacen que se torne inexplicable el aparente desconocimiento de este documento para solicitar la deducción por dependientes. Y no se diga que la importancia de la certificación expedida por el Instituto Nacional de Medicina Legal y Ciencias Forenses radica en que este es el único documento avalado en los procesos judiciales, porque hoy no tiene ninguna utilidad en los juicios relativos a la protección de las personas en situación de discapacidad.

Antiguamente, mientras regía el instituto de la interdicción, para iniciar este tipo de procesos era inexorable que se aportara o decretara como prueba la práctica de una valoración de la discapacidad del individuo, a cargo de el Instituto Nacional de Medicina Legal y Ciencias Forenses. Solo con fundamento en ese informe el juez de familia procedía a decretar la interdicción del sujeto, por causa de su discapacidad, con la correlativa designación de un guardador.

Empero, a raíz de la promulgación de la ley 1996 de 2019 se eliminó de un brochazo la figura de la interdicción y se abrió paso el instituto de la adjudicación de apoyos. Desde la entrada en vigor del Capítulo V de la ley 1996 de 2019, ocurrida el 26 de agosto de 2021, carece de toda utilidad el certificado expedido por el Instituto Nacional de Medicina Legal y Ciencias Forenses, pues la prueba determinante es el informe de valoración de apoyos, cuya elaboración está a cargo de otras entidades públicas y privadas.

Sobre esas bases, es claro que pretender exigir, en forma exclusiva, el certificado de discapacidad expedido por el Instituto Nacional de Medicina Legal y Ciencias Forenses para efectos de admitir la deducción por dependientes es un despropósito y fuerza a las personas en situación de discapacidad, caprichosamente y sin justificación constitucional alguna, a someterse a dos exámenes valorativos distintos. En efecto, para acceder a varios beneficios y participar del Registro de Localización y Caracterización de Personas en situación de Discapacidad, tendrán que solicitar la certificación de discapacidad de que trata la resolución 113 de 2020, cuya expedición corresponderá a la IPS. Por su parte, para que el tercero de quien dependan pueda solicitar la deducción en su impuesto sobre la renta, tendrán que solicitar la certificación de discapacidad prevista en el artículo 387 del Estatuto Tributario, cuya expedición corresponderá al Instituto Nacional de Medicina Legal y Ciencias Forenses.

A más de ser ilógica, una visión como la expuesta resulta atentatoria del principio de eficiencia administrativa e impone barreras y trámites injustificados a las personas en situación de discapacidad. Y para aclarar el punto, huelga precisar que esta duplicidad en el trámite no es comparable con la exigencia del informe de valoración de apoyos para la iniciación del proceso judicial de adjudicación de apoyos, que dista de la certificación de discapacidad que expide la IPS autorizada. La razón por la que no es comparable obedece a que el informe de valoración de apoyos no tiene una perspectiva clínica, sino psico-social, como fluye palmario de la ley. En cambio, las certificaciones de discapacidad expedidas por las IPS autorizadas y el Instituto Nacional de Medicina Legal y Ciencias Forenses tienen el mismo miramiento de individuo: clínico.

Así las cosas, no resulta descabellado pensar que puedan surgir controversias cuandoquiera que la discapacidad del hijo se acredite mediante el certificado expedido por la IPS autorizada. Empero, y sin perjuicio de que, como corresponde, la situación sea solucionada por la ley o el reglamento, esa discusión habrá de ser zanjada por la Jurisdicción de lo Contencioso Administrativo.

6. Los hijos mayores de 18 pero menores de 24 años de edad, en situación de discapacidad, y su condición de dependientes

A. Situación anterior a la promulgación de la Ley 2277 de 2022

Zarama Vásquez y Zarama Martínez advirtieron, desde muy temprano, que la ley "dejó sin derecho a deducción por el hijo incapacitado [léase en situación de discapacidad] que no pueda estudiar, mientras se encuentra entre los 18 y 23 años, en que vuelve a generar el derecho"[751]. Esta preocupación se desvaneció con la expedición del decreto reglamentario 1070 de 2013, pues su artículo 4º dispuso que, "[p]ara efectos de lo previsto en el parágrafo 2º del artículo 387 del Estatuto Tributario, en relación con el cónyuge o compañero permanente, *los hijos de cualquier edad* y los padres o hermanos del contribuyente, se entenderá que la discapacidad originada en factores físicos o

---

[751] Fernando Zarama Vásquez y Camilo Zarama Martínez. *Reforma tributaria comentada, ley 1607 de 2012, 79.*

psicológicos será certificada para la aplicación de las deducciones respectivas mediante examen médico expedido por el Instituto Nacional de Medicina Legal y Ciencias Forenses" (bastardillas fuera del original).

Nótese que la regulación fue contundente al permitir que la discapacidad, fuente de la deducción, se acreditara respecto de los "hijos de cualquier edad", sin distinguir odiosa e inconstitucionalmente, como se podría desprender de una lectura exegética de la ley.

Inicialmente, el texto normativo transcrito fue compilado en el artículo 1.2.4.1.20 del decreto 1625 de 2016, único reglamentario en materia tributaria. Pese a la reforma íntegra de este canon, introducida por el decreto 2250 de 2017, y que se encaminó a regular una situación completamente ajena a la que ahora se comenta, este último cuerpo normativo también modificó el texto del artículo 1.2.4.1.18 del decreto 1625 de 2016 y, en su ordinal 3°, dispuso que darían lugar a la deducción por dependientes "[l]os hijos del contribuyente mayores de dieciocho (18) años que se encuentren en situación de dependencia originada en factores físicos o psicológicos que sean certificados por Medicina Legal". De esta forma, la controversia se mantuvo zanjada.

A decir verdad, hizo bien el titular de la Potestad Reglamentaria al mantener la posibilidad de solicitar la deducción por dependientes en tratándose de hijos mayores de 18 y menores de 23 que se encuentren en situación de discapacidad. No hace falta mayor análisis para comprender que la *ratio legis* de la deducción a que aquí se alude no es otra que permitir la disminución de la renta del contribuyente con las erogaciones en que incurre para satisfacer las necesidades de sus familiares que no pueden procurársela por sí mismos; vale decir, que *dependen* económicamente de él. En esas condiciones, sería absolutamente necio e irrazonable, por decir lo menos, pretender negar la posibilidad de solicitar la deducción a los padres cuyos hijos, mayores de 18 y menores de 24 años de edad, no se encuentran vinculados a instituciones educativas por razón de una discapacidad física o mental.

Precisamente, si el motivo que origina la imposibilidad para que esos hijos accedan programas educativos es la discapacidad, no cabe duda de que nos encontramos ante verdaderos dependientes. Ello nadie lo puede poner en tela de juicio. Sostener lo contrario implicaría vulnerar los más elementales principios constitucionales.

Es perfectamente razonable que el Legislador haya querido evitar que los padres soliciten deducciones por sus hijos mayores de 18 y menores de 24 años de edad, cuando estos últimos no se encuentran vinculados a instituciones educativas. En efecto, cumplida la mayoría de edad y no encontrándose probada la matrícula en un programa de instrucción académica, es válido presumir que el ciudadano se ha decantado por prescindir de esa formación y aspira a realizar su proyecto de vida, lo que implica también la autosuficiencia económica.

Desde la óptica adversa, es también perfectamente razonable que el Legislador haya autorizado la solicitud de la deducción para aquellos padres cuyos hijos mayores de 18 y menores de 24 se encuentren estudiando. Más allá de los reparos que se derivan de haber sujetado la procedencia de la deducción a la financiación, por los padres, de los programas educativos en que incursionan los hijos, lo cierto es que resulta incontestable que esta deducción parece plenamente razonable, en el entendido de que los estudios copan, las más de las veces, el tiempo con que cuentan los individuos para procurar su propia subsistencia.

Pero nada de lo anterior permitiría respaldar, ni siquiera tangencialmente, la conclusión según la cual los padres carecen la posibilidad de solicitar la deducción por dependientes respecto de sus hijos mayores de 18 y menores de 24 años, cuya situación de discapacidad les impida vincularse a un programa educativo. La inequidad derivada de una premisa semejante es sencillamente inadmisible al interior de un Estado Social y Democrático de Derecho como el colombiano.

Ello se corrobora si se analiza el sentido de que, respecto de los mayores de 23 años que se encuentren en situación de discapacidad, sí procede la deducción por dependientes. Obviamente, es entendido por el Legislador que estas personas no cuentan con la posibilidad de procurar su propia subsistencia por sí solos. Luego, si ese es el razonamiento que conduce a admitir la procedencia de la deducción respecto de los mayores de 23 años, *a fortiori* se debe concluir que, subsistiendo la misma situación fáctica, es también procedente la deducción respecto de los mayores de 18 y menores de 24.

B. Situación posterior a la promulgación de la ley 2277 de 2022

Si bien nadie dudaría la *ratio legis* de la deducción a que aquí se alude no es otra que permitir la disminución de la renta del contribuyente con las erogaciones en que incurre para satisfacer las necesidades de sus familiares que no pueden procurársela por sí mismos; vale decir, que *dependen* económicamente de él, lo cierto es que una hermenéutica necia, obtusa y exegética podría conducir a discusiones innecesarias tendientes a cuestionar si este tipo de individuos darían lugar a la deducción por dependientes, habida cuenta de que, independientemente de lo afirmado por el reglamento, no era esa la hipótesis normativa regulada expresamente en la ley.

Así las cosas, en forma afortunada, desde el Primer Debate, el Representante a la Cámara Julián Peinado Ramírez presentó una proposición en el sentido de modificar el ordinal 3º del parágrafo segundo del artículo 387 del Estatuto Tributario, para disminuir la edad de 23 a 18 años[752]. Aunque su proposición no fue tenida en cuenta por los Informes de Ponencia para Primer Debate de las Comisiones Terceras y Cuartas Conjuntas de la Cámara de Representantes y el Senado de la República, ni se adoptó en los textos definitivos de esos debates[753], ni se adoptó por el Informe de Ponencia para Debate en Plenaria del Senado de la República[754], ni en el Informe de Ponencia para Debate en Plenaria de la Cámara de Representantes[755], durante el debate en la Plenaria de la Cámara de Representantes sí hizo eco su llamado[756] y los congresistas aceptaron la modificación. Desde luego, en la Comisión Accidental de Conciliación[757] que se hubo de conformar, se decidió mantener este artículo.

Así las cosas, el artículo 9º de la ley 2277 de 2022 estableció lo siguiente:

> **ARTÍCULO 9.** Modifíquese el numeral 3 del parágrafo segundo del artículo 387 del Estatuto Tributario, el cual quedará así:
>
> 3. Los hijos del contribuyente mayores de dieciocho (18) años que se encuentren en situación de dependencia, originada en factores físicos o psicológicos que sean certificados por Medicina Legal.

Es preciso concluir, entonces, que, a partir de la promulgación de la ley 2277 de 2022, se eliminó de un brochazo cualquier discusión que pudiere surgir en cuanto a la posibilidad de que, a la luz de la normativa tributaria, un contribuyente solicite la deducción por dependientes respecto de sus hijos mayores de 18 pero menores de 24 que se encuentren en situación de discapacidad.

---

[752] Véanse las Gacetas del Congreso de la República números 1199 y 1200 de 2022.

[753] Véase la Gaceta del Congreso de la República número 1283 de 2022.

[754] Véase la Gaceta del Congreso de la República número 1359 de 2022.

[755] Véase la Gaceta del Congreso de la República número 1358 de 2022.

[756] Véase la Gaceta del Congreso de la República número 1385 de 2022.

[757] Véanse la Gacetas del Congreso de la República números 1412 y 1413 de 2022.

Respecto de la exigencia de que se acredite por medio del certificado de Medicina Legal, el lector puede acudir a los comentarios vertidos *supra*.

II. Casos en los que procede la depuración de la renta

Los planteamientos expuestos en la Subsección que antecede permiten concluir que, en los siguientes casos, procede la depuración de la renta de los padres, mediante la solicitud de la deducción por dependientes:

1. Hijos menores de edad sin peculio propio

No hace falta mayor elucubración para comprender que los hijos menores de edad sin peculio propio no solo ostentan una verdadera condición de *dependientes*, sino que también encuadran dentro de la definición legal conferida por el artículo 387-1 del Estatuto Tributario.

2. Hijos menores de edad con activos que integran el peculio adventicio ordinario, respecto de los cuales detentan el goce legal

Con motivo de la atribución de las rentas derivadas de los activos de los hijos sobre los cuales los progenitores detentan el goce legal en cabeza de estos últimos, y sin perjuicio de los reparos formulados en líneas previas, los padres quedan autorizados para solicitar la deducción por dependientes en este caso. De no permitirlo así se incurriría en una grave injusticia, puesto que se gravaría a los ascendientes respecto de rentas de sus descendientes, sin darles la posibilidad de depurar su renta con importes que benefician, en primer término, a los hijos.

Ahora bien, en caso de que se prohíje nuestra tesis, según la cual corresponde dejar de atribuir tales rentas en cabeza de los progenitores, al menos en lo que corresponde al importe que se utiliza para la crianza, educación y establecimiento de sus hijos, solo procedería la deducción en los casos en los que los ingresos producidos por los activos del peculio adventicio ordinario fueran insuficientes para cubrir las necesidades de la prole. En efecto, ello dejaría a los hijos en una situación de *dependencia* respecto de sus padres, por lo que estos últimos se verían forzados legalmente a suplir la diferencia con su solvencia. Mas, como se indicó previamente, la implementación de este escenario requeriría una modificación del ordenamiento jurídico vigente.

3. Hijos menores de edad con activos que integran el peculio adventicio extraordinario

Según el artículo 291 del Estatuto Civil, *in fine*, el peculio adventicio extraordinario se conforma por los bienes y derechos de propiedad de los hijos de familia, respecto de los cuales los padres no ostentan el goce legal. En relación con este cúmulo de activos, es posible que los padres detenten la administración, o no, circunstancia que en nada altera la posibilidad de que, desde la perspectiva tributaria, los progenitores soliciten la deducción por dependientes cuando a ello haya lugar. La razón, en extremo clara, obedece a que la posesión de un patrimonio, por parte de los hijos, no desnaturaliza la obligación encargada por la ley a los padres de familia, encaminada a atender su subsistencia en debida forma. Obviamente, para que proceda la depuración de la renta de los progenitores, será menester que los hijos obren como verdaderos *dependientes*, puesto que de otro modo carecería de sentido el tratamiento tributario de favor.

4. Algunos casos de hijos menores de edad con activos que integran su peculio profesional o industrial

Sabido es que los hijos de familia tienen la libre administración y disposición de su peculio profesional o industrial, salvo en lo tocante con la disposición de los bienes raíces. Sin embargo, esa circunstancia no desdice el mandato legal, derivado del artículo 257 del Estatuto Civil, de acuerdo con el cual los padres de familia están encargados de atender los gastos de crianza, educación y establecimiento de su prole. La razón para que así se haya establecido, incluso sin tener en cuenta si los hijos poseen un peculio profesional o no, obedece a que los padres tienen una obligación para con sus hijos de procurarles los medios para garantizar que puedan alcanzar la mayoría de edad sin contratiempos. Ahora bien, si los descendientes han sido suficientemente hábiles como para adquirir un patrimonio producto de su esfuerzo y pericia antes de alcanzar la mayoría de edad, ello no implica que se releve a los padres de su neurálgica encomienda.

Sería posible refutar la anterior conclusión a partir de un razonamiento según el cual se indique que la capacidad de ejercicio con que la ley dota a los hijos para administrar y disponer de su peculio profesional o industrial también se debe entender encauzada a procurar sus propios medios de subsistencia. Empero, a este planteamiento se puede replicar con el argumento de que la capacidad de ejercicio se instituyó para garantizar que el propietario administre y disponga de su patrimonio con la misma pericia con que logró adquirirlo. Pero lo que no parece admisible es sostener que esa capacidad se pueda extrapolar a los demás ámbitos de la vida personal del hijo, al punto de llegar a afirmar que éste debe velar por su propia subsistencia y que los padres quedan relevados de la obligación legal que les asiste. Nada más alejado de la realidad. Los menores de edad siguen siéndolo, incluso a pesar de que la ley, en determinados casos y para ciertas circunstancias, les confiera capacidad plena. De ello se deduce que su inmadurez personal sigue presente y jamás se podría concluir que la pericia para crear contenido digital o adelantar un negocio implique que deban asumir absoluta autonomía en todos los ámbitos de su vida, porque ello conllevaría al absurdo de equiparar a quienes detentan un peculio profesional o industrial con quienes han sido emancipados; conclusión que no es cuerda en el ordenamiento que nos rige.

Por lo anterior, creemos que los casos en los cuales los padres podrán solicitar la deducción por dependientes son aquellos en los que los hijos no se procuran su propia subsistencia, sino que dependen económicamente de ellos, en el entendido de que los progenitores asumen las erogaciones incardinadas a satisfacer las necesidades básicas, los gastos de crianza, educación y establecimiento.

5. Hijos mayores de 18 y menores de 24 años, cuyos padres se encuentren financiando su instrucción académica en instituciones formales de educación superior certificadas por el instituto colombiano para la evaluación de la educación ICFES o la autoridad oficial correspondiente, o en los programas técnicos de educación no formal debidamente acreditados por la autoridad competente

Es este el presupuesto expresamente consagrado en la ley. Sin perjuicio de lo anterior, es necesario que se revise y reordene el sistema jurídico tributario, a fin de permitir la deducción en los casos en los que los padres no financien la educación de sus hijos, pero sí concurran a solventar sus necesidades básicas, según lo establece el ordenamiento civil.

6. Hijos mayores de 18 y menores de 24 años que no se encuentran vinculados a programas educativos por causa de la discapacidad física o mental

Suficientemente se ha explicado que en la actualidad no hay inquietud sobre la materia. Por tanto, resulta inobjetable que los progenitores pueden solicitar la deducción respecto de personas que son verdaderas *dependientes*.

7. Hijos mayores de 23 años que se encuentren en situación de dependencia, debidamente certificada, originada en factores físicos o psicológicos

Así lo dispone expresamente la ley.

III. La posibilidad de que ambos padres soliciten la deducción respecto de un mismo dependiente

De acuerdo con lo previsto por el artículo 387 del Estatuto Tributario, la deducción por dependientes puede ascender "hasta el 10% del total de los ingresos brutos provenientes de la relación laboral o legal y reglamentaria del respectivo mes", sin superar "un máximo de treinta y dos (32) UVT mensuales". En consecuencia, se tiene que, anualmente, esta deducción puede ascender hasta el 10% del total de los ingresos brutos provenientes de la relación laboral o legal y reglamentaria, sin superar un máximo de 384 UVT.

Aunado a lo anterior, el artículo 336 del Estatuto Tributario, tal como fue reformado por el artículo 7° de la ley 2277 de 2022, autoriza restar 72 UVT anuales en la depuración de la base gravable del impuesto sobre la renta, por cada dependiente adicional (hasta un máximo de 4 dependientes).

La escueta formulación de los textos legales abre paso a una inquietud, bien fundada, en torno a la posibilidad de que ambos padres puedan solicitar la deducción respecto de un mismo dependiente, obviamente con absoluto respeto de los límites establecidos en la normativa vigente.

Pues bien, pese a la ausencia de prohibición legal, el sistema electrónico habilitado por la Administración Tributaria para el diligenciamiento de las declaraciones del impuesto sobre la renta no permite, en la práctica, que dos contribuyentes soliciten la deducción respecto de un mismo dependiente. En efecto, cuando un individuo pretende hacer uso del tratamiento tributario de favor, se ve en la obligación de incluir en el sistema el Número Único de Identificación Personal (NUIP) de su dependiente menor de edad o la Cédula de Ciudadanía de su dependiente mayor de edad. Así, presentado en debida forma el denuncio rentístico, el andamiaje virtual de la Administración Tributaria bloquea automáticamente la posibilidad de que otro contribuyente pueda solicitar esta deducción. Tal dificultad adquiere particular relevancia si se tiene en cuenta que, salvo contadas excepciones, las declaraciones tributarias ya no se pueden presentar en forma física o litográfica, so pena de ser sancionadas con su ineficacia[758].

---

[758]   Cfr. Artículo 579-2 del Estatuto Tributario.

Pero que ese sea el panorama que se vive en la *praxis* no significa que el interrogante plasmado en las líneas que anteceden deje de estar bien fundado. Y ello es así, porque a nadie escapa que, en el mundo actual, ha habido un vertiginoso incremento de familias compuestas por progenitores que salen al mercado laboral y aportan, conforme a sus capacidades, recursos económicos para la satisfacción de todas las necesidades de un mismo hijo.

A fin de defender el *modus operandi* de la Administración, se podría aducir que la situación de las familias nucleares puede ser fácilmente solventada, habida cuenta de que, por no haber disputas entre los progenitores, ellos están llamados a definir quién de los dos debe solicitar la deducción respecto de su unigénito. En nuestra opinión, un argumento semejante no resulta admisible, puesto que desconoce la realidad económica de este tipo de familias y, en todo caso, impone una limitación que la ley jamás previó. Ello comporta un verdadero desbordamiento de las facultades de la Administración.

En cualquier evento, incluso si se admitiera la defensa antes planteada para este tipo de familias, hay otros casos en los que la situación resulta mucho más compleja y que merecen especial atención. Se trata de los núcleos familiares resquebrajados, por la razón que fuere, en los cuales los progenitores han fijado residencias separadas y los hijos únicos cohabitan con alguno de sus padres. No es posible aducir, en este caso, que la deducción por dependientes comporta una llana "ventaja" y que corresponde a los progenitores definir quién de los dos debe solicitarla, si ambos contribuyen económica y efectivamente con los gastos de crianza, educación y establecimiento de su unigénito.

Aquí nos encontramos, en nuestra opinión, ante una grosera transgresión de las facultades de la Administración Tributaria, por cuanto se limita injustificadamente la depuración de la renta de los contribuyentes sin tener en cuenta que no estamos ante un simple incentivo fiscal, sino ante una verdadera minoración estructural. Tal visión se robustece cuando se considera que, por un lado, la Carta Política le asignó un papel preponderante a la familia en la sociedad colombiana y, por el otro, los contribuyentes tienen la obligación legal y constitucional de destinar sus recursos, en primer lugar, a la atención y cuidado de su prole.

Así las cosas, cuando dos personas han procreado a un único hijo y no cohabitan, sino que el menor de edad reside con uno de ellos mientras el otro sufraga una mesada alimentaria, pero ambos concurren con sus esfuerzos económicos para la atención de las necesidades de su unigénito, parece absolutamente desproporcionado exigir que solo uno de los padres tenga derecho de solicitar la deducción por su dependiente. Esta aseveración, como se viene de ver, a nuestro juicio es igualmente predicable de aquellos casos en los que los padres sí cohabitan y aportan recursos económicos para la cumplida satisfacción de las necesidades de su único hijo.

En definitiva, resulta necesario que se fijen pautas claras para que ambos padres puedan solicitar la deducción respecto de un mismo dependiente, con la correlativa imposición de límites cuantitativos y cualitativos que permitan garantizar que no medien excesos en la utilización del tratamiento tributario de favor.

IV. LA POSIBILIDAD DE SOLICITAR LA DEDUCCIÓN POR DEPENDIENTES CUANDO SE HA SIDO SUSPENDIDO O PRIVADO DEL EJERCICIO DE LA PATRIA POTESTAD

Legítimo es cuestionar si un padre, mientras está suspendido o fue privado del ejercicio de la patria potestad, se encuentra habilitado para solicitar la deducción por dependientes. Delanteramente responderemos que, en nuestro criterio, resulta perfectamente posible que el progenitor solicite la deducción de que aquí se trata, aunque es esta una inquietud que se debe abordar en estas líneas, puesto que, según se ha visto, la suspensión y la privación de la patria potestad tienen una doble connotación: (i) por un lado, entrañan verdaderas medidas de protección a favor de los menores de edad; y, (ii) por el otro, son sanciones que se despliegan sobre los padres –o uno de ellos– por la comisión de conductas específicamente tipificadas en la ley.

Para absolver el interrogante propuesto, sea lo primero recapitular, muy brevemente, la explicación formulada en la Subsección III de la Sección I del Capítulo II de esta Parte, en el sentido de que Colombia fue uno de los ordenamientos jurídicos que recogió el sistema de patria potestad en sentido *restringido*. Y su calificativo es tal, porque nuestro sistema normativo distinguió los *Derechos y obligaciones personales entre padres e hijos* de los *Derechos y obligaciones preponderantemente económicos entre padres e hijos –o Patria potestad–*.

La Patria potestad, como institución en Colombia, recoge las prerrogativas de (i) goce legal sobre algunos bienes de los hijos, (ii) administración sobre algunos bienes de los hijos y (iii) representación legal, judicial y extrajudicial, de los hijos de familia. En cambio, los Derechos y obligaciones *personales* entre padres e hijos comprenden (i) la obediencia y el respeto, (ii) la vigilancia, la sanción y la corrección, (iii) el socorro y la protección,

(iv) la custodia y el cuidado personal, (v) las visitas, (vi) la crianza y la educación y (vii) los alimentos.

Este breve contexto sirve para entender que suspender o privar a un progenitor del ejercicio de la patria potestad se traduce en la remoción, temporal o definitiva, según sea el caso, de las prerrogativas de (i) goce legal sobre algunos bienes de los hijos, (ii) administración sobre algunos bienes de los hijos y (iii) representación legal, judicial y extrajudicial, de los hijos de familia. Pero ello no supone, ni en todo ni en parte, que cesen los Derechos y obligaciones *personales* entre padres e hijos y, con especial énfasis para cuanto aquí interesa, el derecho-obligación de prestar alimentos a la descendencia.

En línea con el planteamiento que aquí se deja vertido, es válido usar el mismo razonamiento que el que empleamos en los títulos que anteceden al aludir a la posibilidad de que los padres pudieran solicitar la deducción por dependientes respecto de los hijos de crianza declarados como tales en juicio de posesión notoria: ¿cómo es posible sostener que los padres suspendidos o privados del ejercicio de la patria potestad continúen conminados a suministrar alimentos legales a sus hijos, pero no cuenten con la posibilidad, desde la óptica tributaria, de solicitar la deducción por dependientes en la depuración de su impuesto sobre la renta? Y la respuesta, con idéntico hilo argumentativo, es la misma: no es posible sostenerlo.

Habrá quien replique, con alguna agudeza, que los motivos que abren paso a la suspensión o privación del ejercicio de la patria potestad son producto de la comisión de conductas, por los progenitores, que merecen indudable rechazo y sanción, no solo desde la perspectiva civil, sino desde el punto de vista tributario. En efecto, a un progenitor se lo priva del ejercicio de la patria potestad, de acuerdo con el artículo 315 del Estatuto Civil, cuandoquiera que maltrata a su hijo, le abandona, incurre en depravación incapacitante, es condenado –el padre– a pena privativa de la libertad superior a un año y la causa se relaciona con el ejercicio de la progenitura o el hijo es condenado por los delitos de homicidio doloso, secuestro, extorsión en todas sus formas y delitos agravados contra la libertad, integridad y formación sexual, siempre que los padres hayan favorecido las conductas punibles.

Siendo ello así, en un argumento que luce robusto cualquier individuo se cuestionaría lo siguiente: ¿es justo que el padre maltratador o que ha abandonado a su hijo cuente con la posibilidad de solicitar la deducción por dependientes respecto de ese menor de edad?

Ciertamente, desde un ángulo estrictamente político o, si se quiere, deontológico y *dikelógico*, la respuesta obvia parece ser que no hay justicia alguna en un planteamiento semejante. Porque nadie puede cohonestar que quien ha mancillado la honra de un menor de edad, que además es su hijo, o le ha librado a su buena suerte, reciba el favor del Estado al permitirle minorar su impuesto sobre la renta con la solicitud de la deducción por dependientes, tan solo al cobijo de la obligación legal que subsiste en su cabeza de prestar alimentos. Entonces, en una visión *iusnaturalista*, se dirá que aquello que se presenta tan supremamente injusto no puede ser derecho, como lo propusiera RADBRUCH en su minuto.

Aunque acompañamos tal razonamiento, visto a partir de un prisma político, jurídicamente nos encontramos obligados a disentir. Las razones para ello parten de dos puntos cardinales que no se pueden obviar:

En primer lugar, el hecho de que la obligación alimentaria subsista con posterioridad a la suspensión o privación del ejercicio de la patria potestad no cambia el fundamento que la subyace. A decir verdad, mal se puede concebir el instituto jurídico de los alimentos, en este caso particular, como cimentado sobre una sanción o un reproche, porque suficientemente clara ha sida la jurisprudencia de la Corte Suprema de Justicia al explicar que su basamento está en la *solidaridad* familiar; solidaridad que, bueno es advertirlo, no desaparece porque el obligado-deudor sea renuente o no quiera atender su mandato, sino que viene a ser impuesta por el imperio de la ley. Así pues, la sola concepción de un individuo supone de suyo la asunción del compromiso, por el engendrante, de satisfacer sus necesidades básicas y mínimas, compromiso este que queda sellado y avalado por el ordenamiento jurídico, lo que conduce a la conclusión de que no estamos aquí ante el débito de una prestación sancionatoria.

En segundo lugar, y aterrizado al campo fiscal, la deducción por dependientes abreva en el reconocimiento incontestable de que hay determinadas personas, dentro del núcleo familiar, que *dependen* de un contribuyente. Por consiguiente, a fin de evitar distorsionar injustamente la capacidad económica con que cuenta el contribuyente en cuestión para ayudar a solventar las erogaciones del Estado, se admite que reduzca la base gravable del impuesto sobre la renta con las expensas en que incurre para la cumplida atención de las necesidades de quienes *dependen* de él.

Aceptada esta segunda premisa, deviene natural la ordenación jurídica que se encuentra en el Estatuto Tributario respecto de la deducción por dependientes. Y si lo querido es que, a título de sanción, quien resulte suspendido o privado del ejercicio de la patria potestad pierda el tratamiento de favor que la normativa fiscal prevé, lo que corresponde es que sea la propia ley quien así lo disponga. De otro modo, habría una flagrante vulneración del principio constitucional que proscribe la imposición de penas sin leyes previas que las consagren (*nulla pœna sine lege previa*).

Es que, debemos insistir, lo deleznable que puedan parecer los motivos que dieron lugar a la privación de la patria potestad no permiten colegir, sin más, que pueda mediar una sanción en el ámbito fiscal que jamás ha sido adoptada por el Parlamento. A guisa de ejemplo, entreténgase el caso del maltrato intrafamiliar: en el ámbito civil, puede llegar a ser una causal para la privación de la patria potestad; en el ámbito sucesoral, puede llegar a ser una causal para la exheredación (por vía de indignidad o desheredamiento); en el ámbito penal, puede llegar a ser constitutivo de un delito, etc. Todo lo anterior ha sido minuciosa y específicamente regulado por el Legislador, dentro de la órbita de sus competencias y para cada una de las ramas antes comentadas.

Pero si la forma en que nuestro Congreso estructuró la deducción por dependientes no se sujetó a la vigencia de la patria potestad, sino a la condición de *padre* y la *dependencia*, como en efecto ocurre, no hay manera de sostener que la privación arroja como resultado la imposibilidad de que los progenitores soliciten el tratamiento tributario de favor. Tendría que mediar, en nuestra opinión, una disposición legal que así lo indicara.

Huelga advertir que, en este caso específico, no caben símiles ni comparaciones con ordenamientos jurídicos extranjeros que adoptaron el sistema de patria potestad *en sentido amplio* porque, sin intentar inmiscuirnos en las dificultades prácticas en que se ha visto la doctrina especializada para sostener la subsistencia de determinados derechos y obligaciones *personales* entre padres e hijos, una vez se priva al progenitor de la patria potestad (responsabilidad parental o cualquier otra denominación que revista), cesan todos los derechos, *personales* y *patrimoniales*, que atan a los padres con sus hijos. Comoquiera que ello no ocurre en nuestro país, por las razones expuestas, no es admisible pretender extrapolar construcciones lógicas ajenas a la ordenación jurídica colombiana.

SECCIÓN IV. CONCLUSIONES

Las discusiones en torno a la tributación de los hijos, expuestas en las Secciones que anteceden, son extensas y, desde luego, dejan abierta la posibilidad para asumir distintas posiciones tendientes a su solución. Por tal motivo, estimamos necesario hacer un acápite final, sobre conclusiones, en el cual se sintetice la situación fiscal de los hijos de familia a la luz del ordenamiento vigente, a fin de proporcionar mayor claridad al lector.

I. ¿Respecto de cuáles ingresos tributan los hijos de familia en el impuesto sobre la renta?

De acuerdo con la normativa en vigor, los hijos de familia deben reflejar, en su propio denuncio rentístico, los siguientes ingresos:

1) Aquellos derivados de los activos que integran su peculio industrial o profesional; esto es, los que fueron adquiridos por el hijo de familia como consecuencia del desempeño de su trabajo o industria; y

2) Los derivados de los activos que integran el peculio adventicio extraordinario; es decir, los bienes y derechos respecto de los cuales ninguno de los padres no detenta el goce legal.

Por oposición, las rentas provenientes de los activos de los hijos sobre los que los progenitores, o uno de ellos, detentan el goce legal, han de ser atribuidas a los padres. Tal es la regla fijada expresamente por el reglamento sobre la materia (artículo 1.2.1.1.8. del Decreto 1625 de 2016). Pero si ambos padres, o el único titular, ficticiamente renuncian al goce legal, entonces los hijos tendrán que reflejar los ingresos en su propio denuncio rentístico y, con base en ellos, liquidar el impuesto respectivo.

II. ¿Respecto de cuáles activos tributan los hijos en el impuesto sobre el patrimonio?

Abstracción hecha de las objeciones que se dejaron precedentemente sentadas, los hijos de familia deben reflejar en sus propios denuncios:

1) Los bienes y derechos que integran su peculio profesional o industrial; y

2) Los bienes y derechos que integran su peculio adventicio extraordinario.

Solo por excepción, cuando los padres hayan renunciado expresa y ficticiamente al goce legal que les confiere la ley, los hijos deberán incluir en sus declaraciones los bienes y derechos que integran su peculio adventicio ordinario.

Bibliografía

Abella, Arturo. *Así fue el nueve de abril.* Ed. Ediciones Internacional de Publicaciones. Bogotá, 1973.

Acedo Penco, Ángel y Pérez Gallardo Leonardo. *El divorcio en el derecho iberoamericano.* Coord. por Ángel Acedo Penco y Leonardo Pérez Gallardo. Ed. Temis, Ubijus, Reus y Zavalia. Bogotá, México, Madrid y Buenos Aires, 2009.

Aguado Montaño, Eustorgio Mariano. *Derecho de sucesiones.* Ed. Leyes. Bogotá, 2002.

Agudelo Villa, Hernando. *Criterios liberales sobre la reforma tributaria.* Constancia del Representante a la Cámara, leída en la sesión del 3 de diciembre de 1986 de las Comisiones Terceras del Senado de la República y la Cámara de Representantes. El documento se puede visualizar en la Revista del Instituto Colombiano de Derecho Tributario. Número 33. Año 23. Ed. Instituto Colombiano de Derecho Tributario. Bogotá, 1987.

Aguirre, Edith. *Do changes in divorce legislation have an impact on divorce rates? The case of unilateral divorce in Mexico* en Latin American Economic Review. Núm. 28. Ed. Springer Open. Nueva York, 2019.

Aguirre Vargas, Carlos. *Las asignaciones alimenticias forzosas y la porción conyugal* en Obras Jurídicas de Carlos Aguirre Vargas. Ed. Imprenta Gutenberg. Santiago de Chile, 1891.

Alarcón Peña, Andrea. *Economía social de mercado como sistema constitucional económico colombiano. Un análisis a partir de la jurisprudencia de la Corte Constitucional* en Revista Estudios Constitucionales. Vol. 16. Núm. 2. Ed. Centro de Estudios Constitucionales de la Universidad de Talca. Santiago, 2018.

Allais, Maurice Félix Charles. *L'impôt sur le capital et la réforme monétaire.* Primera Edición. Ed. Hermann. París, 1977.

Allen, Douglas. *Marriage and divorce: comment* en American Economic Review. Núm. 82. Ed. American Economic Association. Nashville, 1992.

–   *No-fault divorce in Canada: Its cause and effect* en Journal of Economic Behavior & Organization. Núm. 37. Ed. Elsevier. Amsterdam, 1998.

Alvarado, Manuel Antonio. *Tratado de ciencia tributaria.* Ed. Siglo XX. Bogotá, 1941

Alvarado, Manuel Antonio y Raisbeck James. *Su impuesto sobre la renta, patrimonio y exceso de utilidades.* Ed. ABC. Bogotá, 1938.

Álvarez Arroyo, Francisco. *Reflexiones sobre la intervención de la norma financiera en la economía y la sociedad: fines fiscales y extrafiscales de los tributos* en Del Derecho de la Hacienda Pública al Derecho Tributario: Estudios en honor a Andrea Amatucci. Coord. Mauricio A. Plazas Vega. Ed. Temis y Jovene Editore. Bogotá, 2011

Álvarez de las Asturias, Nicolás. *El Concilio de Trento y la indisolubilidad del matrimonio: reflexiones hermenéuticas acerca del alcance de su doctrina* en Revista Española de Teología. Volumen 75. Ed. Universidad Eclesiástica San Dámaso. Madrid, 2015.

Alviar, Óscar y Rojas, Fernando. *Elementos de finanzas públicas de Colombia.* Ed. Temis. Bogotá, 1989.

Amatucci, Andrea. *La autonomía del derecho de la hacienda pública y el derecho tributario.* Ed. Universidad del Rosario. Bogotá, 2008.

– *Medidas fiscales para el desarrollo económico.* Disponible en http://www.uckmar. net/ILADT/tema1/italia/Amatuccinew.htm#_ftn17

Amaya, J.J. *Situación actual del Concordato después de las sentencias de la Corte Constitucional de Colombia: punto de vista eclesiástico* en Revista Colombia Universitas Canónica. Vol. 15. Ed. Pontificia Universidad Javeriana. Bogotá, 1994.

Amézquita de Almeida, Josefina. *La mujer, sus obligaciones y sus derechos.* Ed. A.A. Bogotá, 1977.

– *Lecciones de derecho de familia.* Ed. Temis. Bogotá, 1980.

Andreozzi, Manuel. *Derecho tributario argentino.* Ed. Tipográfica Editora Argentina. Buenos Aires, 1951.

Andrews, William D. *A consumption-type or cash flow personal income tax* en Harvard Law Review. Volumen 87. Número 6. Cambridge, 1974.

Angarita Gómez, Jorge. *Estado civil y nombre de la persona natural.* Ed. Librería Jurídica Sánchez. Medellín, 1995.

Aprile Gniset, Jacques. *El impacto del nueve de abril sobre el centro de Bogotá.* Ed. Centro Cultural Jorge Eliecer Gaitán. Bogotá, 1983.

Arango, Rodolfo. *Constitución económica y procesos judiciales* en Revista de Tutela, Acciones Populares y de Cumplimiento. Núm. 11. Tomo I. Ed. Legis. Bogotá, 2000.

Arangio-Ruiz, Vincenzo. *Le genti e la città.* Ed. Tipografía d'Angelo. Messina, 1914.

Ardant, Gabriel. *L'histoire de l'impôt.* Ed. Fayord. París, 1972.

Aristóteles. *La política.* Introducción, traducción y notas de Manuela García Valdés. Ed. Gredos. Madrid, 1988.

Arregui, Antonio María y Zalba, Marcelino. *Compendio de teología moral.* Ed. Imprenta Elexpuru Hermanos. Bilbao, 1951.

Associazione per lo sviluppo dell'industria nel Mezzogiorno (SVIMEZ). *Un secolo di statistiche italiane nord e sud, 1861-1961.* Roma, 1961.

Astolfi, Riccardo. *La lex Iulia et papia.* Ed. CEDAM. Milán, 1970

Auerbach, Alan J. *The theory of excess burden and optimal taxation.* Papel de trabajo número 1025 para el National Bureau of Economic Research. Noviembre de 1982.

Avery Jones, John Francis. *The sources of Addington's income tax,* disponible en: https:// media.bloomsburyprofessional.com/rep/files/9781849467988sample.pdf

Badillo Abril, Fernando. *La prescripción de las obligaciones alimentarias* en Ámbito Jurídico, edición del 25 de octubre de 2019. Disponible en: https://www.ambitojuridico.com/ noticias/analisis/civil-y-familia/la-prescripcion-de-las-obligaciones-alimentarias

Barbero, Domenico. *Sistema del derecho privado.* Tomo V. *Sucesiones por causa de muerte.* Trad. Santiago Sentís Melendo. Ed. Ejea. Buenos Aires, 1967.

Barrientos, Armando y Powell, Martin. *The route map of the third way* en The third way and beyond: Criticisms, futures and alternatives. Editores: Sarah Hale, Will Leggett y Luke Martell. Ed. Manchester University Press. Manchester, 2004.

Becerra Becerra, Héctor Julio. *Recuento histórico de las reformas tributarias en Colombia* en Memorias de las XXXI Jornadas Colombianas de Derecho Tributario. Ed. Instituto Colombiano de Derecho Tributario. Bogotá, 2007

Bello, Andrés. *Obras completas de don Andrés Bello*. Volumen XIII. Ed. Pedro G. Ramírez. Santiago de Chile, 1890.

– *Obras completas de don Andrés Bello*. Volumen XII. *Proyecto de Código Civil (1853)*. Ed. Pedro G. Ramírez. Santiago de Chile, 1888.

– *Obras completas de don Andrés Bello*. Volumen XI. *Proyecto de Código Civil (1846-1847)*. Ed. Pedro G. Ramírez. Santiago de Chile, 1887.

– *Obras completas de Andrés Bello*. Volumen XIV. Segunda Edición. Dir. Rafael Caldera. Caracas, 1981.

– *Obras completas de Andrés Bello*. Volumen III. Segunda Edición. Dir. Rafael Caldera. Caracas, 1981.

– *Obras completas de Andrés Bello*. Volumen XXII. *Temas educacionales II*. Segunda Edición. Dir. Rafael Caldera. Caracas, 1982.

Belluscio, Augusto César. *Manual de derecho de familia*. Tomo II. Quinta Edición. Ed. Depalma. Buenos Aires, 1989.

– *Manual de derecho de familia*. Tomo II. Séptima Edición. Ed. Depalma. Buenos Aires, 2004.

Beltrán Villegas, Miguel Ángel. *La dictadura de Rojas Pinilla (1953-1957) y la construcción del "enemigo interno" en Colombia: el caso de los estudiantes y campesinos* en Revista Universitaria de Historia Militar. Volumen 8. Número 17. Ed. Centro de Estudios de la Guerra. España, 2019.

Berliri, Antonio. *Principii di diritto tributario*. Vol I. Trad. Fernando Vicente-Arche Coloma. Ed. De Derecho Financiero. Madrid, 1964.

– *Principii di diritto tributario*. Vol II. Trad. Fernando Vicente-Arche Coloma. Ed. De Derecho Financiero. Madrid, 1964.

Bernard, Marie-Paul. *Histoire de l'autorité paternelle en France*. Ed. Montdidier. París, 1863.

Betancourt Builes, Luis Enrique; Leyva Zambrano, Álvaro y Piñeros Perdomo, Mauricio. *Declaración de principios y observaciones del ICDT sobre los proyectos de reforma tributaria de 1998* en Revista del Instituto Colombiano de Derecho Tributario. Núm. 49. Año 35. Ed. Instituto Colombiano de Derecho Tributario. Bogotá, 1999.

Bîlbă, Corneliu. *The parent-child relation in Hobbes: beyond private life and public reason* en Revista de Cercetare si Interventie Sociala. Vol. 32. Ed. Lumen Publishing House. Bucarest, 2011.

Binder, Julius. *Derecho de sucesiones*. Trad. José Luis La Cruz Berdejo. Ed. Labor S.A. Barcelona y Madrid, 1953

Bird, Richard. *Taxation and development, lessons from the Colombian experience*. Ed. Harvard University Press. Cambridge, 1970.

– *Intergovernmental Finance in Colombia*. Ed. Harvard Law School. International Tax Program. Cambridge, 1981.

Blum, Walter J. y Kalven, Harry. *The uneasy case for progressive taxation* en The University of Chicago Law Review. Volumen 19. Número 3. Chicago, 1952.

Blumenstein, Ernst. *La causa nel diritto tributario svizzero*. Ed. Antonio Milani. 1939.

Braun, Herbert. *Mataron a Gaitán*. Ed. Aguilar. Bogotá, 2008.

Bravo Arteaga, Juan Rafael. *Nociones fundamentales de derecho tributario*. Ed. Instituto Colombiano de Derecho Tributario. Bogotá, 1973.

– *El impuesto de renta sobre dividendos* en Comentarios a la reforma tributaria estructural. Ed. Instituto Colombiano de Derecho Tributario e Instituto Colombiano de Derecho Aduanero. Bogotá, 2017.

– *Derecho tributario: escritos y reflexiones*. Ed. Universidad del Rosario. Bogotá, 2008.

– *Nociones fundamentales de derecho tributario*. Tercera Edición, Segunda Reimpresión. Ed. Legis. Bogotá, 2007 [2000].

Bravo Cucci, Jorge. *Intervenciones de la norma tributaria en la economía. Los fines extrafiscales de los tributos* en Del Derecho de la Hacienda Pública al Derecho Tributario: Estudios en honor a Andrea Amatucci. Coord. Mauricio A. Plazas Vega. Ed. Temis y Jovene Editore. Bogotá, 2011

Bravo González, Juan de Dios. *Comentarios a la ley 6º de 1992 en materia del impuesto sobre la renta* en Revista del Instituto Colombiano de Derecho Tributario. Número 43. Año 29. Ed. Instituto Colombiano de Derecho Tributario. Bogotá, 1993.

Becker, Gary. *A treatise on the family*. Ed. Harvard University. Cambridge, 1981.

Beltrame, Pierre. *Los sistemas fiscales*. Ed. Oikos Tau. Barcelona, 1977.

Bocanument-Arbeláez, Mauricio. *Estructuras de familia en Colombia: tensiones entre el reconocimiento y la exclusión*. Tesis para optar por el título de Doctor en Derecho de la Universidad de Medellín. Medellín, 2017.

Bodin, Jean. *Los seis libros de la república*. Trad. Pedro Bravo Gala. Tercera Edición. Ed. Tecnos. Madrid, 1997.

Bolaños, Ildemar. *Unión marital de hecho*. Ed. Leyer. Bogotá, 2002.

Bonnecase, Julien. *Elementos de derecho civil*. Tomo I. Trad. José María Cajicá. Ed. José María Cajicá. Puebla, 1945.

Bonfante, Pietro. *Istituzioni di diritto romano*. Trad. Luis Bacci y Andrés Larrosa. Tercera Edición. Ed. Reus. Madrid, 1965.

Borda, Guillermo. *Tratado de derecho civil. Familia*. Ed. Abeledo Perrot. Buenos Aires, 1993.

– *Manual de derecho de familia*. Séptima Edición. Ed. Abeledo Perrot. Buenos Aires, 1975.

Bossert, Gustavo. *Régimen jurídico del concubinato*. Ed. Astrea. Buenos Aires, 1992.

– *Régimen jurídico de los alimentos*. Ed. Astrea. Buenos Aires, 1993.

Bossert, Gustavo y Zannoni, Eduardo. *Manual de derecho de familia*. Sexta Edición. Ed. Astrea. Buenos Aires, 2004.

Botero Montoya, Rodrigo. *Memoria de Hacienda 1974-1976*. Tomo I. Ed. Talleres Gráficos del Banco de la República de Colombia. Bogotá, 1976.

Boughton, James. *Silent revolution: The International Monetary Fund, 1979-1989*. Ed. International Monetary Fund. Washington, 2001.

Brugger, Christian. *The indissolubility of marriage and the Council of Trent*. Ed. The Catholic University of America Press. Washington, 2017.

Brunialti, Attilio. *Il diritto amministrativo italiano e comparato nella scienza e nelle istituzioni.* Vol. II. Ed. Unione tipografico-editrice torinese. Torino, 1914.

Bry, Georges. *Principles de droit romain.* Quinta Edición. Ed. Recueil Sirey. París, 1912.

Buchanan, James McGill. *The collected works of James M. Buchanan.* Compiladores James McGill Buchanan y Geoffrey Brennan. Volumen 9. *The power to tax: Analytical foundations of a fiscal constitution* [1980]. Ed. Liberty Fund. Indianapolis, 2000.

   – *Man and the State.* Mont Pèlerin Society Presidential Talk. Agosto de 1986.

Burbano de García, Stella. *Matrimonio, divorcio y separación de cuerpos.* Ed. Librería Wilches. Bogotá, 1978. Pág. 71.

Burgeilles, Raoul. *Recherches historiques sur le droit ecrit: puissance paternelle.* Tesis para optar por el título de Doctor en Derecho de la Universidad de Burdeos. Ed. Universidad de Burdeos. Burdeos, 1903.

Busso, Eduardo. *Código civil anotado.* Ed. Ediar. Buenos Aires, 1945.

Cabanellas, Guillermo. *Diccionario de derecho usual.* Tomos I a IV. Cuarta Edición. Ed. Omeba. Buenos Aires, 1962.

Cáceres-Delpiano, Julio y Giolito, Eugenio. *How unilateral divorce affects children.* Papel de Trabajo número 3342. Ed. Institute for the Study of Labor (IZA). Bonn, 2008.

Calvino, Juan. *Institución de la religión cristiana.* Trad. Cipriano de Valera. Quinta Edición. Barcelona, 1999.

Camacho Rueda, Aurelio. *Ponencia para primer debate sobre las modificaciones introducidas por el Honorable Senado de la República, al proyecto de ley "Reorgánica del Impuesto sobre la Renta",* incluida como anexo en las Memorias de Hacienda de 1959. Ed. Imprenta Nacional. Bogotá, 1959.

Candian, Aurelio. *Instituciones de derecho privado.* Trad. Pascual Leone. Ed. Uteha. México D.F, 1961

Cañón Ramírez, Pedro Alejo. *Derecho civil.* Tomo II. Volumen 1. Familia. Ed. Presencia. Bogotá, 1995.

Carbonnier, Jean. *Derecho civil.* Tomo I. Volumen II. *Situaciones familiares y cuasi-familiares.* Trad. Manuel María Zorrilla Ruiz. Ed. Bosch. Barcelona, 1961.

Cardona Hernández, Guillermo. *Tratado de sucesiones.* Ed. Abogados Librería. Pereira, 1992.

Carnelutti, Francesco. *Teoría general del derecho.* Trad. Francisco Xavier Osset. Ed. Revista de Derecho Privado. Madrid, 1955.

Carrizosa Pardo, Hernando. *Las sucesiones.* Cuarta Edición. Ed. Lerner. Bogotá, 1959.

Casás, José Osvaldo. *El deber de contribuir como presupuesto para la existencia del Estado. Notas preliminares en torno a la justicia tributaria* en El tributo y su aplicación: perspectivas para el siglo XXI. Vol. I. Coordinada por César García Novoa y Catalina Hoyos Jiménez. Ed. Marcial Pons. Buenos Aires, 2008.

   – *Tributación y familia* en Revista Jurídica. Número 27. Ed. Facultad de Jurisprudencia y Ciencias Sociales y Política de la Universidad Católica de Santiago de Guayaquil. Guayaquil, 2010.

Castán Vásquez, José María. *La patria potestad.* Ed. Revista de Derecho Privado. Madrid, 1960.

Castillo Rugeles, Jorge Antonio. *Derecho de familia*. Ed. Leyer. Bogotá, 2000.

Castillo Yara, Esperanza. *La custodia compartida en Colombia: elementos fundantes de una nueva concepción* en Revista Actualidad Jurídica Iberoamericana. Núm. 13. Ed. Instituto de Derecho Iberoamericano. Valencia, 2020.

Castro Ortiz, Richard Ernest. *La educación en el Concordato de 1973 entre Colombia y la Santa Sede*. Tesis para optar por el título de Magíster en Derecho Canónico. Ed. Pontificia Universidad Javeriana. Bogotá, 2016.

CEPAL. *America Latina: la politica industrial en el marco de la nueva estrategia internacional para el desarrollo*. E/CEPAL/G.1161. 26 de febrero de 1981.

Champeau, Edmond y Uribe, Antonio José. *Tratado de derecho civil colombiano*. Tomo I. *De las personas*. Ed. Librairie de la Société du Recueil General des lois et des arrets. París, 1899.

Charrupi Hernández, Néstor Raúl. *La evolución del régimen sucesoral en el derecho colombiano. A propósito de la Ley 1934 de 2018* en Revista de Derecho Privado. Número 40. Ed. Universidad Externado de Colombia. Bogotá, 2021.

Chirino Castillo, Joel. *Concubinato y matrimonio* en Homenaje a Miguel Ángel Zamora y Valencia por el Colegio de Profesores de Derecho Civil de la Facultad de Derecho de la UNAM. Ed. UNAM. Ciudad de México, 2018.

Cicerón, Marco Tulio. *De legibus*.

- *Retórica a Herenio*. Introducción, traducción y notas de Salvador Núñez. Ed. Gredos. Madrid, 1997.

- *De officiis*. Traducido del latín por Walter Miller. Ed. William Heinemann Ltd. Londres, 1928.

Claro Solar, Luis. *Explicaciones de derecho civil chileno y comparado*. Volumen I. De las personas. Ed. Jurídica Chile. Santiago de Chile, 1978.

Clavijo, Sergio. *Impuestos, gasto público y 'fiscalizadores creíbles': breve historia de las comisiones de finanzas públicas en Colombia* en Revista Desarrollo y Sociedad. Número 40. Ed. Universidad de los Andes. Bogotá, 1988

Código de derecho canónico. Anotado y comentado por Pedro Lombardía y Juan Ignacio Arrieta. Ed. Universidad de Navarra. Pamplona, 1983.

Colás Escandón, Ana María. *El régimen de relaciones personales entre abuelos y nietos fijado judicialmente, con especial referencia a su extensión (a propósito de la STS, Sala 2.ª, N°. 138/2014, de 8 de septiembre)* en Revista Derecho Privado y Constitución. Núm. 29. Ed. Centro de Estudios Políticos y Constitucionales. Madrid, 2015.

Colin, Ambroise y Capitant, Henri. *Curso elemental de derecho civil*. Tomo II. Volumen I. Ed. Reus. Madrid, 1946.

- *Cours elémentaire de droit civil français*. Tomo I. Ed. Dalloz. París, 1914.

Colquhoun, Patrick Macchombaich. *A summary of the Roman civil law*. Vol I. Ed. William Benning and Company. Londres, 1849.

Comisión de Expertos para la Equidad y la Competitividad Tributaria. *Informe final presentado al Ministerio de Hacienda y Crédito Público*. Ed. Fedesarrollo. Bogotá, 2015.

Comité de los Derechos del Niño. *Observación general número 8*. U.N. Doc. CRC/C/GC/8, del 21 de agosto de 2006. Aprobada en el 42° período de sesiones, celebrado en Ginebra entre el 15 de mayo y el 2 de junio de 2006.

– *Observaciones finales sobre los informes periódicos cuarto y quinto combinados Colombia.* U.N. Doc. CRC/C/COL/CO/4-5, del 6 de marzo de 2015. Aprobada en el 60º período de sesiones, celebrado en Ginebra.

Comité de Maltrato infantil de la Sociedad Chilena de Pediatría. *El maltrato infantil desde la bioética: el sistema de salud y su labor asistencial ante el maltrato infantil, ¿qué hacer?* en Revista Chilena de Pediatría. Vol 28. Ed. Sociedad Chilena de Pediatría. Santiago de Chile, 2007.

Congregación para la Doctrina y la Fe. *Instrucción sobre el respeto de la vida humana naciente y la dignidad de la procreación.* Ed. Tipografía Políglota Vaticana. Ciudad del Vaticano, 1987.

Constaín, Juan Esteban. *Así fue el primer plebiscito votado en el país.* Publicado por El Tiempo, el 1º de octubre de 2016. Disponible en: https://www.eltiempo.com/archivo/documento/CMS-16716227

Cook, John Jeffrey. *William Pitt and his taxes,* disponible en: http://www.taxadvisers.org.uk/content/view.cfm/downloads/BTR 04 2010 Pitt and his taxes Offprint1 1.pdf

Coral Borrero, María Cristina y Torres, Franklin. *Instituciones de derecho de familia.* Ed. Doctrina y Ley. Bogotá, 2002.

Corchuelo, Alberto y Misas, Gabriel. *Internacionalización del capital y ampliación del mercado interno. El sector industrial colombiano* en Revista Uno en Dos. Número 8. Ed. Hombre Nuevo. Medellín, 1977

Corcoran, Paul. *Dominion and generation, Hobbes on conjugal and domestic relations* en Conferencia de la Australasian Political Studies Association. Ed. University of Newcastle. Newcastle, 2006

Corral Talciani, Hernán. *La familia en los 150 años del Código Civil Chileno* en Revista Chilena de Derecho. Volumen 32. Número 3. Ed. Pontificia Universidad Católica de Chile. Santiago, 2005.

– *Indisolubilidad matrimonial y divorcio ante el derecho civil* (en Revista Chilena de Derecho. Número 1. Volumen 19. Ed. Pontificia Universidad Católica de Chile. Santiago, 1992.

– *Comentario a la exposición de Luis Díez-Picazo y Ponce de León* en El Código Civil chileno. Vigencia y proyección de sus instituciones fundamentales en conmemoración de los 150 años de su promulgación. Simposio internacional organizado por la Universidad de Valparaíso. Valparaíso, 2005.

– *La familia en el Código Civil francés y en el Código Civil chileno* en El Código Civil francés de 1804 y el Código Civil chileno de 1855. Influencias, confluencias y divergencias. Ed. Ian Henríquez Herrera y Hernán Corral Talciani. Ed. Universidad de los Andes. Santiago de Chile, 2004.

– Cortés, Matías. *Ordenamiento tributario español.* Ed. Civitas. Madrid, 1985.

Cruz de Quiñones, Lucy. *La emergencia en materia tributaria. Análisis de las medidas adoptadas y algunas propuestas* en Revista de la Academia Colombiana de Jurisprudencia. Volumen 1. Número 371. Ed. Academia Colombiana de Jurisprudencia. Bogotá, 2020.

– *Tratamientos tributarios diferenciales: una ardua cuestión teórica* en Memorias de las XXVII Jornadas Colombianas de Derecho Tributario. Ed. Instituto Colombiano de Derecho Tributario. Bogotá, 2003.

Cruz Santos, Abel. *Finanzas públicas.* Ed. Lerner. Bogotá, 1988.

Cuevas, Homero. *La estructura industrial colombiana* en Controversias de Economía Colombiana. Ed. Universidad Externado de Colombia. Bogotá, 1976.

Currie, Lauchlin Bernard. *Bases de un programa de fomento para Colombia.* Ed. Banco de la República de Colombia. Bogotá, 1951.

Çakar, Enver. *Les Turkmènes d'Alep à lépoque ottomane (1516-1700)* en Aleppo and Its Hinterland in the Ottoman Period. Editores: Stefan Winter y Mafalda Ade. Ed. Brill. Leiden, 2019.

D'amati, Nicola. *Nozione critica del diritto finanziario,* en Rivista di Diritto e Pratica Tributaria. Núm. 4. Italia, 1957.

Deere, Carmen Diana y León, Magdalena. *El liberalismo y los derechos de propiedad de las mujeres casadas en el siglo XIX en América Latina* en ¿Ruptura e inequidad?: Propiedad y género en la América Latina del siglo XIX. Ed. Siglo del Hombre. Bogotá, 2005.

De Grazia, Victoria. *How fascism ruled women: Italy 1922-1925.* Ed. University of California Press. Los Angeles, 1992.

De la Cueva, Arturo. *Derecho Fiscal.* Quinta Edición. Editorial Porrúa. México 2017.

De la Garza, Sergio Francisco. *Derecho financiero mexicano.* 5ª Edición. Ed. Porrúa. México, 1973.

De Castro y Bravo, Federico. *El matrimonio de los hijos (Con motivo del Concordato con la Santa Sede)* en Revista Anuario de Derecho Civil. Núm. 4. Ed. Instituto de Estudios Jurídicos. Madrid, 1954.

De Cervantes Saavedra, Miguel. *El juez de los divorcios y otros entremeses.* Colección de Clásicos Carroggio. Ed. Carroggio de Ediciones. Barcelona, 1977.

De Soto, Domingo. *Relecciones y opúsculos.* Tomo I. *Introducción general, De Dominio, Sumario, Fragmento: An liceat…* Trad. Jaime Brufau Prats. Ed. San Esteban. Salamanca, 1995.

  – *De la justicia y del derecho.* Tomo I. Trad. Jaime Torrubiano Ripoll. Ed. Reus. Madrid, 1926.

  – *De la justicia y del derecho.* Tomo II. Trad. Jaime Torrubiano Ripoll. Ed. Reus. Madrid, 1926.

Del Vecchio, Giorgio. *Filosofía del derecho.* Trad. Luis Legaz y Lacambra. Novena Edición. Ed. Bosch. Barcelona, 1969.

Deleury, Edith; Rivet, Michèle y Neault, Jean-Marc. *De la puissance paternelle à l'autorité parentale: une institution en voie de trouver sa vraie finalité* en Les Cahiers de Droit. Vol. 15. Núm. 4. París, 1974.

Delmas-Marty, Mireille y Labrusse-Riou, Catherine. *Matrimonio y divorcio.* Ed. Temis. Bogotá, 1987.

  – *Derecho de familia dentro del Mandato Claro.* Ed. Ministerio de Justicia. Bogotá, 1974.

Devis Echandía, Hernando. *Aspectos sustanciales y procesales de la nueva ley de divorcio, separación de cuerpos y de bienes.* Mimeógrafo. Bogotá, 1976.

Díez Vargas, Cecilia. Cátedra de Derecho de Familia en Colegio Mayor de Nuestra Señora del Rosario. Marzo 19 de 2019

  – Cátedra de Derecho de Familia en Colegio Mayor de Nuestra Señora del Rosario. Abril 28 de 2020

– *La reforma al régimen de capacidad jurídica en Colombia: ley 1996 de 2019.* Ponencia en el III Encontro Internacional sobre os Direitos das Poessoas com Deficiência. Realizado virtualmente el 25 y 26 de noviembre de 2020.

Domínguez Benavente, Ramón y Domínguez Águila, Ramón. *Derecho sucesorio.* Tomo II. Segunda Edición. Ed. Editorial Jurídica de Chile. Santiago de Chile, 1998.

Domínguez Giraldo, Luis Alberto. *Derecho de familia. Los alimentos (juicio oral).* 2ª Edición. Ed. Librería Jurídica Sánchez Ltda. Bogotá, 2016.

Du Plessis de Grenédan, Joachim. *Histoire de l'autorité paternelle dans l'ancien droit français, depuis les origines jusqu'à la Révolution.* Tesis para optar por el título de Doctor en Derecho de la Universidad Sorbona. Ed. Universidad Sorbona. París, 1900.

Due, John y Friedlander, Ann. *Análisis económico de los impuestos.* Ed. Editorial de Derecho Financiero. Buenos Aires, 1990.

Duverger, Maurice. *Éléments de fiscalité.* Ed. Presses Universitaires de France. París, 1976.

Elhefnawy, Nader. *Was Tony Blair's Prime Ministership Neoliberal?: A Survey of British Economic Policy, 1979-2007* en Social Science Research Network. Disponible en: https://ssrn.com/abstract=3676360. Miami, 2020.

Elorriaga de Bonis, Fabián. *Derecho sucesorio.* Segunda Edición. Ed. Abeledo Perrot. Santiago de Chile, 2010.

Engels, Friedrich. *El origen de la familia, la propiedad privada y el Estado.* Trad. Enrique Luque. Ed. Alianza. Madrid, 2016.

Enneccerus, Ludwig; Kipp, Theodor y Wolff, Martin. *Tratado de derecho civil.* Tomo IV. Vol. I. *El Matrimonio.* Ed. Bosch. Barcelona, 1941.

Escuela Superior de Administración Pública (ESAP). *Historia y análisis de la ley 81 de 1960 "Reorgánica del impuesto sobre la renta.* Tomo I y II. Ed. Imprenta Nacional. Bogotá, 1961.

Espinosa Valderrama, Abdón. *Memoria de Hacienda 1966-1970.* Ed. Talleres Gráficos del Banco de la República de Colombia. Bogotá, 1970.

– *Espuma de los acontecimientos* en El Tiempo. Edición del 23 de octubre. Bogotá, 1983.

Estrada, Alexei Julio. *Economía y ordenamiento constitucional* en I Jornadas de Derecho Constitucional y Administrativo. Universidad Externado de Colombia. Bogotá, 2000.

Etzioni, Amitai. *The spirit of community rights, responsibilities and the communitarian agenda.* Ed. Crown Publishers. Carmarthen, 1993.

– *The essential communitarian reader.* Ed. Rowman & Littlefield Publishers. Oxford, 1998.

Fajnzylber, Fernando. *La industrialización trunca de América Latina.* Ed. Nueva Imagen. México D.F., 1983.

Falsitta, Gaspare. *Corso istituzionale di diritto tributario.* Ed. Antonio Milani. Verona, 2009.

Fanzolato, Eduardo. *Alimentos y reparaciones en la separación y en el divorcio.* Ed. Depalma. Buenos Aires, 1993.

Fedele, Andrea. *Appunti della lezioni di diritto tributario.* Ed. Giappichelli Editori. Torino, 2000.

Feldstein, Martin Stuart. *Taxing consumption* en The new republic. Volumen 174. Número 9. Washington D.C., 1976.

Fernández de Buján, Antonio. *Derecho privado romano.* Cuarta Edición. Ed. Iustel. Madrid, 2011.

Ferreiro Galguera, Juan. *Uniones de hecho: perspectiva histórica y derecho vigente* en Uniones de Hecho. Edit. J.M. Martinell y María Teresa Piñol. Ed. Universitat de Lleida. Lleida, 1998.

Fichera, Franco. *Imposizione ed extrafiscalità nel sistema costituzionale.* Ed. Edizioni scientifiche Italiane. Nápoles, 1978

Fisher, Irving y Fisher, Herbert. *Constructive income taxation: A proposal for reform* en The American Economic Review. Volumen 33. Número 1. Parte 1. Nueva York, 1943.

Fischietti, Pietro. *La difesa della razza.* Ed. Youcanprint. Italia, 2019.

Flora, Federico. *Manuale di scenza delle finanze.* Trad. Víctor Paret. Ed. Librería General de Victoriano Suárez. Madrid, 1928.

Flores Zavala, Ernesto. *Elementos de finanzas públicas mexicanas,* 13 Edición. Ed. Porrúa. México, 1971.

Flórez, Luis Bernardo. *El modelo neoliberal en Colombia 1974-1948* en Modelos de Desarrollo Económico. Colombia 1960-1982. Ed. La Oveja Negra. Bogotá, 1982

Foster, Reginaldus Thomas y McCarthy, Daniel Patrick. *The mere bones of Latin according to the thought and system of Reginald.* Ed. The Catholic University of America Press. Washington, 2015.

Franco Tamayo, Juan Daniel. *La capacidad en la unión marital de hecho: una reflexión sobre la familia delineada por el poder.* Ed. Facultad de Derecho y Ciencias Políticas de la Universidad de Antioquia. Medellín, 2020.

Friedberg, Leora. *Did unilateral divorce raise divorce rates? Evidence from panel data* en American Economic Review. Vol. 88. Núm. 3. 1998.

Friedman, Milton y Friedman, Rose D. *Capitalism and freemdom.* Ed. University of Chicago Press. Chicago, 1982.

– *Free to choose: A personal statement.* Ed. Harcout Brace Jovanovich. Nueva York, 1980.

Friedman, David. *The machinery of freedom: Guide to radical capitalism.* Tercera Edición. Ed. Open Court. Chicago, 2014.

Fueyo Laneri, Fernando. *Derecho civil.* Tomo I. Volumen III. Ed. Imprenta Litográfica Universo. Valparaíso, 1959.

Gaceta Constitucional. *Numero 52* de 1991.

– *Numero 133* de 1991.

– *Número 136* de 1991.

– *Número 5* de 1991.

– *Número 8* de 1991.

– *Número 23* de 1991.

– *Número 24* de 1991.

– *Número 46* de 1991.

– *Número 80* de 1991.

– *Número 109* de 1991.

– *Número 103* de 1991.

– *Número 113* de 1991.

Gaceta del Congreso de la República de Colombia. *Numero 24* de 1988.

- *Número 318* de 1995.
- *Número 171* de 1998.
- *Número 398* de 2002.
- *Número 536* de 2002.
- *Número 614* de 2002.
- *Número 345* de 2003.
- *Número 353* de 2003.
- *Número 572* de 2003.
- *Número 634* de 2003.
- *Número 691* de 2003.
- *Número 198* de 2004.
- *Número 666* de 2012.
- *Número 829* de 2012.
- *Número 030* de 2013.
- *Número 425* de 2013.
- *Número 743* de 2014.
- *Número 723* de 2015.
- *Número 602* de 2016.
- *Número 613* de 2016.
- *Número 773* de 2016.
- *Número 894* de 2016.
- *Número 1088* de 2016.
- *Número 1139* de 2016.
- *Número 1156* de 2016.
- *Número 1158* de 2016.
- *Número 161* de 2017.
- *Número 15* de 2017.
- *Número 729* de 2017.
- *Número 909* de 2017.
- *Número 205* de 2018.
- *Número 233* de 2018.
- *Número 481* de 2018.
- *Número 482* de 2018.
- *Número 822* de 2018.
- *Número 862* de 2018.
- *Número 933* de 2018.
- *Número 811* de 2019.

- *Número 1131* de 2019.

- *Número 1325* de 2020.

Gallón Giraldo, Carlos. *Separación de bienes y disolución de la sociedad conyugal por mutuo consentimiento de los cónyuges*. Bogotá, 1981. Revisado y actualizado en enero 29 de 2005. Pág. 2. Recuperado de: https://www.slideshare.net/sergiodani28/02separacion-de-bienes-y-disolucion-de-la-sociedad-conyugal-1

- *Divorcio, familia y matrimonio*. Ed. Gráficas Venus. Bogotá, 1974.

Galvis, Silvia y Donadio, Alberto. *El jefe supremo. Rojas Pinilla en la violencia y en el poder.* Ed. Hombre Nuevo. Medellín, 2002.

Gambón Alix, Germán. *La adopción*. Ed. Bosch. Barcelona, 1960.

Gaos, José. *Obras completas sobre Ortega y Gasset y otros trabajos de historia de las ideas en España y la América española*. Tomo IX. Ed. Universidad Nacional Autónoma de México. México D.F., 1992.

García Cantero, Gabriel. *Las relaciones familiares entre nietos y abuelos según la ley de 21 de noviembre de 2003*. Ed. Civitas. Madrid, 2004.

García Lozada, Nelson y Almonacid Sierra, Juan Jorge. *La constitución económica de 1991: instrumento jurídico para la democratización de la economía colombiana* en Revista Economía y Derecho. Núm. 10. Ed. Universidad Nacional de Colombia. Bogotá, 1998.

García Máynez, Eduardo. *Introducción al Estudio del Derecho*. Decimoquinta Edición. Ed. Porrúa S.A. México,1968.

García Parra, Jaime. *Memoria de Hacienda 1978-1980*. Tomo II. Ed. Imprenta Nacional. Bogotá, 1980.

García Restrepo, Álvaro Fernando. *Unión marital de hecho y sociedad patrimonial*. Ed. Ediciones Doctrina y Ley. Bogotá, 2001.

García Restrepo, Álvaro Fernando y Roca Betancur, Luz Stella. *Hacia un justo régimen de bienes entre compañeros permanentes*. Ed. Semilla y Viento. Medellín, 1994.

García Sarmiento, Eduardo. *Elementos de derecho de familia*. Ed. Temis. Bogotá, 1999.

- *La jurisdicción de familia y alimentos*. Ed. El Foro de la Justicia Ltda. Bogotá, 1991.

Garrone, José Alberto. *Diccionario Jurídico*. Tomo I. Ed. Abeledo Perrot. Buenos Aires, 1986.

Giannini, Achille Donato. *Diritto finanziario e scienza delle finanze* en Rivista Italiania Diritto finanziario e scienza delle finanze. 1939

- *Instituzioni di diritto tributario*, 7 Edición. Trad. Fernando Sainz de Bujanda. Ed. De Derecho Financiero. Madrid, 1957.

- *La classificazione delle imposte nel diritto tributario* en Studi dedicati alla memoria di Pier Paolo Zanzucchi / dalla Facoltà di giurisprudenza. Ed. Vita e Pensiero. Milán, 1927.

Giddens, Anthony. *The third way: the renewal of social democracy*. Ed. Polity Press. Oxford, 1998.

Giuliani Fonrouge, Carlos María. *Derecho Financiero*. Obra actualizada por Susana Camila Navarrine y Rubén Óscar Asorey. Vol. I. 5 Edición. Ed. De Palma. Buenos Aires, 1993.

- *Anteproyecto de Código fiscal: precedido de un estudio sobre lo contencioso-fiscal en la legislación argentina y comparada: doctrina, legislación y jurisprudencia sobre derecho fiscal*. Ed. Seminario de Ciencias Jurídicas y Sociales. Buenos Aires, 1942.

Godoy Fajardo, Juan Pablo. *Los fines extrafiscales de los tributos* en Del Derecho de la Hacienda Pública al Derecho Tributario: Estudios en honor a Andrea Amatucci. Coord. Mauricio A. Plazas Vega. Ed. Temis y Jovene Editore. Bogotá, 2011

Goes, Eunice. *The third way and the politics of community* en The third way and beyond: Criticisms, futures and alternatives. Editores: Sarah Hale, Will Leggett y Luke Martell. Ed. Manchester University Press. Manchester, 2004.

Gómez Piedrahíta, Hernán. *Derecho de familia.* Ed. Temis. Bogotá, 1992.

– *Código de Familia colombiano.* Ed. Librería Jurídica Wilches. Bogotá, 1994.

Gómez R., José J. *El régimen de bienes en el matrimonio.* Tercera Edición. Ed. Temis. Bogotá, 1961.

Gómez Sánchez, Yolanda. *El derecho a la reproducción humana.* Ed. Marcial Pons. Madrid, 1994.

Gómez Sjöberg, Luis Miguel. *Intervenciones de la norma financiera en la economía* en Del Derecho de la Hacienda Pública al Derecho Tributario: Estudios en honor a Andrea Amatucci. Coord. Mauricio A. Plazas Vega. Ed. Temis y Jovene Editore. Bogotá, 2011.

González, Felipe. *El 9 de abril de 1948 a nivel del pavimento.* Ed. El Tiempo. Bogotá, 9 de abril de 1968

González, Francisco y Calderón, Valentina. *Las reformas tributarias durante el siglo XX (I)* en Boletines de Divulgación Económica. Ed. Departamento Nacional de Planeación y Giro Editores. Bogotá, 2002.

González Valencia, José María. *Comentarios al Código Civil por el doctor José María González Valencia* en Revista Jurídica 194. Ed. Universidad Nacional de Colombia. Bogotá, 1916.

Gorini, Bruno. *La causa giuridica dell'obbligazione tributaria* en Rivista Italiana di Diritto Finanziario. Tomo I. Ed. Giuffrè. Milán, 1940.

Graetz, Michael J. *Implementing a progressive consumption tax* en Harvard Law Review. Volumen 92. Número 8. Cambridge, 1979.

Greenidge, Abel Hendry Jones. *Infamia.* Ed. Oxford University Press. Londres, 1894.

Griziotti, Benvenuto. *Per l'unitá della cattedra di diritto finanziario e scienza delle finanze e per il prestigio degli studi finanziari in Italia* en Rivista de Diritto Finanziario e Scienza delle Finanze, diciembre de 1942.

– *Primi elementi di scienza delle finanze.* Ed. Guiffrè. Milán, 1962

– *Studi di scienza delle finanze e diritto finanziario.* Ed. Guiffrè. Milán, 1956.

– *I principi delle entrate extrafiscali* en Rivista di Diritto Finanziario e Scienza delle Finanze. Parte I. Dir. Luigi Einaudi. Ed. Giuffè. Milán, 1951.

– *L'imposition fiscale des étrangers* en Recueil de Cours de L'Académie de Droit International de La Haye. Vol. 13. Ed. Sirey. París, 1927.

– *Riflessioni di diritto internazionale, politica, economia e finanza.* Ed. Treves. Pavía, 1936.

Grocio, Hugo. *De iure belli ac pacis.* Trad. Jean Barbeyrac y Richard Tuck. Ed. Liberty Fund. Indianapolis, 2005.

Gruber, Jonathan. *Is making divorce easier bad for children?* En Journal of Labor Economics. Núm. 22. Ed. University of Chicago Press. Chicago, 2004.

Guzmán Álvarez, Martha Patricia. *El régimen económico del matrimonio*. Ed. Universidad del Rosario. Bogotá, 2006.

Guzmán Brito, Alejandro. *La doble naturaleza de deuda hereditaria y asignación hereditaria forzosa de los alimentos debidos por ley a ciertas personas* en Revista Chilena de Derecho. Núm. 2. Vol. 35. Ed. Pontificia Universidad Católica de Chile. Santiago de Chile, 2008.

Gutiérrez Castro, Édgar. *La pasión de gobernar: La administración Betancur 10 años después*. Ed. Tercer Mundo. Bogotá, 1997.

Hartwell, Ronald Max. *A history of the Mont Pelerin Society*. Ed. Liberty Fund. Indianapolis, 1995.

Hayek, Friedrich August. *The collected works of F.A. Hayek*. Volumen XVII. *The constitution of liberty, definitive edition*. Editado por Ronald Hamowy. Ed. University of Chicago Press. Chicago, 2011.

   − *Camino de servidumbre: Textos y documentos*. Volumen II. Trad. Jesús Huerta de Soto. Ed. Unión Editorial. Madrid, 2008.

   − *Denationalisation of money: The argument refined*. Tercera Edición. Ed. Institute of Economic Affairs. Londres, 1990.

   − *Law, legislation and liberty: A new statement of the liberal principles of justice and political economy*. Volumen 3. Ed. Routledge Classics. Londres, 2013.

   − *Individualism and economic order*. Ed. The University of Chicago Press. Chicago, 1980 [1948].

Heineccius, Johann Gottlieb. *Recitaciones del derecho civil según el orden de la Instituta*. Tomo II. Segunda Edición. Traducida del latín por Luis de Collántes y revisada de nuevo por Vicente Salvá. Ed. Librería de don Vicente Salvá. París, 1847.

Henríquez Ureña, Pedro. *Literary currents in hispanic America*. Ed. Harvard University Press. Cambridge, 1945.

Hernández Ibáñez, Carmen. *Relaciones entre los nietos y los abuelos en el ámbito del derecho civil* en Revista Actualidad Civil. Núm. 1. Ed. Wolters Kluwer. Madrid, 2002.

Hersey, Mason. *Lewis Henry Morgan and the anthropological critique of civilization* en Dialectical Anthropology. Vol. 18. Núm. 1. Ed. Springer. Berlin/Heidelberg, 1993.

Hensel, Albert. *Derecho tributario*. Trad. Leandro Stok y Francisco Cejas. Ed. Nova Tesis. Rosario, 2004.

Hinestrosa Forero, Fernando. *Relaciones entre padres e hijos* en Revista Iusta. Núm. 5. Ed. Universidad Santo Tomás de Aquino. Bogotá, 1985.

   − *Curso de obligaciones. Conferencias*. Segunda Edición Mimeografiada. Ed. Universidad Externado de Colombia. Bogotá, 1960.

Hobbes, Thomas. *De cive*. Impreso por J.C. para R. Royston. Londres, 1651.

   − *Leviathan or the matter, forme, & power of a common-wealth ecclesiastical and civill*. Impreso para Andrew Crooke. Londres, 1651.

Homero. *La odisea*.

Hommes Rodríguez, Rudolf. *Memoria al Congreso Nacional 1992*. Ed. Ministerio de Hacienda y Crédito Público. Bogotá, 1992.

- *Memoria al Congreso Nacional 1992-1993.* Ed. Ministerio de Hacienda y Crédito Público. Bogotá, 1993.

Hubeñak, Florencio. *Raíces y desarrollo de la teoría de las dos espadas* en Prudentia Iuris. Núm. 78. Ed. Pontificia Universidad Católica Argentina. Buenos Aires, 2014.

Ingrosso, Gustavo. *Diritto finanziario.* Ed. Jovene Editore. Nápoles, 1956.

- *Istituzioni di diritto finanziario.* Vol. II. Ed. Jovene. Nápoles, 1935.

International Bank for Reconstruction and Development (IBRD). *Current economic position and prospects of Colombia WH-172.* Volúmenes I y II. Ed. Banco Mundial. Washington, 1967

Jarach, Dino. *El hecho imponible.* Tercera Edición. Ed. Abeledo-Perrot. Buenos Aires, 1943.

Jaramillo, Esteban. *La reforma tributaria en Colombia, un problema fiscal y social.* Ed. Banco de la República. Bogotá, 1918.

Jaramillo Ocampo, Hernán. *Memorias de hacienda 1949.* Segunda Parte. *Jefatura de Rentas e Impuestos Nacionales.* Ed. Imprenta del Banco de la República. Bogotá, 1949.

- *Momentos estelares de la política colombiana.* Ed. Tercer Mundo. Bogotá, 1990.

Johnson, John y Mazingo, Christopher. *The economic consequences of unilateral divorce for children.* Ed. Universidad de Illinois. Chicago, 2000.

Jordano Borea, Juan. *Interpretación del testamento.* Ed. Bosch. Barcelona, 1958.

Josserand, Louis. *Cours de droit civil positif français.* Tomo I. Tercera Edición. Ed. Recueil Sirey. París, 1938.

Junguito, Roberto y Rincón, Hernán. *La política fiscal en el siglo XX en Colombia* en Economía colombiana del siglo XX. Ed. Fondo de Cultura Económica del Banco de la República. Bogotá, 2007.

Junguito Bonnet, Roberto. *Exposición de motivos al proyecto de ley 080, Cámara de Representantes.* Gaceta del Congreso de la República número 398 de 2002.

Justiniano. *Institutas.* Libro 2.9.1. Disponible para consulta en *The institutes of Justinan.* Introducción, traducción y notas de Thomas Collet Sandars. Decimocuarta Impresión. Ed. The Lawbook Exchange. Nueva Jersey, 2007.

Kaldor, Nicholas. *An expenditure tax.* Ed. The MacMillan Company. Nueva York, 1957.

Kalmanovitz, Salomón. *Economía y nación una breve historia de Colombia.* Cuarta Edición. Ed. Tercer Mundo. Bogotá, 1997.

Kipp, Theodor. *Derecho de sucesiones.* Tomo V. Vol. 2°. Trad. Ramón María Rocca Sastre. Ed. Bosch. Barcelona, 1951

Lacruz Berdejo, José Luis y Sancho y Rebullida, Francisco de Asís. *Derecho de sucesiones.* Ed. Bosch. Barcelona, 1981.

Laffer, Arthur Betz. *Reinstatement of the dollar: The blueprint.* Ed. Rolling Hill Estates. California, 1980.

Laffer, Arthur Betz y Ranson, R. David. *Inflation, taxes and equity values.* Ed. H.C. Wainwright & Co. Boston, 1979.

Laffer, Arthur Betz y Kadlec, Charles W. *The point of linking the dollar to gold* en Wall Street Journal. Edición publicada el 13 de octubre de 1982.

Lafont Pianetta, Pedro. *Derecho de familia.* Cuarta Edición. Ed. Librería del Profesional. Bogotá, 2009.

- *Derecho de familia. Unión marital de hecho.* Ed. Librería Ediciones el Profesional. Bogotá, 1992.

- *Derecho de sucesiones.* Tomo I. *Teoría del derecho sucesoral.* Segunda Edición. Ed. Librería del Profesional. Bogotá, 1980.

- *Derecho de sucesiones.* Tomo I. *Parte general y sucesión intestada.* Decimoprimera Edición. Ed. Librería del Profesional. Bogotá, 2020.

- *Derecho de sucesiones.* Tomo II. *Sucesión testamentaria y contractual. La partición y protección sucesoral. Partición sucesoral anticipada.* Décima Edición. Ed. Librería del Profesional. Bogotá, 2019.

Larraín Ríos, Hernán. *Divorcio.* Ed. Editorial Jurídica de Chile. Santiago de Chile, 1996.

Larrea Holguín, Juan Ignacio. *Derecho civil del Ecuador.* Volumen II, Derecho matrimonial. Cuarta Edición. Ed. Corporación de Estudios y Publicaciones. Quito, 1985.

- *Reformas sobre el matrimonio en la ley 43* en Revista Jurídica. Ed. Universidad Católica de Santiago de Guayaquil. Santiago de Guayaquil, 1990.

Latorre Uriza, Luis Felipe. *El estatuto de la mujer casada.* Ed. Kelly. Bogotá, 1941.

- *Régimen patrimonial en el matrimonio.* Ed. Imprenta Nacional de Colombia. Bogotá, 1932.

Laufenburger, Henry. *Théorie économique et psychologique des finances publiques.* Vol. I. Quinta Edición. Ed. Sirey. París, 1956.

Lehmann, Heinrich. *Derecho de familia.* Trad. José María Navas. Ed. Revista de Derecho Privado. Madrid, 1953.

Leiva Ramírez, Eric y Muñoz González, Ana Lucía. *La corrección moderada y el derecho al libre desarrollo de la personalidad de las niñas y niños no emancipados según la jurisprudencia de la Corte Constitucional* en Revista Nova et Vetera. Núm. 21. Ed. Colegio Mayor de Nuestra Señora del Rosario. Bogotá, 2012.

Leroy-Beaulieu, Paul. *Traité de la science des finances.* Vol. I. Segunda Edición. Ed. Guillaumin et Cie. Paris, 1879.

Lewin Figueroa, Alfredo. *Historia de las reformas tributarias en Colombia* en Fundamentos de la Tributación. Coord. Eleonora Lozano Rodríguez. Ed. Universidad de los Andes y Temis. Bogotá, 2008.

- *El impuesto de industria y comercio. Origen, desarrollo legal, régimen actual y proyectos de ley* en Revista del Instituto Colombiano de Derecho Tributario. Número 24. Año 17. Ed. Instituto Colombiano de Derecho Tributario. Bogotá, 1981.

Llamabías, Jorge. *Código civil anotado.* Tomo I. Ed. Abeledo-Perrot. Buenos Aires, 1978.

Llorente Martínez, Rodrigo. *Memoria de Hacienda 1971-1973.* Tomo II. Ed. Talleres Gráficos del Banco de la República de Colombia. Bogotá, 1973.

Locke, John. *Segundo tratado sobre el gobierno civil, un ensayo acerca del verdadero origen, alcance y fin del gobierno civil.* Trad. Carlos Mellizo. Ed. Tecnos. Madrid, 2006.

López Blanco, Hernán Fabio. Ponencia presentada en el XIV Congreso Colombiano de Derecho Procesal. Barranquilla, 1993.

−   *La ley de divorcio: implicaciones procesales.* Ed. Dupre. Bogotá, 1994.

López del Carril, Julio. *Derechos y obligaciones alimentarias.* Ed. Abeledo Perrot. Buenos Aires, 1981.

López Freyle, Isaac. *Principios de la tributación.* Segunda Edición. Ed. Lerner. Bogotá, 1962.

Lotero Contreras, Jorge. *El pensamiento cepalino: estructuralsmo y regulación del desarrollo* en Revista Lecturas de Economía. Número 27. Ed. Universidad de Antioquia. Bogotá, 1988.

Lozano Rodríguez, Eleonora. *El impuesto sobre la renta en el derecho comparado. Reflexiones para Colombia. Concepción del rédito de enriquecimiento como hecho imponible del impuesto de renta: una perspectiva de derecho comparado* en El impuesto sobre la renta en el derecho comparado. Reflexiones para Colombia. Homenaje al Dr. Juan Rafael Bravo Arteaga. Tomo I. Obra de varios autores coordinada por Álvaro Leyva Zambrano, Paul Cahn-Speyer Wells, Mauricio A. Plazas Vega, Mauricio Piñeros Perdomo, Carlos Ramírez Guerrero y Vicente Amalla Mantilla. Ed. Instituto Colombiano de Derecho Tributario. Bogotá, 2008.

Lundberg, Shelly; Pollak, Robert. A. y Stearns, Jenna. *Family inequality: Diverging patterns in marriage, cohabitation, and childbearing* en Journal of Economic Perspectives. Vol. 30. Núm. 2. Ed. American Economic Association. Nueva York, 2016. Pág. 79 a 102.

Machado, José Olegario. *El código civil argentino interpretado por los tribunales de la República.* Tomo I. Ed. Félix Lajouane Editores. Buenos Aires, 1905.

Maffuccini, Matteo. *Manuale di diritto tributario.* Ed. Il Foro Tributario. Roma, 1942.

Malagón Pinzón, Miguel y Pardo Motta, Diego Nicolás. *Laureano Gómez, la Misión Currie y el proyecto de reforma constitucional de 1952* en Revista Criterio Jurídico. Volumen 9, Número 2. Ed. Pontificia Universidad Javeriana de Cali. Cali, 2009.

Mankiw, Gregory. *Principios de Economía.* Tercera Edición. Ed. Mc Graw Hill/Interamericana de España. Madrid, 2004.

Manresa y Navarro, José María. *Comentarios al código civil español.* Tomo II. Ed. Reus. Madrid, 1944.

Marcadé, Víctor-Napoleón. *Explication théorique et practique du code civil.* Tomo XII. *De la prescription.* Séptima Edición. Ed. Delamotte et Fils. París, 1874.

Marx, Karl. *El Capital.* Ed. Siglo XXI de España Editores. Madrid, 2017.

Maya Barroso, Delio Enrique. *La Laicidad del Estado Colombiano* en Revista Criterios. Vol. 1. Núm. 2. Ed. Universidad San Buenaventura. Bogotá, 2008.

Mayer, J.P. *Trayectoria del pensamiento político.* Segunda Reimpresión. Ed. Fondo de Cultura Económica. México D.F. – Buenos Aires, 1961.

Mayer, Otto. *Derecho administrativo alemán.* Ed. Depalma. Buenos Aires, 1950.

Mazeaud, Henri, Leon y Jean. *Leçons de droit civil.* Tomo I. Ed. Montchrestien. París, 1955.

−   *Leçons de droit civil.* Tomo I. Trad. Luis Alcalá Zamora. Ed. Ediciones Jurídicas Europa-América. Buenos Aires, 1959.

−   *Leçons de droit civil.* Tomo III. Trad. Luis Alcalá Zamora. Ed. Ediciones Jurídicas Europa-América. Buenos Aires, 1959.

−   *Leçons de droit civil.* Tomo IV. Trad. Luis Alcalá Zamora. Ed. Ediciones Jurídicas Europa-América. Buenos Aires, 1959.

Mazzinghi, Jorge Adolfo. *Derecho de familia*. Tomo I. *El matrimonio como acto jurídico*. Tercera Edición. Ed. Depalma. Buenos Aires, 1995.

  — *Derecho de familia*. Tomo III. *Separación personal y divorcio*. Tercera Edición. Ed. Depalma. Buenos Aires, 1996.

  — *Derecho de familia*. Tomo IV. *Filiación. Procreación artificial. Adopción. Patria potestad. Tutela y curatela. Parentesco. Violencia familiar. Mediación*. Tercera Edición. Ed. Depalma. Buenos Aires, 1999.

  — *Tratado de derecho de familia*. Tomo IV. *Filiación. Procreación asistida. Patria potestad, tutela y curatela. Parentesco. Mediación*. Cuarta Edición. Ed. La Ley. Buenos Aires, 2006.

  — *Tratado de derecho de familia*. Tomo III. *Separación personal y divorcio*. 4ª Edición. Ed. La Ley. Buenos Aires, 2006.

McKinnon, Ronald. *Money and capital in economic development*. Primera Edición. Ed. Brookings Institution Press. Washington, 1973.

McLennan, John Ferguson. *Primitive marriage: an inquirí into the origin of the form of capture in marriage ceremonies*. Ed. Adam and Charles Black. Edinburgo, 1865

Meade, James. *The structure and reform of direct taxation*. Reporte para el Institute of Fiscal Studies. Ed. George Allen & Unwin. Londres, 1978.

Medina Pabón, Juan Enrique; Díez Vargas, Cecilia; Rueda Serrano, Manuel Guillermo y Torres Villareal, María Lucía. *Nuevo régimen de protección legal a las personas con discapacidad mental*. Ed. Universidad del Rosario. Bogotá, 2009

Medina Pabón, Juan Enrique. *Derecho civil. Derecho de familia*. Quinta Edición. Ed. Universidad del Rosario. Bogotá, 2018.

Mehl, Lucien. *Elementos de ciencia fiscal*. Ed. Bosch Casa Editorial. Barcelona, 1964.

Mejía Palacio, Jorge. *Memoria de Hacienda 1962*. Ed. Imprenta Nacional. Bogotá, 1962.

Melcare-Zachara, Johanne. *La puissance paternelle au XIXe siècle (1804-1889)*. Tesis para optar por el título de Doctora en Derecho por la Universidad de Nantes. Ed. Universidad de Nantes. Nantes, 2019.

Messineo, Francesco. *Manual de derecho civil y comercial*. Tomo VII. *Derecho de las sucesiones por causa de muerte. Principios de derecho privado internacional*. Trad. Santiago Sentís Melendo. Ed. Ejea. Buenos Aires, 1956.

Micheli, Gian Antonio. *Corso di diritto tributario*. Trad. Julio Banacloche. Ed. De Derecho Reunidas. Caracas, 1975.

Minogue, Kenneth. *The liberal mind*. Ed. Random House. Nueva York, 1963.

Mirowsky, Philip. *What's wrong with the Laffer Curve?* En Journal of Economic Issues. Volumen 16. Número 3. Ed. Taylor & Francis. Nueva York, 1982.

Mises, Ludwig. *El socialismo: análisis económico y sociológico*. Trad. Luis Montes de Oca. Ed. Hermés. México D.F., 1961.

Mora Toscano, Óliver. *La reforma tributaria de 1935 y el fortalecimiento de la tributación directa en Colombia* en Revista Apuntes del Cenes- Universidad Pedagógica y Tecnológica de Colombia. Bogotá, 2013.

Morales Acacio, Alcides. *Lecciones de derecho de familia*. Ed. Leyer. Bogotá, 1997.

Monroy Cabra, Marco Gerardo. *Métodos alternativos de solución de conflictos.* Ed. Legis. Bogotá, 1997.

- *Matrimonio civil y divorcio en Colombia.* Ed. Temis. Bogotá, 1979.

- *Derecho de familia, infancia y adolescencia.* Decimosexta Edición. Ed. Librería Ediciones del Profesional. Bogotá, 2017.

- *Derecho de familia y de menores.* Novena Edición. Ed. Librería del Profesional. Bogotá, 2004.

Montesquieu, Charles Louis de Secondat. *Del espíritu de las leyes.* Vol. I. Trad. Nicolás Estévanez. Ed. Garnier Frères. París, 1924

Montoya Osorio, Martha Elena y Montoya Pérez, Guillermo. *Las personas en el derecho civil colombiano.* Ed. Leyer. Bogotá, 2010.

Montoya Pérez, Guillermo. *Uniones maritales de hecho.* Ed. Fondo Editorial Universidad EAFIT. Medellín, 2016.

Morgan, Lewis Henry. *Ancient society; or researches in the lines of human progress from savagery, through barbarism to civilization.* Ed. Henry Holt and Company. Nueva York, 1877.

Mucius Scævola, Q. *Código civil comentado y concordado.* Tomo III. Ed. Imprenta de Ricardo Rojas. Madrid, 1942.

Mukarker Ovalle, Víctor. *Algunos aspectos de la patria potestad en las Sagradas Escrituras* en Revista Chilena de Derecho. Vol. 7. Núm. 1/6. IV Jornadas chilenas de Derecho natural. Ed. Universidad Católica de Chile. Santiago de Chile, 1980.

Musgrave, Richard. *Fiscal reform for Colombia: Final Report and Staff Papers of the Colombian Commission on Tax Reform, Richard A. Musgrave, President.* Ed. The Law School of Harvard University. Cambridge, 1971

Noyola Vásquez, Juan Francisco. *Desequilibrio fundamental y fomento económico en México.* Ed. Escuela Nacional de Economía. México D.F., 1949

Nozick, Robert. *Anarquía, Estado y utopía.* Primera Edición en Español. Trad. Rolando Tamayo. Ed. Fondo de Cultura Económica. Buenos Aires, 1988.

Ocampo, José Antonio. *Raúl Prebisch y la agenda del desarrollo en los albores del siglo XXI.* Documento presentado en el Seminario "La Teoría del Desarrollo en los Albores del Siglo XXI" de la CEPAL, que tuvo lugar en Santiago de Chile el 28 y 29 de agosto de 2001.

- *Historia Económica de Colombia.* Ed. Fondo de Cultura Económica y Fedesarrollo. Bogotá, 2015.

- *Osvaldo Sunkel, el estructuralismo y el neoestructuralismo* en Del estructuralismo al neoestructuralismo. La travesía intelectual de Osvaldo Sunkel. Editores: Alicia Bárcena y Miguel Torres. Ed. Comisión Económica para América Latina y el Caribe (CEPAL). Santiago de Chile, 2019.

- *La política económica durante la administración Samper* en A diez años del salto social ¿Que no nos dejaron gobernar? Coord. Ernesto Samper Pizano. Ed. D'Vinni S.A. Bogotá, 2008.

- *Evaluación de la situación fiscal colombiana* en Revista Coyuntura Económica. Vol. 27. Núm. 2. Ed. Fedesarrollo. Bogotá, 1997.

Ocampo, José Antonio y Perry Rubio, Guillermo. *La reforma fiscal, 1982-1983* en Coyuntura Económica: Investigación Económica y Social. Ed. Fedesarrollo. Bogotá, 1983.

OCDE/CEPAL/CIAT/BID (2017), *Revenue Statistics in Latin America and the Caribbean 1990-2015*.

Organización de Naciones Unidas. Consejo Económico y Social. *INFORME PROVISIONAL DE LA CONFERENCIA SOBRE POLITICA FISCAL ORGANIZADA POR EL PROGRAMA CONJUNTO DE TRIBUTACION OEA/BID/CEPAL.* Documento E/CN.12/638 del 15 de enero de 1963.

Orlando, Vittorio Emanuele. *Primo trattato completo di diritto amministrativo italiano.* Ed. Società Editrice Libraria. Milán, 1915.

Orozco de Triana, Alba Lucía. Carta enviada por al Presidente de la Corte Suprema de Justicia, Alfonso Reyes Echandía, el 6 de abril de 1983, en el marco del estudio de constitucionalidad del decreto legislativo 237 de 1983. Disponible para su consulta en Revista del Instituto Colombiano de Derecho Tributario. Número 27. Año 19. Ed. Instituto Colombiano de Derecho Tributario. Bogotá, 1983.

Ortiz Monsalve, Álvaro. *Capacidad plena de los mayores de edad en situación de discapacidad mental y guardas de menores emancipados.* Ed. Temis. Bogotá, 2021.

Ospina Gómez, Nelson. *Es constitucional el matrimonio civil notarial o judicial de la trieja* en Ámbito Jurídico, edición del 20 de junio de 2017, disponible en https://www.ambitojuridico.com/noticias/civil/civil-y-familia/es-constitucional-el-matrimonio-civil-notarial-o-judicial-en-trieja

Ospina Vargas, Tatiana. *Autonomía de la voluntad y libertad testamentaria en Colombia: Alcances y modificaciones de la Ley 1934 de 2018.* Monografía para optar por el título de Abogada de la Facultad de Ciencias Jurídicas de la Pontificia Universidad Javeriana. Bogotá, 2020.

Ossandón Buljevic, Carlos. *Andrés Bello y el giro moderno de la filosofía en América Latina* en Revista La Cañada: Pensamiento Filosófico Chileno. Núm. 2. Ed. Centro Difusor del Pensamiento Filosófico. Santiago de Chile, 2011.

Otero, Alfonso. *La patria potestad en el derecho histórico español* en Anuario de Historia del Derecho Español. Núm. 26. Ed. Boletín Oficial del Estado y Ministerio de Justicia. Madrid, 1956.

Özel, Oklay. *The collapse of rural order in ottoman Anatolia.* Volumen 61 de la serie The Ottoman Empire and its heritage. Editores: Suraiya Faroqhi, Halil Ínalcik y Bogaç Ergene. Ed. Brill. Leiden, 2016.

Pacheco, Joaquín Francisco y González y Serrano, José. *Comentario histórico, crítico y jurídico a las Leyes de Toro.* Obra póstuma. Tomo II. Ed. Imprenta y Fundición de M. Tello. Madrid, 1876.

Pantaleoni, Maffeo. *Teoria della traslazione dei tributi.* Ed. A. Paolini. Roma, 1882.

Parra Benítez, Jorge. *Derecho de familia.* Tomo I. *Parte sustancial.* Tercera Edición. Ed. Temis. Bogotá, 2019.

– *La abolición del artículo 1243 del Código Civil y la protección de las legítimas rigurosas en Colombia* en Revista de la Academia Colombiana de Jurisprudencia. Volumen 1. Número. 370. Ed. Academia Colombiana de Jurisprudencia. Bogotá, 2019.

Parra Escobar, Armando. *El nuevo régimen de impuestos. Análisis y normas legales del impuesto sobre la renta y complementarios.* Segunda Edición. Ed. Desarrollo S.A. Bogotá, 1975.

Pateman, Carole. '*God hath ordained to man a helper*': *Hobbes, patriarchy and conjugal right* en British Journal of Political Science. Vol. 9. Núm. 4. Ed. Cambridge University Press. Cambridge, 1989.

Pérez Luño, Antonio Enrique. *Derechos humanos, Estado de derecho y constitución.* Ed. Tecnos. Madrid, 1995.

Perrino, Jorge Óscar. *Derecho de familia.* Tomo I. Ed. Lexis Nexis. Buenos Aires, 2006.

  − *Derecho de familia.* Tomo II. Ed. Lexis Nexis. Buenos Aires, 2006.

Perry Rubio, Guillermo. *Decidí contarlo. Conversaciones sobre cincuenta años de economía y política en Colombia.* Ed. Debate. Bogotá, 2019.

  − *Memoria al Congreso Nacional 1994-1995.* Ed. Editextos 2000. Bogotá, 1995.

  − *Exposición de motivos al proyecto de ley 026 Cámara, 158 Senado.* Disponible en Revista del Instituto Colombiano de Derecho Tributario. Núm. 46. Año. 32. Vol. I. Ed. Instituto Colombiano de Derecho Tributario. Bogotá, 1996.

Perry Rubio, Guillermo y Cárdenas Santamaría, Mauricio. *Diez años de reformas tributarias en Colombia.* Ed. Universidad Nacional de Colombia. Bogotá, 1986.

Peters, Elizabeth. *Marriage and divorce: informational constraints and private contracting* en American Economic Review. Núm. 76. Ed. American Economic Association. Nashville, 1986.

  − *Marriage and divorce: reply* en American Economic Review. Núm. 82. Ed. American Economic Association. Nashville, 1992.

Pinilla Pineda, Álvaro. *La custodia de los hijos: una mirada legal y jurisprudencial* en Carta de derecho de familia. Vol. 2. Núm. 1. Ed. Instituto Colombiano de Bienestar Familiar. Bogotá, 2005.

Pinochet Contreras, Óscar. *Asignaciones forzosas.* Trabajo para optar al grado de licenciado en la Facultad de Leyes y Ciencias Políticas de la Universidad de Chile. Ed. Nascimento. Santiago, 1926.

Pieschacón Forondona, Herman. *Lecciones de derecho notarial.* Ed. Pontificia Universidad Javeriana. Bogotá, 2001

Piñeros Perdomo, Mauricio. *Incentivos tributarios* en Memorias de las XXII Jornadas de Derecho Tributario. Tomo I. Ed. Instituto Colombiano de Derecho Tributario. Bogotá, 1998.

Pirano, Marco y Forito, Stefano. *La formazione dello Sato fascista. Scritti e discorsi di Alfredo Rocco, 1925-1934.* Vol. III. Ed. Lulu.com. Roma, 2014

Piza Rodríguez, Julio Roberto. *Evolución del impuesto sobre la renta en el sistema tributario colombiano* en El impuesto sobre la renta y complementarios, consideraciones teóricas y prácticas. Ed. Universidad Externado de Colombia. Bogotá, 2010.

  − *Curso de derecho tributario, procedimiento y régimen sancionatorio.* Primera Edición, Segunda Reimpresión. Ed. Universidad Externado de Colombia. Bogotá, 2013.

Pizano Salazar, Diego. *Algunos creadores del pensamiento económico contemporáneo.* Ed. Fondo de Cultura Económica. México, 1980.

Planiol, Marcel. *Tratado elemental de derecho civil.* Vol. IV. Trad. José María Cajicá. México D.F., 1946.

   – *Traité élémentaire de droit civil conforme aux programme officiel des facultés de droit.* Tomo I. Novena Edición. Ed. Librairie Génerale de Droit & de Jurisprudence. París, 1923.

Planiol, Marcel; Ripert, Georges y Boulanger, Jean. *Traité élémentaire de droit civil.* Tomo I. Ed. Librairie Générale de Droit et de Jurisprudence. París, 1961

   – *Traité élémentaire de droit civil.* Tomo VIII. Trad. Leonel Pereznieto Catro. Ed. Oxford Press University. México D.F., 1999.

Planiol, Marcel y Ripert, Georges, con el concurso de René Savatier. *Tratado práctico de derecho civil francés.* Tomo I. *De las personas.* Trad. Mario Díaz Cruz. Ed. Cultural S.A. La Habana, 1935.

Planiol, Marcel y Ripert, Georges, con el concurso de André Rouast. *Tratado práctico de derecho civil francés.* Tomo II. *La familia.* Trad. Mario Díaz Cruz, con colaboración de Eduardo Le Riverend Brusone. Ed. Cultural S.A. La Habana, 1939.

Planiol, Marcel y Ripert, Georges, con el concurso de André Trasbot. *Tratado práctico de derecho civil francés.* Tomo V. *Donaciones y testamentos.* Trad. Mario Díaz Cruz, con colaboración de Eduardo Le Riverend Brusone. Ed. Cultural S.A. La Habana, 1935.

Planiol, Marcel y Ripert, Georges, con el concurso de Eduard Le Riverend Brusone. *Tratado práctico de derecho civil francés.* Tomo VIII. *Regímenes económicos matrimoniales.* Trad. Mario Díaz Cruz. Ed. Cultural S.A. La Habana, 1938.

Platón. *Obras completas de Platón.* Tomo VII. *La República.* Libro V. Ed. Patricio de Azcárate. Madrid, 1872.

   – *Obras completas de Platón.* Tomo VII. *La República.* Libro IV. Ed. Patricio de Azcárate. Madrid, 1872.

   – *Obras completas de Platón.* Tomo VI. *Timeo; o de la naturaleza.* Ed. Patricio de Azcárate. Madrid, 1872.

Plazas Vega, Mauricio Alfredo. *Derecho de la hacienda pública y derecho tributario.* Tomo II. Ed. Temis. Bogotá, 2017.

   – *Las ideas políticas de la independencia y la emancipación en la Nueva Granada.* Segunda Edición. Ed. Temis. Bogotá, En Prensa.

   – *Las ideas políticas de la independencia y la emancipación en la Nueva Granada.* Ed. Temis. Bogotá, 2019.

   – *Derecho de la hacienda pública y derecho tributario.* Tomo I. Segunda Edición. Ed. Temis. Bogotá, 2006.

   – *Derecho de la Hacienda Pública y Derecho Tributario.* Tomo I. Tercera Edición. Ed. Temis. Bogotá, 2016.

   – *El frente nacional.* Ed. Temis. Bogotá, 2011.

   – *El impuesto sobre el valor agregado.* Tercera Edición. Ed. Temis. Bogotá, 2015.

   – *Historia de las ideas políticas y jurídicas.* Primera Edición. Tomo II. *La modernidad: El liberalismo.* Ed. Temis. 2014.

   – *La codificación tributaria.* Ed. Universidad del Rosario. Bogotá, 2012.

Plazas Molina, Catalina. *El principio de irretroactividad en materia tributaria.* Ed. Temis. Bogotá, 2017.

Plazas Vega, Mauricio Alfredo y Plazas Molina, Claudia Jimena. *Tributación sobre los dividendos en Colombia. La deducibilidad de los intereses relacionados con los dividendos desde la óptica del artículo 177-1 del Estatuto Tributario* en Desafíos de la tributación empresarial. Dir. Carolina Rozo Ramírez. Ed. Ed. Instituto Colombiano de Derecho Tributario e Instituto Colombiano de Derecho Aduanero. Bogotá, 2021.

Plutarco. *Plutarch's Lives.* Trad. Bernadotte Perrin. Ed. Loeb Classical Library. Londres, 1914.

Polacco, Vittorio. *De las sucesiones.* Trad. Santiago Sentís Melendo. Tomo II. Buenos Aires, 1950.

Popper, Karl Raimund. *La sociedad abierta y sus enemigos.* Trad. Eduardo Loedel Rodríguez. Ed. Paidós. Barcelona, 1992.

Posada, Carlos Esteban. *Recuperación indecisa y perspectiva ortodoxa* en Economía Colombiana. Números 163 y 164. Ed. Contraloría General de la República. Bogotá, 1984.

Prebisch, Raúl. *El desarrollo económico de la América Latina y algunos de sus principales problemas* en Revista de Desarrollo Económico. Vol. 26. Número 103. Buenos Aires, 1986.

Prieto, Vicente. *El Concordato de 1973 y la evolución del Derecho Eclesiástico colombiano situación actual y perspectivas de futuro* en Revista General de Derecho Canónico y Derecho Eclesiástico del Estado. Núm. 22. Ed. Iustel. Madrid, 2010.

Proyecto de ley por el cual se promulga el Estatuto de Familia. Ed. Instituto Colombiano de Bienestar Familiar. Bogotá, 1974.

Pufendorf, Samuel. *Le droit de la nature et des gens, ou système général des príncipes les plus importans de la morale, de la jurisprudence et de la politique.* Trad. Jean Barbetrac. Ed. Jean Nours. Londres, 1740.

Puig Peña, Federico. *Tratado de derecho civil español.* Tomo II. Volumen I. Ed. Imprenta Calarsó. Barcelona, 1947.

Pugliese, Mario. *Istituzioni di diritto finanziario: diritto tributario.* Trad. Ed. Fondo de Cultura Económica. México, 1939.

    – *L'imposizione delle imprese di carattere internazionale.* Ed. CEDAM. Padua, 1930.

Quiroz Monsalvo, Aroldo Wilson. *Manual de familia.* Tomo VI. Segunda Edición. Ed. Doctrina y Ley. Bogotá, 1999.

    – *Manual de derecho civil.* Tomo V. Segunda Edición. Ed. Ediciones Doctrina y Ley. Bogotá, 2011.

Ramírez Cardona, Alejandro. *Derecho sustancial tributario.* Ed. Retina. Bogotá, 1974.

    – *Derecho tributario sustancial y procedimental.* Tercera Edición. Ed. Temis. Bogotá, 1985.

Ramírez Fuertes, Roberto. *Sucesiones.* Sexta Edición. Ed. Temis. Bogotá, 2003.

Ramírez Martínez, María Alejandra. *Las enfermedades y anomalías como causa de divorcio en la legislación colombiana.* Tesis para optar por el título de Abogada. Colegio Mayor de Nuestra Señora del Rosario. Repositorio. Bogotá, 1996.

Ramírez Sánchez, John Eisenhower. *El derecho de alimentos.* 1ª Edición. Editorial Leyer. Bogotá, 2017.

Ranelletti, Oreste. *Diritto finanziario.* Ed. Stab. Tipo-Litográfico G Tenconi. Milán, 1927.

– *Natura giuridica dell'imposta* en Municipio Italiano, 1898.

– *Natura giuridica dell'imposta* en Revista *Diritto e pratica tributaria*. Tomo I. Ed. CEDAM. Padua, 1974.

Restrepo Salazar, Juan Camilo. *Hacienda pública*. 10 edición. Ed. Universidad Externado de Colombia. Bogotá, 2015.

– *Exposición de motivos al proyecto de ley número 045 de 1998*. Gaceta del Congreso de la República número 171 de 1998.

Revista del Instituto Colombiano de Derecho Tributario. Número 33. Año 23. Ed. Instituto Colombiano de Derecho Tributario. Bogotá, 1987.

– Número 41. Año 27. Ed. Instituto Colombiano de Derecho Tributario. Bogotá, 1991.

– Número 43. Año 29. Ed. Instituto Colombiano de Derecho Tributario. Bogotá, 1993.

Reyes Casas, Luz Myriam y Ochoa Andrade, Néstor Javier. *La unión marital de hecho y su revolución jurisprudencial a partir de la Constitución de 1991*. Segunda Edición. Ed. Universidad Autónoma del Caribe. Barranquilla, 2013.

Ricardo, Rafael A. y Barriga, Alberto. *Impuesto sobre la renta y complementarios. Legislación, jurisprudencia, casos, consultas resueltas, instrucciones y normas para la liquidación del impuesto*. Ed. CAHUR. Bogotá, 1948.

Rivero Hernández, Francisco. *Derecho de visita*. Ed. Bosch. Barcelona, 1997.

– *La protección del derecho de visita por el Convenio Europeo de Derechos Humanos. Dimensión constitucional* en Revista Derecho Privado y Constitución. Núm. 20. Ed. Centro de Estudios Políticos y Constitucionales. Madrid, 2006.

Robles, Lorenzo. *Compendio de la concordancia de la teología moral con el Código Civil chileno en los tratados de justicia, derecho y contratos. Memoria única aprobada por la Facultad de Teología de la misma Universidad, con ocasión del Certamen Literario del año de mil ochocientos sesenta y tres*. Segunda Edición. Ed. Imprenta San Diego. Santiago de Chile, 1896.

Rocha Alvira, Antonio. *De la prueba en derecho*. Ed. Ibáñez. Bogotá, 2013.

Rodríguez, Óscar. *Nuevas perspectivas en historiografía fiscal* en Cuadernos de Economía. Volumen 15. Número 24. Ed. Universidad Nacional de Colombia. Bogotá, 1996

Rodríguez, Sonia. *La protección de los menores en el derecho internacional privado mexicano*. Ed. Universidad Nacional Autónoma de México. México D.F., 2006.

Rodríguez Fonnegra, Jaime. *De la sociedad conyugal: o, Régimen de los bienes determinado por el matrimonio*. Tomo II. Ed. Lerner. Bogotá, 1964.

Rodríguez Grez, Pablo. *Instituciones de derecho sucesorio*. Tomo I. Segunda Edición. Ed. Editorial Jurídica de Chile. Santiago de Chile, 2002.

Rodríguez Piñeres, Eduardo. *Derecho civil colombiano*. Tomo I. Ed. Dike. Bogotá, 1990.

– *Curso elemental de derecho civil colombiano*. Tomo I. Ed. Librería Americana. Bogotá, 1919.

Rojas Araque, Darío. *El Concordato eclesiástico de 1973 y la competencia de la Corte Constitucional Colombiana* en Revista Colombia Universitas Canónica. Ed. Pontificia Universidad Javeriana. Bogotá, 2004.

Rojas Gómez, Miguel Enrique. *Lecciones de derecho procesal*. Tomo 6. *Procesos de familia e infancia*. Ed. Esaju. Bogotá, 2021.

Rojas Osorio, Carlos. *Tres aspectos de la filosofía de Andrés Bello* en Revisa Universitas Philosophica. Vol. 10. Núm. 19. Ed. Pontificia Universidad Javeriana de Colombia. Bogotá, 1992.

Romero Cifuentes, Abelardo. *Curso de sucesiones.* Ed. Librería del Profesional. Bogotá, 1983.

Rousseau, Jean Jacques. *El contrato social o principios de derecho político.* Trad. María José Villaverde. Madrid, 1992.

- *El contrato social, o principios del derecho político.* Trad. Andebeng-Abeu Alingue. Ed. Panamericana. Bogotá, 2007.

- *Discurso sobre economía la política.* Trad. Fabio Vélez. Ed. Maia Ediciones. Madrid, 2011.

- *Emilio, o de la educación.* Trad. Mauro Armiño. Ed. Alianza. Madrid, 2011.

Rosales, Osvaldo. *Balance y Renovación en el Paradigma Estructuralista del Desarrollo Latinoamericano* en Revista de la CEPAL. Núm. 34. Ed. Comisión Económica para América Latina y el Caribe (CEPAL). Santiago de Chile, 1988.

Rubellin Devichi, Jacqueline. *Droit de la famille.* Obra colectiva dirigida por Jacqueline Rubellin Devichi. Ed. Dalloz. París, 1996.

Ruiz Manotas, Paola Margarita. *El divorcio en Colombia y su relación con el posicionamiento social de la mujer.* Tesis para optar por el título de Magíster en Derecho de la Universidad del Norte. Barranquilla, 2017.

Ruz Lártiga, Gonzalo. *La evolución de la autoridad parental en Francia y su incidencia en las facultades y deberes del progenitor no custodio* en Revista de Derecho. Vol. 30. Núm. 2. Ed. Universidad Austral de Chile. Valdivia, 2017.

Saavedra Lozano, Saúl y Buenaventura Lalinde, Eduardo. *Derecho romano, traducciones y apuntes.* Tomo I. Tesis para optar por el título de Doctores en Jurisprudencia del Colegio Mayor de Nuestra Señora del Rosario. Ed. Centro S.A. Bogotá, 1942.

Sagrada Biblia. Traducida de la vulgata latina al español, aclarado el sentido de algunos lugares con la luz que dan los textos originales hebreo y griego e ilustrada con varias notas sacadas de los Santos Padres y Expositores Sagrados por Félix Torres Amat. Ed. Sopena Argentina S.A.C.I. e I. Charlotte –Carolina del Norte–, 1959.

Sáinz de Bujanda, Fernando. *Hacienda y Derecho.* Tomo II. Ed. Instituto de Estudios Políticos. Madrid, 1962.

San Agustín de Hipona. *In Ioannis Evangelium Tractatus.*

- *Sermón 13.*

- *La ciudad de Dios.*

San Ambrosio. *De Ioseph patriarcha.*

- *De Tobia.*

San Juan Pablo II. Exhortación apostólica *Familiaris Consortium,* del 22 de noviembre de 1981.

Santaella Quintero, Héctor. *El modelo económico en la Constitución de 1991* en Revista Derecho del Estado. Núm. 21. Ed. Universidad Nacional de Colombia. Bogotá, 2001.

Santo Tomás de Aquino. *Comentario a las sentencias de Pedro Lombardo.*

- *Suma de Teología.* Trad. Armando Bandera González, Niceto Blázquez, José Luis Espinel Marcos, Pedro Fernández Rodríguez, Luciano Gómez Becerro, Jesús Hernando Franco, Ángel Martínez Casado, Manuel Morán Flecha, Antonio

Osuna Fernández-Largo y Victorino Rodríguez Rodríguez. Ed. Biblioteca de Autores Cristianos. Madrid, 1994.

– *De regno.*

Sanz de Santamaría, Carlos. *Memoria de hacienda 1945.* Cuarta Parte. *Rentas e impuestos nacionales.* Ed. Imprenda del Banco de la República. Bogotá, 1945.

– *Memoria de Hacienda 1964.* Ed. Imprenta Nacional. Bogotá, 1964.

Samuelson, Paul y Nordhaus, William. *Economía.* Decimoséptima Edición. Trad. Esther Rabasco y Luis Toharía. Ed. Mc Graw Hill. Madrid, 2002.

Sánchez Lombana, Leonardo Fabián; Vargas Plazas, Marialejandra y García Sánchez, Viviana. *Análisis de la causal de abandono absoluto en la privación de la patria potestad.* Tesis para optar por el título de Especialistas en Derecho de Familia de la Universidad La Gran Colombia. Ed. Facultad de Derecho de la Universidad La Gran Colombia. Bogotá, 2016.

Schurer, Kevin y Arkell Tom. *Surveying the people: the interpretation and use of document sources for the study of population in the later seventeenth century.* Ed. Leopard Head's Press. Londres, 1992.

Scoca, Salvatore. *Sulla causa giuridica dell'imposta* en Rivista di Diritto Pubblico. Tomo I. Ed. Giuffrè. Milán, 1932.

Segura Calvo, Sonia Esperanza. *Derecho de sucesiones.* Séptima Edición. Ed. Ibáñez. Bogotá, 2021.

– *Derecho de familia.* Ed. Ibáñez. Bogotá, 2020.

Seligman, Edwin Robert Anderson. *On the shifting and incidence of taxation.* Cuarta Edición. Ed. Columbia University Press. Nueva York, 1921.

Selznick, Philip. *Social justice: a communitarian perspective* en The Responsive Community. Vol. 6. Núm. 4. California, 1996

Serrano Quintero, Luz Amparo. *Una mirada al derecho de familia desde la psicología jurídica: personas, parejas, infancia y adolescencia.* Ed. Universidad Santo Tomás de Aquino. Bogotá, 2017.

Service, Elman R; Barnard, Alan; Bodemann, Y. Michal; Fleuret, Patrick; Fried, Morton; Harding, Thomas G; Köcke, Jasper; Krader, Lawrenc; Kuper, Adam; Legros, Dominique; Makarius, Raoul; Moore, John H; Pilling, Arnold R; Skalník, Peter; Strathern, Andrew; Tooker, Elisabeth; y Whitecotton, Joseph W. *The mind of Lewis H. Morgan [and comments and reply]* en Current Anthropology. Vol. 22. Núm. 1. Ed. The University of Chicago Press. Chicago, 1981

Séneca, Lucio Anneo. *De clementia.* Estudio preliminar, traducción y notas de Carmen Codoñer. Ed. Tecnos. Madrid. 1988.

Serpa Erazo, Jorge. *Rojas Pinilla. Una historia del siglo XX.* Ed. Planeta. Bogotá, 1999.

Serrano Gómez, Rocío. *Matrimonio y divorcio durante el radicalismo liberal (1849-1885)* en Anuario de historia regional y de las fronteras. Volumen 6. Número 1. Ed. Universidad Industrial de Santander. Santander, 2001.

Shaw, Eric. *What matters is what works: The third way and the case of the private finance initiative* en The third way and beyond: Criticisms, futures and alternatives. Editores: Sarah Hale, Will Leggett y Luke Martell. Ed. Manchester University Press. Manchester, 2004.

Silva Luján, Gabriel. *El origen del Frente Nacional y la Junta Militar,* en "Nueva Historia de Colombia. Historia política 1946-1958". Volumen II. Dirigida por Álvaro Tirado Mejía. Ed. Planeta. Bogotá, 1989.

Solow, Robert. *The economic of resources or the resources of economics* en The American Economic Review. Vol. 64. Núm. 2. Ed. American Economic Association. Nueva York, 1974.

   – *Comments* en Guidelines: Informal Controls and the Market Place. Editores: George Shultz y Robert Aliber. Ed. University of Chicago Press. Chicago, 1966.

Somarriva Undurraga, Manuel. *Derecho de familia.* Ed. Nascimento. Santiago de Chile, 1946.

   – *Evolución del código civil chileno.* Segunda Edición. Ed. Temis. Bogotá, 1983.

   – *Derecho sucesorio.* Tomo II. Sexta Edición. Ed. Editorial Jurídica de Chile. Santiago de Chile, 2005.

Sorman, Guy. *La solución liberal.* Trad. María Cristina Sadoy. Ed. Atlántida S.A. Buenos Aires, 1984.

Stevenson, Betsey. *The impact of divorce laws on marriage-specific capital* en Journal of Labor Economics. Núm. 25. Ed. University of Chicago Press. Chigago, 2007.

Stiglitz, Joseph. *The role of the State in financial markets* en The World Bank Economic Review. Vol. 7. Washington, 1993.

Suárez Blázquez, Guillermo. *La patria potestad en el derecho romano y en el derecho altomedieval visigodo* en Revista de Estudios Histórico-Jurídicos. Núm. 36. Ed. Escuela de Derecho de la Pontificia Universidad Católica de Valparaíso. Valparaíso, 2014.

   – *Aproximación al tránsito jurídico de la patria potestad: desde Roma hasta el derecho altomedieval visigodo de España* en Revista Mexicana de Historia del Derecho. Núm. XXVIII. Ed. Universidad Autónoma de México. México D.F., 2012.

Suárez Franco, Roberto. *Derecho de familia.* Tomo I. *Régimen de las personas.* Ed. Temis. Bogotá, 2017.

   – *Derecho de familia.* Tomo II. *Régimen de los incapaces.* Ed. Temis. Bogotá, 2014.

   – *Desarrollo actual de los regímenes económicos de la pareja. Sociedad conyugal y sociedad patrimonial de hecho* en Realidades y Tendencias del Derecho en el Siglo XXI. Derecho Privado. Tomo IV. Vol. II. Ed. Temis. Bogotá, 2010.

   – *Derecho de sucesiones.* Séptima Edición. Ed. Temis. Bogotá, 2019.

Sunkel, Osvaldo. *Del desarrollo hacia adentro al desarrollo desde dentro* en Revista Mexicana de Sociología. Volumen 53. Ed. Universidad Autónoma de México. México D.F., 1991.

El desarrollo desde dentro: un enfoque neoestructuralista para América Latina. Ed. Fondo de Cultura Económica de México. México D.F., 1991.

Sunkel, Osvaldo y Ramos, Joseph. *Hacia una síntesis neoestructuralista* en El desarrollo desde dentro. Un enfoque neoestructuralista para la América Latina. Ed. Fondo de Cultura Económica. México D.F., 1991.

Sunkel, Osvaldo y Zuleta, Gustavo. *Neoestructuralismo versus neoliberalismo en los años noventa* en Revista de la CEPAL. Núm. 42. (LC/CL 1642-P). Ed. Comisión Económica para América Latina y el Caribe (CEPAL). Santiago de Chile, 1990

Talavera Fernández, Pedro Agustín. *La unión de hecho y el derecho a no casarse.* Ed. Comares. Granada, 2001.

Talero Espejo, Jorge Humberto, con colaboración de César Augusto Báez Alipio. *Impuesto sobre la renta de las personas naturales* en Comentarios a la Ley 1819 de 2016, de Reforma Tributaria Estructural. Ed. Temis. Bogotá, 2017.

Tam, Henry. *Third way politics and communitarian ideas: time to take a stand* en The International Scope Review. Vol. 1. Núm. 2. Ed. Social Capital Foundation. Bruselas, 1999.

Taylor, Milton y Richman, Raymond, con colaboración de Carlos Casas Morales. *Fiscal survey for Colombia. Fiscal problems and proposals for reform. Joint tax program of the Organization of American States and the Interamerican Development Bank.* Ed. The Johns Hopkins Press. Maryland, 1965

Temple, Michael. *New Labour's third way: pragmatism and governance* en The British Journal of Politics and International Relations. Vol. 2. Núm. 3. Ed. Sage Publications. Londres, 2000.

Tertuliano. *Adversus Marcionem.* Libro 2.

– *Apologeticus.*

Tesoro, Giorgio. *Principii di diritto tributario.* Ed. Luigi Macri. Bari, 1938.

Thiénot, Louis. *Rapport sur la loi du 6 février 1893 relative au régime de la séparation de corps.* Ed. Cotillon. París, 1893

Tirado Mejía, Álvaro. *Rojas Pinilla: del golpe de opinión al exilio* en Nueva Historia de Colombia. Dir. Álvaro Tirado Mejía. Tomo II. Ed. Planeta. Bogotá, 1989.

Torrado Torrado, Helí Abel. *Lecciones básicas de derecho civil. Unión marital de hecho. De la sociedad patrimonial entre compañeros permanentes.* Cuarta Edición. Ed. Universidad Sergio Arboleda y Legis. Bogotá, 2014.

– *Derecho de familia. Unión marital de hecho. De la sociedad patrimonial entre compañeros permanentes.* Séptima Edición. Ed. Universidad Sergio Arboleda y Legis. Bogotá, 2021.

Tribunal de la Sagrada Rota Romana. Sentencia del 17 de julio de 1924. Magistrados Maximo Massimi (ponente), Rafael Chimenti y Julio Grazioli.

Trotabas, Louis. *Une présentation synthétique de la science des Finances. A propos d'un livre récent de Benvenuto Griziotti* en Revue de science et de législation financière. Año 46. Ed. Giard et Brière. París, 1954.

– *L'applicazione della teoria della causa nel diritto finanziario* en Rivista di Diritto Finanziario et Scienza delle Finanze. Parte I. Ed. Giuffè. Milán, 1937.

Turbay Marulanda, Juan Manuel y Cabal Cabal, Camilo Arturo. *Un código tributario para Colombia.* Ed. Venus. Bogotá, 1975.

Umaña Luna, Eduardo. *Los derechos humanos en Colombia.* Ed. Lito-Textos. Bogotá, 1974.

– *Estado-Familia.* Ed. Universidad Nacional de Colombia. Bogotá, 1995.

– *La familia en la estructura jurídico-política colombiana.* Ed. Temis. Bogotá, 1973.

Uprimny Yepes, Rodrigo y Rodríguez, César Augusto. *Constitución y modelo económico en Colombia: hacia una discusión productiva entre economía y derecho* en Revista Debates de Coyuntura Económica. Ed. Dejusticia. Bogotá, 2005.

Urdinola, Antonio José; Cárdenas Sarria, Jorge; Lewin Figueroa, Alfredo; Vivas, Jorge; González, Sergio y Alzate de Buriticá, Stella. Carta enviada por la Comisión Política

Central del Partido Liberal al Comité Asesor para la Reforma Tributaria el 11 de noviembre de 1986. Se puede visualizar en Revista del Instituto Colombiano de Derecho Tributario. Número 33. Año 23. Ed. Instituto Colombiano de Derecho Tributario. Bogotá, 1987.

Uribe Alarcón, María Victoria. *Antropología de la inhumanidad: un ensayo interpretativo sobre el terror en Colombia.* Ed. Universidad de los Andes. Bogotá, 2018.

Valerio Máximo. *Factorum et dictorum memorabilium.* Trad. Samuel Speed. Ed. Impreso para Benjamin Caryle y John Fish. Londres, 1684.

Vallejo Tobón, Juan Álvaro; Echeverry Ceballos, Julio César; y Palacio Laverde, Rodrigo León. *La unión marital de hecho y el régimen patrimonial entre compañeros permanentes.* Ed. Dike. Medellín, 2001.

Vallejo Zamudio, Luis E. *El modelo de crecimiento hacia adentro: una interpretación del caso colombiano* en Revista Apuntes del CENES. Vol. 24. Ed. Universidad Pedagógica y Tecnológica de Colombia. Bogotá, 2003.

Van Wetter, Polynice Alfred Henri. *Pandectes.* Volumen 5º. *Des droits de famille. Du droit héréditarie.* Ed. Librairie Génerale de Droit Et De Jurisprudence. París, 1911.

Vanoni, Ezio. *Elementi di diritto tributario.* Ed. CEDAM. Padova, 1940.

- *Naturaleza e interpretación de las leyes tributarias.* Trad. Juan Martín Queralt. Ed. Giuffrè. Milán, 1961.

Valdés Costa, Ramón. *Instituciones de derecho tributario.* Segunda Edición. Ed. Depalma. Buenos Aires, 2004.

Valencia Zea, Arturo. *Derecho civil.* Tomo V. *Derecho de familia.* Sexta Edición. Ed. Temis. Bogotá, 1983.

- *Derecho civil.* Tomo VI. *De las sucesiones.* Sexta Edición. Ed. Temis. Bogotá, 1984.

- *Derecho civil.* Tomo I. *Parte general y personas.* Quinta edición. Ed. Temis. Bogotá, 1972.

Vargas Pinzón, Mateo. *La naturaleza retroactiva de las leyes de interpretación y su admisibilidad en materia tributaria* en Revista del Instituto Colombiano de Derecho Tributario. Núm. 82. Ed. Instituto Colombiano de Derecho Tributario e Instituto Colombiano de Derecho Aduanero. Bogotá, 2020. Pág. 120.

Vargas Pinzón, Mateo; Buitrago Fernández, José Ricardo y Castro Ortiz, Laura Lusma. *Matrimonio y régimen de bienes. Observaciones a los artículos 1603 a 1718 del proyecto del Código Civil* en Observaciones al "Proyecto de Código Civil de Colombia: reforma del Código Civil y su unificación en obligaciones y contratos con el Código de Comercio". Facultad de Jurisprudencia del Colegio Mayor de Nuestra Señora del Rosario. Compilado por Yira López Castro, Tatiana Oñate Acosta y Nicolás Pájaro Moreno. Bogotá, 2020.

Vargas Pinzón, Mateo y De Brigard Garnica, Nicolás. *Obligación tributaria formal* en "Procedimiento Tributario". Ed. Colegio Mayor de Nuestra Señora del Rosario y Temis. Coord. Juan de Dios Bravo González y Catalina Plazas Molina. Bogotá, 2022.

Vargas Pinzón, Mateo y Díez Vargas, Cecilia. *Régimen de causales objetivas y subjetivas del divorcio en Colombia: la cuestión a debate* en Ámbito Jurídico, publicación del 10 de septiembre de 2019. Disponible en: https://www.ambitojuridico.com/noticias/especiales/civil-y-familia/regimen-de-causales-objetivas-y-subjetivas-del-divorcio-en

Vela Sánchez, Antonio. *Claves para la imputación de donaciones y legados en el haber heredita-rio* en Revista de Derecho Civil. Volumen V. Número 4. Ed. NOTYREG HISPANIA. Madrid, 2018.

Velarde Aramayo, María Silvia. *Minoraciones y beneficios tributarios.* Tesis para optar por el título de Doctora en Derecho de la Universidad de Salamanca. Ed. Universidad de Salamanca. Salamanca, 1996.

Velásquez, Fernando. *Derecho penal. Parte general.* Tercera Edición. Ed. Temis. Bogotá, 1997.

Velásquez Jaramillo, Luis Guillermo. *Bienes.* Ed. Temis, Sexta Edición. Bogotá D.C., 1996.

Vélez, Fernando. *Estudio sobre el derecho civil colombiano.* Tomo VII. Segunda Edición. Ed. Imprenta París-América. París, 1926.

- *Estudio sobre el derecho civil colombiano.* Tomo IV. Segunda Edición. Ed. Imprenta París-América. París, 1926. Pág. 428 y 429.

- *Estudio sobre el derecho civil colombiano.* Tomo I. Segunda Edición. Ed. Imprenta París-América. París, 1926.

- *Estudio sobre el derecho civil colombiano.* Tomo II. Segunda Edición. Ed. Imprenta París-América. París, 1926.

- *Estudio sobre el derecho civil colombiano.* Tomo III. Segunda Edición. Ed. Imprenta París-América. París, 1926.

Velilla, Marco Antonio. *Reflexiones sobre la constitución económica colombiana* en Constitución Económica Colombiana. Colección de Derecho Económico y de los Negocios. Varios Autores. Ed. El Navegante. Bogotá, 1996

Vergara Ciordia, Javier. *Familia y educación familiar en la Grecia antigua* en Estudios sobre Educación. Vol. 25. Ed. Universidad de Navarra. Navarra, 2013.

Vicente-Arche Coloma, Fernando. Comentarios a la traducción de la obra de Antonio Berliri. *Principii di diritto tributario,* Vol I. Trad. Fernando Vicente-Arche Coloma. Ed. De Derecho Financiero. Madrid, 1964.

Vidal Perdomo, Jaime. *Derecho constitucional general.* Ed. Universidad Externado de Colombia. Bogotá 1985

Villaveces, Carlos. *Reforma tributaria* en Revista del Banco de la República. Edición del 20 de septiembre de 1953. Ed. Imprenta Nacional. Bogotá, 1953.

- *Memorias de hacienda 1954.* Ed. Imprenta del Banco de la República. Bogotá, 1954.

Villamizar, Juan Carlos. *Pensamiento económico en Colombia: la construcción de un saber.* Ed. Universidad del Rosario. Bogotá, 2013.

Villareal, René. *La contrarrevolución monetarista: teoría, política económica e ideología del neoliberalismo.* Ed. Ediciones Océano. Bogotá, 1983

Villegas, Héctor Belisario. *Curso de finanzas, derecho financiero y tributario.* Ed. Astrea de Alfredo y Ricardo Depalma. Buenos Aires, 2005.

- *Curso de finanzas, derecho financiero y tributario.* Quinta Edición. Ed. Depalma. Buenos Aires, 1992.

Vismara, Giulio. *Pratica e disciplina del Concubinato nella Gallia visigota* en Estudios de Derecho Romano en Honor a Álvaro D'ors. Tomo II. Ed. EUNSA. Madrid, 1987.

Vitta, Cino. *Diritto amministrativo*. Tercera Edición. Tomo II. Ed. Unione tipografico-editrice torinese. Torino, 1950.

Wagner, Adolph. *Finanzwissenschaft*. Vol. II. Segunda Edición Leipzig, 1890.

Wallerstein, Judith y Blakeslee, Sandra. *Padres e hijos después del divorcio*. Trad. Javier Vergara. Ed. Javier Vergara Editor. Buenos Aires, 1990

Wallerstein, Judith; Lewis, Julia M. y Blakeslee, Sandra. *The unexpected legacy of divorce: the 25 year landmark study* en Psychoanalitic Psychology. Ed. American Psychological Association. Vol. 21. Washington, 2004.

Weill, Alex y Terré, François. *Droit civil. Les personnes. La famille. Les incapacités*. Cuarta Edición. Ed. Dalloz. París, 1978

White, Lynn K. *Determinants of divorce: A review of research in the eighties* en Journal of Marriage and Family. Vol. 52. Núm. 4. Ed. National Council on Family Relations. Minneapolis, 1990.

Wiesner Durán, Eduardo. *Memoria de Hacienda 1981*. Ed. Imprenta Nacional. Bogotá, 1984.

Wolfers, Justin. *Did Unilateral Divorce Laws Raise Divorce Rates? A Reconciliation and New Results* en American Economic Review. Núm. 96. Ed. American Economic Association. Nashville, 2006.

Yebra Martul-Ortega, Perfecto. *Los fines extrafiscales del impuesto* en Tratado de Derecho Tributario. Coord. Andrea Amatucci. Ed. Temis. Bogotá, 2001

Zachariæ, Karl Salomo. *Le droit civil français*. Traducido del alemán por G. Massé y Ch. Vergé. Tomo I. Quinta Edición. Ed. Auguste Durand Libraire. París, 1854.

Zanobini, Guido. *Corso di diritto amministrativo*. Vol. IV. Ed. Simone. Milán, 1948.

Zannoni, Eduardo A. *Derecho de familia*. Tomo II. Ed. Astrea. Buenos Aires, 1993.

- *El concubinato*. Ed. Depalma. Buenos Aires, 1970.

- *Régimen del matrimonio civil y divorcio: ley 23.515*. Ed. Astrea. Buenos Aires, 1987.

- *Derecho civil*. Tomo II. *Derecho de familia*. Ed. Astrea. Buenos aires, 1989.

Zarama Vásquez, Fernando y Zarama Martínez, Camilo. *Reforma tributaria comentada, ley 1607 de 2012*. Ed. Legis. Bogotá, 2013.

Zitelmann, Ernst. *Lücken im Recht*. Ed. Dunker & Humbolt. Leipzig, 1903.

Reseña del autor

MATEO VARGAS PINZÓN es abogado graduado del Colegio Mayor de Nuestra Señora del Rosario con profundización en Derecho de la Hacienda Pública y Derecho Tributario. Especialista en Derecho Tributario de la misma Universidad. Magister en Leyes (LL.M) de la universidad de Columbia (Nueva York, Estados Unidos). Profesor titular de la asignatura de Derecho de Familia en el Pregrado en Jurisprudencia del Colegio Mayor de Nuestra Señora del Rosario; de las asignaturas Procedimiento Administrativo Tributario, Proceso Contencioso Administrativo en Materia Tributaria e Impuesto sobre el Valor Agregado II en la Especialización en Derecho Tributario de la misma Universidad; y de la asignatura Relaciones Jurídicas Paterno Filiales y Régimen de Alimentos en la Especialización en Derecho de Familia de la misma Universidad.

Autor de los artículos "Importación del concepto de beneficiario efectivo en los CDI y su diferencia con el concepto de beneficiario efectivo en la normativa interna colombiana" en la Revista 86 del Instituto Colombiano de Derecho Tributario (ICDT); "El arbitraje tributario en el ordenamiento jurídico colombiano" en la Revista 78 del ICDT; y "La palmaria inconstitucionalidad del principio de lesividad de la Ley 1819 de 2016" en la Revista 76 del ICDT. Así mismo, es autor del capítulo "Régimen sancionatorio" en Comentarios a la ley 1819 de 2016 de Reforma Tributaria Estructural, Ed. Temis (2017).

Es coautor del capítulo "El impuesto sobre el valor agregado, aspectos internacionales" en Derecho Aduanero, Ed. Universidad del Rosario y Tirant Lo Blanch (2020); el artículo "Régimen de causales objetivas y subjetivas del divorcio en Colombia: la cuestión a debate en Ámbito Jurídico", edición del 10 de septiembre de 2019. Disponible en: https://www.ambitojuridico.com/noticias/especiales/civil-y-familia/regimen-de-causales-objetivas-y-subjetivas-del-divorcio-en; y el capítulo "Guía metodológica: trámite del proceso administrativo de restablecimiento de derechos en el Código de la Infancia y la Adolescencia" en Retos del Derecho de Familia Contemporáneo, Ed. Universidad del Rosario (2022).

De igual manera, sirvió como co-traductor al español de la obra *Introducción a la tributación de las rentas internacionales*, de autoría del profesor Phillippe Malherbe, Ed. ICDT (2021).